D1214809

S.F.
V.

THOMAS MANN

BRIEFE 1937 – 1947

1963

S. FISCHER VERLAG

Herausgegeben von Erika Mann

Satz und Druck: Allgäuer Heimatverlag, Kempten/Allgäu
Einband: G. Lachenmaier, Reutlingen
Printed in Germany 1963

EINLEITUNG

Unser Vorwort zu den Briefen 1889–1936 begann: »Dies hier ist ein Auswahlband, – der erste von zweien.« Jetzt heißt es, mit einem Dementi beginnen: Was vorliegt, ist ein Auswahlband, – der zweite von dreien. Erst die Arbeit zeigte, wie sehr – während seiner letzten neunzehn Lebensjahre – T. M.s Korrespondenz angeschwollen war, wie unaufhaltsam die Forderungen wuchsen, denen seine Gewissenhaftigkeit nachzukommen suchte. Dem bloßen Umfang nach war natürlich das Material längst eingeschätzt. Die Überraschung lag im Inhaltlichen, will sagen, darin, daß allzuviel Bezeichnendes, autobiographisch und zeitgeschichtlich Wichtiges entfallen wäre, hätte man sich auf nur einen weiteren Band beschränkt.

Nach einer »groben« Schätzung des Zürcher Thomas Mann-Archivs gibt es etwa 15000 handgeschriebene Briefe, oder es hat sie doch gegeben. Unsererseits halten wir diese Ziffer für nicht hoch genug und meinen, es müßten über 20000 solcher Handschreiben hinausgegangen sein. Die unberechenbare Masse des Diktierten kommt hinzu. Von dem Gesamtbestand aber des Vorhandenen, Zugänglichen und Kennenswerten entfällt ein relativ hoher Prozentsatz auf die Jahre 1937–1955. Das hat seine Gründe, selbst wenn man davon absehen will, daß sehr frühe Briefe nur in geringer Zahl erhalten und spätere, vor 1937 datierte, vielfach den Umständen zum Opfer gefallen sind. Auch die wachsende Verbreitung seines Ruhmes und die daraus resultierende Zunahme seiner Korrespondenz liefert keine hinlängliche Erklärung. Das Kennwort heißt »Amerika«.

Dorthin, in die USA, übersiedelt er anno 1938, und wenn in der Frühzeit seine Briefe sich fast ausschließlich an Deutsche richteten, um nur mählich das nicht-deutsche Europa und ganz gelegentlich außer-europäische Adressaten mit einzubeziehen, so beginnt jetzt, mit einem Schlage, ein neuer, unersättlich-neugieriger Kontinent seine Ansprüche zu stellen an den Epistolographen T. M. Die Schicksalsgemeinschaft des Exils in transatlantischer Fremde tut ein weiteres. Sie verstärkt den brieflichen Kontakt mit den Freunden, zieht Unbekannte herbei und bestimmt ihn, sich im Interesse beider Gruppen immer und immer wieder an Personen und Instanzen zu wenden, von denen er Hilfe erhofft.

Schließlich und insbesondere ist es dort drüben eine neue Begegnung, die jahrelang entscheidend auf seine Korrespondenz einwirkt.

Mrs. Agnes E. Meyer, geborene Amerikanerin, doch von deutschen Eltern, liest deutsch mühelos und hatte T. M.'s Werk in der Ursprache kennen und lieben gelernt, lang ehe sie ihn persönlich traf. Als Gattin des Zeitungs-Besitzers und -Herausgebers Eugene Meyer, der politisch wie gesellschaftlich in Washington eine bedeutende Rolle spielte, war Mrs. Meyer meist an die Hauptstadt gebunden, wohin T. M. nur selten kam. So tauschte man Briefe. Dieser klugen, hilfsbereiten und leidenschaftlich engagierten Verehrerin teilte er sich immer häufiger mit. Und so entstand ein Briefwechsel, wie T. M. ihn in solcher Dichtigkeit weder vorher noch nachher geführt.

Von den rund 300 Briefen, die Mrs. Meyer bewahrt und der »Thomas Mann Collection« der Universität Yale gestiftet hat, enthält unser Band 110. Sie ergeben eine Art von Geschichte, einen kleinen Roman in sich selbst, verwoben mit einem Ganzen, das, ziffernmäßig fragmentarisch wie es sei, nichts anderes darstellt als die Lebensgeschichte des späten T. M. im Niederschlag seiner Briefe.

Dies wollte vorweg gesagt sein. Was überdies zu sagen wäre – zur leichteren Handhabung des Bandes und zur Klärung gewisser essentieller und technischer Probleme –, so scheint uns, es müsse der Leser nicht gleich eingangs damit befaßt werden. Er will Briefe lesen. Wünscht er sich dann genau zu informieren: Nachwort und Anhang geben Auskunft.

Erika Mann

BRIEFE AUS DEN JAHREN 1937–1947

1937

An den Herrn Dekan der Philosophischen Fakultät der Universität Bonn

Küsnacht am Zürichsee
Neujahr 1937

Sehr geehrter Herr Dekan,
ich habe die trübselige Mitteilung erhalten, die Sie unterm 19. Dezember an mich gerichtet haben. Erlauben Sie mir, Ihnen folgendes darauf zu erwidern:
Die schwere Mitschuld an allem gegenwärtigen Unglück, welche die deutschen Universitäten auf sich geladen haben, indem sie aus schrecklichem Mißverstehen der historischen Stunde sich zum Nährboden der verworfenen Mächte machten, die Deutschland moralisch, kulturell und wirtschaftlich verwüsten, – diese Mitschuld hatte mir die Freude an der mir einst verliehenen akademischen Würde längst verleidet und mich gehindert, noch irgendwelchen Gebrauch davon zu machen. Den Ehrentitel eines Doktors der Philosophie führe ich auch heute, da die Harvard-Universität ihn mir aufs neue verliehen hat, und zwar mit einer Begründung, die ich Ihnen, Herr Dekan, nicht vorenthalten möchte.
Aus dem Lateinischen ins Deutsche übersetzt, lautet das Dokument:
»... haben wir Rektor und Senat unter dem Beifall der ehrenwerten Universitätsinspektoren in feierlicher Sitzung Thomas Mann, den weitberühmten Schriftsteller, welcher, indem er vielen unserer Mitbürger das Leben deutete, *zusammen mit ganz wenigen Zeitgenossen die hohe Würde der deutschen Kultur bewahrt*, zum Doktor der Philosophie ehrenhalber ernannt und ausgerufen und ihm alle Rechte und Ehren, welche mit diesem Grade verbunden sind, verliehen.«
So sonderbar der aktuellen deutschen Auffassung widersprechend malt sich meine Existenz in den Köpfen freier und gebildeter Männer jenseits des Meeres – und, ich darf es hinzufügen, nicht nur dort. Nie wäre es mir in den Sinn gekommen, mit den Worten jenes Schriftstücks zu prahlen; heute und hier aber darf, ja muß ich sie anführen; und wenn Sie, Herr Dekan (ich kenne die Gepflogenheiten nicht), die an mich gerichtete Mitteilung am Schwarzen Brett Ihrer Universität sollten haben anschlagen lassen, so müßte ich wahrhaftig wünschen, daß auch dieser meiner Entgegnung solche Ehre zuteil würde: vielleicht daß manchen akademischen Bürger, Student

oder Professor, doch ein nachdenkliches Stutzen, ein rasch unterdrückter, ahnungsvoller Schrecken ankäme bei einer Lektüre, die einem flüchtigen Blick aus bösartig erzwungener Abgeschlossenheit und Unwissenheit in die freie geistige Welt gleichkommen würde.
Hier könnte ich schließen. Und doch wollen in diesem Augenblick einige weitere Erklärungen mir wünschenswert oder doch statthaft scheinen. Zu meiner staatsrechtlichen ›Ausbürgerung‹ habe ich, trotz mancher Anfrage, geschwiegen; die akademische darf ich als schickliche Gelegenheit betrachten zu einem knappen persönlichen Bekenntnis, – wobei Sie, Herr Dekan, den ich nicht einmal dem Namen nach kenne, sich nur als den Zufallsadressaten dieser Ihnen kaum zugedachten Äußerung betrachten wollen.
In diesen vier Jahren eines Exils, das freiwillig zu nennen wohl eine Beschönigung wäre, da ich, in Deutschland verblieben oder dorthin zurückgekehrt, wahrscheinlich nicht mehr am Leben wäre, hat die sonderbare Schicksalsirrtümlichkeit meiner Lage nicht aufgehört, mir Gedanken zu machen. Ich habe es mir nicht träumen lassen, es ist mir nicht an der Wiege gesungen worden, daß ich meine höheren Tage als Emigrant, zu Hause enteignet und verfemt, in tief notwendigem politischem Protest verbringen würde. Seit ich ins geistige Leben eintrat, habe ich mich in glücklichem Einvernehmen mit den seelischen Anlagen meiner Nation, in ihren geistigen Traditionen sicher geborgen gefühlt. Ich bin weit eher zum Repräsentanten geboren als zum Märtyrer, weit eher dazu, ein wenig höhere Heiterkeit in die Welt zu tragen, als den Kampf, den Haß zu nähren. Höchst Falsches mußte geschehen, damit sich mein Leben so falsch, so unnatürlich gestaltete. Ich suchte es aufzuhalten nach meinen schwachen Kräften, dies grauenhaft Falsche, – und eben dadurch bereitete ich mir das Los, das ich nun lernen muß, mit meiner ihm eigentlich fremden Natur zu vereinigen.
Gewiß, ich habe die Wut dieser Machthaber herausgefordert nicht erst in den letzten vier Jahren, durch mein Außenbleiben, die ununterdrückbaren Kundgebungen meines Abscheus. Lange vorher schon hatte ich es getan und mußte es tun, weil ich früher als das heute verzweifelte deutsche Bürgertum sah, wer und was da heraufkam. Als Deutschland dann wirklich in diese Hände gefallen war, gedachte ich zu schweigen; ich meinte, mir durch die Opfer, die ich gebracht, das Recht auf ein Schweigen verdient zu haben, das es mir ermöglichen würde, etwas mir herzlich Wichtiges, den Kontakt

mit meinem innerdeutschen Publikum aufrechtzuerhalten. Meine Bücher, so sagte ich mir, sind für Deutsche geschrieben, für solche zuerst; die ›Welt‹ und ihre Teilnahme waren mir immer nur ein erfreuliches Akzidens. Sie sind, diese Bücher, das Produkt einer wechselseitigen erzieherischen Verbundenheit von Nation und Autor und rechnen mit Voraussetzungen, die ich selber erst in Deutschland habe schaffen helfen. Das sind zarte und hütenswerte Beziehungen, die plump zu zerreißen man der Politik nicht erlauben soll. Gab es Ungeduldige daheim, die, selbst geknebelt, dem in der Freiheit Lebenden sein Stillschweigen verübeln würden: die große Mehrzahl, durfte ich hoffen, würde meine Zurückhaltung verstehen, ja sie mir danken.
So meine Vorsätze. Sie waren undurchführbar. Ich hätte nicht leben, nicht arbeiten können, ich wäre erstickt, ohne dann und wann zwischenein, wie alte Völker sagten, »mein Herz zu waschen«, ohne von Zeit zu Zeit meinem unergründlichen Abscheu vor dem, was zu Hause in elenden Worten und elenderen Taten geschah, unverhohlenen Ausdruck zu geben. Verdient oder nicht, mein Name hatte sich nun einmal für die Welt mit dem Begriff eines Deutschtums verbunden, das sie liebt und ehrt; daß gerade ich der wüsten Verfälschung klar widerspräche, welche dies Deutschtum jetzt erlitt, war eine in alle freien Kunstträume, denen ich mich so gern überlassen hätte, beunruhigend hineintönende Forderung. Eine Forderung, schwer abzuweisen für einen, dem immer gegeben gewesen war, sich auszudrücken, sich im Wort zu befreien, dem immer Erleben eins gewesen war mit reinigend bewahrender Sprache.
Das Geheimnis der Sprache ist groß; die Verantwortlichkeit für sie und ihre Reinheit ist symbolischer und geistiger Art, sie hat keineswegs nur künstlerischen, sondern allgemein moralischen Sinn, sie ist die Verantwortlichkeit selbst, menschliche Verantwortlichkeit schlechthin, auch die Verantwortung für das eigene Volk, Reinerhaltung seines Bildes vorm Angesichte der Menschheit, und in ihr wird die Einheit des Menschlichen erlebt, die Ganzheit des humanen Problems, die es niemandem erlaubt, heute am wenigsten, das Geistig-Künstlerische vom Politisch-Sozialen zu trennen und sich gegen dieses im Vornehm-›Kulturellen‹ zu isolieren; diese wahre Totalität, welche die Humanität selber ist und gegen die verbrecherisch verstieße, wer etwa ein Teilgebiet des Menschlichen, die Politik, den Staat zu ›totalisieren‹ unternähme.

Ein deutscher Schriftsteller, an Verantwortung gewöhnt durch die Sprache; ein Deutscher, dessen Patriotismus sich – vielleicht naiverweise – in dem Glauben an die *unvergleichliche moralische Wichtigkeit* dessen äußert, was in Deutschland geschieht, – und sollte schweigen, *ganz* schweigen zu all dem unsühnbar Schlechten, was in meinem Lande an Körpern, Seelen und Geistern, an Recht und Wahrheit, an Menschen und an dem Menschen täglich begangen wurde und wird? Zu der furchtbaren Gefahr, die dies menschenverderberische, in unsäglicher Unwissenheit über das, was die Weltglocke geschlagen hat, lebende Regime für den Erdteil bedeutet? Es war nicht möglich. Und so kamen, gegen das Programm, die Äußerungen, die unvermeidlich Stellung nehmenden Gesten zustande, die nun den absurden und kläglichen Akt meiner nationalen Exkommunikation herbeigeführt haben.
Der einfache Gedanke daran, wer die Menschen sind, denen die erbärmlich-äußerliche Zufallsmacht gegeben ist, mir mein Deutschtum abzusprechen, reicht hin, diesen Akt in seiner ganzen Lächerlichkeit erscheinen zu lassen. Das Reich, Deutschland soll ich beschimpft haben, indem ich mich gegen *sie* bekannte! Sie haben die unglaubwürdige Kühnheit, sich mit Deutschland zu verwechseln! Wo doch vielleicht der Augenblick nicht fern ist, da dem deutschen Volke das Letzte daran gelegen sein wird, nicht mit ihnen verwechselt zu werden.
Wohin haben sie, in noch nicht vier Jahren, Deutschland gebracht? Ruiniert, seelisch und physisch ausgesogen von einer Kriegsaufrüstung, mit der es die ganze Welt bedroht, die ganze Welt aufhält und an der Erfüllung ihrer eigentlichen Aufgaben, ungeheurer und dringender Aufgaben *des Friedens*, hindert; geliebt von niemandem, mit Angst und kalter Abneigung betrachtet von allen, steht es am Rande der wirtschaftlichen Katastrophe, und erschrocken strecken sich die Hände seiner ›Feinde‹ nach ihm aus, um ein so wichtiges Glied der zukünftigen Völkergemeinschaft vom Abgrunde zurückzureißen, ihm zu helfen, wenn anders es nur zur Vernunft kommen und sich in die wirklichen Notwendigkeiten der Weltstunde finden will, statt sich irgendeine falschheilige Sagennot zu erträumen. Ja, die Bedrohten und Aufgehaltenen müssen ihm schließlich noch helfen, damit es nicht den Erdteil mit sich reiße und gar in den Krieg ausbreche, auf den es, als auf die ultima ratio, immer noch die Augen gerichtet hält. Die reifen und gebildeten Staaten – wobei

ich unter ›Bildung‹ die Bekanntschaft mit der grundlegenden Tatsache verstehe, daß *der Krieg nicht mehr erlaubt ist* – behandeln dies große, gefährdete und alles gefährdende Land oder vielmehr die unmöglichen Führer, denen es in die Hände gefallen, wie Ärzte den Kranken: mit größter Nachsicht und Vorsicht, mit unerschöpflicher, wenn auch nicht gerade ehrenvoller Geduld; jene aber glauben, ›Politik‹, Macht- und Hegemonie-Politik gegen sie treiben zu sollen. Das ist ein ungleiches Spiel. Macht einer ›Politik‹, wo die anderen an Politik gar nicht mehr denken, sondern an *den Frieden*, so fallen ihm vorübergehend gewisse Vorteile zu. Die anachronistische Unwissenheit darüber, daß der Krieg nicht mehr statthaft ist, trägt selbstverständlich eine Weile ›Erfolge‹ ein über die, die es wissen. Aber wehe dem Volk, das, weil es nicht mehr ein noch aus weiß, am Ende wirklich seinen Ausweg in den Gott und Menschen verhaßten Greuel des Krieges suchte! Dies Volk wäre verloren. Es wird geschlagen werden, daß es sich nie wieder erhebt.
Sinn und Zweck des nationalsozialistischen Staatssystems ist einzig der und kann nur dieser sein: das deutsche Volk unter unerbittlicher Ausschaltung, Niederhaltung, Austilgung jeder störenden Gegenregung für den ›kommenden Krieg‹ in Form zu bringen, ein grenzenlos willfähriges, von keinem kritischen Gedanken angekränkeltes, in blinde und fanatische Unwissenheit gebanntes Kriegsinstrument aus ihm zu machen. Einen anderen Sinn und Zweck, eine andere *Entschuldigung* kann dieses System nicht haben; alle Opfer an Freiheit, Recht, Menschenglück, eingerechnet die heimlichen und offenen Verbrechen, die es ohne Bedenken auf sich genommen hat, rechtfertigen sich allein in der Idee der unbedingten Ertüchtigung zum Kriege. Sobald der Gedanke des Krieges dahinfiele, als Zweck seiner selbst, wäre es nichts weiter mehr als Menschheitsschinderei – es wäre vollkommen sinnlos und überflüssig.
Die Wahrheit zu sagen: es *ist* dies beides, sinnlos und überflüssig, – nicht nur, weil man ihm den Krieg nicht erlauben wird, sondern weil es selbst in Ansehung seiner Leitidee, der absoluten und ›totalen‹ Kriegsertüchtigung, das Gegenteil von dem bewirkt, was es anstrebt. Kein Volk der Erde ist heute so wenig in der Verfassung, so ganz und gar untauglich, den Krieg zu bestehen, wie dieses. Daß es keinen Verbündeten haben wird, nicht einen einzigen in der Welt, ist das erste, doch das geringste. Deutschland würde allein sein, furchtbar gewiß immer noch in seiner Verlassenheit; aber diese

wäre furchtbarer, denn es wäre eine Verlassenheit auch von sich selbst. Geistig reduziert und erniedrigt, moralisch ausgehöhlt, innerlich zerrissen, in tiefem Mißtrauen gegen seine Führer und alles, was sie durch Jahre mit ihm angestellt, tief unheimlich sich selber, zwar unwissend, aber übler Ahnungen voll, würde es in diesen Krieg gehen – nicht in dem Zustande von 1914, sondern, selbst physisch schon, in dem von 17, von 18. Zehn Prozent unmittelbare Nutznießer des Systems auch sie schon halb abgefallen, würden nicht hinreichen, einen Krieg zu gewinnen, in welchem die Mehrzahl der andern nur die Gelegenheit sähe, den schändlichen Druck abzuschütteln, der so lange auf ihnen gelastet, – einen Krieg also, der nach der ersten Niederlage in Bürgerkrieg sich verkehren würde.
Nein, dieser Krieg ist unmöglich. Deutschland kann ihn nicht führen, und sind seine Machthaber irgend bei Verstande, so sind die Versicherungen ihrer Friedfertigkeit nicht das, als was sie sie vor ihren Anhängern blinzelnd ausgeben möchten: taktische Lügen, sondern entspringen der scheuen Einsicht in eben diese Unmöglichkeit. Kann und soll aber nicht Krieg sein – wozu dann Räuber und Mörder? Wozu Vereinsamung, Weltfeindschaft, Rechtlosigkeit, geistige Entmündigung, Kulturnacht und jeglicher Mangel? Warum nicht lieber Deutschlands Rückkehr nach Europa, seine Versöhnung mit ihm, seine freie, vom Erdkreis mit Jubel und Glockengeläut begrüßte Einfügung in ein europäisches Friedenssystem mit all ihrem inneren Zubehör an Freiheit, Recht, Wohlstand und Menschenanstand? Warum nicht? Nur weil ein das Menschenrecht in Wort und Tat verneinendes Regime, das an der Macht bleiben will und nichts weiter, sich selbst verneinen und aufheben würde, wenn es, da es denn nicht Krieg machen kann, wirklich Frieden machte? Aber ist das auch ein Grund? –
Ich habe wahrhaftig vergessen, Herr Dekan, daß ich noch immer zu Ihnen spreche. Gewiß darf ich mich getrösten, daß Sie schon längst nicht mehr weitergelesen haben, entsetzt von einer Sprache, deren man in Deutschland seit Jahren entwöhnt ist, voll Schrecken, daß jemand sich erdreistet, das deutsche Wort in alter Freiheit zu führen. – Ach, nicht aus dreister Überheblichkeit habe ich gesprochen, sondern aus einer Sorge und Qual, von welcher Ihre Machtergreifer mich nicht entbinden konnten, als sie verfügten, ich sei kein Deutscher mehr; einer Seelen- und Gedankennot, von der seit vier Jahren nicht eine Stunde meines Lebens frei gewesen ist und

gegen die ich meine künstlerische Arbeit tagtäglich durchzusetzen hatte. Die Drangsal ist groß. Und wie wohl auch ein Mensch, der aus religiöser Schamhaftigkeit den obersten Namen gemeinhin nur schwer über die Lippen oder gar aus der Feder bringt, in Augenblicken tiefer Erschütterung ihn dennoch um letzten Ausdrucks willen nicht entbehren mag, so lassen Sie mich – da alles doch nicht zu sagen ist – diese Erwiderung mit dem Stoßgebet schließen:
Gott helfe unserm verdüsterten und mißbrauchten Lande und lehre es, seinen Frieden zu machen mit der Welt und mit sich selbst!

Thomas Mann

An Otto Basler
[Ansichtskarte]

Arosa, 22. I. 37

Lieber Herr Basler,
Dank für Ihre warmen Worte und einen Gruß aus blau-weißer Höhe. *Sie* haben ein Vaterland –! Erstaunlich schön.
Herzlich

Ihr T. M.

An Lavinia Mazzucchetti

Küsnacht-Zürich
Schiedhaldenstraße 33
20. II. 37

Liebe Freundin,
nehmen Sie die herzlichste Bestätigung meinerseits, daß Sie ein tesoro sind! Toscanini's Crescendo hat mir große Freude gemacht, und ich kann Ihnen nicht genug danken, daß Sie sich eigens für den Meister die Mühe der Übersetzung gemacht haben. Unter der Hand läßt sich doch vielleicht noch die eine oder die andere weitere Verwendung dafür finden.
Die Wirkung geht doch ziemlich ins Breite. Von der deutschen Ausgabe ist das 15. Tausend unterwegs, die schwedische, holländische, tschechische Übersetzung liegt vor, die amerikanische, die in großem Stil vertrieben werden soll, ist in Arbeit oder schon heraus, selbst die ungarische Presse hat große Auszüge und gute Artikel gebracht, und in Paris bringt »Marianne« dieser Tage den Briefwechsel. Nur London macht Schwierigkeiten – es ist immer dasselbe. Zwar haben Manchester Guardian und Times Hinweise und Auszüge gebracht; aber als Ganzes ist die Schrift doch einfach nicht

zu placieren, – was mich weniger grämen würde, wenn es nicht so charakteristisch wäre.
Gratuliere bestens zur Eroberung von Malaga. Der Ruhm Italiens ist in ständigem Wachsen begriffen.
Wir hatten drei schöne Wochen in Arosa, die mir merklich gut getan haben. Eine Goethe-Novelle, »Lotte in Weimar«, ziemlich umfangreich, die ich vor dem vierten Joseph einlege, macht recht schöne Fortschritte.
Herzliche Grüße und Wünsche von mir und meinem Hause!

Ihr Thomas Mann

[...]

An Hermann Hesse

Küsnacht-Zürich
Schiedhaldenstraße 33
23. II. 37

Lieber und verehrter Hermann Hesse:
Lassen Sie sich folgende Neuigkeit vertrauen, – wem sollte man sie zuerst erzählen, wenn nicht Ihnen? Die vielersehnte freie deutsche Zeitschrift scheint Wirklichkeit werden zu sollen, vielmehr sie ist eine beschlossene Sache. Eine reiche und literaturfreundliche Dame, die übrigens ganz im Hintergrund zu bleiben wünscht, hat die nötigen Mittel bereit gestellt, und die Verhandlungen, die sie und ihr Pariser Vertrauensmann letzthin mit mir, der den Herausgeber machen soll, ferner mit Oprecht als Verleger und mit dem als Redacteur in Aussicht genommenen Ferdinand Lion hier geführt haben, sind positiv verlaufen. Es ist zunächst an eine Zweimonats-Schrift gedacht, die den Titel »Maß und Wert« haben soll. Der Name sagt Einiges aus über den Geist, in dem die Zeitschrift geführt werden soll, den Sinn und die Haltung, die wir ihr zu geben versuchen werden. Sie soll nicht polemisch, sondern aufbauend, produktiv, zugleich wiederherstellend und zukunftsfreundlich zu wirken suchen und darauf angelegt sein, Vertrauen und Autorität zu gewinnen als Refugium der höchsten zeitgenössischen deutschen Kultur für die Dauer des innerdeutschen Interregnums. Die Wünschbarkeit, ja Notwendigkeit eines solchen Organes deutschen Geistes außerhalb des Reiches ist wohl unbestreitbar und wird allgemein lebhaft empfunden. Ich muß sagen, ich freue mich über den Beschluß, freue mich auf das, was da werden kann und bin mit meinem Herzen und meinen Gedanken bei der Sache.

Wie wichtig und schön wäre es, wenn Sie es auch sein könnten! Ich weiß nicht, wie Sie jetzt zu Deutschland und in Deutschland stehen, welche Rücksichten Sie noch zu nehmen haben, aber ich brauche nicht zu sagen, daß Ihre Mitwirkung bei diesem, wie mir scheint, wohlgedachten Unternehmen von höchster symbolischer und praktischer Bedeutung wäre, und ich wollte keinesfalls versäumen, dem Schritt, den der zukünftige Redactor bei Ihnen unternehmen wird, mit diesen Zeilen ein wenig vorzuarbeiten. Lion wird Sie genauer ins Bild setzen und Ihnen, so denke ich mir, präzisere Wünsche äußern, es sei denn, Sie erklärten mir gleich, Sie könnten an keine Mitarbeit denken. Ich fürchte mich ein wenig vor dieser Antwort, aber hoffentlich können Sie mir gleich ein Wort allgemeiner und grundsätzlicher Zustimmung geben.
Mit herzlichen Grüßen an Sie und Frau Ninon von mir und meinem Haus

Ihr Thomas Mann

An Georges Motschan

Küsnacht-Zürich
Schiedhaldenstraße 33
1. III. 37

Lieber Herr Motschan,
Ihr zutraulicher Brief hat mir Freude gemacht, und auch ich mache Ihnen gern die Freude eines Buchgeschenkes, da Sie an meinen Arbeitens oviel Anteil nehmen. Alle drei erschienenen Teile des Joseph-Romans kann ich Ihnen nicht schenken; die Bücher sind zu teuer, und der Verleger kargt mit Frei-Exemplaren. Aber den ›Jungen Joseph‹ schicke ich Ihnen, der ganz gut paßt, da Sie auch siebzehn Jahre alt sind, und schreibe Ihnen meinen Namen hinein.
Mit besten Wünschen und Grüßen

Thomas Mann

An Erika Mann
[Telegramm]

Zürich-Küsnacht
9. März 1937

Zu Deinem Auftreten vor American Jewish Congress beglückwünsche ich Dich herzlich stop Du sprichst dort als selbständige Persönlichkeit zugleich aber tust Du es gewissermaßen an meiner Statt als meine Tochter und als meines Geistes Kind stop es ist eine schöne Gelegenheit für das Gute und Rechte für Wahrheit und Menschenwürde zu zeugen gegen Gewalt und Lüge die heute vielfach so siegreich scheinen und viele verführen stop Du sprichst zu Amerikanern und magst ihnen sagen daß die ganze Welt auf das große Amerika das Land Lincolns Whitmans und Franklin Roosevelts blickt und an seine Sendung glaubt der Menschheit auf dem Wege des Friedens und der sozialen Gerechtigkeit voranzugehen in eine Zukunft deren sie sich nicht zu schämen hat stop liebevollen Gruß

An René Schickele
[Briefkarte]

Küsnacht-Zürich
Schiedhaldenstraße 33
1. IV. 37

Lieber René Schickele,
wir fahren am 6ten direkt nach Le Havre; erst auf der Rückreise wollen wir uns ein paar Tage in Paris aufhalten. Bitte, schicken Sie *umgehend* das französische Buch, damit ich es mitnehmen kann und unterwegs auf ein Vorwort sinne. Über Ihren Roman zu schreiben, finde ich in nächster Zeit keine Ruhe, so heikel-anziehend die Aufgabe wäre. Ich lese mit Staunen und heiterem Grauen. Etwas höchst Besonderes, mehr Hamlet wohl noch als Werther, graziös und irr, sehr merkwürdig. Irgendwie werd' ich schon noch dafür zeugen.

Ihr T. M.

An den sowjetischen Schriftsteller-Verband

Küsnacht den 5. IV. 37

Sehr geehrte Herren,
indem Sie »die Schriftsteller der Welt« auffordern, Ihnen Beiträge zu liefern für ein Sammelwerk, das Sie zum 20. Jahrestag des Bestehens der Sowjet-Union herausgeben wollen, sind Sie sich wahrscheinlich nicht völlig im Klaren darüber, welches halsbrecherische Wagnis Sie damit uns, Ihren westlichen Kollegen, zumuten. Kommunistische – was sage ich, irgendwelche sozialistische Sympathieen auch nur durchschimmern zu lassen, das bedeutet heute in Europa schlechthin das Martyrium; es bedeutet die Entfesselung eines Hasses, einer Totschlagelust und Verfolgungswut, von der Sie sich schwerlich eine Vorstellung machen, – Sie hätten sonst die naive Grausamkeit nicht, Ihre Aufforderung auch an mich ergehen zu lassen, einen Schriftsteller, der an bürgerlich-konservativer Reputation immerhin noch Einiges zu verlieren hat.

Nun verhalte ich mich zu dieser Reputation freilich ein wenig wie Goethe sich zu dem Titel eines »Freundes des Bestehenden« verhielt, den er sich gesprächsweise recht unwirsch verbat. »Wenn die bestehende Ordnung ausgezeichnet, gerecht und gut wäre«, sagte er, »so hätte ich gewiß nichts gegen sie einzuwenden; aber da sie neben vielem Guten viel Schlechtes, Ungerechtes und Unvollkommenes enthält, so bedeutet der Freund der bestehenden Ordnung zu sein, meist nichts Besseres als der Freund des Veralteten und Schlechten zu sein.« – Ich finde das sehr richtig. Und auf der anderen Seite habe ich mich niemals ganz von der radikalen Traditionsfeindlichkeit des russischen Sozialismus und seinem Vorhaben überzeugen können, »unsere westliche Kultur zu zerstören«, – mit der doch der russische Geist durch mehr als einen seiner großen Repräsentanten so eng verbunden ist. Die nationale Herzlichkeit, mit der noch soeben das Gedächtnis Alexander Puškins in Rußland begangen wurde, zeugte nicht – oder nicht mehr – von Traditionshaß, sie mutete nicht »bolschewistisch« an in dem Sinne wüster Zerstörung, den man im Westen mit diesem Wort auch heute noch zu verbinden pflegt.
»Eine höhere Aktualität«, schrieb ich damals, »gewinnt Puškins Gestalt, gewinnt der Europäismus seiner Form, seine Klassizität in diesem Augenblick, wo Rußland als Völkerbundsmacht sich den Friedensmächten des Westens gesellt und im Geistigen neue Beziehungen der Duldung, der Aufmerksamkeit und Freundschaft sich herstellen zwischen dem Sozialismus der Sowjetwelt und dem Humanismus des noch bürgerlichen Europa. Der Name Alexander Sergejevič Puškins, des russischen Klassikers, könnte zum Symbol werden für vieles Kommende.«
Was ich da über neue Beziehungen der Duldung und Freundschaft zwischen östlichem Sozialismus und westlichem Humanismus sagte, Beziehungen, in welchen mir die Synthese der Zukunft sich anzubahnen scheint, kam nicht nur aus allgemeiner Beobachtung der Weltsituation, sondern auch aus eigenster, persönlichster Erfahrung. Es gehört jedoch zu den Äußerungen, die mir im heimatlichen Westen hie und da bereits den Titel eines kommunistischen Schriftstellers eingetragen haben. »Der kommunistische Schriftsteller Th. M.«, – ich habe die als mordlustige Denunziation gemeinte Bezeichnung schwarz auf weiß gesehen – mit einer Mischung aus Heiterkeit und Schrecken, den Sie, meine Herren Sowjet-Kollegen mir

nachsehen mögen; denn wirklich, ich bin kein kommunistischer noch sonst ein -istischer Schriftsteller; ich bin nur eben einfach ein Schriftsteller, das heißt ein Mensch, der die Dinge von einem freien, geistigen Gesichtspunkt betrachtet und eine weniger moralisch-pathetische als heiter-leidenschaftliche Neigung für die *Wahrheit* hegt, – eine Neigung, die mich freilich in einen unheilbaren Gegensatz zur Lügenwelt des fascistischen Nationalismus gebracht hat – wenn das hinreichen sollte, aus einem bloßen Schriftsteller einen *kommunistischen* Schriftsteller zu machen.
Es genügt nicht dazu meiner Meinung nach. Ich muß die Bezeichnung ablehnen – aus dem Grunde schon, weil, sollte mir auf Erden außer meiner künstlerischen Aufgabe auch eine politische zukommen, es nur die sein kann, demjenigen den Weg bereiten zu helfen, was in meinem Lande, in Deutschland, eines Tages auf das gegenwärtige Unwesen folgen soll, wonach heute eine tiefe leidvolle Sehnsucht durch das entmündigte und geistig erniedrigte deutsche Volk geht – und das ist bestimmt nicht die kommunistische Diktatur.
Mißverstehen Sie mich nicht! Mir ist Diktatur nicht ohne weiteres gleich Diktatur. Im Stillen weiß ich Unterschiede zu machen. Sehr wohl ist eine Diktatur im Namen des Menschen und der Zukunft, im Namen von Freiheit, Wahrheit und Gerechtigkeit denkbar – statt einer solchen der Lüge und des Verbrechens. Auch die politische Persönlichkeit des Amerikaners Franklin D. Roosevelt, den ich sehr bewundere, weist diktatorische Züge auf, und doch ist er ein aufrichtiger Diener der Demokratie. Wahrscheinlich ist die Freiheit ohne diktatorische Züge und Einschläge auf Erden nicht mehr möglich und denkbar. Den »Liberalismus« haben ihre Todfeinde der Freiheit ausgetrieben; sie wird wissen müssen in Zukunft, was sie will, wird das lebensnotwendige Quantum Unduldsamkeit und Entschlossenheit zur Selbstbehauptung bewähren müssen – man hätte nichts gelernt in den letzten zwanzig Jahren, wenn man nicht dies gelernt hätte. Und doch müßte ich fürchten, meiner politischen Pflicht sehr ungeschickt zu genügen und einen menschlichen Taktfehler zu begehen, wenn ich, als deutscher Schriftsteller, mir den kommunistischen Namen gefallen lassen und damit indirekt meinem Volke zumuten würde, eine Diktatur mit der anderen zu vertauschen. In dem Lande, wo bei jeder Aufführung von Schillers »Don Carlos« das Publikum den Ruf des Marquis Posa nach »Gedankenfreiheit« mit frenetischen Beifallskundgebungen be-

antwortet, ist nichts mit Parolen auszurichten, die seinem nie gekannten Durst nach Freiheit, Rechtssicherheit, individueller Würde auch nur scheinbar, auch nur vorläufig widersprechen – denn dies eben, Freiheit, Gerechtigkeit, Humanität sind die Prinzipien, die allein einen zukünftigen deutschen Staat werden tragen können.
Wenn diese Einsicht mein Verhalten zur Welt der Sowjets bestimmt, so ändert das nichts an meiner Ehrfurcht vor dem gewaltigen sozialen Experiment, das die russische Revolution bedeutet, einer Ehrfurcht, der es, wie billig, nicht an Schauder fehlt. »Die Grausamkeiten der Revolution«, sagte Goethe 30 Jahre nach 1789, »waren mir zu nahe; sie riefen meine Entrüstung an jedem Tag und zu jeder Stunde hervor, da ich die wohltätigen Folgen der Revolution noch nicht übersehen konnte.« – Werden wir Zeitgenossen der russischen Revolution uns nicht einmal ähnlich zu entschuldigen haben? Daß sie für die kulturelle Hebung des russischen Volkes Großes geleistet hat und zu leisten fortfährt, steht heute schon außer Zweifel, und es mag wohl sein, daß ihre menschlich umgestaltende Wirkung einst nicht geringer erfunden werden wird als die der französischen. Auch hat die Menschheit ihr im Grunde, bei aller Angst, die sie ihr einflößte, von Anfang an weit mehr Achtung und Sympathie entgegengebracht als den fascistischen Pseudo-Revolutionen, die ihrem tieferen Wissen und Gewissen immer verächtlich waren. Die niedrigen Versuchungen, die von ihnen ausgehen, sind, man kann es ohne übertriebenen Optimismus sagen, im Schwinden begriffen. Schon versagt die geistige Weltjugend der fascistischen Mode die Gefolgschaft. Junge Intellektuelle aller Länder kämpfen an der spanischen Regierungsfront; die »Linke« erfährt überall einen moralischen Auftrieb; ein neuer Humanismus ist es, der von den besten Geistern als das Kommende, das zu Erarbeitende empfunden wird, und das Dysangelium vom Ende der Freiheit, mit dem Propheten, die nur perverse Literaten waren, durch zehn Jahre und länger uns in den Ohren lagen, beginnt sich als leeres Geschwätz zu erweisen.
Keine Idee ist heute jugendfrischer, sehnsuchtsstärker und zukunftsvoller als die der Freiheit. Aber es ist eine klug gewordene, von ihrer Würde erfüllte Freiheit, ein mannhaft für sich einstehender Humanismus, die herrschen sollen, – jene soziale und kraftvolle Demokratie, die die junge Sowjet-Verfassung umreißt und die dem russischen Volk und allen Völkern zu verwirklichen gelingen möge.

Thomas Mann

An Sigmund Freud

Küsnacht-Zürich
Schiedhaldenstraße 33
4. V. 37

Lieber und verehrter Herr Professor,
bei der Rückkehr von New York, wo ich es mit lectures, Dinnerspeeches und meetings für meine Jahre etwas bunt getrieben, finde ich Ihren Moses-Aufsatz hier vor und beeile mich, Ihnen wenigstens notdürftig zu danken für das kostbare Geschenk, das mich in jedem Wort aufs rührendste an unser Gespräch – richtiger gesagt an Ihren Vortrag bei meinem letzten Besuch erinnert. Und an wie vieles erinnert es mich noch! »Eine anregende Lektüre« – was nennt man nicht alles so. Aber dies ist wirklich eine.
Ihnen und den Ihren meine ganze Ergebenheit!

Thomas Mann

An Joseph Angell

Küsnacht-Zürich
Schiedhaldenstraße 33
11. V. 37.

Lieber und sehr verehrter Herr Professor:
Ihren so liebenswürdigen und freundschaftlichen Brief vom 29. April habe ich erhalten und danke Ihnen vielmals dafür. Sie sagen mir und meiner Frau so herzliche Dinge über unsere Begegnung, daß es uns wahrhaft erfreut. Ich kann Ihnen nur erwidern, daß wir der persönlichen Bekanntschaft mit Ihnen aufrichtig froh sind. Wir haben in Ihnen eine wahrhaft gewinnende Persönlichkeit kennen gelernt, den besten Typus des amerikanischen Intellektuellen und Gelehrten, schlicht und vornehm und dem Geistigen und Kulturellen mit reinem Herzen ergeben.
Gerne werde ich alles tun, was in meinen Kräften steht, um Ihren Plan, der mich ehrt und freut, zu fördern und zu seiner Verwirklichung beizutragen. Ich verspreche Ihnen, in der nächsten Zeit, in den nächsten Tagen schon, eine Anzahl kleiner Manuskripte zu schicken, die immerhin als dokumentarischer Grundstock für eine Sammlung wie die geplante dienen mögen. Ferner werde ich meinen deutschen Verleger, Bermann-Fischer, ersuchen, Ihnen meine Werke in verschiedenen Ausgaben zukommen zu lassen; ebenso will ich ein Zirkular an meine fremdsprachigen Verleger ergehen lassen mit der Bitte, Ihnen meine Bücher, soweit sie in europäischen Sprachen erschienen sind, gleichfalls für Ihr Archiv zur Verfügung zu stellen.

Damit wäre ein Anfang gemacht, relativ leicht zu bewerkstelligen. Nicht so einfach ist es mit Ihrem Wunsch, betreffend die Bücher, welche im Lauf meines Lebens Eindruck auf mich gemacht, meine geistige Nahrung gebildet und als Material zu meinen Arbeiten, insbesondere zum »Zauberberg« gedient haben. Sie haben natürlich recht, zu sagen, daß die Aufzählung der Dichter- und Geisteswerke, die zu meiner literarischen Erziehung beigetragen haben, einigermaßen ins Uferlose führen würde. Einige Fakten mögen Sie aus dem Büchlein »*Lebensabriß*« entnehmen, das unter dem Titel »A Sketch of my Life« auch englisch bei Harrison of Paris, Oktober 1930, in der Übersetzung von Lowe-Porter als Luxusdruck erschienen ist. Dort ist festgestellt, daß zur Zeit von »Buddenbrooks« namentlich die großen skandinavischen und russischen Erzähler, *Kielland*, *Lie*, *Jacobsen*, *Hamsun*, *Tolstoi*, *Turgeniew*, *Puschkin*, *Gogol*, weniger Dostojewski, meine Lehrmeister waren. Einen ungeheueren Eindruck hat in meiner Jugend die Kunst Richard *Wagners* auf mich gemacht, eine Wirkung, deren Spur, wie ich glaube, durch mein ganzes Werk zu verfolgen ist. Ähnlich steht es mit dem Drama *Ibsens*. Die Wirkung der deutschen Romantik, zum Beispiel *Chamisso's*, ist Ihnen bekannt. Auch die Prosa *Tiecks* und *Hoffmanns*, *Schlegels* und *Novalis*' spielt eine Rolle. Von moderner deutscher Prosa ist in allererster Linie *Fontane* ins Gewicht gefallen. Sein Stil ist, etwa denjenigen Gottfried *Kellers* noch ausgenommen, der einzige der Epoche zwischen der Romantik und Nietzsche, der meinen eingeborenen artistischen Ansprüchen genügt. *Nietzsche* selbst ist natürlich nicht zu vergessen. Das Erlebnis seiner Kulturkritik und seines stilistischen Künstlertums ist ersten Ranges in meinem Leben, ebenso wie das metaphysische Genie und das europäische Essayistentum *Schopenhauers*.

Weiter kann ich nicht gehen im Aufzählen einzelner bestimmender Eindrücke, aber ich glaube, die hauptsächlichsten damit namhaft gemacht zu haben. Was nun das wissenschaftliche Hilfsmaterial betrifft, so kam im Falle von »Buddenbrooks« kaum dergleichen in Frage. Ich arbeitete mit Hilfe von Familienpapieren und kaufmännischen Informationen, die ich aus meiner Heimat-Stadt bezog. Für den »Zauberberg« habe ich freilich mancherlei gelesen, aber es ist eine Eigentümlichkeit meines Geistes, daß ich diese Hilfsmittel, ja auch die Kenntnisse selbst, die sie mir vermitteln, merkwürdig rasch vergesse. Nachdem sie ihren Dienst erfüllt haben, in eine Ar-

beit eingegangen und darin aufgegangen und verarbeitet sind, kommen sie mir bald aus dem Sinn, ja auch aus den Augen und es ist fast, als ob ich von ihnen nichts mehr wissen *wollte* und das Gedächtnis daran verdrängte. So bin ich heute tatsächlich kaum noch in der Lage, Ihnen irgend eines der Bücher namhaft zu machen, mit denen ich zur Zeit des »Zauberberges« meine biologischen Phantasien speiste. Hinzukommt, daß ich ja durch meinen Weggang von Deutschland den bedeutendsten Teil meiner Bibliothek eingebüßt habe und daß damit auch jene Bücher mir abhanden gekommen sind. Ich erinnere mich wohl eines biologischen Werkes, das ich damals studierte, kann aber weder den Verfasser noch den Titel nennen. Ich weiß noch genau, daß damals, von unbekannter Seite, eine Schrift über Freimaurertum an mich gelangte, die ich für die maurerischen Gespräche zwischen Naphta und Settembrini benutzte, aber auch hier setzt mein Gedächtnis, was Titel und Verfasser betrifft, vollkommen aus. Ich erinnere mich ferner ein Buch über das Mittelalter gelesen zu haben, das für die durch Naphta entwickelten Ideen eine Rolle spielte, aber auch dieses kann ich beim besten Willen nicht mehr namhaft machen.
Sie sehen, wie betrüblich ich in diesem Falle versage. Für einen früheren Fall, die Renaissance-Dialoge »Fiorenza«, kann ich wenigstens das hauptsächlichste Hilfswerk nennen. Es ist die Savonarola-Biographie von Pasquale Villari, die auf deutsch 1868 bei Brockhaus in Leipzig erschienen ist. Dieses Werk befindet sich noch in meiner hiesigen Bibliothek und ist mit vielen Bleistift-Markierungen und Randbemerkungen versehen.
Günstiger ebenfalls liegen die Dinge im Falle des Joseph-Romanes, denn hier habe ich die kleine Bibliothek, die mir als Material und Informationsquelle dient, ziemlich vollzählig noch bei der Hand und kann Ihnen die Hauptstücke daraus anführen. Abgesehen von Bildwerken über ägyptische Kunst und Kultur handelt es sich hauptsächlich um folgende Werke:

Erman-Ranke: ›Ägypten‹, Verlag I. C. Mohr, Tübingen 1923
A. S. Yahuda: ›Die Sprache des Pentateuch in ihren Beziehungen zum Ägyptischen‹, Walter de Gruyter & Co., Berlin-Leipzig, 1929
A. M. Blackman: ›Das hundert-torige Theben‹, deutsch von Roeder, Hinrich'sche Buchhandlung, Leipzig, 1926

Arthur Weigall: ›Echnaton, König von Ägypten und seine Zeit‹, Benno Schwabe & Co., Basel
›Ägyptische Erzählungen und Märchen‹, ausgewählt und übersetzt von Günther Roeder, Eugen Diederichs in Jena.
Bruno Meissner: ›Babylonien und Assyrien‹, Karl Winter's Universitäts-Buchhandlung, Heidelberg 1920
A. Wiedemann: ›Das alte Ägypten‹, eben dort.
Benzinger: ›Hebräische Archäologie‹, bei Eduard Pfeiffer, Leipzig
›Die Sagen der Juden‹, drei Bände, gesammelt und bearbeitet von Micha Josef bin Gorion, deutsch erschienen bei Rütten und Loening, Frankfurt.

Auf Quellenwerke, deren Einfluß weniger sachlich als rein geistig war, wie Bachofens »Urreligionen und antike Symbole«, kann ich hier nicht eingehen. Als informierendes Quellenwerk von größter Bedeutung kommt aber hier noch das Buch von Alfred Jeremias: »Das Alte Testament im Lichte des alten Orients« in Betracht, ein Buch, das mir große Anregung gebracht hat. Es ist in der Hinrich'schen Buchhandlung in Leipzig erschienen, 1916.
Nehmen Sie vorlieb mit diesen Angaben, die mir selbst nicht recht genügen, die ich aber im Augenblick nicht besser zu ergänzen weiß. Vor allem habe ich Schritte getan, das »Zauberberg«-Manuskript aus Deutschland herauszubekommen, um es entweder hier selbst in Empfang zu nehmen oder es durch einen sicheren Boten direkt nach Amerika befördern zu lassen.
Halten Sie mich also, bitte, weiter auf dem Laufenden über die Entwicklung einer mir so erfreulichen und interessanten Idee und nehmen Sie meine und meiner Frau herzlichste Grüße!
Ihr sehr ergebener

Thomas Mann

Küsnacht-Zürich
Schiedhaldenstraße 33
21. V. 37

An Hermann Hesse

Lieber Herr Hesse:
Heute kam Ihr Brief mit dem schönen Briefkopf und der reizenden lyrisch-graphischen Beilage. Haben Sie Dank für beides! Ich bin wahrhaft bestürzt, gewahr zu werden, daß ich es Ihnen gegenüber habe fehlen lassen. Es ist nichts verloren gegangen; ich habe Ihren Brief, die Zeitschrift betreffend, erhalten, gelesen und gewürdigt,

vorderhand war nichts darauf zu erwidern. Auch ich bin im Besitze Ihrer Neuen Gedichte, eines wahren Schatzkästchens, das ich nie ohne Zärtlichkeit in Händen halte. Die Sendung wies kein Merkmal auf, daß sie direkt von Ihnen kam. Wie hätte ich es sonst unterlassen, Ihnen persönlich dafür zu danken? Ich hätte das getan, obgleich Ihre Vermutungen über mein Leben in der letzten Zeit nur allzu richtig sind. Nicht nur war ich auf Reisen, was fast notwendig immer einen Korrespondenz-Bankerott mit sich bringt, sondern ich kam von meiner dritten Amerika-Fahrt auch stark übermüdet und behaftet mit einer Ischias-Neuralgie zurück, mit der ich schon ausgezogen war, und die sich durch Anstrengungen und die Feuchtigkeit des Klimas arg verschlimmert hat. Sie hat mir recht zugesetzt und tut es noch. Eine Kurzwellen-Behandlung hat eine leichte Besserung herbeigeführt, aber es wird wahrscheinlich noch eine Badekur – wir denken in Ragaz – notwendig sein, um das Übel wirklich auszurotten. Es ist von ungeahnter Unannehmlichkeit, auch psychisch, da es über Gebühr alt und krumm macht.
Sie haben Ihre liebe Frau nun wieder bei sich. Grüßen Sie sie herzlich von uns beiden! Es ist allzu lange her, daß wir zusammen waren und Boccia spielten. Hoffentlich kommt es im Laufe dieses Sommers einmal wieder dazu.
Die Zeitschrift macht manches Kopfzerbrechen. Ich habe jetzt eine umfangreichere programmatische Einleitung für das erste Heft geschrieben, welches auch das Anfangskapitel meiner Goethe-Erzählung bringen soll. Daß Sie mit der Zeit doch auch einmal dort zu Gast sein mögen, ist der dringliche Wunsch von Herausgeber, Redactor und Verleger.
Mit herzlichen Grüßen immer

Ihr Thomas Mann

An Hermann Hesse
[Briefkarte]

Küsnacht-Zürich
Schiedhaldenstraße 33
29. V. 37

Lieber Herr Hesse,
recht herzlichen Dank! Die Photographie lasse ich als Titelbild in dem Buche liegen. Sie sehen recht aus wie ein weiser, merkwürdiger alter Gärtner und Frau Ninon zugleich fesch und klug. – Einen so wundervollen Mai gab es seit langem nicht mehr. Ich genieße die Jahreszeit trotz meinen Schmerzen unendlich.
Ihr ergebener

Thomas Mann

An René Schickele

Küsnacht-Zürich
Schiedhaldenstraße 33
31. V. 37

Lieber René Schickele,
Haben Sie Dank! Es war mir in meiner Depression und Schmerzensmüdigkeit so wohltuend, Ihre freundschaftlichen Worte zu hören. Daß Sie unter Glaesers elendem Gefasel leiden würden, hatte ich vorausgesehen. »Hinter ihm steht der Atem eines eingeborenen Dichters.« Das war der lobende Teil. Was war danach von dem kritischen zu erwarten? Das heißt: Was ist von einem Dichter zu erwarten, der in einem waldlosen Lande lebt? Tragik gewiß nicht. Die Ecole de Zurich ist eine Nazi-Schule, stilistisch und geistig. Ihre Art sich von den »üblichen Emigranten« zu distanzieren ermutigt wenig dazu, ihre Isolation zu teilen. Man muß sich schon eine besondere erfinden, und zu meiner größten Beruhigung entnehme ich Ihren Worten, daß ich's mit meiner Haltung so ungefähr getroffen habe, Korrodi's Meinung ist das allerdings nicht. Nach diesen Leuten dürfte man überhaupt nicht draußen sein, – während die Distanzierung von diesem Deutschland mir denn doch noch wichtiger scheint, als die von der »üblichen« Emigration, mit der verwechselt zu werden wir zwei doch wohl wenig Gefahr laufen, auch wenn wir diese Gefahr nicht durch besondere Vornehmtuerei und Nazi-Deutsch zu bannen suchen. *Sie* könnten einen vortrefflichen, klärenden und alles zurechtrückenden Aufsatz über das Problem des Emigrantentums schreiben. Es wäre etwas für die neue Zeitschrift, für deren erste Nummer ich ein Vorwort geschrieben habe, das ich schicke, mit der Bitte, mir das Mt. nach Lektüre zurückzusenden. Lion schreibt, es sei das einzig Gute, was er bisher bekommen habe. Ich habe gleich gewußt, daß ich das Ganze würde allein machen müssen, woran die Sache denn auch wohl scheitern wird.
Sie vermuten richtig: ich suche weiter zu arbeiten, und es beruhigt mich unsäglich, daß ich nach der Unterbrechung nach der blöden Triumphreise, die übrigens der University in exile tatsächlich eine Dotation von 100000 Dollars eingebracht hat (bekäme ich nur ein bißchen ab!), die Goethe-Novelle nun doch wenigstens wieder täglich um eine Seite fördere. Es geht nur knapp, denn ich bin auf sehr ungenügende Schlaf-Ration gesetzt. Gegen Mitternacht nehme ich Phanodorm und schlafe bis 3. Dann kommen Schmerzen, und ich

löse zwei Alonal-Tabletten in Kamillenthee. Das reicht bis 5. Dann ist es endgültig aus und keine Position mehr zu finden, in der es auch nur minutenlang auszuhalten wäre. Und was fängt man dann an mit dem angebrochenen Vormittag!
Ich will nach Ragaz zur Kur. Wir erwarten Erika, die am 6ten von New York zu Besuch kommt, und mit der wir hier noch ein paar Tage verbringen möchten. Dann geht es ernstlich ins Radium-Wasser, auf das ich alle meine Hoffnungen setze, da bisher jegliche Therapie, auch Kurzwellen-Wärme-Behandlung, vollständig versagt hat.
Sie haben körperlich Schreckliches durchgemacht, während ich es gut hatte. Möge Ihre Gesundheit sich nun immer festigen und tapfer Widerstand leisten, dem deutschen Seekrieg in Spanien und allem, was dem Herzen geboten wird. Grüßen Sie Ihre liebe Frau recht herzlich! Das Vorwort soll Ihnen nur, womöglich, Appetit machen, »uns« einmal etwas zu schreiben.

Ihr Thomas Mann

An Martin Gumpert

Küsnacht-Zürich
Schiedhaldenstraße 33
6. IX. 37

Lieber Herr Dr. Gumpert,
daß ich Ihnen über Ihre Gedichte noch kein Wort gesagt habe, ist ein unschönes Faktum, das denn doch einmal aus der Welt und mir vom Gewissen geschafft werden muß. Sie haben mir mit Ihrer Sendung eine wirkliche Freude gemacht, denn nach der ersten Probe im »Tagebuch« hatte man lebhafte Lust auf mehr, und sie wurde durch diese reiche Kollektion aufs schönste befriedigt. Ich war bewegt und interessiert zugleich beim Lesen; mein Gefühl und meine kritische Beobachtung reagierten gleichermaßen, letztere namentlich in stilistischer Beziehung, denn die Amerikanisierung Ihres lyrischen Tonfalls ist ja höchst merkwürdig und unüberhörbar; die Erinnerung an Whitman drängt sich auf, ohne daß eigentlich eine Nachahmung vorläge. Vom Gefühl rede ich nicht. Das menschlich Ergreifende eines jeden dieser Stücke kann man Ihnen nur ohne viele Worte bestätigen.
Ich war sozusagen persönlich engagiert; ein objektives Werturteil traue ich mir in lyrischen Dingen kaum zu und muß unserm Lion, der zudem sehr eifersüchtig auf seine Befugnisse ist, darin freie Hand

lassen. Er ist ein häkelig-mäkelig Köpfchen, und ich glaube, Sie können sich was einbilden darauf, daß er doch wenigstens eines der Gedichte mit spitzen Fingern ausgewählt und zurückbehalten hat, um es bei guter Gelegenheit unsern maß- und wertvollen Lesern aufzutischen. Mir ist das nicht genug. Aber es ist doch etwas. –
Meiner Ischias, die, verdammt noch mal, kein Vergnügen war, bin ich dank einer Ragazer Bäderkur und einigen nachhelfenden Vitamin-Injektionen fast ledig. Ich schlafe ungestört – wenigstens hierdurch ungestört – und kann beliebig spazieren, während man mich vor kurzem noch bei solchen Versuchen meistens auf einem Feldstühlchen am Rande der Landstraße sitzen sah. Jetzt wollen wir, am 15., noch für ein paar Wochen ins Tessin gehen, der trockenen Luft wegen, und wenn ich dann im Januar noch den üblichen Arosa-Aufenthalt zu mir genommen habe, wird wohl nichts dagegen sprechen, daß wir Ende Februar wieder geschwommen kommen, um das Beisammensein im Bedford zu erneuern und Mr. Peats große Reise zu absolvieren.
Grüßen Sie Erika, Grand scandal, Nägels und wen Sie wollen, jedenfalls aber die Genannten, und seien Sie selbst freundschaftlich gegrüßt von
Ihrem ergebenen

Thomas Mann

An Karel Čapek

Küsnacht-Zürich
Schiedhaldenstraße 33
10. x. 37

Lieber und verehrter Herr Čapek:
Privat und vertraulich möchte ich mich in einer Sache an Sie wenden, die mir in letzter Zeit mehrfach nahe gebracht worden ist. Es handelt sich um die Lage der deutschen Emigranten in der Tschechoslowakei und um die Maßnahmen, die, wie es scheint, von der Prager Regierung über sie beschlossen worden sind oder beschlossen zu werden drohen. Sie werden ebensowohl verstehen, daß mir diese Frage am Herzen liegt, wie auch, daß es mir durchaus widerstrebt, gerade in meiner Eigenschaft als jüngst aufgenommener Staatsangehöriger der Republik eine öffentliche Äußerung darüber zu tun. Ich möchte nun von Ihnen hören, wie Sie über die Lage urteilen und ob Sie glauben, daß die deutsche Emigration wirklich von den Maßnahmen bedroht ist, von denen man mir auf eine ge-

wissermaßen beschwörende und angstvolle Weise Mitteilung macht. Im Wesentlichen läuft die Sache darauf hinaus, daß den in den großen Städten, Prag, Brünn und Bratislava wohnhaften Emigranten keine Aufenthaltsgenehmigung mehr erteilt werden soll, sondern daß ihre Evakuierung in eine Reihe kleiner Bezirke an der böhmisch-mährischen Grenze bevorsteht, beziehungsweise bereits begonnen hat. Es ist ja klar, daß die Emigranten, wenn sie auch in den großen Städten eine ausgesprochene berufliche Tätigkeit nicht ausüben und nicht ausüben dürfen, doch viel eher in den erlaubten Grenzen Gelegenheit zu kleinen Verdiensten finden, auch daß die Intellektuellen in den größeren Kulturzentren ganz andere Arbeitsbedingungen und Anregungen (Bibliotheken, Vorträge etc.) haben, und schließlich gibt es eine Reihe charitativer Unternehmungen, denen es gelungen ist, Erleichterungen, wie Freitische, Freiwohnungen und dergleichen zu erwirken, die auch in Wegfall kommen würden. Welchen Schlag die geplanten oder schon beschlossenen Maßnahmen für die Emigration bedeuten würden, geht aus den leidenschaftlichen Bemühungen hervor, die das sie betreuende Comité Central pour les Réfugiés en Tchécoslovaquie macht, um die Bedrohung von ihr abzuwenden und dadurch den hilfreichen Kontakt mit ihr, der sonst verloren gehen würde, aufrecht zu halten. Es ist das Einfachste, wenn ich Ihnen das Informations-Memorandum, das mir von dieser Seite zugegangen ist, beilege; es steht alles darin, was ich Ihnen sagen könnte.
Sie müssen nicht glauben, daß ich die Kompliziertheit der Frage unterschätze und einseitig urteile. Es fehlt mir keineswegs an Verständnis für die Gründe, die solche Maßregeln veranlassen. Auf der anderen Seite aber werden Sie verstehen, daß mir nicht nur das Schicksal meiner schwer getroffenen, von ihrer verabscheuenswerten heimatlichen Regierung ausgestoßenen und verfolgten Landsleute nahe geht, sondern daß es mir auch schmerzlich wäre, wenn der Staat, dem ich jetzt angehöre und dessen vorbildlich demokratischer Geist mich immer mit Stolz erfüllt hat, wenn das Land, an dessen Spitze der große Emigrant Masaryk stand und heute der einstige Emigrant Beneš steht, gerade auf diesem Gebiet eine Härte zeigte, die bei aller gebotenen Vorsicht wohl kaum ein anderes bis jetzt noch für nötig gehalten hat.
Noch einmal, ich hörte gerne, wie Sie über das Problem denken und ob Sie meinen, daß vielleicht noch eine mildernde und begüti-

gende Einflußnahme auf die entscheidenden Behörden möglich ist. Wenn irgend jemand, so könnten gewiß Sie einen solchen Einfluß nehmen. Es wäre mir eine herzliche Freude, wenn Sie dieser Anregung in irgend einer Form stattgeben könnten. Wenn Sie aber meinen, daß es im Geringsten nützlich sein könnte, wenn ich meinerseits noch irgend einen brieflichen Schritt unternähme, wäre ich Ihnen dankbar für einen Hinweis, an wen ich mich wenden könnte. Denn daß ein öffentlicher Appell von meiner Seite durchaus unangebracht wäre, wird auch Ihre Meinung sein.
Mit freundschaftlichen Grüßen
Ihr sehr ergebener Thomas Mann

An Hermann J. Weigand

Küsnacht-Zürich
Schiedhaldenstraße 33
28. x. 37

Lieber, verehrter Herr Professor:
Heute ging Ihr freundlicher Brief vom 17. des Monats ein. Ich eile, Ihnen dafür zu danken und mich zu entschuldigen, daß die Antwort auf den vorigen so lange auf sich warten ließ. Diese Verzögerung oder Hemmung hing, daß ich es nur gestehe, mit einigen Äußerungen Ihres vorigen Schreibens zusammen, die eine gewisse Verstimmung bei mir hinterließen. Der »Briefwechsel« hat Tausenden von geistig und moralisch gequälten Menschen ans Herz gegriffen, Tausenden von solchen gerade in Deutschland, wo er in mancherlei Gestalt heute verbreiteter ist als irgend eine kämpferische Äußerung gegen das sogenannte Dritte Reich. Ihre Art, davon zu sprechen, war mir nicht angenehm und konnte es nicht sein. Es ist besser und kann Mißverständnisse verhüten, wenn ich Ihnen offen sage, daß ich in den Dingen des Regimes, das heute auf Deutschland liegt und das mich von Haus und Herd vertrieben hat, keinen Spaß verstehe, und daß jede Äußerung der geringsten Sympathie mit diesem menschenverderberischen Unwesen genügt, mich zu bestimmen, dem Träger dieser Sympathie den Rücken zu kehren.
Dies klar gestellt sprechen wir von meiner bevorstehenden amerikanischen Reise. Sie wird sehr anspruchsvoll sein; ich fürchte mich etwas davor, denn meine Gesundheit ist seit einiger Zeit nicht die beste, aber andererseits habe ich die Erfahrung gemacht, daß ich bei

einem ganz nach außen gerichteten Leben ohne produktive Arbeit, die immer das Konsumierendste ist, Überraschendes leisten und aushalten kann. Mein Programm freilich ist so dicht, daß ich sehr zweifelhaft bin, ob der von Ihnen freundlich gewünschte Vortrag in Yale noch einzuschieben sein wird. Ich habe vor wenigen Tagen einen Brief an Herrn Angell geschrieben, worin ich ihm auf Grund einer Vorverlegung unserer Abreise von hier vorschlug, unsere kleine Library-Feier nicht nach Beendigung sondern vor Beginn meiner Tournée abzuhalten. Es kommt dafür der 24. und 25. Februar in Betracht. Mit der Eröffnungsfeier, bei der ich wohl eine kleine Ansprache zu halten haben werde, wird, wie ich höre, diese und jene gesellschaftliche Veranstaltung verbunden sein, und daß ich über dieses Programm hinaus in den anderthalb Tagen, die ich in Yale verbringen werde, noch einen Vortrag halte, scheint mir physisch kaum möglich, abgesehen davon, daß ich zu der Reise-Lecture und verschiedenen kleinen Tischreden noch einen weiteren Vortrag auszuarbeiten hätte. Ich denke also, wir stehen von dem Plan lieber ab, da ich befürchten müßte, mich zu übernehmen. Zu einem freundschaftlichen Beisammensein wird sich ja, wie ich bestimmt hoffe, dennoch in diesen Tagen die Gelegenheit ergeben.
Ihre guten Worte über den Anfang von »Lotte in Weimar« haben mich gefreut. Ich bin neugierig, was Sie zu dem Gespräch mit Riemer im zweiten Heft der Zeitschrift sagen werden. Sehr gespannt bin ich auf Ihre Studie über den Joseph, die gewiß an künstlerischer und psychologischer Erkenntnis meiner Absichten das meist recht Geringfügige, was ich bisher über diesen Gegenstand zu sehen bekam, weit übertreffen wird.
Mit verbindlichen Grüßen, auch von meiner Frau
Ihr ergebener

Thomas Mann

An Stefan Zweig
[Briefkarte]

Küsnacht-Zürich
Schiedhaldenstraße 33
14. XI. 37

Lieber Herr Stefan Zweig,
prächtig und reich ist der neue Band, und den »Renan« besonders möchte ich ein Meisterstück der Sympathie nennen. Ich freue mich sehr und bin sehr dankbar. – In den letzten acht Tagen habe ich wie ein Pferd gearbeitet: ein Vortrag über Wagners »Ring des Nibelun-

gen« mußte anläßlich einer Gesamtaufführung im Stadttheater, plötzlich ausgearbeitet werden. On revient toujours –
Herzlich

Ihr Thomas Mann

An Gottfried Bermann Fischer

Küsnacht-Zürich
Schiedhaldenstraße 33
14. XI. 37

Lieber Doktor Bermann:
Vielen Dank für Ihre freundlichen Zeilen. Ich hätte Ihnen längst geschrieben und für Ihre Verlagswerke gedankt, wenn ich nicht in den letzten acht oder zehn Tagen unsinnig beschäftigt gewesen wäre. [...]
Nun also meinen Glückwunsch zu Ihrer Produktion, die äußerlich auf der vornehmsten Höhe heutigen Geschmackes und geistig wirklich sehr würdig ist. Lesen konnte ich natürlich bei Weitem noch nicht alles. Aber was ich gelesen habe, weil es mich, kaum aufgeschlagen, sogleich höchst sympathisch ansprach, das ist die Biographie der Curie von ihrer Tochter, ein wirklich entzückendes Geschenk, für das gewiß viele Ihnen so herzlich danken werden wie ich. Ich empfehle das Buch bei jeder Gelegenheit. Schade, daß Horvath Ihnen nicht seine »Jugend ohne Gott« gegeben hat; das war das zweite Buch, das mir in letzter Zeit lebhaften Eindruck gemacht hat, aber schließlich können Sie nicht der Spender von allem sein. »Lotte« also werden Sie spenden, aber wann *ich* es spenden kann, das ist eben die Frage. [...] aber dann wird es auch wieder ein Haupt-Stück von mir sein und etwas sowohl Originelles wie auch sehr Deutsches, das nicht lesen zu dürfen nicht wenig zur Unzufriedenheit des deutschen Publicums beitragen wird.
Ihre Nachrichten aus dem Lande stimmen mit den unseren genau überein. Aber was nützt das alles? Die Epoche ist dem Régime nun einmal günstig, mehr und mehr gibt sich die Welt der fascistischen Auskunft aus ihren Schwierigkeiten anheim, und es sieht aus, alsob es bald für unsereinen keinen Fleck mehr auf der Erde geben wird, seinen Fuß hinzusetzen, sodaß man sich unter ihr wird bergen müssen. Nun, so schnell wird das nicht gehen, und man muß hoffen, daß einem Frist gewährt wird, sein Tagewerk zu beenden.
Grüßen Sie Tutti vielmals und lassen Sie sich für Ihr Wohl und das der Ihren wie auch für Ihr negotium das Beste wünschen!

Ihr Thomas Mann

An Erika Mann

Küsnacht
4. XII. 37

Liebe Eri,
ahnruhend die Message für die Artists. Konnte es in der Eile nicht besser machen. Wird aber, gut übersetzt und warmherzig vorgetragen, wohl ungefähr das Rechte sein.
Mit Kummer höre ich, daß Du wieder einige Tage nicht wohl und bettlägerig warst. Das New Yorker Leben, obgleich Du es so gemütlich findest, bleibt eben doch recht strapaziös und eisern. Es will kaum erlauben, daß man im Kampf um den Erfolg auf seine Gesundheit achte. Thu' das aber dennoch!
Für meine lecture schreibe ich jetzt soviel über Politik zusammen, daß ich die Hälfte des Wustes nachher werde weglassen müssen, eine furchtbare Verschwendung, aber wenn einmal losgelassen, bin ich nicht zu bändigen. Dann muß ich noch eine halbstündige Rede für Yale machen und die Tischrede für das christliche Emigranten-Dinner. Hierauf habe ich vor, weil es gleich in Einem geht, die Einleitung zu einer amerikanischen Schopenhauer-Kondensierung zu schreiben, wofür man mir 750 Dollars bietet. Kann ich das in den Wind schlagen, um mich lieber meinen dichterischen Arbeiten zu widmen? Nach diesen freilich frage mich niemand. Mitte Mai, wenn wir von der furchtbaren lecture-Tour zurück sind, werde ich allenfalls wieder an sie denken können, soweit der Prager Pen-Club-Kongreß es erlauben wird, der dann schon wieder in naher Aussicht steht. Man ist zu dem Wunsch genötigt, ungeheuer alt zu werden.
Herzlich liebevoll

Z.

An Ida Herz

Küsnacht-Zürich
Schiedhaldenstraße 33
8. XII. 37

Liebes Fräulein Herz,
Dank für den interessanten Ausschnitt, der mir Heimweh nach dem Joseph machte.
Sie müssen sich meinetwegen keine Gedanken machen. Ich bin gesund und mein Leben fliegt ohne bemerkenswerte und berichtenswerte Ereignisse dahin. Mit kleinen Sendungen habe ich Sie ja auf dem Laufenden gehalten. Ich bin aber unsinnig beschäftigt, betreibe mit Hochdruck die jetzt zu erledigenden Arbeiten, um sie

hinter mich zu bringen, muß nebenher hundert Ansprüchen gerecht werden und habe ja mehrfach erwähnt, daß ich zum Briefschreiber nicht tauge. Sie sollten die Nervosität, die mich ohnehin plagt, weil ich meine dichterischen Arbeiten so lange vernachlässigen muß (erst im Mai werde ich wieder daran denken können, auch nur mit »Lotte in Weimar« fortzufahren, vom Joseph garnicht zu reden) nicht mit Klagen und Forderungen erhöhen. Wenn ich etwas gegen Sie hätte, würde ich's Ihnen schon sagen. Ich habe aber nichts gegen Sie als eben dies.

Heute trifft unser Jüngster aus Paris ein, und auch Moni wird sich zum Fest wohl zu ihm, Golo und Medi gesellen. Die beiden Großen werden wir zu Weihnachten leider entbehren müssen, sehen sie ja aber im Februar drüben. Die amerikanische Tour liegt mir im Voraus in den Gliedern, aber das ist wohl nichts dagegen, wie sie es nachher tun wird. Übrigens ist das Interesse groß; Chicago z. B. ist längst ausverkauft (für Anfang März!). Dabei nimmt der unverschämte Manager 1000 Dollars für den Abend, wovon ich nur die Hälfte bekomme. Es ist ja viel, aber wenn ich schon in den Ruf der Unverschämtheit komme, will ich auch etwas Rechtes davon haben.

Nun wünsche ich Ihnen ein freundlich Xmas und ein glückliches neues Jahr!

Ihr ergebener

Thomas Mann

An Bruno Walter

Küsnacht-Zürich
Schiedhaldenstraße 33
13. XII. 37

Lieber Bruno Walter:

Aus Paris bekam ich neulich die Bestätigung Ihrer schönen Zuweisung an den auf meinen Namen getauften Fonds und den Check, der das dem Fonds gewidmete Honorar für Ihren Pariser Vortrag darstellt. Übrigens war die Sendung von den wärmsten und bewunderungsvollsten Äußerungen nicht nur über das von Ihnen in Paris Gebotene, sondern für Ihre ganze künstlerische und menschliche Persönlichkeit begleitet.

Ich möchte Ihnen nun heute in dem Gefühl, das vielleicht noch garnicht ausreichend getan zu haben, Dank sagen für Ihre schöne Handlung im Namen des wohltätigen Unternehmens und in meinem eigenen Namen. Ihr letzter Aufenthalt war wieder für uns eine

rechte Freude und Erquickung. Wir denken an das herrliche Konzert, die für mich geradezu epochale Bruckner-Aufführung, und an das Zusammensein mit Ihnen noch oft zurück und freuen uns schon jetzt auf die freilich noch in recht unbestimmter Ferne liegende nächste Begegnung.
Wir wollen recht hoffen, daß die Gesundheit Ihrer Frau sich unterdessen wieder ganz hergestellt hat.
Herzlich freundschaftlich Ihr Thomas Mann

An Hermann Hesse Küsnacht bei Zürich
16. XII. 37

Lieber Herr Hesse,
das ist ja großartig! Vielen herzlichen Dank! Ihre wunderschönen Gedichte werden der Zeitschrift eine große Zierde und Hilfe sein. Sie sollen so bald wie möglich, also im vierten Heft, erscheinen.
Alles Gute Ihnen und Ihrer lieben Frau.
Ihr Thomas Mann

An Ernst Weiss Küsnacht-Zürich
Schiedhaldenstraße 33
22. XII. 37

Lieber Herr Ernst Weiss,
über den mannigfaltigen Ansprüchen, die der Tag mit sich bringt, bin ich immer erst nachts vor dem Einschlafen (es wurde manchmal recht spät dabei, gestern, beim Endspurt, halb 2 Uhr) dazu gekommen, Ihren Roman zu lesen. So hat es länger damit gedauert, als ich dachte; aber nun habe ich das reiche Werk auch wirklich aufgenommen und kann Ihnen, nachdem ich es erworben, um es zu besitzen, noch einmal in vollerem Sinne dafür danken als beim Empfang. Von einer Überraschung kann ich nicht sprechen, eigentlich, denn ich kannte Sie längst in Ihrer erzählerischen Eigenart und wußte im Wesentlichen, was ich zu erwarten und worauf ich mich zu freuen hatte. Aber »Der Verführer« ist doch wieder eine so neue und grundmerkwürdige Kundgebung und »Objektivation« dieser Eigenart, daß man dennoch von Überraschung reden möchte, in dem Sinne einfach, wie das Gute und Originale immer wieder überrascht, – aus dem wiederum sehr einfachen Grunde, weil es selten ist, und

man es mit so viel Durchschnittlichem und Uneigentlichem zu tun hat, daß man schließlich beinahe schon vergessen hat, wie das Gute und Merkwürdige aussieht. – Nun, *so* sieht es aus. Und was interessant ist, weiß man nun wieder. Interessantheit ist gewiß die erste und vielleicht einzige an einen Erzähler zu stellende Forderung, *das* Kriterium seines Talents, viel mehr als beim Lyriker oder Dramatiker. Denn wenn man einem zuhören soll, und zwar *lange* zuhören soll, so muß er eben interessant sein, – eine freilich mysteriöse und kaum zu definierende Eigenschaft; aber dieses Geheimnis und das Undefinierbare haben Sie, und es macht Sie zu einem – soll ich sagen: großen? – aber was soll das Beiwort? –, es macht Sie ganz einfach zu einem Erzähler.

Das Buch gehört zu dem Allerinteressantesten, das mir in Jahren vorgekommen, und während ich las, blätterte ich öfter zurück zur Widmung und freute mich, daß es mir gehört. Das Interessante aber, an und für sich rätselhaft, kann auch wohl inhaltlich-sachlich eines rätselhaften Einschlages nicht entbehren – – man zerbricht sich den Kopf, man schüttelt ihn auch wohl, was ist das für ein Buch, was für ein Autor, was für ein Held, wie kommt der Autor zu diesem kühlen, kühnen, erfolgreichen Helden, wie weit ist er mit ihm identisch? Sehr weit offenbar, denn kühl, kühn und erfolgreich, *innerlich* erfolgreich ist auch der Erzähler, der hier erzählen läßt, aber auch wieder selbst erzählt, ein Leben, eine Jugend, die in dieser Form wohl kaum die seine ist, ein Wunsch- und Schmerzensleben, das er mit so viel Kühle, Kühnheit und Erfolg zu realisieren weiß, daß es seines ist, sein zweites Leben, seine zweite Jugend.

Der Erfolg, das Gelingen ist wirklich außerordentlich. Wie alles real gemacht ist, zur entschiedensten Autobiographie, zum eigentümlichsten Leben wird, ist erstaunlich. Die Vatergeschichte hält man lange für das beste, aber nachher ist es die Mutter, die beinahe noch wunderlich-lebendiger und interessanter wird. Und Episoden wie die Bergpartie, das Reitenlernen, die Gemsjagd und Schnurrigkeiten des Wirklichen, wie »Postillon« und »Marty« und die Liebesgeschichte mit A. v. W. und der lebensscharfe Männerkonflikt mit Maxi, das Duell, noch einmal ein Roman-Duell, aber eben kein Roman-Duell, sondern ganz neu und lebenseinmalig, »so war es«. Es ist vorzüglich.

Man ist angefüllt mit Eindrücken, erregt und okkupiert von sonderbar existenten, aber unvergeßlich geprägten Bildern, Menschen

und Geschehnissen. – Übrigens ist das Ganze sehr österreichisch, wenigstens was einen gewissen Hauch von Gesellschaftlichkeit, Mondänität, betrifft. Dabei diese Einsamkeit – bis zur Kälte. Sehr, sehr beschäftigend und ergreifend.
Seien Sie beglückwünscht und nehmen Sie weihnachtliche Grüße.
Ihr ergebener

Thomas Mann

An Herrn Kienberger

Küsnacht-Zürich
Schiedhaldenstraße 33
23. XII. 37

Sehr geehrter Herr Dr. Kienberger,
Ihre freundlich-positive Stellung zu meiner persönlichen Existenz verpflichtet mich trotz Ihrer harten Urteile über die Zeitschrift und ihre Mitarbeiter zur höflichen Danksagung für Ihren Brief.
Ich verstehe es ganz gut, daß eine zuschauende, hinnehmende, innerlich unergriffene Neutralität wie die Ihre sich von allem, was nach Kampf, Bekenntnis, Leidenschaft aussieht, leicht irritiert und angewidert fühlt. Trotzdem scheint mir, daß Sie von Ihrem Landsmann Konrad Falke, der schließlich kein hinausgeworfener Jude ist, und von Döblin, der zwar ein hinausgeworfener Jude, aber ein bedeutender Romancier und ein origineller Kopf ist, nicht reden sollten wie Sie es tun. Sie kennen sein Werk schlecht, wenn Sie von »ersten philosophischen Gehversuchen« sprechen, und das Einzige, was Sie ihm positiv vorwerfen, die angebliche Verwechslung von »prometheisch« und »faustisch« (es handelt sich ja um den Feuerbringer Prometheus, nicht um den unendlichkeitssüchtigen Faust – abgesehen davon, daß niemand gezwungen ist, sich der Spengler'schen Terminologie anzuschließen) – muß mir im Lichte vorurteilsvoller Mäkelei erscheinen.
Aber auch mich kennen Sie schlecht, wenn Sie meinem Lebenswerk ästhetischen Beifall geben, aber die moralischen Voraussetzungen mißachten, ohne die es nicht denkbar ist, und mir zumuten, daß ich sie in Zeiten wie diesen, in denen es nicht um »Parlamentarismus«, sondern um den Menschen und seine geistige Würde geht, aus falscher Vornehmheit verleugne. Ich erkläre offen, daß ich mich für jede Verehrung bedanke, die die organische Verbindung zwischen allem, was ich als Künstler tat, und meiner heutigen Kampfstellung gegen das »Dritte Reich« nicht sieht und respektiert.

Sie haben, wie ich sehe, die Beschäftigung mit »Maß und Wert« erst beim 3. Hefte begonnen. Ich schicke Ihnen die beiden ersten Stücke, die Ihnen Einzelnes, zur Versöhnlichkeit Stimmendes bringen mögen, – wobei ich nicht zuletzt an mein »Vorwort« zu denken wage. In großen Zügen kann es Ihnen vielleicht erläutern, weshalb ich mich einer »Emigranten-Zeitschrift« zur Verfügung gestellt habe.
Ihr sehr ergebener

Thomas Mann

An Alfred Neumann

Küsnacht-Zürich
Schiedhaldenstraße 33
28. XII. 37

Lieber Alfred Neumann,
es war gut und treu, daß Sie meiner, unser in dieser Wende-Festzeit mit einem so lieben Brief gedachten. Ich habe große Achtung vor der Klugkeit und Tapferkeit, mit der Sie Ihr Leben ordnen, dem Praktisch-Notwendigen, das man doch auch mit Geist betreiben kann, das Seine geben und sich so die Möglichkeit höherer Arbeit salvieren. Auf dies Eigentliche und Höhere, mit Liebe Geschaffene – ich kann den Titel nicht lesen – freue ich mich sehr: hoffentlich kann ich den »kleinen Roman« noch mit nach Amerika nehmen, wohin ich meinen eigenen »kleinen Roman«, Gott sei's geklagt, nicht mit werde nehmen können. Wenn Ihr Buch vor Mitte Februar herauskommt, erlebe ich's noch und kann was Schönes mit an Bord der Queen Mary nehmen, für die Tage der ozeanischen Winterstürme, wenn man flach liegen muß, aber auch für die vielen Eisenbahnfahrten nachher.
Wir haben Krankheitssorgen im Hause: es hatte den Bibi erwischt, mit hohem Fieber kam er aus Paris, eine Hirnhautentzündung deklarierte sich, und danach warf die Infektion sich aufs rechte Auge, wo sie unter starken Schmerzen die Regenbogenhaut angriff, – eine äußerst penible Sache, die Wochen lang die akkurateste Pflege und vollkommene Eingezogenheit der Lebensweise verlangt, während das Auge durch Atropin völlig ausgeschaltet ist.
Aus unserem gewohnten Winteraufenthalt in Arosa schien nichts werden zu sollen, denn ohne meine Frau wäre auch ich nicht gegangen. Aber es sieht nun doch aus, alsob meine Frau bis zum 10. I. abkömmlich sein wird, da die Behandlung gut organisiert ist und keine Gefahr mehr zu bestehen scheint. Wir bleiben dann 3 Wochen

dort oben, wo ich eine Schopenhauer-Einleitung für eine amerikanische Ausgabe schreiben will. [...] Dazu eine Ansprache, die ich in Yale University, New Haven, zu halten haben werde, zum Dank für die Einrichtung einer Art von Archiv oder library, der sogen. Th. M. Collection, die man in meiner Anwesenheit eröffnen will. Rührende Leute. Es ist aber eine der Handlungen, die sich mehr oder weniger demonstrativ gegen das heutige Deutschland richten.
Die augenblickliche Zwischenzeit benütze ich, um »Lotten« rasch und diebisch noch ein Stückchen vorwärts zu bringen. Es tut mir wohl, daß die erschienenen Stücke Sie interessiert haben. Das Riemer-Gespräch ist natürlich ein centrales, wohl gar *das* centrale Kapitel, obgleich mit dem Auftreten des Alten selbst noch allerlei Merkwürdiges kommen muß. Ich bin jetzt bei einer Szene zwischen Lotte und dem jungen August, dem Sohn der Mamsell. Einen gewissen Neuigkeitsreiz, irgend etwas Aufregendes und Einmaliges soll die Sache schon wieder haben, und zum Mindesten verwirkliche ich mir einen alten Traum: den, Goethe einmal persönlich wandeln zu lassen. Er stammt schon aus der Zeit des »Tod in Venedig«, wo ich es noch nicht wagte. Die lange Übung im jüdischen Mythos hat mich frech gemacht – bitte, nicht weil es der jüdische ist!
Ach, aber zehnten, zwölften Februar wird es vorläufig aus sein mit Lotten: Erst wenn wir von U.S.A. zurück sind, im Mai, todmüde wahrscheinlich, aber in produktiver Hinsicht eben doch ausgehungert, werde ich die liegen gelassenen Fäden wieder aufnehmen können.
Ein bißchen viel habe ich Ihnen von mir erzählt, entschuldigen Sie, ich dachte, Sie wollten es.
Grüßen Sie die prächtige Frau Katharina recht herzlich und treiben Sie es weiter im neuen Jahr auf Ihre gute, gemessene Art!

Ihr Thomas Mann

An Willem de Boer

Küsnacht-Zürich
Schiedhaldenstraße 33
30. XII. 37

Lieber und verehrter Herr de Boer,
nach dem gestrigen Abend und seinem schönen Hauskonzert ist es mir ein Bedürfnis, Ihnen und Ihrer lieben Frau noch einmal zu dan-

ken und Ihnen auszusprechen, wie interessant und bewegend, ein wie ganz besonderer und neuartiger Eindruck Ihr Viola d'amore-Spiel für mich war.
Wenn ich sage »Spiel«, so meine ich den *Spieler* und das zu Unrecht aus der Mode gekommene und wenig bekannte *Instrument*; denn diese beiden gehören allerdings zusammen, und man kennt das erstaunliche Instrument nicht und hat gar keinen Begriff davon, wenn man nicht erfahren hat, was es in den Händen eines Spielers, wie Sie es sind, zu leisten vermag. So kommt es, daß die Meisten sehr schwache und unvollkommene Vorstellungen davon haben, und zu diesen Meisten gehörte auch ich bis jetzt. Ihre Kunst und Virtuosität hat mich ganz für die Viola gewonnen. Welche solistischen Möglichkeiten schlummern in ihrer vielfachen Besaitung! Welcher Klangumfang! Welche Zartheit und Gewalt! Welch ein Register-Reichtum – den Sie zu nutzen wußten, daß sich mir gleich das Wort von der »Streich-Orgel« auf die Lippen drängte. Es ist wirklich dergleichen in Ihren Händen, und mir scheint, Ihr Beispiel müßte nicht nur Schüler und Nachstrebende in der Pflege des Instruments erwecken, sondern auch eine Viola-Literatur hervorrufen, an der es in beklagenswerter Weise zu fehlen scheint. Allerdings ist die Ariosti-Sonate, die Sie spielten, ein sehr schönes Werk, und Sie selbst haben einiges Bewundernswerte hergestellt, woran die Viola ihre Tugenden glänzend erweisen kann.
Ich höre, Sie gehen jetzt auf eine Konzertreise nach Holland mit Ihrem Saitenspiel. Ich glaube, daß vielen Hörern Ihre Produktion etwas wie eine Offenbarung bedeuten wird, und zögere nicht, Sie im voraus zu dem großen Erfolg zu beglückwünschen, dessen Sie sich bei dem musikliebenden Publikum Ihrer Heimat versehen dürfen.
Ihr sehr ergebener

Thomas Mann

1938

An Félix Bertaux

Küsnacht-Zürich
Schiedhaldenstraße 33
4. I. 38.

Lieber Herr Bertaux:
Sie haben mich tief gerührt durch Ihr freundliches Gedenken zum Jahreswechsel und auch beschämt, denn meine Glückwünsche kommen nun schon um einige Tage verspätet, wenn freilich auch das Jahr noch jung ist. [. . .] Oft gedenken wir Ihrer und Ihrer Lieben und bedauern, daß seit unserem letzten Besuch in Sèvres soviel Zeit vergangen ist. Ein Besuch in Paris wäre längst einmal wieder an der Zeit gewesen und bei der geringen Entfernung zwischen uns und Ihnen ist es fast lächerlich, daß es nicht dazu kam. Aber ich bin, um mit Schopenhauer zu reden, »ein Pilz, der fest sitzt«, und wenn ich nicht auf Regelmäßigkeit hielte, sondern viel ausflöge, so würde ich es bei der Langsamkeit meines angeborenen Tempos zu garnichts bringen. Desto mehr freuen wir uns beide, meine Frau und ich, daß ein Wiedersehen für das kommende Frühjahr wohl sicher bevorsteht. [. . .]
Es hat mich im tiefsten Herzen gefreut, was Sie mir von der Sympathie sagen, die meine kleine politische Schrift, von Gide so freundschaftlich eingeleitet, bei Ihnen zu Lande gewinnen konnte. Wenn freilich unser Freund Desjardins sie als ein Merkmal dafür betrachtet, daß sich »in Europa etwas geändert« habe, so scheint mir das etwas zu optimistisch geurteilt von diesem alten Gardisten der Freiheit und Humanität. Die Änderung schreitet, wenn man die Tendenzen im Großen und Rohen betrachtet, doch immer noch in einer durchaus feindseligen und widerwärtigen Richtung fort, und die Gegenkräfte, von denen allerdings zu hoffen ist, daß sie sich unter dem Druck des Bösen allmählich herausbilden, sind nach ihrer Stärke und Bewußtheit schwer abzuschätzen. Der allgemeine geistige Zustand der Welt, die täglichen Ereignisse, wie sie uns die Presse zuträgt, sind wenig tröstlich, ja ein rechtes Seelengift. Die einzige Stärkung liegt in dem Bewußtsein, einer Elite besserer, freierer und wohlwollenderer Geister anzugehören, die den Aberwitz des blinden und in sich selbst befangenen Tages verachtet und deren Willensmeinung denn doch am Ende wohl die Zukunft ein-

mal bestimmen wird. Lassen Sie uns in diesem Sinn, lieber Freund, zusammenhalten und uns unserer Freundschaft freuen! [. . .]
Ich muß diesen Brief beschließen, denn der Augenblick nähert sich, wo wir das Radio anstellen wollen, um Pierre zu hören. Sagen Sie ihm meinen Dank für ein so aktiv bekundetes Interesse und nehmen Sie mit ihm und Ihrer lieben Gattin meine und meines Hauses herzlichste Grüße!
Ihr sehr ergebener Thomas Mann

Man verstand recht schlecht, es krachte viel, ich glaube, Göbbels funkte dazwischen. Aber, die Wahrheit zu sagen, Pierre sprach auch zu leise, zu rasch, zu sehr à la légère. Auch kam er für diesmal noch nicht bis zum »Avertissement« oder nur bis zum Titel. Möge er das nächste Mal seinen Sätzen mehr rhetorische Ehre erweisen. Sie sind es wert. (Meine lateinische Schrift ist die eines Siebenjährigen.)

An Fritz Strich

Küsnacht-Zürich
Schiedhaldenstraße 33
9. I. 38

Lieber Professor Strich,
mich beunruhigt eine vielleicht ganz dumme Frage: Haben die »Klassiker« (Goethe und Schiller) sich Klassiker genannt oder sind »Klassik« und »Klassiker« *nachträgliche, historische* Bezeichnungen? Mit anderen Worten: War die Klassik eine bewußte und programmatische literarische *Schule*, die sich ausdrücklich so nannte wie die Romantik und später etwa unser Naturalismus und Expressionismus diese Namen führten? Auch der »Sturm und Drang«, also der Vorläufer der Klassik, ist doch nicht erst ein Ausdruck der Literarhistoriker, sondern, wenn ich recht verstehe, nannten die Leute sich selber und ihre Richtung, ihr Lebensgefühl so, im Anschluß an Klingers Stück. Wie ist es also mit der »Klassik«? Nannten die Vertreter der ästhetischen Autonomie und jener gewissen humanen und idealen Formstrenge, verbunden mit einiger moralischer Gleichgültigkeit (gegen die z. B. Herder revoltierte) ihre Richtung schon damals »Klassik« im Sinn einer Schule? Goethe (aber erst zu Eckermann) definiert gelegentlich die Begriffe »klassisch« und »romantisch«. Aber in Schillers ästhetischen Schriften (»Naive und sentimentalische Dichtung«, Kritik von Bürgers Gedichten) kommt die

Bezeichnung meines Wissens nicht vor, wie Schiller gegen Bürger z.B. auch nicht etwa sagt, er sei im »Sturm und Drang« stecken geblieben. Auch Goethe spricht, glaube ich, in »Dichtung und Wahrheit« nicht von »Sturm und Drang«, sondern nur von einer »fordernden Epoche«. Und die »Klassik«? Ist es denkbar, daß ein Zeitgenosse, positiv oder ablehnend, von der »klassischen Schule« spricht wie man nach dem Kriege von der expressionistischen oder um 1900 von der naturalistischen sprach? Das ist dialogisch wichtig, denn das Wort nimmt sich, aktuell gebraucht, sehr humoristisch aus.
Seien Sie doch so freundlich, mir gleich eine Zeile nach *Arosa*, Neues Waldhotel, zu schreiben, wohin ich morgen fahre!
Das junge Jahr möge Ihnen freundlich sein!

Ihr Thomas Mann

An Fritz Strich
[Ansichtskarte] Arosa den 12. I. 38

Lieber Prof. Strich,
wie freundschaftlich genau und ausführlich haben Sie mir geantwortet. Recht vielen Dank! Ich habe Sie nicht so bemühen wollen, bin nun aber wirklich belehrt. Immerhin, ein Zeitgenosse kann das Wort brauchen. – Übrigens schreibe ich jetzt über Schopenhauer.

Ihr T. M.

An Ida Herz
[Ansichtskarte] Arosa den 16. I. 38

Liebes Fräulein Herz,
einen schönen Gruß aus schöner Höhe. Es sieht hier wirklich aus wie auf dem Bilde, und es ist gut, daß der Kreislauf wieder zu diesen 3 Wochen geführt hat. Ich schreibe über Schopenhauer. Ihnen muß meine Frau schreiben. Auf Wiedersehn in Southampton.

Ihr ergebener T. M.

An Agnes E. Meyer

Hotel Utah
Salt Lake City, Utah
22. III. 38

Liebe Mrs. Meyer,
im Augenblick der Abreise von hier lassen Sie mich noch einen kurzen Gruß nach Washington ins gastliche Haus senden als kleines

Supplement zu meinem gestrigen und namentlich zu Erikas beifolgendem Brief. Was sie Ihnen schreibt, ist leider nur zu richtig, und auch ich wäre erleichtert und dankbar, wenn sich in Washington in dieser Sache etwas tun ließe.
Daß Ihr Telegramm mir große Freude gemacht hat, brauche ich nicht zu sagen oder doch nicht zu wiederholen. Es war mir eine Herzensstärkung in diesen Tagen, die so sehr an das Frühjahr 1933 erinnerten.
Ich bin oft über die siegreiche Verworfenheit ganz außer mir. Wie lange wird die Welt diese Pest dulden?
Unsere Reise aber fährt fort ein rührender Erfolg zu sein, und im Grunde bin ich heiter.

Ihr Thomas Mann

An Gräfin Mercati
[Telegramm] 18. April 1938

I am very happy at the news of the great Carnegie Hall concert. The brilliant artists associated with it – Jascha Heifetz, the NBC Symphony Orchestra and Dr. Artur Rodzinski, guarantee that it will be a success. It will constitute a tremendous help to hundreds of victims in a dark and gruesome time. The concert is inspired by the spirit of the most beautiful American tradition. It serves as a consolation and a hope that American democracy is alert and alive.

Thomas Mann

An [unbekannt]

The Bedford
118 East 40th Street, New York
21. V. 38

Sehr geehrte Frau,
nur in kurzen Worten kann ich Ihnen für Ihren Brief danken, den ich mit verständnisvoller Bewegung gelesen habe. Welchen Eindruck auch auf mich die Untat an Österreich, daß sie möglich war, daß sie geduldet wurde, gemacht hat, mögen Sie daraus ersehen, daß ich beschlossen habe, von dieser Reise nach Amerika, die ich im Februar antrat, um hier Vorträge zu halten, vorläufig nicht nach Europa zurückzukehren. Ich löse meinen Schweizer Haushalt auf und will meinen Wohnsitz in einer Universitätsstadt des amerikani-

schen Ostens nehmen. Ich habe mich also, nicht mehr jung, bei möglichster Aufrechterhaltung meiner geistigen Arbeit, in ganz neue Verhältnisse hineinzufinden, und das bedeutet keine geringe Anforderung an meine Spannkraft. Eine irgendwie zulängliche Beantwortung Ihrer Fragen würde mich sehr weit führen. Ich möchte Ihnen nur raten: Seien Sie froh, in einem noch freien, nicht fascistischen Lande als durch Heirat Zugehörige leben zu können und hüten Sie sich, Ihrer begreiflichen Sehnsucht nach Sühne, kriegerischem Einschreiten der demokratischen Mächte, nach dem écraser l'Infâme agitatorischen Ausdruck zu geben. Die österreichische Emigration wird dieselbe Erfahrung machen, die die deutsche längst gemacht hat: Daß die Welt solche Ratschläge und Aufforderungen von unserer Seite sehr ungern empfängt und sie übel aufnimmt oder mit Achselzucken. Die Langmut der Welt, so quälend für uns, und ihr Bestreben, sich mit dem Fascismus zu arrangieren, haben ihre guten oder doch triftigen Gründe, deren Analyse mich, wie gesagt, zu weit führen würde. Kurz gesagt, sind ja National-Sozialismus und Fascismus Hilfsmittel gegen die überall drohende soziale Revolution, Mittel, sie zu unterdrücken, zu übertünchen, zu verzögern, sie hintanzuhalten, indem man Teile davon in einem falschen und betrügerischen Geist verwirklicht – brutale Quacksalbereien also, für die aber überall die bürgerliche Welt, bei aller Abneigung gegen das Drum und Dran, eine geheime Schwäche hat, woraus sich erklärt, daß sie so schwer dagegen in Bewegung zu setzen ist und unsere Warnungen als egoistische Aufhetzung empfindet. Ich wünsche nichts mehr, als im Schutz einer Gesellschaft, die das, was ich weniger propagiere als bin und darstelle, noch liebt und ehrt, mein Lebenswerk zu Ende zu führen. Ich würde Ihnen, wenn Sie mich fragen, eine ähnliche, innerlich entschiedene, aber gelassene und auf die Zukunft vertrauende Haltung empfehlen.
Ihr sehr ergebener

Thomas Mann

An Erich von Kahler

Jamestown, Rhode Island
26. V. 38

Lieber Erich von Kahler,
morgen, Freitag, wird Erika in Paris sein, Anfang nächster Woche in Zürich. Sie wird Ihnen und den anderen Freunden unsere Grüße bringen und Ihnen von uns erzählen. Aber ich möchte ihr

doch nicht ganz allein das Wort lassen, sondern Ihnen selbst sagen, wie oft wir an Sie denken, mit wieviel Wehmut wir es tun, und wie sehr Sie uns in unserem zukünftigen Leben fehlen werden. Nicht wahr, Sie verstehen unseren Entschluß, – wir müssen sehr wünschen und hoffen, daß man in Zürich überhaupt und auch in Prag ihn versteht. Der Choc der Untat an Österreich war schwer; die Parallele mit 1933 drängte sich auf, man hatte den Eindruck einer »Machtergreifung« in kontinentalem Stil und das Gefühl des Abgeschnittenseins, wie damals. Das mag sich als übertrieben erweisen oder verfrüht. Trotzdem können wir unseren Beschluß und den Akt unserer »Einwanderung« nicht bereuen: zuviel, in Europa und hier, spricht dafür, daß wir unter möglichster Wahrung des Kontaktes mit dem alten Erdteil, unseren Wohnsitz wenigstens für eine Zeit in dieses Land verlegen. Meine Reise von Ost nach West und wieder zurück, die bei allen damit verbundenen Zumutungen ein recht fröhliches Erntefest hätte sein können ohne die europäischen Sorgen und Schrecken, hat mir zusammen mit der Aufnahme von »Joseph in Egypt« gezeigt, wieviel Vertrauen, Sympathie, Freundschaft mir hier entgegenkommt, – und wie sollte man sich von atmosphärischen Wohltaten und Freundlichkeiten nicht angezogen fühlen, an denen es in Europa nachgerade so gänzlich fehlt? Auch glaube ich, daß mehr und mehr besseres »Europa« sich herüber verziehen wird, nicht ausgenommen das außerdeutsche Verlagswesen deutscher Zunge, sodaß vielleicht gar auch die deutschen Ausgaben meiner Bücher hier erscheinen werden. Kurzum, mir scheint, mein Platz ist jetzt hier. Daß man sehr möglicher Weise dem Kriege entgeht, indem man Europa jetzt meidet, ist erst ein Gedanke zweiter Ordnung. Ich kann mit meiner Vernunft nicht an den Krieg glauben. Niemand will ihn und kann ihn wollen wegen der unabsehbaren Folgen. Aber ist es nicht dieselbe Vernunft, die einem sagt, daß garnichts anderes als der Krieg das Ergebnis von dem sein kann, was Europa braut?
Unser kleines Land im Osten hält sich wundervoll. Die Gefühle, die das deutsche Gebaren mir einflößt, mag ich nicht ausdrücken.
Wir sind hier am Meer nach den Wanderungen der letzten 3 Monate zu einer vorläufigen Ruhe gekommen in einem geliehenen Häuschen, und ich nehme die liegengelassenen Fäden von »Lotte in Weimar« wieder auf, wie ich es in Küsnacht getan hätte. Für

den Herbst bin ich im Begriff, mit Princeton über eine Art von Ehren-Professur abzuschließen, die mich nicht allzu sehr belasten und mir eine Lebensgrundlage bieten wird. Dort werden wir also, etwa im September, uns konzentrieren. Der Sitz hat den Vorzug der Ländlichkeit bei sehr leichter Verbindung mit New York.
Und Sie? Und Ihre Mutter? Welche Pläne haben Sie? Oder doch: welche Wünsche? Natürlich dachte ich an Sie, als ich sagte, das bessere Europa werde sich allmählich zu »uns« herüberziehen. Auf Wiedersehn! Hier oder in der Schweiz, wohin wir ganz gewiß bald einmal zu Besuch kommen, womöglich schon nächsten Winter.

Ihr Thomas Mann

An Martin Gumpert

Jamestown, Rhode Island
27. Mai 1938

Lieber Herr Dr. Gumpert,
Ihr Buch ist ergreifend schön. Nicht oft habe ich so eifrig gelesen. Sie haben viel mehr gegeben als das Bild eines sehr wunderlichen und rührenden Menschenlebens. Wie von ungefähr ist Ihnen daraus das Gemälde eines ganzen Jahrhunderts, des neunzehnten, mit seinen Schwächen und in seiner Größe, geworden, seine kurzgefaßte, aber zu vollkommener charakteristischer Anschaulichkeit gebrachte figurenreiche Geschichte. Ihre literarische Leistung ist außerordentlich, und man darf sie eine dichterische Leistung nennen. Denn wenn Sie auch das Geschicklichkeitskunststück verschmähen, das seltsam anonyme und scheue Leben Ihres Helden, Dunants, des Schöpfers des Roten Kreuzes, zum Roman aufzuschmücken, Sie haben doch einen Roman geschrieben und einen höchst spannenden, ungeheuer viel Lebensgefühl, Lebensparadoxie und -Tragik vermittelnden, den Roman einer großen, illusions- und hoffnungsreichen und in Elend und Verheerung ausgehenden Epoche.
Sie haben es mit soviel Ernst, Klarheit, Gerechtigkeit, Sympathie für das Menschliche getan, daß Ihr Buch ohne Zweifel zu den hervorragendsten Beispielen der historischen Biographie gezählt werden muß. Es ist eines der heute abseitigen und in ehrenvollstem Sinne unzeitgemäßen Bücher, die ihren vollen Klang erst gewinnen, ihren wahren Rang erst einnehmen werden, wenn, um mit Ihren eigenen Worten zu reden, »die alte Heils- und Freiheitslehre

des Abendlandes den Massen, die sie heute verachten, und der Jugend, die sie nie gehört hat, wie eine neue und erlösende Wahrheit verkündet werden darf«.
Ihr sehr ergebener

Thomas Mann

An Agnes E. Meyer

Jamestown, Rhode Island
19. VI. 38

Liebe Mrs. Meyer:
Recht vielen Dank für Ihre Zeilen vom Samstag. Es ist uns jedes Mal beruhigend, wenn Sie unseren Sommer-Europa-Plan gut heißen. Wir suchen jetzt in aller Eile noch, in Princeton ein passendes Haus zu finden. Meine Frau war eben zwei Tage dort, hat aber eigentlich Erfreuliches noch nicht gefunden, und die Preise scheinen recht hoch. Immerhin stehen ein paar Objekte schon zur näheren Wahl, und wir wollen, wenn wir die Yale-Feier hinter uns haben, noch einmal zusammen nach Princeton, um einen endgültigen Entschluß zu fassen. Dies ist der Grund, warum wir unsere Einschiffung vom 24. auf den 29. verlegt haben, an welchem Tag sowohl die »Washington« als die »Normandie« auslaufen. Es kommt darauf an, auf welchem von beiden Booten wir Platz finden.
An der Abschrift des Schopenhauer arbeitet meine Frau zur Zeit, da außer ihr niemand auf diesem großen Continent meine Handschrift lesen kann. Sie war aber von rückständiger Korrespondenz hier so in Anspruch genommen, daß sie noch nicht weit vorrücken konnte und die Abschrift erst auf dem Schiff und in Küsnacht wird beenden können. Sobald die Durchschläge vorliegen, bekommen Sie selbstverständlich einen.
Gestern kamen die ersten Exemplare der Demokratie-Rede. Ich habe den Eindruck einer meisterlichen Übersetzung und bin sehr angetan von der geschmackvollen Ausstattung.
Seien Sie recht vielmals gegrüßt und auf Wiedersehen!

Ihr Thomas Mann

An Agnes E. Meyer

Küsnacht-Zürich
Schiedhaldenstraße 33
18. VII. 38

Sehr verehrte Freundin:
Wir haben beide, meine Frau und ich, das Bedürfnis Ihnen über unser Ergehen, seit wir Abschied nahmen, ein wenig zu berichten, und da ich diese Zeilen meiner Frau diktiere, können Sie den Brief als von uns beiden kommend auffassen.
Wir haben, wie wir wohl schon von unterwegs berichteten, eine hübsche Überfahrt auf der höchst sympathischen »Washington« gehabt. Das Leben auf diesem Boot war so angenehm, wie ich es auf Schiffen anderer Nationalität kaum getroffen habe, und auch vom Wetter waren wir während des größeren Teiles der Reise außerordentlich begünstigt. Nur in der Irischen See gab es dann noch einen richtigen Sturm, der uns eine empfindliche Verspätung eintrug. Auf einen Freundesbesuch, den wir in Paris vorhatten, mußten wir verzichten und die Reise ohne Unterbrechung mit dem Schlafwagen fortsetzen: Desto traumhafter mutete uns nach der im Flug zurückgelegten Fahrt nun an, uns wieder in der alten Umgebung zu finden, die wiederzusehen wir kaum noch geglaubt hatten. Unser Entschluß, dem Sie so ermutigend zustimmten, war entschieden der richtige. Es tut uns beiden wohl, noch einmal die in fünf Jahren heimatlich gewordene Luft zu atmen und die alten schönen Waldspaziergänge zu machen. Die Freude daran wird erhöht durch das Bewußtsein, in Princeton ein neues Heim zu haben. Durch die politische Lage fühlen wir uns kaum bedroht, obgleich natürlich nicht zu leugnen ist, daß neue kritische Tage in Aussicht stehen. Die Stimmung in der Schweiz hat sich durch den Fall Österreich gegen Deutschland, das heißt gegen das Hitler-Regime, eher verschärft, wenn diese an sich erfreuliche Folge von Hitlers Untat auch mit wachsenden geistigen und politischen Autarkie-Tendenzen des eigenen Landes verbunden ist. Die nächsten Wochen denken wir noch hier zu bleiben und uns des Hauses zu erfreuen, das gerade in sommerlicher Zeit große Vorzüge hat; ein Badeaufenthalt im Wallis soll sich dann noch anschließen, und für den 17. September haben wir unsere Schiffskarten für die »Nieu Amsterdam«. Ich bin an »Lotte in Weimar« recht tätig. Die alten Zürcher Freunde kommen zu Besuch, es gibt manches gute Gespräch, und auch wegen der Zeitschrift und der deutschen Veröffentlichung

meiner amerikanischen lecture in ihrem Rahmen gibt es Manches zu beraten.
Erlauben Sie mir, diesem kleinen Bericht im Interesse eines Dritten noch eine Anfrage hinzuzufügen. Ich hatte einen Brief von dem deutschen nach Skandinavien emigrierten Schriftsteller und Journalisten Werner Türk. Der Mann hat mich zu Dank verpflichtet durch seine Tätigkeit im Interesse der »Thomas Mann Gesellschaft« und ihres Hilfs-Fonds' für deutsche und österreichische Flüchtlinge, dem er durch seine Werbetätigkeit stattliche Beträge hat zufließen lassen. Ich kenne ihn als tüchtigen und gewandten Journalisten und kann es daher verantworten, einen Wunsch bei Ihnen zu unterstützen, den er mir in seinem Brief ausspricht. Er möchte für ein amerikanisches Blatt über Norwegen schreiben, in der Meinung, daß es in diesem Lande vieles gebe, was für die Vereinigten Staaten noch unentdeckt sei. Seine Idee stützt sich auch auf das besondere Interesse Amerikas an den skandinavischen Demokratien. Seine Absicht ist, in den Artikeln über Norwegen die seltsamen Schönheiten der Landschaft zu beschreiben und das Land in seiner heutigen wirtschaftlichen und gesellschaftlichen Entwicklung darzustellen und einen Begriff von dem geistigen Leben in der Hauptstadt zu vermitteln. Ich habe nun gedacht, daß vielleicht die Washington Post für einen solchen Beitrag oder deren mehrere interessiert sein könnte, und gebe Ihnen für diesen Fall die Adresse des Autors: Werner Türk, Oslo, Schouterrassen 36.
Heute oder morgen erwarten wir unsere ältesten Kinder aus Spanien zurück, wohin sie im Auftrage von Zeitungen gereist sind. Sie waren in Madrid und Barcelona und haben, wie ich höre, Valencia durch das absonderliche Verkehrsmittel des Unterseebootes erreicht. Wir sind neugierig auf ihre Berichte und doch recht erleichtert, sie jetzt wieder in Frankreich geborgen zu wissen.
Leben Sie recht wohl, grüßen Sie Ihren verehrten Gatten und Ihre lieben Kinder von uns beiden! Wir freuen uns schon heute auf das Wiedersehen.

Ihr Thomas Mann

[1938]

An Bolko von Hahn

Küsnacht-Zürich
Schiedhaldenstraße 33
24. VII. 38

Sehr geehrter Herr von Hahn,
Ihr schöner Brief gehört zu den Dokumenten, die ein Schriftsteller mit dem Gefühl warmer Genugtuung dem kleinen Trophäenschatz seines Lebens hinzufügt, weil es ihn von der lebendigen Wirkung seiner Arbeit mehr verspüren läßt als irgend eine gedruckte Kritik. Ich danke Ihnen sehr.
Man glaubt zu sehen, daß die Humanität unserer Zeit das Geistige mehr als frühere Perioden als ein selbstverständliches Zubehör mit umschließt, statt es nach Art der Väterzeit in Gestalt des Literarischen neben der Wirklichkeit und dem aktiven Leben ein Spezial-Dasein führen zu lassen. Darum freue ich mich, wenn meine Bücher Männern eines kühnen und praktisch weit ausgreifenden Lebens, wie Sie einer sind, etwas zu sagen haben und an der Bildung und Erfüllung eines solchen Lebens auf ihre Art teilnehmen.
Ihre abweichende Auffassung von den Vorgängen in Spanien kann mir diese Freude nicht schmälern. Ich kann nur nicht umhin, mich zu wundern, daß Sie meine anderen politischen Äußerungen billigen, gerade in der spanischen Frage aber eine Ausnahme machen. Mir scheint, da waltet ein notwendiger logisch-moralischer Zusammenhang. Glauben Sie mir, die Anstiftung und Hinfristung dieses Bürgerkrieges ist eines der größten Verbrechen der Geschichte. Wenn Sie dort kämpften – welcher Unsinn wäre es, wenn Sie es nicht auf der Seite des Volkes täten, das seit zwei Jahren seine Freiheit mit solchem Löwenmut verteidigt! Meine ältesten Kinder kommen eben dorther. Sie sind voller Bewunderung für die Kampf-Moral der republikanischen Truppen, die derjenigen der anderen, soviel besser ausgestatteten Seite bei Weitem überlegen sei, – und überrascht von ihrer eigenen Furchtlosigkeit im Schützengraben und bei den mitgemachten Bombardements. Sie erklären sie sich aus der unbeschreiblichen Genugtuung, die man darüber empfindet, an der einzigen Stelle zu sein, wo auf den niederträchtigen Weltverderb, der Fascismus heißt, *geschossen* wird. – [. . .]
Mit wiederholtem Dank und aufrichtigen Wünschen
Ihr ergebener

Thomas Mann

An Ferdinand Lion

Küsnacht-Zürich
Schiedhaldenstraße 33
27. VII. 38

Lieber Lion,
drei Punkte:
Erstens, das Stückchen Annettens. Es hat persönlichen Charme, ist aber etwas dünn. Nach zwei Akten ist noch nicht viel da, und viel mehr wird wohl auch nach dem dritten nicht da sein. Ob es aber viel schwächer ist als Brentanos Phädra seligen Angedenkens? Und ob der lieben Annette nicht billig ist, was jenem recht? Frau Mayrisch setzt sich in einem rührend dringlichen Briefe dafür ein, daß wir, sei es selbst *etwas* gegen unser Gewissen, Einiges aus dem Drama bringen, der armen Annette gehe es so schlecht und ihrer irischen Schwester auch. Tatsache ist, daß sie große Hoffnungen auf das Stück setzt, und wenn ich ihr auch schon halb absagend geschrieben habe, so sage ich mir doch, daß es das Ende der Zeitschrift nicht wäre, wenn wir in Gottes Namen einen Akt oder zwei brächten, und daß wir buchstäblich ihre Erdentage dadurch verlängern würden. Fürs 7. Heft ist es ja gewiß zu spät, aber das Honorar könnte im voraus gezahlt werden. Ich möchte der alten Freundin liebend gern den Gefallen tun, traute mich nicht, traue mich aber nun im starken Bunde mit St. Hubert.
Zweitens: Romanfragment von E. A. Rheinhardt. Die Idee, jetzt zum Abschied Kindheitserinnerungen aus dem alten Wien zu schreiben, hat viel Gefühlsmäßiges für sich. Der Beginn eines Versuches dazu – es ist wohl an eine ganze Autobiographie gedacht – ist nicht ohne Reiz, wenn auch nicht gerade auf Schritt und Tritt. Es gibt manche Leere und Schwäche, auch wohl manche ungesalzene Scherzhaftigkeit. Sie müssen sehen, ich stelle anheim.
Der Begabteste ist, drittens, Fritz Walter mit dem kleinen Roman »Die stummen Götter«, trojanisch-griechisch, menschlich-göttlich und oft von erfreulich exakter Phantasie. Ich habe ein gutes Stück davon mit Vergnügen gelesen und habe vorläufig den Eindruck, daß sich einige Abschnitte daraus als Talentprobe präsentieren ließen. –
Haben Sie Kuno Fiedlers Autobiographie in der Hand gehabt? Oprecht wird sie bringen, und ich meine, wir sollten etwas daraus vor-abdrucken.
Der Ihrige

T. M.

An Heinrich Mann

Küsnacht-Zürich
Schiedhaldenstraße 33
6. VIII. 38

Lieber Heinrich,
ich höre, daß Dein großes Werk fertig ist. Das wäre herrlich – und träfe sich besonders gut in Hinsicht auf Dein Kommen. Die Sache ist die, daß wir, im deutlichen Gefühl sonst hier nicht fertig zu werden und mit den Abschlußgeschäften ins Gedränge zu kommen, auf eine längere Badereise verzichtet haben, – eher gern als ungern, denn wir kosten die hiesige Lebensform mit Vergnügen aus und brauchen nichts Besseres. Allenfalls wollen wir noch auf 8 Tage ins Engadin, Sils Maria oder Sils Baseglia, gehen, wo Erika schon ist. Das wird Dir zu hoch sein, (1800 m); aber auch Leuk im Wallis wäre im Grunde nicht recht nach Deinen Wünschen gewesen. Wir treten die »Heim«-Reise nach Princeton am 15. September an. Wenn Du vorher noch, gegen Ende des Monats und bis in den September hier in Küsnacht unser Hausgast sein möchtest? Die Wälder und Seeufer, mit dem Auto zu befahren, sind so schön, und Du kämest in ein Land, dessen Haltung gegen l'infâme seit Österreich von der wohltuendsten Entschlossenheit ist. Ich habe mich nie auch nur einen Augenblick gefährdet gefühlt, und von Deiner Anwesenheit würde man überhaupt nicht erfahren. Wie denkst Du? Der 26. August etwa, das wäre, wenn es denn nach unseren Umständen und Dispositionen gehen soll, der richtige Termin. Ich rechne mit Deiner Freiheit, wenn ich annehme, daß es nach ihnen gehen könnte. Im Hause sind Moni, Medi und Golo, der sich sehr erfreulich entwickelt hat und vorzügliche Dinge für »Maß und Wert« schreibt. Hast Du Deine Nietzsche-Einleitung abgeschickt? Über Schopenhauer habe ich nicht 20, sondern 60 Seiten geschrieben. Warum setzt man mich auf die Fährte! Nun muß das Vorwort erst wieder aus dem Überfluß herauspräpariert werden – Golo hat auch das schon gemacht.
Du hast Zeit, wegen der Reise mit Dir zu Rate zu gehen, für die ich Dir allerdings kühleres Wetter wünschte. Man freute sich erst, als es endlich warm wurde, und schon erweist sich das Vergnügen als Kalamität.
Herzlich

T.

An Ferdinand Lion

Küsnacht-Zürich
Schiedhaldenstraße 33
25. VIII. 38

Lieber Lion:
Das einliegende Briefchen ist mir von Annette Kolb in Auftrag gegeben worden; es scheint dabei zu bleiben, daß wir den ersten Akt bringen, was mir aus persönlichen Gründen recht lieb ist. Drangsalieren Sie Annetten nicht weiter mit Kürzungsvorschlägen und dergleichen: in einige hat sie ja schon gewilligt, und das Übrige soll in Gottes Namen bleiben, wie es ist.
An ter Braak war es mir doch ein Bedürfnis noch einmal zu schreiben, daß ich seinen betrüblichen Fall nicht leicht nehme, sondern daß er auch mir das Gewissen beschwert. Der Ausdruck meines Bedauerns war aber doch noch nicht stark genug, denn seine Antwort lautete sehr bitter, und es scheint, daß er garnicht über die Sache hinwegkommen kann. Es ist da ja leider nichts weiter zu machen, aber gestehen müssen wir uns, daß wir dem Mann, gern oder ungern, übel mitgespielt haben, und das Mindeste ist selbstverständlich nun doch, daß er und sein Übersetzer für den fest angenommenen, gesetzten und schon korrigierten Beitrag das volle Honorar erhalten. Er stellt diese völlig berechtigte Forderung in seinem Brief und ist besonders erbittert darüber, daß man unserseits noch nicht auf diesen naheliegenden Gedanken gekommen zu sein scheint. Sie müssen nun also sogleich bei Oprecht veranlassen, daß die wohlgezählte Bezahlung an ihn und den Übersetzer abgeht. Das ist ganz unvermeidlich, wie es früher in solchen Fällen unvermeidlich war.
Wir waren jetzt acht Tage in Sils Baseglia, und dort habe ich einen Aufsatz von Annemarie Clark-Schwarzenbach zu lesen bekommen, den ich Ihnen gleichzeitig noch einmal zugehen lasse. Ich weiß, daß Sie ihn schon einmal in Händen hatten und, wie ich glaube, wegen seines vorwiegend informatorischen Charakters abgelehnt haben. Nun bin ich aber der Ansicht, daß unserer Zeitschrift mit solchen instruktiven Artikeln, die weltwichtige Verhältnisse betreffen, von Kenntnissen und Erfahrung zeugen und solche vermitteln, dabei gut und klar geschrieben sind, durchaus gedient ist, und ich möchte Sie bitten, den Aufsatz der Schwarzenbach, der mir entschieden gefallen hat, doch noch einmal darauf anzusehen, ob er nicht vielleicht unsere Leser interessieren und gerade auch im Anschluß an mein

Vorwort zum zweiten Jahrgang sich recht passend ausnehmen würde. Zu erwägen ist natürlich, ob man nicht manchen Amerikaner mit dem Aufsatz vielleicht vor den Kopf stößt. Er ist von einem sehr prononcierten Standpunkt aus gesehen und geschrieben, stark sozialistisch und mit Roosevelt sympathisierend, und das gefällt drüben natürlich nicht jedem. Aber daß ich für Roosevelt bin, weiß man drüben nachgerade ohnedies schon, und der Aufsatz ist ja auch weit mehr zur Orientierung für Europa gedacht, für das unsere Zeitschrift doch immer vorwiegend erscheint. Bitte sagen Sie mir also Ihre Meinung nach neuerlicher Durchsicht! Mich hat, wie gesagt, die Arbeit sehr interessiert und angeregt, und ich würde sie gern bei uns sehen.
Schließlich noch Kurt Hiller: er beklagt sich bitter bei mir, daß sein Buch »Profile«, welches doch wohl bei uns eingegangen ist, keine Besprechung in »Maß und Wert« erfahren hat. Schließlich gehört es doch wohl zu den Büchern, die eines Wortes von uns wert sind. Haben Sie es jemandem zur Besprechung gegeben? Hiller ist ja nicht gerade mein Fall, aber ein ganz schneidiger Prosaist ist er doch, und übt eine Art von geistiger Redlichkeit, die mir immer wieder gefallen hat.
Mit freundschaftlichen Grüßen
Ihr ergebener

Thomas Mann

An Hermann Hesse
[Briefkarte]

Küsnacht-Zürich
Schiedhaldenstraße 33
8. IX. 38

Lieber Herr Hesse,
herzlich habe ich mich gefreut, von Ihnen zu hören. Dank für Ihre Zeilen und meine bewundernde Hochachtung für Ihre helfende Thätigkeit in dieser greuelvollen Zeit. In der Schweiz können Sie mehr thun als ich, aber ein paar mal konnte ich doch auch erleichternd eingreifen; so konnten wir Rob. Musil wenigstens für die ersten Monate im Ausland leidlich versehen.
Der arme Amann. Viel Glauben habe ich nicht, daß ich für sein Manuskript etwas erreichen kann. Das Beste scheint mir im Augenblick, Ihrem Hinweis zu folgen und es an Welti weiterzugeben, da er sich ja dafür interessiert. Ich werde ihm anheimstellen, es mir nach Princeton wieder zukommen zu lassen, wohin wir schon in

den nächsten Tagen übersiedeln. Es ist mir schmerzlich, Sie und Ihre liebe Frau vorher nicht mehr zu sehen. Aber wenn die große Abrechnung nicht kommt, werde ich sicher nächsten Mai für einige Monate wieder hier sein.

Ihr Thomas Mann

An Hedwig Leser

Princeton New Jersey
12. x. 38

Sehr geehrte Frau,
für Ihren freundlichen Brief danke ich herzlich. Die Stelle aus »D. u. W.« habe ich oft, etwa bei Vorlesungen aus dem Roman, angeführt und hatte zeitweise die Absicht, sie dem Gesamtwerk als Motto voranzustellen. Es ist aber nicht so, daß ich durch Goethe auf das Unternehmen gebracht worden wäre. Seine Worte, wenn ich sie auch vorher schon gekannt, dienten mir doch erst nachträglich zur Bestätigung. Ich wollte auch kein Riesen-Epos, sondern eine Novelle schreiben. Eine Auseinandersetzung der inneren Motive, die mich soviel weiter führten, würde ihrerseits zu weit führen. Die Hauptsache ist, daß ich das Monstrum einmal vollende, und das soll geschehen, wenn ich den Goethe-Roman fertig habe, für den die lectures, dinners, meetings etc. etc. mir immerhin einige Zeit lassen.
Ihr sehr ergebener

Thomas Mann

An Erich von Kahler

Princeton, 19. x. 38

Lieber Kahler,
wie gern hätte ich Ihnen schon längst geschrieben – so oft wie ich in diesen Wochen an Sie gedacht, mich auch um Sie und die Ihnen nahe Stehenden gesorgt und mir gewünscht habe, mit Ihnen über das gemeinsame Leid sprechen zu können. Aber Sie können sich denken, wie ich gelebt habe: zuerst die Tage erregter Ungewißheit in Paris, dann die Woche der Niedergeschlagenheit bei quälend mangelhafter Benachrichtigung auf dem Schiff, dann die Stunden gespanntester Hoffnung hier nach der Ankunft, gipfelnd in einem Riesen-Meeting in Madison-Square Garden, bei dem ich sprach und ungeheuere Kundgebungen erlebte; dann »München« und das endgültige Begreifen des schmutzigen Stückes, das all die Zeit ge-

spielt worden und dessen Höhepunkt die Übertragung der Hitler'-schen Kriegserpressung durch die »demokratischen« Regierungen auf ihre eigenen Völker war... Die Scham, der Ekel, das Zerstieben aller Hoffnung. Tage lang war auch ich regelrecht gemütskrank, und unter diesen Umständen mußte die Installierung hier bewerkstelligt werden. Nun bin ich über das Gröbste hinweg, habe mich mit den Thatsachen eingerichtet, deren Sinn und Logik ja klar bis zum Verächtlichen ist, und nun, man möchte denken: durch Zauber, mein Schreibtisch in meiner hiesigen library Stück für Stück genau so dasteht wie in Küsnacht und schon im Herzogpark, so bin ich entschlossen, mein Leben und Treiben mit größter Beharrlichkeit genau fortzusetzen wie eh und je, unalteriert von Ereignissen, die mich schädigen, aber nicht beirren und demütigen können. Der Weg, den die »Geschichte« eingeschlagen, war dermaßen schmutzig, ein solcher Äserweg der Lüge und Niedrigkeit, daß kein Mensch sich der Weigerung zu schämen braucht, ihn mitzugehen, selbst wenn er zu Zielen führen sollte, zu denen man andere Wege befürwortete. Aber wer weiß, durch welche Greuel er noch führen wird. Denn daß Hitler als verklärter Friedensfürst und Kanzler der auf fascistischer Grundlage Vereinigten Staaten von Europa stirbt, bleibt unwahrscheinlich.
Ähnliches habe ich auch in einer Vorrede zu der kleinen Sammlung politischer Essays gesagt, die Bermann jetzt herausbringen wollte. (Ob er noch will und kann, weiß ich nicht.) Ich hatte das Bedürfnis, diese überholten Dinge auf die Höhe des Augenblicks zu bringen, und so heißt der Aufsatz denn auch: »Die Höhe des Augenblicks«. Gefällt mir, der Titel. Aber ob so etwas in Europa noch gedruckt werden kann, ist freilich höchst zweifelhaft. Hier ist man schon stark mißtrauisch gegen alles europäische Informationswesen und glaubt an schnell sich verstärkende Censur. Natürlich dürfen den Völkern nicht zu schnell die Augen darüber aufgehen, wie sie betrogen und ins Bockshorn gejagt worden sind.
Ich las einige Zeilen von Ihnen, einen Brief an Lion, er schickte ihn mir. Das Glücklichste, was ich daraus entnahm, war Ihr sich festigender Entschluß, herüber zu kommen. Thun Sie das! Was wollen Sie noch drüben? Und wie hübsch wäre es, hier in Nachbarschaft zu leben. Unser Haus, Besitztum eines Engländers, ist sehr komfortabel und ein Fortschritt gegen alle früheren. Ich lege Wert darauf, immer die Treppe hinauf zu fallen. Die Menschen sind

wohlmeinend durch und durch, von unerschütterlicher Zutraulichkeit, ich glaube, Sie würden aufatmen unter ihnen, gerührt und glücklich sein. Die Landschaft ist parkartig, zum Spazieren wohl geeignet, mit erstaunlich schönen Bäumen, die jetzt, im Indian summer, in den prachtvollsten Farben glühen. Nachts hört man freilich die Blätter schon wie Regen rieseln, aber der heitere Herbst soll sich oft bis gegen Weihnachten hinziehen, und der Winter ist kurz.
Die Jüngsten sind bei uns, Erika trifft morgen ein, mutmaßlich mit Golo, dessen tschechisches Militär-Verhältnis dank Chamberlains tiefer Friedensliebe kein Problem mehr sein dürfte. Erika war in Prag... Ich bin neugierig auf die Europa-Luft, die diese Kinder mitbringen werden.
Seien Sie freundschaftlich gegrüßt!

Ihr Thomas Mann

An Ida Herz

Princeton N. J.
25. x. 38

Liebes Fräulein Herz,
verzeihen Sie mein langes Schweigen, ich war einige Tage komplett gemütskrank durch die infamen Ereignisse in Europa [...] – Ich sage über dies alles nichts weiter, um nicht Wunden wieder zum Bluten zu bringen, die gerade ein bißchen verharschen wollten, sodaß ich mich zu den Goethe-Träumereien zurückwende, – was aber wohl eher gerade das stillende Mittel ist. Den Coming victory, der es hier schon auf 22000 Exemplare gebracht hat, schicke ich Ihnen in der deutschen Ausgabe, die Ihnen gewiß lieber ist, was wieder mir lieb wäre, da ich keine englischen Copien mehr habe.
Von Mr. Coyle habe ich noch nichts gehört. Wenn ich ihm meinerseits noch nicht schrieb, so unter anderem darum, weil ich unendliche Briefe und Telegramme im Zusammenhang mit den Prager Entsetzlichkeiten zu redigieren hatte. Der Zudrang nach diesem Lande ist verzweifelt groß, und mir bangt etwas – erstens schon um das Gelingen Ihrer Einreise und zweitens um das, was werden soll, wenn Sie da sind und die Yale Library Sie nicht aufnimmt, was bei wegfallender Spekulation auf die Sammlung (für die die Briefe kein Ersatz sind) immerhin sehr möglich ist. Ich muß bei nächster Gelegenheit mit Angell, den ich noch nicht gesehen, wieder darüber sprechen. Zunächst werde ich jetzt aufs Geratewohl an Coyle schreiben und ihm sagen, daß ich gern mein Bestes thun werde, Ihnen

weiter zu helfen, wenn Sie einmal hier sind. Der Brief des Warburg Direktors kann mir dabei helfen.
Erika ist jetzt bei uns, auch Klaus und die Jüngsten. Sie war als englische Journalistin in den sudetendeutschen Gebieten und in Prag, und ihre Erzählungen sind herzzerreißend.
Ihr ergebener

Thomas Mann

An Cordell Hull

Princeton N. J.
65 Stockton Street
25. x. 38

Sehr verehrter Herr Staatssekretär:
Briefe und Telegramme aus Prag, welche wahre Notschreie darstellen, bestimmen mich, mit der folgenden Bitte an Sie heranzutreten.
In Prag gab es eine auf meinen Namen getaufte Gesellschaft, die der Unterstützung emigrierter deutscher Intellektueller diente und Förderung durch oberste Staatsstellen des Landes erfuhr. Präsident Beneš stand der Vereinigung mit besonderem Wohlwollen gegenüber und hat sie in hochherziger Weise finanziell unterstützt. Es handelte sich nicht sowohl um ein charitatives Unternehmen, als um ein solches, das dem vom gegenwärtigen totalitären Regime unabhängigen deutschen Geistesleben, das sich in die tschechische Republik gerettet hatte, das Weiterwirken ermöglichen sollte.
Es ist klar, daß eine Gesellschaft dieser Gesinnung nach der politischen Wendung in Europa und in der Tschechoslowakei nicht nur nicht fortbestehen konnte, sondern daß ihre führenden Mitglieder durch die neue Situation sogar unmittelbar gefährdet sind, sodaß alles geschehen muß, damit sie Prag so schnell wie möglich verlassen können. Dem stehen nun leider formelle Schwierigkeiten entgegen, und meine Frage und Bitte geht dahin, ob Sie, Herr Staats-Sekretär, nicht dahin wirken könnten, daß in diesem dringenden Fall, der so stark an unsere Menschlichkeit appelliert, diese Schwierigkeiten behoben werden. Der amerikanische Konsul in Prag handelt zum Beispiel gewiß nur pflichtgemäß, wenn er von den Betroffenen Geburtsurkunden und Leumundszeugnisse aus Deutschland verlangt, die aber unter den gegebenen Umständen absolut nicht zu beschaffen sind. Wäre es denkbar, daß das Konsulat in Prag von autoritativer Stelle ermächtigt würde, den schwer

bedrohten und verdienstvollen Personen die Einreise nach Amerika zu erleichtern? Ich lasse die Liste der in Frage kommenden Namen folgen:

Professor Leo Kestenberg und Frau
Joachim Werner Cohn, Soziologe, mit Frau
und zwei kleinen Kindern
Dr. Wilhelm Necker, mit Frau und Kind
Dr. Alexander Bessmertny
Egon Lehrburger
Ursula Hönig
Wilhelm Sternfeld
Friedrich Burschell
Frau Fritta Brod

Ich bin mir wohl bewußt, sehr verehrter Herr Staats-Sekretär, daß Sie in dieser tragischen Zeit mit Gesuchen dieser Art überschüttet werden, und ich hätte Bedenken getragen, Ihre Last zu vermehren, wenn es nicht andererseits gegen mein Gewissen und mein Gefühl ginge, während ich selbst das Glück habe, den Schutz der amerikanischen Demokratie zu genießen, diese Menschen, die in ihrer Not an mich appellieren und die, solange sie konnten, anderen geholfen haben, ihrem Schicksal zu überlassen.
Mit vorzüglicher Hochachtung
Ihr sehr ergebener Thomas Mann

An Oskar Maria Graf

Princeton, N. J.
65 Stockton Street
1. XI. 38

Lieber Herr Graf:
Wie sehr Sie recht haben damit, daß die verschiedenen Comitées zusammengefaßt werden müßten, geht schon daraus hervor, daß ich von der Existenz des Hollywooder Comitées garnichts gewußt habe. Ich hätte mich sonst mit Frank wegen der Burschell'schen Personen-Liste in Verbindung gesetzt. Sie stimmte nicht überein mit den Namen, die Sie in Ihrem Brief an Frank aufreihen, mit Ausnahme derjenigen von Burschell und Fritta Brod, sondern es handelte sich ausschließlich um die Spitzen-Mitglieder der Thomas Mann-Gesellschaft, Personen also, für deren Wohl und Wehe, das heißt hier Wehe, ich mich besonders verantwortlich fühlen muß.

Was ich getan habe, ist, daß ich einen sehr dringlichen Brief an den Staats-Sekretär Hull gerichtet habe, worin ich ihn ersuchte, doch auf die Prager amerikanische Vertretung dahin zu wirken, daß den von Burschell aufgeführten Personen Erleichterungen für die Einreise in die Vereinigten Staaten gewährt werden möchten, das heißt vor allem die Erlassung der nicht zu beschaffenden Papiere. Es ist einige Tage her, daß ich geschrieben habe, und eine Antwort von Hull ist nicht eingegangen, ist vielleicht auch nicht zu erwarten. Die Hauptsache wäre, daß er wirklich nach Prag Weisungen gegeben hat.
Selbstverständlich will ich alles tun, um die wichtige Unterredung zwischen Manfred George, Bruckner und Dorothy Thompson in die Wege zu leiten. Ich schreibe ihr gleichzeitig mit diesen Zeilen und bitte sie, den Herren eine Stunde zur Zusammenkunft zu bestimmen.
Lassen Sie mich noch sagen, daß ich sehr gerührt bin von Ihrer hingebungsvollen kameradschaftlichen Tätigkeit. Auch verstehe ich mich nur zu gut auf das Leiden, das uns allen unsere Ohnmacht oder doch außerordentlich beschränkte Möglichkeit, zu helfen, verursacht.
Seien Sie recht herzlich begrüßt!
Ihr ergebener
Thomas Mann

An Rudolph B. Jacoby

Princeton, N. J.
65 Stockton Street
2. XI. 38

Lieber Herr Jacoby,
Ihr Brief hat mich gefreut wie wenige seit Jahren. Er ist in seiner Wärme und Uneigennützigkeit ein wirklich schönes menschliches Dokument. Alle wollen sie etwas, aber Sie wollen nur Freude machen, indem Sie Freude bekunden. Auch lamentieren sie alle, daß die Kultur verloren sei, wenn man es ihnen nicht ermöglicht, ihr Schreiben fortzusetzen. Sie aber haben ein Handwerk ergriffen und erzählen, indem Sie es ausüben, den Leuten vom Werk eines Anderen, das Sie schätzen. Ich finde das so überaus ehrenwert und sympathisch.
Wenn ich einmal nach Philadelphia komme, will ich sehen, Ihre Bekanntschaft zu machen.
Ihr sehr ergebener
Thomas Mann

An Oskar Koplowitz

Princeton, N. J.
65 Stockton Street
6. XI. 38

Lieber Herr Koplowitz,
haben Sie vielen Dank für Ihre erstaunlich gelungene Arbeit! Ich hatte das kaum für möglich gehalten und Ihnen das Manuskript, zum Teil bei Wellengang auf dem Schiffe gekritzelt, mit dem schlechtesten Gewissen übergeben. Nun hat die Abschrift kaum einen Fehler, nur winzige Kleinigkeiten sind zu verbessern. Ich bin Ihnen wirklich erkenntlich für eine so genaue und hingebungsvolle Bemühung und wäre froh, wenn ich mich in ähnlichen Nöten wieder an Sie wenden könnte.
Für den Augenblick habe ich noch so wenig Ahnung wie Sie, was man normalerweise hier für diese Art Arbeit bezahlt. Ich werde es so rasch wie möglich feststellen und bin mir bewußt, daß der Fall eine Aufhöhung des Normalsatzes fordert.
Ihr ergebener

Thomas Mann

PS. 25 cents für die Seite scheint das Rechte zu sein, dazu 1 Dollar für Papier. Inliegend also ein Check über 12 Dollars. Hoffentlich sind Sie einverstanden.

An Ferdinand Lion

Princeton, N. J.
65 Stockton Street
7. XI. 38

Lieber Lion,
von meinem Bruder bekam ich den Aufsatz über Nietzsche, den er für dieselbe Reihe amerikanischer Kurzausgaben geschrieben hat, für die ich die Schopenhauer-Einleitung lieferte. Ich hatte ihn gleich, als ich davon hörte, um das deutsche Manuskript gebeten und freue mich, es Ihnen schicken zu können, denn etwas dieser Art über den Gegenstand war fällig, auch für unsere Zeitschrift. Es stehen ausgezeichnete Dinge darin, wie auch Sie finden werden, und besonders scheint mir das Rührende der Figur, das ich immer so stark empfand, ergreifend zum Ausdruck zu kommen.
Ich habe dem Verfasser die Vermutung ausgesprochen, die ganzen 39 Manuskript-Seiten könnten vielleicht für M. u. W. nicht tragbar sein und ihn um freie Hand gebeten für ein paar kleine Erleichte-

rungen, die auf meine Kappe kommen würden. Größte Schonung habe ich zugesichert und bitte also Sie, sie zu üben.
Weiter nichts. Ich bin sehr eingespannt und überhäuft, aber nicht unguten Mutes.

Ihr Thomas Mann

An Agnes E. Meyer

Princeton, N. J.
65 Stockton Street
13. XI. 38

Verehrte Freundin,
ich verstehe mich selber nicht, daß ich heute vergaß, Ihnen von der New Yorker Tristan-Aufführung am 1. Dezember zu sprechen, die zu hören wir beide große Lust hätten. Die Besetzung ist ja prachtvoll, es muß ein großer Genuß sein. Wäre es nicht schön, der Aufführung gemeinsam beizuwohnen? Es werden ja noch Karten zu haben sein? Lassen Sie mich wissen, wie Sie über das Unternehmen denken!
Sie haben mich heute wieder sehr hübsch an mich selbst erinnert. Und Eugene war so gemütlich-amüsant.
Bestens

Ihr Thomas Mann

An Oskar Koplowitz

Princeton, N. J.
65 Stockton Street
15. XI. 38

Lieber Herr Koplowitz,
Ihr Gedichtbuch war mir ein sehr erfreuliches Geschenk. Ich bin kein Criticus und mag nicht werten und anderes fordern, als das, was da ist. Ich kann nur sagen, daß mein Eindruck rein und wohltuend war und daß ich meine Freude hatte an dem wohlgestalteten Reichtum des Buches, aus dem soviel Natürliches und Menschliches uns mit Geistesaugen anblickt. Wie schön ist das Gedicht auf Lessing! »Er sprach sein Wort. Und dieses Wort war rein«. Möge man das auch von uns einmal sagen!
Wenn ich ein neues Kapitel von »Lotte in Weimar« fertig habe, will ich Sie bitten, es abzuschreiben.
Ihr ergebener

Thomas Mann

An Oskar Maria Graf

Princeton, N. J.
65 Stockton Street
22. XI. 38

Lieber Herr Graf,
die Antwort Hulls wollte ich Ihnen doch zeigen. Viel ist es nicht damit, aber daß sie auch an den Consul in Prag gegangen ist, ist immerhin etwas.
Die stürmische Entrüstung über die jüngsten deutschen Viechereien wird doch auch vielleicht der Emigrantensache etwas helfen. Die deutlich sichtbare Gefahr ist nur, daß der Abscheu *alles* Deutsche ohne Unterschied trifft, auch uns.
Bestens grüßend

Ihr Thomas Mann

An Anna Jacobson

Princeton, N. J.
30. XI. 38

Liebe Frau Professor Jacobson:
Ihre Nachrichten über die Situation im German Department des Hunter College haben mich tief beeindruckt, beeindruckt im positiven und negativen Sinn. Daß die Studentinnen des College durch die grauenhaften Ereignisse in Deutschland verstört und erbittert sind und irre gemacht werden an dem menschlichen Wert ihrer germanistischen Studien, daß sie angefangen haben, zu zweifeln, ob es Sinn habe, sich mit der Sprache und Kultur eines Volkes zu beschäftigen, in dessen Mitte, scheinbar ohne Widerstand, so verabscheuungswürdige Dinge vor sich gehen, das alles verstehe ich nur zu gut und, mehr als das, ich billige es, ja freue mich darüber. Es beweist eine moralische Empfindlichkeit und einen Haß auf das Böse, die nur zu selten geworden sind in einer in moralische Apathie fast schon versunkenen Welt. Es ehrt Amerika, daß dieser Abscheu und diese Empörung hier so stark und so allgemein verbreitet sind.
Es ist nun aber leider nicht das erste Mal, daß ich die Erfahrung mache, daß hierzulande die Neigung besteht, eine so gerechte Abneigung gegen das gegenwärtige deutsche Regime und seine Untaten ganz allgemein auf das Deutschtum selbst, die deutsche Kultur, die doch damit garnichts zu tun hat, zu übertragen und auch von ihr sich abzuwenden. Man sollte doch nicht vergessen, daß große Teile des deutschen Volkes in notgedrungen stummer und leidvoller Opposition gegen das nationalsozialistische Regime leben, und daß die Greuel und Missetaten, die in den letzten Wochen

dort geschahen, keineswegs als Taten des Volkes betrachtet werden dürfen, so sehr das Regime sich bemüht, sie dafür auszugeben. Diese Mordbrennereien und der Vernichtungsfeldzug gegen die Juden überhaupt ist das ausschließliche Werk der Regierenden, und die Behauptung, es seien spontane Reactionen des Volkes gegen den Pariser Unglücksfall gewesen, ist eine Propaganda-Lüge wie die anderen auch. Es steht fest, daß die »bolschewistischen« Taten über ganz Deutschland hin von der Regierung organisiert und von ihren Gangster-Banden ausgeführt worden sind. Das deutsche Publikum hat sie sich mit entsetztem Kopfschütteln und stillem Grauen ansehen müssen wie so vieles Andere.

Die kurzsichtige, schwache und verständnislose Politik der europäischen Westmächte hat dem nationalsozialistischen Regime eine Machtvollkommenheit zugeführt, die diese Menschen in die Lage setzt, ohne Furcht und Rücksicht das Äußerste zu tun, was in ihren Wünschen und bösen Instinkten liegt. Was sie tun, bedeutet gewiß einen Schandfleck auf die Ehre Deutschlands, den die Zeit große Mühe haben wird erblassen zu lassen und auszulöschen. Das hindert aber nicht, daß der deutsche Geist in der Vergangenheit große und bewundernswerte Dinge für die Menschheitskultur beigesteuert hat und es, so hoffen wir alle, in Zukunft, wenn das unglückliche Volk sich seiner jetzigen Machthaber, die es schänden, entledigt haben wird, wieder tun wird. Die deutsche Kultur in Musik, Kunst und Geistesleben war und bleibt eine der reichsten und bedeutendsten der Welt, und kein Greuel unserer verstörten Gegenwart rechtfertigt die Abwendung von dem Studium dieser Kultur und von der Sprache, in der sie sich manifestiert hat. Ich meine doch, die Studentinnen Ihres College sollten das einsehen und sich sogar einen Ehrgeiz daraus machen, diese Güter in Amerika zu pflegen und lebendig zu erhalten, während einer dunklen Zeitspanne, in der sie in Deutschland selbst mit Füßen getreten werden. Es ist meiner Meinung nach eine moralisch respektable, aber doch kindliche und unreife Handlungsweise, dem Studium des Deutschen Valet zu sagen, weil unberufene Machthaber es für den Augenblick in öffentlichen Mißkredit bringen. Ich bitte Sie, diese meine bescheidene und wohlgemeinte Ansicht den Damen des German Department bekannt zu machen. Vielleicht kann sie dazu beitragen, hochherzige, aber doch einseitige und übereilte Entschlüsse zu verhindern.

Ihr sehr ergebener

Thomas Mann

Liebes Fräulein Jacobson:
Sie sehen, Ihr Brief und der von Dr. Kayser haben mir großen Eindruck gemacht. Sie bewogen mich, Ihnen gleich das Vorstehende zu schreiben. Wenn Sie das geplante meeting einberufen, so bitte ich Sie, diese Worte, die Sie vielleicht ins Englische übersetzen, zu verlesen. Mehr kann ich leider nicht tun, nicht persönlich mich zu dem meeting einfinden. Meine Gesundheit hat unter den Eindrükken der letzten Zeit etwas gelitten, und ich bin mit alter und neuer Arbeit überhäuft. Nehmen Sie es mir nicht übel, daß ich nicht ausschließlich in dieser Sache nach New York komme, es wäre ein zu großer Verlust an Zeit und Kräften.
Mit herzlichen Grüßen und Wünschen
Ihr ergebener Thomas Mann

An Alvin T. Embrey

Princeton N. J.
65 Stockton Street
December 4th, 1938

Dear Mr. Embrey,
You must consider that I am very rude not to have replied before this to your very kind letter of September 26th inviting me to take up our domicile in Fredericksburg, Va.
Your letter came just as I arrived in the United States from Europe and was mislaid. I do not think it will be possible for me to move to Virginia, but I do hope I shall have the opportunity of visiting before too long Fredericksburg and the surrounding country, both of which I know by repute to be very beautiful.
With many thanks for your good wishes,
yours sincerely, Thomas Mann

An Hermann Hesse

Princeton, N. J.
65 Stockton Street
6. XII. 38

Lieber Herr Hesse,
das ist nun wieder mir eine große Freude und Genugtuung, daß Ihnen der »Schopenhauer« gefallen hat. Ich sollte 20 Seiten schreiben für eine amerikanische Kurz-Ausgabe, und dann wurde es dies Büchlein. Der ersten Hälfte merkt man, fürchte ich, den ursprüng-

lichen Zweck etwas an: die Darlegung des Systems ist etwas dürftig. Nachher geht es wärmer zu.
Von Herzen wünsche ich, daß die Kur in Baden, die nun wohl schon zurückliegt, Ihnen recht wohl gethan hat. [...]
Möchte es uns vergönnt sein, im Sommer die Schweiz zu besuchen und vielleicht auch Sie zu sehen. – »Unerquicklich« und »anstrengend« sind freundliche Worte für dieses Jahr. Man hat gelitten wie ein Hund. Ob diese englischen Staatsmänner wußten, was sie thaten? Ich fürchte, sie wußten es.
Freundschaftlich, mit vielen Grüßen an Frau Ninon,

Ihr Thomas Mann

An Karl Kerényi

Princeton 6. Dezember 1938

Lieber Herr Professor,
gestern, auf einer Eisenbahnfahrt nach New York, habe ich Ihren schönen Aufsatz über die Geburt der Helena gelesen. Ich kann Ihnen nicht sagen, wie sehr auch diese Arbeit von Ihnen wieder mich angeregt, bereichert und bewegt hat. Die Welt Ihrer Studien hat eine magische Anziehungskraft für mich, und die Beziehungen, die Sie aufdecken, diese geheimnisvolle Einheit von Helena, Nemesis und Aphrodite, beschäftigen und unterhalten mich auf die geistigste Weise, seitdem Sie mir einen Blick darein gewährten. Nach einer solchen Lektüre wünsche ich immer, ich wäre schon wieder beim »Joseph«, dem sie unmittelbarer fruchten könnten als meinem gegenwärtigen Betreiben. Aber schließlich kann ich nicht dafür einstehen, daß die Lektüre Ihres Aufsatzes sich nicht auch in dem Goethe-Roman wird bemerkbar machen, in dem es am Ende ohne Helena auch nicht ganz abgehen wird. Das wäre einmal eine Aufgabe für Sie, über die Goethe'sche Gestaltung der Helena zu schreiben: wie sich das Antike darin mit dem Rokokomäßigen und Galanten vermischt, ist schon etwas ganz Einmaliges und reizvoll Unerlaubtes, das noch nie, soviel ich weiß, mit den Mitteln analysiert worden ist, die Ihnen zur Verfügung stehen.
Beim Lesen Ihres Aufsatzes fielen mir die Begegnungen Goethes mit Ihrem verstorbenen Kollegen, dem Mythologen Creuzer, ein, worüber man in den Biedermann'schen »Gesprächen« lesen kann. Creuzer hatte mit Goethe 1815 in Heidelberg ein Gespräch über die symbolische Deutung der griechischen mythologischen Personen

und Erzählungen, bei dem sich Goethes tiefes Interesse für diese Dinge offenbar aufs Stärkste kundgegeben hat. Das Mythologische bei Goethe, besonders in der »Klassischen Walpurgisnacht« bedeutet für mich immer die Brücke von ihm zu Wagner, der grade diesen Teil des »Faust« besonders liebte und in seiner letzten Zeit in Venedig den Seinen, oft unter Ausrufen der Bewunderung, daraus vorlas.
Wir haben uns hier in der neuen Umgebung gut eingelebt. Die äußeren Umstände waren günstig, die inneren schwierig, denn ich brauche nicht zu sagen, daß die europäischen Ereignisse eine große Erschwerung und Belastung bedeuteten. Darüber will ich mich nicht auslassen; ich habe meinem Herzen Luft gemacht in einer kleinen Schrift: »Dieser Friede«, die auch englisch erschien und hier schon in vielen tausend Exemplaren verbreitet ist. Die Lage in Ungarn ist mir wenig durchsichtig. Vielleicht darf ich, wenigstens andeutungsweise, darüber von Ihnen hören? Wann wird man sich wiedersehen? Der Weg nach Budapest ist mir abgeschnitten, der Weg nach Europa überhaupt hoffentlich noch nicht, und die Schweiz im Sommer wäre das rechte Begegnungsfeld, vorausgesetzt, daß nicht gar Ihr Weg Sie einmal über den Ozean hierherführt.
Leben Sie wohl, haben Sie nochmals herzlichen Dank für die geistige Freude, die Sie mir wieder bereitet, und unterlassen Sie nicht, mich über Ihre Arbeit weiter auf dem Laufenden zu halten.
Ihr aufrichtig ergebener

Thomas Mann

PS. Neulich habe ich hier meine beiden ersten Vorlesungen gehalten, die öffentlich waren. Sie handelten von Goethe's »Faust« und haben mir von Jung und Alt viel Freundliches eingetragen.

An Gottfried Bermann Fischer

Princeton, N. J.
65 Stockton Street
6. Dezember 1938

Lieber Doktor Bermann,
ich habe mir Vorwürfe zu machen, daß ich so lange nicht dankend auf Ihre beiden, ausführlichen Briefe vom 7. und 17. November eingegangen bin. Aber ich war tatsächlich sehr überlastet und außerdem, was ja kein Wunder ist, gesundheitlich etwas reduziert. [...] Erst jetzt eigentlich habe ich mich in die Arbeit an »Lotte« wieder

hineingefunden und betreibe sie jeden Vormittag, soweit die Anforderungen, die dieses Land in seinem naiven Eifer an mich stellt, es erlauben. Meine Korrespondenz, die doch schon lange wenig zu wünschen übrig ließ, ist beängstigend angeschwollen, und nicht weniger als drei Personen müssen mir helfen: meine Frau, eine hiesige englische Dame und Dr. Meisel, der das Buch von Borgese so glänzend übersetzt hat und jetzt gleichfalls in Princeton wohnt.
Um auf das Wichtigste zu kommen: Ihre Idee, die Briefsammlung der Vertriebenen betreffend, finde ich ausgezeichnet und in jedem Sinn vielversprechend. Es wird Mühe und Zeit kosten, das Material zusammenzubringen; aber ich meine, man soll es sich nicht verdrießen lassen. In irgend einer Form werde ich mich gern an der Sache beteiligen – sei es, daß ich zu der Sammlung, wenn sie vorliegt, ein kurzes Vorwort schreibe, oder daß ein Brief von mir selbst darin aufgenommen wird. Vielleicht ließe sich ein geeigneter finden aus der ersten Zeit unserer Emigration. Über die Flüchtlings-Organisation, unter deren Protektorat die Aktion gestellt werden könnte, muß ich noch nachdenken und Erkundigungen deswegen einziehen. Diese Frage hat ja noch Zeit, und ich meine, Sie sollten die Aufforderung zur Einsendung der Briefe zunächst einmal öffentlich ergehen lassen.
Sobald Sie wieder schreiben, bringen Sie mich bitte auch wieder über das Schicksal und Ergehen der alten Frau Fischer aufs Laufende.
Sie glauben nicht, welche Wohltat es für mich war, wieder deutsche Ausgaben meiner Schriften in Händen zu haben. Die Buchform von »Dieser Friede« ist sehr gefällig und fast zu elegant für den Gegenstand. Die »Vier Erzählungen« in dieser schmucken Gestalt wieder vor mir zu haben, war mir auch eine Freude. Über den »Schopenhauer« hatte ich heute eine sehr herzliche Karte von Hermann Hesse, der sein großes Wohlgefallen daran ausdrückt.
Nun bin ich neugierig, wie sich der Essay-Band mit seinem Vorwort ausnehmen wird. Es müssen ja auch davon in den nächsten Tagen Exemplare eintreffen. Daß »Der Bruder« wegfallen mußte, war mir ein Kummer, und ich habe es irgendwie als Niederlage empfunden, weil es das erste Mal war, daß ich ein Werk meines Schmerzes und Hasses und Spottes nicht vor die Welt bringen konnte. Aber ich habe die Notwendigkeit der Weglassung eingesehen, und Sie haben natürlich recht damit, daß die Vorrede das ungleich Wichtigere ist als jener ironische Spaß.

Ich will hoffen, daß Tutti und Sie sich persönlich leidlich wohl befinden. Wozu der hoffnungsvolle Start der Forum-Sammlung das Seine beitragen wird. Gestern, bei einem New Yorker Festabend des Deutsch-Amerikanischen Kulturverbandes hatte ich Gelegenheit, für das deutsche Buch hier Propaganda zu machen. Ich habe den Deutsch-Amerikanern die Alliance Book Corporation sowohl wie die Forum-Sammlung wärmstens ans Herz gelegt. Und immerhin waren viertausend Hörer zugegen.
Wenn Sie sich mit den 10000 Exemplaren von »Dieser Friede« nur nicht übernommen haben! Knopf freilich hat von seiner Ausgabe auch 10000 gedruckt und steht schon unmittelbar vor dem Neudruck. Aber das ist englisches Sprachgebiet. Werden auch die zehntausend deutschen Exemplare unterzubringen sein? Hoffen wir es.
Leben Sie recht wohl, und lassen Sie wieder von sich hören.
Ihr ergebener

Thomas Mann

P. S. Ich vergaß zu sagen, daß ich gern einige Abzüge von den korrigierten Bögen des »Bruders« hätte. Ich könnte den Aufsatz dann wenigstens einigen Freunden zeigen. Ich nehme an, daß der Beitrag fertiggedruckt war, und daß Sie mir sechs oder zehn Abzüge schikken können.

An Ferdinand Lion

Princeton, N. J.
65 Stockton Street
15. XII. 38

Lieber Lion,
vielmals habe ich für Ihre beiden Berichte zu danken und tue es, bevor ich das neue Heft in Händen habe, damit Ihnen diese Zeilen vielleicht noch rechtzeitig meinen Weihnachtsgruß und Neujahrswunsch bringen können.
Heft 3 nimmt sich nach dem Inhaltsverzeichnis vortrefflich aus und wird offenbar zu den präsentabelsten gehören. Dergleichen schrieb ich Ihnen auch gelegentlich von Küsnacht nach Lausanne – ich habe das angenehme Gefühl, daß der Unterschied eigentlich nicht so groß und der Kontakt zwischen uns der alte ist. Die Redaktionsfrage beschäftigt mich natürlich viel, und wovon ich vor allem überzeugt bin, ist, daß man die Frage Ihrer Nachfolge, wenn sie

denn akut werden sollte, nicht mit genug Verantwortungsbewußtsein und genug Sinn für ihre Schwierigkeit behandeln kann. Sie haben große Vorzüge, und Ihre Nachteile sind für mich dadurch gewissermaßen verblaßt, daß der Wunsch Oprechts, die Zeitschrift politischer zu gestalten, als sie immerhin auch unter Ihnen ist, unter den neuen Verhältnissen wohl garnicht erfüllbar sein wird. Ich muß mit Golo, der genau am 24. hier eintrifft, all diese Dinge und das Problem seiner Anwärterschaft sehr ernstlich durchsprechen und will dann Ihnen oder Oprecht meine wohl erwogene Meinung eröffnen.
Ihr Urteil über den Faust-Vortrag ist außerordentlich zutreffend. Aber so mußte die Sache wohl ausfallen. Sollten Sie Teile daraus aufnehmen, so erinnere ich daran, daß der Beitrag richtig charakterisiert werden muß, am besten wohl durch den Titel »Princetoner Kolleg über Faust«.
Die Einteilung des August-Kapitels ist darum so schwierig und überall ziemlich gleich zufällig, weil der Neu-Ansatz im nächsten Heft immer abrupt wirken muß. Man muß einfach irgendwo in der ungefähren Mitte abbrechen, relativ am besten vielleicht bevor August auf die »Erinnerung«, den »Verrat« und den »Verzicht« zu sprechen kommt, also mit dem Satz: »Das gezwungene Lächeln seines Mundes – – –, über denen die Stirn sich flockig gerötet hatte.«
Das Siebente Kapitel bringt noch nicht das Mittagessen beim Alten, spielt aber doch schon bei ihm, eigentlich in ihm. Er ist schon da, aber nicht von außen, sondern ausschließlich von innen: Das Kapitel, das wohl so lang wird wie das vorige, gibt assoziativ die Gedanken, die ihm an dem Morgen durch den Kopf gehen, an dem er dann durch Lottes Billet aus dem »Elephanten« überrascht wird. Ein Wagnis natürlich, technisch und – und überhaupt. Aber Kahler war von den ersten 25 Seiten, die ich neulich vorlas, so weit beeindruckt, daß er sich zu dem Wort »großartig« verstieg. Es liege am Gegenstand, sagte ich; wenn man sich darauf einlasse, gerate man unwillkürlich ins Großartige. Er lachte über das »geraten«, und doch ist es das rechte Wort. Ich schreibe sehr langsam an dem Kapitel und genieße die Intimität, um nicht zu sagen: die unio mystica, unbeschreiblich.
Bleiben Sie gesund! Ihr Thomas Mann

An Agnes E. Meyer Princeton
21. XII. 38

Liebe verehrte Freundin:
Diesmal schreiben wir zusammen, weil wir ja zusammen zu danken haben. Und wie herzlich und gerührt zu danken! Sie haben uns wahrhaft überschüttet, und es ist schwer, Ihnen auszudrücken, welch allseitiges Herzensvergnügen Ihre verschiedenen Gaben erregt haben. Wie sich das alles allmählich aus den prunkvollen und festlichen Umhüllungen herausschälte, die hochelegante Handtasche, die zierlichen Taschentücher für Medi und mein Phönix-Becher, das war ein rechtes Fest im voraus, und auf unseren Tischen werden diese reichen Geschenke einen Ehrenplatz einnehmen.
Trotz dem dichterisch zu nennenden Kommentar rate ich immer noch etwas an dem sinnreich geheimnisvollen Gegenstand herum, der mir zugefallen ist. Seine Bedeutung haben Sie ja aufs Schönste erläutert, aber seine Herkunft ist mir noch ungewiß. Jade ist ja wohl das klassisch-chinesische Material, und doch kommt er mir eher indisch vor. Asiatisch wird der Becher jedenfalls sein; bei Gelegenheit müssen Sie mich noch genauer über ihn informieren. Er soll seinen Platz auf meinem Schreibtisch haben vor dem siamesischen Krieger, der Ihnen neulich gefiel.
Morgen bricht ein großer Kinderschwarm herein. Die Jüngsten und die Ältesten werden einen Mittleren, den Golo, mitbringen, dessen Schiff morgen früh die Freiheits-Statue passiert. So wird es ein ganz lebhaftes Zusammensein geben. Herzlich wünschen wir Ihnen und Ihren Lieben ein heiteres Weihnachten und ein glückliches Neues Jahr.
Auf bald, so hoffen wir! Ihr Thomas Mann

An Stefan Zweig Princeton, N. J.
65 Stockton Street
28. XII. 38

Lieber verehrter Herr Stefan Zweig:
Nur der Trubel der Weihnachtstage, zu denen alle Kinder sich einfanden, konnte mich hindern, sofort für Ihre freundlichen und so angenehm überraschenden Zeilen zu danken. Ich wußte nicht, daß Ihr Besuch in diesem Lande so unmittelbar bevorstand. Seien Sie herzlich willkommen und besuchen Sie uns bald einmal! Ich möchte

gleich einen Tag vorschlagen: wollen Sie Mittwoch, den 4. Januar gegen halb zwei Uhr zum lunch kommen? Wir würden uns sehr freuen und sind begierig, mit Ihnen »das Ganze« durchzusprechen. Auf Wiedersehen also! Vielleicht schreiben Sie noch eine Zeile, ob Ihnen der Tag recht ist.

Ihr Thomas Mann

An Harry Slochower

Princeton, N. J.
65 Stockton Street
30. XII. 38

Lieber Herr Professor Slochower:
Haben Sie vielen Dank für Ihre freundliche Zusendung. Ich hatte Ihre Erwiderung schon in der Tribune gesehen, aber natürlich konnte sie mich nicht über diese ganze Diskussion beruhigen und trösten, die ich sofort als Katastrophe für die geplante Unternehmung empfand. Der Hergang war in kurzen Worten so: eine Gruppe von Personen, die ich hochschätze, war an mich herangetreten mit der Idee, ob nicht der Augenblick gekommen sei, durch ein Manifest, das sozusagen von der ganzen moralischen und geistigen Welt in ihren hervorragendsten Vertretern unterstützt werden sollte, etwas Trost und Stärkung in eine Welt hinauszutragen, die durch die jüngsten Triumphe des Unrechts und der Gewalt in schwere moralische Verwirrung gesetzt ist. Diese Idee war mir nicht neu, ich hatte sie selbst längst gehegt und auf Wunsch erklärte ich mich bereit, das Manifest abzufassen. Das gelang mir insofern nicht, als es mir nicht möglich war, das zu Sagende in wenigen Zeilen zusammenzufassen, sondern daß eine zu umfangreiche und persönliche Äußerung von etwa acht Maschinenseiten daraus wurde. Nun kann man ein Manifest von *einer* Seite mit seinem Namen decken und sich damit identifizieren, aber nicht mit einem Aufsatz dieser Länge und dieses persönlichen Charakters. Es war darum auch nur daran gedacht, den in Betracht kommenden Kreis von Personen zu einer grundsätzlichen Zustimmung aufzufordern und das Manifest unter meinem Namen mit diesen Zustimmungserklärungen in irgend einer Form zu veröffentlichen. Ich konnte die Organisation des Vertriebes nicht selbst überwachen. Sie liegt in mir unbekannten Händen, offenbar ungeschickten Händen, denn an Personen wie Farrell war selbstverständlich bei der »ganzen moralischen und geistigen Welt« nicht gedacht worden. Wie es möglich war, daß die

Herald Tribune einer völlig sinnlosen und unerlaubten Polemik gegen ein Schriftstück Raum gab, das noch garnicht in der Welt ist, und daß sie eine Diskussion daran knüpfen ließ, ist mir unbegreiflich, zumal ich noch kürzlich diesem Blatt mit meiner Teilnahme an seinem Presselunch und meiner Rede dabei einen Dienst glaube geleistet zu haben. Ich habe nach dieser überaus häßlichen Störung und bei der offenbar ungeschickten und unzulänglichen Art der Behandlung nicht übel Lust, mich von der Sache zurückzuziehen und sie fallen zu lassen.
Jedenfalls nochmals vielen Dank für Ihre Anteilnahme und Verteidigung.
Ihr ergebener

Thomas Mann

An Erika und Klaus Mann

[Dezember 1938]

Liebe Kinder,
ihr habt da, meine Ältesten, ein Buch nach meinem Sinne geschrieben, ihr wißt das; denn ihr wißt, daß ich den Versuch, mich von der deutschen Emigration zu trennen und mir einen nicht vollkommen eindeutigen Sonderplatz unter ihr anzuweisen, vereitelt und mich mit Nachdruck zu ihr bekannt habe – es ist schon Jahre her. Ich tat es, weil ich nicht wollte, daß die Machthaber in Deutschland länger zögerten, auch mich »auszubürgern«, wie sie euch und meinen Bruder schon »ausgebürgert« hatten. Und sie zögerten nicht länger.
Euer Buch ist ein Buch der Solidarität, eben jener, auf der ich damals bestand, und wir wollen es nicht nur eine Solidarität im Stolz und im Leide, sondern auch in der Schuld sein lassen. Die deutsche Freiheit, der Staat von Weimar ist zu Grunde gegangen nicht ohne unser aller Mitschuld, – mögen wir uns für das Maß von Tiefstand und Schändlichkeit, das dann nachfolgte, jeder Mit-Verantwortlichkeit billig entschlagen dürfen. Aber es sind Fehler begangen worden, Fehler und Unterlassungen, leugnen wir das nicht; die geistige Führung der Republik hat es vielleicht nicht nach der Seite des Geistes, aber nach der Seite der Führung und des Verantwortungsbewußtseins fehlen lassen, die Freiheit ist zuweilen bloßgestellt, ist oft nicht mit dem Ernst und der Sorgsamkeit behandelt worden, die unter den deutschen Bedingungen und Verhältnissen besonders

notwendig gewesen wären, – wen wundert es? Die Freiheit ist ein kompliziertere, ein heikleres Ding als die Gewalt; es ist weniger einfach, in ihr zu leben als in jener, und wir deutschen Geistigen waren sehr jung in der Freiheit, politisch sehr jung und unerfahren, – so sehr, wie ihr es damals selbst den Jahren nach wart.
Warum sollte ich es nicht sagen, daß ich Vater genug bin, in euerer Entwicklung während dieser sechs ernsten Jahre ein Symptom und Beispiel dafür zu sehen, daß die Freiheit reifen kann im Exil? Wie mir, der ich den guten Grund eueres Wesens kannte, der tierische Haß, den die heraufkommende Brutalität gerade euch, meinen Kindern, zuwandte, immer ein besonderes Zeichen (wenn es eines solchen bedurfte) ihrer bösen Hirnlosigkeit war, so ist mir nun euer menschliches Erstarken, sind mir euere Fortschritte im Wollen, Können und Leisten Gleichnis und Gewähr für die politisch-gesellschaftliche Förderung des deutschen Geistes durch seine Verbannung.
Auch ist gewiß, daß dieser Prozeß in unserem Lande seine genaue Entsprechung hat. Das deutsche Volk macht heute eine harte, von langer Hand her nicht unverdiente Schule durch, und eines lernt es bestimmt in ihr, hat es schon, wenn nicht alle Zeichen trügen, gelernt: Was Freiheit bedeutet. Nie hat es das früher gewußt. Wird ihm aber eines Tages durch Gottes verzeihende Güte die Freiheit wiedergeschenkt, – wahrhaftig, ich glaube, es wird sie zu wahren wissen!
Euer Buch über die deutsche Emigration erscheint in einem günstigen Augenblick: da nämlich in einer Krise, deren einziger Vorteil das freilich war, der Seelenzustand des deutschen Volkes, seine Sehnsucht nach Frieden, Freiheit und Recht aller Welt offenbar geworden ist. Das hat die Aufmerksamkeit dieser grenzenlos bedrohten Welt für das nicht offizielle Innenleben des deutschen Volkes erhöht und damit auch ihr Verhältnis zur deutschen Emigration ins Interessiertere und Sympathischere verändert. Die Vermutung ist aufgetaucht, daß unsere Warnungen doch vielleicht nicht aus hetzerischem Ressentiment, sondern einfach aus besserer Kenntnis des grauenhaften Menschenschlages kamen, der Gewalt über Deutschland gewonnen hat, und daß wir tatsächlich die Welt beizeiten über diesen Typ hätten belehren können, wenn die Belehrung irgend genehm gewesen wäre. Euer Buch gibt den reichen individuellen Bestand der deutschen Emigration in wohlgelungenen Portraits. Ich denke, es wird willkommen sein.

Euer Vater.

1939

An Alfred Neumann

Princeton, N. J.
65 Stockton Street
18. 1. 39

Lieber Alfred Neumann,
Ihr lieber Brief ist schon lange bei mir – verzeihen Sie den späten Dank und ziehen Sie keine Fehlschlüsse daraus auf die Treue unseres anhänglichen Gedenkens! [...] Nicht leicht, nein, recht schwierig war es all die Zeit – unter äußeren Umständen, deren Gunst und Freundlichkeit ich dankbar und nicht ohne Beschämung anerkenne; und ich kann von Glück sagen, daß ich trotz der politischen Expectorationen und den englisch einzuübenden Vorträgen seit Oktober auch noch ein neues Lotte-Kapitel auf die Beine gebracht habe, und kein ganz einfaches: es ist ein innerer Monolog des alten Goethe, die Gedanken, die ihm durch den Kopf gehen an dem Vormittag, an dem Lotte in Weimar eintrifft, und an dem er ihr Billet empfängt. Es ist ein Unterfangen und macht mir viel intime Sorge zu all den Sorgen, die man sonst noch hat. Aber Freude macht es doch auch, und wir wissen ja: Kunst ist das Kind des Kummers und der Freude. Vom Mütterchen die Frohnatur.
Zuviel von mir. Es ergab sich nur eben gleich aus dem Wunsch, Ihnen etwas wie einen Bericht zu geben. Die Hauptsache ist, Ihnen zu sagen, wie nahe mir und uns allen *Ihr* Bericht gegangen ist und als wie idiotisch beispielhaft für die trostlose Niedertracht der Zeit wir Ihr Schicksal empfinden. Der italienische Rassismus! Was für ein erbarmungswürdiger Unfug! Welche Heruntergekommenheit! Muß man nicht daran denken, was schon Nietzsche über Crispi's Allianz-Politik sagte: »Mit dem ›Reich‹ macht ein intelligentes Volk immer nur eine *Mes*alliance«? Armes Italien! Daß Deutschland ihm auch den Rassismus oktroyiert, statt sich an der eigenen Reinheit genügen zu lassen, ist der beste Beweis dafür, daß es sich beim Rassismus überhaupt nicht um Rasse, sondern um ein Zersetzungsmittel handelt, geeignet, bei der Verwirrung und Auflösung der Weltordnung revolutionär mitzuhelfen. Wenn einem nur nicht das Wort »revolutionär« noch immer zu gut wäre für diese nihilistische Schweinerei.
Sie müssen viel ausgestanden haben; man weiß ja, wie Sie, und besonders Ihre liebe Frau, an Florenz und Ihrem Heim in Fiesole hin-

gen. Aber nach der Liebe geht's nicht heutzutage, sondern nach dem Haß, und das Haß-Gelichter ist unbändig stolz auf die »Geschichte«, die es macht, nämlich auf all das Unglück, das es anrichtet. Wie konnte denn aber nur Ihre Frau, die doch weiß Gott nicht auf den Kopf gefallen ist, auf den alten, oft gespielten Spitzbubenstreich mit dem »bereit liegenden« neuen Paß hineinfallen? – Nun, es ist dann ja so gut abgelaufen wie es konnte, und Sie sind beieinander. Ist es denn nun wenigstens hübsch in Nice, fühlen Sie sich so geborgen, wie das heute möglich ist, und blicken Sie persönlich wieder mit einigem Vertrauen in die Zukunft?
Ich sage: persönlich, denn im Allgemeinen – wer könnte es? Ich habe in »Dieser Friede« meinen tiefen Pessimismus, was die nächste weitere Entwicklung betrifft, unverhohlen eingestanden. Das klassenpolitische Interesse an der Erhaltung des Fascismus wird gewiß die Entwicklung vorläufig weiter bestimmen. Erst wenn es dann doch dem Kapital ernstlich an den Kragen geht, wird allerdings der Krieg fällig sein [...] Unterdessen vertieft sich, allen Nachrichten zufolge, die Kluft zwischen Regierung und Volk in Deutschland unaufhörlich, und namentlich das Pogrom (oder heißt es: der?) scheint Wunder gewirkt zu haben. Alles aber nur Erdenkliche, was da nachkommen kann, ist besser als das Jetzige, *kann* garnicht anders als besser sein: das ist der Lichtpunkt in meinem Denken, und ich finde, wir haben im Grunde gut Warten und Hoffen.
Kahlers (Erich und Frau) haben sich hier niedergelassen, eine nette, belebende Ansprache. Und wann kommen Sie?
Dem Heiratseifer unserer Kinder ist mancher Dämpfer aufgesetzt worden. Auch das ist nicht mehr so einfach. Ich glaube nicht, daß Moni und ihr Jenö schon so weit sind, und Bibi und die Seine leben jedenfalls noch in hierzulande sogar nicht unbedenklicher Illegalität. Die kleine Schwyzerin wird im Frühjahr noch einmal nach Hause zurückkehren, um dann einzuwandern. Golo ist angenehmer Weise bei uns, wie Medi. Das Braut-Ehepaar kommt immer zum Wochenende von New York, und die Großen, meistens auf lecture-Reisen, kommen und gehen. Erika hat einen außerordentlichen Erfolg mit ihrem Buch »School for Barbarians« – 40000 Exemplare! Zusammen haben sie jetzt ein Buch über die deutsche Emigration geschrieben, worin Sie auch Ihr Kapitel haben. Wie soll's Ihnen da fehlen?
Herzlich

Ihr Thomas Mann

An Martin Flinker

Princeton, N. J.
65 Stockton Street
29. 1. 39

Sehr geehrter Herr Dr. Flinker,
Sie haben mich sehr gerührt mit Ihren Sylvester-Zeilen, aus denen eine so schöne Empfindung und Gesinnung spricht. Erwidern kann ich nur mit dem Wunsche, es möchte sich Ihnen in Paris ein neues Wirkungsfeld eröffnen, das Ihnen das verlorene ersetzt, und auf dem Ihre Liebe zum Guten und Geistigen sich bewähren kann.
Ich selbst lebe zufrieden und ziemlich nach Gewohnheit in meiner neuen Umgebung und führe, was ich mir vorgenommen, mit einer gewissen trotzigen Stetigkeit fort. Die Zeit ist übel. Aber es ist ein Glück, daß man nicht nur ihr unterworfen, sondern eine eigene Welt mit ihren eigenen Gesetzen ist, die zwar durch sie alteriert, aber nicht außer Kraft gesetzt werden können.
Ihr ergebener

Thomas Mann

An Emil Oprecht

Princeton, N. J.
65 Stockton Street
30. 1. 39

Lieber Herr Oprecht:
Das Schicksal unserer Zeitschrift beschäftigt mich andauernd, und viel habe ich, seit Golo bei uns ist, mit ihm darüber gesprochen und hin und her beraten. Sein Wunsch und Ehrgeiz, die Redaktion im Frühjahr zu übernehmen, ist sehr groß, und sein Selbstvertrauen, die Zeitschrift in einem Geist führen zu können, der ihr die notwendigen neuen Freunde gewinnen wird, macht mir Eindruck und stärkt mein eigenes Vertrauen in seine Fähigkeit dazu. Freilich glaube ich, daß er für den literarisch-schöngeistigen Teil des Blattes einen Berater haben müßte; sein Urteil auf diesem Gebiet ist wahrscheinlich und, wie es scheint, seinem eigenen Gefühl nach, nicht klar und sicher genug, und man müßte darüber nachdenken, welche zugleich zuverlässige und nicht zu anspruchsvolle Kraft man dafür gewinnen könnte, wenn, wie zu erwarten, Lion sich nicht dazu herbeilassen sollte.
Aber dies alles tritt ja hinter der Hauptfrage zurück, ob nach dem Wegfall der bisher empfangenen Hilfe die Zeitschrift wirtschaftlich zu halten sein wird. Ich bin mir darüber klar, daß, wenn es nicht

gelingt, neue Mittel aufzutreiben, wir auf die Fortführung werden verzichten müssen. Das wäre ein Schmerz für mich, denn ich hänge an dem Unternehmen, dieser einzigen freien deutschen Zeitschrift größeren Stiles, die es heute noch gibt und deren Eingehen in jedem Sinn ein trauriges Ereignis wäre. Ich habe beständig darüber gegrübelt, wo *hier* Interesse an der Sache aufzutreiben wäre, stark genug, um für einen idealistischen Zweck zu einem Geldopfer bereit zu sein, das die Zeitschrift wenigstens für Jahr und Tag wieder sicher stellen könnte. Ich habe tatsächlich eine bestimmte Seite im Sinn, an die ich mich mit allem Nachdruck und all der Wärme, die der Gegenstand mir einflößt, gewandt habe. Um aber die Sache weiterführen zu können und dabei nicht gar zu unbestimmt ins Blaue reden zu müssen, sind mir *Unterlagen* über den bisherigen Geschäftsgang der Zeitschrift notwendig, und ich möchte Sie bitten, mir recht bald Auskunft zu geben über folgende Punkte.
Ich brauche eine Aufstellung über die Gelder, die bisher zur Verfügung waren, das Kapital, das uns insgesamt zugeflossen ist. Ich muß die Einnahmen durch verkaufte Exemplare kennen, die Einnahmen aus Reklame und zum Beispiel noch aus Makulatur, kurz die gesamten Aktiva. Dem gegenüber dann die Unkosten, möglichst detailliert, für Redaktion, Honorare, Vertrieb, Satz, Druck, Einband, Papier, Reklame und allgemeine Unkosten.
Ferner sagen Sie mir bitte: ist das Budget der Zeitschrift auf eine bestimmte Auflagenhöhe ausbalanciert und würde sie sich bei einer solchen Auflage selbst tragen können? Welches wäre diese Auflage?
Golo spricht oft von der Absicht und der Notwendigkeit, Einsparungen vorzunehmen. Damit hat er nur zu Recht. Denn einen Zuschuß von der Höhe des von Frau M. gewährten werde ich keinesfalls hier aufbringen können; ich wäre sehr froh, wenn ich für ein Jahr 2000 Dollars bekomme. Um die Unkosten zu verringern, bin ich bereit, auf die Honorare für meine Beiträge, die zukünftigen sowohl wie die noch ausstehenden (Yale Rede und August-Kapitel) zu verzichten. Golo würde der Zeitschrift wohl auch sicher billiger zu stehen kommen, als Lion, und müßte, wie auch Klaus bei der »Sammlung« das getan, die Redaktion ohne eigens zu honorierenden Sekretär führen, sodaß dieser doch auch ganz erhebliche Posten in Wegfall kommen könnte. Das sind immerhin schon ein paar positive Anregungen, und auch sonst müßte man auf die allerrationellste und sparsamste Geschäftsführung bedacht sein.

Es wäre außer der erbetenen Bilanz noch notwendig, ein Budget für die Zeitschrift aufzustellen, unter Berücksichtigung aller erdenkbaren Einsparungen, wie ich eben andeutete und bei Zugrundelegung einer Auflage, mit der wir vernünftiger Weise rechnen können. Die Höhe also des unbedingt notwendigen Zuschusses pro Heft wäre zu errechnen.
Es besteht ja vielleicht auch noch die Hoffnung, daß Madame M., wenn man hier einen wirklich nennenswerten Betrag aufbringt, sich doch vielleicht zu einem kleineren Zuschuß bestimmen läßt oder daß man sonst in Europa noch irgendwelche Hilfsmittel mobil machen kann.
Golo hat uns auch von einem beträchtlichen Defizit gesprochen, das Sie bis jetzt auf sich genommen haben. Die Höhe wird mir ja genau aus der erbetenen Abrechnung bekannt werden. Sie können sich denken, daß dieser Punkt mich bedrückt und mich gegen eine Liquidierung der Zeitschrift in diesem Augenblick besonders einnimmt. Sollte es aber dazu kommen, so müßte man natürlich trachten, eine Lösung zu finden, daß nicht der ganze Schaden an Ihnen hängen bleibt.
So viel für heute. Ich wäre Ihnen außerordentlich dankbar für postwendende Antwort und werde Ihnen kabeln, falls meine Bemühungen hier Erfolg haben.
Herzliche Grüße Ihnen und Ihrer lieben Frau von mir und dem ganzen Haus!

Ihr Thomas Mann

An Jonas Lesser

Princeton, N. J.
65 Stockton Street
31. I. 39

Lieber Herr Lesser,
mit Ihrem Brief, Ihren freundlichen Bemerkungen zu meinen jüngsten Geisteskindern, von denen der »Schopenhauer« mir das liebste ist (denn mit den politischen Dingen ist es ja doch nur ein Leiden, und wenn ich sie abgetan, seh' ich sie nie wieder an) – besonders aber auch mit Ihrer so kundigen und gerechten Bachofen-Studie haben Sie mir eine Freude gemacht, für die ich Ihnen gleich nach beendeter Lektüre danken möchte. Ihre Polemik gegen die »Klages-Weiber« ist vollauf berechtigt und notwendig, sie haben B. in einem Geiste ausgenutzt und tendenziös verherrlicht, der nicht der seine

war, denn es war nicht der seines Jahrhunderts, und dieses ließ antigeistige und antihumane Excesse, wie das 20. sie gebracht hat, einfach nicht zu. Auch soll man ihn von seiner Zeit nicht trennen, ihm nicht »Herzensgedanken« gegen sie zuschreiben und sich anmaßen, ihn besser zu verstehen, als er sich selbst. Aber ein bißchen recht haben die modischen Exploiteurs doch auch wieder, denn seine Anerkennung der Zeus-Religion und des Geistigen mutet oft wie eine – selbstverständlich vollkommen aufrichtige – Reverenz vor seinem liberalen und humanen Jahrhundert an, und seine *Liebe* (das beweist seine ganze Conception) gehörte tatsächlich dem Dunkel, dem Grabe, dem Mütterlichen, sittlich gezügelt wie sie war durch die noch vernunft- und menschengläubige Epoche, ähnlich wie bei Schopenhauer, der auch Mystiker und Humanist in einem war. *Nicht* Mystiker ist z. B. Freud – da sieht man den Unterschied. Bachofen und Freud sind beide Erforscher des Nächtigen; aber dieser ist es als Arzt, jener als Dichter – und Dichter sind moralisch unzuverlässige Geschöpfe.
Wie sehr sich mein komisches Huij- und Tuij-Kapitel im Joseph III auf Bachofen stützt, wurde mir beim Lesen Ihrer Rekapitulation recht erinnerlich. Bei solchen Zusendungen, wie der Ihren, bedauere ich immer, nicht schon wieder beim Joseph zu sein, der so lange in seinem Loch auf mich warten muß. Aber ich muß (und darf hoffentlich) mir Zeit lassen für die Lotte-Geschichte, die auch in ihrer Art recht kurios ist, und die ich mit trotziger Beharrlichkeit durch die nur als Element geachtete, sonst aber verachtete Zeit führe.
Ich bin froh, Sie in einem freien Lande geborgen zu wissen – so weit man heute von frei und von geborgen noch sprechen kann. Aber da bin ich nun auf den sozusagen luxuriösen Teil Ihres Briefes ein wenig eingegangen und muß am Ende gestehen, daß ich auf seine lebensdringlichen Fragen fast nichts zu antworten weiß. Ich wäre wahrhaftig Ihnen und Ihrer Frau gern irgendwie behilflich, aber meine englischen Übersetzungen sind in festen Händen, und nach London hin fehlt es mir, seit Galsworthy's Tod, an jeder persönlichen Beziehung. Wären nicht die beiden früher vereinten, jetzt, glaub ich, getrennten Verlegernamen Warburg und Secker, so wäre mein Kopfzerbrechen, an wen ich mich Ihretwegen wenden könnte, restlos vergebens. An diese beiden lege ich Ihnen, nur zur Einführung, ein paar Zeilen bei. Möchte sich das als ein Anknüpfungspunkt erweisen, von dem Sie irgendwie weiter finden.
Ihr ergebener

Thomas Mann

An Agnes E. Meyer

Princeton, N. J.
65 Stockton Street
I. II. 39

Verehrte Freundin,
Ihr heutiger Brief hat mich sehr beglückt, und ich eile, Ihnen dafür zu danken. Ich verspreche, mir nicht zuviel zu versprechen und mich nicht zu früh zu freuen, aber Ihre und Ihres Mannes grundsätzliche Zustimmung allein schon war mir ein Trost und eine Stärkung. Bitte, grüßen Sie Ihren Gatten recht herzlich und sagen Sie ihm, wie erkenntlich ich ihm bin für die Versuche, die er machen will.
Unterdessen habe ich getan, was ich schon hätte tun sollen, bevor ich Ihnen schrieb: ich habe von dem Zürcher Verleger eine détaillierte Bilanz der Zeitschrift eingefordert für den Fall, daß der berechtigte Wunsch geäußert werden sollte, Einsicht in den bisherigen Geschäftsgang zu nehmen, bevor man die Mittel zur Weiterführung gewährt.
Dank auch für die gütige Betreuung der Schweizer Sache! Ich wäre glücklich, wenn ich dem Lande, das mir fünf Jahre lang Gastfreundschaft gewährte, einen Dienst erweisen könnte, und der Artikel wäre ein guter Auftakt zu weiteren Aktionen.
Wir müssen uns möglichst bald sprechen – auch wegen der lecture, die ich wohl schon mit allzu beruhigten allright-Gefühlen bei Seite gelegt hatte. Aber soll man wirklich weitere Zugeständnisse an das populäre Verständnis machen? Es ist eine pädagogische Frage, und mein Prinzip ist eigentlich, daß man den Hörern nicht zu tief hinab entgegensteigen, sondern sie hinauflocken soll. Sie sind einem sogar dankbar dafür.
Sie sind in New York, und also zieht es uns dorthin. Aber ob ich mich diese Woche noch werde hier losmachen können? Es gab viel Zerstreuung durch Besuche letzthin, und ich habe den leidenschaftlichen Wunsch, das Monolog-Kapitel, mit dem ich es mir natürlich so schwer wie möglich mache, wenigstens unter Dach zu bringen, bevor die Lecture Tour beginnt – in wenigen Wochen, die auch nicht ungestört sein werden. Es wird April werden, ehe ich wieder beginnen kann, und vor der Sommerreise sollte ich das Buch fertig haben, damit eine deutsche Merkwürdigkeit edlerer Art wieder einmal in die Welt gesetzt sei. – Das sind so innere Kämpfe, die aber, wenn Sie anrufen, rasch entschieden sein werden.
Herzlichste Grüße!

Ihr Thomas Mann

An Agnes E. Meyer

Princeton, N. J.
65 Stockton Street
7. II. 39

Verehrte Freundin,
recht vielen Dank für Brief und den Ausschnitt, über den Falke, quand même, ich meine: trotz der Auslassungen, sich sehr freuen wird. Ich habe ihm geschrieben, daß »mein Vertrauensmann« in Washington (das sind Sie) mit dem Schweizer Gesandten sprechen wird. Tun Sie es wirklich! Die Schweiz ist furchtbar bedroht, und auf ihre wirtschaftliche Stärkung kommt alles an.
Wegen der lectures ergebe ich mich nun natürlich völligem Leichtsinn. Gibt es Widerspruch, so werde ich antworten: Approved by Agnes E. Meyer!
Der Brief über Erika hat mein Vaterherz erfreut. Aber das Kind macht mir Sorge. Sie ist erschreckend mager, hustet und ist sichtlich überanstrengt. Der Erfolg ist ein strenger Gott in Amerika, fast ein so strenger wie der Mißerfolg. Nicht nur meinetwegen bin ich froh, daß E. mich auf meiner Reise nach dem Westen wieder begleiten wird. Es wird eine Ferienzeit und Erholung für sie sein. Ich bin Ihnen von Herzen dankbar für den schwesterlichen Anteil, den Sie an ihr nehmen, denn ich liebe dies Kind außerordentlich. Die Mischung oder das Neben- und Hinter-einander von Amüsantem und Dunkel-Leidenschaftlichem in ihrer Natur hat etwas tief Ansprechendes und Rührendes für mich.
Die schönsten Grüße von uns zu Ihnen!

Ihr Thomas Mann

An Karl Kerényi

Princeton 16. II. 39

Lieber Professor Kerényi,
Ihren Brief vom 1. Weihnachtstage habe ich zweimal empfangen und Ihren Aufsatz über das Fest zweimal gelesen – sind Sie zufrieden? Ich brauche kaum zu sagen und könnt' es kaum, wie sehr zu Hause ich mich in dieser Ihrer Arbeit fühlte, die ich zum Schönsten rechne, was Sie überhaupt geschrieben – vielleicht würde ich ihr unter allem die Palme geben, bestochen von dem besonders nahen Verhältnis, in dem es zu allen Dingen steht, an denen ich mich von den elenden Dummheiten und Niedrigkeiten des öffentlichen Tages erhole und erquicke. Mein Urteil ist also persönlich gefärbt, aber

ich glaube ernstlich, daß der Essay nach seinen schriftstellerischen Eigenschaften, der geistigen Anmut seiner Gedankenentwicklung unter Ihren Darbietungen eine besondere Auszeichnung verdient und eine höhere, freiere Stufe darstellt. Das wird mit dem »Durchbruch« in eine höhere und weitere wissenschaftliche Sphäre zu tun haben, von dem Sie sprechen, den ich aber kaum als Durchbruch empfinde, weil ich Sie längst als einen mehr oder weniger bewußten Angehörigen dieser Sphäre betrachtete, in der ich mit einiger künstlerischer Intuition dilettiere.
Sie können sich denken, wie viel ich an den »Joseph« denken mußte, indem ich Sie las. Das Fest im Sinne der mythischen Ceremonie und der heiter-ernsten Wiederholung eines Urgeschehens ist ja beinahe *das* Grund-Motiv meines Romans, und sein Held heißt einmal geradezu »Joseph em Heb«, »Joseph im Feste«. Ich hätte Heimweh bekommen nach dem Buch, wie so manches Mal, wenn ich irgendwie Einschlägiges lese; aber es war kein Heimweh nötig, da in Ihrem Aufsatz so manche Idee aufklang, die auch zu meinem gegenwärtigen geistigen Betreiben, dem Goethe-Roman gehört. Am Ende ist auch er »Mythologie«? Genug, ich war aufs seltsamste angeheimelt durch Ihre Bemerkungen über den Verlust des Lebens an Leben durch Wiederholung, und über das Zurückbleiben eines Schöpferischen in der Wiederholung, ferner über die entschiedene Vereinbarkeit des Lebendigen und Geistigen, des Lebens- und des Sinnvollen. Die *geistverstärkte*, wenn auch weniger lebensvolle Wiederholung des Lebens ist ein Hauptthema von »Lotte in Weimar«, denn um eine solche Wiederholung des Lotte-Erlebnisses handelt es sich ja bei der Hatem-Liebschaft mit Marianne Willemer. Sie heißt auch noch Jung. Die Geliebte ist immer jung; aber das leicht Verwirrende ist, daß neben der Zeitlosen die alt gewordene Lotte auch noch da ist und sich meldet. – So ungefähr.
Ich wollte, ich könnte Ihrem Verlangen nach Amerika behilflich sein, Ihnen eine Einladung verschaffen. Wenn Sie mir eine Direktive gäben, wohin ich mich wenden könnte, so würd' ich's versuchen. Sprechen Sie englisch? Ihnen und Ihrer Gattin das Schönste!

Thomas Mann

An Albert Einstein

Princeton, N. J.
65 Stockton Street
21. II. 39

Lieber Professor Einstein,
es war sehr rührend von Ihnen, sich eigens wegen Ihrer so wohlbegründeten Abwesenheit bei jenem Vortrag zu entschuldigen – ich hätte Ihnen gleich für diese Freundlichkeit danken sollen, aber es gab so viele Besuche und Geschäfte.
Für den englischen Vortrag habe ich im Wesentlichen die Rede benutzt, die ich vor 3 Jahren in Wien zu Freuds 80. Geburtstag gehalten habe. Ich schicke sie Ihnen, da Sie nach etwas Gedrucktem fragen.
Am Dienstag, den 28. d. Ms., abends, wird der Rezitator Ludwig *Hardt*, der jetzt in New York lebt, hier bei uns vor einem kleinen Kreise von deutschverstehenden Leuten einige Proben seiner Kunst geben. Er spricht Heine und Goethe und moderne Dinge sehr gut. Wollen Sie uns das Vergnügen machen und Hardt die Ehre erweisen, dabei zu sein? Die Sache ist ganz zwanglos. Man nimmt um 7 Uhr einen Imbiß und hört dann ein Stündchen zu.
Herzlichst

Ihr Thomas Mann

An Heinrich Mann

Princeton, N. J.
65 Stockton Street
2. III. 39

Lieber Heinrich,
Dein Roman ist vor ein paar Tagen endlich gekommen, – ich kann wohl sagen: ich lese Tag und Nacht darin, tags in jeder freien halben Stunde und abends in der Stille, bevor ich das Licht lösche, was unter diesen Umständen spät geschieht. Das Gefühl festlich erregender Außerordentlichkeit verläßt einen nie bei dieser Lektüre, das Gefühl, es mit dem Besten, Stolzesten, Geistigsten zu thun zu haben, das die Epoche zu bieten hat. Man wird sich gewiß einmal wundern, wie sie in all ihrer Erniedrigung doch dergleichen hervorbringen konnte – zum Zeichen, daß es mit all ihrem zur Schau gestellten Schwachsinn und ihrem Verbrechen nicht soviel auf sich hat und der Menschengeist unterdessen seinen Weg weiter geht und seine Werke schafft, im Grunde ungestört. Das Buch ist groß durch Liebe, durch Kunst, Kühnheit, Freiheit, Weisheit, Güte, überreich an Klugheit, Witz, Einbildungskraft und Gefühl, wunderschön,

Synthese und Résumée Deines Lebens und Deiner Persönlichkeit. Man sage, was man wolle: solches Wachstum und solches Werden aus dem Sein, solche Dauer und solches Ernten ist nur europäisch; hier in Amerika sind die Schriftsteller kurzlebig, schreiben ein gutes Buch, danach zwei schlechte und sind dann fertig. Das »Leben« im Goethe'schen Sinn ist nur unsere Tradition, es ist weniger Vitalität als ein Sinn und ein Wille. Kesten hat in dem Aufsatz, den wir glücklich genug waren, im letzten Heft von »Maß und Wert« bringen zu können, mir vieles von den Lippen genommen, was ich sagen könnte; man muß gestehen, die Begeisterung hat seinem Talent Flügel verliehen, Du wirst nicht ungerührt gewesen sein, es ist beinahe das Musterbeispiel einer positiven Kritik, und da er das Ganze sieht, ist es eine Art von Lebensfeier. Das will ich glauben, daß die deutsche Emigration sich etwas zugute thut auf dies Monument!! Und schließlich, wir kennen ja den Gang der Dinge, wird auch Deutschland sich was darauf zugute thun. »Denn er war unser.« Nun ja, wie man es nimmt.
Ferner ist da nun die Sache mit Deinem Schwiegersohn, meinem Neffen, Dr. A., nicht besonders angenehm. Er war hier, machte einen kurzen Besuch bei seinem Onkel, wie er gerne sagt, um dann für längere Zeit nach dem Westen (er sagte »Süden«, aber gemeint war Californien) zu gehen. Was er über die Transferierung des Geschäftes (eine chemische Fabrik ist ja nicht transportabel, und ich zweifle, ob es da überhaupt etwas zu transferieren gibt), über die Garantiesumme für Goschi (ein hier Eingewanderter und Niedergelassener kann, wie ich schon sagte, seine Frau ohne Weiteres zu sich nehmen) vorbrachte, war alles etwas unbestimmt und undeutlich. Auch was er in Californien zu thun hat, wurde nicht klar. Einige Tage später suchte uns dann ein Amerikaner, Morton W. Lieberman, South Orange, New Jersey, auf, um uns zu warnen. Gegen meinen Neffen sei hier eine Klage anhängig wegen Veruntreuung von Wertgegenständen, Juwelen und dergleichen, die eine jüdische Dame ihm zum Hinausschaffen aus Deutschland eingehändigt habe. Der jüdischen Dame sei es nun selber gelungen, hinauszukommen, und so könne sie gegen ihn vorgehen, während zahlreiche andere jüdische Herrschaften, für die er auch Wertgegenstände hinausgeschafft, deren Wert er dann für sich behalten, nichts machen könnten, weil sie noch in Deutschland oder Österreich wären. Der Mann machte einen verständigen, wohlmeinenden Ein-

druck, und da schon vorher Prager Äußerungen zu uns gedrungen waren, man gönne Mimi und Goschi ja jedes Glück, aber hier sei doch wohl etwas übereilt gehandelt worden, so wurde uns bange um das, was Du etwa für A. gethan, um Deine Möbel, die er ja wohl auch hinausgeschafft, und von denen er gleich sagte, Du würdest wohl leider Monate lang darauf zu warten haben, und um diese ganze Verbindung. Weiß Gott, ob man dem jungen Mann nicht Unrecht thut und ihn in ein ganz falsches Licht bei uns gesetzt hat; aber ich frage mich vergebens, warum das geschehen sollte, und so leid es mir thut, Dich zu beunruhigen, hielt ich es doch für notwendig, Dich aufmerksam zu machen, wie auch Golo, nicht so unumwunden wie ich hier, an Mimi geschrieben hat. Diese Gerüchte und Aussagen sind nun doch einmal in der Welt, der Verdacht, A.'s Heirat mit Goschi könnte die Spekulation eines Unredlichen auf Deinen und meinen Namen sein, ist nicht von der Hand zu weisen, und wohl oder übel müßt ihr euer Verhalten danach einrichten, Goschi nicht voreilig herüberschicken und überhaupt euer Vertrauen im Zügel halten. Möge alles sich als Irrtum und Unsinn herausstellen.
Acht Tage noch, und in Boston geht meine Vortragsreise an, führt dann in den Mittelwesten und Westen, fünf Wochen lang. Wir reisen zu dritt, mit Erika als gewandter Sekretärin und Assistentin. Es wird anstrengend, aber ich kenne es schon, und die amerikanischen Schlafwagen-Betten im eigenen Abteil sind vorzüglich.
Herzlich glückwünschend T.

An Agnes E. Meyer

Beverly Hills Hotel and Bungalows
Beverly Hills, California
3. IV. 39

Verehrte Freundin,
daß Sie Ihre gewiß wichtigen New Yorker Arrangements beseitigt haben, um uns schon jetzt den Weg nach Washington frei zu machen, ist so schön und dankenswert, daß ich unbedingt dem hiesigen Festprogramm ein paar Minuten abgewinnen muß, um Ihnen zu sagen, wie sehr wir Ihre freundschaftliche Energie bewundern und wie froh wir sind, daß kein Aufschub nötig ist. Es ist mir so wichtig, mich mit Ihnen über Ihre Arbeit zu unterhalten, daß ich zu einer Verzögerung wohl gute Miene gemacht, sie aber im Stillen

doch beklagt hätte. Ich bin voller Hoffnung, Ihnen raten zu können und voller guten Willens dazu. Diese Unterredungen sind die Hauptsache, wir werden ruhige Stunden dafür zu finden wissen. Der Wegfall des Thees ist vergleichsweise irrelevant. Ich habe noch am 10. abends in Chicago zu sprechen und kann in der Nacht nicht mehr weg; erst am 12. morgens also können wir bei Ihnen sein – ohne Erika, leider. [...] E. hätte brennend gern das Dinner am 15. mitgemacht, das sie für das interessanteste Ereignis weit und breit erklärt. Wir haben Glück, daß wir gerade recht dazu auf dem Plan sind – am nächsten Tage reißt die Welle uns weiter: In Baltimore muß die freedom-lecture, die übrigens überall großen Zulauf hatte, auch noch gehalten sein. Sie hat sich in der Praxis etwas verändert.
Von diesem Landstrich sind wir wieder entzückt. Eine leichte Albernheit wird überwogen durch hundertfältigen Charme der Natur und des Lebens. Ob wir nicht doch einmal hier Hütten bauen?
Auf baldiges Wiedersehen!

Ihr T. M.

An Rudolf Fleischmann

Beverly Hills Hotel and Bungalows
Beverly Hills, California
4. IV. 39

Lieber Herr Fleischmann,
unterwegs auf einer Vortragsreise erhalte ich Ihre Zeilen. Daß Sie wenigstens in persönlicher Sicherheit sind, ist uns eine Beruhigung. Eine kleine Beihilfe zur Erleichterung Ihrer Lage geht sofort – leider schon verspätet – an Sie ab. Daß ich für die ganze Summe, die Sie brauchen, nicht aufkommen kann, werden Sie verstehen. Auch mein Leben ist ernst, und der dringenden Ansprüche sind viele.
Ich sage nichts über unsere Sorge um Prof. Kozák und soviele andere. Fluch den Elenden, die all dieses Unglück anrichten! Mögen sie in Schande untergehen!
Mit guten Wünschen

Thomas Mann

An Caroline Newton

Beverly Hills Hotel and Bungalows
Beverly Hills, California
4. IV. 39

Liebe verehrte Miss Caroline:
Ihr Brief war uns eine Freude und nahrhafte Reisezehrung. Er ist interessant nach allen Seiten hin, und vor allen Dingen freuen wir

uns des Vorübergehens der Gefahr oder Scheingefahr mit Ihren Augen. Das Verbot des Lesens und Schreibens wäre gerade in Ihrem Fall gewiß eine Katastrophe, vor allem eine psychische, gewesen. Gottlob, daß es ein Irrtum Ihres Arztes war, und daß Sie sich beruhigt den Vorarbeiten zu dem Unternehmen hingeben können, das mich so nahe angeht und von dem wir alle uns Schönes versprechen dürfen.
Ihre Goethe-Assoziationen begrüße ich durchaus und halte sie für kritisch fruchtbar. Sie dachten an den Werther bei meinem bürgerlichen Jugendroman. Aber auch bei »Tonio Kröger« kann man an Werther denken, angesichts der Rolle, die er seinerzeit für eine Jugendgeneration spielte, und auch angesichts seines jugendlichen Sentimentalismus. Da Sie zugleich Freud erwähnen und meine Beziehungen zu ihm, möchte ich Sie auf die Stelle gegen Ende von »Freud und die Zukunft« hinweisen, wo von der »imitatio Goethes« anspielungsweise die Rede ist.
Von Ihrem Vater sprechen Sie in Ihrem letzten Brief nicht. Sie können sich denken, daß wir uns vielfach nach seinem Ergehen, seinem Zustand gefragt haben. Es wird wohl eben leider nichts weiter darüber zu sagen sein, und wenn denn das Schicksal seinen Lauf nehmen muß, so möge eine gütige Natur und die Kunst der Ärzte den Abschied leicht machen.
Über die politische Lage zu sprechen, ist bei dem ständigen Wechsel des Bildes kaum möglich. Aber daß eine entscheidende Wendung eingetreten und die Konzentration eines Gegenwillen wenigstens im Werden ist, kann man nicht leugnen. Es wird mir noch immer schwer, an Chamberlains persönliche Aufrichtigkeit zu glauben; er handelt unter einem Druck und weitgehend gegen den eigenen Willen. Aber eben daß er es muß, ist bezeichnend, und die verworfenen Machthaber in Deutschland werden selbst das Gefühl haben, daß sich das Gewitter über ihren Häuptern zusammenzieht.
Wir haben unsere par force Tour mit vereinten Kräften zu dritt hinter uns gebracht und genießen nun eines amüsanten Ausruhens – zu amüsant vielleicht, um wirklich ausruhend zu sein. Für die arme Erika, die mir wieder in so reizender Weise geholfen hat, werden sich leider an diese Reise nicht weniger als zehn weitere lectures schließen, zu meinem Kummer, denn sie ist mager und überarbeitet. [...]

Zweite Hälfte April werden wir jedenfalls im heimischen Princeton sein und hoffen, Sie dann sehr bald zu sehen. Die herzlichsten Grüße und Wünsche von uns allen!

Ihr Thomas Mann.

An Sigmund Freud
[Telegramm]

Princeton, N. J.
7. Mai 1939

Im Gedenken an die schöne Wiener Feier des Achtzigsten in unwandelbarer Treue und Verehrung

Thomas und Katja Mann

An Agnes E. Meyer

Princeton, N. J.
65 Stockton Street
7. v. 39

Verehrte Freundin,
anbei als Drucksache der Vortrag über den Zbg. Bedenken Sie, daß er für Princetoner Studenten bestimmt und sehr rasch hingekritzelt ist.
Schicken Sie ihn mir, bitte, in einigen Tagen zurück.
Am 18. empfange ich hier das Honorary Degree. Dazu muß ich eine Rede ausarbeiten – eine mehr. Aber ich freue mich natürlich über die Auszeichnung, die sonst nie außerhalb des Commencement days gewährt wird.
Herzlich

Ihr Thomas Mann

An Agnes E. Meyer

Princeton, N. J.
65 Stockton Street
13. v. 39

Verehrte Freundin,
ich bin froh, Ihren Vortrag nun schön gedruckt zu besitzen und auch darüber, daß das lecture-Manuskript sich gefunden hat. 18 oder 16, die Post ist schon recht faul! Man sollte doch denken, daß »Crescent Place«, ja »Washington«, ja »Amerika« als Ihre Adresse genügen müßte.
Sie hätten mir nicht schöner schreiben können über die Zbg-Plauderei, als Sie es getan haben. Unmöglich konnten Ihnen diese gutmütig belehrenden Äußerungen irgend etwas Neues sagen. Aber

purity, Reinheit, ist es ja eigentlich nicht, wonach H. C. »sucht«. Weder er noch ich haben asketische Neigungen. Was ihn ergreift, ist das Problem des Menschen überhaupt, die Frage nach seinem »Stande und Staate«. Es handelt sich um seine humane Erziehung, und in Erziehungsromanen gibt es Führungen und Verführungen. Mme Chauchat ist verführerisch erstens in einem Sinn, gegen den ich nichts einwenden möchte, und zweitens auch ein bißchen in geistigem Sinn, wie Settembrini es meint. Aber sie ist es doch nicht mehr als dieser selbst mit seinem Vernunfthörnchen oder Naphta oder andere imponierende Versuchungen des Romans, und ungern würde ich es auf mir sitzen lassen, daß ich in der Frau nur die Verführerin sehe. Das hat auch Mérimée gewiß nicht getan, obgleich er »Carmen« geschrieben hat. Man muß doch zugeben, daß mein Bild der Frau des Potiphar die *Ehrenrettung* eines von aller Welt als liederliche Verführerin angesehenen Weibes durch die Leidenschaft ist. Und die tiefe Rührung, die auf mich und andere von der Figur der Rahel ausgeht, weiß auch nichts von Verführung. Ich gebe zu, daß ich mehr auf das Menschliche, als auf das speziell Weibliche aus bin. Aber durchaus stimme ich der reizenden Huldigung zu, die Goethe dem Weiblichen in den Versen dargebracht hat:

»Denn das Naturell der Frauen
Ist so nah mit Kunst verwandt.«

Alles Gute und Schöne für Ihre Arbeit!

Ihr Thomas Mann

An Agnes E. Meyer

Princeton, N. J.
65 Stockton Street
20. V. 39

Verehrte Freundin,
einige Stationen des Kalvarienberges sind wieder zurückgelegt, seit ich Ihre gütigen Zeilen vom 15. erhielt: Die Doctor-Feier hier war sehr würdig und schön; meine Dankesworte wurden freundlich aufgenommen, und sie kamen mir von Herzen, denn es tut mir ja wohl, Wurzeln in diesen Grund zu senken, und jede neue Zugehörigkeit dieser Art bestätigt mir: Du bist zu Hause. Dess muß ich froh sein, denn Europa, das ein paar Wochen lang ein etwas hoffnungsvolleres Gesicht zeigte, scheint schon wieder in vollem Marasmus. Bereitet sich nicht ein neues München vor? Aber lassen wir

das. – Das Fest der Buchhändler ist auch vorüber; wir verbanden es mit einem Besuch der World Fair zur Eröffnung des russischen Pavillons. Gestern sprach ich hier in der Kapelle zusammen mit Einstein für die Theologen, und die Verpflichtungen gehen nun zur Neige. Die American writers werde ich am 2. Juni noch ansprechen müssen, und vorher, am 29., gibt es ein Degree mit lecture an einem College etwas weit von hier, eine Nachtfahrt. Als der Termin noch fern war, habe ich versprochen zu kommen, und wenigstens gibt es dort ein Honorar. Danach dann ist alles vorüber, und nächstes Jahr werde ich mir Karten drucken lassen des Inhalts, daß ich ein Dichter bin und dichten muß.
Eine Aufgabe, die ich mir gefallen lasse, ist die Einleitung, die ich auf Wunsch von Random House zu einer großen illustrierten Ausgabe von »Anna Karenina« schreiben soll. Das wird mir Freude machen. Übrigens wird ein Vorwort auch für eine Neu-Auflage von »Royal Highness« verlangt, das ich lieber Ihnen übertrüge. Ferner kam vom Präsidenten Dodds, der neulich meine akademische Thätigkeit hierselbst in seiner Rede nicht wenig rühmte, die Aufforderung zu einer neuen Bindung an Princeton University für die *zweite Hälfte* des nächsten Winters. Rockefeller scheint in Schwierigkeiten... Aber es besteht die Möglichkeit einer ergänzenden Bindung an das Flexner Institut. Ich denke, daß ich wohl annehmen werde. Was meinen Sie?
Vorläufig winken europäische Ferien – hoffentlich mit ausgiebiger Arbeit; zuerst die Schweiz, dann ein schwedisches Seebad. Am 6. Juni, meinem Geburtstag gerade, geht die »Ile de France« – wir werden sie, wie nun festzustehen scheint, zusammen mit Erika besteigen. Wird man sich vorher noch sehen und sprechen können? Zweifel sind leider am Platze. Und doch würde ich Ihnen so gern von meinen Eltern erzählen, um nichts zu versäumen, womit ich etwa Ihrer Arbeit dienen kann. Ich kann nur sagen: Mit Ausnahme des 2. Juni und vorher des 28. und 29. Mai bin ich hier.
In Zürich wird die Fortsetzung von »Maß und Wert« zu besprechen sein. Die Lage ist so: Wenn wir mit einer Auflage von noch 2000 Exemplaren rechnen, so dürften die Druckkosten von 6 Nummern auf ca. 12000 schw. Franken zu stehen kommen. Die Redaktion wird für das Jahr rund 3000 Franken kosten. Das Honorar für die Beiträge sollte, wenn irgend möglich, nicht vermindert werden – ich persönlich habe für die meinen auf Vergütung verzichtet. Viel-

leicht folgt noch ein oder der andere Autor meinem Beispiel; man könnte dann mit einem Honorardurchschnitt von 6 Franken pro Seite rechnen, also mit 1000 Franken pro Heft und 6000 pro Jahr. Rechnen wir etwa 3000 Franken für Unvorhergesehenes hinzu, so sind die Unkosten für den neuen Jahrgang rund 24000 schw. Franken, und wenn wir annehmen, daß die Hälfte davon an Eingängen abgeht, so bleibt ein Defizit von 12000 Franken, ungefähr 3000 Dollars. – Ich habe mich anheischig gemacht, 2000 davon hier aufzubringen; die restlichen 1000 würden *dann* aller Voraussicht nach von europäischer Seite beigesteuert werden. – Frage: Ist also jene große Seele, auf die zu hoffen Sie und Ihr lieber Mann mich ermutigt haben, bereit, mir den rettenden Check auf die 2000 zu überhändigen, daß ich ihn mit mir nach Europa nehmen kann? Meine reinliche Bilanz *muß* der großen Seele ja gefallen.
Auch kann ich besser, als mit ihr, meinen Brief garnicht schließen. Ihnen und Ihrem ganzen Hause die herzlichsten Grüße!

Ihr Thomas Mann

An Franz Werfel

Princeton, N. J.
65 Stockton Street
am 26. Mai 1939

Lieber Franz Werfel,
inmitten von Tumult und Ungewißheit, inmitten von Kriegsdrohung und neuer »Appeasement«-Gefahr wird eines immer klarer, nimmt immer genauere Umrisse an: die Entscheidung muß und wird in Deutschland fallen. Solange das deutsche Volk sich von dieser »Führung« nicht befreit hat, wird es einen dauerhaften Weltfrieden nicht geben. Wir wissen das seit langem, und die Welt fängt an, es zu begreifen. Wir wissen auch, daß die Deutschen ihr Regime im Grunde hassen und daß sie nur den Krieg mehr fürchten als den Hitler. Die tiefe, mißtrauische und angsterfüllte Abneigung des deutschen Volkes gegen eine Nazi-Regierung ist nicht primär »politischer« Natur. Wovor den Besseren unter den Deutschen schaudert, das ist der moralische Abgrund, in dem sie zu versinken drohen, – die abscheuliche Verkommenheit im Sittlichen und Kulturellen. Es steht fest, daß innerhalb des letzten halben Jahres eine erhebliche Anzahl von Deutschen ihr Land verlassen haben, die weder »politisch« noch »rassisch« als »anrüchig« gelten konnten, ganz einfach

weil die November-Pogrome, oder die Propaganda-Hetze gegen die Tschechoslowakei zu viel für sie gewesen sind. Sie berichten von der vor keiner Gefahr zurückscheuenden Gier, mit der sie Schriften und Äußerungen, die von draußen, die aus der Freiheit kamen, an sich rissen, von dem qualvollen Durst nach Wahrheit nicht bloß, sondern nach Anstand vor allem, nach Würde, nach ruhiger Besinnung, – von ihrer Sehnsucht nach den Stimmen des Geistes und der Gesittung. Und während die Bücher der prämierten Staats-Schriftsteller bei allem Propaganda-Lärm keine Leserschaft mehr in Deutschland finden, sind es Übersetzungen, die »gehen«, – sind es die paar »erlaubten« ausländischen Autoren, deren Arbeiten von den Deutschen verschlungen werden. Wie sehr, wie dringend verlangt es aber unsere Freunde in Deutschland danach, von uns zu hören! Im Laufe der Campagne gegen die Intelligenz ist das »Schwarze Corps«, – ein paar Wochen ist es her, – gegen die Buchhändler zu Felde gezogen: wenn es nach denen ginge, würde überhaupt von früh bis spät nichts anderes mehr verkauft als Emigranten-Literatur. Wir haben allen Grund, dem »Schwarzen Corps« in diesem Punkte Glauben zu schenken.
Es ist notwendig, für die Deutschen drinnen und für uns Vertreter des geistigen Deutschlands draußen, daß wir die Verbindung miteinander aufnehmen. Der unnatürliche Zustand, daß wir, die wir die Deutschen lehren müßten, sich auf ihr besseres Selbst zu besinnen, des Kontaktes mit ihnen beraubt sind, muß ein Ende nehmen. Unsere Stimmen werden gehört werden daheim, wenn wir sie nur eindringlich genug vernehmen lassen. Dies ist mein Plan:
Im Laufe von etwa 12 Monaten möchte ich 24 Broschüren ins Land gehen lassen, geschrieben von Repräsentanten des deutschen Geistes *für die Deutschen*. Die Schriften-Reihe soll keineswegs durchwegs politischen Charakter haben, – sie soll an die besseren Instinkte unserer Landsleute appellieren, während Hitler nur ihre gefährlichsten wachzurufen weiß. Ein Committee von amerikanischen Freunden (Chairman Dr. Frank Kingdon, Präsident der Universität Newark) wird die Finanzierung des Projektes übernehmen, – ich werde im Laufe des Jahres an etwa 24 deutsche Schriftsteller, Gelehrte, Theologen und Künstler mit Vorschlägen herantreten. Für den Augenblick bitte ich Sie um nichts weiter als um Ihre prinzipielle Zustimmung. Ich möchte Ihren Namen, der in Deutschland und in der Welt einen guten, einen werbenden Klang hat, der

Namensliste meines deutschen Committee's beifügen dürfen. Wenn Sie ja gesagt haben werden, sollen Sie sehr bald Genaueres hören.
Mit gleicher Post gehen ähnliche Briefe an die folgenden Freunde und Kollegen: Wilhelm Dieterle, Dr. Bruno Frank, Professor James Franck, Leonhard Frank, Lotte Lehmann, Heinrich Mann, Dr. Hermann Rauschning, Professor Max Reinhardt, Ludwig Renn, René Schickele, Professor Erwin Schrödinger, Professor Paul Tillich, Fritz von Unruh, Stefan Zweig.
Ich selbst werde in diesen Wochen mit einer Arbeit beginnen, die für die Deutschen getan werden soll.
Was die Wege der Verbreitung betrifft, so gibt es ihrer zahlreiche, – sogar die Post ist ein Weg. Wir rechnen mit einer Verbreitung von mindestens 5000 Exemplaren pro Broschüre, wobei jedes Exemplar vielfach gelesen werden wird. Die Arbeiten sollen honoriert werden, bescheiden und etwa im Rahmen dessen, was Beiträge dieses Umfanges an den amerikanischen Wochenschriften (»Nation«, »New Republic«) abwerfen.
Lassen Sie mich zusammenfassen, lieber Franz Werfel: Neben unseren eigensten Aufgaben, neben der »Forderung des Tages« und über sie hinaus, gibt es unsere Pflicht und Schuldigkeit, unseren Einfluß auf die Deutschen zu nutzen. Nur wenn die Deutschen mit Hitler ein Ende machen, kann der Krieg vermieden werden. Nur wenn, sollte er nicht vermieden werden, die Deutschen *vor der Niederlage* dem Regime die Gefolgschaft verweigern, dürfen wir auf einen Frieden hoffen, der nicht die Keime des neuen Krieges schon wieder in sich trägt. Die Deutschen müssen zur Raison gebracht werden, und wer sollte es tun, solange wir schweigsam bleiben?
Lassen Sie schnell von sich hören und nehmen Sie meine besten Grüße.

Ihr Thomas Mann

An Rudolf Olden

Princeton, N. J.
65 Stockton Street
I. VI. 39

Sehr verehrter Herr Rudolf Olden,
ich höre, daß der englische PEN Club eine Aktion zugunsten unseres großen Collegen Robert Musil plant. Das ist eine gute, schöne, willkommene Nachricht, die mir geradezu das Herz

erleichtert; denn ich habe mir um diesen außerordentlichen Mann und sein unschätzbares Werk längst Sorge gemacht und atme auf, da ich sehe, daß die Welt sich der Notwendigkeit bewußt wird, hier einzugreifen und eine Zeit zu korrigieren, die es an Stolz auf ihre geistigen Meister und an Verantwortungsgefühl für das Schicksal ihrer Großen so fehlen läßt.
Es drängt mich, Ihnen zu sagen, wie hoch ich von dem Werke Musils denke, damit Sie in England, wo dieses Werk heute noch wenig bekannt sein mag, von meinem Zeugnis jeden Ihnen nützlich scheinenden Gebrauch machen. In keinem Falle zeitgenössisch deutscher Produktion fühle ich mich des Urteils der Nachwelt so sicher wie in diesem. »Der Mann ohne Eigenschaften« ist ohne jeden Zweifel größte Prosa, die mit dem Vornehmsten rangiert, was unsere Epoche überhaupt zu bieten hatte, ein Buch, das die Jahrzehnte überdauern und von der Zukunft in hohen Ehren gehalten werden wird. Beim Erscheinen des zweiten Bandes nannte ich den Roman »ein dichterisches Unternehmen, dessen Außerordentlichkeit, dessen einschneidende Bedeutung für die Entwicklung, Erhöhung, Vergeistigung des deutschen Romans außer Zweifel steht«. Ich darf mich heute auf diese Worte berufen.
Ein Werk bildnerischer Geistigkeit wie dieses bedeutet nicht mehr und nicht weniger als eine Ehrenrettung unserer vor der Geschichte sonst reichlich kompromittierten Epoche. Wenn sich trotz seiner Abgerücktheit und durch viele Umstände erschwerten Zugänglichkeit in England ein Gefühl hierfür regt und zur That werden möchte, so gereicht das England zur Ehre. Sagen Sie das, bitte, in meinem Auftrag jedem, der es hören will!
Ihr sehr ergebener Thomas Mann

An Molly Shenstone

Grand Hotel & Kurhaus »Huis ter Duin«
Noordwijk aan Zee (Holland)
16. VI. 39

Meine liebe Mrs. Shenstone,
Sie hätten mir zum Geburtstag keine größere Freude machen können, als mit der reizenden alten Ausgabe des Heine'schen Buches, das ich von jeher besonders geliebt habe, und das wohl wirklich, neben der Schrift über Börne, die höchste und anmutigste Prosa dieses menschlich nicht immer ganz zuverlässigen, aber immer

fascinierenden Autors enthält. Man sollte Heine jetzt fleißig lesen. Seine politische Intuition ist erstaunlich und sein Urteil über »uns« Deutsche von unheimlicher Richtigkeit, – wenn man von »Urteil« sprechen kann, wo es sich um eine mythisch-psychologische Prophetie tragisch-objektiven Charakters handelt. Ganz ähnlich wie zum Deutschtum im Ganzen verhält er sich zu Goethe im Besonderen: die Seiten über ihn, in ihrer Doppelbodigkeit und ihrer Mischung aus Bewunderung und Aufsässigkeit, sind für mich zur Zeit das Alleranziehendste in dem Buch.
Diesen Brief habe ich schon vor Tagen, gleich nach unserer Ankunft hier, begonnen – unkundig Ihrer Adresse, die nun heute mit Ihrem lieben Brief an meine Frau eintraf. Dieser Aufenthalt war ja nur als Wartestellung gedacht, bis die Umstände uns die Einreise in die Schweiz erlauben würden; er erweist sich aber als so angenehm und erquicklich, daß man ihn gut und gern als Selbstzweck betrachten kann. Ein großartiges Meer und ein vorzügliches Hotel – die Verbindung des Elementaren mit dem Komfortablen hat mir immer zugesagt. Auch ist der Seewind voll von Kindheitsaroma, und das Arbeiten im Strandkorb, beim isolierenden Rauschen der Brandung, ist eine höchst sympathische Situation.
Bei Ihnen in London hat die erste Versteigerung der Majolika-Sammlung meines Schwiegervaters schon Anfang des Monats stattgefunden. Die zweite folgt am 20. und 21. Juli. Haben Sie nicht Lust, auf einen Cinque cento-Topf zu bieten?
Dank auch von mir für Ihre Nachrichten über das Moni-Kind. Es ist ein wunderlicher und beobachtenswerter Variationen-Reigen, diese Sechs.
Das befohlene Geschwätz der Nazi-Presse vom Untergang des britischen Empire ist von unüberbietbarer Albernheit. Natürlich soll es nur zur Aufmunterung des deutschen Volkes dienen, dem garnicht wohl ist bei der Nachricht, daß es England gegen sich hat. Ich bin überzeugt, daß es mit dem Niedergang Englands gute Weile hat, und daß die alten Demokratien, wenn es Ernst wird, über Reserven verfügen, deren Unterschätzung durch die sogenannten »jungen Völker« bloße Eselei ist.
Grüßen Sie Ihren lieben Mann und den vortrefflichen kleinen Michael! Auf ein glückliches Wiedersehen im September!
Ihr ergebener

Thomas Mann

An Heinrich Mann Grand Hotel & Kurhaus »Huis Ter Duin«
Noordwijk aan Zee 19. VI. 39
(Holland)

Lieber Heinrich,
Du wirst wieder zu Hause sein, und wir haben uns hier, zusammen mit Erika, für die erste Etappe unseres europäischen Sommers installiert. So sei noch einmal ausgesprochen, wie bewundernswert nett es sich fügte in Paris und welche Freude uns allen Dreien dies prompte Zusammentreffen gemacht hat. Man hat das Gefühl, einem so freundlichen Schicksal in Zukunft einiges Dazuthun schuldig zu sein, und so sprechen wir öfters davon, wenn es irgend möglich ist, bevor unsere Ferien zu Ende gehen, noch einen Besuch in Nizza zu machen, um Dein neues Heim kennen zu lernen und den Pariser Austausch häuslich fortzusetzen. Es ist garzu unsicher, ob man sich so bald wiedersieht. [...]
Mit der Wahl dieses Ortes haben wir doch wohl das Richtige getroffen. Das Hotel ist vortrefflich, der Strand prächtig, und die Luft hat etwa den Effekt des Engadin. So erhoffen wir uns Stärkung nach einem Winter, in dem wenigstens ich mir etwas zuviel abzuverlangen hatte. Übrigens war es trotz unseres amerikanischen Hintergrundes garnicht leicht, auf unsere tschechischen Pässe hierher zu gelangen. Aber ein Besuch beim niederländischen Gesandten und ein Empfehlungsbrief von ihm haben Wunder gewirkt und uns nicht nur das belgische Transit-Visum verschafft, sondern uns auch an der Grenze die größten Erleichterungen und Ehren eingetragen. Trotzdem kommt Europa mit seinen Zollsoldaten und Paß-Querulanten uns eng, überfüllt und mißlaunig vor. Wenigstens war das so auf der Reise. Hier ist es noch leer und geräumig, mit Ausnahme der Sonntage, wo die Leute kommen, die Idachen Springer in Travemünde »Eintagsfliegen« nannte. Auch Deutsche sind darunter, man sieht sie an, wie man in die Berliner Illustrierte blickt. Rheinische Industrielle saßen hinter uns auf der großen Hotel-Terrasse, und ihrem Gespräch war zu entnehmen, daß sie leider oft Wochen lang nicht liefern können, weil es an Rohmaterialien fehlt. Von Zeit zu Zeit verfielen sie in Flüstern. Kurz, es war fascinierend.
Dies soll auch der Dank sein für Deinen Geburtstagsbrief, den ich noch nicht habe. Mit der ersten Post aus Princeton, die Dr. Meisel, mein Sekretär, nachsendet, wird er kommen.

Lebe recht wohl! Möge uns also noch ein Wiedersehen beschert sein diesen Sommer.
Herzlich T.

An Agnes E. Meyer

Noordwijk aan Zee
Kurhaus Huis ter Duin
29. VI. 39

Verehrte Freundin,
gern hätte ich längst ein Zeichen unseres Lebens und Gedenkens gegeben, aber das Klima dieses unseres ersten europäischen Aufenthaltes ist recht aggressiv, eine Art von maritimem Engadin, und schränkt die Arbeitsfähigkeit zunächst in beschämendem Grade ein. Es ist eine Wartestellung hier: unsere Anwesenheit in der Schweiz ist wegen der bevorstehenden Einreise meiner Schwiegereltern in den nächsten Wochen noch nicht ratsam. Aber der Aufenthalt hat so große Vorzüge, daß man ihn gut und gern auch als Selbstzweck betrachten kann. Ein großartiges Meer und ein vorzügliches Hotel – ich habe die Vereinigung des Elementaren mit dem Komfortablen immer zu schätzen gewußt. Nur eben verhält der greisende Organismus sich widerspenstig gegen neue scharfe Forderungen der Umstellung, nachdem er gerade nicht ohne Mühsal und unter Shingle-Protest die amerikanische Anpassung vollzogen.
Wir waren zu dreien bisher, aber Erika verläßt uns heute. Wir begleiten sie nach Amsterdam, von wo sie nach Paris und in die Schweiz weitergeht. Allerlei Besuch ist aber hier zu erwarten, wesentlich die Verleger: Oprecht von Zürich, Bermann von Stockholm und Querido von Amsterdam.
Ihr Brief vom 4. hat mich begleitet. Auf seine Fragen lassen Sie mich eingehen, so gut und schlecht es schriftlich und gar latein-schriftlich zu machen ist. Mein elterliches Erbe teilt sich genau nach goethischem Muster ein: Vom Vater die »Statur«, oder doch manches davon, und »des Lebens ernstes Führen«; vom »Mütterchen« all das, was G. in den Worten »die Frohnatur« und »die Lust zu fabulieren« allgemein symbolisch zusammenfaßt, und was bei ihr natürlich ganz andere Formen hatte. Ihre sinnlich-präartistische Natur äußerte sich in Musikalität, geschmackvollem, bürgerlich ausgebildetem Klavierspiel und einer feinen Gesangskunst, der ich meine gute Kenntnis des deutschen Liedes verdanke. Sie war ja in sehr

zartem Alter nach Lübeck verpflanzt worden und verhielt sich, solange sie den großen Hausstand leitete, durchaus als angepaßtes Kind der Stadt und ihrer oberen Gesellschaft. Aber Unterströmungen von Neigungen zum »Süden«, zur Kunst, ja zur Bohême waren offenbar immer vorhanden gewesen und schlugen nach dem Tode ihres Mannes und der Änderung der Verhältnisse durch, was die prompte Übersiedlung nach München erklärt. In ihrer Jugend war sie sehr schön, in spanischem Stil, gewesen, und das Altern bereitete ihr sichtlich große Leiden, – woran die Figur der Großherzogin in »Königliche Hoheit« eine Erinnerung ist. Das Altern und Welken trug bei zu ihrem wachsenden Bedürfnis nach Zurückgezogenheit und Vereinfachung ihres Lebens, nach Einsamkeit; aber auch eine eigentümliche *Kälte* ihres Charakters war da im Spiel, etwa ein Verhältnis zu zärtlichen Freundinnen – und wohl zu den Menschen überhaupt, soweit nicht Sinnlichkeit mitsprach. Aber, stark weiblich begabt – ihre fünf Geburten waren alle leicht und glücklich, sozusagen talentvoll –, war ihre Mutterliebe sehr stark, wenn auch abgestuft, und der tragische Tod ihrer jüngsten Tochter hat ihr langsam das Herz gebrochen. Am fernsten standen ihr wohl der älteste Sohn und die ältere Tochter. Ich glaube, daß ich, der Zweite, ihrem Herzen am nächsten war. Wie üblich lag die unmittelbare Betreuung der Kinder in den Händen von »Fräuleins« und Bonnen, aber unser Verhältnis zu »Mama« war sehr viel vertraulicher und inniger als das zu »Papa«, der eine ziemlich entrückte, auch gefürchtete, ungeheuer beschäftigte Respektsperson war, dabei aber erzieherisch stärkeren Eindruck machte als jene. Merkwürdig war der Goethe-Kult der alten, allein lebenden Frau, von dem Statuetten, Bilder und handschriftliche Excerpte aus den Werken zeugten. Es war wohl eine letzte, vergeistigte Männerliebe. Ich bewahre noch einige Zettel ihrer Hand mit Citaten, die sie auf ihr eigenes Leben und Fühlen zutreffend gefunden hatte. –

Nehmen Sie vorlieb mit diesen Notizen, die mündlich bei erster Gelegenheit bereitwillig ergänzt werden sollen.

Golo ist leider noch in Princeton. Wegen seiner französischen Aufenthalts-Erlaubnis, die er für die schweizerische braucht, haben wir uns jetzt durch den Chef Direktor von »Paris Soir« an Bonnet gewandt. Heft 1 des Jahrgangs III von »Maß und Wert« muß noch von Lion hergestellt werden. Es soll den Teil des »Monologs« aus »Lotte« bringen, den ich Ihnen vorlas.

Haben Sie im 6. Heft den Aufsatz von Rauschning über »Passive Resistenz« gelesen? Er hat mir Eindruck gemacht. Der General-Strike der Nation ist eine packende, wenn auch utopische Idee. Von dem Verfasser, der gute deutsche Verbindungen hat, hören wir, daß der Geisteszustand Hitlers schauderhaft und durchaus klinisch ist. Zu denken, daß der Friede der Welt in den Händen dieses unglückseligen Geschöpfes liegt, ist noch beschämender als es erschreckend ist.
Leben Sie recht wohl und grüßen Sie alle Ihre Lieben!
Ihr ergebener

Thomas Mann

An Ferdinand Lion — Grand Hotel & Kurhaus »Huis ter Duin«
Noordwijk aan Zee (Holland)
12. VII. 39

Lieber Lion,
Ihr letzter Brief war recht bitter, – ich sage absichtlich »war«, denn das sind Stimmungen – bitter [...] auch gegen mich, weil ich Ihnen in 5 Monaten nur 3 Briefe geschrieben hätte. Das kommt auch mir sehr wenig vor, zu wenig, es scheint mir, es sei öfter gewesen. Jedenfalls aber: *wenn* ich Ihnen schrieb, so habe ich mich immer entschuldigt, daß es so selten geschah. Wenn Sie wüßten, wie ich den letzten Winter verbracht habe, so hätten Sie Nachsicht. Ich hatte etwas mehr zu thun, als Sie mit »M. u. W.«, und bin dabei älter. Sobald ich schrieb, habe ich Ihnen ferner meine Freude über die Entwicklung der Zeitschrift, über das Niveau, das Sie ihr zu geben wußten, ausgedrückt und Sie dazu beglückwünscht. An den Mißhandlungen – wenn Sie denn welche erfahren haben, habe ich unbedingt *nicht* teilgenommen, wie hätte ich das auch über mich bringen sollen? Ich schätze Ihre musische Zartheit, die mit einiger Bosheit durchaus anmutig verbunden ist, viel zu hoch dafür. War es denn aber auch so schlimm? Sie haben doch sicher Freude gehabt an der Leitung der Zeitschrift, haben Macht besessen und ausgeübt, schöne ästhetische Arbeiten veröffentlichen können, die Sie sonst wohl garnicht geschrieben hätten, und materiell sind Sie nicht schlecht gefahren, denn in diesen zwei Jahren haben Sie, die Honorare für Ihre Beiträge eingerechnet, rund und nett 17000 Franken eingesäckelt. Das ist anständig und richtig, soweit die Bezahlung von unsereinem überhaupt anständig und richtig sein kann.
Ich möchte Ihnen so gern die Bitterkeit ausreden, denn es ist

mein dringender Wunsch, daß Sie der Zeitschrift Ihr Interesse, Ihre Freundschaft und Mitarbeit unter allen Umständen bewahren möchten, indem Sie an die Sache, die gute, wichtige, notwendige, denken [...] Die Sache ist notwendig, darüber sind wohl wir alle uns einig, und man kann ihre Notwendigkeit vielleicht noch klarer machen, indem man sich nicht mehr mit zweideutigen Mythologen einläßt und ihnen dann aus zarter Bosheit erlaubt, mich einem eindeutig von mir verehrten großen Mann gegenüber durch ungezogene Kritiken zu kompromittieren. – Notwendig und dabei materiell fast unmöglich, das ist das Problem. Golo hat auf dem Wege hoher Korruption sein französisches Visum erhalten und kann nun also kommen. In seinen Ernst, seinen Eifer, die noch nicht seine Fähigkeit beweisen, setze ich viel Vertrauen, und er hat hilfsbereite Freunde und Ratgeber. (Möchten Sie zu ihnen gehören!) Aber die finanzielle Lage der Zeitschrift ist so, daß man kaum sich ihr Fortleben vorstellen kann, ohne daß sie auf eine andere, breitere verlegerische Grundlage gestellt wird. Meiner Meinung nach wäre sie das erste und passendste Objekt, daran die neu konstituierte Solidarität der Emigrationsverlage sich zu bewähren hätte. Ich habe sehr dringlich zu Beratungen über diesen Gedanken eingeladen.
Unterdessen bin ich Ihnen, lieber Lion, ungeheuer dankbar, daß Sie Heft 1, III soweit gefördert haben, daß Golo es nach seiner Ankunft fertig stellen kann, ohne damit gerade schon den Beweis seiner Berufenheit erbringen zu müssen. Auf diesen Dank beschränke ich mich; denn es widersteht mir, Sie auszudanken, zu verabschieden, als sollte es zwischen der Zeitschrift und Ihnen nun aus sein. Nein, Sie gehören zu uns, gehören zur Sache.

Ihr Thomas Mann

An Paul Citroen
[Briefkarte]

Grand Hotel »Huis ter Duin«
Noordwijk aan Zee (Holland)
17. VII. 39

Sehr verehrter Herr Citroen,
vielen Dank für Ihre Zeilen! Wir hatten viel Besuch. Wollen Sie nun diesen Freitag, den 21., uns hier besuchen? Am besten, Sie kommen 5 Uhr zum Thee und zeichnen dabei ein bißchen. Erika ist leider fort, schon im Engadin. Ihr Portrait hängt bei uns in Princeton auf der Diele und wird viel beachtet.
Ihr ergebener

Thomas Mann

An Heinrich Mann Grand Hotel & Kurhaus »Huis ter Duin«
Noordwijk aan Zee (Holland)
17. VII. 39

Lieber Heinrich,
ich sehe es natürlich ein, daß Du nicht nach Schweden fahren kannst, und Olden muß es auch einsehen. Für mich stand Stockholm von vornherein auf meinem Sommer-Programm, für den Fall nämlich, daß alles »gut« geht, d. h., daß wir ein schönes, faules appeasement haben. Sieht es garzu anders aus, so müssen wir freilich Hals über Kopf nach Princeton zurück. Auch ein Vortrag ist für Stockholm verabredet und alles.
Melantrich, der Arme, zeigte an, daß er überhaupt nichts mehr mit mir zu thun haben und weder nach außen noch innen Zahlungen leisten dürfe. Da ist also leider nichts zu machen.
Herzlich
T.

An Albert Ehrenstein Grand Hotel & Kurhaus »Huis ter Duin«
Noordwijk aan Zee (Holland)
20. VII. 39

Sehr verehrter Herr Doktor Ehrenstein:
Verzeihen Sie, daß ich erst heute Ihren freundlichen Brief vom 5. Juni beantworte, er hat mich mit sehr großer Verspätung über Princeton hier erreicht.
Es ist schmerzlich und beschämend für mich, daß meine Antwort so ganz negativ ausfallen muß. Die sogenannte Th. M. Gesellschaft existiert nicht mehr, sie hat sich nach der Eroberung Prags, wo sie ihren Sitz hatte, und nach Aufwendung ihrer letzten Mittel für die dortigen Flüchtlinge aufgelöst. Die »American Guild« ist mit dringenden Hilfsgesuchen derart überschwemmt, daß sie seit Monaten alle eingehenden Gesuche zurückstellen muß. Ich will mich aber im September, wenn ich wieder in Amerika bin, persönlich für Ihren Druckkostenzuschuß einsetzen, und bin nicht ganz ohne Hoffnung auf Erfolg.
Völlig ratlos bin ich leider in der Angelegenheit Ihrer französischen Einreise. Nur zu gut weiß ich aus eigener Erfahrung, *wie* schwer es für einen Angehörigen der tschechoslowakischen Republik ist, die Aufenthaltserlaubnis in Frankreich zu erhalten, denn meine beiden ältesten Söhne befinden sich in derselben Lage. Ich höre, daß eine

Persönlichkeit wie Jules Romains da vielleicht behilflich sein könnte, aber leider kenne ich ihn nicht genügend, um in Ihrer Sache mich an ihn wenden zu können.
Am besten wäre es natürlich, wenn Sie doch noch eine Verlängerung Ihres Aufenthaltes in der Schweiz erlangen könnten, und wenn Sie glauben, daß eine Empfehlung von mir an irgend einer Stelle in Bern da von Nutzen sein könnte, bin ich sehr gern bereit, einen solchen Schritt zu unternehmen.
Mit den besten Wünschen und Grüßen
Ihr ergebener Thomas Mann

An Klaus Mann Grand Hotel & Kurhaus »Huis Ter Duin«
Noordwijk aan Zee (Holland)
22. VII. 39

Mein lieber Eissi,
es ist nur, daß ich den Brief mal anfange. Weiß nicht, wieweit ich komme, denn es ist nach dem Dinner, und da ist man hier müde, bei einem Lüftlein, dick und wild zugleich. Die Nachmittage werden mir meistens von Besuchen gestohlen. Dabei ist es längst an der Zeit, daß ich Dir über Deinen Roman berichte – Mielein hat's, was sie angeht, schon eingehend gethan, nachdem sie unser Exemplar lange einbehalten. Aber auch ich habe, seit ich es nun auch besessen, schon verschiedenen Leuten darüber geschrieben, um sie ernstlich auf das Buch hinzuweisen und sie zu bitten, sich darum zu kümmern, weil es eine wirklich vorzügliche Sache sei, die von einer in Banden der Dummheit und Bosheit liegenden Welt doch natürlich vernachlässigt werde: so an Alfred Neumann, Onkel Heinrich, Fränkchen und andere. Ich bin überzeugt, daß jeder, der sich, selbst skeptischen Sinnes, damit einläßt, es gefesselt, unterhalten, gerührt und ergriffen zu Ende lesen wird. So that ich; und dabei will ich Dir nur sagen, daß ich insgeheim doch die tückische Absicht hatte, nur Kontakt zu nehmen, wenn auch einen näheren als bei Hinz und Kunz. Wurde aber nichts daraus. Es hat mich so gehalten, amüsiert und bewegt, daß ich's in einigen Tagen, manchmal bis spät über Mieleins Lämplein hinaus, Wort für Wort durchgelesen habe.
Den 23. – Siehst Du wohl, daß ich gestern nicht sehr weit kam. Ich mußte doch noch hinunter mein Abendbier trinken. Also denn: ganz und gar durchgelesen und zwar mit Rührung und Heiterkeit,

Genuß und Genugtuung und mehr als einmal mit Ergriffenheit. Sie haben Dich ja lange nicht für voll genommen, ein Söhnchen in Dir gesehen und einen Windbeutel, ich konnt es nicht ändern. Aber es ist nun wohl nicht mehr zu bestreiten, daß Du mehr kannst, als die Meisten – daher meine Genugtuung beim Lesen, und die anderen Empfindungen hatten auch ihren guten Grund. Schon mitten drin war ich vollkommen beruhigt darüber, daß das Buch als Unternehmen, also als Emigrationsroman, vermöge seiner persönlichen Eigenschaften ganz konkurrenzlos ist, und daß Du keine andere Erscheinung dieser Art, auch Werfel nicht, zu fürchten brauchst. Es wird sich nach und nach mancher an der großen und schmerzlichen, auch kläglichen Aufgabe versuchen, aber die leichte fromme verderbte Kikjou-Weis', die singt Dir keiner nach, sie ist einmal Dein Reservat, und wer Sinn hat für diese Art, dem Leben Schmerzlichkeit und Phantastik und Grazie und Tiefe zu geben (für mein Teil erkläre ich, daß ich Sinn dafür habe), der wird sich eben an Dein Gemälde und Panorama halten, ein Bild deutscher Entwurzelung und Wanderung, gesehen und gemalt à la Jean Cocteau: Eine sonderbare Übertragung und Anwendung, wird mancher sagen, wird das Bild recht hoffnungslos finden und meinen, diese Piqueure, Sodomiter und Engelseher hätten auch ohne Hitler ihren leichten, frommen, verderbten Untergang gefunden, Deutschland habe ganz recht gethan, sie auszustoßen, und da sei nichts dran verloren. Aber erstens handelt sich's um ein Kunstwerk, also doch in erster Linie nicht um handfeste Moral, sondern um neues, starkes, merkwürdiges und buntes Erleben, und da ist denn doch die mißglückende Entwöhnungskur, um nur sie zu nennen, ein so außerordentliches Stück Erzählung, daß man nicht mehr an Deutschland und die Moral, die Politik und den Kampf denkt, sondern einfach liest, weil man sowas noch nicht gelesen hat. Zweitens aber wird das Werk – denn das ist es, ein wirkliches, viel umfassendes, mit einer besonderen Art leichter Energie durchgeführtes Werk – dank, ja *dank* einer wirklich geliebten und bewunderten, ernsten und starken und kämpferischen Figur, die dem Ganzen das Rückgrat gibt, die im Centrum steht, und zu der der ganze schwache Schwarm sozusagen hilfesuchend hinstrebt, – in der zweiten Hälfte immer ernster, fester und gesunder, es wird doch ein Buch, dessen die deutsche Emigration sich auch unter dem Gesichtspunkt der Würde, der Kraft und des Kampfes nicht zu schämen hat, sondern zu dem

sie sich, wenn sie nicht neidisch ist, froh und dankbar bekennen kann.
Das Atmosphärische der Städte und Länder ist vorzüglich gelungen, mit klugen Sinnen erlebt, und gerade daran sieht man, wie alles doch mit Leben und Erfahrung bezahlt ist, trotz der fast kindlichen Naivität, mit der die literarischen Einflüsse sich aufdrängen. In technischen Einzelheiten und Manipulationen tut der große Onkel sich mächtig hervor, gegen das Ende hin wird, wie mir scheint, stark gezaubert, und wie überdeutlich ein paarmal Hamsun sich meldet, den es doch eigentlich garnicht mehr geben sollte, hat mich besonders frappiert. Ein Erbe bist Du schon auch, der sich, wenn man will, in ein gemachtes Bett legen durfte. Aber schließlich, zu erben muß man auch verstehen, erben, das ist am Ende Kultur. Nicht umsonst sprechen die Bolschewiki jetzt immer vom »bürgerlichen Erbe«. Und dann ist da doch auch wieder so viel primäre Lyrik, Barbezahlung und Blutzeugenschaft, daß das mit dem gemachten Bett denn doch nur cum grano salis zu verstehen ist. Und all Dein »Erbentum«, es wäre Dir wenig nütze ohne das eigene große, geschmeidige Talent, das mit Leichtigkeit schwierige Dinge bewältigt, sehr komisch und sehr traurig sein kann und sich rein schriftstellerisch, im Dialog und der direkten Analyse, überraschend stark entfaltet hat.
Mit einem Wort, ich gratuliere herzlich und mit väterlichem Stolz. Wie ich höre, haben ältere Kollegen und Meister in ihrer Art Dir auch schon ihre Freude und ihren Respekt zu erkennen gegeben. Es wird Dich schon noch manch weiteres stärkendes Echo erreichen. Laß es Dich im übrigen nicht anfechten, wenn Dein Bestes scheinbar sang- und klanglos vorübergeht. Das ist jetzt so, soll so sein und ist beinah eine Ehre. Mit Onkel Heinrich zu reden: »Es kommt der Tag.«
Herzlich Z.

An Heinrich Rothmund Grand Hotel & Kurhaus »Huis ter Duin«
Noordwijk aan Zee (Holland)
28. Juli 1939

Sehr verehrter Herr Doktor Rothmund:
Es ist nicht das erste Mal, daß ich mich vertrauensvoll an Ihr menschliches Empfinden zu Gunsten eines durch die schweren Umstände

der Zeit bedrängten Landsmannes wende. Nehmen Sie auch die gegenwärtige Fürbitte mit geduldiger Freundlichkeit auf.
Es handelt sich um einen verdienten Schriftsteller, Albert Ehrenstein, Jude natürlich und mit tschechischem Paß. Seit dem Jahre 1932, also länger schon, als das Dritte Reich besteht, hat er in Brissago ein und dieselbe Wohnung inne, ist aber nun, infolge der tschechischen Katastrophe, von Ausweisung aus der Schweiz bedroht. Ein französisches Visum wäre für ihn erreichbar, wenn ihm von Schweizer Seite ein halbes Jahr weitere Aufenthaltsbewilligung mit Wieder-Einreise-Recht zugestanden würde. Ich meine, die Schweiz würde sich durch die Verlängerung des Aufenthaltsrechtes für diesen, man kann schon sagen, Alteingesessenen, nicht schaden, da sie ja gerade durch das Zugeständnis ihm die Ausreise nach Frankreich ermöglichen würde und der Antragsteller sich in dem langen Zeitraum als ein völlig integerer, politisch einwandfreier Einwohner bewährt hat. Ich schätze Ehrenstein als begabten Lyriker und feinsinnigen Essayisten, und es wäre mir bei dem vielen hoffnungslosen Elend, das von allen Seiten auf einen eindrängt, eine Genugtuung, wenn vielleicht meine Fürsprache ihm die Katastrophe, die die Ausweisung für ihn bedeutete, ersparen könnte. Sein Akt in Bern trägt die Nummer 98098.
Mit vorzüglicher Hochachtung, sehr verehrter Herr Doktor,
Ihr sehr ergebener

Thomas Mann

An René Schickele Grand Hotel & Kurhaus »Huis ter Duin«
Noordwijk aan Zee (Holland)
29. VII. 39

Lieber Schickele,
Dank für Ihre Zeilen vom 15. und 25.!
Herwegh und die Partei scheint auch mir ein recht gutes Thema für »M. u. W.«. Ich will mit Golo darüber sprechen. Er ist schon in Zürich oder trifft dieser Tage von Paris dort ein. Wir reisen in ca 8 Tagen, wollten 14 Tage bis 3 Wochen da bleiben, dann nach London fliegen zum Besuch unserer mittleren Tochter und schließlich nach Stockholm, wo ich den Delegierten der deutschen PEN-Gruppe machen muß. Es scheint übrigens ein ganz genußreiches Fest zu werden. Auch muß ich bei Bermann wegen der neuen »Stockholmer Gesamtausgabe«, die die verschwundene alte ersetzen

soll, nach dem Rechten sehen, und die Schiffahrt von dort nach New York ist angenehm, besonders im Fall der Fälle, an den ich aber nicht glaube. Das fascistische Europa hat nicht die mindeste Lust, den antifascistischen Krieg, *unseren* Krieg zu führen. Wer wünscht Staaten zu besiegen, wo das Streikrecht abgeschafft ist? Ist ja vorbildlich.

Mynona mag ich nicht und wünsche ihn bei uns nicht zu sehen. Er hatte immer ein freches Thersites-Maul, und seine Art von »angeblichen« Hitler-Gegnern zu sprechen, die seinen Kantianismus nicht teilen, ist auch schon wieder höchst unangenehm. Lassen wir ihn seine »entscheidenden Dinge« schreiben. Wieso denn auch ist ausgerechnet seit 39 seine Stimme erstickt?

Für die »Auslandspost« – Sie meinen doch wohl Erikas und meinen Broschürenplan? – haben wir schon ein paar gute Sachen bekommen von B. Frank, Gumpert u. a. Rauschning schreibt etwas, und ich hoffe, mit der Zeit auch etwas zu liefern. Und Sie?? Hier hatte ich eine Einleitung zu »Anna Karenina« für Amerika zu machen, die mir ganz wohl gelungen ist. Jetzt schreibe ich jeden Vormittag in meiner Strandhütte an »Lotte in Weimar« und habe die phantastische Hoffnung gefaßt, das Buch, an dem in Stockholm schon gedruckt wird, im Herbst noch herauszubringen. Ganz unmöglich ist es nicht, da ich mich von dem verrückten amerikanischen Winter gut erholt habe. – Nizza wird wohl leider für dies Jahr nur ein Wunsch bleiben.

Ihnen und Ihrer lieben Frau alles Herzliche!

Ihr Thomas Mann

An Louise Servicen

Hotel Waldhaus Dolder
Zürich
13. VIII. 39

Liebes und sehr verehrtes Fräulein Servicen,

da ich Sie nun im Besitz des vollständigen Siebenten Kapitels von Lotte weiß, drängt es mich, Ihnen einige Worte, sagen wir lieber gleich: Trostesworte zu sagen wegen der wohl anscheinend fast unüberwindbaren Schwierigkeiten, die dieses fatale Prosastück dem Übersetzer bietet. Ich kann mir denken, daß Sie davon bedrückt und einigermaßen ratlos sind. Ich möchte Sie bitten, die Sache doch nicht zu schwer zu nehmen und erst einmal unbefangen und rücksichtslos darauflos zu übersetzen. Ich selbst bin der Meinung, daß

in den fremdsprachigen Ausgaben von »Lotte in Weimar« dieses Kapitel gekürzt und vereinfacht werden muß, denn gewisse Allusionen und literarische Erinnerungen sind wohl nur im Deutschen möglich und selbst im Deutschen heutzutage kaum. Nur meine ich, daß man, um eine Übersicht zu gewinnen, erst einmal das Ganze, wenigstens in der Skizze, übersetzen muß und habe dies auch meiner englischen Übersetzerin empfohlen. Liegt der Text einmal vor, so kann man weiter sehen.
Ich glaube ferner, daß es gut wäre, wenn die Übersetzungen dieses Buches in Gestalt eines Nachwortes einige erläuternde Bemerkungen für den Leser mit auf den Weg bekämen, Bemerkungen, die rein historisch, was Goethes Werk und Liebesleben betrifft, dem Leser das Verständnis etwas erleichtern. Zum Beispiel könnte ich mir denken, daß für die französische Ausgabe Félix Bertaux oder auch sein Sohn Pierre diese für einen Germanisten sehr einfache Aufgabe übernehmen würde. Ihre Meinung darüber hörte ich gern.
Vielleicht ergibt sich Gelegenheit zu einer Rücksprache im September, da ich immer noch damit rechne, daß wir von Schweden noch einmal in die Schweiz zurückkehren und die Rückreise über Paris machen. Ich habe auf dieser ganzen Reise nicht aufgehört, zu arbeiten und gegen das Ende des Romanes hinzudrängen. Ich bin schon tief im achten Kapitel, das wieder ganz lustspielmäßiggesellschaftlich ist; und das neunte soll nur noch ein Ausklang sein, sodaß nun ziemlich feststeht, daß die deutsche Ausgabe des Buches noch diesen Herbst herauskommt.
Es wäre mir sehr lieb und beruhigend, ein Wort von Ihnen zu hören, daß Sie des Siebenten Kapitels wegen nicht allzu verstimmt sind. Rein künstlerisch genommen sollte es ja immerhin eine gewisse Belebung und Abwechslung erfahren durch die in den inneren Monolog eingestreuten Dialoge. Wenn Sie mir etwas zu sagen oder mich etwas zu fragen haben, so erreichen mich Zuschriften noch bis Freitag morgen hier, danach schreiben Sie am besten an Bermann-Fischer Verlag, Stureplan 19, Stockholm.
Aufmerksam machen möchte ich Sie noch auf eine bisher nicht richtiggestellte Unstimmigkeit der Daten. Es ist im ersten Kapitel ein früher Oktobertag für Lottes Ankunft in Weimar genannt. Historisch-anekdotisch, in Wirklichkeit, war es der 22. September, und der Aufenthalt erstreckte sich bis in die ersten Oktobertage hinein.

So will ich es nun auch in meiner Erzählung halten, und die Angaben über den Ankunftstag im ersten Kapitel sind also danach richtig zu stellen, namentlich die Datierung von Lottes Billett. Dieses ist exakt mit dem 22. September zu datieren, in den ersten Zeilen aber unbestimmter von einem Tage zweite Hälfte September zu sprechen.
Mit vielen herzlichen Grüßen
Ihr ergebener Thomas Mann

Ich bitte auch, zu bemerken, daß es immer Erstes, Zweites etc. Kapitel heißt, aber »Das siebente Kapitel«.

An James T. Farrell

Princeton, N. J.
65 Stockton Street
22. IX. 39

Sehr geehrter Herr,
ich habe Ihren Brief erhalten. Daß ich ihn beantworte, ist nicht ganz selbstverständlich, was ich vorausschicke, weil ich nicht den Eindruck habe, daß Sie sich über die Illoyalität im Klaren sind, mit der Sie sich vor Monaten bei Gelegenheit jenes gegen den National-Sozialismus gerichteten Manifestes benommen haben, das ich auf Wunsch einiger amerikanischer Freunde abgefaßt hatte. Der Aufruf war auch Ihnen zur grundsätzlichen Gutheißung zugeschickt worden, und wenn Sie ihn mißbilligten, so konnten Sie Ihre Unterschrift verweigern. Statt dessen hielten Sie es für richtig, gegen einen öffentlich noch garnicht vorliegenden Text öffentlich zu polemisieren und damit eine verfrühte und unsinnige Diskussion hervorzurufen, die eine von ihren Initiatoren schön gedachte Aktion unmöglich machte.
Jetzt schreiben Sie mir, ziehen mich zur Verantwortung wegen meines Verhältnisses zur League of American Writers und verlangen Erklärungen von mir über den russisch-deutschen Pakt. Nun, ich habe, obgleich ich mich auf meine künstlerische Arbeit hätte zurückziehen und es hätte vermeiden können, Ärgernis zu geben, mein politisches Bekenntnis nie verweigert und nach besten Kräften zum Guten zu wirken gesucht. Zu den heutigen Problemen einschließlich des russischen werde ich zu einem selbst gewählten Augenblick, in selbst gewählter Form mich äußern und dabei richtig stellen, was an meinen einer durch den Krieg abgeschlossenen

Epoche angehörigen Schriften etwa richtig zu stellen ist. Dies gerade aus Anlaß eines Briefes von Ihnen zu tun, sehe ich keinen Grund.
Was die League of American Writers betrifft, so habe ich auf ihrem Kongreß zusammen mit Eduard Beneš und einer großen Anzahl nichtkommunistischer Schriftsteller gesprochen. Daß diese in Dingen politischer Überzeugung gewiß nicht einheitliche, aber grundsätzlich freiheitlich gesinnte Vereinigung mich, den Fremden, danach zu ihrem Ehren-Vorsitzenden wählte, habe ich als ein Zeichen amerikanischer Weitherzigkeit empfunden und meine Freude daran gehabt. Der Wunsch, als eine kommunistische Organisation betrachtet zu werden, geht aus dieser Wahl jedenfalls nicht hervor.
Mit hochachtungsvoller Begrüßung

Thomas Mann

An Golo Mann

Princeton den 26. IX. 39

Lieber Golo,
Deine Briefe kamen höchst erwünscht, vor allem gaben sie uns das Gefühl, daß doch der Kontakt nicht ganz und gar verloren ist. Du hast unser Ankunftskabel bekommen: »Wärst auch Du erst da!« Wirklich, es wäre das Gescheuteste und Beste, nur müßten die Schritte dazu so bald wie möglich unternommen werden, denn aller Vermutung nach wird Deine Rückkehr immer schwieriger werden, schwieriger auch von dieser Seite, und es ist schlimm, daß unsere beiderseitigen Wünsche geteilt und zögernd sind. Mielein glaubt nicht an die Möglichkeit eines Fortbestehens der Zeitschrift, auch Kahler zweifelt, und meine eigene erste Vorstellung nach Eintritt des Kriegszustandes war die, daß sie schon aus technischen Gründen wohl vorläufig ruhen müsse. Im Grunde aber tut es mir wohl, zu hören, daß man in Zürich zugunsten ihres Fortbestehens, nun gerade, spricht, und daß Oprecht selbst es wünscht. Ich wünsche es heimlich eben auch, obgleich der Vorteil Deiner Redaktorschaft, die nähere persönliche Verbundenheit der Zeitschrift mit mir, durch die Umstände fast vernichtet wird, und obgleich ich von der Schwierigkeit durchdrungen bin, unter diesen Umständen die richtige Haltung für sie zu finden. Wie schwer das sein wird, zeigen mir die Hemmungen, die mich jedesmal befallen, wenn ich versuche, mir das prinzipielle Geleitwort vorzustellen, das ich, wie

Du ganz richtig meinst, für die Kriegsausgaben von »M. u. W.« schreiben müßte. Man möchte, nachdem man vorher das Seine gesagt, jetzt am liebsten schweigen und alles dem objektiven Geschehen überlassen, das nun seinen Gang nimmt. Darin ist man wahrscheinlich dem Empfinden des biederen deutschen Volkes nahe, das ich mir in einem weniger revolutionären Zustand denke als je, da nun der altvertraute Krieg da ist, in dem man seine Sache gut machen kann und muß, und der einem die Revolution abnimmt, indem er die Dinge schon irgendwie ordnen wird. Was soll man da sagen und in welchem Sinn auf die Deutschen einzuwirken suchen? Daß sie die Nazis absetzen und Frieden machen? Es ist gar keine Aussicht darauf, daß sie das tun, solange sie Krieg führen können, zumal sie keine Ahnung haben, was sie von sich aus und ohne die Hilfe des objektiven Geschehens an die Stelle dessen setzen könnten, was sie in eine Art von Form gebracht hat. Und ist denn ein rasches Ende des Krieges, das wesentlich alles beim Alten ließe, auch nur zu wünschen? Müßte der Krieg nicht lange genug dauern, um *überall* gründliche Veränderungen hervorzubringen oder dafür reif zu machen? Wobei nun freilich wieder diese Reife in praxi eine Verwilderung und Verelendung sein könnte, die man um Gottes willen abgewendet sehen möchte. Nur für Deutschland allerdings ersehnt man die Verwilderung so weit als sie notwendig ist, damit Bruder Hitler das verdiente Ende findet. Denn daß diese schamlose Mißgeburt so aus der Sache herauskommt, wie sie jetzt offenbar möchte, nämlich indem sie sich ins Privatleben zurückzieht und ihren werten Lebensabend »als Künstler« verbringt, das wäre doch garzu unbefriedigend. –

Allgemein will man »ein neues Versailles« abgewendet wissen. Aber was heißt das? Ob seit dem Eintreten Rußlands ein Kriegsausgang à la 1918 überhaupt noch möglich ist, kann niemand sagen. Nimmt man ihn als möglich an, und lassen die Deutschen es soweit kommen, ohne rechtzeitig, das heißt *sehr* bald, Hitler und die Seinen abzuschütteln, so ist ein Friede ganz unvermeidlich, der Deutschland auf lange hinaus, auf viel länger als voriges Mal, womöglich bis das föderierte und entnationalisierte Europa, ja die Plan-Welt fertig ist, jede Möglichkeit nimmt, die ihm so gräßlich unnatürliche Machtpolitik wieder aufzunehmen. Die Liquidation des »Reiches« wäre eine Notwendigkeit – und ist sie unter dem kulturell-deutschen, d. h. dem einzig deutschen Gesichtspunkt nicht höchst

wünschbar? Die Angst ist, daß Deutschland dadurch seine »großen Männer«, die Bismarck und Friedrich verlöre und der Friede wieder auf der geistigen Desorientierung und Heimatlosigkeit eines Hauptvolkes errichtet werden müßte, was gefährlich und kläglich wäre. Aber kann ein Volk, das sich in solche Irrtümer gestürzt, die Politik so unbegabt mißverstanden hat, wie die Deutschen, und schließlich mit seinen »großen Männern« auf den Hitler gekommen ist, es anders erwarten? Und würde nicht vielleicht ein gründlicheres »Versailles«, will sagen die Auflösung Deutschlands, vor allem die gesonderte Vereinigung Bayerns mit Österreich, unter den Deutschen psychologisch leichtere Bedingungen für die Hinnahme der Annulierung ihrer jüngeren Geschichte schaffen?
Ich schreibe das alles nur hin, um Dir und mir anzudeuten, wie schwer es ist, heute zu den Deutschen und selbst zu den Anderen zu sprechen. Meine amerikanischen Interviews sind ein optimistischer Notbehelf; die größeren lectures, in denen ich ausführlicher werde Rede stehen müssen, werde ich gottlob erst später im Winter zu halten haben – die Schweigefrist ist mir teuer, denn man schweigt jetzt am liebsten und sucht die Dinge bei sich selbst zu verarbeiten. Es ist wohl keine Schande, gestehen zu müssen, daß mich die Aufgabe schreckt, der Zeitschrift durch ein neues Vorwort gewissermaßen ihre Haltung in diesem Kriege vorzuschreiben, der sich mit so verwirrten und Mißtrauen erregenden Fronten, zu einem so ungewissen, vielleicht kläglich nahen, vielleicht schauerlich fernen Ende abspielt. Es ist schwer, die deutsch-russische Verständigung von der russischen Seite her zu beurteilen; von Hitler her gesehen, hat sich seine schmutzige Gabe, die Welt zu verwirren und durch Verwirrung zu entkräften, aufs widerlichste bewährt. Die Wirkung auf die deutsche Arbeiterschaft, die nun verbotenen französischen Kommunisten mag man sich nicht vorstellen. Polen ist, da Rußland die Hälfte hat, durch Hitlers Fall nicht wiederherzustellen, und die Gewalttat, die nicht zu dulden war und wird geduldet werden müssen, kommt nicht mehr allein auf Hitlers Haupt, da Rußland sich daran beteiligte. Im Osten wird, ohne daß England und Frankreich es hindern können, »Ordnung geschaffen«, und die deutsche Frage, zu welchen moralischen oder materiellen Zwecken diese Länder den Krieg eigentlich noch weiterführen, hat eine unverschämte und lähmende Berechtigung.
...So könnte ich Tage lang weiterschreiben, aber was solls. Unter-

dessen kamen die Gerüchte von des Phantoms genialen Friedensvorschlägen auf, vor denen der Völkerbund nur so werde erröten müssen. Nascitur ridiculus mus, aber die Maus, die ihm aus dem greulichen Lügenmaul geschlüpft, ist doch wieder verwirrend niedlich, und es ist nicht leicht, sie als das Ungeziefer zu behandeln, das sie ist. Willst Du mir sagen, was man mit Deutschland anfangen soll? Es will keinen Krieg, es will Frieden! Die Ruinen von Warschau mögen die Verruchten, die Wahnsinnigen warnen, die den Krieg wollen. Im Westen kann es unmöglich so weitergehen: es fehlt ja nicht viel, daß Saarbrücken beschossen wird, und dann müßten die Deutschen Mülhausen beschießen, gerade alsob sie das Unglück hätten, mit einem so liebens- und achtenswerten Lande wie Frankreich im Kriege zu sein. Was soll man sagen? Es gibt das Wort »entwaffnend«. Wenn's nur nicht zutrifft!

Genug! Unterdessen kam ja auch Oprechts Brief, für den ich schönstens danke, und der mir zeigt, daß »M. u. W.« wirklich und wahrhaftig fortgesetzt werden soll. Ich hätte also das Vorwort wirklich zu schreiben – und darin dem Wunsche Ausdruck zu geben, daß Europa Friede und Freiheit neu zuteil werden und dieser Gans lange erhalten bleiben mögen. Nun, das ist viel und wenig. Ich weiß nicht, wie ich damit auskommen soll. Und ist denn eine solche Verzögerung des Heftes möglich, das doch schon fertig war? Ich glaube, Du mußt es irgendjemanden ein Kabel kosten lassen, um mich über die Situation ins Bild zu setzen. Ich werde daraus auch ersehen, ob Du endgültig zum Bleiben entschlossen bist und wir es uns aus dem Sinn schlagen sollen, Schritte für Deine Wiedereinwanderung zu tun.

Herzlich

Z.

An Mervyn Rathbone

Princeton, N. J.
65 Stockton Street
29th September, 1939

Dear Mr. Rathbone,

I am very sorry that as I am not yet an American citizen I feel I must refuse your invitation to become a sponsor of a Committee seeking to defend what you feel are the lawful rights of the American telegraph messengers. My sympathies have always been with the just objectives of labour in all parts of the world, but in this case

the problem is specifically an American one in which I feel I have no right to interpose.
I am grateful to you for having asked me to help, and hope that the outcome of your efforts will result in an equitable solution of the difficulty.
Yours sincerely, Thomas Mann

An Agnes E. Meyer

Princeton, N. J.
65 Stockton Street
21. X. 39

Liebe Freundin,
vielen Dank für die gütige Mitteilung Ihrer schönen Worte an John Dewey! Man fühlt, das ist Ihnen von Herzen gekommen. Der Gefeierte kann stolz sein auf eine solche Schülerin, und die Rührung der Zuhörer kann ich mir denken.
Ich habe neulich auch zum erstenmal wieder öffentlich gesprochen, aber nur vor dem nicht großen Publikum der Town Hall education-Organisation. Es war der Problem of Freedom-Vortrag, aber sehr verändert und aktualisiert. Man fand, ich hätte Fortschritte im Sprechen gemacht.
Jetzt schreibe ich an den letzten *Seiten* von »Lotte in Weimar«. Der Tag ist nahe, wo ich wieder einmal das Wort »Ende« schreiben werde. Und am nächsten Morgen werden, wie ich mich kenne, die ersten Zeilen von Joseph IV auf dem Papier stehen. Das erinnert mich an George Sand, die, als sie eines Vormittags einen Roman beendet hatte und noch eine halbe Stunde bis zum déjeuner war, rasch noch einen neuen zu schreiben begann.
Herzlich Ihr Thomas Mann

An Hermann Broch

Princeton, N. J.
65 Stockton Street
30. X. 39

Lieber Herr Broch,
vielen Dank für Ihre Mitteilungen. Es ist sehr schön, wie Sie diese Sache dirigieren und Ihren ordnenden Verstand dafür einsetzen. Ich möchte Ihr Memorandum doch sehr gern lesen. Schicken Sie es doch gelegentlich herüber – oder Medi kann es holen.

Wir sind morgen und übermorgen in New York.
Eben habe ich mein Gutachten an die Guggenheim Foundation diktiert und starke, tiefe, tremolierende Töne angeschlagen, auch der Vorlesung von neulich gedacht, die mir von dem Werk, dessen Fertigstellung es zu sichern gilt, ein erstes ungefähres Bild gegeben hat. Ein passenderes Objekt für das Guggenheim'sche Mäzenatentum ist ja kaum vorzustellen. Ich habe das zu verstehen gegeben, und man könnte mich eigentlich nie wieder um ein Gutachten angehen, wenn man sich um dieses nicht scherte.
Bestens

Ihr Thomas Mann

An Agnes E. Meyer

Princeton, N. J.
65 Stockton Street
3. XI. 39

Liebe gnädige Frau,
das mit dem jungen Lehrer ist ja eine sehr freundliche Nachricht. Den Mann möchte ich gern kennen lernen, und es wäre besonders hübsch, wenn Sie selber ihn einmal hierher brächten. Auch stelle ich es mir reizvoll vor, seine Klasse gelegentlich zu besuchen, – wenn ich nur Zeit dafür finde. Man ist immer so eingespannt. Eben komme ich von N. Y. zurück, wo ich für die Klasse des Herrn Prof. Lyon in Columbia University selbst über den »Magic Mountain« gelesen habe. Jetzt bereite ich für die Schüler des Prof. Thayer hier eine lecture über den »Werther« vor – das mußte sein, es gehört zum business. [...]
Sie sehen aber: vom Joseph the Nourisher ist noch nicht die Rede. Nun, »die Rede« wird noch lange nicht von ihm sein, aber die Schreibe sollte beginnen. Immerhin, von »Lotte in Weimar« wird nun der Schluß gedruckt, und die deutsche Ausgabe soll noch vor Weihnachten herauskommen, sodaß unter einigen besonders neugierigen Schweizern und Skandinaviern davon wird die Rede sein können.
Was meinen Sie, wann wird Deutschland mich wieder lesen können? Eigentlich ist das die Frage, mit der ich zu Bett gehe und wieder aufstehe. Sieht es nicht manchmal aus, als brauchte es sich nur noch um ein paar Jahre zu handeln? Wie ich die Engländer zu kennen glaube, werden sie mit dieser deutschen Regierung keinen Frieden machen, – und *jede* andere soll mir recht sein. Bekenntnis eines Unpolitischen!

Sie haben nun wieder die Weltdame zu machen – nun, ganz sind Sie wohl auch in Siebenquellen nicht aus der Übung gekommen, und da ich Ihren akzeptablen Washingtoner Lebensrahmen kenne, ist mein Mitleid nicht allzu groß. Absichtlich äußere ich mich kalt und hart, damit Sie nicht romantischer Verweichlichung anheimfallen.
Fast hätte ich vergessen zu erzählen: Seit ein paar Tagen haben wir einen reizenden schwarzen Pudel französischer Zucht, Geschenk der Biographin Caroline. Wir nennen ihn Nico. Er stört mich fürchterlich, aber ich liebte ihn auf den ersten Blick. Er liegt auf meinem Fuß unter dem Schreibtisch.
See you later. Not too late, let us hope!

Ihr Thomas Mann

An Golo Mann

Princeton, N. J.
65 Stockton Street
3. XI. 39

Lieber Golo,
ich schicke Dir einen Aufsatz »Six Kings« von Borgi aus »Atlantic Monthly«, eine Arbeit von schönem historischen Schwung, wie mir scheint, und die sich, gut übersetzt, in M. u. W. recht würdig ausnehmen würde – wenn ihr nicht der Meinung seid, daß das vorherige Erscheinen auf englisch ein Einwand ist. Borgi sollte bei uns ja einmal vertreten sein, und er selbst legt auf diesen Aufsatz besonderen Wert, wäre aber auch wohl bereit, etwas Neues zu schreiben; nur fragt er sich, ob es ebenso gut würde.
Es ist ein rechtes Leiden, daß Du Mieleins Briefe nicht bekommst. Sie hat Dir immer so treu und ausführlich geschrieben. Ist denn mein langes Schreiben in Deine Hände gelangt, worin ich mich mit den Schwierigkeiten des verlangten Vorworts herumschlug? Wichtiger ist die Frage, ob ihr dann das Vorwort selbst bekommen habt, und ob es annähernd das Richtige war. Die Entfernung macht doch etwas unsicher. – Auch Bermann hätte mir längst den Empfang meines Schluß-Manuskripts bestätigen müssen, wenn er es empfangen hätte. Man schickt jetzt ins Blaue hinein, und ich fürchte, es kommen Jahre, die garnicht recht »im Zeichen des Verkehrs« stehen werden.
Aber Bermann bringt seine Sachen tapfer heraus. Gestern bekam ich den »Zauberberg« in der »Stockholmer Gesamtausgabe«, und

»Lotte« soll vor Weihnachten erscheinen. Es wird ein geräuschloses Erscheinen sein, aber die Nachricht des »Schwarzen Korps«, ich sei nun schon ganz heruntergekommen und triebe mich halb verhungert in Pariser Cafés umher, ist doch unzutreffend. Ach, der trostlose Pöbel! Er weidet sich an solchen Bildern, um die Größe seiner Revolution daraus abzulesen und sich zu beweisen, wie weit er es gebracht. Vielleicht wird es bald für ihn überhaupt keinen Ort zum Herumtreiben geben.
Schöne Grüße an die Urgreise, Oprechts, Leisis, Barths, Asso und die Marieen.
Herzlich Z.

An Caroline Newton

Princeton, N. J.
65 Stockton Street
5. XI. 39

Liebe Miss Lina,
da der Pudel nun eine Woche bei uns ist, muß ich Ihnen doch sagen, welch ein liebes Geschenk Sie uns mit ihm gemacht haben. Ich sage »uns«, denn alle im Hause haben ihre tägliche Freude an ihm. Aber von Anfang an habe ich es darauf angelegt, daß er sich besonders zu mir gehörig fühlt, und das zu erreichen ist mir denn auch nicht schwer geworden, denn seine sensible Natur ist der Güte und Aufmerksamkeit rührend zugänglich, und die depressive Scheu, von der er natürlich in den allerersten Tagen beherrscht war, hat schon einem ganz freien und zutraulichen Wesen Platz gemacht. Anfangs machte er mir Sorge wegen eines krampfartigen Versagens seiner Funktionen, an dem offenbar die fremde Umgebung schuld war. Aber das ist längst überwunden. Es tut mir nur leid, daß er so wenig freie Bewegung hat, sich nicht ausrennen kann, denn ich darf ihn ja draußen nicht von der Leine lassen, erstens wegen der Automobile und zweitens, weil er noch wenig Appell hat und leicht verloren gehen könnte. Am zweiten oder dritten Tage ist er tatsächlich durchgebrannt – es war ein rechter Schrekken. In einem unbewachten Augenblick sprang er durch eins der tief reichenden Fenster des Eßzimmers in den Garten und jagte durch die Einfahrt davon – wer weiß mit welchem Ziele, vielleicht zu Ihnen, vielleicht zu seiner Ur-Herrin. Zu Fuß war er nicht zu erreichen, obgleich ich die Richtung wußte und ihm lange nach-

ging. Mit zwei Wagen wurde er aber bald, ziemlich verschmutzt, wieder eingefangen, nicht ohne die Hilfe einer Frau (die Ur-Herrin!), der er sich angeschlossen hatte.
Jetzt würde er dergleichen wohl garnicht mehr unternehmen, und es wäre ihm zu gönnen, daß man bald etwas mehr Freiheit lassen könnte. Am meisten zu Hause ist er bei mir in der library, wo er gern unter dem Schreibtisch auf meinem Fuße liegt. Aber nächtigen wird er dort nicht wieder dürfen, wie er es neulich, als wir in New York waren, einmal getan, wobei er einen philosophischen Band von Ernst Cassirer arg zerbissen hat.
Übrigens haben wir ihn Nico genannt, und er fängt an, ein wenig darauf zu hören. »Guillard« war ein Mißverständnis. Seinem Papier zufolge hieß er Gueulard, also »Brüller«, und das schien uns unschicklich. Er hat sogar eine recht wohllautende, tiefe Stimme, wie sich nach einigen Tagen der Stummheit herausgestellt hat.
Damit schließe ich meinen Bericht. Wir verdanken Ihnen, nochmals gesagt, einen reizenden neuen Hausgenossen, von dessen Wohlergehen Sie sich hoffentlich bald einmal persönlich überzeugen.
Ihr ergebener

Thomas Mann

An Herbert H. Lehman

Princeton, N. J.
65 Stockton Street
11th November, 1939

My dear Governor Lehman,
It gives me great pleasure to have the honour of writing to thank you for your generous contribution to the funds of the American Committee for Christian Refugees. The members of my Committee fully realise the extent to which demands are made on your time and charity, and we therefore deeply appreciate your personal good wishes and encouragement as well as your gracious gift.
Concomitant with the work for Christian Refugees is the work for Jewish Refugees. The fact that in democratic countries men and women give impartial and liberal assistance the one to the other without regard to race or faith, makes possible a belief that eventual solution will be found for many of the grievous problems confronting us today.
As so many refugees are of German birth allow me, in addition

to thanking you on behalf of this American Committee, to pay personal tribute to you in the name of these refugees for the public and private help you have given them.
Yours very sincerely,

Thomas Mann

An Agnes E. Meyer

Princeton, N. J.
65 Stockton Street
11. XI. 39

Liebe gnädige Frau,
ich fürchte, ich bin noch garnicht auf Ihr Buchgeschenk vom Oktober eingegangen, für das ich Ihnen doch aufrichtig dankbar war – desto dankbarer, je mehr ich in dem Bande las, der ein schönes Beispiel für den Hochstand der amerikanischen Kritik ist. Man macht sich von ihrer Umsicht und Kultur, ihrem Mit-allen-Wassern-gewaschen-sein in Europa kaum die rechte Vorstellung. Ich fühlte mich in der Welt, die Babbitt behandelt, recht zu Hause und habe seine Analysen sehr genossen, erinnert durch den Autor an so vieles, woran Europa, wenn es so weiter geht, sich bald von Amerika wird erinnern lassen müssen.
Das Kapitel über Romantische Ironie ist vorzüglich, aber die Bestimmung der Ironie als »attempt to give to a grave psychic weakness the prestige of strength« bleibt unzulänglich, wenn man die Ironie in einem weiteren und größeren Sinne nimmt. Die Goethe'sche Ironie etwa ist fast dasselbe wie Objektivität, Distanz, apollinische Meisterschaft und Freiheit. Ja mehr noch, G. hat einmal gesagt: »Ironie ist das Körnchen Salz, das das Aufgetischte überhaupt erst genießbar macht.« Ein höchst amüsanter Ausspruch. Aber man kann freilich auch von Goethe sagen, daß he lacks a centre...
Ich finde es sehr weise, daß Sie sich mit Ihrer Arbeit an einen festen Termin gebunden haben. Man muß sich Schranken setzen und nicht das Meer austrinken wollen. (Alsob ich ein Meer wäre! Aber die Welt ist unendlich überall, wo man ansetzt, und alles Werk, das kritische so gut wie das künstlerische ist eine schöpferische Form des Verzichtes.)

Ihr Thomas Mann

An die Kadetten
J. P. Morray, L. E. Holtzman,
A. M. Varnum

Princeton, N. J.
65 Stockton Street
21st November, 1939

Gentlemen,
Thank you for your joint very complimentary letter of November 16th. If you will come to my house here, which is at the corner of Library Place and Stockton Street, between five and six o'clock on the day you come to Princeton with the Corps of Cadets to the Navy-Princeton Football Game (Saturday, November 25th) I shall be very pleased to make your acquaintance.
Yours sincerely, Thomas Mann

An den Vorstand der
German-American Writers Association

Princeton, N. J.
65 Stockton Street
22. November 1939

Sehr geehrte Herren,
die German-American Writers Association ist in letzter Zeit der Gegenstand von allerlei Gerüchten und Polemiken gewesen. Einige Blätter der deutschen Emigration, die teils in Paris, teils in New York erscheinen, haben den Verband scharf angegriffen – unter Benutzung von Argumenten, die mir, wie ich betonen muß, nicht stichhaltig erscheinen. Ich habe zu dem Fall meinerseits in einem Briefe Stellung genommen. Meinen Bemerkungen, die unseren Mitgliedern bis jetzt nur auszugsweise übermittelt werden konnten, möchte ich nun Folgendes hinzufügen:
Mir ist es nicht bekannt, ob es in der »Association« einzelne Mitglieder gibt, deren Gesinnung sich als »kommunistisch« bezeichnen ließe. Auch betrachte ich es keineswegs als meine Pflicht, ja, nicht einmal als mein Recht, den politischen oder kulturellen Überzeugungen meiner Kollegen nachzuspüren und Meinungsverschiedenheiten innerhalb einer freien, primär sogar unpolitischen Organisation von Schriftstellern zum Gegenstande öffentlichen Haders zu machen. Jedenfalls erscheint es mir als verleumderisch, den New Yorker Schutzverband deutscher Schriftsteller als eine »Agentur Stalins« zu bezeichnen – wie es in der Tat geschehen ist. Ich wüßte nicht, welche Verlautbarung von Seiten der »Association« oder auch nur von Seiten einzelner ihrer Mitglieder, diesen Vorwurf recht-

fertigt. Die Vorstellung, ich könnte der Ehrenpräsident eines Verbandes bleiben, der zu Recht als eine »Agentur Stalins« bezeichnet werden könnte, erscheint mir als absurd.
Ich habe die Kundgebung des Schutzverbandes zu Beginn des Krieges gutgeheißen, weil das geistige Gewissen deutscher Schriftsteller notwendig in erster Linie an Deutschland und dem, was dort geschieht, interessiert ist und erst viel später an der Degeneration des russischen Kommunismus. Es ist aber ein Anderes, zu verlangen, daß der Schutzverband gegen die heutige russische Politik öffentlich Stellung nimmt, und ein Anderes, diese Politik öffentlich zu vertreten, indem man Deutschland und Rußland als Friedensmächte, England und Frankreich aber als imperialistische Kriegsschuldige kennzeichnet und, wie es etwa französische Kommunisten getan haben, die Einstellung des Krieges gegen Hitler zu verlangen.
Äußerungen solcher Art sind bis jetzt meines Wissens von Seiten irgendwelcher Verbands-Mitglieder nicht gefallen – oder doch nicht in der Öffentlichkeit –, und ich habe keinerlei Anlaß, anzunehmen, daß irgendeiner der Kollegen Verlautbarungen solcher Art vorbereitet. Trotzdem liegt mir, aus prinzipiellen Gründen, daran, jetzt schon unmißverständlich zu erklären, daß jede provokante Manifestation im angedeuteten Sinn – eine öffentliche Stellungnahme, die ich unter den jetzigen Umständen als *widersacherisch* empfinden und verurteilen würde – mich dazu zwänge, mein Amt als Ehrenpräsident und meine Mitgliedschaft niederzulegen.
Mit freundschaftlichen Grüßen

Ihr Thomas Mann

An Heinrich Mann

Princeton den 26. Nov. 39

Lieber Heinrich,
Du weißt, wie unser Kontakt verloren ging. Nach unserem glücklichen Zusammensein in Paris, dem wohltätigen Aufenthalt von sieben Wochen, den wir in Holland hatten, einem Besuch in der Schweiz und einem in London, reisten wir nach Schweden zum P.E.N. Club Congress, der dann schon garnicht mehr stattfand. Der Krieg kam, und unsere Absicht, von Stockholm noch einmal in die Schweiz zurückzukehren und von dort aus ein weiteres

Wiedersehen mit Dir zu bewerkstelligen, wurde zunichte. Um unserer Sicherheit willen wollte man uns überreden, »die Kriegszeit in Schweden zu verbringen«. Gottlob, daß wir es nicht getan haben! Die Rückfahrt hatte freilich ihre Bedenken. Ein schwedisches Schiff konnten wir, eben aus Sicherheitsgründen, nicht benutzen. Wir mußten nach England zurückfliegen, um ein amerikanisches Schiff zu gewinnen, das citizens heimbrachte, und der Flug von Malmö nach Amsterdam, nicht weit an Helgoland vorbei, war eher mißlich. Nun, es ist alles gut gegangen, und von Southampton hat der U.S.A.-Liner »Washington« uns herüberbefördert – in einem Gedränge von 2000 Personen, die die Nächte auf improvisierten Pritschen in den zu Concentration camps umgewandelten Gesellschaftsräumen verbrachten.
Wir waren recht froh – so froh man heute sein kann – unsere Basis zurückgewonnen zu haben. Aber die Korrespondenz mit Europa ist bis zur Entmutigung erschwert und verumständlicht. Lassen wir die Politik bei Seite. Ich schreibe Dir hauptsächlich endlich dennoch, um euch, in Katja's Namen nicht weniger als in meinem, zu euerer Vermählung zu gratulieren, herzlich erfreut. Das ist eine gute und schöne, beruhigende Handlung. Sie besiegelt ein wohlerprobtes Verhältnis, das der dringlichen Segenswünsche nicht mehr so sehr bedarf wie das unserer kleinen Medi zu ihrem nunmehrigen Gatten G. A. Borgese. Ja, auch wir haben Hochzeit gehabt, Medi hat ihren antifascistischen Professor geheiratet, der mit seinen 57 Jahren nicht mehr daran gedacht hätte, soviel Jugend zu gewinnen. Aber das Kind wollte es und hat es durchgesetzt. Er ist ein geistreicher, liebenswürdiger und sehr wohlerhaltener Mann, das ist zuzugeben, und der erbittertste Hasser seines Duce, den er aus purem Nationalismus für den Allerschlimmsten hält. Diesen Nationalismus kasteit er mit Worten wie: »Deutschland ist eine Orgel und Italien bloß eine Geige«. Das »bloß« will aber nichts besagen. Einmal ging er bis zu der Formulierung: »Europa, that is Germany with fringes.« (Mit Fransen.) Nun, das könnte ja Hitlern gefallen. Er ist aber dabei ein überzeugter Amerikaner, und obgleich Medi italienisch kann und er deutsch, sprechen sie ausschließlich englisch miteinander.
Sie werden in Chicago leben, wo Borgese lehrt. So sind wir denn ganz allein in dem großen Hause zurückgeblieben, in Gesellschaft eines reizenden schwarzen Pudels französischer Zucht, den eine

Gönnerin mir zum Geschenk gemacht hat. Katja ist beruhigt in dem Bewußtsein, daß ihre uralten Eltern nun wirklich doch noch in die Schweiz gelangt sind. Mit Hilfe namentlich des Hauses Wahnfried ist es schließlich gelungen, und für die Frist, die ihnen allenfalls noch gegeben ist, haben die alten ehemaligen Millionäre zu leben. Ob sie freilich ihre Tochter noch wiedersehen werden? Das hängt davon ab, wovon alles abhängt.
Ich bin gesund, das heißt: ich bin nicht krank, und damit muß man in unseren Jahren wohl zufrieden sein. Dem Goethe-Roman hatte der Aufenthalt in Noordwijk einen so glücklichen Stoß gegen das Ende hin gegeben, daß ich ihn hier in den ersten Wochen nach unserer Rückkehr abschließen konnte. Das Schlußmanuskript ist (über Portugal, mit Schweizer Diplomatenpost) glücklich in Stockholm eingetroffen, und so kann die deutsche Ausgabe noch vor Weihnacht »erscheinen«. Ich bin neugierig, wie sie der kleinen neugierigen Schar von Schweizern, Holländern und Skandinaviern, die ihr Publikum bilden werden, gefallen wird. Und Dir!
Es wird gute Weile haben, bis Du diesen Brief bekommst. Ich tue wohl besser, gleich zum Neuen Jahr zu gratulieren. Laß uns auch von Dir hören, wenn es Dir möglich ist. Für die konzentrierten deutschen und österreichischen Schriftsteller habe ich mich nach Kräften eingesetzt. Giraudoux hat mir sehr ausführlich und liebenswürdig berichtet, und auch J. Romains tat sein Bestes. Auch ist eine Menge Geld von hier an die Betroffenen abgegangen.
Herzliche Grüße und Wünsche! T.

An die League of American Writers Princeton, N. J.
65 Stockton Street
[Anfang Dezember 1939]

Sehr geehrte Herren,
von befreundeter Seite erhielt ich das »Bulletin of the League of American Writers« vom November 1939, Volume VI, No 2, zugesandt, welches den Artikel »France today« von Elliot Paul bringt.
Ein Vermerk auf der Copy besagt, daß das Bulletin »for League Members only« bestimmt ist; ich muß aber feststellen, daß es sich nicht nur in den Händen von Mitgliedern befindet; und da Sie die Freundlichkeit hatten, mich zu Ihrem Ehrenpräsidenten zu wählen,

habe ich Grund zur Verwunderung, daß ich es als Letzter und nur zufällig zu sehen bekomme.
Ich muß ferner gestehen, daß ich den Artikel mit starkem Zweifel, – ich sage wohl besser: mit ernstlichem Widerwillen gelesen habe. Diese Schilderung des hoffnungslosen Zustandes, in dem Frankreich sich befinden, der fascistischen Verderbnis, der es anheim gefallen sein soll, ist ganz gewiß ebenso tendenziös, übertrieben und irreführend wie sie beleidigend ist für das Gefühl eines jeden, der in den kämpfenden Demokratien – wie groß auch immer ihre Sünden sein mögen – heute die Verfechter des Guten und Menschenanständigen erblickt und ihren Sieg wünscht über das verabscheuenswerteste Phänomen, das die Weltgeschichte gezeitigt hat, den National-Sozialismus.
Ich kann die Empfindungen eines Kommunisten verstehen, dessen Partei das bis gestern extrem friedliebende, heute aber um sein Leben und seine Freiheit kämpfende Frankreich unterdrücken zu müssen meinte. Aber gerade dieser Aufsatz selbst beweist die völlige Abhängigkeit des internationalen Kommunismus von der russischen Macht- und Bündnispolitik, er dient nicht etwa sachlicher Information, sondern ist ein Akt stalinistischer Kriegssabotage, eine politische Kampfhandlung gegen die Demokratien zugunsten Hitlers und Stalins.
Daß eine große Vereinigung amerikanischer Kollegen wie die L. o. A.W. mir, dem Fremden, dem erst werdenden Amerikaner, nach jenem Meeting, bei dem ich zusammen mit Dr. Eduard Beneš gesprochen hatte, die Ehrenpräsidentschaft antrug, war mir eine wirkliche Freude; ich nahm es als Zeichen amerikanischer Weitherzigkeit und Großzügigkeit. Ich durfte aber auch annehmen, daß sich grundsätzliche Übereinstimmung in den großen moralisch-politischen Fragen darin ausdrückte; denn über meine anti-totalitäre und demokratische Überzeugung und Willensmeinung konnte nach allen meinen öffentlichen Äußerungen kein Zweifel bestehen. Zwischen dieser Gesinnung und der einer Vereinigung, aus der Manifeste wie der Artikel »France today« hervorgehen, besteht eine solche Übereinstimmung aber offenbar nicht mehr, und so kann ich die mir freundlichst übertragene Ehrenstellung nicht länger als gerechtfertigt ansehen.
Laute Demonstrationen widerstehen mir aufs äußerste, und wenn irgend möglich, möchte ich es vermeiden, die Lösung meines for-

mellen Verhältnisses zu Ihrer Vereinigung öffentlich anzuzeigen. Wir vollziehen die notwendige Trennung besser in der Weise, daß Sie meinen Namen von dem ihm eingeräumten Ehrenplatz streichen und in Zukunft keinerlei Gebrauch im Zusammenhang mit Ihrer Vereinigung mehr von ihm machen.
Ihr sehr ergebener

Thomas Mann

An Michael Shenstone

Princeton, N. J.
65 Stockton Street
25. XII. 39

Dear Michael,
I must write you a letter in my best English (which is not just *the* best, but, after all, it is mine), in order to thank you very, very much for your splendid Christmas gift. It was really a charming idea to give me this calender, covered with beautiful and witty symbols the best and most impressive of which one finds on the back-side. The gay fury with which you spoiled and destroyed the emblem of our common enemy is the expression of a sound temperament and amused me in a very serious way.
I shall show your work to all my friends and to all the visitors of our house and will tell them, that it came from our excellent young friend Michael Shenstone.
Most sincerely yours

Thomas Mann

An Hermann Hesse

Princeton, N. J.
65 Stockton Street
Weihnachtstag 1939

Lieber Herr Hesse,
welches Vergnügen haben Sie mir mit Ihren freundlichen Worten über »Lotte« gemacht! Daß Ihre Frau und Sie Freude an dem Buch hatten, beweist mir, daß eben doch einige Freude darin gebunden ist und frei wird beim Kontakt mit den rechten Lesern.
Besonders danke ich Ihnen, daß Sie Ihren Gruß auf einen Abzug der Verse schrieben, die ich schon in »Maß und Wert« mit soviel Genugtuung und Bewunderung begrüßt hatte. Es ist eine echt dichterisch große und gütige Art, das Zeitalter so mit den Augen der

verschiedenen Welt- und Lebenstypen zu sehen, in jede geistige Form freundlich einzutreten, aber am tiefsten und sympathievollsten in die der Kinder!
Herzlich-weihnachtliche Grüße und Wünsche!

Ihr Thomas Mann

1940

An Emil Liefmann

Princeton, N. J.
65 Stockton Street
2. 1. 1940

Liebe Freunde,
ein gutes neues Jahr!
Wir haben lange nichts von einander gehört. Das Leben verschlingt viele gute Vorsätze, und die Äußerung manches Gedankens geht darin unter.
Hat sich die Frage Ihrer früheren Zulassung zum Examen entschieden, lieber Dr. Liefmann? Das frage ich mich oft, und es bekümmert mich zu denken, wie Sie Ihre geliebte ärztliche Tätigkeit entbehren müssen, in der Sie als Meister zu Hause waren.
Ich komme nicht über den verruchten Unsinn dieser Lage hinweg, daß Leute wie Sie, ohne jedes Verschulden, tausendfach verdient um die Gesellschaft und das menschliche Wohl, aus ihrem gewohnten und angemessenen Lebensrahmen gerissen, irgendwo feiern müssen – und »feiern« ist ein sehr mangelhafter Ausdruck, der nach Spaß klingen könnte, wo einem so garnicht nach Spaß zu Sinne ist. Sie haben, wenigstens im Augenblick, nichts von dem, was Ihnen gehört, Sie leben ohne Zweifel eingeschränkt, und ich komme einfach nicht um die Vorstellung herum, daß Ihre liebe Frau manchmal nicht weiß, wie sie Sie rein körperlich richtig versorgen soll. Hat es in so aberwitziger Zeit einen Sinn, aus lauter Diskretion den Dingen ihren windschiefen Lauf zu lassen? Sollte Freundschaft nicht ehrlich-sachliche Miene machen auf beiden Seiten? Ich lebe auch von der Hand in den Mund, aber meine Arbeit hat das Hundepack mir nicht nehmen können, und ich vertraue darauf, daß Sie sich im Notfall an mich wenden, damit ich nie wieder so lange zaghaft hin und her denken muß, wie jetzt, bis ich mich entschloß, diesen Zeilen einen bescheidenen Check beizulegen, dessen Betrag, wie etwa Weiteres, Sie mir ja zurückgeben können, wenn Sie Einnahmen haben.
Nichts für ungut, guten Mut und herzliche Wünsche!

Ihr Thomas Mann

An Stefan Zweig

Princeton, N. J.
65 Stockton Street
4. I. 1940

Lieber Herr Zweig,
es ist nicht meine Schuld, daß mein Dank – mein herzlicher Dank! – für Ihren Brief über »Lotte« so spät kommt. Vom 8. Dezember ist er datiert, und *heute* habe ich ihn bekommen! Wenn es wieder so lange dauert, bis diese Zeilen Sie erreichen, so werden Sie kaum noch wissen, um was es sich handelt. Da Sie sich aber durch die moderne Art der Communication nicht entmutigen ließen, mir diesen wohltuenden Gruß zu senden, darf ich mich desto weniger davon abschrecken lassen, meinen Dank auf den schlechten Weg zu bringen.
Ihr schönes, bewegtes Eingehen auf den Roman hat mich wirklich sehr gefreut. Das Echo ist natürlich spärlich und kommt nicht im Chor, sondern vereinzelt, in langen Pausen an. Man wird dankbar – ich war es übrigens immer. Muß man nicht schon dankbar sein, und erstaunt, daß heute ein deutsches Buch in so eleganter Form herauskommen kann? Mein Schwiegersohn Borgese, als er es sah, fing gleich an, über die Widerstandskräfte der Civilisation zu philosophieren. Und selbst die Auflage. Bermann hatte 5000 Vorbestellungen. Sehr möglicher Weise wird er die 10000, die er gedruckt hat, wirklich mit der Zeit loswerden. Ist das nicht ein erstaunliches Publikum, unter so beschaffenen Umständen? Man darf es sich ja wirklich mit dem Herzen beteiligt vorstellen. Wenn man freilich bedenkt, daß gerade dieses Buch, wenn Deutschland noch stünde, sofort 100000 gehabt hätte, so will ein leiser Unmut über Hitler einen beschleichen. Aber das heutige Zehntel wird mehr wert sein.
Sie haben sehr unrecht getan Ihrem Brief nicht einiges über Ihr eigenes Ergehen, Treiben und Schreiben hinzuzufügen. Selbst auch für etwas Politisches, über Ihre Umgebung, wäre ich dankbar gewesen. Ich habe etwas energisch Pro-Britisches geschrieben, was mir von Herzen und aus Überzeugung gekommen ist. Ich will es nächstens dort veröffentlichen.
Sehen Sie Harold Nicolson? Dann bitte ich ihn bestens zu grüßen und ihm zu sagen, mit welcher Sympathie ich seine politischen Schriften lese. Mein Lieblingssatz seiner Feder ist: »The German character is one of the finest and most inconvenient developments of humane nature.«
Herzlich

Ihr Thomas Mann

An Agnes E. Meyer

Princeton, N. J.
65 Stockton Street
5. Jan. 40

Verehrte Freundin,
der schöne Dreizehnte ist noch zu lange hin, als daß ich Ihnen nicht zuvor noch auf diesem Wege für Ihren ergreifenden Brief über »Lotte« danken müßte, der Sie nicht weniger ehrt, als mich, da er Ihrer edelmütig-seelenstarken Fähigkeit zu bejahen und zu bewundern, ja zu verherrlichen ein so großartiges Zeugnis ausstellt. Ich betone diese Seite der Sache, weil es mir nicht ziemt oder einfach meiner auf eine gewisse Ungläubigkeit wohl geradezu angewiesenen Natur nicht entspricht, mich mit der anderen, mir zugewandten viel abzugeben und mich allzu hoch davon erbauen zu lassen. Glauben Sie mir, das aufrichtigste Wort in dem Buch ist, was ich den Alten denken lasse über »all Menschenwerk, Tat und Gedicht«, daß es nämlich »ein Dreck« ist ohne die Liebe, die ihm zu Hilfe kommt, und den parteiischen Enthusiasmus, der's zu was aufstutzt. Nun, darin sind die Frauen groß, sie »nehmen von oben teil«, wie es im »Faust« heißt, sie sind unsere Erlöserinnen und machen, daß das Unzulängliche Ereignis wird. Aber wir tun doch besser, ihnen nicht allzu sehr zu glauben.
Immerhin, es ist ein originelles Machwerk, das will ich objektiv zugeben, trotz der »subsidia«, nach denen ich dabei gelangt habe [...]
Denken Sie, ich schreibe jetzt etwas Indisches, eine Maya-Groteske aus der Sphäre des Kults der Großen Mutter, zu deren Ehren sich die Leute die Köpfe abschneiden – ein Entzweiungs- und Identitätsspiel, nicht sehr ernst, es wird höchstens ein Kuriosum, und ich weiß noch garnicht, ob ich's zu Ende mache.
Die Finnen sind ja hoch-komisch. Sie machen die bolschewistische Lüge wahr und gehen dazu über, Rußland zu erobern.
Lord Lothians Pessimismus, was die Gunst der deutschen militärischen Position betrifft, war wohl politische Absicht und darauf berechnet, die Amerikaner bedenklich – und kriegerisch zu stimmen.
Meine Frau läßt ihrer Agnes schönstens für den lieben Brief und die Photo's danken – vorläufig durch mich. Die Aufnahme ist wohl die mir sympathischste von allen, die ich kenne. Haben *Sie* sie eigentlich gemacht? Mir scheint, das Spanisch-Mütterliche kommt stark darin heraus.
Auf bald! Ihr ergebener

Thomas Mann

An Agnes E. Meyer

Princeton, N. J.
65 Stockton Street
3. II. 1940

Liebe Freundin,
einen Gruß noch, bevor ich mich wieder auf die Walze begebe! Canada war recht interessant, auch die ungeheuere Kälte war es: nach unserem Thermometer an 30⁰ unter Null, – das war mir noch nicht vorgekommen. Öffnete man einen Fensterspalt, so gab es einen Luft-Austausch als ob ein Sturmwind ginge. Der neue Gesandte von U.S.A. war aufmerksam genug, in meine lecture zu kommen, und wir waren seine ersten Lunch-Gäste. Meine probritische Einlage wurde sehr dankbar aufgenommen. In Toledo, Ohio, danach, hab' ich sie mir lieber geschenkt, von wegen des türkischen Tabaks und der Post. Amerika wird immer neutraler.
Was mir jetzt an Reiserei bevorsteht, wird recht anstrengend sein; ich habe einige Furcht davor. Am Ende der Tour liegt der Golf von Mexiko, und es wird vernünftig, vielleicht auch angenehm sein, dort einige Tage auszuruhen. Eine Einladung aus Washington kam, zum dinner für die spanischen Flüchtlinge – und Sie haben zugesagt! Trotzdem – ich kann das nicht auch noch machen. Ich werde erschöpft sein, und in nächster Zeit habe ich für Princeton nicht weniger als vier englische lectures auszuarbeiten.
Wenn es nur nicht gerade Washington wäre! So wird mir, wird uns die Absage schwer. Aber finden Sie nicht, daß es schöner sein wird, wenn wir, sagen wir: Ende April einmal direkt und expreß von Trenton aus auf einige Tage zu Ihnen kommen, als wenn wir es Anfang März als abgemüdete Leute tun, denen viel Arbeit noch bevorsteht?
Es würde mich beruhigen, wenn Sie mir zustimmten. Briefe werden mir an verschiedene Stationen des Kalvarienberges nachgesandt. Aber am 12. z.B. bin ich in Chicago, Hotel Windermere.
In Dubuque soll ich sogar Ehren-Rektor werden. Welche Sprossen werde ich noch erklimmen? Und dabei melden die Nazi-Zeitungen, ich säße in einem englischen Konzentrationslager. Das kann man wohl als »Ausgeburt einer entarteten Phantasie« bezeichnen, wie Hitler die polnischen Geschichten nannte.
Die indische Novelle hat malgré tout gute Fortschritte gemacht. Gestern habe ich die ersten 25 Seiten vorgelesen.

Morgen kommen Bruno Walter's hierher; auch Erika, die endlich fertig ist – ich fürchte: »fertig« in mehr als einem Sinn.
Adieu, auf Wiedersehen!

Ihr Thomas Mann

An Wilhelm Herzog

Texas State College for Women
Denton, Texas, President's House
26. II. 1940

Lieber Herr Herzog,
natürlich ist der Gedanke gut und schön, ich bewundere Werfels Werk von ganzem Herzen und würde es froh begrüßen, wenn die Schwedische Akademie sich zu der Demonstration entschlösse, woran ich aber nicht glaube. Die Teilnahme an der geplanten Aktion muß ich mir versagen, weil ich mich wiederholt auf *Hesse* festgelegt habe, dessen Aussichten besser sind, und in dem auch ein außerdeutsches Deutschtum und höhere deutsche Tradition geehrt würde.
Es geht Ihnen gut hoffentlich, aber doch natürlich nicht so gut, daß man es nicht bewundern müßte, wie Ihr Denken und Thun immer über den eigenen Kampf hinaus ins Allgemeine und Uneigennützige geht. Man dient dem längst schon Unwahrscheinlichen. Ich tue es hier aus Leibeskräften – ohne Glauben, wie ich zerknirscht gestehe, und in dem tiefen Zweifel, ob die Seite, auf der man kämpft, es wert ist, daß man mit ihr zugrunde geht.
Von Heinrich einen schönen Brief über meinen jüngsten Roman.
Bestens

Ihr Thomas Mann

Auf einer Lecture Tour.

An Heinrich Mann

Princeton den 3. März 1940

Lieber Heinrich,
Deinen schönen Brief vom 17. Januar erhielt ich irgendwo tief im Lande Texas, auf der Vortragsreise, von deren Bevorstehen ich Dir, glaube ich, schrieb. Wir hatten vor der Rückfahrt nach New York, die in 40 Stunden geschah, einige Tage Rast in St. Antonio, nahe dem Golf von Mexiko, wo es schon sehr sommerlich war. Die Bevölkerung dort ist stark mexikanisch durchsetzt, ein oft sehr anziehender Typ und eine Erholung nach dem ewigen Yankeetum.

Auch gibt es dort wunderschöne spanische Missionsgebäude aus dem 17. Jahrhundert, das Malerischste, was ich in Amerika zu sehen bekommen habe.
Es hat mich sehr gerührt, daß Du noch einmal so liebevoll auf meinen Roman eingegangen bist, und es beglückt mich, daß er Dich fesseln und Dir nahe gehen konnte. Ich weiß nicht, ob er mein Schönstes ist, aber das Liebste ist er mir, weil am meisten Liebe und Liebesvereinigung darin ist, trotz aller Bosheiten und ironischen Verismen, in die diese Liebe sich kleidet. Seine Schwächen und Pedanterien sehe ich darum besonders deutlich. Es wäre gar kein Roman, sondern etwas wie eine dialogisierte Monographie, ohne ein Element des Aufregenden, das der Conception angehört und sich bei der Ausführung erhalten zu haben scheint. Natürlich hängt es zusammen mit der Verwirklichung des Mythos, in der ich durch den Joseph Übung bekommen habe. Der Leser hat die Illusion, ganz genau zu erfahren, wie *er* wirklich war und glaubt dabei zu sein. Das ist ein Abenteuer, und so kann es geschehen, daß in einem Schweizer Blatt Einer schreibt, er habe das Buch verschlungen wie die Indianergeschichten seiner Knabenzeit. – Was Du über das Schlußkapitel sagst, zeigt mir noch deutlicher, als ich es schon wußte, daß ich gut tat, es zu erdichten. In Wirklichkeit hat kein zweites Wiedersehen stattgefunden, so half ich mir, indem ich die gute Lotte, angeregt vom Jamben-Theater wie sie ist, es selbst hervorbringen ließ. Es ist die einzige wirklich irreale Szene, obgleich die anderen Gespräche auch platonisch genug sind.
Hier sitzen wir nach den Sommertagen von San Antonio nun wieder im Schnee. Ich habe viel zu tun, muß lectures für die boys vorbereiten, über die art of the novel, wobei die Hauptbemühung darin bestehen muß, es nicht zu gut zu machen. Oft frage ich mich, was Du jetzt treiben und schreiben magst. Ich kann an das Zuschauertum, das Du andeutetest, noch nicht recht glauben, weil ich selbst gestehen muß, weit davon entfernt und oft von Haß und Sühne-Begierde zerrissen zu sein. Ich habe auf dieser Reise wieder bis an die Grenze des von »Neutralität« wegen Erlaubten agitiert und auch ein Gegenstück zu »This peace«: »This war« geschrieben, das nächstens in London erscheint und nun nach Deutschland gebroadcastet werden soll!
Lebe wohl! Golo macht in Zürich seine Sache sehr brav. Kannst Du ihm einmal einen Beitrag geben?

T.

An Kuno Fiedler

Princeton, den 19. III. 40

Lieber Dr. Fiedler!
Bei Gelegenheit meines Dankes für Ihren Brief vom 18. Februar möchte ich noch einmal auf Ihre theologische Streitschrift zurückkommen, die mich in den letzten Tagen wieder beschäftigt hat. Man müßte wohl im kirchlichen Leben stehen, um ihre ganze Tragweite, Bedeutung, vor allem den ganzen Mut zu würdigen, der dazu gehörte, sie zu schreiben und herauszustellen; aber sie hat einen Atem, einen guten Eifer, einen reinen Zorn und Witz, die auch den Fernerstehenden ergreifen und die große Erinnerungen, an Luther, an Lessing, an Tolstoi, wachrufen. Ich achte die darin verfochtenen (das Wort ist am Platze) Überzeugungen sehr; ich sehe darin naturnotwendige und mir gefühlsmäßig durchaus begreifliche Reaktionen eines Kulturmenschen gegen die *Barbarei* der Orthodoxie und eines stolzen Menschen gegen ihre *Mittelmäßigkeit* – wie sie sich besonders in der (sehr unterhaltsam beantworteten) Ablehnung alles moralischen »Titanismus« und der Warnung vor dem »Pol des Ideals« äußert. Auch Ihre Polemik gegen das »Blut des Erlösers« erkläre ich mir aus der »rang«-bewußten Verachtung derer, die es sich leicht machen oder leicht machen lassen. Aber freilich.... unter dem Gesichtspunkt des religiösen Tröstungsbedürfnisses der misera plebs – nicht, daß ich ihn gerade teilte – sieht Ihre Attacke wohl bedenklich aus, und ein Zweifel, ob mit Ihrer reinen Jesus-Botschaft eine *Kirche* überhaupt bestehen könne; ob eine solche nicht ein Dogmen-Gebäude und die ur-populäre Traditions-Verbindung mit dem religiösen Mythos braucht, worin der geopferte Gott (mit der Seitenwunde) zu Hause ist – ein solcher Zweifel schleicht sich immer wieder in den Beifall ein, den man unwillkürlich Ihrem streitbaren Evangelium spendet. Ihre zornige Adonis-Osiris-Stelle auf S. 49 habe ich angestrichen. Das ist mein Held. Nun ja, er ist es wieder, und eine Mutter Gottes, die zugleich Gottes Geliebte ist (daher das alte Kultwort »Stier seiner Mutter«), hat er auch. Man hat es für nötig befunden, ihm diesen *legitimierenden* mythischen Traditions-Durchblick zu geben – das ist wohl religiöse Politik, und ohne das geht es vielleicht nicht. Noch Nietzsche, der, wie ich glaube, den Gedanken der Religionsgründung gefaßt hat, unterschrieb nicht umsonst die späten Zettel abwechselnd mit »Dionysos« und »Der Gekreuzigte«. Ich bin überzeugt, daß Sie mit

jedem Wort Recht haben, das Sie über Jesus und gegen seine dogmatischen Verballhorner sagen. Wenn es nun aber nicht darauf ankäme, was einer war, sondern darauf, was aus einem gemacht worden ist? Nicht auf den historischen Jesus also, sondern auf das historische Christentum? Ich frage nur. Aber keine Frage ist mir, daß auch zu Ihnen, wie zu dem Wiederkehrenden, der Großinquisitor sagen würde: »Was bist Du gekommen, uns zu stören?« – Womit nicht gesagt sein soll, daß ich das Stören nicht für eine ausgezeichnete Tätigkeit hielte und daß ich nicht gegen die Großinquisitoren, die Ihr Büchlein in Acht und Bann tun werden, von Herzen auf Ihrer Seite wäre!

Mit Ostergrüßen und -wünschen Ihr Thomas Mann.

An Agnes E. Meyer

Princeton, N. J.
65 Stockton Street
22. III. 40

Verehrte Freundin,

recht lange haben wir nichts von Ihnen gehört – es ist etwas unheimlich. Es werden doch nicht Gründe der Gesundheit, also ihres Gegenteils, sein, aus denen wir uns Ihr Schweigen zu erklären haben? Nach Nassau, wovon Ihre Karte uns ein so verlockendes Bild gab, habe ich Ihnen geschrieben – ich will hoffen, daß der Brief nicht abhanden gekommen ist; nicht, weil etwas daran gelegen gewesen wäre, aber so ein Ausfall kann doch Mißverständnisse schaffen.

Ich nehme an, daß Sie, vielleicht schon längst, wieder zu Hause sind – in alter Pracht und Herrlichkeit nehme ich an. Wir sind von Grippe, Gelbsucht und was sonst grassierte, verschont geblieben und könnten guter Dinge sein, wenn nicht die Dinge so schlecht wären. Sie legen sich einem jeden Morgen wieder schwer auf die Brust und machen einem die freie Atmung, die zu meiner scherzhaften Art von Beruf gehört, fast unmöglich. Nicht daß ich es als Ausrede gelten ließe – der Beruf ist doch auch wieder nicht scherzhaft genug, als daß es nicht auch so gehen müßte. Auch gewährt es zweifellos eine gewisse Erleichterung, Sumner Welles wieder auf dem Schiff zu wissen. Aber sagen Sie mir um Gottes willen: Wünscht Amerika wirklich einen Verständigungsfrieden mit dem schmutzigen Betrüger, der jetzt wieder einmal den konservativ-

antikommunistischen Köder auswirft, während er die nazi-kommunistische Propaganda ein Weiteres tun läßt zur Verwirrung und Lähmung der Welt? Und was der Fragen noch mehr wären.
Medi war 8 Tage bei uns zu Besuch aus Chicago. Morgen reist sie wieder. Von schweizerischer Seite sollen wir zu Großeltern befördert werden diesen Sommer. So werden wir Beverly Hills wohl zur Sommerfrische erwählen, um nach dem Rechten zu sehen, denn dieses Pärchen lebt seit Kurzem dort.
Ich mußte eine zweistündige Lecture on myself abfassen für unser German Department. Auch eine ebensolche über The art of the novel steht mir noch bevor. Ich glaube nicht, daß ich mich, auch wenn wir hier bleiben sollten, für diese Späße noch einmal werde gewinnen lassen. Für den IV. Joseph, der doch zu meinem 70. Geburtstag fertig sein soll, (womöglich ein paar Jahre früher) muß ich ganz frei sein.
Und wie leben Sie? Macht sich die Arbeit? Werden Sie Welles sehen? Sie müssen mir erzählen! Sind Sie während des Mai in Washington? Meine letzte Vorlesung hier ist am 10ten. Wäre Ihnen also gegen Mitte Mai unser Besuch willkommen? Möglich wäre er auch gegen Ende April. Könnten wir allenfalls sogar zu Dritt kommen, nämlich mit Erika?
Ihr ergebener Thomas Mann.

An Viktor Polzer

Princeton, N. J.
65 Stockton Street
23. März 1940

Lieber Herr Polzer,
bei Ihrer Arbeit möchte ich Ihnen, soweit sie auch mich betrifft, herzlich gern dienlich sein, nur muß ich mich sehr kurz fassen und mich auf das Sachlich-Äußerliche beschränken, weil jetzt gerade die Hoch-Zeit meiner »akademischen« Tätigkeit ist und ich ohnehin Mühe habe, die persönliche Arbeit neben diesen Verpflichtungen aufrecht zu erhalten.
Ich tue meine ernstliche, für den Druck bestimmte Arbeit seit vielen Jahren fast ausschließlich in den ersten Vormittagsstunden, etwa von 9 bis 12, halb ein Uhr. Die Arbeit wird allein und handschriftlich getan, die sogenannte desk fountain pen ersetzt mir jetzt die frühere Stahlfeder. Anderthalb Manuskriptseiten stellen ungefähr

mein tägliches »Pensum« dar. Diese langsame Arbeitsmethode ist durch ausgeprägte Selbstkritik und formale Ungenügsamkeit bedingt, aber auch durch die gewisse »Symbolhaltigkeit« des Stils, bei dem es auf jedes Wort und jede Wendung ständig ankommt, weil man nie weiß, welche motivische Rolle das Gegenwärtige im Zukünftigen noch zu spielen hat.

Das *Diktat* wird allein für Korrespondenz (Frau und Sekretär) und etwa für kürzere Improvisationen, Teile von Vorträgen und Reden angewandt. Das Diktat widerstrebt mir von Natur außerordentlich und wird nur durch die Notwendigkeit der Zeitersparnis erzwungen. Auch habe ich es mir erst in vorgerückteren Jahren bei sehr angeschwollener Korrespondenz angewöhnt.

Meine *Schrift* hat sich im Lauf der Jahre ziemlich stark verändert, das heißt: sie ist durch eine gewisse Verfestigung und Ausbildung persönlicher Eigentümlichkeiten allmählich schwerer lesbar geworden. Der Niederschrift der Arbeiten geht meist ein so genaues Durchdenken voraus – gewöhnlich auf Spaziergängen – daß ich noch immer die erste Fassung, auch meiner großen Arbeiten, zur Abschrift, früher sogar direkt in Druck geben konnte. (Sowohl »Buddenbrooks« wie der »Zauberberg« sind als handschriftliches Unikat in die Druckerei gegangen.) Die Menge der Korrekturen wechselt; manche Seiten schreibe ich noch einmal ganz neu – im Prinzip aber »steht« das Manuskript und erfährt auch bei Neuauflagen keine Veränderungen mehr.

Zum Schreiben muß ich ein Dach über dem Kopf haben, und da ich nirgends lieber arbeite als am Meer, so bedarf es dort des Zeltes oder Strandkorbs. Viel von meinen Arbeiten ist, wie gesagt, auf Spaziergängen zusammengewachsen; Bewegung im Freien halte ich auch für das beste Mittel, meine Arbeitskräfte zu regenerieren.

Für ein größeres Buch ist regelmäßig ein ganzes kleines Konvolut von *Vorarbeiten* vorhanden, das dann beim Schreiben neben mir liegt: gekritzelte Notizen, Gedächtnisstützen teils rein sachlicher Art, äußere Details, farbengebende Charakteristika, oder es sind psychologische Formulierungen, fragmentarische Einfälle, die dann an ihrem Ort verwendet werden.

Quellen und Studien haben, da ich mich früher auf bürgerlich-moderne Stoffe beschränkt hatte, eigentlich erst beim »Joseph« oder allenfalls beim »Zauberberg« eine Rolle zu spielen begonnen: das Medizinische bei diesem, das Orientalistische beim späteren Werk.

Andererseits ist gerade der »Joseph« meine erste Arbeit ohne menschliche »*Modelle*«, ihre Charaktere sind durchaus »erfunden« – im Gegensatz zur früheren Abhängigkeit von einer angeschauten Wirklichkeit; mochte sie auch im Verlauf des Arbeitsprozesses ihre Stilisierung erfahren.
Die Konzeption reicht meist sehr weit zurück in meinem Leben; meine Stoffe haben meist sehr lange Wurzeln. Das Interesse für den Joseph-Komplex geht bis in die Kindheit zurück. Die *Musik* spielt in meine ganze Produktion als ein hoher Anreiz und selbst als ein Objekt der künstlerischen Nachahmung und Übertragung in meine künstlerische Sphäre ständig hinein – ohne daß gerade bestimmte Ideen bei Musik konzipiert worden wären.
Von *Stimmungen* und vom Einfluß des Wetters und der Jahreszeiten muß ich mich, soweit dies physisch möglich ist, unabhängig zu halten suchen, da bei meiner langsamen und schrittweisen Arbeitsmethode die umfangreichen Unternehmungen, zu denen sich meine Bücher meist auswachsen, nie fertig werden würden, wenn ich mich auf Stimmungen verließe. Im Ganzen halte ich mich an das Wort: »Gebt Ihr euch für Poeten, so kommandiert die Poesie.«
Ihre letzte Frage nach dem »eigentlichen Ziel« meiner Arbeit ist am schwersten zu beantworten. Ich sage einfach: *Freude*.
Mit freundlichem Gruß

Thomas Mann

An Lee De Blanc

Princeton, N. J.
65 Stockton Street
30th March, 1940

Dear Mr. De Blanc,
Your kind gift of two dollars towards the work of the American Guild for German Cultural Freedom will receive direct acknowledgment from our Treasurer. I want, however, to send you my personal thanks [...]
Many German writers at liberty in France and England are in great financial need. Efforts are being made to help them, and for this reason financial support such as yours is of great value.
Your suggestion was a very kind and thoughtful one, for which we are very grateful.
Yours sincerely,

Thomas Mann

An Golo Mann

Princeton
den 19. IV. 40

Lieber Golo,
Nun hat ein Literat namens Arno Schirokauer einen Essay-Vortrag über die Geschichte des *Romans* überhaupt geschrieben, den er in New York vor einer Lehrer-Vereinigung gehalten hat, und in dem auf »Lotte« ein paar mal in wirklich interessanter Weise Bezug genommen ist. Der Anfang war, als ich das Manuskript hatte, etwas über-geistreich und schnörkelhaft, und ich habe Änderung angeraten. Später aber schien mir die Darstellung wirklich originell, merkwürdig und richtig, und die Konfrontierung des »Ulysses« mit »L. i. W.« hatte etwas Packendes für mich. Sch. wird Dir den Aufsatz schicken, und ich glaube, ich könnte Dir die Annahme empfehlen. In dieser Form, gedeckt durch die Hineinstellung in einen größeren Zusammenhang, könnte M. u. W. wohl etwas über das Buch bringen. Mich würde der Hinweis auf seinen entwicklungsgeschichtlichen Platz und auf seine Bedeutung für das Schicksal des Romans überhaupt freuen, besonders da Konrad Heiden mir neulich in wirklicher Gekränktheit schrieb, es sei ein »nicht einmal unwitziger« Angriff in Versen darauf erschienen. Ich kann nur auf Baron Brentano oder merry old Alfred Kerr raten. Weißt Du davon?
In den nächsten Tagen fahren wir nach Washington. Es wird schrecklich strapaziös, die skandinavischen Gesandten und der britische Botschafter und Taft und ich weiß nicht, wer, warten – ich will nicht sagen: auf uns, aber sie warten unserer.
Lebe wohl! Grüße die Verwandten und Freunde. Ich habe jetzt sehr viel mit lectures und preceptorials zu tun und bin des Lehrerstandes recht müde.
Herzlich

Z.

An Agnes E. Meyer

Princeton, N. J.
65 Stockton Street
4. V. 40

Liebe Freundin,
der schöne und reiche Aufenthalt bei Ihnen scheint schon wieder so weit zurückzuliegen – ich hatte hier sofort sehr geschäftig zu sein, denn die Doppel-lecture »on myself« war fällig und ist gestern und vorgestern gehalten worden. Der Klassenraum war gestern noch voller als den Tag vorher, obgleich home-party-Tag war und das

Städtchen von girls wimmelte, was gähnende Leere der Auditorien mit sich zu bringen *pflegt*. Nicht also in unserem Fall – sodaß man von einem Triumph über das schönere Geschlecht sprechen kann. Auch zeigten die Jungen sich hochbefriedigt.
Aber ich schreibe nicht, um Ihnen das zu berichten, sondern eigentlich nur aus dem Bedürfnis, Sie und mich daran zu erinnern, wie gut und schön und wohlgelungen dieses außerordentliche Wochenende (nebst Wochen-Anfang) doch war: harmonisch und förderlich und eine moralische Erfrischung. Dieses sind Kennzeichnungen von meiner Seite – für Sie kann ich natürlich nicht reden. Aber ich halte Sie für geneigt, ihnen zuzustimmen und danke, zugleich in Katja's Namen, noch einmal »zum schönsten«, wie Kammerrat von Goethe sagen würde.
Gestern brachte man mir schon eine Umschlag-Zeichnung zu »Lotte« mit der Titel-Schrift »The beloved returns«. Es scheint, daß es dabei bleiben soll, und ich mag auf den Shakespeare-Titel nicht insistieren. Erstens wäre er doch vielleicht unschicklich und zu antiquarisch – und zweitens ist sowieso alles Unsinn: Das Buch heißt »Lotte in Weimar« und kann garnicht anders heißen. Von den englischen Roman-Titeln aber ist »The beloved returns« noch der beste, weil er der spirituellste ist und die Idee der Wiederkehr überhaupt durchschimmern läßt.
Frohe Hochzeit wünschen wir beide von Herzen! Ich genieße den Blüten-Frühling, das freie Hinaustretenkönnen, ohne sich erst vermummen und in Kampfzustand setzen zu müssen. Morgen kommen »die Großen« zu Besuch, und Erika wird diesmal wohl eine Weile bei uns bleiben. Es ist für den Sommer manches zu überlegen und in Gedanken zu organisieren.
Grüßen Sie Ihren Eugene recht schön! Es ist doch schade, daß er nicht Finanzminister werden will. Wie gern würde ich ihn Your Excellency anreden!

Ihr Thomas Mann

An James G. McDonald

Princeton, N. J.
65 Stockton Street
5th May, 1940

Dear Mr. McDonald,
Thank you four your welcome letter. I am delighted to know that you feel the »Children's Crusade for Children« will result in possibly

several hundred thousand dollars for the relief of child victims of war and political oppression. I greatly hope that the author of MEIN KAMPF learns that the raising of this fund was made possible through funds provided from royalties and profits of his book.
I do not have any photographs of myself at the present time, but I am soon going to have to get some for business reasons, and when I do, it will give me great pleasure to send you an autographed one.
With appreciation and kind regards,
Yours very sincerely,

Thomas Mann

An Agnes E. Meyer

Chalfonte-Haddon Hall
Atlantic City. N. J.
25. V. 40

Liebe Freundin,
vielen, vielen Dank. – Wie mir zu Mute ist, wissen Sie. Dies alles ist ja nur die Krönung und Erfüllung der Leiden von sieben Jahren, die voller Vorwissen waren und voller Verzweiflung über das Nicht Wissen und Nicht Wissen Wollen der anderen. Aber was nun bevorsteht, konnte und wollte man doch selber nicht wissen – es ist ja auch heute noch unausdenkbar. Dennoch kann nur noch ein Wunder das Gräßlich-Unmögliche hindern, Wirklichkeit zu werden. Was mag das Schicksal im Sinne haben, indem es dem Niedrigsten und Teuflischsten, das die Welt sah, einen ungeheuerlichen Triumph verleiht? Die Zeit wird es lehren.

Ihr Th. M.

Golo ist in Frankreich, wo er vermutlich irgend einen militärischen Hilfsdienst versieht. Wir können nur einverstanden damit sein.

An Gerhart Seger

Princeton.
4. Juni 1940.

Lieber Herr Seger,
ich war ganz bestürzt über das Geburtstags-Symposion, das Sie in Ihrem Blatt so freundlich veranstaltet haben. Nicht im Entferntesten war ich in diesem Augenblick auf eine solche Festlichkeit gefaßt gewesen, die manchem etwas geisterhaft vorkommen mag. Auch mich könnte sie so anmuten, denn es ist ja, als wäre nichts

geschehen, und fänden sich nicht unter all diesen schön und sorgsam geformten, mit geistig vertrauten und bedeutenden Namen gezeichneten Beiträgen diejenigen der Universität Princeton und der »University in Exile«, die die neue Situation kennzeichnen, so könnte ich glauben, eine Gratulationsbeilage der Vossischen- oder der Frankfurter Zeitung im freien Deutschland vor mir zu haben.
Strenger, als damals, sind wir heut unter uns, aber »unter uns« waren wir eigentlich immer; um uns war immer viel Haß und höhnischer Widerwille, und der deutsche Geist ist ein abgehärteter Bursche, der von jeher manches gewohnt war, und dem die neue Situation im Grunde so neu nicht ist. Eine literarische Feier aber wie diese – ganz unabhängig davon, welchem Anlaß sie gilt, zeugt von der Zähigkeit der »alten Welt«, die sich, trotz aller schlechten Vorbereitung, ja auch auf dem Schlachtfeld bewährt, – vielleicht, weil es überhaupt eine dumme Fiktion ist, den Kampf, der jetzt tobt, auf den Gegensatz von Jugend und Alter zu stellen, – als ob das motorisierte Verbrechertum, dessen Erfolge nur Schwächlinge und Sportfexe bewundern, das Zeichen der Jugend und des Lebens auf seiner niedrigen Stirne trüge, und Menschlichkeit den Tod bedeutete.
Was uns verbindet, ist der Glaube an ein paar Dinge, die nichts mit Alter und Jugend zu tun haben, und für die das Wort »Kultur« ein heute zu matt und geschmäcklerisch wirkender Name ist. Es ist der Glaube an das Geistige und Göttliche im Menschen, dessen Verleugnung und Vergewaltigung zu Siegen wohl, aber nicht zum Siege führen kann. Ist das Göttliche nicht über uns – in uns ist es, im Menschen ist es, unleugbar, unveräußerlich und unbrechbar. Wahrheit, Freiheit und Recht sind keine »Mittelstandsideen«, keine historischen Sterblichkeiten, die abwelken und durch solche jugendfrischen Creationen wie Lüge, Sklaverei und Gewalt ersetzt werden könnten. Es sind menschliche Tatsachen härtesten Stoffes, gegen die noch kein Tank und keine Fliegerbombe erfunden ist, und mit ihrer Zähigkeit wird die »neue Welt« zuletzt noch ihr blaues Wunder erleben.
Vergönnen Sie, lieber Herr Seger, meinem Dank für all die gute Meinung und guten Wünsche, die Sie für mich gesammelt haben, einen bescheidenen Platz in Ihrer Zeitung! Er gilt jedem einzelnen der Kontributoren.
Ihr sehr ergebener Thomas Mann

An Bruno Walter

Princeton, N. J.
65 Stockton Street
4. VI. 40

Lieber Bruno Walter,
der braven »Neuen Volkszeitung« habe ich eine General-Danksagung eingesandt für die völlig unerwartete Geburtstagsfeier, die sie mir bereitet hat; aber Ihnen möchte ich doch noch persönlich für Ihren lieben Glückwunsch-Brief danken [...] Er bringt so einen guten, natürlichen und gemütlichen Freundschaftston in das meinem »Musiker«-Ohr sonst nicht immer ganz rein klingende Konzert.
Wir kommen nun bald zu Ihnen. Hier hat die feuchte Hitze schon eingesetzt. Voriges Jahr um diese Zeit segelten wir kühnlich nach Europa – und kamen noch mit heiler Haut davon. Werden wir's je wiedersehen? Ich rede nicht von Deutschland, nach dem es mich wenig verlangt. »If Hitler wins«, wird kein Land des Continents uns mehr zugänglich sein, und ich sollte mich wundern, wenn nicht auch Amerika uns dann unmöglich würde. Wie denken Sie über Peking? Es ist mir schon manchmal empfohlen worden.
Sie sollen in Beverly Hills so prächtig wohnen. Wir haben noch gar keine Stätte in Aussicht. Man hat uns hingehalten mit einem Hause, das zu passen schien, aber nun nicht zu haben ist, und will, daß wir erst einmal kommen, wir würden dann schon etwas finden. Das wäre aber doch gewagt. Wir hoffen jetzt auf Liesl Franks Tatkraft.
Moni und ihr Mann in London jammern, sie möchten nach Canada, und es gelingt uns nicht, sie hinüberzubringen. Golo ist irgendwo in Frankreich und tut offenbar irgendeinen Heeresdienst, womit ich gewiß einverstanden bin. Aber er kann uns leicht verloren gehen.
Herzliche Grüße und auf Wiedersehn!

Ihr Thomas Mann

An Agnes E. Meyer

Princeton, N. J.
65 Stockton Street
14. VI. 40

Liebe Freundin,
Dank für Ihre Erkundigung! Das Schicksal Frankreichs geht mir sehr nahe. Es wollte nichts, als sich Ruhe erkämpfen, – und was hat es nun, was wird es haben? Ruhe allerdings, aber eine schauer-

liche, und das Leichentuch des Schweigens wird sich über ganz Europa breiten. Wenn nun das Scheusal in den Tuilerien übernachtet, wird das schon der Höhepunkt seiner für uns alle blamablen Laufbahn sein? Man weiß es nicht. Hätte all der Jammer und Zusammenbruch einen etwas anständigeren Ursprung als in dem jauchigen Gemüt dieses Subjekts – es wäre leichter zu ertragen. Golo ist, wie ich Ihnen schrieb, in Frankreich, wo er, wie es scheint, als Fahrer für das Rote Kreuz dient. Außer einem kurzen Kabel gleich nach seiner Einreise hatten wir keine Nachricht von ihm. Leicht möglich, daß ihn der Mahlstrom lautlos verschlingt. Noch schlimmer zu denken, daß er den Deutschen in die Hände fällt.
Zweifeln Sie aber nicht an meinem Phlegma, meinem Eigensinn und der Hartnäckigkeit meiner Gewohnheiten. Wie sollte ich wohl nicht arbeiten? Das kenne ich nicht anders und werde es tun solange ich lebe. Ich kann Ihnen erzählen, daß ich vorgestern hier den Meinen und einigen Freunden ein neues Kapitel der »Vertauschten Köpfe« vorgelesen habe, das bei einem Asketen im indischen Walde spielt, und daß wir alle Tränen dabei gelacht haben – der Vorleser und Verfasser nicht ausgenommen. Ihnen kann ich es leider nicht vorlesen zum Beweise meines Übermuts. Es ist teilweise zu unanständig, durch Schuld des Heiligen.
Wir haben ab 5. Juli ein Haus irgendwo zwischen Hollywood und Santa Monica für 3 Monate gemietet. Wir werden per Eisenbahn reisen und unsere Schwarzen mit dem Wagen voranschicken. Wie wäre es, wenn wir, bevor wir selbst die Reise antreten, auf 3 oder 4 Tage, etwa ab 28. Juni, nach Mount Kisco kämen? Ginge das? Sie werden mir offen sagen, ob es in Ihre Pläne paßt oder nicht.
Freundschaftlich der Ihre

Thomas Mann

An Emil Oprecht

Princeton, N. J.
65 Stockton Street
15. VI. 40.

Lieber Herr Oprecht:
Ihr Brief vom 25. Mai ist richtig in meine Hände gelangt, und ich will nur hoffen, daß auch diese Dankeszeilen Sie erreichen. Sie können sich denken, wie ergriffen wir waren von dem, was Sie uns über Golo zu berichten hatten, und von seinem Abschiedsbrief an Sie. Es war kein guter Augenblick, in dem er diesen Entschluß

gefaßt hat, und was seitdem in Frankreich geschehen ist, so sehr es uns an und für sich und im Großen entsetzt und niederdrückt, erhöht natürlich unsere Sorge um den Jungen, der offenbar in einen Auflösungszustand hineingeraten ist. Ich bin der Letzte, seinen Entschluß zu tadeln, den ich menschlich begreiflich und anständig finde. Aber die Vorstellung der Nutzlosigkeit seines Opfers würde seinen Verlust noch schmerzlicher machen. [...]
Ihre Äußerung, Sie möchten, wenn irgend möglich, »Maß und Wert« weiterführen, hat mir außerordentlich wohlgetan, aber selbstverständlich frage ich mich, ob Sie heute noch an diesem Gedanken festhalten können. Ihre Empfindungen für die Zeitschrift machen mir darum so viel Freude, weil ich sie vollkommen teile und immer gehofft habe, wir könnten sie durch das Ungewitter hindurchführen. Ich könnte, wenn Ihr Entschluß aufrecht bleiben sollte, wohl auch dieses Jahr wieder 2000 Dollars beibringen. Auch könnte ich die größere indische Erzählung, die ich in diesem Sommer beenden werde, dafür zur Verfügung stellen; auch wohl den Versuch machen, hier essayistische Beiträge dafür zu gewinnen. Aber wie heute die Dinge stehen, scheint mir dies alles leider hinfällig, und daß die nachkontinentale Entwicklung des Krieges und sein eigentlicher Ausgang abgewartet werden muß, bis wir, vielleicht, Gott gebe es um des großen Ganzen willen, die Zeitschrift wieder aufnehmen können, ist wohl unumgänglich. Vielleicht ist es Ihnen doch möglich, mir eine Äußerung darüber zukommen zu lassen.
Ich erspare mir weitere Worte über die allgemeine Lage, die nur noch einem Optimismus der Verzweiflung oder, sagen wir, einem auf sehr lange Sicht Raum gibt. Wir denken mit herzlicher Anteilnahme an Sie alle und wünschen Ihnen ein möglichst gutes Überstehen der Sintflut. In diesem Sinn grüßen meine Frau und ich und auch die Kinder Sie beide in treuer Verbundenheit.

Ihr Thomas Mann

An Elizabeth Dewart

Princeton, N. J.
65 Stockton Street
23rd June, 1940

Dear Miss Dewart,
I gratefully acknowledge on behalf of the Unitarian Service Committee your very kind contribution of ten dollars towards the relief

of Czech children. We greatly appreciate your gift, which will be put to the best possible use.
Yours sincerely, Thomas Mann

An Hamilton Armstrong

Princeton, N. J.
65 Stockton Street
26. Juni 1940

Dear Mr. Armstrong,
es war mir schmerzlich, Ihren Brief zu lesen, denn nicht nur, daß ich meine Zusage und meinen Vorsatz, etwas für »Foreign Affairs« zu schreiben, nicht vergessen hatte, sondern das nie erfüllte Versprechen war mir in all dieser Zeit, mein Gewissen bedrückend, nachgegangen. Und doch wollte es sich mit der Einlösung niemals fügen. Mehrmals, wenn ich etwas zur Zeit- und Weltlage zu schreiben begann, dachte ich, das könnte etwas für Ihre Zeitschrift sein – und dann trat es wider meine Voraussicht in den Dienst anderer Zwecke. So war es schon mit der Betrachtung über das »Problem der Freiheit«, die dann, in wechselnder Form, zum Gegenstand öffentlicher Vorträge wurde, und sogar mit der Schrift »Dieser Krieg«, die hier und in London als Broschüre erschien. [...]
Unterdessen sind die Ereignisse fürchterlich vorgeschritten, sie sind, genau wie vordem in Deutschland, so nun im Weltstil, über das, was ich und andere gewünscht, gedacht, geschrieben, geraten haben, mit absoluter Brutalität hinweggegangen, und ich fürchte, für die Erfüllung Ihres und meines Wunsches, für diesen Artikel, den ich Ihnen so gern einmal geschrieben hätte, ist es darüber zu spät geworden. Ich fürchte, genauer und trauriger ausgedrückt, daß ich Amerika – wenigstens außerhalb der Sphäre künstlerischer Fiktion und höherer Unterhaltung – nichts mehr zu sagen habe. Was dieses große und mächtige Land, U.S.A., die berufene Führerin der Demokratie und Wahrerin demokratischer Ideale, tun sollte oder – leider besser gesagt – hätte tun sollen, das weiß eine Anzahl einsichtiger und leidender Geister so gut wie ich und besser als ich; sie haben es, früher oder später, mit großem Mut und großer Begabung ausgesprochen, sprechen es täglich aus und werden es gewiß solange aussprechen, wie hierzulande die Sprache noch frei ist. Sie selbst haben es neulich in Ihrem glänzenden Aufsatz in den Times gesagt, die großen Journalisten, Lippman, Dorothy Thompson, sagen es jeden Tag; Männer wie R. G. Swing, liberale Wochen-

schriften sagen es; patriotische und freiheitsliebende Universitätspräsidenten bringen es in Commencement-Day-Reden zum Ausdruck – vor einer Jugend, unter der einer oder zwei vom Hundert es verstehen und hören wollen. Was hätte ich diesen Stimmen der Sehenden und Wissenden noch hinzuzufügen – ich, ein Emigrant, ein – allerdings erfahrener – Flüchtling vor dem, was offenbar auch hier kommen soll? Es wird nicht hintangehalten werden von einer Schutzgesetzgebung, die von den offenen oder heimlichen Todfeinden des zu Schützenden gemacht wird.
Ich bin jetzt fünfundsechzig Jahre alt, habe mich meiner Lebtage nicht geschont, und die Weltgeschichte schont auch unsere Kräfte nicht. Allzu lang wird die Frist nicht sein, die mir gegeben ist, meine persönlich-künstlerischen Arbeiten, sei es auch nur der Ordnung halber, zu Ende zu führen. Ich glaube, ich tue besser, mich darauf zu konzentrieren, statt den Rest meiner Tage daran zu setzen, ins politische Danaidenfaß zu schöpfen.
Damit soll gewiß nicht verschworen sein, daß es nicht doch vielleicht über kurz oder lang einmal wieder, ganz von selbst, zu einer Expektoration kommen wird, die ich Ihrer Zeitschrift anbieten kann. Dies ist ein Entschuldigungsbrief, der nicht bezweckt, an die Stelle einer bisher nicht eingehaltenen Zusage eine Absage zu setzen.
Ihr sehr ergebener

Thomas Mann

An Erich von Kahler

Los Angeles – Brentwood
441 North Rockingham
[8. Juli 1940, Poststempel]

Lieber Freund,
ich habe das Bedürfnis, Ihnen eine Zeile zu schreiben und Ihnen zu sagen, wie sehr wir wünschten, Sie hier zu haben, damit wir diese Zeit quälender und lähmender Erwartung zusammen verbringen könnten. Es ist schmerzlich und beeinträchtigend, daß man gerade jetzt so weit auseinander ist. Die Entscheidung droht in nächster Nähe, und kaum ist zu hoffen, daß dem sinnlosen Fanatismus nicht auch das Letzte noch gelingen sollte. Welt und Zeit zeigen eine zu deutliche Neigung, es ihm gelingen zu lassen, vielleicht nicht nur aus Schwäche und Affinität zum Bösen, sondern auch aus dem Instinkt, in diesem an sich so desperaten und dennoch siegbegabten Fanatismus ein Mittel und Instrument zu noch unbekannten, aber notwendigen Zwecken und Zielen zu sehen. Die Lage ist furchtbar,

eine Folter für Vernunft und Gefühl. Alles hängt jetzt an der Widerstandsfähigkeit Englands, die niemand beurteilen kann. Unterliegt es auf die eine oder die andere Weise, so sind sicher der Hölle *überall* Tür und Tor geöffnet. Man muß sich auf völlige Schutz- und Heimatlosigkeit gefaßt machen, auf einen Zustand, der nur noch die Berge im Zeitlosen offen läßt. Ich habe immer daran geglaubt, daß eine gewisse heitere Bestimmung des Persönlich-Individuellen sich auch gegen das düsterste Äußere durchsetzt und auf meine Adaptionsfähigkeit vertraut. Aber jetzt fühle ich mich oft heillos in die Enge getrieben.
Wir hatten ein paar, objektiv betrachtet, recht angenehme, etwas zu gesellige, aber dadurch auch wieder zerstreuende Tage in Mount Kisco. Das Busch-Quartett war da, nebst Serkin, und ich machte die Bekanntschaft eines sehr großartigen, mehr symphonischen als kammermusikalischen Quintetts von Brahms – ein denkwürdiger Eindruck. Die Reise hierher war dann geschwind und bequem, mit eintägiger Unterbrechung bei Borgeses in Chicago. Hier haben wir ein fast prächtiges, geräumiges Haus in einer Hügel-Landschaft bezogen, die der toscanischen auffallend ähnlich ist. Ich habe, was ich wollte, das Licht, die trockene, immer sich erfrischende Wärme, die gegen Princeton wohltuende Weiträumigkeit, die Steineichen-, Eukalyptus-, Cedern- und Palmen-Vegetation, die Ozean-Promenade, die man mit dem Wagen in wenigen Minuten erreicht, gute Freunde sind auch da, zunächst Walters und Franks, dazu die beiden ältesten Kinder, und das Leben könnte erfreuen, wenn nicht eben zur Freude und auch zur Arbeit, wie sich nach ersten Versuchen zeigt, der Atem zu knapp und bedrängt wäre. Wir wissen nichts von meinem Bruder, nichts von dem meiner Frau, von Golo nichts. Für diesen sind diplomatische Recherchen und Aktionen im Gange: San Domenico und Brasilien, dessen Gesandten wir uns in Mount Kisco zum Freunde machen konnten, sind gleichzeitig am Werk. Aber der Erfolg bleibt sehr zweifelhaft. Erika wird nach England gerufen und ist imstande, sich dorthin zu werfen. Wenigstens will sie 4 Wochen warten.
Wir grüßen Sie und Ihre liebe Frau und Mutter recht herzlich. Auch Katja hat vor, Ihnen zu schreiben. – Medi hat Thränen gelacht über den Einsiedler. »Er ist ja so furchtbar sinnlich!« rief sie ein übers andere Mal. Die merkt auch alles.

Ihr Thomas Mann

An Friedrich Burschell Brentwood-Los Angeles
9. VII. 1940

Lieber Herr Burschell:
So sehr es mich natürlich gefreut hat, wieder von Ihnen zu hören, können Sie sich denken, daß es der Anfeuerung von Ihrer Seite durchaus nicht bedurft hätte, damit wir hier das Menschenmögliche in der Sache der Emigranten in Frankreich und England versuchen. Sie erwähnen den Namen meines Bruders: nicht nur sein Schicksal bedrückt und ängstigt mich unaufhörlich, sondern auch mein zweiter Sohn ist in Frankreich, wo er sich als Freiwilliger stellen wollte, und sein Aufenthalt ist uns ebenso unbekannt wie der meines Bruders.
Sie haben das an Ould gerichtete Telegramm gesehen, in dem ich meinen ersten, notgedrungen rein negativ gefaßten Brief mit der Meldung korrigierte, daß neue, verheißungsvolle Schritte eingeleitet seien. Tatsächlich besteht unsere Tätigkeit, besonders auch die meiner Tochter, seit Längerem fast ausschließlich darin, Schritte zur Rettung der Menschen zu tun, die Ihre Liste anführt. Man fährt nach Washington, man kabelt, man schreibt, aber die mich ängstigende und bedrückende Überschätzung meines Einflusses, die mir immer wieder aus Briefen und Notschreien entgegentritt, ist nur allzu klar bewiesen durch den bisherigen halben oder Miß-Erfolg, und offenbar macht man sich bei Ihnen keine Vorstellung von der bürokratischen Hartnäckigkeit und Widerborstigkeit, auf die man ständig stößt. Als ich Ould kabelte, bestand begründete Hoffnung, daß wir für etwa fünfzig ausgesuchte Personen Übersee-Visen mit Durchreise durch die Vereinigten Staaten bekommen würden. (Einreisevisen in dieses Land liegen überhaupt nicht im Bereich des Möglichen.) Diese Aussicht besteht auch immer noch, nur türmen sich, wenn man sich schon am Ziel glaubt, immer neue Schwierigkeiten auf. Sie können sich aber auf unsere Hartnäckigkeit verlassen und überzeugt sein, daß wir das Äußerste tun, wobei natürlich immer die ungeheuere Gefahr besteht, daß wir, wie in Frankreich, zu spät kommen. Sämtliche von Ihnen aufgezeichneten Personen können bei der beschränkten Gesamtzahl nicht in Betracht kommen. Wir haben Ihre Liste mit schon bestehenden kombiniert und sind zu wählen gezwungen. Ich brauche nicht zu sagen, daß Sie und Olden mit an erster Stelle stehen.
Ich kann nicht sagen, wie schrecklich es mir ist, Ihnen so unbe-

stimmt antworten zu müssen, und kann nur immer wieder versichern, daß wir uns von ganzem Herzen und nach allen Kräften Mühe geben.

Ihr Thomas Mann

An Agnes E. Meyer

Los Angeles – Brentwood
441 N. Rockingham
27. VII. 1940

Liebe Freundin,
Sie haben mir eine höchst angenehme Garten-Lese-Stunde bereitet mit Ihrem Brief und Ihrem Artikel, bei dem ich merkte, wie überaus genau ich zugehört hatte, als sie ihn uns vorlasen, denn ich erkannte jedes Wort wieder. Durch das neu Hinzugekommene, den Vergleich mit Tolstoi, hat der Aufsatz zweifellos an kritischer Blickweite gewonnen; aber Sie müßten mich nicht kennen, wenn Sie nicht im Voraus gewußt hätten, daß die Konfrontierung mit einer solchen Größe der Vergangenheit meiner Bescheidenheit, meinem Ranggefühl und Respekt, meinem Sinn für ungeheuere Unterschiede des Formats etwas unheimlich, etwas beschämend sein würde. Mir kommt es zu, bei einer solchen Zusammenstellung nicht zu vergessen, daß ich Tolstoi (den ich immer wieder lese) nicht das Wasser reiche. Aber das schließt nicht aus, daß Ihr Vergleich seine historisch-psychologische Berechtigung hat, und es gibt »Avantagen der Zeit«, wie Goethe sagen würde, die nichts mit dem persönlich-schöpferischen Format zu tun haben. Gestern Abend nach einem Bruno Walter-Konzert in der »Bowl« von Hollywood sprach ich mit einem russischen Geiger, der ein vorzüglicher Künstler sein soll, und der mir sagte, früher sei Tolstoi sein literarisches Ideal gewesen, jetzt sei es der »Joseph«! Ich konnte nur lachen und ihm ähnlich antworten wie Ihnen hier. Aber da ist jedenfalls Einer, der »nichts finden« wird bei Ihrem Exkurs, und vielleicht gibt es mehr solche Käuze.
Ihre Lotte-Analyse ist ein schlechthin charmantes und glänzendes Stück Arbeit. Sie wird bewundert werden um ihrer selbst willen, und wie hilfreich sie dem Buche sein wird, in this country, ist unermeßlich. Nichts anderes als die oben angedeuteten Regungen beunruhigter Bescheidenheit könnte mich denn auch abhalten, Sie in Ihrem Vorsatz zu bestärken, den Artikel mit dem gewagten Dreiheits-Titel zu schreiben. Es drängt Sie dazu – das ist ein Beweis,

daß Sie Interessantes zu sagen haben, daß Sie sich selber dabei fördern werden und damit auch das zukünftige Buch. Auch haben Sie vollkommen recht mit dem Gefühl, daß dem Zeitlichen, Aktuell-Moralischen und seiner Klärung und Bewußtmachung jetzt eine vordringliche Wichtigkeit zukommt. Man soll machen, was einem Freude verheißt; es besteht die größte Wahrscheinlichkeit, daß es auch der Welt eine Freude sein wird.
Mein Nebenhöhlen-Katarrh geht nur langsam zurück. Das Klima hier verdünnt das Blut, so bin ich belehrt, und macht anfangs sehr müde, was mir die unverhältnismäßige Mühe erklärt, die ich mit dem Schluß der »Vertauschten Köpfe« habe. Ich breche ihn jetzt übers Knie; es hat keinen Sinn, noch viel Umstände mit dem Scherz zu machen. Die Abschrift wird sich dann noch etwas hinziehen, aber Sie haben keinen Grund zur Ungeduld und brauchen das Ding nicht notwendig für Ihre Zwecke. Es ist keine Haupt- und Staatsaktion, sondern ein Divertissement und Intermezzo.
Über Golo hat Katja Ihnen geschrieben. Morgen haben wir einen großen Thee hier im Hause für unser Emergency Rescue Committee mit Frank Kingdon von der Universität Newark als Redner.
Leben Sie recht wohl und grüßen Sie die Ihren! Ich freue mich wie ein Kind auf das Erscheinen Ihres Artikels. Ein Exemplar von »The Beloved« geht Ihnen zu. Es wäre gut, wenn Sie mich über die Übersetzung trösten könnten! Und sollte nicht auch Ihre Kritik ein Wort über diese enthalten?

Ihr Thomas Mann

An Agnes E. Meyer

Brentwood, 8. VIII. 1940

Liebe Freundin,
wir waren beide sehr gerührt über Ihr so prompt eintreffendes Telegramm, Golo betreffend, und über den nachfolgenden Brief. Nehmen Sie wieder einmal recht herzlichen Dank für Ihre aktive Hilfsbereitschaft! Auch für das schöne Bild haben wir noch zu danken; es hat bei uns den größten Beifall erregt und wir stimmen ganz mit Eugene's Urteil überein. Zweifellos ist es die beste Aufnahme, die ich von Ihnen kenne, und ich sage zu wenig, wenn ich erkläre, daß es mir lieber und erkennbarer ist als jene Plastik in Mount Kisco.
Mit unserem armen Golo steht es ja schlimm und bedenklich. Was uns nicht ganz klar ist bei Ihrer Nachricht, ist dies, ob nun eigentlich

das brasilianische Visum bereit liegt oder nicht. Wir haben versucht, ihn in dem Sinn zu instruieren, daß es bereit liege und daß er sich baldmöglichst an die brasilianische Vertretung wenden solle, und es wäre natürlich fatal, wenn das ein Irrtum gewesen wäre. Ihr neuer Schritt jetzt in Washington deutet fast darauf hin, daß Brasilien überhaupt versagt hat oder jedenfalls für die nächste Zeit nicht in Betracht kommt. Dabei drängt aber gerade die Zeit so außerordentlich bei der großen Gefahr der Auslieferung, die, seit Golo sich wieder in einem Lager befindet, bedeutend gewachsen ist. Wenn der U.S.A. Konsul in Marseille, mit dem Golo, wie wir wissen, bereits in freundlichem Kontakt steht, einen Schritt bei der Lagerverwaltung in Nîmes unternehmen könnte, so wäre das natürlich noch viel wirksamer als ein solcher seitens des brasilianischen Vertreters, aber wir können es kaum wagen, auf einen derartigen Schritt zu hoffen bei den immer zunehmenden Schwierigkeiten, die den Einreise-Begierigen in den Weg gelegt werden. – Gerade habe ich von Seiten der kanadischen Regierung inbetreff Monikas und ihres Mannes ein überraschend freundliches Entgegenkommen gefunden und zwar ausdrücklich mit folgender Begründung: »It was only your own exceptional and distinguished service to the causes for which this country is at war that made it possible for an exception to be made in the general rule in the case of your daughter and her husband.« Es wäre schön, wenn eine solche Rücksicht von Seiten der Vereinigten Staaten auch noch meinem so viel mehr gefährdeten [...] Sohn zugute kommen könnte!
So viel von diesem bedrückenden Kapitel. Das Enkelkind in Carmel ist unterdessen angekommen, ein gesunder Knabe, und auch der jungen Mutter geht es gut. Ein Besuch dort ist für die nächste Zeit vorgesehen, das heißt, ich bin noch nicht sicher, ob ich meine Frau werde begleiten können, denn die Ermüdungserscheinungen, die das hiesige Klima, wie mir vorausgesagt wurde, mit sich bringt, machen mir ziemlich stark zu schaffen, und ich schrecke vor Unternehmungen einigermaßen zurück. Auf der anderen Seite wird uns Carmel wieder als so anziehend geschildert, und meine Neugier auf den schweizerisch-amerikanischen Enkel ist doch auch groß genug, daß ich vielleicht meine Frau begleite.
Mit diesem Brief geht ein Exemplar der englischen Lotte an Sie ab. Der Erscheinungstermin nähert sich und damit auch der Ihrer Kritik: das wird ein rechter Festtag für mich sein.

Die indische Geschichte ist noch in Abschrift, Sie bekommen den Durchschlag so bald wie möglich.
Mir bangt etwas um Ihren Arbeitsfrieden bei dem bevorstehenden britischen Einbruch, aber Sie sind ja gewohnt, Ihre geistige Leistung gegen viel äußeren Trubel durchzusetzen, was ja augenblicklich unser aller Hauptaufgabe ist.
Herzlich

Ihr Thomas Mann

An A. M. Frey

Los Angeles – Brentwood
441 North Rockingham
10. Aug. 40

Lieber Herr Frey,
Ihre Briefe habe ich alle drei richtig erhalten und danke vielmals. Ich kann sie im Augenblick nur summarisch und lakonisch beantworten. Der dritte, die Schweiz und ihre untragbaren Gäste betreffend, wird ins Englische übersetzt und geht an unser Emergency Committee in New York, das mit dem offiziell eingesetzten Roosevelt-McDonald-Warren Committee zusammen arbeitet. Worauf es dann ankommt, ist, eine Liste derjenigen Personen zu erhalten, auf deren Ausreise die Schweiz drängt. Sie muß, wegen der zu beschaffenden Affidavits und Bürgschaften, mit den Haupt-Personalien jedes Einzelnen, Angaben über seine Werke und Art und Grad seiner Bedrohtheit versehen sein. Die Liste geht am besten direkt an:

Miss Mildred Adams
Secretary of the Emergency Rescue Committee
122 East 42nd Street
New York City

Nur dies Sachliche für heute. Unser Haus ist zu einem Rettungsbureau für Gefährdete, um Hilfe Rufende, Untergehende geworden. Der Erfolg kommt der Mühe nicht gleich, und gerade Bruder und Sohn scheinen wir nicht bekommen zu sollen.
Alle meine guten Wünsche!

Ihr Thomas Mann

An Agnes E. Meyer Los Angeles – Brentwood
den 12. VIII. 40

Liebe Freundin,
nur ein Wort des Dankes für Ihren Brief vom 10ten (mit der Beilage aus Washington). Sie haben unterdessen unser Telegramm erhalten. Wir waren sehr freudig bewegt, die erste direkte Nachricht von dem Jungen in Händen zu halten, seit seiner Einreise in Frankreich. Es zeigt sich, daß Mehreres von ihm verloren gegangen ist. Unsere Schweizer Information über seine Festhaltung in Nîmes war offenbar falsch. Er ist auf freiem Fuß, in Le Lavandou, nahe Toulon, im Hause einer Mme Behr, und ist auch schon im Besitz des U. S. A. Visums. Das ist viel und ließ uns aufatmen. Was bleibt, ist die Schwierigkeit der Ausreise aus Frankreich. Er gibt an, sie für »surmontable« zu halten, wird aber wahrscheinlich der Hilfe dabei nur zu bedürftig sein, und hier ist der Punkt, wo Graf Chambrun vielleicht eintreten und Erleichterung schaffen könnte. Es ist rührend, daß Sie ihm sogar das Reisegeld mitgegeben haben. Ich gehe soweit, mir vorzustellen, daß der Graf, wenn er in 14 Tagen die Rückreise antritt, Golo einfach mitnehmen könnte.
Die Wiedergewinnung dieses Kindes wäre mir desto tröstlicher, als Erika, die uns eben zum Fluge nach New York verließ, in wenigen Tagen nach *England* geht. Abenteuerlust, Aktivitätstrieb, der ernste Wunsch zu helfen waren stärker, als unser Horror vor dem recht tollkühnen Unternehmen. Man kann so etwas nicht verbieten. Angeblich geht sie für die »Nation« und andere Blätter, in Wirklichkeit aber, unter uns gesagt, ich bitte darüber zu *schweigen*, auf Wunsch und Betreiben des britischen Informations-Ministeriums [...] Und muß man ihnen nicht helfen, wie man kann? Schickt ihnen destroyers! Ich gehe mit gutem Beispiel voran und schicke ihnen meine Tochter.
Übrigens brauchen Sie nicht zu befürchten, daß Sie nun wieder eines Tages Erika am Schopf werden aus dem Sumpf zu ziehen haben. Mit englischem Paß, First Papers und Re-entry Permit kann man zwar verunglücken, braucht aber keine Interventionen.
Es ist prächtig, was Sie vom Times editor melden! Das muß ein hervorragender Mann sein, und auch ich werde mehr und mehr in den Ruf eines solchen kommen.
Ich schreibe am Joseph, wenn Sie das interessiert. Ein theologisches Kapitel macht den Anfang.

Ihr Thomas Mann

An Emil Oprecht

Los Angeles – Brentwood
den 21. VIII. 40

Lieber Herr Oprecht,
gleichzeitig mit Ihrem freundlichen Brief vom 9. kam einer von Annette aus Bern. Wir sind sehr froh, sie am Leben und in der Schweiz zu wissen. Auch sie wurde schon tot gesagt. Ich habe ihr gleich geantwortet. – [...]
Hier geschieht alles Menschenmögliche für die Gefährdeten. Einige Geldmittel sind da, aber sie werden hier nur zu notwendig gebraucht, da das Herüberschaffen einer Person rund 300 Dollars kostet. So hat Döblin für sich und seine Frau, teils aus hiesigen Mitteln, teils vom Committee in New York 600 Dollars bekommen! Trotzdem werde ich zu erreichen suchen, daß Ihnen für Ihre so dankenswerten Aktionen noch etwas Weiteres zugeht.
Die Geschichte mit den 62 Schriftsteller-Visen ist stark übertrieben. Warum gerade L. Frank damals noch keins bekommen hatte, ist mir unverständlich. Jedenfalls ist gleich reklamiert worden. Auch wegen J. Lang soll das Mögliche geschehen; nur braucht man nähere Angaben über ihn für die Affidavits, wie Ihnen wohl schon geschrieben wurde. – Die Angelegenheit der Rauschning-Familie liegt, glaube ich, außerhalb des Rahmens unserer Tätigkeit. Gewiß kann R. kein Geld aus England herausschaffen, sollte aber doch auf dem Kontinent etwas für die Seinen aufbringen können. Vielleicht kann Dorothy helfen. Übrigens möchte ich die Familie politisch nicht für gefährdet halten.
Der Tod unserer lieben Genia Schw. ist uns sehr nahe gegangen. Vorbereitet mußte man darauf sein – wir waren es durch Prof. Faesi. Ich kann nicht sagen, wie wohltuend ich es empfinde, daß der briefliche Kontakt mit der Schweiz noch immer aufrecht erhalten ist. Meine Bewunderung für England wächst täglich. Sollte es aushalten? Wenn es allein die Freiheit der Welt herauspaukte – welche Beschämung für das Frankreich – und nicht nur für dieses. Große Dinge liegen in der Luft: die Union der ganzen englisch sprechenden Welt. Die Hoffnung beruht darauf, daß ein nicht vollständiger Sieg des Schreckensmannes seine Niederlage wäre – und daß es dann sehr viel besser werden kann auf Erden.
Danken Sie Ihrer lieben Frau recht herzlich von mir für ihren Gruß und grüßen Sie von mir die Zürcher Freunde!

Ihr Thomas Mann

An A. M. Frey Westlosangeles Calif.
[Telegramm] 24. Aug. 40

send immediately names and dates endangered writers and artists emergency rescue committee 122 east 42nd street newyork

mann

An Agnes E. Meyer

Brentwood, 24. VIII. 40.

Liebe, verehrte Freundin,
für Ihre so aktive Anteilnahme an unseren Sorgen müssen wir Ihnen immer wieder danken. Ich bin froh über die Bestätigung, daß Golo nicht nur das U. S. A. Visum, sondern auch das spanische und portugiesische hat. Aber, Sie wissen es nur zu gut, das große Problem bleibt die Ausreise, die nur illegal, daß heißt ohne Konsenz von Vichy–Wiesbaden geschehen kann. So dankenswert Ihre Schritte bei den höchsten Autoritäten in Washington sind, kann ich mir leider nicht denken, daß sie von unmittelbarem praktischen Erfolg begleitet sein können. Wir dürfen nicht vergessen, daß die Franzosen heute Sklaven der Deutschen sind und daß sie den Auslieferungs-Paragraphen unterschrieben haben. Ich fürchte, da kann selbst der Präsident nichts ausrichten. Viel mehr hatte ich meine Hoffnungen auf Chambrun gesetzt, dessen Schweigen auf Ihr Cabel noch nicht bedeuten muß, daß er nicht etwas tut. Selbstverständlich kann er Texte dieser Art nicht kabeln; wir wissen ja von Bullitt, daß selbst für ihn zuletzt jeder freie diplomatische Verkehr mit Amerika unmöglich war.
Was Golo brauchte, wäre ganz einfach ein französischer Paß oder die Beeinflussung eines Grenzbeamten in dem Sinn, ihn durchzulassen. Als letzte Möglichkeit bleibt immer noch, daß er, der Freunde hat, welche die Pyrenäen genau kennen, als Tourist an irgend einer unbewachten Stelle nach Spanien übertritt. Das sind die Möglichkeiten, die er wahrscheinlich im Sinne hatte, als er uns vor Wochen kabelte, er halte die Schwierigkeiten nicht für unüberwindlich. Sie sind aber unterdessen durch das allgemeine Ausreise-Verbot und die Gesamtlage noch größer geworden. Jedenfalls ist kein Versuch, den man macht, überflüssig, und irgend ein Druck kann vielleicht doch vom Weißen Haus ausgeübt werden.
Daß ich Erikas Abreise an dieses Ziel nur schwersten Herzens zuge-

lassen habe, brauche ich nicht zu sagen, und auch ihr war das Herz schwer. Ich muß wohl für sie um Entschuldigung bitten, wenn sie Ihnen falsch geantwortet hat; sie befand sich in begreiflicher Reise-Nervosität, und ich kann außerdem das Bedürfnis verstehen, Sie zu versichern, daß Sie keinesfalls auch ihretwegen noch Scherereien haben sollen. Auch ich habe ja nicht unterlassen, Ihnen das zu sagen. Ich kann dem Kind im Grunde nicht böse sein. »Man kann nicht sieben Jahre lang den Soldaten spielen«, so schreibt sie mir, »und dann kneifen, wenn wirklich die Trompete bläst.« Das läßt sich hören. Auch ist sie gewandt und mutig, und ich vertraue, daß wir sie im November glücklich wiedersehen werden.
Nochmals unseren allerherzlichsten Dank! Sie haben gewiß die Güte, mir über das Gespräch mit dem White House Sekretär zu berichten.
Diese Zeilen richte ich nach Mount Kisco, weil ich annehme, daß Sie das sommerliche Washington schon wieder verlassen haben.
Ganz der Ihre

Thomas Mann

Eben ein Cabel, das Erikas glückliche Ankunft in Lissabon meldet; das war freilich der ungefährlichste Teil der Reise.

An Alice D. David

Brentwood – Los Angeles
28. VIII. 1940

Sehr verehrtes Fräulein David:
In Beantwortung Ihres Briefes vom 18. des Monats, der mich mit einiger Verspätung hier erreichte, kann ich Ihnen nur sagen, daß alles, was in meiner Macht steht, zu Gunsten von Kurt Kersten geschehen ist. Ich habe auf seinen Wunsch seinerzeit mehrere Cabel nach Casablanca gerichtet und soeben, wieder seinem brieflich geäußerten Ersuchen entsprechend, per Clipper an den amerikanischen General-Consul in Casablanca die notariell bestätigte Erklärung gesandt, daß ich mich dafür verbürge, Kurt Kersten wie auch sein Freund Friedländer würden niemals dem amerikanischen Staate zur Last fallen. Kersten glaubte, daß eine derartige von mir abgegebene Erklärung die Erteilung des Einwanderungs-Visums ermöglichen werde, und ich hoffe von Herzen, daß es sich so verhalten möge.
Mit freundlicher Begrüßung
Ihr sehr ergebener

Thomas Mann

An Agnes E. Meyer Brentwood den 28. VIII. 40
(Goethe's birthday)

Liebe Freundin,
der Aufsatz nimmt sich prächtig aus in der »Post«, geschmückt mit dem schönen Portrait von Stieler. Zum wievielten Mal habe ich ihn nun gelesen, seit ich ihn *hörte?*, – und wieder meine herzlich dankbare Freude daran gehabt. Eine bessere review wird nicht geschrieben werden über dies Buch. Auch in der N. Y. Herald Tribune soll ein front page-Artikel erschienen sein, den ich nicht sah. Gelesen habe ich nur einen in »Time«, unter dem Titel »Jcy Lights«, und er schildert das Ganze, etwas abschreckend, wie einen Eisberg mit blitzenden Lichtern. Ich mußte an Ihr Wort in Princeton denken: »You never loved a human being like him.« – –
Ich wurde unterbrochen. Heute, den 29., kam auch Ihr Brief von vorgestern. Sie sind noch in Washington? Ich wünschte Sie mir wieder auf Ihrem frischen Sieben-Quellen-Hügel. Das soziale Leben muß Ihnen heftig zugesetzt haben. Welche Leistung, daß Sie dabei noch den Artikel über die »Defenders« zustande gebracht haben! Es ist ein interessantes Buch; ich erhielt es auch vom Verlag und hoffe, Ihre Besprechung lesen zu können. – Von Chambruns Bericht verspreche ich mir, offen gestanden, nicht viel. Ich bezweifle sogar, daß er sich überhaupt mit Golo in Verbindung gesetzt hat. Mehr Hoffnung setze ich auf das, was Sumner Welles' französische Freunde etwa unternehmen könnten – nur schwebe ich immer in Angst, daß Golo's wegen hinübergeschickte Telegramme gelesen werden und auf ihn aufmerksam machen könnten. Hoffentlich hat da Vorsicht gewaltet!
Am meisten fasziniert und erregt bin ich von den von Lissabon ausgehenden Versuchen – die natürlich auch schief gehen können. Da kennen Sie aber Erika schlecht, wenn Sie glauben, die kommt nicht nach England. Die setzt es durch – leider, muß man wohl sagen. Ich habe aber den deutlichen Eindruck, daß Sie womöglich Heinrich und Golo noch in Lissabon in Empfang nehmen möchte, weil sie besonders mir gegenüber ein schlechtes Gewissen hat und mir brennend gern den Golo liefern möchte, bevor sie weiterfliegt.
Ich bin sehr froh, daß Sie Angenehmes über die Lotte-Studie zu hören bekommen. Es wäre ja auch schlimm, wenn nur ich bravo dazu sagte. Über Eugenes Ausspruch haben wir uns sehr amüsiert. Lassen Sie uns hoffen, daß die Nachwelt Sie nicht allzu sehr auslachen wird, weil Sie mich so seriously nahmen! [...]

Ihr Liebesdienst an den britischen Kindern ist wunderschön. Meine Bewunderung für England wächst jeden Tag – verzeihen Sie, wenn ich es schon ein- oder zweimal gesagt habe! Fürs Erste einmal ist der Blitzkrieg gescheitert. In den Massenangriffen scheinen meine Landsleute ein Haar gefunden zu haben. Natürlich wird weiter bombardiert, hauptsächlich zum Zwecke der Schlafberaubung, wie es scheint; ein rechtes Gestapo-Mittel! Aber auch in Groß-Deutschland wird ja allerlei Schaden angerichtet, und wie der Continent den Winter überstehen soll, ist schwer vorzustellen. Der deutsche Standpunkt, daß es nicht Sache des Siegers sei, die Besiegten zu ernähren, hat keinen rechten Sinn, denn eine gewisse Verantwortung für seine Eroberungen kommt dem Eroberer doch zu. Es wäre zu bedauern, wenn Mr. Hoover diese Verantwortung übernehmen würde.
Jetzt kommt aber wirklich die Abschrift der indischen Geschichte.
Herzlich

Ihr Thomas Mann

An Siegfried Guggenheim

Los Angeles – Brentwood
441 North Rockingham
den 31. VIII. 40

Sehr geehrter Herr Dr. Guggenheim,
Ihre Anfrage an meinen Sekretär ist eine wahre Befreiung für mich. Ich hatte Ihr prächtiges Buch-Geschenk bekommen, aber keinen Brief dazu. So hatte ich die Adresse des Absenders nicht und war außerstande, ihm zu danken.
Ich hatte und habe größte Freude an der kostbaren Ausgabe der »Offenbacher Haggadah«. Sie wird eine Zierde der Bibliothek sein, die mir in diesen sieben Jahren, nach dem Verlust meiner Münchener, wiederzugewachsen ist; und der Besitz ist mir gerade jetzt besonders lieb und wertvoll, wo ich eben begonnen habe, den Schlußband der Joseph-Serie zu schreiben.
Nehmen Sie aufrichtigen Dank für die schöne, beziehungsvolle Gabe! Im Osten, wohin wir Mitte Oktober zurückkehren, hoffe ich Ihnen einmal persönlich zu begegnen.
Ihr ergebener

Thomas Mann

An Erich von Kahler Los Angeles – Brentwood
den 5. IX. 40

Lieber Freund Kahler,
nein, schön ist es nicht, daß Sie in all der Zeit nichts mehr von uns gehört haben, seit unserm Brief-Austausch zu Anfang des Sommers! Aber diese Monate waren so besetzt, so geschäftereich – und zeitgemäß traurige Geschäfte waren es meistens, die sie ausfüllten. Da war die *noch* nicht zum Ziel gekommene Arbeit an der Befreiung Golo's und meines Bruders aus Frankreich, die fortwährenden Schritte und Mühen überhaupt für die Gefährdeten dort – man lebte ja mit den Hilferufen der Unglücklichen in den Ohren (die zu lange Europäer hatten bleiben wollen, was Vergnügungssucht war) und lange glich unser Haus tatsächlich einem Emergency Rescue Office: dann vieles Gesellschaftliche, dann das Bemühen, die persönliche Arbeit doch aufrecht zu erhalten, was auch in gewissem Grade gelungen ist: dann nach Abschluß des indischen Scherzes habe ich die lange liegen gebliebenen Fäden des Joseph wieder in die Hand bekommen, und ein paar Kapitel des neuen Bandes stehen. – Kurzum, für Korrespondenz, d. h. gerade die liebe, erfreuliche, war nicht viel Übermut vorhanden.
Schweren Herzens haben wir uns von Erika getrennt, es war eine Erschütterung. Aber ich bin auch wieder stolz auf das mutige Kind und kann ihr nicht böse sein. [...]
Nach hiesiger amtlicher Auffassung befinden sich Emigranten in England nicht in imminent danger. Darum ist es schwer, Leute von dort herüberzubringen, und auch der Fall Gerti Hofmannsthal wird Schwierigkeiten machen. Ein Versuch soll unbedingt gemacht werden.
Die Sache, die Donath vorträgt, macht einen sympathischen Eindruck, und ich sehe, bei aller erlernten Vorsicht, keinen Grund, weshalb ich nicht als sponsor zeichnen sollte, wenn Beer-Hofmann es tut. Könnten wir die Entscheidung nicht bis zu unserer Rückkehr verschieben? Wenn es nicht geht, so bin ich unter der genannten Voraussetzung bereit.
Unser Aufenthalt hier – der ganze Sommer war wunderbar frisch und sonnig – neigt sich zu seinem Ende. Am 4. Oktober werden wir reisen, werden wieder einen Tag in Chicago verbringen und von da geradewegs in die Stockhaldi zurückkehren (wobei mir einfällt, daß die Schiedhaldi seit kurzem vermietet ist; es gab mir einen

Stich.) Nichts Besseres konnten wir hören, als daß auch Sie Ihr Haus dort wieder einnehmen werden. So werden wir wieder zusammen Weihnachten feiern, und *wenn* England, für das meine Bewunderung täglich wächst, bis dahin noch steht, so wird es kein hoffnungsloses Weihnachten sein. Sie haben wohl recht: daß der triumphale Vormarsch des Bösen zum Stehen kommt, ist alles, worauf man vorderhand hoffen kann. Aber genügt es nicht, daß der Sieg des Scheusals nicht vollkommen ist, damit er langsam aber sicher zur Niederlage werde? Dieses Land hat sich, wie es scheint, nur des englischen Widerstandswillens versichern wollen. Ich glaube, ob Willkie oder F.D.R., – wenn England den Winter überdauert, haben wir im Frühjahr Amerika im Kriege, – und dann wird die Invasion Europa's kaum noch nötig sein. Wovon das Tier in seiner letzten »Rede« zu sprechen sorgfältig vermieden hat, das ist das deutliche Zusammenwachsen der englisch sprechenden Welt, – das von den Deutschen als Ausverkauf des empires gegen alte Schiffe gedeutet wird, – eine scheue Verkennung der Sachlage ohne Zweifel.

Ich habe mich gleichfalls über das neue Heft von »M. u. W.« gefreut und war geradezu erschüttert von der Gentz'schen Vorrede von 1806, die noch ein letztes Geschoß Golo's war, und die Sie unbedingt lesen müssen! Fortwährend streicht man Wendungen an, die wie geprägt sind aufs Heute. Und ein Deutsch schrieb man damals noch –!

Leben Sie recht wohl! Freuen wir uns aufs Wiedersehn!

Ihr Thomas Mann

den 6ten.

Ein Brief Oprechts veranlaßt mich, den Brief noch einmal zu öffnen. Er fragt nach Material für das letzte Heft des Jahrgangs, das – als letztes überhaupt denn doch wohl – auch noch herauskommen soll. Er hat einen Beitrag von mir und einen von Ernst Bloch, auch noch einiges selbst Beigebrachte. Könnten Sie ihm nicht irgendetwas aus Ihren Papieren, Vorträgen, Entwürfen, einige Seiten, auch mehr als einige, schicken? Sie waren am Anfang, – wollen Sie nicht auch am – voraussichtlichen – Ende sein? Ich wäre Ihnen dankbar.

Die Vertagung der Diskussion über die allgemeine Wehrpflicht im Kongreß auf Antrag eines abgestempelten Nazi wie H. Fish ist ein entsetzliches Symptom für den Zustand des Landes. Leider ist nicht zu bezweifeln, daß der Kongreß dabei die große Masse der Bevölkerung hinter sich hat, trotz aller klaren Einsicht der Intelligenz. Desto schlimmer, wenn aller redlich sich zusammenraffende Optimismus, wie er auch aus meinen gestrigen Betrachtungen sprach, immer wieder beschämt und niedergeschlagen wird. Auch Rumänien ist heiter. Und ich verkenne auch ganz gewiß nicht, daß England sich ziemlich hoffnungslos in der Defensive befindet. Gut also, der Vormarsch ist *nicht* gestoppt. Es zeugt wohl von Verkennung unseres Loses, zu glauben, wir sollten noch einmal freudig atmen dürfen. Dabei sind wir schließlich die Besseren, Feineren, Höheren, – oder nicht? Was ist das, daß alles gegen uns und jede Genugtuung uns versagt ist? Man wird ja fragen dürfen.

An Harry Slochower Brentwood, den 6. IX. 40

Lieber Herr Dr. Slochower,
ich bin Ihnen sehr dankbar für Ihre beiden Aufsätze, auf deren Erscheinen ich mich freue. Ich weiß kaum, welchem ich den Vorzug geben soll, denn beide wissen das Buch entschieden interessant zu machen, – was schließlich die Hauptsache ist. Im Ganzen fühle ich mich ein bißchen zu sehr beim Wort genommen. Was Sie da »Identifikation« nennen – mit Recht, denn dies Joseph-Spiel-Element ist stark in dem Roman –, schließt ja nicht eine Menge skeptischer Kritik am »Großen Manne« aus, der zugleich als Wunder und als »öffentliches Unglück« erscheint. Aristokratisches Entzücken mischt sich mit demokratischer Freude, die keineswegs jeden Augenblick für die Erscheinung einsteht. Handelt es sich doch um einen deutschen Großen Mann – und das sind die bedenklichsten. Die Kritik liegt teils innerhalb der Affinität und Solidarität und ist dann also eine Art von gesteigerter Selbstkritik. Zum Teil steht sie aber auch außerhalb und macht sich ganz objektiv lustig, sodaß alle Verantwortlichkeit aufhört. Freilich verschwimmt die Grenze; ich gebe zu, daß dem Buch schwer beizukommen ist. Für das Wohlwollen und die Neigung zur Entschuldigung und Rechtfertigung, mit der Sie ihm beizukommen suchten, bin ich Ihnen jedenfalls, wieder einmal!, zu Dank verpflichtet.

Ihr Thomas Mann

An Agnes E. Meyer Los Angeles – Brentwood
den 24. IX. 40

Liebe Freundin,
unsere zweite Tochter Moni war mit ihrem Mann, Dr. Lányi auf dem torpedierten Refugee-Boot. Der Mann ist tot. Das Kind ist gerettet und befindet sich in einem Hospital in Schottland. Sie scheint transportfähig, denn Erika (wie gut nun, daß sie da ist!) kabelt uns, daß sie sie von dort abholen will. Wir hatten den Beiden von der kanadischen Regierung die Erlaubnis zur Einreise erwirkt, da Moni, ein seelisch gebrechliches Geschöpfchen, schrecklich unter den Bombardements litt. Dies ist nun die Rettung. Das arme Ding muß Entsetzliches durchgemacht haben. Ich nehme an, daß Erika sie in einigen Wochen mit herüber bringen wird. Möge das gut gehen. Von Golo und meinem Bruder noch nichts Weiteres.
Und all die kleinen Landsleute Ihrer Pfleglinge, die in den Wellen untergingen! Ich kann nicht sagen, wie erschüttert und erbittert ich bin. Wann werden die fliegenden Festungen Amerikas zusammen mit der R.A.F. dieser Bestialität ein Ende machen?
Danke für Ihr Telegramm, den lieben Brief und den Artikel über Santayana, von dem ich vorzügliche Essays kenne. Seien Sie überzeugt, daß ich auf die »V.K.« *kein* Gewicht lege und bemühen Sie sich nicht, mir mehr darüber zu sagen, als Sie schon getan haben. Ich weiß Bescheid darüber. Es ist eine Improvisation mit ein paar lustigen Momenten, gleichgültig zu Ende geführt. Die kleine Besinnung auf »Menschenwürde« in all der Hindu-Sinnlichkeit ist ganz rührend. Im Übrigen: »Muß ja doch nicht immer alles über alle Begriffe sein.«
Auf Wiedersehn! Ihr Thomas Mann

An Ludwig Lewisohn Los Angeles – Brentwood
den 30. IX. 40

Lieber Ludwig Lewisohn,
Ihr Buch ist gekommen, es hat mich viel beschäftigt, und ich hätte Ihnen schon früher darüber geschrieben, wenn nicht die krankhaft angeschwollene Post, das Produkt dieser Zeit, wäre, die mich manchen Tag nicht zum Eigenen kommen läßt. Heute erhielt ich die Nachricht – oder die Bestätigung einer von mir noch nicht akzeptierten Nachricht –, daß sich ein guter Freund, der holländi-

sche Schriftsteller und hervorragende Kritiker Menno ter Braak beim Einzug der Deutschen das Leben genommen hat. Es blutet mir das Herz. Zwei andere bedeutende holländische Schriftsteller sind ebenfalls Opfer dieser Art von Weltgeschichte geworden. Gerade die Besten verderben – wie es ja auch natürlich ist beim Siege der letzten Niedertracht. Viel Kruppzeug ist nach Amerika gerettet, weil es aus vollem Halse schrie, während die edleren Typen schweigend zugrunde gingen.

Ihr Buch denn – ich habe es längst gelesen, sehr rasch, beinahe in einem Zug, mit intensivem Interesse begreiflicher Weise, denn so amerikanisch es ist, weht doch eine sehr europäische Luft – wenn nicht daraus hervor, so doch hinein; literarisch steht das Französische, Englische, Deutsche sehr nahe, und das brachte ein Gefühl des Heimatlichen mit sich. Hinzu kam das Gefühl der Rührung durch das menschliche Dokument – ein etwas schwankendes Gefühl, wie ich hinzufügen will und muß, schwankend nach der Seite hin, wo offenbar die Widerstände liegen, auf die, nach den Andeutungen Ihres Briefes, das Buch in der Öffentlichkeit stößt. Es gibt eine Vertraulichkeit, ein Erfülltsein von dem eigenen Ich, dem eigenen Schicksal, den eigenen Irrungen und dem eigenen Glück, der eigenen Liebe und dem eigenen Geliebtwerden, die die Menschen reizen – nicht *nur* aus Mißgunst und trivialem Bestehen auf Diskretion, sondern auch aus einer Art von irritiertem Schamgefühl, dem wenigstens in Zeiten großer öffentlicher Heimsuchung, wo das Private soviel Grund zur Zurückhaltung hat, eine gewisse Berechtigung nicht abzusprechen ist. Ich möchte sagen: das Buch brauchte den Schild und Schutz des Postumen. Nehmen wir an, Ihre bedeutende literarische Leistung wäre noch durch ein paar weitere starke Werke gekrönt und vollendet; nachdem Sie ganz geworden, der Sie sind, wären Sie aus der Zeit gegangen, und Freunde gäben dann aus dem Nachlaß diese Papiere heraus, so wäre nicht nur nichts dagegen zu sagen, sondern die Veröffentlichung wäre ein Gewinn. Aber so, jetzt, aus dem halben Leben heraus, liegt in ihr, wenn man *will*, (ich »will« ja nicht, aber die anderen wollen, wie es scheint, und ich kann es ihnen nicht ganz verdenken) eine Art von Zumutung, eine Naivität, die wahrscheinlich auch wieder eine Bedingung Ihrer Produktivität ist, und ohne die Ihre *Werke* (denn dies ist kaum ein Werk) wohl nicht geschrieben worden wären, deren direktes Hervortreten darum aber doch etwas Beklemmendes behält.

Sie sehen: interessiert, gerührt, aber nicht ganz einverstanden – so ist mir zu Mute. Eine öffentliche Äußerung von mir über »Haven« müßte notwendig etwas gewunden ausfallen, und da ich etwas gegen das öffentliche Dasein des Buches habe, so habe ich noch mehr gegen ein öffentliches Urteil von mir darüber. Der Dank für etwas so Privates hält sich besser im Privaten. Mit einem erneuten Eintreten für Ihre Künstlerschaft warte ich lieber auf ein neues Werk objektiver Gestaltung, auf das Sie uns nicht lange warten lassen werden.

Ihr ergebener Thomas Mann

An Lion Feuchtwanger

Princeton, N. J.
65 Stockton Street
26. X. 40

Lieber Herr Feuchtwanger,
da ist nichts zu danken. Aber wie gern nehme ich die Gelegenheit wahr, Sie und Ihre Frau zu Ihrer Ankunft zu beglückwünschen! Möge dies Ihnen und Ihrer Arbeit so freundliche Land Sie für das Ausgestandene entschädigen!
Mein Bruder war äußerst ermüdet und ruhebedürftig die ersten Tage. Nun wird er bald nach Californien fahren. Auch die tapfere Erika ist glücklich von England zurück. Die verwitwete Monika steht noch aus, ist aber unterwegs – aufs neue. Sie kommt mit ertöteten Händen, weil sie sich 20 Stunden lang damit an den Rand eines Bootes ohne Boden geklammert hat – ohne auch nur einen Rheumatismus, einen Schnupfen auch nur davonzutragen. Es ist übernatürlich.

Alles Gute! Ihr Thomas Mann

An Gerald Cock

Princeton, N. J.
65 Stockton Street
2nd November, 1940

Dear Mr. Cock,
Thank you for your letter and cheque for thirty-five dollars in payment for the 500 word news report in German which I wrote at your request for the British Broadcasting Company.
As has already been mentioned, I am unwilling to accept payment

for this service. Your cancelled cheque will show that I have endorsed it in favour of the Princeton Committee of the British War Relief Society Inc. There are special considerations in this matter, and, therefore, in the event of you requiring any further news reports from me, I would like you to obtain the necessary authority from the British Broadcasting Corporation to pay for them direct to the Treasurer, Princeton Committee, British War Relief Society Inc., 55 Mercer Street, Princeton, N.J. or to the head office of the British War Relief Society at 587 Fifth Avenue, New York.
Yours sincerely,

Thomas Mann

An James Laughlin

Princeton, N.J.
65 Stockton Street
November 4, 1940

Dear Mr. Laughlin:
I must apologize for writing you the following letter in German, since it still would cost me too much time doing it in English. So I must ask you to have it translated for your purpose.
Die Nachricht, daß Ihr Verlag im Begriffe ist, Franz Kafka's Amerika-Roman in englischer Sprache herauszubringen, hat mir große Freude und Genugtuung gewährt. Entschieden spricht es für den Idealismus und das literarische Pflichtgefühl der amerikanischen Verleger, daß fast gleichzeitig zwei Hauptwerke eines Schriftstellers von so glänzender Unpopularität – bei Knopf ein Neudruck von »Das Schloß« und bei Ihnen dies kindlich-geniale Phantasiebild der Neuen Welt – erscheinen.
Für mich gehört das einem kurzen, schmerzensvollen Leben abgerungene Werk dieses böhmischen Juden seit Langem zu den faszinierendsten Erscheinungen auf dem Gebiet künstlerischer Prosa. Tatsächlich ist es mit nichts zu vergleichen. Die verwickelte und beklemmende Komik dieser dem Traum nachgeahmten Dichtungen mit ihren religiösen Obertönen, ihrer Mischung aus Groteske und tiefstem sittlichen Ernst mag einem an bequemere Unterhaltung gewöhnten Lese-Publikum zunächst wohl befremdlich und unzugänglich erscheinen. Aber Kafka's künstlerisches Ansehen ist in Europa heute schon sehr groß und über die geistigen Oberschichten aller Länder verbreitet. Der Schweizer Dichter Hermann Hesse hat ihn den »heimlichen König der deutschen Prosa« genannt. In den

späteren Werken Julien Green's, zum Beispiel in »Minuit«, ist sein Einfluß unverkennbar. Einen Autor wie Aldous Huxley habe ich mit höchster Bewunderung von Kafka's Büchern sprechen hören. Auch einer amerikanischen Elite des Geschmacks und der höheren Neugier ist er bestimmt nicht mehr unbekannt. Die ihr Zugehörigen werden die Ersten sein, es Ihnen zu danken, daß Sie es mit dem seltsamen Amerika-Buch wagen. Aber mehr Liebhaber des Ungewöhnlichen werden sich mit der Zeit dazufinden, und wenn ein Glückwunsch von mir zu dem kulturellen Verdienst, das Sie sich mit dieser Publikation erwerben, die Zahl derer erhöhen kann, die sich mit Kafka's einzigartiger Kunst bekannt zu machen wünschen, so sei er Ihnen hiermit nachdrücklichst abgestattet.
Ihr sehr ergebener Thomas Mann

An Agnes E. Meyer

Hotels Windermere
Chicago
Nov. 26. – 1940

Dear Mrs. Agnes,
Sie werden nicht wenig erstaunt sein, zu sehen, daß wir noch in Chicago sind. Längst habe ich meine beiden Vorlesungen in der North Western und der Ch.-University – sehr glücklich übrigens – absolviert. Wir haben Chaplins etwas schwache, aber teilweise eben doch sehr komische Diktatoren-Travestie gesehen, waren in der Oper (»Salome«, eine musikalisch ziemlich unfeine Fest-Aufführung an Thanks givings Day mit Chicagoer Honoratioren), haben das überaus harmlose Erfolgsstück »Life with father« angeschaut, waren im Orientalischen Museum und viel in Gesellschaft, zu schweigen davon, daß Borgese's und wir uns immer abwechselnd bewirten. So ist es der zwölfte Tag geworden, und noch immer ist das saumselige Enkelkind nicht da, dessen Ankunft wir doch so gern noch abgewartet hätten. Weiß Gott, warum die Sache sich so in die Länge zieht. Bestimmteste Voraussagen des Doktors sind eine nach der anderen Lügen gestraft worden. Lessing, Lichtenberg oder Schopenhauer würden sagen, daß das kluge Früchtchen begreiflicher Weise keine Eile hat auf dergleichen Fortschrittswelt zu gelangen. Die kleine Mutter schleppt geduldig und heiter. Sie wird traurig sein, und ihr Gatte auch, wenn wir nun morgen doch mit der Abreise Ernst machen. Aber da es schon so lange gedauert hat,

kann es ebenso gut noch 8 Tage dauern, und wir müssen endlich einmal diesen Ausflug beenden und die wankende Ordnung in Princeton wieder festigen. Der Pudel war schon einmal verloren, und unsere Schwarzen verwahrlosen und sehen zu oft Gäste bei sich. Ein Glück nur, daß ich hier in unserer behaglichen Hotel-Wohnung regelmäßig und wie zu Hause gearbeitet habe. Eine neue Message nach Deutschland für den Londoner Sender ist abgegangen, und ein neues Joseph-Kapitel ist abgeschlossen, ein neuestes angefangen. Ich bin bei den beiden humoristisch-mythologischen Figuren des »Bäckers« und des »Mundschenks« (Brot und Wein).
Die Universität hier ist aufgestört durch den äußerst arroganten Angriff Mortimer Adlers, eines thomistischen Juden, der großen Einfluß auf den Präsidenten Hutchins und – seine Frau hat, gegen die »positivistischen« Professoren. Er fordert eine Art von theokratischer Demokratie, verlangt kategorisch das Mittelalter zurück und prophezeit dieser ganzen Cultur einen furchtbaren Untergang. Damit mag er Recht haben. Aber ich habe das Gefühl, daß dieser Savonarola selbst nur ein Ausdruck der herrschenden Verwirrung ist und mag auch die Leute nicht, die so tun, als schwämmen sie kühnlich gegen den Strom, die aber im Grunde mit ihm schwimmen.
Dies ist ein Lebenszeichen.

Ihr T. M.

An Agnes E. Meyer

Princeton, N. J.
65 Stockton Street
3. XII. 40

Liebe Mrs. Agnes,
das Chicagoer Enkelkind ist geboren, ein Mädchen, Angelica. Der Vorgang ist kurz, leicht und glücklich gewesen und ereignete sich kaum zwei Tage nachdem wir die Geduld verloren hatten. Offenbar hatte in unserer Gegenwart ein gewisses hemmendes Embarassement geherrscht, und so war es doch wohl besser, daß wir diskret den Rücken wandten. Das Baby ist kräftig, und der kleinen Mutter geht es sehr gut. Sie ist selbst noch außerordentlich kindisch, wenn auch in intelligenten Formen, und als wir sie das letzte Mal mit ihrem Ränzlein spazieren führten, fragte sie mich: »Ob wohl Mrs. Meyer mir etwas zu Weihnacht schenkt?« Ich sagte, ich glaubte das kaum, denn wie käme Mrs. Meyer dazu. Wenn Sie es nun doch täten, wäre die Freude kindisch groß.

Die Hutchins-Kritik habe ich mit Genuß und Zustimmung gelesen. Adler ist offenbar ein starker Kopf, wenn auch etwas zu absichtsvoll sensationell und skandalisierend. Aber die Theorien und Forderungen dieser Leute haben auch für mein Gefühl etwas Gefährliches und stehen im Grunde einem spirituellen Fascismus näher als der Demokratie, wofür Adlers Tücke gegen Dewey das deutlichste Symptom ist. Autorität ist schon gut und ist notwendig der Zukunft und einer besseren Welt – ich meine eine letzte, absolute Autorität, wodurch der Begriff eher eingeschränkt als verstärkt wird. Aber wir können und sollen nicht ins Mittelalter zurück, und jene notwendige letzte Autorität kann wohl kaum noch im Transcendenten liegen, sondern muß ins Menschliche selber eingehen und auf dem Gefühl für das Menschliche, des Menschen Auszeichnung, Schwierigkeit, Würde und Geheimnis beruhen. Der Jugend dieses Gefühl und damit den verloren gegangenen Sinn für *Anstand* einzuimpfen wäre allerdings die erste und letzte Aufgabe der Erziehung. –
Ich habe *viel* Tolstoi gelesen, während ich an »Buddenbrooks« schrieb, habe ja auch gelegentlich davon erzählt, welche Stütze und Stärkung »Anna Karenina« und »Krieg und Frieden« meiner schwanken Kraft damals waren. Gerade »Kindheit und Knabenalter« aber kannte ich, glaube ich, damals noch nicht, sondern habe es später kennen gelernt. Das ist aber nicht wichtig, denn Tolstoi ist Tolstoi, und das herrliche Jugendwerk ist in den späteren Monumentalwerken enthalten wie diese schon enthalten waren in ihm.

Ihr Thomas Mann

An Martha Dodd

Princeton, N. J.
65 Stockton Street
7th December, 1940

My dear Miss Dodd,
It will give me great pleasure and satisfaction to read your father's Diary. As I am sure you know already, I always admired your father for his personal achievements as well as for his early realization of the hideous menace of National Socialism. I am writing in this sense to Mr. Stanley Young, of Messrs. Harcourt, Brace and Company, as I feel that your father's Diary will serve as a great inspiration to the people of America in these most difficult and

dangerous days, and I wish him to know that its publication has my warm and sincere support.
Thank you also for your message to Erika and Klaus, and allow me to say that I look forward to meeting their friend and the daughter of a man for whom I had the highest respect.
Yours very sincerely,
Thomas Mann

An Agnes E. Meyer

Princeton, N. J.
65 Stockton Street
25. XII. 40

Liebe Freundin,
wir haben Telegramme gewechselt wie Potentaten, aber nun muß ich *schreiben*, denn was für ein erlauchtes Kleidungsstück ist das, welches ich gestern auf meinem Gabentisch fand! Es waren doch auch sonst erfreuliche Dinge darauf (ich bekomme noch genau so gern etwas geschenkt wie als Kind), aber dieses überstrahlte alles und war überhaupt in aller Augen die pièce de résistance des Weihnachtszimmers. Richard Wagner wäre vor Neid erblaßt bei seinem Anblick. Dabei ist es von einer gehaltenen und würdigen Pracht, paßt übrigens wie angegossen, und nur das eine ist zu befürchten: daß es meine Hotel-Rechnungen erhöhen wird, wenn ich damit reise. Aber auch auf diese Gefahr hin: recht herzlichen Dank!
Wir hatten einen netten Heiligen Abend, mit 4 Kindern und deutschen und britischen Freunden. Es ist doch immer wieder reizend, den Baum brennen und die Geschenke ausgebreitet zu sehen. Nach Tische tönten schöne neue records, und schließlich las ich wie ein rechter Hausvater aus der Bibel vor – aus meiner eigenen, von den zwei Hofherren, die ins Untersuchungsgefängnis kommen, und man hatte etwas zu lachen. Dies Buch ist für mich eine harmlose Zerstreuung, genau wie ich sie brauche, und es wird gewiß noch in Zeiten erscheinen, wo viele eine solche werden brauchen können.
Am 28. fahren wir für einige Tage nach Chicago zum Besuch unserer Jüngsten, die sich über Ihr Geschenk ebenso gefreut hat wie ich es voraussagte. Am 11. Januar kommen wir dann nach Washington. Es ist möglich, daß auch Erika sich einfindet.
So long!

Ihr Thomas Mann

An Hendrik van Loon

Hotels Windermere
Chicago
30. XII. 40

Lieber Freund van Loon,
das war ja eine prächtige Weihnachts-Überraschung – unsere und ins Besondere meine Freude war groß, denn ich hatte diese Combination von Literatur und Musik noch nie gesehen und bewundere geradezu den neuen und guten Einfall, ob er nun von Ihnen stamme oder von der Verlagsfirma. Es ist ein so schmucker, glücklich-einheitlicher Besitz! Und Sie haben, wie immer, vorzügliche Arbeit getan – einen besseren Commentar haben klingende Disken nie gefunden.
Recht herzlichen Dank!
Und alles Gute Ihnen persönlich für das kommende ernste, schwere, entscheidungsvolle Jahr! Die gestrige Ansprache des Präsidenten hat mich tief bewegt. Die lautere Wahrheit in lauterer Rede – was will man mehr? Sollte man glauben, daß es Amerikaner gibt, die das bekämpfen und beschimpfen? Aber was heißt ›Amerikaner‹! In diesem Welt-Bürgerkrieg gibt es keine Nationen mehr, sondern nur noch Parteigänger der Gemeinheit und solche des (relativen) Menschenanstandes.
Wir sind hier für ein paar Tage zum Besuch unseres zweiten Enkelkindes, der vierwöchigen Angelica Borgese, die einen sehr vergnügten Eindruck macht – kein Wunder, da sie mit den Second papers zur Welt kam. Möchte diese kleine deutsch-italienische Gegen-Axis sich ihres Amerikanertums nie zu schämen haben!

Ihr Thomas Mann

1941

An Joseph Campbell

Princeton, N. J.
65 Stockton Street
6. 1. 1941

Lieber Mr. Campbell:
Sie hatten die Freundlichkeit, mir Ihre Ansprache »Permanent Human Values« zu senden, ich danke Ihnen vielmals für diese Aufmerksamkeit. Selbstverständlich habe ich den Vortrag mit Aufmerksamkeit gelesen; was ich dazu zu sagen habe, ist etwa Folgendes.
Als Amerikaner müssen Sie besser beurteilen können als ich, ob es in diesem Lande, das sich gerade jetzt, langsam, langsam, unter schweren und mächtigen Widerständen, hoffentlich noch nicht zu spät, zur Erkenntnis der Lage und der Notwendigkeit erhebt, ob es hier und heute am Platze ist, der Jugend politische Gleichgültigkeit zu empfehlen.
Die Frage, wie sie sich mir stellt, ist diese: was wird aus den fünf guten Dingen, die Sie verteidigen oder zu verteidigen glauben, was wird aus der kritischen Sachlichkeit des Soziologen, aus der Freiheit des Wissenschaftlers und Historikers, aus der Unabhängigkeit der Dichtung und der Kunst, aus der Religion und aus einer humanen Erziehung in dem Falle, daß Hitler siegt. Ich weiß aus Erfahrung genau, was überall in der Welt für die nächsten Menschenalter daraus würde, aber manche Amerikaner wissen es noch nicht und darum glauben sie, diese Güter auf dem Wege und in dem Geiste verteidigen zu müssen, wie Sie es tun.
Es ist merkwürdig: Sie sind ein Freund meiner Bücher, die also nach Ihrer Meinung doch wohl mit den permanent human values irgend etwas zu tun haben müssen. Nun, diese Bücher sind in Deutschland und allen Ländern, die Deutschland heute beherrscht, verboten, und wer sie liest, wer sie etwa feil hält, wer gar meinen Namen öffentlich loben würde, der käme ins Konzentrationslager, und es würden ihm die Zähne ein- und die Nieren entzweigeschlagen. Sie lehren, darüber dürfen wir uns nicht aufregen, wir müssen vielmehr für die Erhaltung der dauernden menschlichen Werte sorgen. Noch einmal, das ist sonderbar.
Ich zweifle nicht, daß Ihr Vortrag Ihnen großen Beifall eingetragen hat. Sie sollten sich, glaube ich, durch diesen Beifall nicht täuschen

lassen. Sie haben wissentlich oder unwissentlich einer zu moralischer Indifferenz ohnedies geneigten Jugend gesagt, was sie gerne hört, aber das ist nicht immer das, was sie braucht.
Ich weiß, Sie meinen es gut und wollen das Beste. Ob Sie es auch richtig meinen, und ob nicht dem Bösen durch solche Reden gedient wird, darüber wollen wir uns nicht streiten.
Mit wiederholtem Dank und aufrichtigen Wünschen.
Ihr ergebener

Thomas Mann

An Caroline Newton

Princeton, N. J.
65 Stockton Street
20. Jan. 41

Liebe Miss Lina,
nun ist auch Ihre Mutter von Ihnen gegangen – von ganzem Herzen fühle ich Ihnen den Schmerz der Vereinsamung nach, der Sie erfüllen muß, nun, da beide Eltern Sie verlassen haben. Ich kann mich noch gut erinnern, wie mir selber zumute war, als mit 70 Jahren meine Mutter starb: welch ein unerwartet herbes Weh das Zerreißen dieses Bandes bedeutete. Gewiß, es ist gemeines Los; aber bei Ihnen wird der natürliche und würdige Kummer noch durch Sorgen und unwürdige Mißlichkeiten gestört und verstärkt, die ich nicht nennen will, aber über die wir sprechen wollen. Es tut uns so leid, mir und Katja! Wer hätte auch gedacht, als Ihre liebe Mutter noch kürzlich mit Ihnen bei uns war, daß auch ihre Tage so gezählt seien!
Besuchen Sie uns bald! Wir haben das Bedürfnis, Sie zu sehen und Sie zu trösten. Auch von unserer jüngsten Reise wollen wir Ihnen erzählen.
Behalten Sie guten Mut, liebe Freundin!
Ihr ergebener

Thomas Mann

An Agnes E. Meyer

The Bedford
118 East 40th Street
New York
24. I. 41

Liebe Freundin,
mit besonderer Betonung nenne ich Sie so, denn daß Sie, wie ich erst nachträglich ganz verstanden habe, unter meiner Town Hall

lecture so gelitten haben, war ja eben ein Zeichen Ihrer Freundschaft, Verbundenheit und Fürsorge, und das freut mich und tut mir wohl, so sehr es mich gleichzeitig schmerzt, daß ich Ihnen Qual bereitet.
Ich habe die Vorlesung nachher noch zweimal gehalten, in Atlanta und Athens (nur Durham, Duke University, war klug genug, mich über den Magic Mountain sprechen zu lassen) und jedesmal waren der Beifall, die Ehrungen groß. Aber Freude konnte ich nicht daran haben, und wie Sie sich nun zu der Tatsache verhalten mögen: der Vortrag ist mir zu Leide geworden dadurch, daß er Sie leiden machte, und wenn ich bedauern könnte, daß ich Sie nicht bat, der Veranstaltung fern zu bleiben (aber das konnte ich doch nicht), so würde ich es tun. Ich wußte alles im Voraus, mußte aber den Dingen ihren Lauf lassen – eine nicht seltene Lebenslage. Das Ergebnis ist, daß ich die Rede in dieser Gestalt nicht mehr wiederholen werde. Ich mag sie nicht mehr und werde sie ändern. Wenn nur nicht der Zweifel wäre, ob durch irgend eine Umgestaltung etwas Ihnen Angenehmes zustandekommen kann! Wir empfinden nicht gleich in diesem Punkte, der für mich der Lebens- und Leidenspunkt und für Sie eben nur »Politik« ist, für die Sie mich gütiger Weise für zu schade halten. *Je fais la guerre* – und Sie wollen mich au dessus de la mêlée sehen, – gütiger Weise. Aber diese mêlée ist eine Entscheidungsschlacht der Menschheit, und alles entscheidet sich darin, *auch* das Schicksal meines Lebenswerkes, das mindestens für Jahrzehnte nicht nach Deutschland, in die Ordnung seiner Tradition wird zurückkehren dürfen, wenn das elende Gesindel siegt, dem eine träge, feige, unwissende Welt acht Jahre lang nichts als Siege bereitet hat. Sie wissen nicht, was ich in diesen acht Jahren gelitten habe, und wie es mein ein und alles ist, daß die ekelhafteste Niedertracht, die je »Geschichte« gemacht hat, zuschanden wird – und daß ich diese Genugtuung auch erlebe. Habe ich mich schlecht gehalten in diesen Jahren und mich vom Haß degradieren und lähmen lassen? Ich habe »Joseph in Ägypten«, »Lotte in Weimar« und die »Vertauschten Köpfe« geschrieben, Werke der Freiheit und Heiterkeit und, wenn Sie wollen, der Überlegenheit. Ich bin ein wenig stolz darauf, daß ich das, statt unter die Gemütsleidenden zu gehen, fertig brachte, und ich denke, meine Freunde sollten in der Tatsache, daß ich außerdem auch noch kämpfe, ein Zeichen von Kraft und nicht von Schwäche und Erniedrigung sehen. Die Teilnahme

an meinem freien Werk ist nicht vollkommen und kann mich im Letzten nicht glücklich machen, wenn sie nicht von dieser Anerkennung und diesem Mitgefühl mit bestimmt ist. Es heißt »Wer nicht für mich ist, der ist gegen mich.« Wer aber nicht gegen das Übel ist, leidenschaftlich und mit ganzer Seele dagegen, *der ist mehr oder weniger dafür.* Gott verhüte, daß Ihr freundschaftliches Leiden unter meinem Vortrag damit etwas zu tun habe! Es bleibt dabei, ich werde ihn nicht mehr halten. –
Was für reizende Tage haben Sie uns wieder bereitet in Washington, und wie dankbar hat Ihre Empfänglichkeit für meine Erzählerspäße mich gemacht! Unsere weitere Reise war interessant und ermüdend, – interessant natürlich besonders in ihrer nächsten Etappe, wo wir mit erstaunlicher Auszeichnung aufgenommen wurden. Ihr schwindelnder Gipfel war der Cocktail im Arbeitszimmer, – während die anderen Dinner-Gäste gefälligst unten zu warten hatten. Und doch hatten wir schon das Erste Frühstück mit »ihm« gehabt! »Er« hat mir wieder starken Eindruck gemacht oder doch mein sympathisches Interesse neu erregt: Diese Mischung von Schlauheit, Sonnigkeit, Verwöhntheit, Gefallustigkeit und ehrlichem Glauben ist schwer zu charakterisieren, aber etwas wie Segen ist auf ihm, und ich bin ihm zugetan als dem, wie mir scheint, geborenen Gegenspieler gegen Das, was fallen muß. Hier ist einmal ein Massen-Dompteur modernen Stils, der das Gute oder doch das Bessere will und der es mit uns hält wie sonst vielleicht kein Mensch in der Welt. Wie sollte ich es nicht mit ihm halten? Ich bin gestärkt von ihm gegangen. Hoffentlich vermag er mehr über das Volk als Flieger Lindbergh mit seinem »stalemate« und seinem »unbeatable«. »Wenn es doch viele solche Amerikaner gäbe!« ruft die Nazi-Presse. Nun, es gibt viele; das ist eben der Welt-Bürgerkrieg, von dem ich sprach.
Diese Zeilen waren eigentlich nur bestimmt, Ihnen unsere glückliche Heimkehr zu melden. Wir mußten uns gleich wieder hierher aufmachen: zu dem »Federal Union-Dinner«, bei dem ich zu reden hatte. Das war vorgestern. Wir blieben gestern hier zu dem Konzert, bei dem Walter das »Lied von der Erde« aufführte, – ein *wachsendes* Werk, wie mir scheint, während so manches andere aus jener Zeit im Verblassen und Niedergehen begriffen ist. Heute Mittag fahren wir nach Princeton zurück. Joseph wird gerade von einem atemlosen Boten zu Hofe geholt.
Grüße an Eugene! Ihr Thomas Mann

An Eleanor Roosevelt

Princeton, N. J.
65 Stockton Street
January 28, 1941

My dear Mrs. Roosevelt,
I am sending you a copy of THE CITY OF MAN, a little book which a group of us prepared in all sincerity and humility as an attempt to outline the future world democracy and as a contribution to the solution of the fundamental problems facing all nations today. If the book appeals to you and you think it would interest the President, perhaps you will show it to him.
I cannot close this letter without reference to your recent charming and friendly hospitality. We regard it as a most gracious compliment that in these anxious and arduous days you and Mr. Roosevelt found the time to have us visit you.
Yours very sincerely

Thomas Mann

An Agnes E. Meyer

Princeton, N. J.
65 Stockton Street
30. I. 41

Liebe Mrs. Agnes,
der Cartoon ist vorzüglich, und es ist ganz unbestreitbar, daß Blätter wie die Wh. Post es dem President überhaupt erst ermöglicht haben, die Reden zu halten, die er letzthin gehalten hat, indem sie die Nation dafür reif machten und ihm halfen, sie nach sich zu ziehen. Er hat allen Grund, Ihnen und Eugene dankbar zu sein, und ich möchte glauben, daß er es auch ist, – wenigstens erinnere ich mich, daß er die »Post« einmal sehr nachdrücklich citiert und sich mit einem Artikel des Blattes öffentlich identifiziert hat, – ich weiß nicht mehr, ob es ein innen- oder außenpolitischer war. Jedenfalls machte es Eugene großen Spaß. An ihn habe ich wahrhaftig am wenigsten gedacht bei der Briefstelle, auf die Sie zurückkommen. Ihres Walküren-Blutes bin ich weniger sicher, und der Verdacht, daß das Niveau meiner Rede Ihnen weniger niedrig vorgekommen wäre, wenn das Tier aus dem Abgrund nicht »deutsch« wäre, ist der thorne in *my* flesh. Möge er darin sitzen bleiben! Er schmeichelt mir eher, als daß er mich schmerzte. Denn, after all, bin ich auch ziemlich deutsch.
Ich habe Sorgen mit dem Joseph, der mir jetzt künstlerische Schwie-

rigkeiten bietet. Vielleicht wäre es klüger gewesen, einen märchenhaft unbestimmten Pharao zu nehmen statt des Echnaton, dessen Figur die Gefahr historisch-biographischer Beschwerung des Buches mit sich bringt. Das Politische und Religiöse ist nicht ganz ins Dialogische, Szenische, Indirekte aufzulösen; wieder werden untersuchende, berichtende, sozusagen belehrende Einschaltungen nötig, und so sehr man sich dabei vor Trockenheit zu hüten sucht, es bleibt dichterisch immer eine fragwürdige, angreifbare Sache. Übrigens ist bei meinen Skrupeln vielleicht einfach Abgespanntheit und ein gewisser Überdruß an dem alten, übertragenen Stoff im Spiel. Wenn ich freilich bedenke, wie Tolstoi sich bei Anna Karenina gelangweilt hat, so darf ich mir sagen, daß meine Langeweile nicht notwendig beweist, daß auch der Leser sich langweilen wird. Als Zwang zur Erfindung von Neuigkeitsreizen mag sie sogar von Nutzen sein.
Leben Sie wohl und machen wir weiter. Die Weltgeschichte wird so halb und halb und schlecht und recht ausgehen. Vollkommene Genugtuungen darf man sich nicht von ihr versprechen, und weiser wäre es, seiner Tage Zufriedenheit nicht an sie zu knüpfen.
Herzlich

Ihr Thomas Mann

An Hans Feist
[Telegramm]

Princeton
7. II. 41

garantiebereit

mann

An Agnes E. Meyer

Princeton, N. J.
65 Stockton Street
16. II. 41

Liebe Mrs. Agnes,
wir waren zwei Tage in New York, wo ich erstens ein Vorwort zu »Buddenbrooks« auf eine Platte zu sprechen hatte (denn der ganze Roman has been recorded for blind people, auf mehr als 80, je eine ½ Stunde dauernden Platten!) – und wo wir zweitens den »Fidelio« wieder einmal hören wollten, eine sehr wohltuende Oper. Walter hatte einen enormen Erfolg damit.
Es hat mich aufrichtig gefreut, daß der Aufsatz von Schirokauer Sie

angeregt hat. Ich habe die Arbeit damals selbst an Oprecht geschickt, da ich sie sehr intelligent fand und auch das Gefühl hatte, daß, entgegen einem sonst immer bewahrten Grundsatz, in einem solchen Rahmen, einem so allgemeinen Zusammenhange, einmal von einem meiner Bücher in M. u. W. die Rede sein dürfe. Es ist wirklich sehr interessant, wie die Bemerkungen des Verfassers über die Mutter-Beziehung sich mit Ihren eigenen Beobachtungen dekken. Ich kann nur sagen, daß meinem Bewußtsein die mythische Anspielung fern lag. Aber Lotte ist natürlich eine Mutter-Figur, und das Mythische ist bei mir nachgerade »selbsttätig« geworden; es tingiert die Gestalten und fließt in die Darstellung ein, ohne daß ich es weiß und will. – Komisch ist, daß Sch. behauptet, das VII. Kapitel habe im Manuskript »Das Gemurmel« geheißen. Möchte wissen, wie er darauf kommt. Das Wort hat natürlich nie im Manuskript gestanden, sondern war eine rein familiäre Bezeichnung. Irgendwie muß es sich herumgesprochen haben. – Über Sch. weiß ich nichts Näheres und kenne ihn nicht persönlich. Ich glaube, er ist Österreicher und schon lange in Amerika. Er muß irgend einem German Department hier im Osten angehören, ich vermute an der University of New York. Wenn Sie wollen, stelle ich es noch fest.
Von »Maß und Wert« muß nun wohl geschieden sein, so anständig die letzte Nummer noch ausgefallen ist. Oprecht möchte die Zeitschrift leidenschaftlich gern fortsetzen, und die Verhältnisse in der Schweiz würden es an und für sich nicht unmöglich machen. Ich zweifle auch nicht, daß Sie und Eugene mir in Gottes Namen noch einmal etwas Geld dafür geben würden, wenn ich darum bäte. Aber ich habe Oprecht schon geschrieben, daß wir die Zeitschrift vorläufig zur Ruhe bestatten müssen. Die Communication zwischen der Schweiz und Amerika ist so schwierig geworden (und kann eines Tages ganz abreißen), daß die Verteilung der Redaktion auf Zürich und New York oder gar Californien nicht möglich sein wird. Und außerdem würde man Editorials von mir erwarten, die zu schreiben ich ganz außerstande bin, da sie den gegenwärtigen europäischen Verhältnissen angepaßt sein müßten und ich nicht einmal weiß, was man in der Schweiz noch sagen kann und was nicht mehr oder noch nicht wieder. So leid es mir also tut, ich habe einsehen und Oprecht bedeuten müssen, daß man die Zeitschrift vorläufig einstellen muß. Nennen wir es eine Ruhepause. Vielleicht kommt der Tag ihrer Auferstehung. Jedenfalls war es schön von

Ihnen und Eugene, daß Sie geholfen haben, ihr das Leben zu fristen.
Ich habe einen häßlichen Katarrh aus der Metropole mitgebracht, und mir ist zu Mute, alsob ich bettlägrig werden sollte. Ich habe in letzter Zeit dem Prinzip des »Trotzdem« etwas zu reichlich gehuldigt und muß zuweilen an Goethes Wort denken: »Unbedingte Tätigkeit macht zuletzt bankerott.« Aber wie fängt man es an, untätig zu sein? Ich glaube, bei Ihnen wende ich mich mit dieser Frage auch an die falsche Adresse.
So long. Ihr Thomas Mann

An Fritz Kaufmann Princeton, N. J.
65 Stockton Street
17. II. 41

Sehr geehrter Herr Dr. Kaufmann,
gewiß habe ich mir Zeit genommen, Ihr Manuskript zu lesen, nur mit dem Kommentieren hapert es; ich bin unwohl und überlastet und kann keine langen Briefe schreiben. Was wäre denn auch zu sagen? Es sind Ihre Bemerkungen über meine Existenz und über meine eigene Wahrnehmung dieser Existenz, – sehr gescheite Bemerkungen, und das Hauptmotiv der »Repräsentanz« scheint mir elegant und tiefsinnig durchgeführt. Ich mußte dabei an die Stelle im Briefe nach Bonn denken, wo ich selbst das Wort einmal gebrauche und sage, daß ich mich »zum Repräsentanten weit eher geboren fühle, als zum Märtyrer«. Die Unterscheidung enthält eigentlich in nuce den ganzen Gegensatz von Kunst und Moral, Kunst und Bekennerschaft, Kampf, Glaube. Dennoch sitze ich im Exil... Es ist allerdings eine neuartige Form des Exils, wesentlich verschieden von früheren dem Sinne nach; es hat direkt zu tun mit der Auflösung der Nationen und der Vereinheitlichung der Welt. Ich bin einfach »bedeutender« als die in Deutschland sitzen gebliebenen Esel, die mich für eine verlorene Existenz halten.
Immerhin, einige Anlage und Bereitschaft zum »Leiden für das Gute« muß ja wohl in mir sein, woher ich allerdings den Gegensatz zum Guten nicht sowohl im Bösen, als im Hundsmiserablen sehe, von welchem bis zur Opferbereitschaft angeekelt zu sein, meiner Meinung nach jedem Künstlertum wohl ansteht. Übrigens ist ein Schriftsteller immer etwas anderes und etwas mehr, als ein bloßer

Künstler, und für unverantwortlich kegelspielende Sonntagskinder der Kunst, wie Richard Strauss, habe ich immer eine gelinde Verachtung gehabt, aus der ich sogar ein ganzes Stück gemacht habe. Es heißt »Fiorenza«. Aber daß ich dort die Partei des asketischen Kritikers gegen ein Künstlertum fideler Üppigkeit nehme, darf nicht über meinen Glauben an die Kunst als menschheitsführende Kraft täuschen, dem ich noch zuletzt in einem Vorwort zu »Anna Karenina« Ausdruck gegeben habe, wo ich die Kunst »das schönste, strengste, heiterste und frömmste Symbol alles übervernünftig menschlichen Strebens nach dem Guten, nach Wahrheit und nach Vollendung« nannte. Ist das nun Moralismus oder Ästhetizismus? Ich stelle anheim.

Wir wollen doch hoffen, daß Ihr Aufsatz auch deutsch erscheint. Es gibt doch germanistische Zeitschriften und dergleichen. Bei den Seitenzahlen müßten wohl korrekter Weise die Ausgaben mit vermerkt sein. Es wäre um einige Fußbemerkungen schade, die schöne und wichtige Citate bringen.

Mit vielem Dank und besten Wünschen

Ihr Thomas Mann

An Agnes E. Meyer

Princeton 12. III. 41

Liebe Freundin,

»Königsleinen« nannten die Leute von Keme den köstlichen, durchsichtigen Stoff, aus dem diese Taschentücher gefertigt sind. Für solche wäre er ihnen wohl zu schade gewesen. Aber obgleich jedes einzelne dieser ätherischen Gespinste dem Ei des Phönix-Vogels »an Gewicht nichts hinzufügen« würde, scheinen sie mir durch ihr Format sogar einem solchen Schnupfen gewachsen, wie ich ihn jetzt hatte und wie ich in California wahrscheinlich bald wieder einen haben werde, da man dort leicht vergißt, abends einen Mantel anzuziehen. Aber nein, ich werde mich dann gröberer Ware bedienen und von diesen Zartheiten nur kokett einen Zipfel aus der Brusttasche blicken lassen. Haben Sie Dank für das wundervolle Geschenk!

Und lassen Sie mich Ihnen auch noch einmal danken für Ihren Besuch, den ich Ihnen und Ihrer Freundschaft hoch anrechne. Ich weiß nichts davon, daß ich am ersten Tage erreichbar und am zweiten entrückt gewesen wäre. An beiden Tagen war ich Ihrer bele-

benden, »das Haus mit Schönheit füllenden« (auch das ist ägyptisch) Gegenwart gleichermaßen froh. Aber freilich, was weiß man von sich und davon, wie schwer man es denen macht, die einem gut sind! Es ist recht schlimm und traurig, was Sie mir darüber sagen. Wenn ich schon meine Freunde so leiden mache, was muß es erst bedeuten, mit mir verheiratet zu sein! Sie haben mir das Gewissen aufgewühlt von wegen meiner armen Frau, die das seit 36 Jahren auszustehen hat. Nun, ich habe die längste Zeit die Erde gedrückt, und das ist gut auch für mich, denn, glauben Sie mir, ich bin meiner oft gründlich müde und sehe mit Zuneigung der Zeit entgegen, wo nur noch das von mir da sein wird, womit ich den Menschen Freude zu machen und ihnen »leben zu helfen« versuchte.
Am Tage nach Ihrer Abfahrt begann hier die Auflösung. Unten sieht's schon verzweifelt aus, und ich habe mich ins Schlafzimmer zurückgezogen, das fürs erste noch Schongebiet ist. Mir liegt's wie Steingewicht auf der Brust, – es kommen heimlose, verworrene Wochen, bei denen man noch dazu seinen Mann bei Vorträgen und Gastereien stehen muß, den Zweifel im Herzen, ob das, was man tut, denn recht und vernünftig ist. Man muß es nun darauf ankommen lassen. Den Abschied jedenfalls kann und will ich so ernst nicht nehmen. Ist denn der Unterschied so wesentlich zwischen den Entfernungen Washington–Princeton und Washington–Santa Monica? Amerika ist dort wie hier, und schließlich waren wir schon den ganzen Sommer dort hinten. Ich werde dann und wann einen Brief von Ihnen haben und von den Fortschritten Ihrer Arbeit, von Ihrem Leben hören, und so Sie von mir. Kommen wir in den Osten, ein- zweimal im Jahr, so wird Washington unser Hauptziel sein – und zwar *nicht* on behalf of the man who is too superficial to be murdered.
Auf Wiedersehn! Und freundschaftliche Grüße an Eugene!

Ihr Thomas Mann.

An Heinrich Mann
[Telegramm]

Chicago
21. März 1941

Lieber Heinrich
ein arges Dilemma Berkeley bot mir zur Begrüßung den Dr. juris an anläßlich ihres akademischen Tages genau am 27. stop ich lehnte

ab aber sie insistieren derart daß es schwer und aus verschiedenen Gründen selbst bedenklich wäre sie durch hartnäckige Weigerung vor den Kopf zu stoßen stop wie macht man es unter diesen Umständen mit dem Geburtstags Dinner stop ich höre es soll in einem Privathaus und eher intimen Kreise stattfinden höre auch daß Du nicht gerade großes Gewicht darauf legst stop schieben wir es auf müßte es gleich um 10 bis 14 Tage sein weil ich im nördlichen Californien weitere Verpflichtungen habe stop würde schmerzlich bedauern fehlen zu müssen würde aber auch völlig verstehen wenn am Geburtstag selbst festgehalten wird jedenfalls sehen wir uns am 26. Adresse Coloradosprings Colorado Broad Moore Hotel herzlichst

Tommy

An Erich von Kahler Hotel Durant, Berkeley
30. III. 41

Lieber Freund Kahler,
nehmen Sie aus noch währendem argen Trubel heraus einen Gruß wehmütigen und herzlichen Gedenkens! Viele Abenteuer liegen schon zwischen heute und unserem Abschied, alle zäh und tapfer durchgefochten. Chicago, mit Medi, Borgi und dem Baby war noch friedlich-familiär. Erika gesellte sich hinzu. Der Anti-Papist las gewaltig aus seiner mexikanischen Opern-Dichtung vor (englisch), und ich gab das Traum-Deutungs-Kapitel zum Besten, worüber die Kinder Tränen lachten. Dann ging es in die St. Moritz-Höhe von Colorado-Springs und Denver – etwas anstrengend. Col. Spr. muß ein reizender Aufenthalt sein bei anderem Wetter, als wir fast ununterbrochen haben: Regen und Regen, auch hier. 36 Stunden waren es von Denver nach Los Angeles. Wir fanden Franks im Hotel, dann kam mein Bruder, in dessen Gegenwart ich mich umzog, um meine Vorlesung zu absolvieren. Es wurde spät, um 5 Uhr am nächsten Morgen hatten wir uns zu erheben, um das Flugzeug nach St. Francisco zu erreichen. Der zweistündige Flug mit vorzüglichem Frühstück über den Wolken und das großartige Gebirge hin war ein Haupt-Erlebnis. Ein anderes die Abholung vom Flugplatz unter Polizei-Bedeckung mit Sirenengeheul durch alle Lichter. War mir auch noch nicht passiert. Hier nun gibt es schöne, rauschende Feste, zuviele. Die Ceremonie auf dem Campus, wahrscheinlich dem landschaftlich reizvollsten der Welt, war aus-

nahmsweise vom Wetter begünstigt; die Sonne schien, und so bot das große Amphitheater, von der stage gesehen, wo wir mit Katja's Bruder wieder zusammentrafen, ein reizendes, farbenreiches Bild. Da wurde ich nun also Dr. of law, auch etwas Neues, aber ich merke es weiter nicht. Auch die freimaurerische Aufnahme in das Chapter von Phi Beta Kappa (Philosophia bioy Kybernetes) war höchst dignified; danach kam ein großes Bankett, und dann als es schon guten Sinn gehabt hätte, zu Bette zu gehen, ging es erst an meine Vorlesung, in zwei überfüllten Sälen, einem, wo ich sprach, und einem, wo man mich bloß hörte. Ich hatte den Text passend abgeändert und sprach über die Verantwortlichkeit des Denkers für das Leben, woran es in Deutschland gefehlt habe, auch über Nietzsche, der, wenn er lebte, heute in Amerika wäre und von amerikanischer Toleranz trotz seiner romantischen Sünden in den Phi Beta Kappa-Orden aufgenommen würde. Das erregte Heiterkeit.
Wir bleiben hier einige Tage länger als geplant. Es ist vernünftiger, erst nach Stanford University und von da aus nach Carmel zu gehen. Ungefähr am 8. oder 9. werden wir dann nach Los Angeles zurückkehren und uns in dem Häuschen 740 Amalfi Drive, Brentwood, in Sicherheit bringen.
Das Tier unternimmt nichts gegen die Serben. Es »läßt sich nicht provozieren« – schade. Die amerikanische Konfiskation der Schiffe ist ja ein recht fröhlicher Streich – kaum noch short of war. Aber die britischen Schiffsverluste müssen schauerlich sein, und obgleich es im Mittelmeer gut steht und die »Achse« nur noch ein Name ist für die »Aufrechterhaltung der Ordnung« in Italien, müssen wir uns wappnen gegen furchtbare Schläge, die kommen werden.
Herzlich

Ihr Thomas Mann

An Joseph Angell

Pacific Palisades, California
740 Amalfi Drive
19. April 1941

Lieber Doctor Angell:
Ich möchte Ihnen einen Gruß senden aus unserem neuen vorläufigen Heim in Californien, einem netten, ländlich gelegenen und praktischen kleinen Haus, in dem wir zunächst einmal zu bleiben gedenken.

Dieser Gruß soll auch noch mit einem Dank verbunden sein, daß Sie wieder an meiner Vorlesung in Los Angeles teilgenommen haben. Es tat mir leid, daß ich Ihnen so garnichts Neues zu bieten hatte. Seitdem, für Berkeley und Stanford, habe ich die lecture etwas geändert und verbessert. Die ersten Teile gefielen mir nicht mehr.
Eine Frage habe ich auf dem Herzen und dachte schon gleich nach unserem letzten Wiedersehen daran, sie an Sie zu richten. Es handelt sich um meinen Sohn Golo, der in Deutschland den Doctor der Philosophie in Heidelberg gemacht hat und sich dort auf die Universitäts-Laufbahn vorbereitet hatte. Nach unserer Emigration hat er drei Jahre lang in Frankreich, und zwar in St. Cloud an der Ecole Normale Supérieure und an der Universität von Rennes Geschichte und deutsche Literatur doziert. Ich lege ein Zeugnis über seine Tätigkeit in St. Cloud bei; das von Rennes ist ihm leider damals, als er eilig die Schweiz verließ, um in die französische Armee einzutreten, abhanden gekommen.
Es wäre nun sein und unser großer Wunsch, daß er in Amerika irgendwie die unterbrochene akademische Carrière wieder aufnehmen könnte. Sie ist nach meiner Überzeugung durchaus sein Beruf, denn er ist nicht nur ein Gelehrten-, sondern auch eine Lehrnatur, von stark pädagogischer Tendenz. Ich halte viel auf den Jungen, der eine sehr gründliche philosophische, historische und literarische Bildung besitzt. Als Lehrfächer kämen außer Deutsch, Geschichte und Philosophie auch noch das Französische für ihn in Betracht, das er vollkommen beherrscht. Auch mit dem Englischen hat er keine Schwierigkeiten mehr.
Ich habe mir gedacht, ob Sie vielleicht einmal mit Dr. Story darüber sprechen könnten, ob sich für den jungen Mann, der sich nach angemessener Betätigung sehnt, irgendwo eine Arbeits-Möglichkeit findet. Seine Ansprüche wären zunächst natürlich minimal, er würde sich mit einem Taschengeld begnügen, da ihm alles darauf ankommt, zu einer Tätigkeit zu gelangen.
Ich habe in den letzten Jahren so viele Briefe im Interesse Anderer geschrieben, daß ich es mir wirklich einmal leisten kann und muß, für einen der Meinen einzutreten, besonders, da ich es in diesem Fall mit gutem Gewissen und dem vollen Vertrauen darauf tun kann, daß der Empfohlene die Empfehlung verdient. Erwähnen möchte ich noch, daß Golo gerade eben für eine Reihe von Gast-

vorlesungen an ein College im Mittelwesten verpflichtet worden ist, wo aber eine Dauerstellung für ihn nicht frei ist.
In nächster Zeit möchten wir nun bald einmal den voriges Jahr versäumten Besuch in Pomona nachholen. Ich bin vorerst noch behindert durch eine beschwerliche Zahnkrise, die mich gleich nach Beendigung meiner lecture Tour befiel. Aber ich bin in guten Händen, und in etwa zwölf oder vierzehn Tagen wird dies sicher kein Gegengrund mehr für den Ausflug sein.
Hoffentlich also auf baldiges Wiedersehen und die schönsten Grüße von uns beiden an Sie und Mrs. Angell!

Ihr Thomas Mann

An Agnes E. Meyer

Pacific Palisades,
740 Amalfi Drive
May 2. – 41

Liebe Freundin,
schon für zwei sehr reizende, spontane Brief-Improvisationen habe ich Ihnen zu danken – ich selbst hatte Schwierigkeiten, zum Schreiben zu kommen: allerlei Zumutungen und Beschwernisse der gewohnten Art waren im Wege: Besuche, Sorgen mit den Kindern, die Notwendigkeit mich mit einem neuen Sekretär einzuarbeiten, auch Erfreuliches wie ein deutsch zu schreibender deutsch zu drukkender Artikel, den »Virginia Quarterly« von mir zu veröffentlichen sich ausgedacht hat; zuletzt noch die Ausarbeitung einer Rede, die ich heute Abend zur Feier des 70. Geburtstags meines Bruders in einem Privathause halten werde. Ich weiß nicht, ob ich zu diesen erfreulicheren Dingen auch die Botschaften nach Deutschland rechnen soll, die ich einmal monatlich auf Platten spreche. Briefe aus Prag und aus der Schweiz beweisen mir, daß ich dort gehört werde. Der Nachweis für Deutschland besteht nur darin, daß, wie man mir aus der Schweiz schrieb, little Adolf in einer seiner letzten Reden heftig auf meine Weihnachtsbotschaft geschimpft haben soll. Gauleiter Lindbergh wird bestimmt den Befehl erhalten, mich auszuliefern.
Vorher wird aber der »Joseph« fertig sein, und was nützt es Adolfen dann? Nicht alsob es schon nahe daran wäre, es bleibt vorläufig noch une mer à boire. Aber die große Szene zwischen Pharao und Joseph, die zu des letzteren investigation führt, macht trotz allem unaufhaltsame Fortschritte, und sie ist recht eigentlich die scène à

faire. Das Hermes-Motiv, Mond-, Schelmen- und Mittler-Motiv, tritt nun in aller Ausführlichkeit und Voll-Instrumentation hervor. Dabei assoziiere ich ein gegebenes Versprechen, das ich hiermit einlösen möchte. Der Dirigent Stiedry hat mir einen langen Brief geschrieben, sogar zwei, über die Nöte seines Orchesters, und daß seine erfolgreichen Konzerte eingehen müssen, wenn nicht vermögende Kulturfreunde zu Hilfe kommen. Das alte Lied; aber es lautet recht eindringlich diesmal. Natürlich hat es sich herumgesprochen, daß ich mit Ihnen auf passablem Fuße stehe, und man hat ihm geraten, sich hinter mich zu stecken, um für seine Sache – eine gewiß gute und schöne Sache – bei Ihnen etwas zu erreichen. Nun hat es gar keinen Zweck, Sie zu belehren und zu beschwören. Daß der Mann gute Musik macht, und daß seine Produktion für das kulturelle Leben des Landes etwas wert ist, wissen Sie ohnedies. Andererseits wissen Sie, besser als ich, was sonst noch alles auf Ihnen liegt, – und es mögen Dinge sein, die Ihnen im Augenblick vordringlicher scheinen, als gute Musik. Ich habe Stiedry keine großen Hoffnungen gemacht, aber ich habe versprochen, wie der Mundschenk dem Joseph, ihn zu »erwähnen«. Das tue ich hiermit. Und schrieben Sie nicht kürzlich, Sie seien erschüttert gewesen von einer Aufführung der Matthäus-Passion? War es vielleicht unter Stiedry? – Eine Garantie von 20–25000 Dollars wäre notwendig, um die Sache zu halten. Auch das wissen Sie wohl längst. »Ein hübsches Taschengeld, Vater«, sagt Franz Moor in den »Räubern«.

Nächstens mehr. Ihr T. M.

Florence und Homolka trafen wir neulich auf einer Garden-Party bei Douglas in Gegenwart der First Lady. Florence war schön wie ein Bild.

An Agnes E. Meyer

Pacific Palisades, Cal.
den 15. Mai 41

Liebe Freundin,
es war reizend von Ihnen, mir gleich zu telegraphieren, als der phantastische Streich des Heß bekannt wurde. Man muß es den Nazis lassen: phantastisch sind sie, und das ganze Leiden ist eben,

daß die anderen es zu wenig sind. Ich war – und bleibe bis zu einem gewissen Grade – sehr geneigt, die Sache positiv zu werten. Gerade weil H. unter den Deutschen als eine relativ reine Figur galt, im Vergleich mit der grotesken Bande, zu der er gehört, muß seine Desertion starken Eindruck auf das Volk machen, dem so betäubende Siege um die Ohren geschlagen worden sind. Auf die Engländer übrigens auch. Aber seinem Sinn nach haben wir den sensationellen Zwischenfall doch wohl überschätzt. After all ist H. ein Vollblut-Nazi, und ich glaube nicht, daß ein Friede ohne und gegen Hitler, ein Friede, der das Regime beseitigte, überhaupt innerhalb seiner Denkmöglichkeiten liegt. Er wird in seiner Art ein appeaser sein, der sich berufen fühlt, einen negoziierten Frieden zustande zu bringen, bei dem zwar das britische empire, aber auch Hitler erhalten bleibt, – was eben der Sieg Hitlers wäre. An den Daily Telegraph habe ich in der ersten Freude etwas anders gekabelt, aber gleich betont, daß der National-Sozialismus eine absolut inkalkulable und krankhafte Sphäre ist, ein moralischer und intellektueller Abgrund, aus dem jeden Augenblick das Absurdeste und Verblüffendste aufsteigen kann. Man dürfe sich also nicht wundern.
Haben Sie eine Ahnung, warum F.D.R. seine Rede, die als die wichtigste seit Kriegsbeginn donnernd angekündigt war, um volle 14 Tage verschoben hat? Es sieht nach Lethargie oder Verwirrung aus. Aber ich habe kein Recht, Ihnen solche Fragen zu stellen. Es ist ja mein Präsident und nicht Ihrer.
Wie schön ist es, Sie versichern zu hören, wir hätten keine Idee, was alles geschieht! Sie können es mir nicht oft genug versichern; ich schlürfe es wie süßen Wein. Aber in Ihrem Satz »Verlassen Sie sich auf Amerika in trüben Stunden!« ist logisch etwas nicht in Ordnung. Gerade die trüben Stunden sind ja die des Zweifels! Aber ich schätze wohl nicht falsch, wenn ich sage: die Zuversichtlichen sind in der Überzahl. –
Gegen meinen letzten Brief sind Sie doch zu hart. Sogar einen »sogenannten« nennen Sie ihn! Nun, nun, ein Brief war es doch immerhin, und da jener Musikus mir zehn Seiten lang sein Herz ausgeschüttet hatte, konnte und mußte ich Ihnen doch wohl auf zweien darüber referieren. Freilich hatte ich beim Schreiben das deutliche Bewußtsein, Sie zu langweilen. Aber so bin ich nun. Ich mag es den Leuten nicht abschlagen, mich an der mächtigen Stelle, auf die ich, wie sie glauben, Einfluß habe, für sie zu verwenden. Wenn Sie

wüßten, wieviel solche Briefe ich schreibe, an Konsulate, Ministerien, Committees etc.! Übrigens können Sie sich nicht beklagen, daß ich meinen enormen Einfluß bei Ihnen besonders zudringlich geltend gemacht hätte für den bedürftigen Stiedry.
Sagen Sie mir bei dieser Gelegenheit – aber nicht im Zusammenhang damit – doch, bitte: Wie hieß noch der sympathische Baumwollkönig, dessen Bekanntschaft wir bei der letzten Party in Ihrem Hause machten? So ein Langer, recht Gescheiter und Freundlicher, Sie wissen schon. Wie heißt er und wo wohnt er? Ich wüßte es gern, auch eines Versprechens wegen.
Ihr Unmut über die englischen Gimpel, die genau in diesem Augenblick ihr dummes Mütchen an Milton kühlen, ist mir vollkommen begreiflich, und ich teilte ihn sofort. Wenn so eine Frechheit talentiert geschrieben ist, kann sie einem für Tage das Blut vergiften. Im Allgemeinen sollte man es sich wohl nicht nahe gehen lassen. Junge Leute genießen gern ihr bißchen Gegenwarts-Überlegenheit über das große Alte, und Pietät ist eine Sache der Reife. Daß aber junge Briten sich gerade jetzt an einem geistigen National-Heiligtum Englands vergreifen, zeugt von einer auf der Seite der Demokratien nur zu verbreiteten albern-luxuriösen Gemütsverfassung, die einem mehr Sorge einflößen kann, als militärische Niederlagen – die vielleicht etwas damit zu tun haben. Was diese Leute sich noch immer glauben leisten zu können! Gewiß sind es Typen, denen der Ausgang des Krieges vollständig gleichgültig ist. Ich kenne sie. »Wenn London eine Art Kopenhagen geworden ist, werden sich dort in größerer Ruhe Gedichte machen und literarische Kritiken schreiben lassen.« So ungefähr. Ein paar Ohrfeigen rechts und links wären die rechte Antwort auf diesen läppischen Ästhetizismus. Ich verlange keine »Vaterlandsliebe«. Aber ich verlange Anstandsgefühl und Ehrfurcht vor den großen Entscheidungen der Menschheit. –
Wüstenwind und Sonnenbrand waren arg ein paar Tage lang. Seit vielen Jahrzehnten war dergleichen in dieser Jahreszeit nicht vorgekommen. Man hätte sich am liebsten nur noch in eines Ihrer ägyptischen Taschentücher gekleidet. Aber ich habe mir nicht viel aus der Plage gemacht und sie jedenfalls nicht als Strafe dafür aufgefaßt, daß ich »meine arme Freundin verlassen habe«. Erstens ist sie nicht arm, sondern führt ein reich ausgefülltes, von Menschen wimmelndes Leben, in dem meine Person leicht entbehrlich ist. Und

dann: was hat sich eigentlich geändert? Nicht gar oft haben wir, auch solange ich im Osten lebte, Sherry zusammen getrunken. Der Unterschied zwischen der Entfernung Washington–Princeton und Washington–Pacific Palisades ist im Grunde imaginär. Was ich Ihnen sein kann, das kann ich Ihnen überall sein, und was Sie mir sind, das werde ich aus Ihrer Besprechung der »V.K.« wieder einmal dankbar erfahren. Bei ihrer Abfassung hätte Sie der Verdacht, daß ich selber nichts von der kleinen Geschichte halte, nicht zu stören brauchen. Tatsächlich ist sie in meinen Augen immer besser geworden, seit ich sie beendete. Ich bin, offen gestanden, nicht weit davon entfernt, sie für ein Meisterwerk zu halten. Da sehen Sie, wieviel Vertrauen ich zu meiner armen Freundin habe.
Im Herbst wird mich eine lecture-Tour in den Osten bringen. Warum sollten aber nicht Sie schon vorher einmal herfliegen? Schließlich haben Sie ja liebe Kinder hier.
Immer der Ihre
Thomas Mann

An Erich von Kahler

Pacific Palisades, California
740 Amalfi Drive
den 25. V. 41

Lieber Freund Kahler,
was ist denn nur mit uns? Warum nur hören wir kein Sterbenswörtchen von Ihnen seit so langer Zeit, buchstäblich seit wir schieden? Es geht nicht mit rechten Dingen zu, und wenn Sie antworteten: »Ich habe ja nichts von Ihnen gehört«, so wäre es heraus und am Tage, daß der Brief, den ich Ihnen von unterwegs auf der Reise schrieb, verloren gegangen ist und Sie die ganze Zeit gedacht haben: »Aus den Augen, aus dem Sinn«. Eine traurige Vorstellung, daß Sie sich diese Vorstellung gemacht haben sollten. Von welcher Station es war, weiß ich nicht mehr. Vielleicht von Colorado Springs, wo ich einen Schreibtisch hatte? Aber geschrieben habe ich, seitenweise, und oft haben wir uns seitdem gefragt: Warum schreibt er nicht auch einmal? [...]
Natürlich kann Ihr Schweigen auch andere Gründe haben, z.B. die große Arbeitsbelastung mit Ihren Vorträgen würde schon ausreichen. Der Cyklus soll erfolgreich abgeschlossen sein. Ich habe großen Respekt, vor dem, was Sie da geleistet haben, besonders, seit sich die Notwendigkeit der freien Rede herausstellte. Sie haben

wirklich Ihren Mann gestanden in einer Weise, die sich höchst ehrenvoll von der vollkommenen Untüchtigkeit der meisten Emigranten intellektuellen Typs angesichts der neuen Situation unterscheidet. Ich habe immer den Eindruck, daß keiner von ihnen bereit ist, irgend etwas Neues zu lernen, sondern alle wollen es weiter treiben, wie in versunkenen Zeiten, und die gebratenen Tauben sollen ihnen in den Mund fliegen. Schrieb nicht Golo, Sie hätten jetzt noch eine lecture-Berufung in den Mittel-Westen? Und was ist mit der New School für das nächste Lehrjahr verabredet?
Sind Sie sehr niedergeschlagen von den Ereignissen, d.h. unseren dauernden Niederlagen? Auch das wäre ein zureichender Grund für Ihre Schweigsamkeit. Ich wundere mich nicht selten über das Phlegma, eine besondere Mischung von Verachtung und Vertrauen, womit ich das alles hinnehme, ohne mich sonderlich in dem Meinen davon stören zu lassen. Vielleicht ist mir doch die Sonne und Farbigkeit dieser Sphäre, dieses leicht- und etwas schlafflebigen Groß-Badeortes dabei behilflich. Auch sind wir ja abgehärtete – oder abgestumpfte – »Nehmer«, und eine Art von dauernder Muskel-Kontraktion hat sich hergestellt, die die Schläge auffängt und nicht mehr recht fühlbar werden läßt. Genug, ich lebe so in den Tag hinein und lege dabei ein Joseph-Blatt auf das andere. Ich stehe mitten in dem großen Gespräch – einer ganzen Kapitel-Folge – zwischen Joseph und dem Pharao Amenhotep, das auf verschlungenen und hermetisch-schlauen Wegen zu Josephs Erhöhung führt. Wäre schon was für Sie. Stundenlang habe ich neulich Erika und meiner Frau vorgelesen, und da war es denn wieder einmal, daß »der gute Erich« vermißt wurde.
An Unterbrechungen und Zwischenfällen fehlt es so wenig wie im Osten. Es gab [...] ein großes Rede-Dinner für »Federal Union« im Beverly Hills Hotel, und Anfang Juni muß ich nach San Francisco zu einem vom Emergency Rescue Committee veranstalteten Meeting, zu dem auch Kingdon kommt. Meine Rede ist schon fertig und erzählt recht drastisch, was wir Emigranten acht Jahre lang von der Welt an Dummheit, Schlechtigkeit und Nicht-wissenwollen auszustehen gehabt haben. Ich muß sagen, ich freue mich darauf, sie zum Besten zu geben. [...]
Unsere Baupläne haben viele Schwankungen durchgemacht – nicht nur die Pläne, sondern auch die Absicht selbst, zu bauen. Will sagen: *wir* waren es, die schwankten, was ja bei diesen Läuften und der

Ungewißheit der Zukunft begreiflich ist. Es stand schon einmal ganz fest, daß wir *nicht* bauen, den Architekten auszahlen und uns zurückziehen wollten. Aber nun scheint es doch, alsob wir anfangen und vom Herbst an unter eigenem, i. e. unter Federal Loan-Dach wohnen werden. Die Sache sieht gefährlicher aus als sie ist. Die Mieten werden steigen. Tatsächlich werden wir billiger wohnen, als in einem Mietshaus wie wir es auf die Dauer brauchen, und der Platz ist so schön, daß er jederzeit zu vermieten oder zu verkaufen sein wird. Der Osten ist uns unverloren. Eine lecture-Tour dorthin für den Spätherbst ist schon in Arbeit. Auf Wiedersehn!
Erika ist bei uns und ist ein rechtes Labsal, belebend, unterhaltend, hilfreich, ein liebes, starkes Kind. Nur sehr besorgt ist sie, wie wir, um Klaus, der bedrohliche, ihn erschöpfende Schwierigkeiten mit seiner Zeitschrift hat. Was haben wir nicht schon getan, um ihm Geld dafür zu verschaffen – mit minimalem Erfolg.
Wie geht es der lieben, armen Fine? Auch meine Frau fragt sehr danach und wüßte gern ihre Adresse.

Ihr Thomas Mann

An Agnes E. Meyer — Pacific Palisades, Cal.
den 31. V. 41

Liebe Mrs. Agnes,
mein Telegramm hat Sie von dem Kummer und der Reue wissen lassen, den Ihre leidenschaftliche Reaktion auf eine offenbar verunglückte Briefstelle mir erregt hat. Unterdessen haben neuere und von mißverständlichen Wendungen hoffentlich freie Dokumentierungen meiner dankbaren Verbundenheit und Anhänglichkeit Sie erreicht. Wir alle haben heute viel zu tragen. Meine Bürde kennen Sie bis zu dem Grade, daß Ihre eigene dadurch erhöht worden ist. Desto unverzeihlicher ist es, wenn ich mich vor der Gereiztheit, die solche Bürde gelegentlich erzeugt, und an der kein Einzelner schuld ist, nicht genug gehütet und Ihnen weh getan habe. Tatsächlich habe ich immer auf der Hut zu sein vor Schärfen des Ausdrucks, wie sie gegenüber einer großen und bemühten Seele gleich der Ihren am allerwenigsten zu entschuldigen sind. Zu sagen: Wir wollen Nachsicht mit einander haben, wäre etwas eigennützig von mir, denn ich bin auf Nachsicht mehr angewiesen, als Sie. Dennoch baue ich auf Ihr schwesterliches Verstehen. Überlegen Sie recht:

Sie haben mir in melancholischer Stunde einen melancholischen Brief geschrieben und sich dabei gewissermaßen entschuldigt, daß Sie es taten. Ich habe Ihnen geantwortet: »Im Gegenteil! Wenn Sie leiden, so sind Sie mir seelisch am allernächsten.« Das war der Kern und die wahre, einfache Meinung meiner Entgegnung. Ist es ein Grund, zu rufen: »Alles war vergebens!«? Ist es nicht genug, daß sich in mir alles gegen dieses »Es war vergebens« *wehrt*, um es zu widerlegen?
Mir ist, alsob ich Ihnen mit einem meiner schönen, großen, zarten ägyptischen Taschentücher die Tränen trocknete – – worüber ich Sie nun doch im Geiste lachen sehe.
Ich hätte schon gestern geschrieben, wenn ich nicht einen Besuch in Pomona College, Claremont, zu absolvieren gehabt hätte, – eine beschwerliche, überflüssige Sache. Die Zahl der Dinge, die mir überflüssig vorkommen, ist im Wachsen.
Dies schreibe ich am Vormittag, statt der Arbeit. Joseph ist klug und freundlich genug, zu warten.
Homolka's haben uns eine Einladung zukommen lassen. Wir freuen uns auf den Abend. Ich muß meinen Tuxedo bürsten. It is formal.
Grüßen Sie recht herzlich den verdienstvollen Eugene! Ihnen küsse ich die Hand, in erfüllterem Sinn als dem österreichischen »Küss' die Hand«.

Ihr Thomas Mann

An Erich von Kahler — Pacific Palisades, California
den 1. Juni 41

Lieber Kahler,
alles ist gut, erster sowohl wie zweiter Brief sind richtig eingetroffen, und ich bin nun wieder auf dem Laufenden. Meine Frau, im Besitz der Adresse, schreibt bald an Fine.
Mit den Ortschaften hier und ihren Namen, das stellen Sie sich genau richtig vor. Wir haben selbst anfangs tagelang geglaubt, daß wir zu Brentwood gehörten und auch Los Angeles in unserer Adresse mitgenannt, sind aber so lange von der Post verbessert worden, bis wir uns darein ergeben haben, nirgends anders zu wohnen, als in Pacific Palisades, California, was ich garnicht für einen Ortsnamen halten wollte, und wohl auch gar keine Ortschaft ist, sondern eine Landschaft mit ein paar Colonial homes und Ocean view.

Diese meine Lieblingsjahreszeit ist ja schön auch hier, aber wie es in Küsnacht war und sogar in Princeton, das war mir doch lieber. Hier blüht allerlei Violettes und Rosinfarbenes, das mehr aussieht wie aus Papier, und das einen, da man es nicht anzusprechen weiß, auch nicht anspricht. – Doch, den Oleander weiß ich anzusprechen, er blüht sehr schön. Aber ich habe ihn im Verdacht, es das ganze Jahr zu tun.
Vorgestern waren wir in Claremont-Pomona College, um uns für Golo beliebt zu machen. Wenn er herkommt, muß er auch dort vorsprechen und seine geschmeidigsten Manieren anlegen. Seine französische Empfehlung hat doch Eindruck gemacht.
Die FDR-Rede haben wir mit ähnlichen Empfindungen gehört und gelesen, wie Sie. Das Herumreiten auf der »Hemisphere«, statt von England und der englisch sprechenden Welt zu sprechen, war mir höchst ungemütlich. Halifax war nicht geladen, dagegen die Gesandten der fascistischen Drecksrepubliken von Süd-Amerika, und Argentinien hat die »Hemisphere« prompt desavouiert und seine »Neutralität« erklärt. Auch bleiben die Taten aus, und Lindbergh hat unter unlimited emergency noch wieder reden dürfen, was ich nicht für möglich gehalten hätte. Für 25 Millionen Dollars supplies for Britain gehen in Flammen auf, und man behauptet, es sei Kurzschluß gewesen. Nein, gut steht es nicht, da haben Sie leider recht. England hat vorläufig auch weiter nur Niederlagen zu erwarten, und wenn Amerika nicht auf die Beine zu bringen ist, so könnte man dahin kommen, sich zu fragen, ob wir diesen Feldzug nicht verlieren werden.
Herzlich

Ihr Thomas Mann

An Klaus Mann

Pacific Palisades, California
740 Amalfi Drive
11. VI. 41

Lieber Eissi:
Außer für Deinen letzten interessanten Brief über unser aller Kreuz und Lust, nämlich Decision, und für Euer urdrolliges Geburtstagstelegramm habe ich auch noch für Deine gütige Befürwortung der »Transposed« zu danken, die das Büchlein, ohne Spaß, so bitter nötig hatte. Die bookseller hatten, wie Knopf mir vorbeugend meldete, sehr flau, ja mies reagiert, und er rechnete höchstens auf 7000

Vorbestellungen, während er 15000 Stück gedruckt hat. Nun sehen ja freilich die ersten reviews, besonders auch die, die Du mir schicktest, recht erfreulich aus, nicht nur vom literarischen, sondern auch vom geschäftlichen Standpunkt. Denn sie hatten so etwas Appetitreizendes. Leider hat dagegen Fadiman im »New Yorker« völlig versagt und sich gänzlich ablehnend verhalten, was ein schlimmer Schlag ist. Es ist zu schade, daß gerade er das Ding nicht im Original lesen konnte, wo sich doch alles ganz anders ausnimmt. Aber trotzdem, die Aufnahme scheint im Allgemeinen nicht schlecht zu sein, und ich selbst habe auch etwas nachgeholfen durch ein Zwiegespräch mit Professor Frederick im broadcast.
Nun aber zu Deinem Brief. Meine tätige Mitwirkung an »Decision« habe ich nach allen Seiten versprochen und will und muß mein Wort halten. Was ich im Augenblick am besten tue, ist wohl, Dir die beifolgenden kleinen Sachen zu schicken, zwei messages nach Deutschland, eine Tischrede für Federal Union und die Rede, die ich bei des Onkels Geburtstag hielt. Diese Sachen überschneiden einander wohl gelegentlich, und ich fürchte, sogar dies und das aus dem von Dir schon Gedruckten kehrt wieder. Trotzdem kannst Du vielleicht entweder etwas Einzelnes brauchen oder aus der Gesamtheit etwas zusammenschnitzeln und -kleben, was Du für einen Beitrag von mir oder auch für deren zwei ausgeben kannst. Der Prospekt muß ja nun herauskommen, und ich lasse mich gern als Chairman of the Editorial oder the Advisory Board präsentieren. Muriel Rukeyser ist mir natürlich unbekannt und ich kann nicht beurteilen, wie sie sich als Associated Editor ausnehmen wird, das mußt Du besser wissen, und vielleicht ist die praktische Seite wichtiger als die dekorative, nämlich indem sie Dir wirklich ein Beistand sein kann.
Die Nachrichten über Marshall Field klingen ja so übel nicht; da er bei der Forderung von 25000 Dollars nicht den Kopf verloren, sondern ruhig erklärt hat, einen Teil davon könne er zahlen, so ist doch wohl damit zu rechnen, daß er wenigstens den fünften Teil aufbringt, und wenn dann Ascoli weitere 5000 Dollars beisteuert, so wäre ja unser Schmerzenskind auf eine Weile wieder am Leben erhalten. Schließlich muß man sich ja sagen, daß es unter den heutigen Umständen schon ganz ehrenwert sein wird, wenn ein Jahrgang der Zeitschrift vollendet werden kann. Eine Katastrophe wäre ja eigentlich nur der Zusammenbruch mitten auf dem Wege vom Start zum Jahresschluß gewesen.

Die Antwort, die ich auf meinen zärtlichen Brief vom Baumwollkönig erhalten habe, unterscheidet sich nicht sehr von den übrigen showerbaths, die ich mir sonst erschrieben habe. Ich lege sie bei, damit Du selbst ihm bestätigst, daß wir alle seine Haltung bereitwillig würdigen und es sehr begrüßen, wenn er einen 100 Dollar share erwirbt.
Uns zwacken viele Sorgen. Da ist unsere Eri, Du weißt ja. Es ist wohl sicher, daß sie nach England geht. Wer will sie hindern? Sie will es zwar von unserer Zustimmung abhängig machen, aber was heißt da Zustimmung? Sie muß ihren Weg gehen, und die Verantwortung für ihren Seelenzustand, wenn wir sie daran hindern, können wir auch nicht übernehmen. Selbstverständlich wird es eine angstvolle Zeit, und man kann nur hoffen, daß ihr Vertrauen in ihren Stern sich als gerechtfertigt erweist.
Golo wird wohl nächstens auf einige Wochen kommen, das ist nett. Leider wird es wohl Herbst werden, bis *wir* uns im Osten wiedersehen. Oder gibt es am Ende doch eine Ruhepause im Kampf, und Du kannst eine Weile zu uns stoßen?
Gute väterliche und mütterliche Wünsche, daß Du glücklich und höchstens mit einem blauen Auge davon kommst.

Dein Z.

An Agnes E. Meyer Pacific Palisades, Cal.
11. VI. 1941

Liebe Mrs. Agnes,
danke für die Zeitungsblätter! Ihr großartiger Aufsatz nimmt sich in der »Post« noch besser, viel geschlossener, aus, als in der Times, und der Artikel des Hindu-Gentleman, oder Gentleman-Hindu, in der Tribune hat mir wirklich Spaß gemacht. Daß dieser Sachkenner mein *sehr* improvisiertes Indien im Wesentlichen anerkennt, muß mich freuen, und daß er mir den Kamadamane nicht übel genommen hat, spricht für seinen Humor.
Gut und dem Verkaufe nützlich war auch »Time«, und überhaupt könnte man von einer guten Presse reden, wenn nicht der einflußreiche Fadiman im »New Yorker« völlig versagt und sich äußerst geringschätzig geäußert hätte. Das ist sehr schade. Hätte er's nur im Original lesen können, er wäre, glaube ich, zu einem anderen Urteil gelangt. Aber schon »Lotte« ließ ihn kalt, – mit deren Helden

er die eingestandene Abneigung gegen das Indische gemein hat, wenn auch sonst nicht viel. –
Nun zu etwas »Ernstem« und sozusagen Geschäftlichem. Es ist eine Bitte – nicht für mich. Sie sagten mir einmal, wenn ich Geld für Emigranten-Hilfe brauchte, sollte ich mich an Sie wenden, man könne keinen besseren Gebrauch von vorhandenen Mitteln machen. Ich habe mich nicht beeilt, Sie beim guten Worte zu nehmen, aber der Augenblick, es – in gemessenen Grenzen – zu tun, scheint mir wirklich gekommen. Die Geldmittel des »Emergency Rescue Committee« sind so gut wie erschöpft. Wiederholt habe ich in die eigene Tasche gegriffen, kann das aber heute vernünftigerweise nicht mehr tun, obgleich ich weiß, daß die Gedanken in Frankreich, in der Schweiz, in Amsterdam, in Lissabon immer um mich kreisen und jedem der Bedrängten dort mein Name immer zuerst einfällt, – Gott weiß, warum. Aber eine große Erleichterung wäre es mir, einen kleinen Fonds zur Verfügung zu haben, aus dem ich in wirklich dringlichen Fällen schöpfen könnte, wie ihrer gerade jetzt wieder ein paar vorliegen. Gern möchte ich dem Verleger Oprecht in Zürich (er hat tapferer Weise gerade ein gutes Buch über General Wavell herausgebracht) einige hundert Dollars schicken für seine Hilfeleistungen an Darbende in der Schweiz. Ferner ist da in Holland der ehemalige Direktor des verdienstvollen Querido-Verlags, Landauer, der sich vor den eindringenden Nazis durch einen Sprung aus dem Fenster gerettet hat und sich seitdem, immer in Todesgefahr, irgendwo versteckt hält – mit 3½ Hundert Dollars wäre er wohl nach Amerika zu schaffen, und ich wäre froh, sie auswerfen zu können. Der dritte mir am Herzen liegende Fall ist der bekannte Dramatiker Georg Kaiser, in seiner Art ein genialer Kerl – er sitzt in der Schweiz, deren Luft dicker und dicker wird, und seufzt nach der Möglichkeit, herüberzukommen, ist auch im Besitz der notwendigen Papiere, nur eben das Reisegeld fehlt. – Kurz, wollen Sie mir 1000 Dollars zur persönlichen Verfügung bewilligen, über deren Verwendung ich Ihnen gern Punkt für Punkt Rechenschaft ablegen würde? Sie würden mir damit einige Bewegungsfreiheit verschaffen und mir die Möglichkeit gewähren, wenigstens einige in mich gesetzte Hoffnungen nicht zu enttäuschen.
Für heute nichts weiter. Dies sonderbare ozeanische Wüstenklima hier ermüdet mich noch oft, stärkt aber dabei den Appetit, was eine etwas lächerliche Combination ist. Ihr Thomas Mann

An Agnes E. Meyer

Pacific Palisades, Cal.
den 18. VI. 41

Liebe Freundin,
haben Sie Dank für die schlichte Großartigkeit, mit der Sie ohne Säumen meinen Wunsch erfüllten! Es kann mit diesem Geld manches Gute getan und der Bosheit der Zeit etwas entgegengewirkt werden.
Ich habe mich herzlich über die Briefe gefreut, die man Ihnen über Ihre review geschrieben hat, um so mehr, als Sie selbst sich Skrupel darüber machen. Zwar ehrt Sie das, aber gerade solche dankbaren Rückäußerungen von ganz Unbeteiligten sollten Sie doch aller Unruhe über den Wert Ihrer Arbeit überheben. Übrigens verstehe ich auch wieder nur zu gut Ihre Nervosität über ein gewisses Unverhältnis zwischen dem kritischen Präparat und so einem tückischen Lebewesen, wie gerade die V.K. eines sind, das schillert und oszilliert und nie einen bestimmten Sinn hergibt und einem aus der Hand schlüpft, wenn man es greifen will. Wie soll man darüber schreiben? Ich könnte es nicht. Sie aber haben es mit Würde und Liebe zur Bewunderung vieler geleistet.
Ja, Tonio, Hans und Inge sind nun im Flammengrabe vereinigt. Friede ihrer Asche! Sie hätten ja lächelnd ein Kreuz über sie machen können in Ihrer Kritik, aber dieser fehlt nichts dadurch, daß Sie es unterließen.
Mir ist recht weh ums Herz, denn gestern hat Erika uns verlassen und wird, wenn nicht noch im letzten Augenblick etwas dazwischen kommt, z.B. der Krieg, am 26. wieder mit dem Clipper nach London gehen – über Lissabon, wo es eher noch weniger geheuer ist. Der Abschied ist ihr so schwer geworden wie uns, das war ihr anzumerken. Sie weiß ja auch, daß ihr Verlust so ungefähr das Schlimmste wäre, was uns treffen könnte, besonders mich, der ich heiterer und glücklicher bin, sobald dies belebende Kind in der Nähe ist. Aber ihr Pflichtgefühl, ihr Aktivitätsdrang, ihre Kämpferehre waren stärker, und ich kann nicht umhin, sie hoch dafür zu achten. Das Propaganda-Ministry hatte sie gerufen, es setzt Vertrauen in sie, und [...] sie fürchtete sich mehr davor, feige zu erscheinen, als davor, uns Kummer und Sorge zu machen, obgleich ihre Tränen zeigten, daß ihr die Wahl furchtbar schwer wurde. Der Himmel schütze das liebe, tapfere Kind! Sie hat übrigens versprochen, dem Schicksal keinen zu weiten zeitlichen Spielraum zu geben.

Was *Sie* versprechen müssen, ist, nicht etwa eine Démarche bei ihr zu unternehmen aus Sorge um mich!
Recht herzliche Grüße! Mount Kisco wird Sie rasch von den Schäden des Winters heilen.

Ihr T. M.

An Beata E. Bonnier

Pacific Palisades, California
740 Amalfi Drive
12. Juli 1941

Liebe, verehrte Frau Bonnier,
Spät, sehr spät haben wir die bewegende Nachricht von dem Hinscheiden Ihres verehrten Gatten empfangen, wahrscheinlich waren wir in unserem entlegenen Weltwinkel hier die letzten, die sie erhielten. Der Chor der teilnehmenden Stimmen, den Sie gewiß vernommen haben, ist jetzt schon verstummt, aber wir bitten Sie, auch unsere herzliche Anteilnahme an diesem Verlust entgegenzunehmen, der Ihr Verlust ist und der Ihrer großen Familie und der Verlust der ganzen gebildeten Welt.
Wir haben, meine Frau und ich, dem alten Herrn Bonnier seit dem ersten Tage unserer Bekanntschaft immer unsere ganze Sympathie und Hochachtung entgegengebracht. Wir kannten seine gewaltige kulturelle Leistung, empfanden von Herzen seine menschliche Güte und Liebenswürdigkeit, und ich persönlich fühlte mich ihm noch dankbar verpflichtet, da er mein Lebenswerk Stück für Stück dem schwedischen Publikum vermittelte. Wir werden die Stunden, die wir in Ihrem Hause unter den Augen Ihres lieben Mannes bei wiederholten Besuchen verbringen durften, niemals vergessen. Schließlich war es unser letztes europäisches Erlebnis, das Zusammensein mit Ihnen bei dem Dinner mit Bermanns und dem Prinzen Wilhelm, wo Ihr Gatte noch seine kluge und anmutige Rede hielt. Seitdem ist viel Furchtbares geschehen, vieles, was uns alle bis in den Grund entmutigen könnte, und doch darf es das nicht. Denn zuletzt müssen wir uns die Zuversicht bewahren, daß die Menschheit den endgültigen Triumph des Bösen nicht annehmen kann und wird.
Bei aller Dankbarkeit gegen dies Land, das sich uns freundlich erweist, gehen unsere Gedanken natürlich beständig nicht ohne Heimweh zurück zum alten Kontinent, und so lassen Sie uns hoffen, daß uns ein Wiedersehen auch mit Ihnen auf seinem Boden noch aufgespart ist!

Mit vielen herzlichen Grüßen an Sie und die Ihren von meiner Frau und mir
Ihr aufrichtig ergebener Thomas Mann

An Agnes E. Meyer

Pacific Palisades, California
740 Amalfi Drive
16. Juli 41

Liebe Freundin,
»annoying« wird mit a geschrieben, nicht mit e, wie es in meinem letzten Brief vorkam. Die Sache geht mir nach, denn ich war so überrascht als ich den Fehler feststellte. Ich war so fest überzeugt, daß es dasselbe Wort sei wie ennui – und wie kommt also da das a an den Anfang? Solche Dinge können mich sehr beschäftigen. Neulich fiel mir ein, daß das englische Wort »schedule« unser »Zettel« ist. Das wird recht klar durch die ältere Form »Schedel« für »Zettel«, die noch im »Faust« in der Papiergeld-Szene erscheint.
Wie geht es Ihnen? Haben Sie sich erholt? Ich war einige Wochen unter dem Einfluß von Blutveränderungen durch das Klima sehr reduziert und herabgestimmt, was sich besonders schlecht traf, da ich im »Joseph« gerade beim Schwierigsten war. Das gab natürlich, was man einen circulus vitiosus nennt. Nun hat der Arzt etwas zur Erhöhung meines Blutdruckes und Beschleunigung meines Pulses getan, und ich fühle mich hochgemuter. So sind wir armen Wesen abhängig von kleinen Veränderungen in unserer Körper-Chemie. Ändern Sie die Funktion von ein paar Drüsen in einem Menschen, die »innere Sekretion«, und Sie stellen seine ganze Persönlichkeit auf den Kopf. Es hat etwas Beschämendes und Empörendes.
Wissen Sie, daß »Chemie« von dem alten Namen Ägyptens kommt, den ich so oft gebrauche: Keme, das Schwarze, die schwarze Fruchterde? Der alttestamentliche Name »Cham« (Urvater der Neger) hängt damit zusammen. – Wir leben, wenigstens sprachlich, dem Urtümlichen doch oft sehr nahe. Und auch sonst! wie man gerade heute wohl sagen kann.
Auf dem Bauplatz sind etliche Citronenbäumchen gefällt, und in Form von Lattenwerk zeichnet sich am Boden der Grundriß des Häuschens ab. So sah ich bei meinem gestrigen Besuch den Raum meines zukünftigen Studios, wo meine Bücher und mein Münchener Schreibtisch stehen werden, und wo ich voraussichtlich den »Joseph« zu Ende schreiben werde. Sonderbar!

Die Kapitel-Serie des großen Gesprächs zwischen J. und Pharao, das zu J.'s Erhöhung führt, hat sich jetzt geklärt und geht dem Abschluß entgegen. Die Szene war sehr schwer zu arrangieren, und so gut, wie ich gedacht hatte, ist sie nicht geworden, aber vielleicht immer noch gut genug. Wenn sie abgeschrieben ist, schicke ich sie Ihnen.
Golo ist heute morgen angekommen, sehr willkommen. Wenn es nur gelänge, ihm den bescheidensten College-Posten zu verschaffen! Vielleicht hilft ihm sein Buch über Friedr. Gentz, das die Princeton University Press herausbringen zu wollen scheint.
Von Erika hatten wir wiederholt Nachricht aus London. Sie ist »glücklich, dort zu sein«. Wir sind froh, daß Vive l'empereur gerade anderweitig beschäftigt ist – und zwar garnicht angenehm, wie es scheint.

Ihr T. M.

An Helmut Hirsch

Pacific Palisades, California
17. VII. 41

Sehr geehrter Herr Hirsch,
Brief und Manuskript habe ich erhalten. Ich bin Ihnen dankbar für Ihr Vertrauen und wollte, ich könnte Ihnen irgend eine Hoffnung auf eine Publikation dieser aus bitterem Erleben geborenen Gedichte machen, deren gute Laune man bewundern muß. Ich sehe aber nicht die geringste Möglichkeit dazu, und ich meine, Sie brauchten sich nur umzusehen, um mir recht zu geben. Solche Erzeugnisse müssen heute auf ihre Stunde warten, die vielleicht schneller kommen wird, als wir denken. Jedenfalls wollen wir nicht daran verzweifeln, daß sie kommt.
Seien Sie beglückwünscht zu Ihrem Entkommen! Freundlicher, als das unselige Europa, wird dieses Land sich auch Ihnen doch wohl erweisen.
Ihr sehr ergebener

Thomas Mann

An Agnes E. Meyer

Pacific Palisades, California
740 Amalfi Drive
26. VII. 41

Liebe Freundin,
das sind ja große Nachrichten! Ich hoffe dringend, daß das junge Volk Ihnen in Wyoming nicht zu sehr zusetzen und Ihnen ein biß-

chen Ruhe und Erholung gönnen wird, damit Sie sich im August frisch genug fühlen, Florence hierher zu begleiten. Ich nehme es als sicher an und wäre noch enttäuschter als Hitler von den Russen, wenn nichts aus dem Besuch würde. Das Leben einer Frau wie Sie hat wirklich etwas Tragisches. Da ist Washington, die erschöpfende große Welt – Sie flüchten nach Mount Kisco, aber das Sommer-Schloß-Leben dort ist beinahe eben so anstrengend, – Sie ziehen sich auf die Ranch zurück, aber da tobt die liebe Jugend und läßt Sie wieder nicht zu Atem kommen. Sie können mit König Philipp sagen: »Ruhe find' ich im Escorial!« – Vielleicht finden Sie sie *hier* besser, als auf all Ihren viel zu gastlichen Besitzungen. Joseph wird Urlaub bekommen für die Tage Ihres Hierseins und soll sehen, wie er sich ohne mich beschäftigt. Alt genug ist er dazu, schon 30 Jahre. Ich bereite augenblicklich vieles Kommende vor, eigentlich die ganze zweite Hälfte des Buches. Habe aus einem englischen Thora-Commentary noch manches aufgepickt. Es kann nicht fehlen, daß es zu hoch-dramatischen, rührenden und ergreifenden Szenen kommen wird, die dabei erheiternd sein werden. Es soll der Sieg verschlagener Güte sein über eine Zeit stupider Menschenschinderei, die mit alberner Selbstgefälligkeit ihre geschichtliche Größe im Spiegel bewundert.
Sie haben mich neugierig gemacht auf Hawthorne. Ich sollte ihn lesen, zweifle nur ob diese Bürgerlichkeit mit schlechtem Gewissen, oder dies Künstlertum mit schlechtem Gewissen vor den bürgerlichen Vätern, mir heute noch etwas zu sagen hat. Das sind ausgetretene Schuhe, und ganz fälschlich reden Sie mich »Herr Tonio Kröger« an, – obgleich ich auch wieder das Autortum an dem Buch nicht missen und verleugnen möchte. Schließlich ist es mein »Werther« – wenn auch unwahrscheinlich ist, daß Napoléon den T. K sieben mal gelesen hätte. – Aber es hatte gewiß viel innere Logik daß Sie auf Hawthorne kamen, und er wird Ihnen behilflich sein gewisse Motive meiner Jugend den Amerikanern in literarisch vertrautem Licht erscheinen zu lassen.
Gestern Abend hatten wir eine Privat-Aufführung des neuen Dieterle-Films »Daniel Webster and the Devil« – nach einer Novelle desselben vortrefflichen Mannes, der in der Tribune den hübschen biographischen Aufsatz über mich hatte. Ein ausgezeichnetes picture, – amerikanisiertes Märchen, patriotisch-phantastisch und glänzend gespielt. Von Max Reinhardt bis zu Krishnamurti war alles dabei.

Nun denn, ich fange schon an, auf Wiedersehen zu sagen! Enttäuschen Sie uns nicht! In vier Wochen wird das Bild von Seven Palms House sich schon ungefähr abzeichnen, wenn auch nur skelettartig.

Ihr Thomas Mann

An Albert Einstein

Pacific Palisades, California
740 Amalfi Drive
4. August 1941

Lieber, verehrter Professor Einstein,
ich möchte Sie folgendes fragen: wollen Sie nicht mit mir zusammen für den Schriftsteller Wilhelm Herzog, der Ihnen dem Namen nach bekannt sein wird (er gab die Zeitschrift ›Forum‹ heraus und hat ein gutes Buch über die Dreyfus-Affaire geschrieben), ein gutes Wort einlegen beim State Department, damit sein visum erneuert wird, das abgelaufen ist und auf dessen Wiedergültigmachung er seit vielen Wochen in Trinidad wartet.
Sein Schicksal war, daß er unterwegs nach New York war, wohlversehen mit allen Papieren und Ausweisen, als das Schiff ›Winnipeg‹, auf dem er reiste, von den Engländern gekapert und nach Trinidad verbracht wurde. Dort ist dann sein visum abgelaufen, und die, wie Sie wissen, grausam verschärften Immigrations-Bestimmungen von Washington stehen nun der Erneuerung seines visums durch den Konsul in Trinidad im Wege. Er hat ein Recht zu sagen, es sei doch hart, daß einem Schriftsteller, der Zeit seines Lebens das Hitler-Gangstertum so leidenschaftlich bekämpft hat wie er, durch das summarische Schema der neuen Einwanderungs-Bedingungen der Eintritt in die USA verweigert wird.
Der Konsul in Trinidad nun aber hat ihm versichert, daß, wenn Sie und ich für seine politische und moralische Integrität beim State Department garantierten, dieses ohne Zweifel den Konsul zur Erneuerung des visums autorisieren würde. Mir würde es schwer, den Versuch abzulehnen und den Mann in Trinidad sitzen zu lassen.
Bitte schließen Sie sich doch an und unterzeichnen Sie mit mir das anliegende Gutachten.
Recht herzliche Grüße, wir hoffen, Sie im Herbst zu sehen.
Ihr sehr ergebener

Thomas Mann

An Helmut Hirsch

Pacific Palisades, California
740 Amalfi Drive
6. August 1941

Lieber Herr Hirsch,
Ihren Brief vom 29. Juli habe ich erhalten. Leider kann ich Ihnen die gewünschte Empfehlung an den International Student Service nicht geben, da Sie mir persönlich nicht bekannt sind, und ich daher eine so weitgehende Erklärung wie die vom Student Service geforderte nicht verantworten kann.
Hoffentlich werden Sie die notwendigen Empfehlungen von anderer Seite erhalten.
Mit besten Grüßen
Ihr sehr ergebener

Thomas Mann

An Graf Carlo Sforza

Pacific Palisades, California
740 Amalfi Drive
13 août 1941

Mon cher Comte,
C'est avec un plaisir intense que j'ai lu votre livre sur l'Italie et les Italiens. Je vous remercie sincèrement de me l'avoir envoyé et encore avec une si flatteuse dédication. On ne saurait traîter avec plus d'esprit, de compréhension, d'élégance et d'autorité un sujet sur lequel le monde ne pourra jamais être assez éclairé – et qu'il est tellement curieux de connaître.
Vous êtes heureux! Vous pouvez déclarer que, pour votre pays, le fascisme est quelquechose d'étranger et contre nature. Ce serait difficile de prouver que le national-socialisme joue le même rôle en Allemagne. Vos pages sur Luther sont profondes et justes. Encore dernièrement moi aussi j'ai exprimé dans un essai que »The good old Germany of culture and learning« était plus ou moins une fiction américaine, et que l'on ne saurait dire jusqu'à quel point il faudrait remonter le courant de l'histoire allemande pour ne pas déjà découvrir l'esprit qui, arrivé aujourd'hui au dernier degré d'avilissement, menace de barbariser et d'asservir le monde. Au moins jusqu'au moyen âge; car Luther, disais-je précisément comme vous, avait déjà des traits décidément nazistes. Et quelles horreurs ne se trouvent pas chez Fichte! Quelles menaces dans la musique et encore plus dans les écrits de Wagner! Quel mélange de clarté et de ténèbres chez Schopenhauer et chez Nietzsche!

Votre conviction que »la longue formation historique des Italiens leur permettra de se trouver prêts pour le cadre plus large que l'avenir créera pour tous les peuples de l'Europe« est beaucoup mieux fondée que les espérances analogues que notre pays et notre peuple peuvent nous inspirer. Et pourtant il est peut-être permis de croire que l'Allemagne de Dürer, de Bach, de Kant et de Goethe, l'Allemagne qui a crée l'»Iphigénie«, le »Fidelio« et la Neuvième Symphonie a un souffle historique qui ira plus loin que celui du nazisme et du racisme. Après tout l'on pourrait même dire que le peuple des Allemands, essentiellement non-politiques comme ils sont, est d'une certaine façon prédestiné pour le monde unifié et dépolitisé qui doit se former après l'abolition des autonomies nationales et que, dans une pareille situation, il aurait l'occasion de déployer ses meilleures qualités.
Avec l'expression de mes sentiments les plus cordiaux

Thomas Mann

An Emil Oprecht Pacific Palisades, California
18. VIII. 41

Lieber Doktor Oprecht:
Wir haben lange direkt nichts von einander gehört, und mir ist zumute, alsob ich Ihnen wieder einmal einen Gruß senden sollte. Die Korrespondenz Ihrer lieben Frau mit Golo freilich bleibt uns nicht verschlossen, er hat uns die wichtigsten Passagen aus ihrem letzten Brief vorgelesen, und wir haben sehr teil daran genommen. Denn unsere Gedanken gehen ja doch immer in unverbrüchlicher Anhänglichkeit zu Ihrem Lande und den guten Freunden dort zurück, und oft fragen wir uns, ob und wann wohl oder ob überhaupt noch in diesem Leben es ein Wiedersehen mit Land und Leuten dort drüben geben wird. [...]
Einiges von Ihnen hören wir auch mit einer gewissen Regelmäßigkeit von der alten Mutter meiner Frau, die sich immer dankbar über Ihre anteilnehmende Freundschaft und die Stütze äußert, die diese Freundschaft ihr in den ersten schmerzlichen Tagen bedeutet hat und fortfährt zu bedeuten.
Erzählen möchte ich Ihnen, daß ich vor einigen Wochen Ihretwegen an Harold Nicolson geschrieben und ihn aufmerksam gemacht habe, es sei doch wirklich nicht übertrieben und nicht verschwendet, wenn sein Ministerium sich ein wenig um ein Verlagshaus

kümmere, das sich durch so manche mutige Publikation in dieser Zeit verdient mache. Er ist sehr freundlich auf meine Anregung eingegangen und versicherte mir, daß er sich ohnedies schon früher Ihretwegen mit der Gesandtschaft in Bern in Verbindung gesetzt habe. Ob nun irgend etwas Praktisches bei diesem Wohlwollen und meiner Anfeuerung desselben herausgekommen ist, weiß ich nicht; möchte es so sein. Jedenfalls wollte ich Sie wissen lassen, daß Sie bei etwaigen Wünschen in London auf freundliches Entgegenkommen rechnen können.
Was mag uns die Zukunft, die nächste und die fernere, bringen? Dieses Land ist jetzt erfüllt von dem ozeanischen meeting und mit Recht. Es war schon ein denkwürdiges Ereignis, und die ausdrückliche Entente mit dem Osten wird zweifellos große historische Folgen haben. Schließlich sollte man denken, daß die drei Weltmächte im Verein des Übels auf die Dauer Herr werden sollten. Freilich haben die angelsächsischen Führer selbst unumwunden zugegeben, daß es noch ein harter und weiter Weg bis zum Sieg ist, aber relativ ist auch das zu verstehen bei dem heutigen Tempo der Geschichte. Man kann nur hoffen, daß es auf dem unglücklichen europäischen Kontinent nicht gar zu fürchterlich zugehen möge zu dem Zeitpunkt, den wir ersehnen.
Mit viel Dankbarkeit nehme ich immer die Publikationen Ihres Hauses auf, die Sie mir senden. Besonders interessant war mir das Buch von General Wavell und sein Beitrag darin über das Wesen militärischer Führung. Und das Buch über Kafka. Sie werden mir glauben, daß es mir um »Maß und Wert« noch immer leid ist. Wie gern hätte ich die Zeitschrift, an der mein Herz wirklich hing, fortleben gesehen, aber ich sah keine Möglichkeit dazu. Die redaktionellen Schwierigkeiten, die finanziellen und die der Distribution schienen mir unüberwindlich. Aber wer weiß, ob nicht der Augenblick der Auferstehung auch für dieses Blatt einmal kommt. Der Titel, der schon bei der Gründung gut gewählt war, wird vielleicht noch viel zeitgemäßer sein in der Ära des moralischen und materiellen Wiederaufbaus, die kommen muß.
Grüßen Sie Ihre liebe Frau recht herzlich von uns beiden und alle anderen guten Freunde in Zürich!

Ihr Thomas Mann

An Bruno Walter

Pacific Palisades, California
740 Amalfi Drive
30. VIII. 41

Lieber Bruno Walter,
gestern mußte ich doch wieder auf den Genuß all der Herrlichkeiten (Herrlichkeiten an und für sich und Herrlichkeiten durch Sie) verzichten, die Sie zu bieten hatten – ich tat es schweren Herzens. Es ist recht demütigend, das Gegenteil von dem beschließen zu müssen, was man eigentlich tun möchte, aber Sie wissen, es kommt vor. Ich war und bin nicht recht wohl, müde, mürbe, hatte mich gesellschaftlich übernommen – wozu bei mir nicht viel gehört; aber kombiniert mit viel Arbeit und Extra-Arbeit war es in letzter Zeit der Gastereien in und außer dem Hause und des Spät zu Bett kommens wirklich etwas zu viel, und es tritt dann der Zustand ein, wo ein Unternehmen wie die Bowl-Fahrt mit ihrem Wagen- und Menschengedränge mir einfach zum Schrecken und Graus wird. Gefühle der Selbstzufriedenheit sind es nicht gerade, mit denen ich das aussage. Aber man muß fürlieb nehmen mit sich, wie man ist, resp. wie die Jährchen einen zugerichtet haben.
Kurzum, ich war nicht dabei gestern, wie Sie wohl gehört haben, obgleich ich so gern zusammen mit dem jungen Enthusiasten in der Loge hinter uns »Bra-*vao*!« gerufen hätte. Wir sind schon so nett auf einander eingespielt. Statt dessen habe ich den Abend mit einem – übrigens mäßigen – Buch in meiner Sofa-Ecke verbracht. Ich weiß, was ich versäumt habe. Aber meine Bewunderung für Ihre Meisterschaft, lieber Freund, hätte auch dieser Abend nicht steigern können.

Ihr T. M.

An Siegfried Marck

Pacific Palisades, California
740 Amalfi Drive
19. September 1941

Lieber Herr Professor Marck,
haben Sie recht vielen Dank für Ihr ernstes und ausführliches Eingehen auf den Deutschland-Artikel, der zuerst auf Englisch unter dem Titel »Germany's Guilt and Mission« in meines Sohnes ›Decision‹ erschien. Ihre Äußerungen erinnern mich nun freilich etwas an den Vorwurf, den man mir während der letzten zehn Jahre in Deutschland machte, nämlich daß ich offenbar gänzlich zur Partei

des Herrn Settembrini übergegangen sei. Das bin ich nicht. Ich habe entschiedenen Sinn für seine Komik, wenn ich sie auch dem boshaften Dunkelmännertum seiner Gegenfigur vorziehe. Vor allem aber bin ich ein Mann des Gleichgewichts, der im schieflaufenden Boot sich instinktiv auf die hochliegende Bank setzt. Sie dürfen nicht vergessen, daß meine politischen Exkurse nicht, wie Ihre Schriften, unter dem Gesichtspunkt absoluter Philosophie verfaßt sind, sondern daß sie eine Art von höherer Propaganda darstellen und einen polemisch-pädagogischen Charakter haben.
Wir haben von deutscher Tiefe vorläufig genug. Diese Tiefe, die der deutsche Geist dem westlichen Pragmatismus, Rationalismus, Eudämonismus als sein Eigen entgegenstellte, ist im Lauf einer tragisch-elenden Entwicklung so verschmutzt, verdorben und jedes Zusammenhangs mit dem Gedanken der Humanität beraubt worden, daß Deutschland heute dank dieser Tiefe als Feind der Menschheit dasteht – es traut seinen eigenen Augen nicht. Goethe hat einmal gesagt, es müßte den Deutschen für fünfzig Jahre verboten werden, das Wort ›Gemüt‹ auszusprechen. Für fünfzig Jahre, meine ich, sollte es den Deutschen verboten sein, von Tiefe zu reden. Bevor sie wieder das Recht haben werden tief zu sein, müssen sie etwas anderes erwerben, was ihnen unter der Hand völlig abhanden gekommen ist, nämlich decency, Anständigkeit. Erst dann wird auch der deutsche Dichter und Schriftsteller wieder das Recht haben, deutsche Tiefe in Schutz zu nehmen gegen westlichen Rationalismus. Ich habe das einmal getan und kann nur sagen, daß ich ungeduldig bin, es wieder zu tun. Lassen Sie nur erst die Herrschaft angelsächsischer Anständigkeit auf dem europäischen Kontinent errichtet sein und Sie sollen sehen, wie ich mich auf die ›Betrachtungen eines Unpolitischen‹ besinnen werde!
Nochmals vielen Dank und herzliche Grüße,
Ihr sehr ergebener

Thomas Mann

An Hermann Broch

Pacific Palisades, California
740 Amalfi Drive
24. September 1941

Lieber Herr Broch,
vor allem gratuliere ich im Voraus herzlich zum Eintreffen Ihres Sohnes. Möge das Schiff nicht lange säumen und mögen doch auch

schließlich Ihre Wünsche die Mutter betreffend sich erfüllen. Für Musil habe ich schon manches zu erwirken versucht. Daß ein Rokkefeller-Professor nun für ihn arbeitet, freut mich und scheint mir aussichtsreich. Anbei ein paar Zeilen, die meiner Überzeugtheit von Musils Bedeutung Ausdruck geben. Wir sind wahrscheinlich am 8. November in New York und bleiben einige Tage.
Mit den besten Grüßen
Ihr sehr ergebener Thomas Mann

An Oskar Maria Graf

Pacific Palisades, California
740 Amalfi Drive
1. x. 41

Lieber Herr Graf,
natürlich sollen Sie mich der Foundation nennen, und wie schon einmal will ich gern mein Bestes tun, den Leuten Ihre Existenz begreiflich zu machen und Ihre Verdienste und Verheißungen vor ihnen herauszustreichen.
Es bekümmert mich sehr, zu hören, daß Sie krank und in Ihrer Produktivität behindert waren. Bisher war ich auf Ihren Tolstoi am neugierigsten; aber was Sie mir über den Gegenstand Ihres Romans, seine Absichten und Hintergründe und die Beobachtungen sagen, die Sie mit den jungen anti-hitlerischen Nationalisten in Deutschland angestellt haben, läßt mich fast wünschen, Sie möchten dieser Arbeit durchaus den Vorzug geben. Wie sollte ich nicht versuchen, Ihnen das Stipendium zu verschaffen, das Ihnen die notwendige Lebenssicherheit dazu geben würde. Zwar werde ich möglicherweise auch für meinen alten Bruder den SOS-Ruf ergehen lassen müssen, denn wenn sein Kontrakt bei Warner brothers nicht erneuert wird, was fast wahrscheinlich ist, da er natürlich nicht sehr nützlich war, so sitzt er auf der Straße, – was denn doch auch nicht angeht.
Es dauert einfach zu lange. Was soll aus all den deutschen Schriftstellern hier in meiner Nähe werden, wenn ihre Not-Verträge mit den Film-Gesellschaften ablaufen: Neumann, Speyer, Polgar etc., selbst Döblin? Was z.B. aus der alten Annette Kolb in New York, die viel besser in der Schweiz geblieben wäre? Für die wunderlichen Reize ihrer Bücher hat hier niemand Sinn, und man kann das niemandem übelnehmen. Aber mir graut vor dem Zugrundegehen,

das wir mit anzusehen haben werden, wenn Hitler es noch zwei, drei Jahre treibt – was nicht ausgeschlossen ist. Den Gedanken an die Möglichkeit seines Sieges lasse ich überhaupt nicht zu. Dann wäre alles aus. Andererseits ist wohl kein Zweifel, daß der Sieg unserer Sache, d.h. Englands, unser aller Stellung in der Welt entscheidend bessern und erhöhen würde, und ich glaube, daß ein befreites Deutschland unsere Bücher einsaugen würde, wie der luftleere Raum die einpfeifende Luft. Wohl jedem, der imstande ist, es abzuwarten!
Ich vertraue, daß Sie durchhalten werden, lieber Herr Graf. Pläne, wie Sie sie hegen, sind schon an und für sich ein starkes Stimulans zum Leben und Ausdauern, und wenn es darauf ankommt, unser »Wirtsvolk« hier von der dringlichen Wünschbarkeit ihrer Ausführung zu überzeugen, so soll es an mir gewiß nicht fehlen.
Bestens

Ihr Thomas Mann

An Louis B. Mayer

Pacific Palisades, California
740 Amalfi Drive
[Oktober 1941]

Dear Mr. Mayer:
Es ist nicht meine Gewohnheit, mich in Angelegenheiten einzumischen, die mich nicht unmittelbar angehen; dennoch möchte ich mir die Freiheit nehmen, Ihnen eine Sache, die mir am Herzen liegt, und mir, wie vielen anderen wohlwollenden Leuten Sorge macht, vertrauensvoll vorzutragen.
Es war eines der schönsten und verdienstlichsten Vorkommnisse während der letzten turbulenten und so viel Leben und Glück zerstörenden Jahre, ein Vorkommnis, das gewiß niemals vergessen werden wird, wenn man die phantastische Geschichte der Auswanderung der europäischen Kultur erzählt, daß zwei große Filmgesellschaften in Hollywood sich entschlossen, einer Reihe von deutschen und österreichischen Schriftstellern Notverträge zu geben, die diese Männer nicht nur in den Stand setzten, in die Vereinigten Staaten einzuwandern, sondern ihnen auch, wenigstens für eine gewisse Frist, die Grundlage ihrer Existenz sicherten. Der Übersichtlichkeit wegen setze ich Ihnen hier die Namen der fünf Autoren auf, deren sich M.G.M. in so generöser Weise angenommen hat, und füge die Anfangs- und Enddaten ihrer Verträge hinzu.

Alfred Döblin 8. Oktober 1940–7. Oktober 1941
Alfred Polgar 24. Oktober 1940–23. Oktober 1941
Hans Lustig 10. Dezember 1940–9. Dezember 1941
Wilhelm Speyer 10. März 1940–9. März 1942
Walter Mehring 5. April 1941–4. April 1942

Vielleicht darf man sagen, daß der Vorteil des Abkommens zwischen M.G.M. und diesen Schriftstellern nicht ganz allein auf Seiten der Letzteren war. Tatsächlich kann man nicht nur von einem gewissen ideologischen Gewinn sprechen, den die Firma dadurch hatte, daß sie diese angesehenen europäischen Namen mit dem ihren verband, sondern auch rein praktisch ist zum Mindesten in mehreren Fällen ein entschiedener Nutzen für die Studios der M.G.M. zu buchen. Man versichert mir, daß zum Beispiel Hans Lustig sich als ein wirklich wertvoller writer erwiesen hat, und ich weiß, daß Gottfried Reinhardt und Sam Berman Alfred Polgar sehr warm empfehlen und zwar auf Grund seiner besonderen dialogischen Begabung, die er speziell bei der Mitarbeit am letzten Garbo-Film bewährte.
Was Döblin betrifft, so hat er soeben eine story eingereicht, die bei Mr. Keneth McKenna großes Gefallen gefunden hat. Es ist Döblin ein American »Junior« Writer zur Seite gegeben worden, um seine story zu entwickeln. Auch in diesem Fall also hat sich bereits der Wert des Engagements für die Firma erwiesen.
Ich erwähne diese Dinge, die Sie wahrscheinlich so gut wissen wie ich, nur, um dem Vorwurf zuvorzukommen, der der Firma gemacht werden könnte, wenn Sie den Kontrakt mit den Refugee-Schriftstellern erneuerte: daß nämlich fruchtloses Geld nur zu humanitären Zwecken ausgegeben werde. Und damit habe ich den Wunsch und die Bitte ausgesprochen, die mich und nicht nur mich allein bewegen. Die Zukunft dieser Männer, die in Europa sich durch ihre Schriften Ansehen und Lebensunterhalt erworben haben, macht uns Sorge, und meine, unsere Bitte an Sie, dear Mr. Mayer, geht dahin, Sie möchten das ausschlaggebende Gewicht Ihres Einflusses in die Wagschale werfen, um ein Engagement der genannten Schriftsteller für ein weiteres Jahr zu bewirken. In diesem Jahr kann sich viel ändern, und aus dem Wechsel der politischen Lage können sich neue Wirkungs- und Verdienstmöglichkeiten für die Refugees ergeben. Wenn M.G.M. bis dahin die Verbindung mit ihnen aufrecht erhält, so wäre das zweifellos von jedem Ge-

sichtspunkt aus und vor jeder Kritik zu rechtfertigen. Denn erstens ist mit Bestimmtheit zu hoffen, daß auch Schriftsteller wie Speyer und Mehring sich mit der Zeit dem Studio wertvoll zu machen wissen werden, und zweitens scheint mir keine Frage, daß das Gehalt für einen Mitarbeiter wie Hans Lustig, wenn er nicht auf einen Refugee-Vertrag gekommen wäre, sich so viel höher belaufen würde, als es tatsächlich ist, daß er für mehrere Kollegen mitaufkommt.
Ich möchte noch etwas erwähnen. Zeitweise hörte man, daß die Screen Writers Guild dem Engagement der ausländischen Autoren opposed sei. Dies hat sich als ein vollkommener Irrtum erwiesen. Mir liegt ein Schreiben des Mr. Sheridan Gibney vor, in dem er ausspricht, daß »our organization is open to writers of all nationalities who seek employment in the motion picture industry. We welcome new talent which serves to enrich the industry and would consider it highly improper if the Guild should discourage the employment of any of its members for other than lawful or contractual reasons.«
Lassen Sie mich zusammenfassen: durch Ihr Eintreten für ein Wiederengagement der Refugee Writer würden Sie Männern einen unschätzbaren Dienst leisten, die im Kulturleben unserer Zeit eine ehrenvolle Rolle gespielt haben und mutmaßlich wieder werden spielen können, wenn man ihnen über diese kritische Zeit hinweghilft, und ich würde den Entschluß dazu sowohl für menschlich schön und dankenswert, als auch für klug halten. Denn das Wenigste, was man sagen kann, ist, daß er der Gesellschaft nicht zum Schaden gereichen würde.
Verzeihen Sie mir den Freimut dieser Worte, aber ich hielt es für meine Pflicht, für diese gefährdeten Kollegen mich einzusetzen und sie Ihrem weitbekannten Wohlwollen zu empfehlen.
Ihr sehr ergebener

Thomas Mann

Ich wäre jederzeit bereit, Sie zusammen mit Mrs. Dieterle, die sich dieser Sache sehr warm annimmt, aufzusuchen, wenn Ihnen an einer mündlichen Besprechung gelegen ist.

An Agnes E. Meyer

Pacific Palisades, California
740 Amalfi Drive
3. X. 41

Beste Freundin,
eben habe ich das wunderliche Kapitel von Josephs Hochzeit mit Asnath, der Tochter des Sonnenpriesters, abgeschlossen und nutze den Rest des heißen Wüsten-Vormittags am besten, um Ihnen für Ihren schönen Brief vom 26. September zu danken. Es tut mir leid, daß ich Ihnen die Abschrift des großen Gesprächs mit Pharao noch immer nicht habe schicken können. Mein Sekretär ist etwas langsam und hat auch wirklich sonst noch viel mit dem Schreiben von diktierten Briefen, messages, statements, Danksagungen für Bücher und solchen Quisquilien zu tun. Kann sein, daß ich Ihnen das Manuskript erst selbst mitbringe, wenn ich nach New York komme – am 8. oder 9. November wird es sein, und ich wollte, es wäre erst so weit. Aber davor liegt der Kalvarienberg der lecture-Tour mit ihren Iowa-Alabama-South Carolina- und Gott weiß welchen Stationen. Was wollen Sie, – es ist business, ein paar tausend Dollars kommen dadurch ins Haus, und ein Familienvater muß sich rühren und tummeln. Am 17ten werden wir aufbrechen. Aber den Joseph nehme ich mit. Wir wollen uns in New York und Princeton 8 bis 10 Tage Zeit lassen, und auch auf der Bahn habe ich schon manchmal vormittags etwas mit Bleistift geschrieben.
Ihr Brief war außerordentlich interessant, besonders die peinlich-humoristischen Erinnerungen an Rilke und Rodin. »Un jeune Allemand qui écrit sur moi« – so sind sie diese großen Männer. Wagners Verhalten zum jungen Nietzsche war auch nicht wesentlich anders. Glauben Sie, daß Einer, der in »Lotte in Weimar«, anläßlich Goethes, alle verfügbare Ironie aufgeboten hat, um diese »großartige« Undankbarkeit fühlbar zu machen, irgendwelche Neigung hat, sie nachzuahmen? In diesem Punkt muß man sich über die großen Männer erheben und Ehrfurcht haben vor der Bewunderung, die man erregt, gerade wenn man zu bescheiden ist, sie zu teilen.
Die Rilke-Weiber müssen freilich übel gewesen sein, wobei ich die Fürstinnen und Gräfinnen nicht ausnehme, mit denen der österreichische Snob korrespondierte. Ihr Urteil über ihn ist hart, aber wahrscheinlich nicht zu hart, obgleich unbestreitbar ist, daß er außerordentliche poetische Höhen erreicht hat. Ich hätte mich nicht über ihn ausgedrückt, wie Sie, aber ich widerspreche auch nicht.

Sein lyrischer Stil war neu, reizvoll und für Gleichstrebende offenbar äußerst verführerisch. Aber sein Ästhetizismus, sein adeliges Getu', seine frömmelnde Geziertheit waren mir immer peinlich und machten mir seine Prosa ganz unerträglich. Rilke oder George – die Wahl ist schwer. Rein kulturell gesehen, sind sie beide bedeutende Erscheinungen, aber eben Erz-Ästheten alle beide – der eine in femininer, der andere in mann-männlich-sadistisch-diktatorischer Form. Dieser war doch wohl der Gefährlichere, wenn er auch schließlich nicht Präsident der Nazi-Akademie werden wollte und sich in der Schweiz begraben ließ. –
Zur Zeit sind die Kinder aus San Francisco mit dem kleinen Fridolin bei uns zu Besuch, und das Haus ist etwas overcrowded. Aber ich bin ganz vernarrt in den bildhübschen, immer freundlichen, von Gesundheit strahlenden kleinen Jungen. Gewiß wird er eine gute Erdenfahrt haben. Es tut gut, Segenswünsche für das junge Leben im alten Herzen zu tragen.
Auf bald!

Ihr T. M.

An Agnes E. Meyer

Pacific Palisades, California
740 Amalfi Drive
7. Okt. 41

Liebe Freundin,
sicher ist der Brief, in welchem ich auf Ihre Rilke-Erinnerungen einging, unterdessen in Ihre Hände gelangt. Ich fürchte, wir werden beide vor der Nachwelt schlecht bestehen mit unseren kritischen Geständnissen, denn eine Art von lyrischem Genius war der Mann der Duineser Elegien ja zweifellos und künstlerisch wie, glaube ich, auch geistig-religiös (ich plappere da mehr nach, als daß ich viel von seinen Intuitionen verstünde) von großem Einfluß auf eine gewisse Jugend. Nun, wir müssen nicht so klug sein wie die Nachwelt, und sie wird Sinn haben für die Reizbarkeit von uns Zeitgenossen gegen die Schwächen – nicht seiner Person, aber seiner Persönlichkeit, – ich meine das Snobische und das Preziöse darin, das mir immer höchst unbequem und eigentlicher Zuneigung im Wege war. Übrigens wissen Sie wahrscheinlich nicht, daß Rilke eine der ersten und besten Besprechungen von »Buddenbrooks« geschrieben hat. Ich vergaß das das vorige Mal zu erwähnen. Er schrieb damals öfters Buch-Kritiken für eine – wenn ich nicht irre – Bremer Zei-

tung und kam mit einer ausführlichen Anzeige meines Romans heraus, in der er besonderes Gewicht auf die verschiedenen *Todesfälle* in der Erzählung legte: – da sehen Sie seinen religiösen Zug, den Sinn für »Kreuz, Tod und Gruft«, in dem wir uns damals begegneten. Aber bei mir, denke ich, ist das alles wohl zugleich männlicher und musikalischer, obgleich ich nicht Tom, der Reimer, bin...
Inzwischen nun, liebe Freundin, ist Ihr neuer Brief, der »irrationale«, eingetroffen, und ich war betroffen, ja, erschüttert von diesen seelisch sehr merkwürdigen Eingebungen der Sorge um mein persönliches Wohl, die sich in Ihre gedankliche Beschäftigung mit meiner Existenz beunruhigend hineindrängen. Ich darf sagen: mein Gewissen ist rein, denn Sie werden bezeugen, daß ich nie mit einem Wort dazu beigetragen habe, diesen grauen Eindringlingen Tür und Tor zu öffnen. Auch in Erwiderung auf Ihren Bericht und Ihre Frage mag ich den Gespenstern keine Realität zugestehen. To begin with: Sie nennen mein Leben »hart«, aber ich kann es nicht so empfinden. Im Prinzip empfinde ich es mit Dankbarkeit als ein *glückliches, gesegnetes* Leben – ich sage: im Prinzip; denn nicht darauf kommt es an, daß in einem solchen Leben nicht natürlich auch allerlei Qual und Dunkelheit und Fährnis vorkommt, sondern darauf, daß sein Untergrund heiter, sozusagen sonnig ist, – und von diesem her ist denn endlich doch alles bestimmt. Ich bewundere es oft ganz sachlich, rein als Phänomen, wie ein freundlich intentioniertes Individuelles sich auch gegen die widrigsten äußeren Umstände durchzusetzen und für sich das Beste daraus zu machen weiß. In den Anfängen des neuen Joseph-Bandes heißt es einmal: »Allerdings waren diese beiden, sein Ich und die Welt, nach seiner Einsicht, auf einander zugeordnet und in gewissem Sinne Eines, also, daß jene nicht einfach die Welt war, ganz für sich, sondern eben *seine* Welt und dadurch einer Modelung zum Guten und Freundlichen unterlag. Die Umstände waren mächtig; woran aber Joseph glaubte, war ihre Bildsamkeit durch das Persönliche, das Übergewicht der Einzelbestimmung über die allgemein bestimmende Macht der Umstände. Wenn er sich einen ›Weh-Froh-Menschen‹ nannte, wie Gilgamesch, so in dem Sinne, daß er die frohe Bestimmung seines Wesens zwar anfällig wußte für vieles Weh, aber auch wieder an kein Weh glaubte, schwarz und opak genug, daß es sich für sein eigenstes Licht, oder das Licht Gottes in ihm, ganz undurchlässig hätte erweisen sollen.«

Das ist ein Einblick in das Gemüt eines Sonntagskindes, und es ist einiges subjektives Erlebnis dabei im Spiel, wie der liebe Leser wohl merkt. Wirklich, wenn ich das Maß von Blut und Tränen, Elend und Untergang in Betracht ziehe, das heute auf Erden herrscht, so habe ich allen Grund, meinem Schicksal dankbar zu sein, wie richtig und günstig und angemessen es doch immer mit mir hinausgewollt hat. Das ist relativ zu verstehen; ich möchte nicht euphorisch scheinen. Natürlich hat es viel Verlust und Verstörung und schwierige Umgewöhnung auch für mich gegeben. Aber mein Werk ist ungestört fortgeschritten, neue Möglichkeiten, mich um das Menschliche verdient zu machen, sind mir zugewachsen, viel Zutrauen und Ehrenerweisung sind mir treu geblieben, und meine äußere Lebensform hat keine merkliche Erniedrigung erlitten. Meine Stellung in diesem Lande ist so, daß ich nur *eine* Sorge haben sollte: sie nicht durch Unvorsichtigkeit zu verscherzen. Ist es eine Kleinigkeit, daß ich in der Fremde (die aber im Grunde nicht fremder ist, als die Welt immer schon war) eine Freundin und Fürsprecherin gefunden habe wie Sie, die in meiner Arbeit das sieht, was Sie darin sehen? Das gab es in Deutschland kaum.

Ein hartes Leben? Ich bin ein Künstler, das heißt: ein Mensch, der sich unterhalten will – darüber soll man kein feierlich Gesicht ziehen. Freilich – und das ist wieder ein Joseph-Citat – kommt es darauf an, wie hoch man es bringt in der Unterhaltung: je höher, desto absorbierender wird die Geschichte. In der Kunst hat man es mit dem Absoluten zu tun, und das ist kein Kinderspiel. Aber ein Kinderspiel ist es dann eben doch wieder, und ich vergesse nie das ungeduldige Wort Goethe's: »Von Leiden kann ja bei der Kunst keine Rede sein.« Rückblickend hat er dann später gesagt: »Es war das ewige Wälzen eines Steines, der immer von neuem gehoben sein wollte.« Gut bemerkt. Aber man sollte uns den verfluchten Felsblock nur wegnehmen, und wir würden sehen, welches Heimweh wir danach hätten! Nein, von Leiden kann in der Kunst nicht die Rede sein. Wer sich ein im tiefsten Grunde so vergnügliches Geschäft erwählt hat, soll vor ernsthaften Leuten nicht den Märtyrer spielen.

Die Politik? Die qualvolle und beschämende Weltgeschichte? Nun ja, sie liegt einem wie Centnerlast auf der Brust; aber interessant und spannend ist es ja auch wieder damit, und wenn recht behalten glücklich machte, so müßte ich sehr glücklich sein, denn wie es mit

dem »National-Sozialismus« gehen würde, darin habe ich vollkommen recht behalten, vor meinen Landsleuten und vor der Appeaser-Welt, und nach menschlichem Ermessen werde ich auch recht behalten, was seinen Ausgang betrifft. Zutiefst bin ich überzeugt, daß Hitlern der Stab gebrochen ist, und daß er zugrunde gehen wird, – auf wieviel Umwegen und unter wieviel unnötigen Umständlichkeiten das auch geschehen möge. [...]
Sie fragen auch nach meiner Gesundheit – es ist mit ihr das altbekannte, etwas vexatorische Lied. Sie kennt eigentlich kein rechtes Wohlsein, aber ernste Krankheit kennt sie auch kaum; das Organische ist in guter Ordnung, und ich glaube im Grunde, daß meine Natur ihrem ganzen Tempo und Charakter nach auf Geduld, Ausdauer, einen weiten Weg, auf ein Zu Ende führen, um nicht zu sagen: auf Vollendung angelegt ist. Aus diesem Instinkt erklärt sich ja auch der Drang nach neuer Etablierung, nach dem Hausbau – ein etwas kecker, eigensinniger Streich in meinem Alter, unter den heutigen Umständen und bei meinen gegenwärtigen Verhältnissen; aber er ist in meinen Gewohnheiten, Bedürfnissen, Ansprüchen, dem natürlichen *Stil* meines Lebens entschieden begründet, und – wenn ich das bekennen darf – ich habe mich manchmal gefragt, weshalb eine zu Huldigungen, die nichts kosten, so bereite Welt (ich denke an die 7 Doktor-Capes, die man mir hierzulande umgehängt hat) sich um solche Äußerlichkeiten, die doch mit dem Produktiven in nahem Zusammenhange stehen, so garnicht kümmert und sich in dieser Beziehung so garnichts einfallen läßt. Gegenteiliges kommt doch schließlich vor. Meinem Freunde Hermann Hesse, dem Dichter, hat ein reicher Schweizer Mäzen, aus der Familie Bodmer, in Montagnola im Tessin ein schönes Haus gebaut, wo ich ihn oft besucht habe. Der Gute wollte es nicht einmal zum Besitz haben, um den damit verbundenen Verpflichtungen zu entgehen; das Haus bleibt dem Erbauer, und Hesse wohnt nur eben mit seiner Frau für Lebenszeit darin. – Warum ist in diesem Lande nie eine Stadt, eine Universität auf den Gedanken gekommen, mir etwas Ähnliches anzutragen, sei es auch nur aus »Ehrgeiz« und um sagen zu können: »We have him, he is ours«? Weil ich früher einmal viel verdient habe und den Nobel-Preis bekam, – den doch natürlich die Nazis geschluckt haben nebst dem Übrigen, ausgenommen ein bißchen Vermögen, das zufällig in der Schweiz lag, und dem ich die Freiheit verdanke? Es muß die Vorstellung sein,

daß man »einem solchen Mann« doch nicht zu helfen braucht – oder es ist pure Gedankenlosigkeit. Dieselbe Gedankenlosigkeit, die beständig auf meinen Idealismus zählt und honorarlose Ehren-Ansprüche an mich stellt, weil »ein solcher Mann« doch nicht an Geld denken darf. Es wäre allerdings richtiger und würdiger, wenn er nicht daran zu denken brauchte.
Das Haus baue ich mir nun also selbst – natürlich nicht ganz leichtsinniger Weise. Es reicht schon dazu; die Federal Loan hätte sonst kein freundlich Gesicht gemacht, – wenn sie es auch vielleicht mehr im Hinblick auf meine Stellung überhaupt, als auf meine augenblicklichen Verhältnisse gemacht hat. Da hätte sie recht getan, denn der Unterschied ist nicht außer acht zu lassen. Selbstverständlich sind meine Mittel durch den Verlust des deutschen, des europäischen Marktes stark zurückgegangen. Auch meine Einkünfte hierzulande sind, *seit* dem Ankauf des Grundstücks, geschrumpft, denn »Lotte in Weimar« war nicht viel mehr, als ein Achtungserfolg, und die »Vertauschten Köpfe« sind mit Recht auf die leichte Achsel genommen worden. Von Sorge und Not kann nicht die Rede sein, wohl aber von Unbequemlichkeit, Enge, Aufpassen-müssen, sodaß man bei der Einrichtung sich jeden Stuhl genau ansehen muß – nicht ob er einem gefällt, sondern ob er auch nicht zu sehr ins Geld läuft. Und doch entspricht das alles nicht recht der Wirklichkeit – ich meine: meiner Gesamt-Existenz im Gegensatz zum Momentanen. Ich gebe dem Kriege noch zwei, drei, ja vier Jahre – länger wird die mess kaum dauern können. Der Sieg der Sache der Freiheit würde die Stellung derjenigen, die die Hölle von Anfang an beim rechten Namen genannt und sie nach Kräften bekämpft haben, zweifellos bedeutend erhöhen, […] Aber lassen wir Krieg und Sieg bei Seite. Lassen wir nur den Joseph fertig sein, an dem ich emsig arbeite. Deutsche und englische Gesamt-Ausgaben des Werkes sind für diesen Augenblick geplant; die Vollendung würde voraussichtlich dem Ganzen einen schönen Auftrieb geben, und es ist sogar so gut wie sicher, daß, wenn nicht bis dahin die öffentlichen Verhältnisse garzu zerrüttet sind, ein Film großen Stils aus dem Buch hergestellt werden würde – wenigstens sagen mir das Leute des Fachs, wie Dieterle, mit vieler Bestimmtheit, und es würde nicht wenig helfen, mein Schifflein wieder flott zu machen, wenn man so sagen darf von einem Schifflein, das ja auch im Augenblick nicht eigentlich auf dem Sande sitzt.

Kurzum, »ich« bin ein Unternehmen, das als finanzierungswürdig zu betrachten ist, und das man inzwischen nicht verstimmender Geniertheit überlassen sollte. Schreiben Sie es dem hermetischen Geschäftsgeist zu, den Joseph jetzt personifiziert, wenn ich – ein wenig zur eigenen Befremdung – so spreche. Ich *denke* zuweilen so, und Ihr von weiblicher Intuition eingegebener Brief hat meinem Denken die Zunge gelöst – das sollte er ja, nichtwahr?
Ich lese den Brief nicht noch einmal durch; er wird schon recht sein. Es müßte sonderbar zugegangen sein, wenn er larmoyant ausgefallen wäre oder an Unbefangenheit zu wünschen ließe. Auch läßt er, denke ich, durchaus die Möglichkeit offen, ihm nichts als Beruhigung zu entnehmen.
Haben Sie gelesen, daß jetzt jede private Bautätigkeit eingestellt ist? Wir sind wirklich gerade vor Torschluß gekommen! Auch geht es jetzt langsam voran mit dem Häuschen: die Stahl-Fenster- und Tür-Rahmen sind lange ausgeblieben, und manchmal fehlt es auch an Arbeitskräften. *Besten*falls werden wir Mitte Dezember einziehen können, aber der Architekt rät uns, uns nicht darauf zu verlassen. Nun, Geduld ist meine starke Seite. Es ist nur ärgerlich, daß wir die ganze Zeit sozusagen doppelte Miete zu zahlen haben.
Von Eugene hatten wir aus Lisboa ein vergnügtes Kabel von einem Zusammensein mit Erika. Ich denke mir fast, daß sie heute die Clipper-Fahrt zusammen angetreten haben. –
Sie fragten noch nach dem voraussichtlichen Termin der Beendigung des Joseph. Ich rechne bis Mai, Juni. Jedenfalls müßte es bei gesunden Gliedern im Lauf des Sommers getan sein.

Ihr T. M.

An Wilhelm Herzog

Pacific Palisades, California
740 Amalfi Drive
13. Oktober, 1941

Lieber Herr Herzog,
Sie sind ganz im Irrtum, daß ich nichts habe von mir hören lassen. Wenn Sie nichts von mir gehört haben, so fällt das der Post, der Zeit, der unsicheren Kommunikation zur Last. Natürlich hat mich Ihre Lage sehr bekümmert, und ich habe Ihnen das nicht nur ausgedrückt, sondern auch gleich getan, was ich konnte und worum Sie ersucht hatten, nämlich Einstein ein von mir entworfenes statement zu Ihren Gunsten zu schicken mit der Bitte um seine Unter-

schrift. Er hat sich mit Vergnügen zur Mitunterzeichnung bereit erklärt, und das statement ist nach Washington gegangen. Das ist, so komisch es klingt, ungefähr das schwerste Geschütz, das man hier auffahren kann.
Es hat aber offenkundig nichts genützt, denn ich hatte vor einigen Tagen vom Emergency Rescue Committee eine noch trocknere Mitteilung, als die Sie empfangen haben. Es hieß, Ihr Fall sei ohne Angabe von Gründen negativ erledigt worden.
Was soll man nun tun? Ich sehe für meine Person im Augenblick keine weitere Möglichkeit der Einwirkung. Ein Brief nach Washington, wie Sie ihn vorschlagen, ist nach nun schon vielfacher Erfahrung völlig aussichtlos. Sie wissen nicht wieviel Körbe, sei es in Form von Stillschweigen oder von kühlredensartlicher Ablehnung ich schon habe einstecken müssen. Ein Brief nach Washington jetzt hieße nichts, als meine Kollektion um einen vermehren. Ich möchte fast folgendes sagen: wenn Sie die Möglichkeit haben, auf freiem Fuße, und unter Bedingungen, die Ihnen das Arbeiten ermöglichen, in Ihrem »höllischen Paradies«, wie Sie es nennen, zu bleiben, so sollten Sie sich zu Ihrer eigenen Schonung das Warten und das Streben nach diesem Lande, das auch kein Paradies ist, vorläufig aus dem Sinne schlagen; schließlich wird diese mess einmal ein Ende nehmen. Wenn Ihre Situation in Trinidad aber nicht haltbar ist, müßten Sie wohl versuchen, den Weg nach irgendeinem anderen amerikanischen Land, Nord oder Süd, zu finden, denn wie Sie zur Zeit die Einreise in die USA erreichen sollten, sehe ich wirklich nicht.
Wenn ich Ihnen bei anderen Versuchen behilflich sein kann, stehe ich Ihnen natürlich immer zur Verfügung.
Mit den besten Wünschen

Ihr Thomas Mann

An R. J. Humm

Hotel Admiral Semmes
Mobile, Alabama
26. Okt. 1941

Lieber Herr Humm,
Hesse's Gewohnheit, Briefen, die ihn selbst unterhalten haben, eine gewisse Freundes-Publizität zu geben, kann ich nicht genug loben, denn meine Zeilen an ihn haben mir mehrere sehr liebe Repliken aus der Schweiz eingetragen, und die Ihre war so schön, bedeutend

und rührend, daß ich sie auch nicht für mich behalten, sondern sie gewiß vier- oder fünfmal im Familien- und Freundeskreise zum Besten gegeben habe, wobei ich jedesmal den Hörern dieselbe Ergriffenheit anmerkte, die ich beim ersten Lesen empfunden hatte.
Mein Dank, den ich nicht länger verschieben mag, muß beschämend dürftig ausfallen. Ihr Brief erreichte mich fast unmittelbar vor unserem Aufbruch zu einer lecture-Tour, von der dieser abseitige Ort hier eine Station ist. Es geht unruhig zu, und die Aufenthalte wechseln fast täglich, sodaß die rechte Gemütsruhe zum Briefschreiben nicht aufkommen kann, auch wenn die eigentliche »Arbeit«, das Englisch reden über The War and the Future schon ganz mechanisch geworden ist. Lassen Sie mich Ihnen nur sagen, daß alles, was Sie mich über den Zustand Ihres Landes, unserer Schweiz, den seelischen und den physischen, wissen ließen, mich aufs tiefste interessiert und bewegt hat, und daß Ihr Leiden an Deutschland, dies zerrissene Gefühl von Wut, Abscheu, Vernichtungswünschen und unveräußerlicher Verbundenheit, mir so ehrwürdig wie vertraut ist. Natürlich stehen Sie nicht allein in der Welt mit diesen Schmerzen. Man muß nicht Schweizer sein, um so zu empfinden, und ich glaube, daß in Deutschland selbst eine Menge Menschen Ihre Empfindungen teilen, vor allem, daß das Gefühl der Hoffnungs- und Aussichtslosigkeit sich dort trotz aller Siege rasch verbreitet. Gewalt hat immer etwas von Verzweiflung in sich, und selbst die Laufbahn eines Napoléon war im Grunde ein langer Verzweiflungskampf. Entweder man hält für möglich, daß ein Typ wie Hitler als verklärter Friedensfürst über einer von ihm geordneten Welt thronen wird – oder man hält das bei der elenden Friedlosigkeit und offenkundigen Verdammtheit dieses Unglücklichen *nicht* für möglich, und dann ist man letzten Endes guter Dinge. Wir haben noch zwei, drei böse Jahre vor uns; aber die frohe Wahrscheinlichkeit wächst, daß die Schweiz sie intakt überstehen wird.
Ich muß schon abbrechen, – will aber nicht das Puppenspiel vergessen, von dem Sie mir erzählten, und auf das ich wirklich neugierig bin. Der kleine Junge, den Sie in unserem Küsnachter Garten sahen, war der Sohn einer aus München mitgebrachten Haus-Angestellten, – wir haben so junge Kinder längst nicht mehr. Aber ich vermute wohl mit Recht, daß Ihr Spiel durchaus nicht nur etwas für Kinder ist und verspreche mir Vergnügen davon für uns alle. Schicken Sie es doch – am besten an die pazifische Adresse, die Sie

kennen. Wir hoffen dort gegen Ende November wieder einzutreffen.
Mit den herzlichsten Wünschen und Grüßen,
Ihr ergebener Thomas Mann

An Agnes E. Meyer

Hotels Windermere
Chicago
3. Nov. 1941

Liebe Freundin,
schon von dieser ersten Station nach dem Besuch in Washington möchte ich Ihnen sagen, mit welch warmer Dankbarkeit ich an unser diesmaliges Zusammensein zurückdenke und auf eine wie glückliche Weise mich andauernd der Gedanke beschäftigt, den Sie mir eröffneten. Ihre »*vornehme*« Erfindungsgabe hat mir ehrliche Bewunderung eingeflößt. Keine schönere Lösung war denkbar, und ich bin Künstler genug, mich an der Form, die Sie ihr zu geben wußten, fast mehr zu freuen als an ihrem »Gehalt«. Wirklich hat diese neue symbolische Verbindung mit Amerika und mit Washington etwas tief Befriedigendes für mich, selbst abgesehen von der materiellen Beruhigung, die damit verbunden ist. Bitte, sagen Sie doch auch Mac Leish, welche Freude die Idee mir macht. Besonders auch der Vorlesung in der Library of Congress nach Abschluß des Joseph sehe ich wie einem Lebensfeste entgegen; der Gedanke daran wird die ganze Arbeit begleiten, die mir noch zu tun bleibt.
Ich habe ein »Symposium« hier heute Abend mit Norman Angell und Borgese. Morgen fahren wir nach Iowa und haben danach noch einen kurzen Aufenthalt in Indianapolis (Bloomingdale). Am 7. werden wir in New York, Hotel Bedford, eintreffen.
Leben Sie wohl! Ich bin Ihnen dankbar und verehre Sie.

Ihr T. M.

An Agnes E. Meyer

Pacific Palisades, California
740 Amalfi Drive
16. XII. 41

Liebe Mrs. Agnes,
ich weiß nicht, ob Sie die letzte Nummer des »New Yorker« mit der peinlichen Schreiberei über mich und meine Umgebung gesehen haben. Geschah es, so nehme ich an, daß es Sie kalt gelassen

hat. Für mein Teil kann und will ich meine Indignation nicht verbergen, obgleich auch ich gegen die Widrigkeiten des »literarischen Lebens« abgebrüht sein sollte. Was für ein nichtsnutziges Machwerk! Es ist wirklich ein Kunststück, so frech und zugleich so langweilig zu sein. Das ist eine ähnliche Verbindung, wie die von Indiskretion und Falsch-Informiertheit, durch die diese Neck-Biographie sich ebenfalls auszeichnet. Jedes zweite Factum ist ein Falsum. Ausgezeichnet z. B. die Angabe, daß Caroline Newton mich in das Werk Freuds eingeführt habe, die Arme! Ebenso, daß sie unter meiner Ägide eine psychoanalytische Erläuterung »of him und his works« habe schreiben wollen. So sternenweit von einander stehende Figuren wie Sie, Caroline Newton und die gute Lowe zu einem auf einander eifersüchtigen Kleeblatt von Blaustrümpfen zusammenzustellen, ist ein starkes Stück, – nein, nicht stark, sondern läppisch. Karikatur ist ein gutes Ding – die gezeichnete gefällt mir nicht übel –; aber Karikatur soll doch, soviel ich weiß, eine komische Verzerrung der Wirklichkeit und nicht heller Unsinn sein. »Alle diese Frauen sind ihm nützlich.« Es ist ein sauberes Gesinnungs-Niveau, das sich da offenbart. Wie »nützlich« allerdings ernstere Geister einander sein können, davon ahnt diese Intellektuelle wohl nichts.
Sehr hübsch auch, daß sie Ihre bookreviews »lengthy« nennt. Ihr eigener Klatsch füllt zwanzig Spalten und soll noch für nächste Woche reichen. Ich will nur hoffen, daß nächstes Mal nur ich allein und nicht auch meine Freunde ihren Witz auszukosten haben.
Als ich das Heft ins Wohnzimmer brachte, erklärte ich, ich hätte die Schreiberin nie gesehen. Meine Frau belehrte mich eines Besseren: ich hatte es nur vergessen, sie hat in Princeton einmal bei uns geluncht. Jedenfalls habe ich mich so monströs höflich, steif und zugeknöpft verhalten, wie sie mich schildert. Zu bereuen habe ich davon nur die Höflichkeit. –
Verzeihen Sie, daß ich mich in Tagen wie diesen so lange bei einem Witzblatt-Ärgernis aufhalte. Der Schlag von Pearl Harbor ist mir schrecklich nahe gegangen. Sei es um die Schiffe! Aber so viele kostbare junge Menschenleben! Wie war nur so wenig Wachsamkeit in diesem Augenblick möglich? – Und es wird weiter schwer gehen. Viel Freude ist wohl von den ost-asiatischen und pacifischen Kriegsschauplätzen nicht zu erwarten, für Monate und vielleicht Jahre nicht. Gerade darum war ich glücklich, daß der Präsident den japanischen Krieg sogleich in den universellen Rahmen stellte und

keinen Zweifel darüber ließ, daß der Haupt- und Erzfeind in Berlin sitzt. Ihn gilt es zu schlagen, alles Übrige folgt dann von selbst. Und dazu ist in Rußland ein guter Anfang gemacht. Die ganze deutsche Front von Petersburg bis zum Schwarzen Meer auf dem Rückzug! Man sollt' es nicht glauben. Es ist mehr als die Marne. Ob die Deutschen dafür zu haben sein werden, im Frühjahr *das* von vorn anzufangen? –
Etwas beunruhigt es mich, noch nicht zu wissen, ob das Manuskript aus New York richtig an Sie gelangt ist. Ich habe einen Fehler begangen, als ich Sie bat, es an Mrs. Lowe weiterzugeben, nachdem Sie es gelesen haben. Senden Sie es lieber an *mich* zurück – ohne Eile. Ich vergaß, daß ein Teil davon noch nicht korrigiert ist. Ich muß das erst besorgen, und die Verbesserungen müssen in die Durchschläge übertragen werden, bevor diese Teile zur Übersetzung gehen.
Ihr ergebener

T. M.

An Agnes E. Meyer

Pacific Palisades, California
740 Amalfi Drive
23. XII. 41

Liebe Freundin,
ich bin sehr beruhigt durch Ihre raisonable Haltung gegenüber dem üblen Streich der New Yorkerin. Daß Sie sich durch die beiden Leidensgefährtinnen sogar gedeckt und beschützt fühlen, hat mich geradezu erheitert. Natürlich zieht sich etwas in uns peinvoll zusammen bei solcher falschen Bloßstellung; aber wir wären töricht, es zu ernst zu nehmen und nicht zu bedenken, wie wenig ernst die Anderen es nehmen und wie rasch sie darüber hingehen, nachdem sie einen Augenblick ihr bißchen Schadenfreude daran gehabt. Die zweite Lieferung des Geschwätzes kenne ich noch nicht, vertraue aber, daß meine Freunde nicht mehr darin figurieren, sondern daß ich allein mich zusammenzuziehen haben werde. Wahrscheinlich kommen nun die politischen Taktlosigkeiten, – man spricht von einem Citat aus dem Aufsatz über Friedrich den Großen vom Jahre 1914. Wird *das* eine graziöse Neckerei sein! Köstlich, köstlich.
Aber Amerika muß ich in Schutz nehmen, wenn Sie es boshafter und meiner Hilflosigkeit gefährlicher nennen als Europa. Sie glauben nicht, wieviel hämisches Wesen und niedrige Lust an der Herabsetzung es in Deutschland gab. Ich finde die Leute hier gutmütig

bis zur Generosität, im Vergleich mit den Europäern, und fühle mich freundlich geborgen unter ihnen. Daran kann dieser ärgerliche Zwischenfall nichts ändern.
Nein, sehr weihnachtlich sieht es nicht aus in der Welt; der Stern, nach dem doch schließlich immer die Menschheit pilgert, brennt hinter einem dicken Blutnebel. Daß Sie ans Freude machen denken mochten zum getrübten und tief gestörten Fest, ist rührend. Schon heute danke ich zum Schönsten für das, was da kommen mag. – Amerika muß diesen Krieg erst lernen. Das Unglück von Pearl Harbor zeigt, wie wenig es noch eine Vorstellung hat von seiner bösen Unbedingtheit, seinem Radikalism. Es scheint, daß wir gegen die Unternehmungen der Gelben vorläufig ziemlich ohnmächtig sind. Von diesem Schauplatz ist wohl noch mancher Kummer zu erwarten. Desto mehr Vergnügen macht uns Adolf mit seinen inneren Stimmen und seiner »raison d'être«. (Als Eroberer Galliens fängt er an, sich des Französischen zu bedienen, wenn auch nicht ganz richtig.) Sein Tagesbefehl bei Entlassung der Generäle und eigener Übernahme des Kommando's war unbezahlbar. Seit der Jungfrau von Orléans ist etwas so Romantisches nicht mehr dagewesen. Ach, die heillose Kröte, wann wird ihr einer den Kopf zertreten?
Wir sprachen über Gott und Religion heute, und ich erklärte, beim besten Willen nicht sagen zu können, ob ich glaubte oder nicht. Ich habe mich aber zuweilen im Verdacht, daß ich glaube; denn ohne einen Glauben kann man »l'Infâme« wohl nicht so hassen, wie ich es eingestandenermaßen tue.
Ich mache mir Vorwürfe, Sie durch mein Fragen noch zu einer zweiten Äußerung über das Gottesgespräch angehalten zu haben. Natürlich haben Ihre Worte mir wohlgetan, doch bleibe ich von dem Kapitel etwas enttäuscht. Es hätte das Beste des Bandes sein sollen, und doch muß ich nun froh sein, wenn anderes besser wird. Ich bin jetzt bei der Thamar-Episode, einer Novelle für sich und einem merkwürdigen Gegenstand.
Und nun zu dem Hauptzweck dieses Briefes, den herzlichsten Festwünschen und Season-Greetings für Sie und unsern Eugene. Plötzlich hat er sich einfallen lassen, mir eine Kiste Cigarren zu schicken, die nach Erlesenheit aussehen. Ich werde ihm noch eine englische Danksagung schreiben, aber dazu reicht es heute nicht mehr.

Ihr T. M.

An Agnes E. Meyer

Pacific Palisades, California
740 Amalfi Drive
27. XII. 41

Liebe Freundin,
Ihr pracht- und geschmackvolles Hausgeschenk ist *nicht* zu spät gekommen: wir hätten es schon am Weihnachtsabend gehabt, wenn wir es gleich hätten vom Fracht-Amte abholen können. Nun haben wir's gestern eingeheimst; das Auspacken war aufregend genug, die Freude groß. Schon prangt das Service auf unserer für das Haus gekauften Anrichte, und wird Ehr' und Zier unseres zukünftigen Eßzimmers sein. Haben Sie Dank!
Ihr Brief aus der Einsamkeit, aus dem soviel reiner Schmerz um Ihr, um unser Land spricht, ist mir nahe ans Herz gegangen. Nicht daß er mir faktisch Neues gebracht hätte. Ich war mir über die vorläufig arge Lage so ziemlich im Klaren – es wäre ja schwer gewesen, sich nicht darüber im Klaren zu sein. Aber wie man die Schlappe, die böse Verlegenheit – oder welchen Namen man der Sache nun geben will, um sie weder zu schwach noch übertrieben stark zu bezeichnen – erlebt und empfindet, wenn man persönlich so nahe dem Centrum des nationalen Sensoriums lebt, wie Sie, das hat Ihr Brief mir recht deutlich gemacht. Wie die Dinge über Nacht dies Gesicht annehmen konnten; wie unter den längst gegebenen Verhältnissen, in einer Welt wie dieser, angesichts von Feinden wie diesen, soviel Unbereitschaft und Sorglosigkeit möglich war, das wissen die Götter, – der Mensch steht wirklich vor einem Rätsel. Was hattet ihr alle euch denn nur gedacht? Mußte man nicht bitter lachen, als Mr. Hull die letzte japanische Note ein Dokument nannte, wie er es diesem Planeten nicht zugetraut hätte, – so etwas an Lügenhaftigkeit und Verderbnis sei noch nicht dagewesen? *Fünfundzwanzigmal* war es dagewesen – drüben in Europa, vor den Augen der Amerikaner, aber sie glaubten nicht, was sie sahen, sei es aus Seelenreinheit, sei es aus Bequemlichkeit, vielleicht aus beidem. Alles, was wir durchgemacht haben, wollten sie oder konnten sie nicht miterleben, oder nur halb, nur ungläubig; im Grunde hielten sie es für Greuelmärchen. Nun haben sie eine eigene abscheuliche Probe davon empfangen. Sie werden nicht daran zugrunde gehen!
Ob auch ich leide? Ach, liebe Freundin, ich habe *vorher* gelitten, als es noch eine Taktlosigkeit war, sein Leiden merken zu lassen. Jetzt ist mir eher wohler, denn nun ist der Löwe erwacht, und ich

glaube, daß es zuletzt eine große Dummheit von den Japanern war, ihn so grob zu wecken. Ich bin überzeugt, daß sie es zu büßen haben werden, wenn auch die Militär-Clique nun leider in der Lage ist, dem höchst mißtrauischen Volk Erfolge aufzuweisen, deren letzter noch nicht gekommen sein mag. Wer den längeren Atem hat, darüber kann wohl kein Zweifel sein. Auch ist der Krieg unteilbar, und die Taten der Russen werden nicht überschattet von der Überrumpelung, die uns betroffen. Der Löwe hat seine ein bißchen eingeschlafene Tatze ja noch kaum gehoben. Ich vergesse nie, was der alte Abraham Flexner mir sagte, als ich zuerst nach Princeton kam: »Auf zwei Ländern beruht die Hoffnung der Welt: Amerika und Rußland.« Das Wort hatte tiefen Sinn. –
Ich wollte Sie persönlich noch manches fragen, was meine Stellung als »enemy alien« betrifft. Bin ich eigentlich einer? Ich meine natürlich nicht »eigentlich«. Eigentlich bin ich ja pretty friendly. Aber technisch? Ich bin ja von Hitler »ausgebürgert«, also nicht deutscher Untertan. Vielmehr führe ich einen tschechischen Paß (nebst den amerikanischen First papers). Von meiner anti-hitlerischen Tätigkeit, meiner Zugehörigkeit zum offiziellen amerikanischen Kulturleben (Universitäten, Phi Beta Kappa, Academy of arts and letters, Library of Congress) rede ich nicht. Darf ich also keinen Kurzwellenempfänger haben (den ich übrigens nie benutze) und nicht ohne Erlaubnis reisen? Sie sollten Francis Biddle einmal fragen, wie er meinen Fall ansieht, und ob er mir nicht, wenn nötig, eine Art von Freibrief und General-Permess geben will. –
Wie sich in Ihrem Brief die Sorge um Land und Volk mit der um Ihre Arbeit vermischt, ist ergreifend. Daß Sie für letztere überhaupt Sorge übrig haben, ist zu verwundern und zeugt von Ihrer Kraft, zu sorgen. Wie sollte ich dieser Kraft und Ihrer Ausdauer nicht vertrauen? Nie habe ich etwas von Verworrenheit und Undeutlichkeit gespürt in dem, was Sie mir mitteilten und zweifle keinen Augenblick an Ihrer Fähigkeit, zu vollenden, was Sie sich vorgesetzt – es Tausenden zu Dank zu vollenden. Nur antreiben mag ich Sie nicht und bin nicht eifersüchtig auf Ihre vielen anderen Pflichten. Seien Sie's auch nicht und lassen Sie ohne Ungeduld das Buch in freien und guten Stunden wachsen!
Abgehärteter, als Sie, gegen politischen Gram, treibe ich es unstörbar mit dem Joseph weiter und suche am Neuen gut zu machen, was ich an Vorherigem verfehlt.
Haben Sie ein gutes, zuversichtliches Neues Jahr! Ihr T. M.

An Franz Silberstein

Pacific Palisades, California
740 Amalfi Drive
28. XII. 41

Sehr verehrter Herr Silberstein,
vielmals danke ich für Ihren Brief und für Ihr vorzügliches Buch. Ich habe es mit Genuß und Nutzen gelesen. Man kann viel lernen daraus, und außerdem erwärmt es durch reine Gesinnung und gute Form.
Beim Nachdenken über »Freiheit« war mir immer merkwürdig, wie sehr die innen- und außenpolitischen Notwendigkeiten und Zeitforderungen einander entsprechen und eins das andere spiegelt. Es ist ja klar, daß die Freiheit ein anarchisches Element enthält, wie die Gleichheit ein tyrannisches. Auf einen menschlichen Ausgleich zwischen beiden Prinzipien kommt es an, intra muros et extra, auf soziale Zugeständnisse des »souveränen« Individuums an die Collectivität, eine Vereinigung von Sozialismus und Demokratie, von »Rußland« und »Amerika«. In guten Stunden hoffe ich auf die zukünftige politische und moralische Wirksamkeit der gegenwärtigen militärischen Constellation.
Mit wiederholtem Dank für die anregende Sendung
Ihr ergebener

Thomas Mann

An Erich von Kahler

Pacific Palisades, California
740 Amalfi Drive
31. XII. 41

Lieber Freund Kahler,
zum Neuen Jahr will ich Ihnen und Mrs. Fine und Ihrer lieben Mutter doch Glück und Wohlergehen wünschen, es wäre kalt und häßlich, es zu unterlassen, und ich bin sicher, daß auch Sie uns heute Abend das Beste wünschen, auch wenn Sie es nicht zu Papier bringen sollten. Wir sind beide desperately busy und daher schlechte Korrespondenten. Zu Weihnachten haben wir uns mit telegraphischen Zurufen geholfen. Wir sagten Ihnen mit Recht, daß wir Sie vermißten und haben von Ihnen ja Ähnliches vernommen. Wo haben Sie den hl. Abend verbracht, in New York oder Princeton? Es ist doch unerwartet, wo überall man ihn heutzutage verbringt. Ich ging am 24. ohne Paletot auf meiner Lieblingspromenade über dem Ozean spazieren, saß lange in der Sonne, die denn doch jetzt

erträglich ist, auf einer Bank und blickte träumend auf den blauen Kriegsschauplatz hinaus.

Ich habe eine elektrische Uhr zum Geschenk erhalten, die ich jeden Morgen bewundere, wie sie es über Nacht fertig bringt, ihren Kalender in Ordnung zu bringen. Woher weiß das Tier, daß es vom 29. auf den 30. beide Ziffern zu verändern hat, vom 30. auf den 31. aber nur die zweite, und daß vom 31. auf den 1. die erste verschwinden muß? Ich stehe da vor einem Erfassen des Notwendigen, das ich nicht begreife. Aber am letzten Februar wird man ihr bestimmt zu Hilfe kommen müssen.

Daß ich nicht Ihren Kuchen vergesse, der wohl das Gehaltvollste ist, was mir auf diesem Gebiete vorgekommen! Es ist kaum noch ein Kuchen zu nennen und bestätigt das Wort, daß alles Höchste in seiner Art über seine Art hinausgeht.

Mit Weihnachten in Seven Palms House war es also diesmal noch nichts. Aber es ist fast fertig; zweite Hälfte Januar werden wir einziehen können, und ich werde, Heil Hitler, das schönste Arbeitszimmer meines Lebens haben. Das Ganze, allein schon die Fußbodenbelage, läuft freilich entnervend ins Geld, und wenn ich nicht kürzlich Consultant in Germanic Literature to the Library of Congress mit einem kleinen Jahresgehalt geworden wäre, so wüßte ich nicht, wo wir blieben. Das wußten Sie wohl noch garnicht? Doch, ich bin es geworden und werde manchmal einen Vortrag dort halten müssen.

Nun wollen wir nur hoffen, daß dieser Küstenstrich nicht eines Tages evakuiert wird und dann irgend ein amerikanischer Colonel in Seven Palms House residiert oder später vielleicht der Mikado! Die Amerikaner machen jetzt bittere Erfahrungen. [...] Aber es gibt fast nichts, was nicht unter Umständen wieder gut zu machen sein wird. Für das anbrechende Jahr kann man vernünftigerweise nur wünschen und hoffen, daß es unter seiner Ägide nicht *so* schlecht gehe, daß es nicht auch einmal besser und endlich gut gehen könnte.

Haben Sie des ehemaligen Ambassadors Davies »Mission to Moscow« gelesen? Ein vorzügliches Buch, im Wesentlichen nur seine Rapporte nach Washington und etwas Tagebuch. Aber welche Klarsicht und Voraussicht! So hat kein anderer Diplomat über Rußland nach Hause berichtet. Amerika war denn auch längst das einzige Land, zu dem die Russen Vertrauen hatten. Übrigens hat Roosevelt

1939 Stalin sagen lassen, wenn dieser wirklich mit Hitler abschließe, sei es so sicher, wie daß der Tag auf die Nacht folgt, daß H. nach der Niederwerfung Frankreichs Rußland angreifen werde.
Über das Fest war unser Häuschen gerappelt voll. Außer Golo waren noch Erika, belebend wie immer, und mein Schwager aus Berkeley da. Dazu unser Enkelsöhnchen, das wir zur Entlastung der Mutter für einige Wochen aus San Francisco mitgebracht haben, ein reizendes Kind, reichlich nervös, wie mir scheint, aber, wie das so geht, gerade auf dieser Basis besonders witzig und herzgewinnend.
Gestern habe ich wieder einmal meine deutsche Platte gesprochen und ich bin besonders ausfallend gegen Schicklgruber geworden. Es tut doch wohl.
Mit Joseph geht es ohne Hast und Rast vorwärts. [...] Es ist jetzt die Geschichte der Thamar dran, eine große Novellen-Einlage. Erinnern Sie sich? Ein merkwürdiges Frauenzimmer, das kein Mittel scheut, sich in die Heilsgeschichte einzuschalten. – Ich kann nicht genug »Faust« lesen und was dergleichen sonst getan ist, denn schließlich habe ich eine Art von Weltgedicht unter den Händen, wenn auch nur ein humoristisches und bizarres. Ich habe mich nie für groß gehalten, aber ich liebe es, mit der Größe zu spielen und auf einem gewissen Vertraulichkeitsfuß mit ihr zu leben.

Ihr T. M.

1942

An Caroline Newton

Pacific Palisades, California
740 Amalfi Drive
10. Januar 1942

Liebe Miß Caroline,
haben Sie vielen Dank für Ihre freundlichen Zeilen. Hier an der Küste nimmt nach ein paar kurzen Tagen der Panik und Konfusion das Leben schon längst wieder seinen fast normalen Fortgang. Daß mich die Ereignisse, die ja nicht alle erfreulich sind, dauernd sehr beschäftigen und bedrücken, brauche ich Ihnen nicht zu sagen. Aber wir sind ja dieses Leben schon seit neun Jahren gewöhnt und dagegen abgehärtet.
Mit dem »New Yorker«-Klatsch ist es mir sonderbar gegangen. Anfangs hat er mich sehr geärgert und ich war empört über die Treulosigkeit der Person, aber dann habe ich von immer mehr Amerikanern gehört, daß man den Artikel lustig und vortrefflich finde, und daß er eben doch, schon durch seinen Umfang, aber auch sonst nichts weiter als eine Huldigung darstelle. Diese Auffassung ist mir zwar schwer verständlich, aber offenbar sieht die Sache mit amerikanischen Augen gesehen ganz anders aus, als sie mir erschien, und so habe ich mich beruhigt. Gefreut aber hat es mich doch, daß einer der Mitbetroffenen, Mr. Angell von Pomona College, der Redaktion einen strengen Brief geschrieben und einen Durchschlag auch der Flanner geschickt hat.
Auden war bei uns zum lunch zur Zeit, als auch Erika hier war. Er war boyish und nett wie immer, und es sprach in meinen Augen sehr für ihn, daß er sich mit dem Baby so gut zu unterhalten wußte.
Danke für die freundliche Erkundigung nach Joseph. Es geht gut vorwärts damit, obgleich es immer wieder Unterbrechungen gibt; so muß ich in den nächsten Tagen nach San Francisco zu einem Town Hall-Vortrag fahren, der auch vorbereitet sein will. Eine Reiseerlaubnis dazu werde ich armer enemy alien mir wohl besorgen müssen. Ich habe einen Brief an Francis Biddle geschrieben, da mir die Rolle des enemy alien besonders lächerlich zu Gesichte steht, ob er mir nicht eine Art von Freibrief ausstellen könne. Aber die Antwort des hohen Herrn bleibt aus.

Mit herzlichen Wünschen für die vollkommene Wiederherstellung Ihrer Gesundheit und Arbeitsfähigkeit,

Ihr Thomas Mann

An Emil Bernhard Cohn

Pacific Palisades
21. I. 42

Sehr verehrter Herr Cohn,
vielen Dank, es war mir lieb, an meine Worte erinnert zu werden. »Fighting spirit« kann man ihnen wohl nicht absprechen – wenn man die Zeitumstände in Betracht zieht, unter denen sie geschrieben wurden. Alles darin ist angewiderte Opposition gegen das, was herrscht. Besonderen polemischen Spaß hat es mir immer gemacht, das deutsche mit dem jüdischen Schicksal zu konfrontieren. Die Deutschen sind aus sehr ähnlichen Gründen bewundert und verhaßt wie die Juden, und der deutsche Anti-Semitismus beruht gewiß großen Teils auf dem Gefühl einer Situationsverwandtschaft.
Was man bei allgemeiner Anschauung des jüdischen Phänomens ausspricht, mag, auf den Alltagsjuden angewandt, zweifelhaft und selbst komisch wirken. Und doch hat auch das Durchschnitts-Individuum immer irgendwie teil an der Großartigkeit und dichterischen Merkwürdigkeit der Gesamterscheinung, und ich habe immer gefunden, daß noch im kleinsten jüdischen Literaten etwas vom Geist der Propheten steckt.
Ihr ergebener

Thomas Mann

An Agnes E. Meyer

Pacific Palisades, California
740 Amalfi Drive
22. I. 42

Liebe Mrs. Agnes,
diesmal bin ich in delay – Sie wissen, ich war 4 Tage zu einer Vorlesung nebst Drum und Dran in San Francisco, und da ging es heiß her, es war an Schreiben nicht zu denken. Diese Amerikaner verstehen schon, einen auszubeuteln, um nicht zu sagen: auszubeuten; sie selbst haben überhaupt keine Nerven und kommen garnicht darauf, daß ein anderer ermüden könnte. Eine Party dauerte buchstäblich von 6 bis 1 Uhr, Dinner, anschließender Massen-Empfang und Film-Vorführung (sehr interessant: Singapore, Bali, Malaya, aber ich war schon halb tot.) Die lecture selbst war eine Matinée,

im Theater, über-ausverkauft, das ganze Podium besetzt, sodaß ich bei der Introduction nicht anwesend sein konnte, es war einfach kein Platz für mich. Es war eine Town Hall-Veranstaltung; wie üblich hatte ich 80 Minuten zu sprechen, was keine Kleinigkeit ist, und danach gab es Questions, die ich für ein wirkliches Laster Ihrer großen Nation halte. Ein Lunch im Hotel schloß sich an, und beim Kaffee nahmen die Questions ihren freudigen Fortgang. Ich ziehe mich dabei immer in der komischsten Weise aus der Affaire, indem ich garnicht die Frage beantworte, sondern willkürlich darum herum rede und sage, was ich eben sagen *kann*. Aber auch damit sind die Leute, wenigstens scheinbar, herzlich zufrieden, was ja nun wieder höchst gutmütig und generous ist. God bless them. Der Wunsch kommt mir von Herzen.

Meine Nachbarin war die Präsidentin von Mills College, eine prächtige Dame mit großem, humoristischem Zwicker-Gesicht, die wegen Golo's eine vollendet heitere Verschlossenheit zeigte. »We enjoyed his visit very, very much and so did he, as we hope!« Punctum. Es wäre sehr taktlos gewesen, zu insistieren. Die Aussichten des armen Jungen sind seit dem Kriege wohl zu nichts zusammengeschrumpft. Kein Wunder, die Colleges werden angefeindet wegen der Fremden, die sie schon haben; wie sollen sie noch neue hinzunehmen!

Das Enkelsöhnchen haben wir dort den Eltern wieder eingehändigt, – die er anfangs garnicht mehr kannte. Wir vermissen ihn sehr. Ein reizenderes Baby hat es nie gegeben. Er ist meine letzte Liebe. Möge er ein gutmütiger, generöser, humoristischer und unermüdbarer Bürger dieses Landes werden!

Es war sehr lieb, daß Sie mit Biddle noch einmal gesprochen haben. So habe ich doch wenigstens indirekt eine Nachricht von ihm. Ich sehe alles ein und bin längst unzufrieden mit mir, daß ich meinen individuellen Fall überhaupt zur Sprache gebracht habe. Die kleinen Beschränkungen, denen auch ich unterliege, sind ja vorerst nicht der Rede wert. Feuerwaffen und Explosivstoffe sind mir von Natur höchst unsympathisch, unser Kurzwellen-Empfänger arbeitet so wie so nicht, und für meine lectures, die allerdings ausgesprochenes defense work sind, will ich gern von Fall zu Fall um Reise-Erlaubnis einkommen. Fragt sich nur, ob es dabei sein Bewenden haben wird. Schon haben 400 californische publishers den freundlichen Antrag gestellt, daß alle enemy aliens aus den Küstenstaaten

evakuiert und ins Innere des Landes verwiesen werden sollen. Irgend ein Sabotage-Akt mag genügen, dergleichen herbeizuführen, und ich bin eben nur neugierig, ob auch dann keine Ausnahme zulässig sein wird, wenn wir unser neues Haus gleich wieder verlassen und dafür ein Hotel in Kansas City aufsuchen müßten. Manchmal erinnert man sich eben doch, daß man länger mit Hitler im Kriege ist, als Amerika...
Das Haus geht rasch seiner Vollendung entgegen; in 10 Tagen etwa werden wir einziehen können und wollen nur hoffen, daß die Kisten aus Princeton rechtzeitig dazu da sind. Aber selbst ohne sie müßte es erst einmal gehen. Bis alles in die Reihe kommt, muß man sich in jedem Fall mit Geduld wappnen, und auch an meinem Interims-Arbeitstisch, bei noch leeren Bücherbörtern, kann ich am Joseph zu schreiben fortfahren. Die Thamar-Geschichte ist, glaube ich, recht wohl gelungen. Es ist eine gute Figur. Nun setzen in Kanaan und Ägypten zugleich die dürren Jahre ein. Aber in Ägypten ist Korn.
Herzlich Ihr T. M.

An Klaus Mann Pacific Palisades
26. I. 42

Lieber Eissisohn:
Ich weiß nicht recht, wie es eigentlich mit unserer guten, alten, hinfälligen, aber liebenswerten Decision steht. Ob sie noch ein bißchen erscheint oder für immer die sanften, klugen Augen geschlossen hat. Daß sie noch atmet oder wieder zu atmen begonnen hat, ging ja aus Deinem Brief an Mielein hervor; nun aber will sich das Januarheft, obgleich der Monat doch weit vorgeschritten ist, noch immer nicht zeigen. Gleichviel. Mielein hat mir von Deinem Wunsch gesprochen, Weiteres vom Vater vorzuführen und zwar aus dem Joseph. Nun möchte ich dafür das Religionsgespräch mit Pharao nicht gern hergeben. Es ist erstens zu lang, wohl hundert Manuskript-Seiten, und bildet auch sonst sozusagen das Herzstück des Bandes; es widersteht mir gewissermaßen, es im voraus, außerhalb des Zusammenhanges, zu verausgaben, und auch der Zeitschrift wäre mit diesen philosophisch und religiös beschwerten Kapiteln kaum recht gedient. Besser wäre meiner Meinung nach etwas Leichteres aus früheren Teilen. Ich habe besonders die Episode

von Pharaos Träumen und ihrer albernen Deutung durch seine Gelehrten im Auge. Ich weiß nicht, ob Du in Princeton dabei warst, als ich diese Kapitel las. Ich glaube, sie sind recht unterhaltend und würden auch eine gute Kostprobe für den Band abgeben. In Betracht käme auch noch die Episode mit dem Bäcker und dem Mundschenk im Gefängnis, aber mir scheint, das Erstere wäre vorzuziehen. Erscheint Decision weiter, und stimmst Du meinem Vorschlag zu, so müßte der Prozeß wohl der sein, daß ich die Lowe gleich bitte, diese Kapitel, die bis jetzt höchstens in Roh-Übersetzung vorliegen, gleich endgültig zu bearbeiten und Dir zukommen zu lassen. Ich höre also bald von Dir und würde mich natürlich freuen, wenn ich der Zeitschrift, an der auch ich hänge, fast wie an »Maß und Wert«, ein Gutes erweisen könnte.
Lebe recht wohl! Z.

An Molly Shenstone

Pacific Palisades, California
740 Amalfi Drive
29. I. 42

Dear Mrs. Molly,
you kindly dispensed me with answering your charming letter of January 21 and with thanking for the beautiful gift which accompanied it. But I cannot make use of this permission and must tell you how happy I was to hear directly and personally from you and to receive that excellent and most vivid picture of our common hero.
How well I remember the hours, after the French catastrophe, when we were sitting together in our Princeton home behind a helpful little drink and tried to give some confidence to each other! I am afraid we shall have more than one reason and opportunity to do so during the coming months and years. But each time, I am sure, we shall be *right*. [...]
Our moving into the new house is postponed from week to week and from day to day, but we are patient people. It is a rather paradoxical phenomenon that age gives patience – when time already becomes short, while youth with endless time before itself is always impatient.
Our warmest greetings to Allen!
Your friend Thomas Mann

An Rudolph S. Hearns

Pacific Palisades, California
740 Amalfi Drive
2. II. 42

Sehr geehrter Herr Hearns,
den Empfang Ihres Briefes bestätige ich dankend und tue es mit der Feder, um Ihnen zugleich die gewünschte Schriftprobe zu bieten.
Ich habe mich immer lebhaft für Graphologie interessiert, wenn ich auch nicht glaube, daß sie sich je zur »exakten« Wissenschaft wird entwickeln können. Sie wird wohl immer ein »Randgebiet« bleiben, aber ein menschlich sehr fesselndes und auch praktisch wichtiges.
Ihr sehr ergebener

Thomas Mann

An Albert Einstein

Pacific Palisades, California
1550 San Remo Drive
9. Februar 1942

Lieber Professor Einstein:
In dem Gefühl, daß in der »Enemy Alien« Angelegenheit, nicht um unsertwillen, sondern um des Landes und seines guten Geistes willen, etwas geschehen müsse, habe ich mit hiesigen Freunden das beiliegende Telegramm an den Präsidenten redigiert, und wäre Ihnen sehr verbunden, wenn Sie es zusammen mit Borgese, Bruno Frank, Graf Sforza, Toscanini, Bruno Walter und mir unterzeichnen wollten. Bitte kabeln Sie mir.
Mit herzlichen Grüßen

Ihr Thomas Mann

An Franklin D. Roosevelt
[Telegramm]

Mr. President:
We beg to draw your attention to a large group of natives of Germany and Italy who by present regulations are, erroneously, characterized and treated as »Aliens of Enemy Nationality«.
We are referring to such persons who have fled their country and sought refuge in the United States because of totalitarian persecution, and who, for that very reason, have been deprived of their former citizenship.

Their situation is such as has never existed under any previous circumstances, and it cannot be deemed just to comprise them under the discrediting denomination of »Aliens of Enemy Nationality«.
Many of those people, politicians, scientists, artists, writers, have been among the earliest and most farsighted adversaries of the governments against whom the United States are now at war. Many of them have sacrified their situation and their properties and have risked their lives by fighting and warning against those forces of evil, which at that time were minimized and compromised with by most of the governments of the world.
It is true that the »Application for a Certificate of Identification« provides such persons with an opportunity to make additional statements as for their political status. But as, so far, no official announcement to the contrary has been made, these victims of Nazi and Fascist oppression, these staunch and consistent defenders of democracy, would be subject to all the present and future restrictions meant for and directed against, possible Fifth Columninists.
We, therefore, respectfully apply to you, Mr. President, who for all of us represent the spirit of all that is loyal, honest, and decent in a world of falsehood and chaos, to utter or to sanction a word of authoritative discrimination, to the effect that a clear and practical line should be drawn between the potential enemies of American democracy on the one hand, and the victims and sworn foes of totalitarian evil on the other.

An Agnes E. Meyer

Pacific Palisades, California
1550 San Remo Drive
[18. II. 42, Poststempel]

Dear Mrs. Agnes,
flugs schreibe ich wieder, diesmal schon aus dem Arbeitszimmer, da Ihr Brief, das Besuchs-Problem betreffend, kam.
Mir scheint denn doch, liebe Freundin, daß Sie unserem ersten Zusammensein an dieser Küste Unrecht tun, und es betrübt mich, daß Sie es in so unzulänglicher Erinnerung – ich meine: in solcher Erinnerung der Unzulänglichkeit haben. Zwei ganze Vormittage haben wir einander gewidmet, waren Stunden lang beide Tage ungestört und allein, hatten Gespräch, Vorlesung, Strandspaziergang, und dann machten Sie uns einmal wohl auch die Freude, en famille, in meinem Lebensrahmen, zum lunch bei mir einzukehren. Aber

daß Sie mich nur en famille gesehen hätten, ist eine Gedächtnistäuschung und ebenso die Atemlosigkeit. Ich muß sagen, ich habe das alles in dankbarerer, gelungenerer Erinnerung und wäre, eingedenk, daß nichts in der Welt vollkommen ist, schon entzückt, wenn es sich auch nur so wiederholen könnte. Freilich ist es recht verantwortungsvoll, Sie darum zu bitten, denn ich muß befürchten, daß Sie wieder mit dem Gefühl abreisen, daß es vertane Zeit war. Das möchte ich nicht und weiß nicht recht, was ich dazu tun soll, daß es nicht geschehe. Als verantwortungsvoll empfinde ich es auch, Ihnen zuzureden, weil ich Reiz und Wichtigkeit meiner persönlichen Gesellschaft, selbst ihre Behaglichkeit, keineswegs überschätze und es nur zu gut verstände, wenn Sie unser gutes Auskommen par distance nicht durch meine menschliche Unberechenbarkeit gestört sehen möchten. Ich bin oft müde und weiß, daß ich tödlich langweilig sein kann. Andererseits weiß ich aber auch – wenigstens haben Sie mich's glauben machen –, daß Sie aus dem persönlichen Austausch oft Stärkung und Anregung für Ihre Arbeit davongetragen haben. Auch kennen Sie mich gut genug, um zu wissen, daß ich kindisch darauf brenne, Ihnen das neue Haus, mein neues Arbeitszimmer – das letzte und endgültige, das mir bereitet ist – zu zeigen.
Kurzum, ich kann nur sagen: ich würde mich herzlich freuen, – schon weil diese Begegnung mir ein neuer, beruhigender Beweis wäre, daß man sich, dadurch daß ich gen Westen ging, im Grunde nicht seltener sieht, als früher. Aber wenn Sie so wenig Zeit haben, daß Florence nach San Francisco kommen muß, – wie kann ich da zu verlangen wagen, daß Sie allein meinetwegen noch herkommen? Das müßte wohl wirklich atemlos ausfallen und wäre mir, ich wiederhole es, zu verantwortungsvoll. Etwas anderes, wenn Sie Florence hier ließen und für ein paar Tage zu ihr zu Besuch kämen. *Das* ist es eigentlich, was ich mir wünsche. Sie wiederzusehen, ist ein sicheres Vergnügen, mich wiederzusehen, ein unsicheres. Daher möchte ich zwar, daß Sie kommen, aber daß Sie nicht nur meinetwegen kommen.
Glücklicherweise ist ja noch Zeit bis zum 25. März, die Frage in Ruhe zu überlegen. Wirklich hätte es etwas Unnatürliches, wenn Sie an dieser Küste wären, ohne daß wir uns sähen. Auf der anderen Seite ist die Entfernung San Francisco–Pacific Palisades aber auch wieder kein solcher Katzensprung, daß es sich lohnte, ihn für einen

hastigen Tag zu tun. Das muß ich einsehen. Eben darum wünsche ich mir, daß Sie nach Erledigung Ihrer Geschäfte Eugene allein zurückkehren ließen und sich ein paar Tage Zeit zu einem Besuch bei Florence nähmen. Ob das möglich ist, lehrt vielleicht erst der letzte Augenblick.
Ich muß ein 15 Minuten-Broadcast für den Coordinator of Information schreiben. Dringliches Defense work...
Der Aufsatz über den »Ring« ist bedeutend älter, als die Äußerung in »Common Sense«. Es ist ein Vortrag, gehalten 1937 in der Universität Zürich. Sie sehen, meine Redeweise über Wagner hat nichts mit Chronologie und Entwicklung zu tun. Es ist und bleibt »ambivalent«, und ich kann heute so über ihn schreiben und morgen so.
Deutsch ist der Vortrag in »Maß und Wert« erschienen, aber ich fürchte, ich habe das Heft nicht mehr. Vielleicht ist es bei der Lowe, die mit der Übersetzung des Essay-Bandes noch ziemlich in Rückstand ist, da sie gleichzeitig schon an Joseph IV arbeitet – soweit sie arbeitsfähig ist; denn sie kränkelt, und ich fürchte, ich werde sie nicht lange mehr haben. Sollten Sie die Nummer nicht selbst besitzen?
Lessing und Dürer kommen bestimmt in den Band. Dann Goethe, Schopenhauer, Tolstoi, Platen, Storm, Freud, kurz, alles, was mir noch präsentabel scheint, auch vieles Politische wie der Bonner Brief, der Atlantic Monthly-Aufsatz, »Achtung, Europa!« und anderes mehr, z.B. auch der Berliner »Appell an die Vernunft« vom Jahre 1930, Warnungen und Voraussagen, deren Richtigkeit heute den Amerikanern aufzufallen beginnt. »Achtung, Europa!« ist aus einer Botschaft an das Comité permanent des lettres et des arts des Völkerbundes hervorgegangen anläßlich einer Diskussion über »La formation de l'homme moderne«. Die armen Franzosen sagten damals: »Mais, cher ami, c'est très exagéré!« Jetzt hat eine amerikanische Zeitschrift für Erziehung die Message mit Verwunderung aus dem Französischen ins Englische übersetzt.
Gerade bekam ich ein kleines Buch über Joyce (von Harry Levin; New Directions Books), worin vergleichend viel von mir die Rede ist. Könnte anregend für Sie sein.
Es war tapfer und patriotisch von der »Post«, eine ernste Kritik der Kriegsführung zu drucken. Hoffentlich war die Kennzeichnung der Hauptstadt als »vicious rumor factory« nicht alles, was der Präsident darauf zu antworten hatte. Aber daß etwas wie ein Cliveden

Set existiert und unheilvoll tätig ist, glaube ich ihm schon. Es gibt heimliche Siegesfeiern über unsere Niederlagen.

Herzlich der Ihre T. M.

Archie hat für 2 Monate geschickt, wie ich anerkennend erwähnen muß. Seit er auf den genialen Gedanken meiner Ernennung kam, gibt es für mich keine »ökonomischen Probleme« mehr. Wir können von was anderem reden, unbeschadet dankbarer Gedanken, die ich im Stillen der Sache widme.

An Agnes E. Meyer

Pacific Palisades, California
1550, San Remo Drive
21. II. 42

Chère amie,

Ihr Brief vom 18. war ja ein Elementar-Ereignis. Womit habe ich denn *das* verdient? Aber verdient oder nicht, jedenfalls habe ich es mir zugezogen, und was man sich zugezogen hat, soll man mit guter Miene hinnehmen.

Nicht alles, was ich sagte, war dumm, aber es war dumm, daß ich es sagte.

Neun Jahre niederschlagendster Erfahrungen haben mich zweifeln gelehrt an dem reinen und ungebrochenen Willen der Welt, dem Bösen zu widerstehen. Wenn man will, kann man das Emigranten-Psychose nennen und sogar Glaubenslosigkeit. Aber erstens ist wohl ein Unterschied zwischen dem Glauben an das Gute und dem Glauben an den Sieg des Guten auf Erden, besonders, wenn das Gute garnicht recht weiß, was es will, das Böse dies aber sehr genau weiß. Und zweitens hat mein Glaube an Gut und Böse ausgereicht, mich seit Jahrzehnten zu einem donquixotischen Kämpfer für das Gute und Bessere auf Erden zu machen. Wenn ich Amerika für irgend etwas dankbar bin, so dafür, daß es diese meine donquixotische Bemühung mit freundlichen Augen angesehen hat.

Der Untergang des britischen Weltreichs, das alles in allem der Welt ein Segen war und viel guten Willen zeigte, das Stadium der Ausbeutung hinter sich zu lassen, wäre, wenn wir ihn denn erleben sollen, schon ein historisches Ereignis, das einen bewegen könnte, und es hat etwas Überraschendes, Sie von einem Verbündeten auf Leben und Tod sprechen zu hören, wie Sie es tun. Denkt man

allgemein so in Washington? Churchill wird nicht müde, den Präsidenten der Vereinigten Staaten seinen Freund zu nennen, und das Vertrauen in das große, reiche, gewaltige Amerika ist so grenzenlos dort drüben!
Wenn ich »England« sage, so meine ich obviously and definitely nicht den Cliveden-Set, von dem Roosevelt, nicht ich, sagte, es gäbe dergleichen auch hier. Daß ich aus bürgerlichem Snobism für die Lords-Clique schwärmte, ist etwas rauhe Kriegspsychologie. Liebe Freundin, wir überlasteten und gequälten Menschen müssen einander heute wohl einiges nachsehen!
Sie meinten neulich, die Korrespondenz zwischen uns bewähre sich im Grunde besser, als der persönliche Austausch. Ich habe keineswegs diesen Eindruck und denke sehr daran, nach San Francisco zu kommen, wenn ich es irgend einrichten kann, und wenn Ihre Zeit für den Abstecher hierher zu knapp bemessen ist.
Mein neues Bürgernest gedeiht sehr langsam zu bürgerlicher Ordnung. Aber mein Arbeitszimmer ist leidlich fertig, und meine Gedanken gehen dort manchmal über den nur noch aufzuarbeitenden Joseph hinaus zu einer Künstler-Novelle, die vielleicht mein gewagtestes und unheimlichstes Werk werden wird.

Ihr T. M.

An Erika Mann

Pacific Palisades, California
1550 San Remo Drive
24. II. 42

Teures Erikind,
mußte gerade das Monatliche für B. B. C. (über die geblähten Hungerleichen in Polen) und außerdem 1500 Worte für Deinen Coordinator machen (die übrigens noch nicht fertig sind), sonst hätte ich Dir stehenden Fußes für Dein liebes langes Getipp vom 15. gedankt, das mir und uns allen nicht wenig Spaß gemacht und uns erfrischt hat in unserer Beklommenheit, die aus dem inneren Widerspruch zwischen der an sich schon enervierenden Tätigkeit des Sich-Installierens und den Zeit-Umständen unausbleiblich erwächst. Es geht sehr langsam vorwärts mit der Komplettierung unseres letzten Nestes, das wir doch wohl anders gemacht hätten, wenn das alles so vorauszusehen gewesen wäre. Denn wozu eigentlich der weite living-room (der noch eine Wüste ist) und die vielen Kinderzimmer? Die Geselligkeit wird zurückgehen, Kinder kommen

nicht, müssen ihr eigenes Leben führen, und wenn Golo einen Job bekommt, was man ihm herzlich wünschen muß, werden wir ganz allein mit dem armen Mönchen in der mühsam hergestellten Pracht vergreisen und verseufzen. Bisher in der Emigration haben wir uns ja eigentlich immer in gemachte Betten gelegt und eben nur unsere Wanderhabe ausgepackt. Gerade jetzt, mit schlechtem Gewissen und minderen Handwerkern, die einen beständig sitzen lassen, haben wir die zähe Plage des eigenen Settlements, bei dem es unter den gegebenen Umständen zu keiner rechten Freudigkeit kommen kann. Mielein ist auch schon recht überreizt und zu akuter Verzweiflung geneigt, hält sich aber trotzdem natürlich höchst wacker, obgleich das deutsch-jüdische Couple, das wir in der Eile nahmen, ein Alpdruck von dummer Halbbildung und grundsätzlichem Beleidigtsein ist – nicht damit zu leben und nichts wie Rückkehr zum freundlichen Negerstamme, sage ich, und so wird es zum 15ten denn wohl auch geschehen.
Bei alldem ist garnicht zu leugnen, daß es hier bildhübsch sein wird, so Garten wie Haus, wenn einmal alles fertig sein wird. Am fertigsten ist mein Arbeitszimmer, wohl das schönste, das ich je hatte. Die Bibliothek nimmt sich unvergleichlich besser darin aus, als in Princeton, und bei der strahlenden Doppel-Aussicht durch die Venetian blinds, sollte der Joseph mir eigentlich von der Hand gehen, aber man ist halt bedrückt und zerstreut, und was man schreibt, ist »von ungleichem Wert«, wie schon Munker sagte. Immerhin durch die Thamar-Novelle ist der Band einigermaßen aufgestutzt. Du solltest die zweite Hälfte hören, sie ist vielleicht das Sonderbarste und Besterzählte, was ich gemacht habe.
Klaus Heinrich schrieb drollig-melancholisch und gescheit. Tu' das auch wieder, wenn Du Zeit hast.
Liebevoll

Z.

An Alfred A. Knopf [Ende Februar 1942]

My dear Alfred,
»Die Rückkehr zur Gemeinschaft« habe ich gelesen. Ich bin im Zweifel, ob ich Ihnen das Buch empfehlen soll, und das heißt ja mit anderen Worten, daß ich es Ihnen nicht empfehlen darf. Ohne Zweifel ist es eine geistvolle Arbeit und von der besten Gesinnung.

Sein sozial-philosophisches Resultat ist ein mit vielen wissenschaftlichen Argumenten, biologischen, anthropologischen, paläontologischen, psychologischen gestützter Edel-Kommunismus, eben die »Rückkehr zur Gemeinschaft« auf einer hohen Spirale der Entwicklung. »Der Mensch«, sagt der Verfasser, »ist ein geschichtliches Wesen, das in sich übereinandergelagerte psychologische Schichten verschiedener gesellschaftlicher Formationen enthält, und in dem zwei Schichten stärkster Mächtigkeit, zwei Urtypen, welche sich in unendlich lange dauernden Epochen in ihm abgelagert haben, immer in Widerstreit sind: der vormenschliche Individualisierungsdrang, der sich auf urzeitlicher Stufe im Bewußtsein als Macht- und Beherrschungswille reflektierte, und der menschliche auf Solidarität und Kooperation gerichtete, soziale Trieb der urkommunistischen Gemeinschaft.«

Das ist der Kern des Buches, sein Grundgedanke, der unermüdlich abgewandelt wird; man hat ihn bald aufgefaßt, dann aber vernimmt man ihn noch dreimal. Das Aufgebot an Belegen und Stützen dafür ist von einem belesenen Manne gewählt und oft sehr interessant, – kein Wunder, denn es kommt von Hegel, Haeckel, Marx, Nietzsche, Freud (namentlich »Totem und Tabu« spielt eine große Rolle). Nicht, daß ihre Gedanken unbesehen hingenommen würden. Sie werden kritisiert, modifiziert und dem eigenen Gedankenbau eingefügt. Aber am Ende hat man doch das Gefühl, daß hier aus großen Büchern ein kleineres, auch recht gutes, gemacht, dessen Neuigkeitssubstanz nicht eben groß ist.

Ich wiederhole, daß Gesinnung und Lehre des Buches vorzüglich und herzgewinnend sind. Es zielt auf eine von Klassenzerrissenheit befreite, sich um die »Sonne der Arbeit« drehende Welt freier Zusammenheit, aus der viel überflüssiges Menschenleid verschwunden sein wird, und dabei wird nachdrücklich eingeprägt, daß dieses Ziel keine in der Luft stehende Utopie und rein spirituelle Phantasmagorie, sondern im Biologisch-Menschlichen tief begründet ist. Sehr lobenswert ist die Psychologie des Fascismus als der letzten Entartungsform des kapitalistischen Imperialismus, der in seinem demokratischen Stadium noch christliche Werte im Prinzip bewahrt hatte. Aber sehr neu werden auch diese Passagen heute den Wenigsten mehr sein – selbst denen nicht, die sich hierzulande davon getroffen fühlen sollten.

Das Deutsch des Buches ist nicht gerade fascinierend, und seine

Übertragung ins Englische wäre wegen einer gewissen spezifisch deutsch-geisteswissenschaftlichen Haltung und allgemeiner Schwerfälligkeit, wie ich glaube, kein dankbares Stück Arbeit. Es fehlen der Glanz und der Impetus, die den geborenen Schriftsteller machen, und es fällt mir schwer zu glauben, der Mann sei eigentlich zum Schriftsteller und Denker geboren; er ist vielmehr durch den Druck der Zeit zum Gelegenheitsschriftsteller und -Denker gemacht worden, zu einem besseren als viele andere, aber doch wie viele andere.

Das ist mein Referat. Gott gebe, daß es nicht ungerecht ist! Ich kann nur sagen: Ich zweifle, und ich fürchte, bei Verlagsangeboten heißt es: In dubio contra reum...

With my best love jours

Thomas Mann

An Alma Mahler-Werfel

Pacific Palisades, California
1550 San Remo Drive
[Anfang März 1942]

Liebe gnädige Frau,

ich beeile mich, Ihnen den Aufruf meines Bruders wiederzugeben. Er sagt wohl, was man den Deutschen jetzt sagen kann und muß. Wie er es sagt, wird Ihnen etwas fremd vorkommen, und ein sachlicher Fehler ist leider auch darin: Daß die Deutschen in Rußland schneller zurückgeworfen werden, als sie eingedrungen sind, trifft nun einmal nicht zu. Mit den Fakten soll man vorsichtig umgehen, sonst stellt man seine Sache bloß.

Mahler und Amerika betreffend haben Sie natürlich vollkommen recht. Erst ganz langsam fängt diese große Musik hier an zu klingen. Ich glaube, daß die sonderbare Zufallspassion der Amerikaner für Sibelius ihr im Wege stand.

Sie haben *uns* einen angenehmen Abend bereitet, neulich.

Auf Wiedersehn!

Ihr ergebener

Thomas Mann

An Agnes E. Meyer

Pacific Palisades, California
1550 San Remo Drive
8. III. 42

Dear Agnes,
wie steht's? Fangen Sie an, sich zu erholen? Ich frage mich mehrmals am Tage danach und tue also wohl am besten, Sie selbst danach zu fragen. Sie hatten es ein wenig weit kommen lassen mit der Überspannung Ihrer Kräfte. Aber der Luftwechsel, Ruhe, freundliche Natur-Eindrücke und sogar eine richtige Kur werden bald das Ihre an Ihrer höchst reparablen Verfassung getan haben, und strahlend werden Sie sich dem Leben wieder gewachsen fühlen. Das Leiden in solchen Ermüdungsfällen ist ja ein doppeltes, es wirkt direkt und indirekt, nämlich auch noch durch die unleidliche Wahrnehmung der Insuffizienz, die man immer für dauernd zu halten geneigt ist.
Ich kenne das nur zu gut – zwei, drei Abende nach einander zu spät ins Bett durch Geselligkeit, Konzert-Ausfahrt oder dergleichen, und der Zustand verdrießlicher Unzulänglichkeit ist da, den ich hasse wie die Pest, das Gefühl, »den Anforderungen nicht mehr gewachsen zu sein«. Mynh. Peeperkorn, Sie erinnern sich, nimmt sich das Leben deswegen. Ich muß also wohl etwas davon verstehen.
Wir besseren Leute verstehen alle etwas von Müdigkeit, – die sich ja nicht notwendig als Schläfrigkeit zu äußern braucht. Das tat sie nicht in Ihren vorletzten Briefen und tat es, fürchte ich, auch nicht in meinen Antworten darauf – auch schon nicht in den unzeitigen Bekenntnissen, auf die Ihre Briefe die Reaktion waren. Sie müssen bedenken, daß ich beim Briefschreiben nicht auf meiner Höhe bin. Es sind Spät-Nachmittag- und Abendstunden, die ich dazu benutze: nur in Ausnahmefällen kann ich den Vormittag daran wenden, und so mögen vertrauensvolle Unbesonnenheiten passieren. Bedenken Sie auch, daß jede Korrespondenz darunter leiden muß, daß man beim Schreiben den Zustand nicht berechnen kann, worin das Geschriebene den Empfänger antreffen wird. Das führt mit Notwendigkeit manchmal zu Unstimmigkeiten und hat es durch diesen oder jenen verfehlten Ausdruck hier einmal getan.
Ich bitte Sie nur um zweierlei: Erstens: Verübeln Sie es einem Europäer nicht, rechnen Sie es ihm nicht als Schwäche, Verrat und Verkennung Amerika's an, wenn er stundenweise, *halb*-stundenweise die Fähigkeit der Demokratie bezweifelt, diesen Krieg zu

verstehen und zu gewinnen. Das ist menschlich. Es liegen ja schließlich einige Fakten vor, die für eine solche Befürchtung sprechen, – und ich wiederhole, daß es nur Stunden sind, wo ich ihr unterliege. Der Teufel wollte es, daß ich eine solche Stunde zum Schreiben an Sie benutzte.
Zweitens nun aber, und dies besonders: Sorgen Sie sich nicht um mich, fürchten Sie nicht immer gleich, irgend ein Denken und Meinen über die Weltvorgänge, ein Wort des Zweifels, ja der Resignation wäre ein Zeichen, daß ich im Begriffe sei, »aus meinem wahren Charakter zu treten« und um mich selbst zu kommen. Daß die Freiheit und Heiterkeit meines gemächlichen Werkes völlig unberührbar ist durch die äußere Welt, so lange sie mir eben nur Leben und Freiheit gönnt, das hat sich doch wohl seit vielen Jahren erwiesen. Gestern beim Lunch nach dem Hearing des Tolan Committee, vor dem wir auszusagen hatten, sagte Bruno Frank zu mir: »Daß etwas wie der ›Joseph‹ in dieser Zeit entstehen konnte und zwar nicht bei selbstbewahrender Absperrung gegen sie, sondern unter leidenschaftlicher Teilnahme an ihr, das wird einmal als ein Wunder bestaunt werden!« – »Nun, nun, was für ein Ausbruch!« sagte ich. Aber ich gestehe, daß solche kühnen Prophezeiungen mir immer noch berechtigter scheinen, als Sorgen um mein Seelenheil, die ich nur als eine unnötige Belastung für die Seele dessen betrachten kann, der sie hegt. Ich bin, liebe Freundin und Helferin, viel unveränderlicher, unerschütterlicher, unbiegsamer, viel endgültiger und unbeeinflußbarer geprägt, als eine pädagogische Hochherzigkeit glauben mag, die mich darum ängstigt, weil ich weiß, daß sie nicht reussieren kann. Man kann mich verstehen, kann mich erläutern, aber man kann mich nicht ändern. Man kann das – hoffentlich wirklich vorhandene – Gute und Hilfreiche in mir sehen und es zu meiner unaussprechlichen Rührung und Dankbarkeit den Menschen so wundervoll darstellen, wie Sie es getan haben und in größerem Stil zu tun im Begriffe sind, – aber man kann mich nicht ändern. Pallas Athene selbst könnte in mein Leben treten – und es bliebe ihr auch nichts anderes übrig, als mich zu nehmen, wie ich nun einmal bin. Ich weiß mich sehr unzulänglich, aber was ich bin, das bin ich mit Nachdruck, und nicht allein durch meine Jahre bin ich untauglich zum Objekt der Erziehung.
Ich denke an Sie, beste Freundin, und – verzeihen Sie mir die fast komische Retour-Chaise! – ich sorge mich um Sie. Alle Schrecken

des Gewissens fassen mich an, wenn ich denke, daß Sie sich an einem Werk, das dem meinen gilt, übermüden und darunter erliegen könnten. Ich bitte Sie von Herzen: nehmen Sie dies Werk nicht zu schwer, – Ihres nicht und meines nicht! Seien Sie nicht ehrgeiziger für mein geruhsames Werk, als es selbst von Natur aus ist. Rufen Sie mir nicht zu: »Der erwachsene Joseph muß großartig werden!« – woraus die Furcht spricht, er möchte es *nicht* werden. Das ist nicht gut, weder für Sie noch für mich. Der »Joseph« ist ein vorwiegend humoristisches Epos mit Einschlägen von Großartigkeit, ja von einer gewissen natürlichen Großartigkeit als Ganzes, und hat durch die Humanisierung des Mythos, die er übt, seinen Platz in der geistig-moralischen Dialektik unserer Zeit. Dadurch kommt ihm »Bedeutung« zu in der Goethe'schen Meinung dieses Wortes. Aber um die Erwachsenheit des Helden wird es wohl bis zum Schluß so zweifelhaft bestellt sein wie um die seines Dichters. Ein bißchen mehr soziale Reife als zu Anfang – meinetwegen. Aber das Spiel mit dem Mythos bleibt ihm doch immer die Hauptsache und das Spiel überhaupt, wie er es eben jetzt vorsätzlich und zeremoniell mit den zum Kornkauf eingetroffenen Brüdern treibt. Morgen früh weiter. Ich möchte, daß Sie lachen – das tiefer begründete Lachen ist das Beste in der Welt – und daß Sie es sich nicht zu schwer machen, indem Sie *es* zu schwer nehmen. Ein gütiges Werk – denn das ist es, selbst wenn es kein gutes sein sollte – möchte niemanden leiden machen, am wenigsten seine gütige Exegetin. – –
Das »Hearing« gestern in Los Angeles vor dem Washingtoner Comité war außerordentlich interessant. Eine richtige öffentliche Gerichtsverhandlung und eine der gewinnendsten amerikanischen Erfahrungen seit meinem Hiersein. Die Freundlichkeit und Geduld, mit der die Japaner angehört wurden, die ausgesuchte Höflichkeit, mit der man uns Deutsche behandelte – es war höchst liebenswürdig und demokratisch. Frank war leider zu emphatisch und larmoyant, aber trotzdem schienen die Congressmen das hors d'oeuvre sehr zu genießen. Der Vorsitzende sagte: »Es ist zwar Lunch-Zeit, aber wenn meine Collegen die Mahlzeit für mich einnehmen wollen, so würde ich es vorziehen, hier mit Ihnen zu bleiben.« Darauf der eine Beisitzer: »Ich könnte auch nichts essen.« – Dramatisch, ritterlich und very nice.
Was für ein langer Brief! Alsob wir 1830 lebten und nicht in Amerika. Hoffentlich trifft er Sie heiteren Gemütes! Bis Sie kommen –

wenn*) Sie kommen, die Hauptsache ist, wie gesagt, Ihre völlige Erholung – wird dies Haus hier schon präsentabel sein; es ist es beinahe jetzt schon. Die meisten Vorhänge sind aufgehängt und der Rasen um die Palmen schon grün.

Ihr T. M.

*) Dies »wenn« ist ein Wenn der Bescheidenheit und der Scheu vor einer Zumutung, – es fällt mir nicht ganz leicht.

An Hermann Hesse

Pacific Palisades, California
1550 San Remo Drive
15. März 42

Lieber Herr Hesse,
da nun meine Bibliothek, soweit noch vorhanden und soweit wieder aufgebaut, nach langer Entbehrung wieder übersichtlich um mich versammelt ist, nämlich in dem neuen eigenen Heim, das wir vor einigen Wochen bezogen haben, fiel mir ein kleines Buch in die Hände, als dessen Herausgeber Sie vor 16 Jahren zeichneten: Schubarts Leben und Gesinnungen, und diese köstliche Lektüre, durch Ihr Nachwort eingeleitet, drückt mir, wie Schubart wohl sagen würde, den Kiel in die Hand, i.e. die landesübliche Desk-Fountain-pen, und soll mir der unmittelbare Anlaß sein, Ihnen wieder einmal ein Wort des Gedenkens und eine freundschaftliche Frage nach Ihrem Ergehen zu senden. Ich muß jetzt soviel englisch lesen (tue es übrigens nachgerade mit Vergnügen), daß ich das exuberante Deutsch, in dem der Mann sein rappelköpfiges und zerknirschtes Künstlerleben erzählt, unbeschreiblich genossen habe. Gestern abend las ich sogar den Meinen daraus vor und habe Tränen dabei gelacht – obgleich es ja keineswegs so gemeint ist. Aber wie charakteristisch und lehrreich sind diese Bekenntnisse doch auch, wie machen sie die Epoche lebendig, und welchen Blick gewähren sie in das städtische und höfische Leben des Deutschland von damals, das wissenschaftliche Treiben, das halb-welsche Kunstwesen, über dem doch Klopstock (»ein Engel, der sich so nennt«) und »der deutsche Arion« Joh. Seb. Bach schweben. Kurzum, Sie haben mich noch nachträglich durch die Gabe von damals außerordentlich zu Dank verpflichtet.
Grund zum Dank und Anlaß zum Schreiben hätte es schon früher

gegeben, denn Sie haben mir ja das allerliebste, für Ihre Freunde gedruckte Heftchen mit Briefen und kleiner Prosa geschickt und sollen doch wissen, daß es richtig zu mir gelangt ist und daß ich es mit Freuden in Empfang genommen und gelesen habe. Von diesem Deutsch, noch am Klassisch-Romantischen geschult, sind nun wohl die letzten Reste im Aussterben begriffen, und der Sinn dafür – übrigens wohl auch schon ein halb-ironischer Sinn – wird sich in sehr intime Bezirke der äußeren und inneren Emigration zurückziehen. – Trifft es zu, daß nun auch Ihre Bücher im Reiche verboten sind? Man hörte es hier. Es mag bloßer Emigrantentrost sein, aber wundern würd' es mich nicht, wenn es wahr wäre und trotz aller Zurückhaltung eine gewisse Unstimmigkeit zwischen Ihrem Wesen und dem da auf die Dauer nicht zu verdecken gewesen und der Totalität unerträglich geworden wäre. Des sehr temporären Charakters dieser »Ausmerzungen aus dem nationalen Leben« sind sich die blutigen Käuze ja wohl selber bewußt, und persönlich werden Sie's aushalten können; die Schweiz wird Sie nicht darben lassen – soweit sie nicht eben selber darbt.
Für den vierten »Joseph«, an dem ich gegen das Ende hin mit geradezu wachsendem Vergnügen arbeite, bin ich entschlossen, auch auf die Reste des europäischen »Marktes« vorläufig zu verzichten. Es ist beim gegenwärtigen Stand der Communication ganz unmöglich, ein irgendwie delikates Buch noch drüben drucken zu lassen. Das hat sich bei Werfels neuem Roman, der Lourdes-Geschichte, gezeigt, für deren snobischen Katholizismus und unappetitlichen Wunderglauben ich ihn übrigens derb ausgescholten habe. Das Buch ist von Druckfehlern über und über entstellt – natürlich, da er keine Korrektur lesen konnte. Ich erlaube Bermann das nicht mit dem Joseph. Es wird hier davon neben der englischen eine deutsche Ausgabe hergestellt werden, damit das Original doch vorhanden ist – und damit gut. Es soll nur gerade nicht dahin kommen, daß die Deutschen sich das alles eines Tages aus dem Englischen übersetzen müssen. –
Ob wir einander wiedersehen, lieber Hermann Hesse? Quaeritur. Ob ich Europa wiedersehe? Dubito. Und in welchem Zustande *würde* man es wiedersehen – nach diesem Kriege, dessen Ende für mich ganz unabsehbar, irrational und unrealisierbar ist. Sprechen wir nicht darüber von Continent zu Continent! Man führt unterdessen mit wunderlicher Beharrlichkeit das Seine zu Ende, nicht

wahr? – auf die Wahrscheinlichkeit hin, daß das Hergestellte »an den Strand getrieben, wie ein Wrack in Trümmern daliegen und von dem Dünenschutt der Stunden zunächst überschüttet werden« mag. (Letzter Brief an Humboldt). Ich treibe es so unter äußeren Umständen, für deren Gunst ich nicht dankbar genug sein kann – in dem schönsten Arbeitszimmer meines Lebens. Die Landschaft um unser Haus herum, mit dem Blick auf den Ozean, sollten Sie sehen; den Garten mit seinen Palmen, Öl-, Pfeffer-, Citronen- und Eukalyptus-Bäumen, den wuchernden Blumen, dem Rasen, der wenige Tage nach der Saat geschoren werden konnte. Heitere Sinneseindrücke sind nicht wenig in solchen Zeiten, und der Himmel ist hier fast das ganze Jahr heiter und sendet ein unvergleichliches, alles verschönendes Licht. Golo und die arme Moni sind bei uns, aber wir erwarten auch Erika, die immer Leben bringt, uns ein sehr liebes Kind, amüsant auf dem ernstesten Hintergrund; und die Jüngsten werden die Enkelkinder aus Chicago und San Fransisco bringen. Von Fridolin, Sohn Bibi's und der kleinen Schweizerin, lege ich ein Bildchen bei.
Lassen Sie mich Gutes hören über Ihre Gesundheit und sagen Sie Frau Ninon von uns beiden herzliche Grüße!

Ihr Thomas Mann

An Ludwig Marcuse

Pacific Palisades
1550 San Remo Drive
27. III. 42

Lieber, sehr verehrter Herr Marcuse,
ein Brief wie der Ihre hätte sofort beantwortet werden müssen, – verzeihen Sie! Mehrmals wurde mir die dafür bestimmte Stunde genommen.
Wie sehr verstehe ich Ihre Erregung, Ihre Erbitterung! Wenn ich sie nicht unmittelbar, sondern als ein persönlich vorläufig noch Unbetroffener zu teilen habe, so ist das der reine Zufall. Aber da die inständigen Vorstellungen von uns Unbetroffenen bisher so garnichts genützt haben, – meinen Sie, daß es irgendwelchen Eindruck machen würde, wenn ich beteiligt wäre? Sie kennen die Denkungsart der Amerikaner oder doch der Behörden nicht. Wenn ich erklärte: Ich halte es nicht aus, ich will auch enemy alien sein, so würden die durchaus nicht in Tränen ausbrechen, sondern es bei-

läufig als den Entschluß auffassen, mit gutem Beispiel voran zu gehen und es so hinstellen, alsob damit allem Jammern der Grund entzogen sei. Der berühmte Muck war während des ganzen vorigen Krieges interniert, und Toscanini muß heute, selbst wenn er der Defence zugute dirigiert, 8 Tage vorher um Reise-Erlaubnis einkommen. Es ist das Demokratie, oder man nennt es doch so. Selbst den evakuierten Japanern sagt man: Seid ihr so loyal wie ihr zu sein behauptet, dann schreit und petitioniert nicht, sondern fügt euch freudig in die militärischen Notwendigkeiten und nehmt bereitwillig das Opfer auf euch, das dieses Land in höchster emergency von euch verlangen kann. This is war. – Sie kennen doch die Argumentation. Daß es eine sinnlose, von aller Logik verlassene Grausamkeit ist (aber oft hat sie nur zu guten Sinn und nur allzuviel Logik!), die deutschen und italienischen Emigranten, die vertriebenen Juden zumal, als feindliche Ausländer zu behandeln, das machen Sie den Leuten begreiflich! Vor dem Tolan-Committee habe ich gesagt: »Ich denke durchaus nicht nur an die Emigranten, ich denke an den Kampfgeist dieses Landes. Das furchtbare Beispiel Frankreichs schwebt mir vor. Eine Nation, die Gefallen findet an Siegen über die intimsten Feinde ihrer Feinde, scheint nicht in der besten psychologischen Verfassung, diese Feinde zu schlagen!« Ich weiß nicht, ob ich verstanden wurde, aber ich bin so weit gegangen, es zu sagen. Ich bin überhaupt ziemlich weit gegangen, und das Einzige, was ich an Ihrem Brief und anderen, weniger wichtigen, auszusetzen habe, ist, daß Sie sich an Einen wenden, der ohnehin sein Bestes tut. Täte ich garnichts, so würde ich keine Briefe bekommen. Da ich aber etwas tue, so fordert man mich auf, viel mehr und viel Besseres zu tun. Das ist wohl menschlich.

Bis an die Grenze der Unbescheidenheit und taktlosen Einmischung in die Angelegenheiten meines Gastlandes, das sich schließlich in einem Kampf auf Leben und Tod befindet, werde ich fortfahren, zu mahnen und zu warnen, das verspreche ich Ihnen. Das Schlimme ist, daß es zu spät scheint, den Militärs die Dinge aus den Händen zu nehmen. Wir strebten darauf hin, daß sie Vollmacht haben sollten, mit enemy aliens zu machen, was sie wollten, daß aber die Bestimmung, *wer* ein enemy alien ist, den Civil-Behörden vorbehalten bleiben sollte. Aber im Kriege sind Civil-Behörden sehr weich gegen Militärs, und der Präsident, der sehr wohl Bescheid weiß, hat den Sinn des Politikers für die Rangordnung der Fragen.

Ich möchte aber glauben, daß nichts so heiß gegessen werden wird, wie es jetzt gekocht wird. Wir haben so gewarnt vor dem Ersteinmal-Durchgreifen, das viel nicht wieder gut zu Machendes anrichten kann! Trotzdem scheint es, daß erst einmal durchgegriffen werden soll – ich weiß nicht, wie weit. Aber Abschwächungen, Befreiungen, Revisionen werden gewiß kommen, wenn nicht kollektiv, so doch individuell, und wenn ich Ihnen persönlich je nützlich sein könnte, so würde das wahrhaft freuen
Ihren ergebenen

Thomas Mann

An N.

Pacific Palisades, California
4. Mai 42

Lieber Herr N.,
ich möchte die Aktion gewiß nicht stören, besonders da die Behörden in Washington sie gut zu heißen scheinen. Aber die Amerikaner überlegen sich das nicht so, wie wir es uns überlegen sollten. Ich habe die Idee nie glücklich gefunden und zu verstehen gegeben, daß zur Besserung der Lage der enemy aliens Vernunftgründe würdiger und vielleicht sogar wirksamer sind, als Geschenke. Und als was für ein Geschenk! Wenn es sich darum handelte, für 10000 Dollars War-Bonds zu kaufen oder 10000 Dollars für das Amerikanische Rote Kreuz zu stiften. Aber ein Bomber! Das ist das krasseste Symbol, das man finden konnte. Wenn man bedenkt, was kommen wird, was den deutschen Städten bevorsteht – gerechterweise, notwendigerweise, unentbehrlicherweise bevorsteht, so befällt einen doch ein gelinder Schrecken vor dem Nachruf, dazu demonstrativ beigetragen zu haben. Lübeck und Rostock waren ja nur Kostproben. Es wird schrecklich zugehen, *mit Recht*, ich wiederhole es. Menschen werden, wie in der »Glocke« unter Trümmern wimmern, Kultur-Monumente vielleicht massenweise in Schutt liegen. Die Hände einer gequälten und furchtbar herausgeforderten Welt, die sich anders nicht mehr zu helfen weiß, sollen das tun, aber doch nicht meine Hände. Ich kann Hitler verfluchen nach Herzenslust und die Deutschen allmonatlich beschwören, den »blödsinnigen Wüterich« (so nannte ich ihn das letzte Mal) nebst seinem ganzen Raub-Pöbel zum Teufel zu jagen. Das wird mir garnichts schaden für später. Aber ich möchte einfach nicht, daß man nach meinem Tode in Deutschland meine Bücher mit dem Gedanken liest – oder

auch nicht liest –, daß ich als symbolischer Chairman für die symbolische Finanzierung der garnicht symbolischen Zerstörungen »von damals« geamtet habe. […]
Vielleicht sehe ich die ganze Sache falsch, aber ich muß danach handeln, wie ich sie sehe.
Freundschaftlich

Ihr Thomas Mann

An Agnes E. Meyer Pacific Palisades, California
5. Mai 1942

Madame,
darf ich vorsprechen und mich nach dem Befinden erkundigen? Wir haben hier jetzt, nach einigen regnerischen Wochen, die übrigens sehr notwendig waren, die herrlichsten Frühlingstage, von strahlender Helligkeit, aber noch fern von Hitze, und ernten schon Rosen aus unserem Garten. Es tut dem Gemüte wohl und eine Welle von Optimismus geht ja ohnedies übers Land, erregt wohl namentlich durch Adolfs wunderbar schöne Reichstagsrede und erhöht neuerdings durch den Coup von Madagaskar, dem die harte aber nützliche Tätigkeit der R.A.F. in Lübeck und Rostock vorangegangen war. Wegen Lübecks war mir doch sonderbar zu Mut. In einer Zeitung sah ich ein Bild der zerdepperten Breiten Straße, in der Gegend, wo die Konditorei von Niederegger stand. 40 Prozent der Altstadt sollen in Trümmern liegen. Was soll man machen! Die Lübecker gehörten ums Jahr 1933 zu den allerschlimmsten. Die Nachricht, daß das Buddenbrook-Haus zerstört sei, ist nicht dementiert worden. »You lost your house?« fragte mich neulich ein Verkäufer in Westwood. Ich verstand garnicht, was er meinte, dachte an das Herzogpark-Haus und antwortete: »Oh, that's long ago.« – »Well, some weeks«, sagte er, worauf mir die Meinung klar wurde. […]
In Max Reinhardts mit wahrer Bühnenkunst ausgestattetem Haus, gegen das das unsere von nüchterner Sachlichkeit ist, hatten wir gestern einen geselligen Abend, bei dem Propaganda gemacht wurde für ein Theater, das R. in New York zu eröffnen hofft. Er fährt jetzt dorthin, begierig, wieder zaubern zu dürfen. Aber die Mittel, die etwa zur Verfügung stehen, werden wohl eher auf ein asketisches Gesinnungs-Theater verweisen, als auf Zauber und Üppigkeit, wie er sie liebt, und wie er sie in reicher Zeit produzierte.

Ich fürchte, er ist nicht der Mann der Stunde. Aber mehr Aussichten, als hier, hat er in New York jedenfalls.
Bermann und Landshoff haben ein schönes Buch herausgebracht: die Briefe Verdi's mit einer gefühlten Einleitung von Werfel. Eine herrliche Figur alles in allem, unendlich nobler als sein formidabler Gegenspieler R. Wagner. Ich war tief ergriffen von dem Brief, den er unter dem Eindruck von Wagners Tod an Ricordi schreibt: »Triste triste triste!« Und dann spricht er von dem mächtigen (potente) Einfluß dieses Werks auf die Geschichte der Kunst, wobei er das Wort »potente« durchstreicht und corrigiert: »potentissima«. Wundervoll! Dabei hatte er wahrhaftig unter dem fremden Genie gelitten und wußte, daß Wagner ihn verachtet hatte.
Ich erzähle von Joseph und Benjamin: Joseph fächelt beim Essen mit der Hand des Kleinen, wie er es früher getan, wenn sie Hand in Hand herumstrichen. Dem Benjamin stockt natürlich das Herz. Es ist eine merkwürdige Sache: Er sieht einen Mann, in dem der Bruder ist. Das ist wohl Wiedererkennen, aber noch nicht Identifikation. Es ist eine große mentale Leistung, die erst durch das »Ich bin's« erzwungen wird, die beiden weit aus einander stehenden Gestalten als ein und dieselbe zu sehen. Da immer ein Scherz bei der Sache sein muß, erkläre ich Benjamins Seelenzustand für ganz unbeschreiblich, beschreibe ihn aber dabei.
Mit dergleichen unterhält man sich, während in Rußland alles auf dem Spiele steht. Der Zustrom amerikanisch-britischen Materials scheint jetzt so zu sein, daß die Russen hoffen dürfen, Hitler noch dieses Jahr hinauszuwerfen. Es amüsiert mich sehr, wie stolz die Amerikaner sind, wenn Stalin sie lobt. »Dictator Stalin has no objection.«
Ob Peat mir für den Herbst einige lectures verschaffen wird, die auf dem Wege nach Washington liegen? Er verspricht es, aber noch habe ich von keinem Abschluß gehört. Übrigens wäre es gut, wenn ich den Joseph erst fertig machen könnte, bevor ich reise. Dann wäre es eine Belohnungs- und Erholungsfahrt. Aber es wird wohl nicht gerade so auskommen.
Der Ihre T. M.

An Agnes E. Meyer Pacific Palisades, California
12. Mai 42

Ja, meine liebe Freundin, was heißt sachlich – und was ist das Gegenteil davon? Persönlich? Oder: Abstrakt? Oder: Leidenschaftlich? Oder: Plauderhaft? Bei diesem letzten Vorschlag fällt mir der alte Fontane ein, den ich jetzt abends oder vielmehr nachts vorm Einschlafen wieder lese, – mit unbeschreiblichem Vergnügen, trotz altmodischer Einschläge in seine Art zu erzählen. Er besitzt einen artistischen Zauber, für den ich mich immer wieder bis zum Entzükken empfänglich erweise, besonders im Dialog, der meist reine Plauderei, aber von unglaublichem Reiz und einer eigentlich sehr hohen Anmut der Führung und Stilisierung ist. Er entwickelte das merkwürdiger Weise erst im Alter, wurde immer raffinierter, immer mehr Mann des Tonfall-Zaubers und der Un- oder doch Über-Sachlichkeit und erfüllte zuletzt auf die liebenswürdig-anspruchloseste Weise die Forderung Schillers an die Kunst, daß sie den Stoff durch die Form »verzehre«. Kennen Sie ihn eigentlich? Bei Ihren norddeutschen Traditionen sollte er Ihnen liegen. Ich empfehle Ihnen »Effi Briest«, sein Meisterwerk, das ich jetzt wieder lese. Es ist immer ein Glück, wenn die letzte Lektüre eines bevorzugten Autors lange genug her, daß man wieder damit beginnen kann.
Soll man nun, was Sie in Ihrem vorigen Brief, der sich mit meinem kreuzte, über Goethe schrieben, der Kategorie des Sachlichen zuweisen oder nicht? Vielleicht nicht, weil es Beziehungen zum Persönlichen, d.h. zu mir und den Selbstkorrekturen meines Lebens hatte. Auf jeden Fall war es *vorzüglich*, außerordentlich wahr und klug in seinem Kritizismus und mir aus der Seele gesprochen. Ich habe es mehrmals gelesen und, daß ich's nur gestehe, auch vorgelesen: im Familienkreise, für meinen Bruder besonders, der 14 Tage bei uns war, um sich von seinem Weibe zu erholen (nach unserer Auffassung), und den dieser amerikanische Scharfblick für die Schwächen oder die Manko's unseres größten Mannes höchlichst interessierte. Ich durfte einigen Neid einkassieren auf den Besitz einer so gescheiten Freundin. Übrigens hat dies groß aufgebaute Ich in späteren Jahren dem individualistischen Imperialismus wenigstens lehrweise weitgehend abgesagt und sich zu einer Art von demokratischer Kommunität bekannt. Ich sage: »lehrweise« und schlage damit heimlich an die eigene Brust; denn mein Gewissen fragt

mich manchmal, ob ich's nicht auch nur lehre, ohne den »innerlichen«, »deutschen« Kultur-Begriff eigentlich abgelegt zu haben. Aber was kann man mehr tun, als sich zu seinen Einsichten bekennen, auch gegen das eigene Wesen?

Neu war mir Ihre Goethe-Kritik nicht, das kann ich wohl sagen. Von Börne zu schweigen und der »ungeheuer hindernden Wirkung«, die er ihm zuschrieb, so gibt es auch einen Faust-Aufsatz von Turgenjew, in dem viel von dem steht, was Sie sagen. Und ich selbst – alles, was ich der Goethe-Sphäre in »L. i. W.« an Unheimlichem, Erschreckendem, Bedrückendem gegeben habe, hängt damit zusammen. Erinnern Sie sich, wie Lotte, als Er das chinesische Wort citiert: »Der große Mann ist ein öffentliches Unglück« und die Anderen überlaut lachen, im Stillen befürchtet, es möchte Einer den Tisch umstürzen und rufen: »Die Chinesen haben recht!«?

Ach ja, die großen Männer – wenigstens die deutschen Stils! Und ach, die Deutschen überhaupt! Ich habe jetzt viel in G. Verdi's Briefen gelesen, – Künstler-Briefe hatten immer einen großen Reiz für mich und diese besonders. Auch im Politischen sind sie außerordentlich bewegend. Sein Kummer über die Niederschlagung Frankreichs i. J. 1871 ist prophetisch. »The European war is unavoidable, and if France were saved we should be safe too.« Er fürchtet alles von den Deutschen: »They are monstrously proud, hard, intolerant, rapacious beyond measure and scornful of everything that is not German. A people of intellect without heart – a strong people but they have no grace.... What now? I should have preferred to have our government follow a more generous policy, and pay a debt of gratitude. A 100000 of our men might have saved France. Anyhow I would rather have signed a peace after being defeated along with France, than to have been a passive spectator. That we are doing this will expose us to contempt some day. *We shall not escape the European war and it will engulf us...*«

Wie richtig hat er es gesehen, ein einfacher Opernkomponist, aber mit dem Instinkt des Kultur-Europäers. Daß die Civilisation nicht schon gegen den genialen Kannibalen Bismarck zusammenstand, war eine Instinktlosigkeit. Und welche Fortschritte hat sie seitdem in der Instinktlosigkeit gemacht! Man sieht zuweilen nicht, warum es mit ihrer Überlistung und Überwältigung nicht immer so weiter gehen sollte.

Aber dann kommt wieder etwas wie die jüngste Rede Churchills, –

prachtvoll, really heartening! Und welche Sprache, welcher bissige Humor, welcher lustige Glanz des Wortes! Zu schade, daß die Deutschen das nicht vergleichen können mit dem Mist, den man ihnen bietet. Nietzsche sagt einmal gegen Darwin und das Überleben der Stärksten: »Die Schwachen haben mehr Geist.« Aber der Geist, der bei der Schwäche ist, war mir immer eher fatal, und ich glaube auch nicht, daß er sonderlich zum »Überleben« hilft. Aber die Stärke, die Geist hat, das ist das Wahre, das ist ein Fest, und ohne Geist gibt es auch wohl garkeine wahre Stärke. –
Erika kommt ja nächstens, Sie besuchen. Sie möchte etwas Süd-Amerikanisch-Propagandistisches mit dem jungen Rockefeller verabreden, und ich hoffe, es gelingt ihr, denn sonst fährt sie wieder nach England. Schon der Flug nach Washington ist mir nicht lieb. Es passiert jetzt unheimlich viel. Aber mündliche Grüße soll sie Ihnen bringen, die doch immer besser sind, als die schriftlichen, wovon ich hier die herzlichsten anfüge.

Ihr T. M.

An Agnes E. Meyer

Pacific Palisades
14. Mai 42

Liebe Freundin,
in meinem Gestrigen, Geehrten, Schwatzhaften vergaß ich zweierlei: 1.) Darf ich »Cricket« lesen, wenn es abgeschrieben ist? Sie von dieser Seite kennen zu lernen, wäre eine Sensation. 2.) Darf ich um einen kleinen Bericht bitten über das petit dîner, das in Aussicht stand? Auch eine Sensation!
Die Arbeit am Joseph macht mir jetzt solchen Spaß, daß ich immer kaum den nächsten Vormittag erwarten kann. Der Band wird gegen das Ende hin immer lockerer, dramatischer, märchenhafter und amüsanter, was gut ist für den Leser. Eben wurde der Becher aus dem Sack gezogen. Die Brüder toben, aber Benjamin schweigt.

Ihr T. M.

An Agnes E. Meyer

Pacific Palisades, California
23. V. 42

Liebe Freundin,
Joseph gibt sich gerade zu erkennen, glitzernde Tränen laufen ihm die Backen hinunter. Ich lasse sie laufen und unterbreche mich recht mitten drin, nur um Ihnen vorläufig rasch zu sagen – aber es ist

wohl kaum noch nötig –, daß Ihre ganze Aufregung und all Ihr Schelten wegen der Vorlesung völlig unbegründet, gegenstandslos, luxuriös und dermaßen mißverständlich war, daß es beinahe wie Absicht aussieht, und alsob Sie mir um jeden Preis eine Szene hätten machen wollen. Denn so kann im Ernst kein vernünftiger Mensch den anderen mißverstehen, wenn dieser sich so genau und unzweideutig ausgedrückt hat, wie ich es in dem Briefe tat, worin ich Ihnen ehrlich und nachträglich Ihre Genehmigung erbittend berichtete, daß ich die Passage des Ihren, die von Goethe handelte, ihrer Vorzüglichkeit und inneren Aktualität wegen en famille zum Besten gegeben hätte. Die Tatsache selbst, daß ich Ihnen dies ausdrücklich mitteilte, mußte Sie klar versichern, daß es sich um einen exzeptionellen, eng umrissenen, sorgfältig ausgesuchten Fall handelte, und daß ich nicht die Gewohnheit habe, Ihre Briefe vorm Stadthause von Santa Monica zu verlesen. Was könnte »sachlicher« sein und mehr Anrecht auf weiteres Gehör haben, als diese kritische Betrachtung einer klugen Amerikanerin über den größten Deutschen und über deutsche Größe? Über Dinge also, die uns allen auf den Nägeln brennen, uns dauernd beschäftigen und für uns den Kern der gegenwärtigen Welt-Problematik bilden? Letzten Endes handelt es sich doch immer um das schwierige Verhältnis Deutschlands zur Demokratie, eine Sache, die seit einem Menschenalter einen guten Teil meines Denkens einnimmt. Sie schrieben mir darüber – Sie hätten, was Sie schrieben, ebenso gut drucken lassen können. Und nun soll es von mir eine Schamlosigkeit, soll Verrat an unserer Freundschaft sein, daß ich ein paar Nächste daran teilnehmen ließ? Da geht mir das Verständnis aus. Um Verzeihung habe ich schon im Voraus ganz freiwillig gebeten. Ich finde keinen Grund zu weiterer Bußfertigkeit und kann Sie nur versichern, daß nie sonst, zum mindesten seit Jahren nicht, ein Wort aus Ihren Briefen zu anderen Augen und Ohren gedrungen ist. Wenn Sie im Ernst dieser beruhigenden Versicherung bedürfen, so nehmen Sie sie! Ihre Ruhe liegt mir am Herzen. Und die meine auch. –

Ich muß wieder zur Arbeit hinüberwechseln und schreibe heute nichts weiter als dies Eiligste. Die short story habe ich schon gelesen. Sanft, tief und schön klingt sie mir im Ohr. Aber darüber und über anderes bald.

Ihr T. M.

An Agnes E. Meyer Pacific Palisades, California
2. Juni 42

Liebe Freundin,
wie bitter-traurig und enttäuschend ist das! Meine Frau, in ihrem ausgeprägten Mutter-Gefühl, hätte fast geweint, als ich es ihr sagte. Wir beide nehmen von ganzem Herzen Anteil an diesem dunklen Mißgeschick. Gottlob, daß Kay gesund ist. Aber wie entmutigend muß es für sie sein – gleichsam betrogen muß sie sich fühlen: nach der langen Zeit des Hegens und Wachsens und Tragens nun das Nichts. Es geht mir wahrhaftig nahe. Drücken Sie ihr doch die Hand, ich lasse sie herzlich grüßen!
Eine Wohltat ist es auch mir, zu wissen, daß Ihre Kinder bei Ihnen waren.
Und an meinen Geburtstag haben Sie gedacht, einen gewöhnlichen 67.! Dank für die allerliebsten Jade-Knöpfe! Sie wissen, ich habe Freude an schönen Dingen.
Meine Frau lag eine Woche krank mit einer Darm-Infektion, die sich anfangs recht übel anließ. Das ist immer ein herabgesetzter Zustand, aber seit gestern ist sie außer Bett.
Ich selbst bin nicht sonderlich wohl, nervös und müde. Möglich, daß das Klima mir auf die Dauer zusetzt. Es wird sich um den Ausfall irgendwelcher Stoffe handeln, Jod oder Calcium. Ich muß einen Arzt fragen.
Die Zerstörung von Köln hat mich ernstlich erschüttert. Unglückliches Volk! Die Sühne beginnt. Man muß sich erinnern wie sie in Prag, in Polen gehaust haben, muß an Guernica, an Rotterdam denken, um sich das Mitleid zu verbeißen. Erika, die die Sache von London her mit ca. 400 Flugzeugen kennt, sagt, mit 1000 müsse es schlechthin die Hölle sein. Es ist bittere Notwendigkeit. Wir müssen uns sagen, daß die Partie für uns noch immer sehr ungewiß, sehr auf der Kippe steht.
Ich habe die Erkennungs-Szene beendet und will jetzt eine Pause machen, um ein Vorwort für die politischen Essays zu schreiben. Das Ausruhen kennt unsereins nur bei »etwas anderem«. Wie fänden Sie denn den Titel »The Order of the Day«? Kam mir neulich in den Sinn und gefiel mir nicht schlecht.
Leben Sie wohl, ich schreibe bald wieder.

Ihr T. M.

An Klaus Mann Pacific Palisades, California
16. Juni 42

Lieber Klaus,
das Editorial aus der Tribune war ein sehr nettes Geburtstagsgeschenk und Deine Nachschrift hervorragend üsis. Lange ist mir nichts vorgekommen, worauf diese nützliche Wort-Creation so gepaßt hätte.
Nur gut, daß einem die Presse auch mal ein Freundliches erweist. Im New Yorker stand schon wieder eine Anekdote himmelschreiender Art über mich: von einem Professor, der mir in Princeton einen Besuch im Cylinderhut gemacht und dieses Gut bei mir auf eine mehr als zweideutige Weise eingebüßt habe. Es ist doch stark, was sich die Leute ausdenken. Ich habe dem New Yorker geschrieben, wenn der Mann sich melde, so solle er nicht nur einen neuen Cylinder, sondern auch eine Melone, einen Schlapphut, einen Panama, eine Pelzmütze und einen bombensicheren Stahlhelm von mir haben.
Sehr gespannt bin ich auf Deine militärische Carrière. Daß Du es damit versuchst, verstehe ich vollkommen.
Auf Wiedersehen doch jedenfalls noch, bevor Du in Berlin einziehst, um die Ordnung wiederherzustellen und Onkel Heinrichs Amtsführung zu sichern. (Es geht ihm viel besser, seit er bei uns war, und sie ist auch vorsichtiger im Verbreiten trunkener Lügen.)
Herzlich

Z.

An Meno Spann Pacific Palisades, California
16. Juni 1942

Lieber Herr Spann,
nur in Kürze kann ich Ihnen für die freundliche Übersendung Ihres Aufsatzes danken. Meine Korrespondenz ist mir wieder einmal über den Kopf gewachsen.
Sie haben mir eine wirkliche Freude mit Ihrer anregenden Arbeit gemacht. Man kann so etwas gut brauchen während einer solchen Geduldsprobe von Werk, die einen immer wachsenden Grad erzählerischer Pfiffigkeit erfordert, damit sie für den Leser *keine* Geduldsprobe sei.
Es sind eine Menge gescheiter Bemerkungen in der Abhandlung und mich selbst frappierende Parallelen. Lassen Sie mich noch etwas

über die Zwerge anfügen. Sie sind ein Stück Sexual-Satire, kompositionell in den Ideenkreis um Potiphars Figur und die Versuchung Josephs gehörend. Dudu repräsentiert die komische Würde der Potenz (»*Herr*« Dudu) mit der dazugehörigen Renommage und bürgerlichen »Gediegenheit«; Gottliebchen das Furchtsam-Reine der Nichtzugehörigkeit zur geschlechtlichen Welt. Dieser ist ein gutes Geistchen, jener ein böses. Übrigens erinnert ihr lexikalisch sehr wohlbetreuter Zank am Vorhang auffallend an die Begegnung von Alberich und Mime bei der Höhle in »Siegfried« – was Sie auch noch hätten anmerken können.
Ad »weibliche Größe«: Der letzte Band hat eine Frauenfigur, der es nicht an eigentümlicher Größe fehlt, – Thamar, die Schwiegertochter Juda's, die sich um jeden Preis in die Heilsgeschichte einschaltet. Sie werden sehen.
Im Übrigen gewinnt in diesem Band das Humoristische mehr und mehr die Oberhand, was damit zusammenhängt, daß immer neue Tricks erfunden werden müssen, um das Allbekannte spannend zu halten. Solche Tricks aber sind notwendig humoristisch.
Ich war überrascht zu sehen, wie gut sich doch auch heute noch die »Betrachtungen« citieren lassen, – die selbst gut zu citieren verstanden. Überall, wo sie nicht politisch sind, sind sie durchaus lesbar. Jedenfalls haben sie jenes Suchertum, das Sie, zu meiner Rührung, in meinem Werk betonen. Eine Amerikanerin schreibt ein ganzes Buch zum Beweise, daß ich zu den »Gottsuchern« unter den Dichtern gehöre. Erstaunlich, wer hätte sich in der Jugend solche Titel erträumt!
Bestens

Ihr Thomas Mann

An Harry Slochower

Pacific Palisades, California
19. Juni 42

Sehr geehrter Herr Professor,
es tut mir leid, daß Sie sich durch den Spann'schen Artikel verletzt gefühlt haben, – was ich angesichts einiger darin gegen Ihre Joseph-Auslegung gerichteter Spitzen wohl hätte voraussehen sollen. Ich muß gestehen, daß ich auf diese leicht eifersüchtig anmutende Gelehrtenpolemik nicht so geachtet und mich vielmehr ganz harmlos an den mancherlei hübschen Bemerkungen, Beobachtungen und Parallelen gefreut habe, die Spanns Betrachtung zweifellos enthält.

Von fascistischen Hintergründen ist mir nichts bewußt geworden – vielleicht, weil ich den von Ihnen citierten Lessing-Aufsatz nicht kannte, der böse Dinge zu enthalten scheint, und den Dr. Spann mir weislich vorenthalten hat. Sollte er darüber hinausgekommen sein? Denn von »Gewalt« ist in seinem Aufsatz nicht die Rede; er schließt aus dem Schneetraum des Zbg., daß »Liebe und Güte« der Dynamik des Geistes zur Hilfe kommen werden, um Joseph zum Ernährer der Völker zu machen. Und wenn er das Vorwort zu »Maß und Wert« gutheißt, so sehe ich nicht, wie ich mit ihm hadern soll.
Daß er mit Ihnen hadert, ist überflüssig, und ich komme mir etwas lächerlich vor als Streitgegenstand zwischen zwei kritischen Gelehrten. Ihre Joseph-Deutung mag analytisch etwas über-interpretiert sein, das habe ich gesprächsweise gelegentlich zugegeben. Aber die Analyse, im speziellen Sinne des Wortes, als kritisches Mittel bei der Beurteilung des Romans zu benutzen, dazu habe ich selbst ja jedermann durch meine Bekenntnisse über Freud und über das Verhältnis des »Joseph« zu seiner Welt ein volles Recht gegeben, und wenn Dr. Spann meint, das rechte Medium sei vielmehr die deutsche Romantik, so ist das garkein Widerspruch, denn mein Haupt-Freud-Aufsatz las sich ja beinahe wie eine Studie über diese und tatsächlich könnte man die Worte Fr. Schlegels, die Spann citiert, dem Joseph ebenso gut zum Motto geben wie etwa einen Satz aus der großartigen Abhandlung über Totem und Tabu.
Bachofen ist von den Klages-Weibern frech mißdeutet und mißbraucht worden, und Bäumler nun gar ist mir ein *Graus* – ich brauche es Ihnen nicht zu sagen und, so will ich hoffen, auch nicht Herrn Spann. Wer der Joseph-Geschichte eine fascistische Deutung geben wollte, der würde bei mir übel anlaufen, denn alles, was ich mir darauf einbilde, ist, daß mit ihnen der Mythos dem Fascismus aus der Hand genommen und, wie Ernst Bloch sagte, »umfunktioniert« ist.
Der Schlußband steht im letzten Viertel oder auch Fünftel. [...]
Zugleich bin ich mit der Redaktion meiner »Political essays and speeches« beschäftigt, die wohl noch vor dem Roman erscheinen werden. Ich habe eine Vorrede dazu geschrieben, die Ihnen besser gefallen wird, als Herrn Spann.
Ihr sehr ergebener Thomas Mann

An Agnes E. Meyer

Pacific Palisades
27. Juni 42

Liebe Freundin,
heute kam Ihr neuer, reichhaltiger Brief – tief bin ich schon in Ihrer Schuld und fürchte, daß ich mit diesen Zeilen, zwischen vielen Geschäften, nur einen geringen Teil davon werde abtragen können. Das lassen Sie mich sagen: ich bin überaus einverstanden damit und halte es für eine sehr glückliche Idee, daß Sie dem Gottsucher-Werk mit einer oder der anderen kritischen Arbeit landläufigeren Formats öffentlich vorarbeiten und die Aufmerksamkeit mehr auf sich lenken wollen, bevor Sie mit dem »Eigentlichen« hervortreten. Man hätte besseren Lebensgenuß, wenn man öfter veröffentlichen könnte, öfter *fertig* würde und frische Wirkung übte, statt Jahre lang über einem Mammut-Unternehmen zu brüten, auf dessen Vollendung zu warten schließlich alle Welt müde ist, – den Autor eingeschlossen. Aber das ist mein Los, und es muß mir wohl recht und billig sein, besonders, da ich ja immer halb verzweifelt bin, wenn ich den gerade laufenden Riesen-Schmöker auf einige Tage unterbrechen und etwas anderes machen muß. So war es jetzt wieder mit der Vorrede zu den essays, und heute morgen habe ich die fällige Europa-Message improvisiert: über Heydrich und Lidiče, – mein Gott, es ist ja nur eine Einzelheit, die verschwindet in dem Meer von Scheußlichkeit, das sich über den ganzen Machtbereich dieser Hundsfotte breitet. Das ganze Maß von Elend auszudenken, das die Canaille über die Welt gebracht hat und weiter über sie bringen wird, weil die gesittete Menschheit zu dumm und egoistisch war, sie beizeiten zu stoppen, ist keiner Seele möglich, und doch fühlt man sich gewissermaßen dazu verpflichtet. Ich bin doch sonst kein Menschenfeind und kann mit Joseph sagen, daß wir, die Menschen und ich, »meistens einander lächelten«. Aber daß die civilisierten Staaten *dies* groß werden ließen, nein, es groß *zogen*, das ist meine eine große, bittere Enttäuschung mit der Menschheit, und den Groll darüber werde ich mit ins Grab nehmen.
Mit meinem Kriegs-Optimismus war es nie weit her. Ich weiß, daß dieser Krieg mit alten Sünden belastet ist, die immer noch fortwirken, und daß er darum so langsam geht, im Ganzen immer noch so schwach und ohne den letzten, vollen, reinen Einsatz des ganzen, ungebrochenen Willens geführt wird. Schließlich werden Sie siegen, davon bin ich überzeugt, und darin besteht mein Opti-

mismus. Sie werden wohl nicht umhinkönnen, zu siegen. *Sehr* stolz werden wir alle nicht darauf sein dürfen, selbst Rußland nicht. England muß man sein Aushalten nach dem französischen Zusammenbruch, die Luftschlacht über dem Kanal, dann Dunkerk zugute rechnen und bedenken, daß ohne diese zähen Bewährungen der Kampf längst aus wäre. Es hat keine Tradition im Landkrieg und stümpert da offenbar schrecklich. Daß die Deutschen jetzt mein Ägyptenland penetrieren, kränkt mich natürlich. Aber ich bin sicher, sie werden sich wieder festlaufen und nicht rechtzeitig mit der Welt fertig werden, um nicht den amerikanischen Biceps noch entscheidend zu spüren zu bekommen. Diese vitale Rasse ist spät daran, aber den knock out wird Adolf doch wohl von ihr empfangen.

Es muß Sie mit Genugtuung erfüllen, wie Ihre Kinder sich ihrem Lande nützlich machen! Vor Golo's Augen schwebt jetzt wieder die Fata Morgana eines Lehr-jobs im Mittelwesten. Zerrinnt sie, wie die früheren, so wird er wohl kurzen Prozeß machen und sich zur army melden, wie Klaus es schon getan hat. Er ist zwar noch nicht eingezogen, unterzeichnet sich aber immer schon als »Uncle Sam's tough boy«, – was natürlich ein Purzelbaum der Selbstironie ist. Aber was kann man mehr geben, als sich selbst!

Der German-American Congress for Democracy, der Mittel dazu bekommen hat, möchte mich für eine Propaganda-lecture-Reise durchs ganze Land engagieren. Ich bin garnicht abgeneigt und habe meine Bedingungen gestellt, zu denen allerdings auch die priorities für bequemes Reisen gehören. Wir werden sehen.

Was ich lese? Amerikanische Kriegs- und Friedensschriften, die Übersetzung meiner eigenen Aufsätze, die ich redigieren muß. Fontane's »Stechlin« (überaus reizend und still-sublim!), die Psalmen Davids, Goethe's Gedichte – dieses im Zusammenhang mit einer Joseph-Szene, bei der ich gerade halte. Als nämlich die Brüder nach Kanaan zurückkehren, wissen sie nicht recht, wie sie's dem Vater beibringen sollen, daß Joseph lebt und »ein Herr ist in ganz Ägyptenland«. Darum stellen sie ein kleines Mädchen, Serach, die Tochter Aschers, an, ein ausnehmend musikalisches Kind, ihm das Wunder zur Laute vorzusingen: eine außer-biblische, altjüdische Überlieferung, die ich aufnehme und schnurrig ausgestalte.

Ich will Ihnen doch einen Brief schicken, den ich gestern bekam, und an dem Sie vielleicht Vergnügen haben werden. Der Schreiber

ist ein Wiener Jude, der mich dort einmal im »Impérial« besuchte und seit Jahren die wunderliche Gewohnheit hat, mich in langen Briefen auf die hervorragenden Schönheiten meiner Bücher aufmerksam zu machen. Ein komisches, aber auch rührendes Betreiben. Vielleicht sind Sie ihm dankbar für ein oder das andere Détail. Schicken Sie mir, bitte, das Schreiben bei Gelegenheit zurück, denn ich muß noch dankend darauf eingehen.
Und nun leben Sie wohl und bleiben Sie, was Sie sind
Ihrem ergebenen

Thomas Mann

An Agnes E. Meyer Pacific Palisades, California
5. Juli 1942

Teuerste Freundin,
gestern kam das traumhaft schöne chinesische Bild. Ich habe Geist und Herz schon viel an seinem zart verschleierten und in der Gebärde doch fast wilden Rätsel versucht. Es hat eine vieldeutige Poesie, und wenn die Bescheidenheit mir auch verbietet, die persönliche Allegorik anzunehmen, die Sie ihm andichten, so muß ich doch zugeben, daß sie geistreich ist. Ich frage mich, ob ich das seltsame Blatt nicht mit Glas und Rahmen versehen lassen sollte. Legt man dergleichen in den Schrank, kommt es einem zu leicht für wer weiß wie lange aus den Augen.
Auch für die Korrespondenz mit Mr. Clapp sage ich Dank. Sie haben ihm sehr klug und fürsorglich geantwortet, und auch ich habe ihm schon geschrieben – mit der Vorsicht, die ein gewisses Grauen vor den Reise-Verhältnissen, wie sie im Herbst wohl sein werden, mir gebietet. Auch habe ich noch keine Antwort von dem German-American-Congress, bin aber von dieser Antwort abhängig, da ja die lecture-Tour, die er mir antrug, gewissermaßen das Vehikel sein soll, mich nach Washington, und wieder zurück, zu bringen. Schwerlich könnte ich mir die Reise nur um des einen Vortrags willen leisten. Übrigens ist November der früheste Termin, den ich für die Fahrt in Aussicht nehmen kann.
Der Lippmann'sche Artikel war mir schon vor Augen gekommen. Ein zweiter ist ihm ja gefolgt, und ein dritter in Aussicht. Es ist gut, daß das schnöde Machwerk des R. so bloßgestellt wird, aber Lippmann geht mir nicht geradezu genug dabei zu Werke. R. ist kein ahnungsloser Theoretiker, sondern ein Filou, ein politischer

Quertreiber, und Collier's haben auch gewußt, was sie taten. Ich weiß nachgerade genug von amerikanischen Dingen, um zu sehen, was da gespielt wird.
President Butler hat mir genau so geantwortet, wie Sie es voraussagten. Meine Frage an ihn war aber auch mehr rhetorisch und nur ein Vorwand für den Brief. Übrigens ist die akademische Lehrfreiheit ja nicht in jeder Richtung unbegrenzt. Spricht Einer z. B. unter philosophischem Gesichtspunkt der freien Liebe zu Gunsten, so wird ihm sehr wohl der Lehrstuhl entzogen. Sollte man unter Moral nur sexuelle Moral verstehen? Ich finde R.'s politische Unmoralität sehr viel skandalöser und gefährlicher. – Nun, wir werden die Welt nicht ändern.
Habe in den letzten Tagen nichts getan als gedichtet. Die kleine Serach muß dem Großvater ihr Auferstehungslied singen. »Lieblich«, singt sie unter anderem,

»Lieblich ist der Töne Reigen,
Balsam allem Weh der Welt,
aber wie erst, wenn dem höheren Schweigen
menschlich deutend sich das Wort gesellt!
Wie ist dieses dann erhoben!
Wie vernünftig ist der Klang!
Über alles ist zu loben
Feines Lied und Psaltersang.« Etc.

*

Womit ich nichts Ernstliches gegen die absolute Musik gesagt haben will. Es ist halt ein Sängerinnen-Standpunkt.
Dabei fällt mir ein, daß wir neulich einen guten Tag in Santa Barbara bei Lotte Lehmann hatten. Nach dem Thee sang sie, von Walter begleitet, Brahms-Lieder. Sie ist darin eine Meisterin, und ich war sehr glücklich. Das deutsche Lied könnte einen zum Patrioten machen. So etwas wie »Wann der silberne Mond« und »Wie bist du, meine Königin« gibt es in der Welt nicht zum zweitenmal.
Herzlich (müde)

Ihr T. M.

An Agnes E. Meyer Pacific Palisades, California
12. Juli 1942

Liebe Freundin,
daß Ihnen der kolossale Brief des guten Lesser Freude gemacht hat, ist nun wieder mir eine Freude und gibt mir ein, Ihnen abermals etwas zu schicken, woraus Sie die oder jene Anregung ziehen könnten: ein Stück deutsch-amerikanischer Joseph-Philologie, das neulich kam und mir durch mehrere gescheite Bemerkungen und Parallelen aufgefallen ist. Der marxistische Psycho-Analytiker Slochower, der darin unnötiger Weise attaquiert wird, hat an anderer Stelle scharf geantwortet [...]
Gern schenke ich Ihnen Lessers Manuskript und auch das Heft der »Publications of the Modern Language Association«, das als Drucksache neben diesen Zeilen hergehen muß.
Gestern Nachmittag, nach dem Brief-Diktat, habe ich das Serach-Kapitel, den Abschnitt, in dem Jaakob erfährt, daß Joseph lebt, zu Ende geschrieben. Ob ich reüssiert habe, ist eine andere Frage, – genug, daß wieder einem Problem seine schlechte und rechte Lösung geworden und das Ganze einen Schritt weiter, dem Ende entgegen, gebracht ist. Es war ein ähnlicher Fall wie im zweiten Bande der Jammer Jaakobs um den Zerrissenen. Solche Dinge sind nicht mit voller, realer Wucht, sondern nur in einer Art von erleichternder Stilisierung zu geben, die ein gewisses Ausweichen bedeuten mag, aber ihre künstlerische und humane Berechtigung, ja Notwendigkeit hat. Man macht solche Beobachtungen und Erfahrungen bei einer Arbeit, die ja ihrem äußeren und gewissermaßen sogar ihrem inneren Umfang nach zu den »großen« Werken gehört und also an die Fähigkeit abwechslungsreiche Notbehelfe zu erfinden, alle die Ansprüche stellt, die dem »großen Werk« eigentümlich sind. Dabei halte ich den Joseph garnicht für ein wirkliches großes Werk, sondern nur für ein persönliches Mittel, in gewissem Grade die Erfahrungen der Großen zu teilen. Sehen Sie, liebe Freundin, in mir und dem Meinen, was Sie darin sehen wollen und müssen! Ich erkenne in mir immer nur den kleinen Jungen wieder von einst, der Tage lang spielte, er sei ein Prinz. Was ich treibe, ist eine Art von harmloser Hochstapelei, die mir dient, die Größe sozusagen praktisch auszuprobieren und mich in traulichen Wissenskontakt mit ihr zu bringen. Das ist ein Lebens-Zeitvertreib, auch eine Lebenserhöhung und -Steigerung, wenn man will, jedenfalls aber eine

Sache des Lebens und des Subjekts, und ich hüte mich, grimmig ernst zu nehmen, was objektiv dabei herauskommt. – Immerhin, lassen Sie sich trösten, – vielleicht bin ich gerade hiermit und auf diese Weise ein – – Dichter.

Gestern war Abendgesellschaft bei Bruno Walter mit Werfels und Korngolds, und Walter, der gegenwärtig völlig in der Matthäus-Passion, die er nächstens aufführen wird, lebt und webt, demonstrierte prachtvoll am Klavier die erstaunliche Variabilität und die unermüdliche Erfindung an wechselvoll unterhaltenden Ausdrucksmitteln, womit die alte Perücke das Riesenwerk versorgt hat. Nun ja, sagte ich mir, so ungefähr machst du's zu Hause auch. Es wird nicht so gut, aber die Sorge wenigstens hast du!

Mit welcher Liebe und Bewunderung ich jetzt wieder den »Faust« lese, und zwar besonders den II. Teil, kann ich kaum sagen. Mein Gott, wie vortrefflich! Welche Genauigkeit der Vision, welche Vollständigkeit der Natur-Umfassung! Nehmen Sie einen solchen Überfluß, wie, nach dem Tode Euphorions und der Rückkehr Helena's in den Orkus, die Gesänge, mit denen ihre elementarischen Dienerinnen sich in die verschiedenen Natur-Regionen auflösen! Da wird, auf soviel Meisterhaftes, wie aus dem Stegreif noch ein solches Meisterstück gesetzt wie die Beschreibung des Weinbaues, des Winzerfestes und Bacchus-Zuges. Es ist eine Lust – und hat mir die größte Lust gemacht, doch noch einmal einen richtigen großen Faust-Essay zu schreiben, wozu die Princetoner lecture nur ein von Rücksichten eingeengter Anlauf war.

Ach, was für unpraktische Ideen, die allenfalls etwas für's Vierte Reich wären, von dessen Errichtung wir weiter entfernt scheinen als je, aber garnichts sind für die amerikanische Gegenwart mit ihrem so berechtigten Gebot: »Hic Rhodus, hic salta!« Da lobe ich mir aufrichtig meinen Kollegen Franz Werfel. Kaum hat er seinen wendigen Mystifikations-Roman von Bernadette (350000 Copien!) für 100000 Dollars an den Film verkauft, so hat er auch schon wieder eine Film-story zu Wege gebracht, die ihm wohl noch einmal ein Taschengeld dieser Art eintragen wird. Unter soviel Emigranten-Elend eine solche Blüte zu sehen, ist Wohltat, – wenn auch eine etwas beschämende.

Herzlich

Ihr T. M.

An Agnes E. Meyer Pacific Palisades, California
25. Juli 1942

Liebe Freundin,
ich kann Ihnen nicht sagen, wie sehr Ihr Brief mich ergriffen hat und wie lebendig ich teilnehme an dem Dilemma, unter dem Sie leiden, – oder gelitten haben; denn schon der Schluß Ihres Briefes, nach der Aussprache, zeigt die Aufhellung und läßt erkennen, daß Sie sich zutrauen Ihre Situation zu meistern. Wenn mein Rat Ihnen das erleichtern kann, – ich gebe ihn gern und freimütig. Lassen Sie mich damit anfangen, zu sagen, daß die Szene mit Ihren Kindern mich geradezu entzückt hat! Was für ausgezeichnete junge Leute! Kann man der Jugend Amerika's einen besseren, siegverheißenderen Geist wünschen? Es ist eine Freude! *Ihre Kinder haben recht.* Sie müßten nicht ihre Mutter sein, wenn Sie ihnen nicht recht gäben, und ich müßte mich vor einem jungen Mann wie Ihrem Sohn in Grund und Boden schämen, wenn ich in dieser Sache nicht ganz einer Meinung, ganz einer Gesinnung mit ihm wäre. Ich habe mich schon zu schämen, daß ich ihn mit der mahnenden Äußerung dieser Meinung und Gesinnung mir habe zuvorkommen lassen, und wenn ich nun gar greinen wollte: »Aber mein Buch! Aber mein Ehrenwerk, meine Biographie, die Gottsucher, das ist doch die Hauptsache!« – es wäre der Gipfel egoistischer Lächerlichkeit.
Freilich handelt es sich nicht um mich, sondern um Sie und um Ihren Zwiespalt. Ich weiß, was dies Werk Ihnen ist, was es Ihnen bedeutet, wie Sie daran hängen, wie Sie daran wachsen. Weil ich es weiß, habe ich immer die Sorgen unterdrückt, die ich mir um Ihretwillen im Zusammenhang mit diesem Werke machte. Haben Sie nicht bemerkt, wie ich darauf aus war, es Ihnen leichter zu machen, Sie dahin zu beeinflussen, daß Sie es nicht zu schwer nähmen? Erinnern Sie sich noch, wie Sie mir die Frage stellten, ob Sie besser täten, die Aufgabe unter dem Gesichtspunkt eines absoluten geistigen Anspruchs zu betrachten oder ein praktisch limitiertes Mittel darin zu sehen, meine Arbeit dem Publikum Ihres Landes nahe zu bringen? Erinnern Sie sich, wie entschieden ich damals für das Zweite sprach und Ihnen versicherte, gerade dazu seien Sie dank Ihrer kulturellen Doppel-Erbschaft berufen? Begrenzung, Erleichterung war es, worauf es mir ankam. Sie schienen den Rat anzunehmen, aber es hat nicht lange vorgehalten. Die Ansprüche des Buches wuchsen Ihnen immer mehr, immer neue zugehörige Ideen

strömten ein, seine Kreise wurden immer weiter, und schließlich entschlossen Sie sich durch Abzweigung des »Tolstoi« zu einer vorläufigen Beschränkung, um nur wieder Land zu sehen.
Noch einmal, es hat mir Sorge gemacht, und als Sie mir den Zeitungsausschnitt schickten, worin mitgeteilt wurde, Sie hätten sich von bestimmten sozialen Tätigkeiten zurückgezogen, um sich für »andere« Aufgaben frei zu machen, da war mir garnicht wohl zu Mute, denn ich mußte mich ja fragen: »Kannst du das verantworten?«
Dabei war ich unschuldig. Aber schuldig, lächerlich schuldig würde ich mich machen, wenn ich jetzt nicht der Mahnung Ihrer braven Kinder unbedingt zustimmte. Ich habe nie daran gezweifelt, daß Sie das große kritische Werk, das Sie sich vorgenommen, zustande bringen würden. Da die Aufgabe Ihnen erwachsen ist, werden Sie ihr auch gewachsen sein. Aber es eilt nicht damit. Wenn mein eigenes Werk Zeit hat, ich meine: Dauer, so können Sie sich unbesorgt auch mit dem Ihrigen Zeit lassen. Es wäre gar kein Unglück, im Gegenteil, es wäre vielleicht sogar richtiger, wenn es erst nach meinem Tode erschiene; denn ich fürchte, Sie sagen darin von mir so große Dinge, wie man sie besser über einen Verewigten, als über einen Lebenden sagt. Auf jeden Fall verträgt sich die kämpfende Hingabe an dieses Unternehmen nicht mit den Pflichten, die diese Gegenwart, dieser Krieg Ihnen als einer Frau von nationalem Ansehen auferlegen. Es muß zurückstehen, – »for the duration«. Man hört das Wort jetzt so oft; hier ist es gewiß am Platze. Ihre Gedanken, Ihre Kräfte, Ihre Energie gehören jetzt Ihrem Lande, und damit sie ihm gehören können, muß die Last jenes ungebärdigen und verdammt unbescheidenen Buches vorläufig entschlossen von Ihnen genommen sein. Ich werde mich nicht beklagen, ich werde *aufatmen*, für Sie und für mich, wenn dieser Entschluß gefaßt ist. Meine Arbeit wird darum ja nicht einmal Ihre fürsprechende geistige Begleitung entbehren müssen. Warum sollten Sie nicht eine Anzeige des kleinen politischen Essay-Bandes schreiben, warum nicht sogar einen Artikel über den letzten Joseph-Roman veröffentlichen und bei dieser Gelegenheit sogar über das Werk im Ganzen sprechen? Ich halte sogar für nicht unmöglich, daß Sie den Ableger des großen Buches, den Tolstoi-Essay, dank Ihrer nicht leicht zu erschöpfenden Vitalität und Spannkraft, nebenbei bewältigen können und Ihre Bewunderer damit in Erstaunen setzen, daß Sie »auch das noch«

geleistet. Aber was Sie jetzt literarisch tun, muß eben ein »Auch das noch« sein, und das kann das Buch nicht sein, in dem Sie alles sagen wollen. Es muß warten – und das wird bestimmt sein Schade nicht sein.
Was konnte und durfte ich anderes auf Ihren bewegenden Brief antworten? Wahrscheinlich hätte ich es früher sagen sollen.
In treuer Verbundenheit
Ihr dankbarer T. M.

An Giuseppe Antonio Borgese Pacific Palisades, Calif.
1550 San Remo Drive
17. August 1942

Lieber Antonio,
darf ich Ihnen eine Anregung geben? Sie werden den Brief der Mrs. Margaret McLean in der New York Times gelesen oder davon gehört haben, der den Titel trug *Aliens held ungrateful* und den Untertitel *Lot here contrasted with what ours would be in enemy lands.* Es war eine ungerechte, beschränkte und törichte Äußerung, die den sogenannten enemy-aliens natürlich wieder Schaden bringen wird. Bruno Frank brachte mir gestern den Text seiner Antwort auf den Brief der McLean. Einige sehr behutsame Zeilen, die ihren Anklagen kaum widersprechen, sondern nur darauf hinweisen, daß hier an der Westküste die Dinge doch wesentlich anders liegen als in New York.
Aber um all dies handelt es sich eigentlich nicht bei meinem Vorschlag, sondern um den Aufsatz, den Attorney General Biddle in einer der letzten Ausgaben von Free World veröffentlicht hat. Dieser Artikel ist in dem Charakter gehalten, den man von früheren offiziellen und inoffiziellen Äußerungen Biddle's kennt. Er ist human, weise und gerecht auf eine etwas generelle und theoretische Art, dabei aber leicht schleierhaft und praktisch wenig verbindlich.
Ich habe mir nun gedacht, ob nicht Sie in Ihrer dreifachen Eigenschaft als Axis-Emigrant, als American Citizen und als Mitglied des Board of Directors von Free World Ihre berühmte und auch gefürchtete Feder einsetzen sollten, um Mr. Biddle höflich und mit ernstem Gefühl zu antworten. Die Gelegenheit scheint mir darum günstig, weil man es hier nicht mit dem Minister zu tun hat, son-

dern mit Mr. Biddle einfach als Schriftsteller und Zeitschriften-Mitarbeiter, mit dem man auf gleicher Ebene sich auseinandersetzen kann.
Halten Sie es nicht für einen guten Gedanken? Ich glaube, Sie könnten viel Nutzen mit einer solchen Äußerung stiften, und Free World wäre um einen glänzenden Beitrag reicher.
Recht herzliche Grüße an Sie alle drei!

Ihr Thomas Mann

An Agnes E. Meyer

Pacific Palisades
18. Aug. 42

Liebe Freundin,
ich habe lange nichts von Ihnen gehört – und verehre den mutmaßlichen Grund dafür: Ihre schöne, ernste und hilfreiche amtliche Tätigkeit. Tätigkeit ist und bleibt das beste Mittel, sich über diese Zeiten hinwegzubringen, und ich bin immer dankbar, daß es auch mir nicht daran fehlt: sogar muß ich, wenigstens in Gedanken, meistens nach mehreren Seiten zugleich tätig sein – wie Sie wohl auch. Es ist ein gutes Wort Goethe's: »Mit den Jahren steigern sich die Prüfungen.« Merkwürdig, wie christlich er sich oft ausdrückt. »Prüfung« ist ein specifisch christlicher Terminus. Das Wort aber ist sehr wahr: Die Aufgaben werden schwieriger, komplizierter, anspruchsvoller, je älter man wird; und merkwürdig ist die Einrichtung, daß man zu der Zeit, wo man rein sportlich schon garnicht mehr auf der Höhe ist, das Schwerste zu leisten hat. Das ist aber nicht etwa eine verkehrte Einrichtung. Das Alter ist der Jugend ganz einfach überlegen, man sage was man wolle – überlegen durch alles schon Getane; denn durch Vollbringen wird man nicht schwächer, sondern stärker.
Ich hoffe, das klingt nicht nach Übermut, – zu dem denn doch auch wieder kein Anlaß ist. Gerade habe ich die letztgeschriebenen Kapitel des Joseph vorgelesen, wobei sich Längen und Trockenheiten herausstellten, die nach Alters-Weitschweifigkeit aussahen und gerade gegen den Schluß hin bedenklich wirkten. Soweit es möglich war, habe ich sie durch Umarbeitung behoben. Im Grunde aber wird eben alles, wie es werden muß, und der Stoff bietet wechselnde Chancen. Zuweilen bietet er keine, und der Versuch welche zu schaffen, führt leicht auf Abwege...
Ich unterbreche mich hier, weil ich diesen Brief erstens und haupt-

sächlich begonnen habe, um Ihnen, oder soll ich sagen: uns, zu dem amerikanischen Siege bei den Salomon-Inseln zu gratulieren, an dem ich mit Stolz und Freude teilnehme, besonders, da er sicher auch für die Gesamt-Kriegslage seine Bedeutung hat. Zweitens aber um Ihnen das Folgende zu erzählen.

Ich habe den Roman, nach der Darstellung des Wiedersehens von Vater und Sohn im Lande Gosen, vorläufig bei Seite gelegt und mich dem Vortrag *über* dies dem Abschluß nun wenigstens nahe Werk, der lecture für Washington zugewandt. Ich bin nämlich jetzt entschlossen, im November diese Reise zu machen und diesen Vortrag zu halten und werde das in den nächsten Tagen der Library auch schreiben. Dabei hoffe ich, die Reise auf Washington und New York beschränken und die Last eines erschöpfenden trip durch ein Dutzend Städte mit einem politischen Propaganda-Vortrag von mir abwälzen zu können – aus einem überraschenden Grunde. Vor einigen Tagen führte sich ein bekannter Film-Agent bei mir ein, zusammen mit dem einst in Deutschland sehr berühmten, jetzt hier als Film-Regisseur tätigen Schauspieler Reinhold Schünzel. Dieser anschlägige Kopf trug mir, in großen Zügen, die Idee zu einem politischen Zeit-Film vor, der in *Griechenland* unter der Besetzung durch die Italiener und Deutschen spielen und eine Huldigung für die heroische Leistung des Griechenvolkes in diesem Kriege darstellen soll. Es trifft sich nämlich, daß der Präsident der Fox-Company ein Grieche und für eine solche Produktion leidenschaftlich eingenommen ist, – vorausgesetzt natürlich, daß etwas packend Brauchbares und Publikumsgerechtes zustande kommt. Gesucht war für die Gestaltung der story ein *Name* und eine *Phantasie*, die nicht notwendig fachmännisch eingeübt sein muß, da der Fabrikant des Drehbuches ein Übriges tun kann. Man ist auf mich verfallen – und mußte wohl bei irgend einer Gelegenheit einmal auf mich verfallen, da ich hier lebe. Eine Konferenz bei dem überraschend sympathischen Präsidenten Skuras, zusammen mit den vorgenannten gentlemen und dem ebenfalls höchlich interessierten Producer Spiegel verlief recht ermutigend. Mein erster, auf gut Glück gemachter Schritt ist gewesen, an Mr. Schünzel eine Art Staats-Schreiben zu richten, worin ich meine Gedanken zu dem Stoffe darlegte und meinen warmen Glauben an die Möglichkeit bekannte, etwas Würdig-Effektvolles daraus zu machen. Beauftragt man mich mit dem Entwurf, so würde ich ihn natürlich nicht ohne festen

Vertrag übernehmen, und das würde, ganz unabhängig davon, ob der Film dann auch wirklich gedreht wird oder nicht, eine Einnahme bedeuten, die mich in den Stand setzen würde, die politische lecture Tour abzuschütteln und statt des zweiten Vortrags – wieviel lieber! – die Rückkehr des Odysseus zu modernisieren.

Dies meine Geschichte – abenteuerlich genug und etwas befremdend wie alles, was mit Welt und Wirklichkeit zu tun hat. Eine höchst zweifelhafte und unverlässige Welt und Wirklichkeit ist es überdies in diesem Fall, und sehr möglich bleibt, daß noch alles wieder in Dunst aufgeht. Aber wissen mußten Sie doch davon! In Erwartung sensationeller Entscheidungen mache ich mich an den Joseph-Vortrag und sage Auf Wiedersehn.

Ihr T. M.

An Agnes E. Meyer Pacific Palisades
20. Aug. 42

Meine liebe Freundin,

kaum ist es mir selbst begreiflich, daß meine europäischen Schmerzen noch einmal Eingang in einen meiner Briefe gefunden haben. Werde ich denn niemals klug? »Sträflich Vertrauen und blinde Zumutung« – nicht umsonst habe ich dem jungen Joseph diese verhängnisvollen Fehler glaubwürdig zuzuschreiben gewußt. Es sind des Herrn Autors eigene Fehler. Verzeihen Sie! Ich hasse schlechte Manieren, und danach zu urteilen, wie meine Äußerungen sich in Ihren Gegenäußerungen spiegeln, habe ich mich einfach schlecht benommen. Könnten Sie aber hören, wie ich allmonatlich im englischen Radio zu den Deutschen oder doch den Schweizern und Schweden über unser Land hier und seinen bevorstehenden Sieg spreche, so würden Sie mich weniger leicht mißverstehen und mir nicht Claudels Liebe und Glauben als beschämendes Muster vorhalten, denn ich darf sagen: ich stehe ihm darin nicht nach. Er sei härter gebettet, als ich, meinen Sie. In mancher Beziehung gewiß; ich weiß, daß ich zu denen gehöre, die es in Anbetracht dieser Zeiten noch immer viel zu gut haben. Aber er hat den ungeheueren Vorzug, in seinem Lande leben zu können und in seiner Sprache nicht nur gelesen, sondern sogar aufgeführt zu werden, während mein Werk ein übersetztes Schattendasein führt und keine Zeile davon meinen Landsleuten zugänglich ist. Da die Nazis zulassen, daß Claudels Stücke in Paris gespielt werden,

kann er sich gegen sie nicht so unklug benommen haben, wie etwa ich es getan habe. Ich glaube also, Sie seinetwegen beruhigen zu können. Ich glaube nicht, daß er sich objektiv in ernste Gefahr begibt, und subjektiv – nun, um seiner Stücke willen begibt sich ein Dichter auch in die Höhle des Löwen!
Alsob ich von Claudel reden wollte! Nein, was ich auf dem Herzen habe, ist die Bitte, doch ja nicht zu glauben, daß ich irgendwelche ungehörige Gefühle hege gegen ein Land, dem ich nichts als Gutes verdanke, und dem eines Tages die Welt Ungeheueres zu danken haben wird. Wenn ich allein bedenke, daß ja Amerika nach dem Kriege die Kornkammer der Welt und buchstäblich der »Ernährer« aller Völker sein wird!

»Alle Völker versieht er mit Brot,
trägt die Welt durch die Hungersnot«,

heißt es von Joseph. Das wird die Rolle Amerika's sein. Was aber die tragischen Opfer betrifft, auf die es sich vorbereitet, so habe ich nur den *einen brennenden Wunsch*, daß sie ihm *erspart* bleiben und der Krieg zu Ende gehen möge, noch bevor es sie in vollem Umfange bringen muß. Es ist mir als Deutschem ein Gedanke *tiefen Schreckens*, gewissermaßen den Tod von Amerika's bester Jugend auf dem Gewissen zu haben! – Aber, andererseits, hätte ich nicht mein Bestes getan, dies alles zu verhindern, so würde ich heute in Berlin die Drucklegung des 4. Joseph-Bandes überwachen.
Und nun noch eins, liebe Freundin. Es ist nicht gut, nicht gerecht und vernünftig, daß Sie es so hinstellen, alsob das, was Sie meine »Ungeduld« nennen, in ein schiefes, ironisches Licht gerückt würde durch die Tatsache, daß meine Söhne noch nicht Soldaten sind. Sie können nichts dafür. »To join the army« ist für sie kein so einfaches Ding. Klaus bemüht sich seit Monaten darum und es ist ihm noch nicht gelungen, vielleicht weil es ihm noch nicht einmal gelungen ist, einzuwandern. Golo ist in derselben Lage. Er hatte *nicht* die Wahl zwischen dem College und dem Heeresdienst, sondern zwischen dem College und der Untätigkeit, – die er nicht länger ertrug. Das war nicht unehrenhaft. Als der Krieg ausbrach, ging er von der Schweiz sofort nach Frankreich, um zu kämpfen. Der Dank dafür war, daß er drei Monate im Konzentrationslager verbringen mußte. Hier jetzt hat er einfach zu warten, bis er »gedraftet« wird – und wird bis dahin das bescheidene, aber mühsame und anspruchsvolle

Lehramt, das er sich aus eigener Tüchtigkeit gewonnen hat, nach besten Kräften ausfüllen. Der Wunsch, daß Jung-Amerika sterbe, »damit« er in Sicherheit sitzen könne, liegt ihm unendlich fern. Das ist ein böses »Damit«, und nie habe ich von einem solchen war-aim gehört. –
Bei alldem sind Sie eine großartige Frau, und Ihr Vorhaben, nach England zu fliegen, um die sozialen Einrichtungen dort zu studieren, ist prachtvoll und vorbildlich. Vorbildlich, weil ja in diesem Lande (darf man das sagen?) im Ganzen wenig Neigung besteht, von den Vettern drüben zu lernen. Das Beispiel einer Persönlichkeit wie Sie kann von größtem Nutzen sein, ganz abgesehen von den unmittelbaren Früchten Ihrer Reise.
Der arme Philip! Da scheint mit edlen Kräften denn doch in etwas harscher Weise gewüstet zu werden. Was Bill betrifft, so kann ich nur noch einmal an jenen *brennenden Wunsch* erinnern, bei dem ich vor allem auch an ihn und Sie denke.
Ich habe mich in den Library-Vortrag gestürzt und schreibe täglich daran. Es gilt, einen großen Dank damit abzustatten, und etwas Schönes und Würdiges will hergestellt sein. Ganz undenkbar ist, daß Sie etwa nicht dabei sein könnten. Fahren Sie rechtzeitig nach England und kommen Sie – *ohne* Oxford-Akzent! – rechtzeitig zurück!
Immer Ihr T. M.

An Klaus Mann Pacific Palisades,
2. Sept. 1942

Lieber Eissi,
an der schönen alten Einrichtung, daß ich Dir einen Brief schreibe, wenn etwas Neues von Dir an Tag gekommen ist, soll nicht gerüttelt werden. Mein Dank für gute, heitere und gerührte Lesestunden kommt später, als ich gewünscht hätte, weil unser Eltern-Exemplar von Hand zu Hand ging und Mielein, die mit Recht, mit Medi zu reden, ein Monument für sie darin sieht, das Buch übernahm, als ich mitten im Lesen war, und es mir erst kürzlich zurückgegeben hat. Übrigens hatte ich nur wenig nachzuholen.
Mein Urteil ist natürlich befangen und tritt mit einer gewissen Scheu, ja Besorgnis auf, denn ich stehe dem allen ja so väterlich nahe und halte mit vorwegnehmender Erbitterung für möglich,

daß unempfängliche Bosheit sich über die familiante Zutraulichkeit dieser Confessions lustig machen könnte. Wahrscheinlich, wie man die Welt kennt, wird es nicht ganz ausbleiben. Es ist ein Element von »der Papa war doch so krank« in dem Buch, und auch an Josephs »Sträflich Vertrauen und blinde Zumutung« mußte ich manchmal denken. Aber welche lesenswerte Autobiographie könnte dieser Naivität entbehren? Wenn sie sich mit Gescheitheit und Anmut verbindet, ist gerade sie es, die eine gute, reizvolle Autobiographie ausmacht, und ich bin sicher, daß den Spöttereien, mit denen man rechnen muß, mit viel mehr Gewicht das Urteil gegenüber stehen wird, das mein eigenes ist: Es ist ein ungewöhnlich charmantes, gemütvoll-sensitives, gescheites und redlich-persönliches Buch, – persönlich und unmittelbar auch in der adoptierten Sprache, die, sollte ich denken, mit überraschender Leichtigkeit, Bestimmtheit und Natur gehandhabt ist. Unwillkürlich sucht man nach dem Namen des Übersetzers und sollte es kaum glauben, daß das ein Sprach-Produkt aus erster Hand ist.
War es als Lebensgeschichte ein etwas verfrühtes Unternehmen? Man wird vielleicht so sagen, aber wenn Du bis 50 gewartet hättest, so hätten leicht die Früh-Erinnerungen, die in Bekenntnissen doch immer das Beste sind, nicht mehr die Frische und skurrile Lustigkeit bekommen können, die sie hier haben. Wir Elterlein können ja zufrieden sein mit den Figuren, die wir machen. Die Schilderung unserer Erziehungs-»Methode« mag in sofern gefährlich sein, als sie unter ungeeigneten Bedingungen Nachahmung finden könnte. Aber die schöne Stelle über das Mütterliche, Mutterliebe und Kindesdankbarkeit wird selbst Böswillige versöhnen, und der Papa, der doch so krank war, kommt auch ganz gewinnend, wenn auch etwas geheimnisvoll weg mit seiner absentmindedness und seiner melancholischen Scherzhaftigkeit. Was mag er gesagt haben für »wretched and forlorn«? Ich kann mich an die Szene garnicht erinnern.
Von dem prae-hitlerischen Europa gibt das ungeheuer europäische Buch ja – entmutigend vielleicht für amerikanische Leser – ein stark angeknackstes Bild, besonders durch die vielen angeknacksten Freunderln, die Dein Schicksal waren. Aber liest man dann das Kapitel »Olympus«, als kritische Leistung natürlich die pièce de résistance des Buches und ein schönes, ernstes Zeugnis der Fähigkeit zur Hingabe und Bewunderung, so hat man wieder einmal den

Eindruck, daß es ohne infirmité beim Höheren eben nicht abgeht, auch wenn man davor warnen muß, in der infirmité schon das Höhere zu sehen. Es ist doch eine wirklich erlauchte Versammlung, aber einen Knacks hat jeder. Man könnte argwöhnen, Du habest Dir aus Neigung solche Götter ausgesucht, die einen haben. Aber wenn man dann nachdenkt und solche nennen will, die keinen haben, so haben sie auch einen. –
Diesen Augenblick lese ich einen Brief von Eri, dem ich mit wahrer Genugtuung entnehme, daß sympathische Kritiker hinter dem Busche warten. Prächtig! Wie schön wäre es, wenn ihr beide gleichzeitig, mit den United children und dem Turning Point, im bengalischen Licht – rosa und purpurn – des Erfolges daständet. Allerdings läßt sich der T. P. wohl leider nicht verfilmen.
Lebe recht wohl! Und immer kann ich nur wiederholen, was ich am Fenster sagte.
Vom Gölchen haben wir noch kein Wort. Bibi und Gret sind hier mit Anthony, der sehr braun ist, mit dunkelblauen Augen und einem sorgenvollen Ausdruck. Er sieht wohl seinem Vater und mir ähnlich. Wenn diese mit Frido fort sind, werden wir, bis Erika kommt, häufig das Kino besuchen.
Mein Washington-Vortrag ist in der Übersetzung. Erika hat ihn vor ihrer Abreise von 32 auf 19 Seiten zusammengestrichen, und so wird er nun wohl für immer bleiben, denn Gestrichenes widert mich.
Herzlich Z.

An Albert Bassermann

Pacific Palisades, California
1550 San Remo Drive
4. September 1942

Verehrter Albert Bassermann:
Darf auch ich mich den Vielen, Vielen anschließen, die es drängen wird, Ihnen zu dem bevorstehenden hohen Tage, Ihrem 75. Geburtstag, den Ausdruck ihrer anhänglichen Bewunderung und Dankbarkeit darzubringen? Gewiß, ich gehöre zu ihrem Zug, denn meine schönsten und bedeutendsten theatralischen Erinnerungen sind mit Ihrem Namen verknüpft, mit Ihrer Person und Ihrer Kunst, die ja im Falle des großen Schauspielers so ganz ein und dasselbe sind. Ich habe nie eine schönere Art gekannt, den Abend zu

verbringen, als in der Anschauung geistreichen Theaters, und wenn Sie auf der Bühne standen, so brauchte das Stück nicht einmal groß zu sein – es war doch ein großer Abend. Das Geheimnis der schauspielerischen Persönlichkeit zu belauschen, mich davon bezaubern, erheitern und erschüttern zu lassen, bin ich nie satt geworden; es ist ohne Zweifel einer der stärksten und tiefsten Reize, die Leben und Kunst zu bieten haben. Ihnen danke ich diese köstliche Erfahrung, wie Tausende sie Ihnen danken. Und nun dankt sie Ihnen auch Hollywood.
Als Sie zum ersten Mal, in einer kleinen Rolle nur, auf der Leinwand erschienen, ging ein Rauschen und Wispern durch die abgebrüht-kennerische Zuschauerschaft, das auf deutsch ungefähr gelautet hätte wie: »Halt, Teufel noch mal, wer ist das, was ist das?!« Man hätte lachend antworten mögen: »Wundert euch nicht, Kinder, daß *das* euch in die Glieder fährt! Das ist Albert Bassermann.«
Ihr ergebener

Thomas Mann

An Harry Slochower

Pacific Palisades, California
1550 San Remo Drive
8. September 1942

Sehr geehrter Herr Slochower,
vielmals habe ich zu danken für die freundliche Übersendung Ihres Aufsatzes über Goethe und Rilke in »Accent«. Es ist ein prächtiger Beitrag, und namentlich seine erste Hälfte, die Faust-Betrachtung, war mir brennend interessant. Besonders hat es mich gefreut zu sehen, daß Sie die Funktion des Mephistopheles (»Goethe's criticism of the Faustian upsurge«) ganz ähnlich kennzeichnen, wie ich es in meinem Princetoner Faust-Vortrag tat, eine übrigens sehr unzulängliche und vorläufige Arbeit, die Sie gewiß garnicht kennen.
Die Zusammenstellung Rilkes mit Goethe, die Konfrontierung höchster Tüchtigkeit und Lebenserfüllung mit gottergebener und ins Nichts verliebter Schwäche, ist natürlich wenig schmeichelhaft für die Modernität. Ein Goethe-Enkel, Walter, pflegte zu sagen: »Was wollen Sie, mein Großvater war ein Hüne und ich bin ein Hühnchen.« So hätte auch Rilke sprechen können. Aber es ist nicht zu leugnen, daß das Hühnchen einige goldene Eier gelegt hat.
Ihr ergebener

Thomas Mann

An Friederike Zweig Pacific Palisades, California
15. IX. 1942

Sehr verehrte Frau,
meine Tochter hat mir von dem Brief erzählt, den Sie vor einigen Tagen an sie richteten. Es ist mir sehr schmerzlich, zu erfahren, daß Sie den Eindruck gewonnen haben, als hätte ich bei dem Tode Stefan Zweigs nicht die Haltung gezeigt, die dem schweren Verlust entspricht, welchen die gebildete Welt durch den Tod dieses hervorragenden Mannes erlitten hat. Ich verstehe, daß es meine Wortkargheit gewesen ist, die Ihnen diesen Eindruck erweckte, also die Tatsache, daß ich den öffentlichen Ausdruck meiner Erschütterung auf einen kurzen Beitrag zur Trauer-Ausgabe des »Aufbau« beschränkte. Soweit das nicht einfach ein Zeichen eigener Müdigkeit und Überlastung war, erklärt es sich aus der entmutigenden Wirkung, die von dem tragischen Entschluß des großen Schriftstellers unzertrennlich und wenigstens in meinem Fall der literarischen Aktivität zu Ehren des Abgeschiedenen nicht günstig war. Über ein Lebenswerk wie das Stefan Zweigs zu schreiben, ist keine Kleinigkeit, es ist eine Aufgabe, bei deren Erfüllung man sein Bestes geben muß. Ich war nicht in der seelischen Verfassung dazu.
Der Verewigte war ein Mann von unbedingter und radikaler pazifistischer Anlage und Überzeugung. In dem gegenwärtigen Kriege, den man herbeisehnen mußte, und der nur durch eine Schändlichkeit wie »München« aufgeschoben werden konnte, einem Kriege, der geführt wird gegen die infernalischsten, zum Frieden unfähigsten Mächte, die je versucht haben, das Menschenleben nach ihrem Bilde zu gestalten, – hat er nie etwas anderes gesehen, als eben einen Krieg, ein blutiges Unglück und eine Verneinung seines Wesens. Er hat Frankreich dafür gepriesen, daß es nicht kämpfen wollte und dadurch »Paris gerettet« hat. Er wollte in keinem kriegführenden Lande leben, verließ, als britischer Bürger, England und ging in die Vereinigten Staaten, ging von hier nach Brasilien, wo er aufs höchste geehrt wurde. Und als sich zeigte, daß auch dieses Land in den Krieg gezogen werden würde, ging er aus dem Leben.
Das hat eine Konsequenz, die sich jeder Kritik entzieht. Man kann nicht mehr tun, als seine Natur und Überzeugung mit dem Tode besiegeln. Der Tod ist ein Argument, das jede Widerrede niederschlägt; es gibt darauf nur ehrfürchtiges Verstummen. Ich sage: Verstummen. Nach vielen Worten war und ist mir dabei nicht zu Sinn.

Sie berichten (was ich nicht wußte), seine Gattin habe an einer unheilbaren Krankheit gelitten, und dies habe sehr zu dem Entschluß des gemeinsamen Todes beigetragen. Warum hat er es nicht gesagt, statt zu hinterlassen, das Motiv seiner Tat sei Verzweiflung an Zeit und Zukunft gewesen? War er sich keiner Verpflichtung bewußt gegen die Hunderttausende, unter denen sein Name groß war, und auf die seine Abdankung tief deprimierend wirken mußte? Gegen die vielen Schicksalsgenossen in aller Welt, denen das Brot des Exils ungleich härter ist, als es ihm, dem Gefeierten und materiell Sorgenlosen war? Betrachtete er sein Leben als reine Privatsache und sagte einfach: »Ich leide zu sehr. Sehet ihr zu. Ich gehe«? Durfte er dem Erzfeinde den Ruhm gönnen, daß wieder einmal Einer von uns vor seiner »gewaltigen Welterneuerung« die Segel gestrichen, Bankerott erklärt und sich umgebracht habe? Das war die vorauszusehende Auslegung dieser Tat und ihr Wert für den Feind. Er war Individualist genug, sich nicht darum zu kümmern.
Bitte, verstehen Sie, warum ich geschwiegen oder beinahe geschwiegen habe! In Herrn Wittkowski, der mich zu einem Beitrag für sein Sammelbuch aufforderte, habe ich nicht den berufenen Verwalter von Stefan Zweigs Nachlaß gesehen, sondern den zutunlichen und geschäftigen Literaten, den ich seit Jahren mit Unbehagen in ihm zu sehen gewohnt bin, und dem es gefiel, gestützt auf den Ruhm des Verblichenen, die Namen der Weltliteratur um sich zu versammeln.
Glauben Sie mir, sehr verehrte Frau, daß ich um den außerordentlichen Mann, dessen Namen Sie tragen, so aufrichtig trauere, wie irgend einer, dem es gegeben war, seinen Schmerz und seine Bewunderung in den Blättern laut werden zu lassen. Ich habe alle diese Lobeserhebungen mit wahrer Genugtuung gelesen und mich, in allem Kummer, gefreut an den demonstrativen staatlichen Ehrungen, die dem Toten von dem Lande seines letzten Asyls erwiesen wurden. Er ruhe in Frieden, indes sein Name und Werk unter uns lebe.
Ihr sehr ergebener

Thomas Mann

An Agnes E. Meyer Pacific Palisades, California
15. Okt. 1942

Dear Agnes,
also glücklich zurück! Es war eine Sensation, eine Erleichterung, eine große Freude, als Ihr Brief heute dalag, und begierig eilten meine Augen über die Zeilen. Sie haben Ernstes, Schweres, Ergreifendes erlebt. Ihr Bild Englands ist noch dunkler und leidvoller, als das, das ich mir davon machte. Aber »besiegt«? Sie meinen gewiß: besieged, belagert. Besiegt bedeutet ja »defeated«, und gerade das ist England ja nicht, gibt wenigstens nicht zu, es zu sein, so wenig wie Rußland das zugibt. Die Wut meines Führers über den Unverstand seiner Gegner, die nicht zugeben wollen, daß sie geschlagen sind, was dann gegen alle Kriegsgesetze dazu führt, daß sie es wirklich nicht sind, und ihn wohl gar noch um seine Siege bringen, – ist wahrhaft grotesk. Es liegt eben an dem »militärischen Idiotismus« seiner Feinde. Vom Kriege versteht doch nur er etwas, wie sich vor Moskau und Stalingrad gezeigt hat.
Ich habe gar keinen Anlaß, mich über anderer Leute doppelsprachige Irrungen aufzuhalten. Neulich habe ich tatsächlich gesagt: »Es ist wärmer bekommen« (statt »geworden«). Ein richtiger Deutsch-Amerikaner. Es fehlt nur, daß ich auch anfange, so zu schreiben!
Nein, daß Sie zurück sind! Und wie gut trifft es sich, daß wir bald bei Ihnen sein und Sie mündlich von Ihren Abenteuern werden erzählen hören können. Die Library-lecture ist auf den 17. November angesetzt. Der Vortrag ist längst fertig und wird übersetzt. [...] Ich denke, ich habe mich leidlich aus der Affaire gezogen, und Joseph ist durch die Einschaltung nur um ein paar Wochen aufgehalten worden. Ich stehe in den letzten Kapiteln, und wenn es nach mir ginge, könnte der Band gut und gern im Frühjahr erscheinen. Aber Mrs. Lowe ist noch weit zurück, und ich mag die alte Frau nicht zu flüchtiger Eile treiben. Lieber möge es Herbst 43 werden, bis das Buch erscheint. Es kommt nun darauf auch nicht mehr an. Übrigens hat die Lowe mir die Übersetzung von »Thamar« geschickt, die, von ein paar kleinen Irrtümern abgesehen, *ausgezeichnet* ist. After all ist sie doch wohl die beste Interpretin, die Knopf für mich finden konnte.
Ihre englischen Artikel – schicken Sie sie sogleich! Ich bin mehr als begierig. Von »Order of the Day« sind Exemplare gekommen, und das Ihre geht Ihnen zugleich mit diesen Zeilen zu. Das Buch ist sehr

schön und sorgfältig manufactured. Was darin steht, ist nicht gerade frappierend an und für sich. Es ist mehr ein record, der zeigt, daß man die Dinge *früh* gesagt hat.
Wir sind sehr allein jetzt. Der reizende Enkelsohn, die Kinder, alle sind weg, bis auf Moni, die sich schweigend bei uns verköstigt. Erika absolviert eine lecture-Tour von 50 Städten (Gott steh' ihr bei!) Golo hat seinen Lehrstuhl in Olivet, Mich., eingenommen und ist so beschäftigt, daß er um 3 Uhr aufsteht, um sich vorzubereiten. Klaus, wieder in New York, hat, wenigstens bei der Presse, einen warmen, fast enthusiastischen Erfolg mit seinem »Turning Point«, – was mich nicht wundert, denn es ist ein reizvolles Buch und gibt auf persönlich vertrauliche Art ein gutes Bild nicht nur von this amazing family, sondern auch von der Epoche, auf deren Hintergrund dies junge Leben sich abspielte.
Daß die Engländer keine Dienstboten mehr haben, kann mir garnicht imponieren, denn das wird auch hierzulande, wenigstens bei uns im Westen, bald durchaus so sein. Zahllose Häuser hier sind ohne Bedienung, und seit gestern sind wir es auch wieder. Unser Neger-Couple ist nach Texas zurück, der Mann wird einberufen. Wir haben auch gar keine Aussicht, neue Hilfe zu finden, und so gut wie die britischen ladies muß meine Frau alles ganz allein tun. Dazu kommt die Schwierigkeit mit oil und tires, die bei unseren Entfernungen eine wirkliche Kalamität ist. Aber man wird sich noch auf ganz anderes gefaßt machen müssen, und das alles ist nicht der Rede wert angesichts dessen, worauf allein alles ankommt.
Wir werden schon am 8. November reisen und einige Tage in Chicago verbringen, bevor wir nach Washington kommen. Von dort wollen wir nach New York, vielleicht auch nur für einige Tage, vielleicht auch auf länger. Mein Bedürfnis nach einem nicht nur flüchtigen Klimawechsel ist recht lebhaft geworden, und arbeiten kann ich auch im Hotel. Ein Vorwort zu »Listen, Germany!«, den 25 Radio-Sendungen nach Deutschland, habe ich auch geschrieben. Man hat immer alle Hände voll zu tun, und das ist gut.
Willkommen noch einmal! Es tut wohl, Sie wieder im Lande zu wissen.

Ihr T. M.

An Agnes E. Meyer

Pacific Palisades
15. Dez. 1942

Liebe Freundin,
es war sehr reizend von Ihnen, uns die Stunde Ihres Broadcasts anzuzeigen. Wir haben gestern Nachmittag freudig gelauscht und uns kein Wort entgehen lassen, gerührt von der Wärme Ihrer Intonation und mit dem deutlichen Gefühl, daß Ihre Berichte und Mahnungen in diesem Lande des guten Willens auf fruchtbaren Boden fallen würden. Dank für den Genuß. Wie führt doch die Stimme die ganze Person herbei. Wenn nur bald die Äther-Wellen nur noch solche Stimmen erfahrener Güte und förderlicher Beratung um den Erdkreis trügen!
Wir sind am Sonntag Morgen hier wieder eingezogen und haben sonnenheiße Tage mit gefährlich jäher Abkühlung sobald die Sonne hinunter ist. Die Reise mit ihren bunten Wechselfällen liegt hinter uns wie ein Traum – ihr Höhepunkt lag am Anfang: der Abend in der Library, den ich Ihnen verdanke. Er hat mir ein gutes Gefühl zurückgelassen. Wenn ich geben und leisten kann, bin ich am besten; zwischendurch ist nicht viel Staat mir mir zu machen, aber bei solcher Gelegenheit bestehe ich fast überraschend.
In Sorge sind wir versetzt durch Bibi, der schon während unseres Besuches sehr unwohl war und jetzt mit einem Darm-Verschluß im Hospital liegt, – eine ernste Sache, die, wie es scheint, eine Operation nötig machen wird. Gerade nach dem Antritt seiner neuen Stellung ist jedenfalls dieser Zwischenfall sehr verdrießlich. Übelkeit und Schmerzen haben seine Leistung schon vorher beeinträchtigt. Man muß auf den Hochstand der amerikanischen Chirurgie vertrauen. Dem Akut-Organischen, wenn es nicht garzu schlimm, ist ja im Grunde besser beizukommen, als dem Ungreifbar-Nervösen.
Klaus meldet, daß er nun endlich am 28. »inducted« wird, – was auch mir eine Genugtuung ist.
Wirtschaftlich hat sich hier in unserer Abwesenheit – wenigstens vorübergehend – vieles unangenehm verändert. Auf dem Lebensmittel-Markt sieht es böse aus: Keine Butter, kaum Eier, kaum Fleisch, sogar kein Gemüse. Was für ein Unsinn – in diesem Lande! Ich halte es mehr für einen nicht sehr guten Spaß und höre denn auch, daß die Hungersnot am 1. Januar wieder abgestellt werden soll.
Berge von Büchern und Briefen haben mich hier empfangen – und

dabei kann der Sekretär nicht täglich angefahren kommen, von wegen des Öles. Ich hoffe auf eine sogenannte B-Karte für ihn wie für uns. Alle Leute hier haben sie schon; wir haben nur etwas den Anschluß versäumt.
Auch die herrlich gewichtige Aschenschale war schon da. Prachtvoll! Danke recht vielmals! Aber Gäste, die sie bewundern könnten, sind selten geworden.
Heute Morgen habe ich »Joseph« wieder aufgenommen, noch etwas fremd und zögernd. Bis Neujahr muß er fertig sein, damit ich den Januar für die 1000 Dollar-Novelle frei habe.
Mutter und Kind sind doch wohl?

Ihr T. M.

An Agnes E. Meyer Pacific Palisades, California
den 19. XII. 42

Liebe Freundin,
Dank für Ihre warmherzige Anteilnahme an unserer Sorge um Michael! Der Zustand hat sich gebessert, und die Ärzte geben gute Hoffnung, daß man um den – immer prekären – operativen Eingriff herumkommen wird. Freilich hat der Patient 15 Pfund abgenommen und ist sehr nervenschwach. Auch bleibt beunruhigend, daß die *Ursache* der Erkrankung noch immer nicht mit Gewißheit festgestellt werden konnte. Es kann sein, daß es sich um eine Verwachsung im Anschluß an eine Blinddarm-Operation in der Kindheit handelt. Dagegen müßte dann doch einmal vorgegangen werden. –
Hören Sie, es ist doch wohl nicht möglich und mir ganz undenkbar, daß ich, der empfänglichste Empfänger und der dankbarste, Ihr Geburtsgeschenk, die schönen Knöpfe, einfach sollte mit Stillschweigen übergangen haben! Sie können mich das nicht glauben machen. Entweder hat einer meiner Briefe Sie nicht erreicht, oder der Ausdruck meiner Freude ist Ihnen aus dem Sinn gekommen. Auch kann von einer Verwechslung (die keine Entschuldigung für mein Schweigen gewesen wäre) nicht die Rede sein. Die an mich gelangten Jade-Knöpfe entsprechen durchaus Ihrer Beschreibung. Ich trage sie oft: zum weißen Hemd, und habe sie gewiß auch in Ihrer Gegenwart getragen. Nur verschwinden sie ja leider im Ärmel.
Über die Vererbung soll ganz nach Ihrem Wunsch verfügt werden. Ich will nicht daran denken, daß Jung-Tonio sich eines solchen

Besitzes entäußern könnte, der von mir und von Ihnen kommt. Freilich mögen Zeiten kommen, die auch Pietät zum unhaltbaren Luxus machen. Daß das Geschmeide großen Wert hat, glaube ich gern. Aber ein Jahr davon leben? Das gibt mir doch zu staunen. Jade ist doch schließlich nur ein sogenannter Halb-Edelstein, und ich habe schon lange Ketten davon gesehen, die ein Vermögen hätten darstellen müssen, wenn man von zweien – und seien sie auch so schön wie diese – ein Jahr lang sollte leben können! Sie müssen mich aufklären, damit ich von dem Meinen richtig denke. Handelt es sich um einen Altertums- oder sonstigen Seltenheitswert?
Ich bin recht ungehalten auf Knopf, weil er für den Band »Order of the Day« garnichts tut, sodaß man das Buch nirgends sieht und niemand davon weiß. Es sind nicht volle 2000 Stück davon verkauft, und Knopf sagte mir in New York, dergleichen drucke man doch nur »for the record« und »to have it out of the way«. Das war nicht ganz meine Auffassung. – Übrigens las ich in The Nation einen ungewöhnlich schönen und klugen Bericht über den Band, von Reinhold Niebuhr. Er sieht die Tragik meines Kultur-Kampfes in meinen unzerstörbaren Beziehungen zur deutschen Romantik, – in der auch der National-Sozialismus wurzele. –
Jetzt hätte ich mich fast wirklich einer Dankes-Unterlassungs-Sünde schuldig gemacht, indem ich bisher die entzückende Ausgabe der Sentimental Journey nicht »erwähnt« habe, die doch schon seit mehreren Tagen in meinen Händen ist. Auch ein Schatz und auch ein Erbstück! Wie genießt man diese bis zu heiterer Schmerzlichkeit verfeinerte Prosa in so erlesener Darbietung! Sterne war so recht der »Schöne Geist« des 18. Jahrhunderts, aber in seiner höchsten Gestalt.
Adieu, ich beginne das letzte Joseph-Kapitel. Es ist nicht leicht – tout est dit, und ich suche, eigentlich ohne Substanz, nach einer Schluß-Kadenz.

Ihr T. M.

An Jules Romains
[Konzept] [Weihnachten 1942]

Cher Jules Romains,
für die Übersendung und liebenswürdige Zueignung Ihrer berühmten »Mystères« habe ich allerbestens zu danken. Das analyti-

sche Genie Frankreichs und französische Anmut und Luzidität des Wortes feiern wahre Feste in dem Buch; in dieser Beziehung, das versteht sich, war mir die Lektüre ein reiner Genuß. Daß mir trotzdem nicht auf jeder Seite ganz wohl zu Mute war, daß allerlei Kopfschütteln mit unterlief, kann Sie kaum überraschen, und ich sollte es Ihnen also vielleicht garnicht erst sagen. Und doch! Ihr Besuch in Deutschland 1934, dem Deutschland der Folter-Lager, das wir deutschen Schriftsteller längst nicht mehr hätten betreten können, ohne des Todes zu sein, wo unsere Bücher verbrannt und verfemt waren, und wo Sie sich dennoch dazu gebrauchen ließen, an der Übersetzungs-Ausgabe eines Ihrer Meisterwerke durch einen Brief an den Schurken Goebbels aktiv mitzuwirken; Ihr Umgang mit den Abetz und Ribbentrop und diesem ganzen Gelichter; Ihre Geschäftigkeit in einer Sache, die man »deutsch-französische Verständigung« nannte, während es sich längst um eine Verständigung mit den Verderbern Deutschlands und Europas, i. e. mit dem Nazi-Regime handelte: – ich wußte von alldem ja, ich hatte es hingenommen, weil ich nicht gewohnt bin, die Handlungen von Menschen, die ich verehre, zu kritisieren. Aber daß Sie sich, nach dem Entsetzlichen, was seither geschehen, darin gefallen konnten, von alldem auch noch in dieser heiteren Ausführlichkeit zu erzählen, das hat – für mich – etwas Erstaunliches in einem nicht durchaus positiven Sinn dieses Wortes.
Seien Sie mir wegen meines Geständnisses nicht böse! Ich glaubte, es Ihnen schuldig zu sein, und die unbehaglichen Gefühle, die ich andeutete, hindern mich nicht im Geringsten an der Überzeugung, daß Ihr Buch als das Werk eines geistreichen, vielfach umgetanen und eingeweihten Augenzeugen, ein wichtiges Dokument für die krasse Geschichte unserer Zeit bleiben wird.
Mit herzlichen Weihnachtsgrüßen von uns beiden für Sie und Ihre liebe Frau
Ihr sehr ergebener

Thomas Mann

1943

An Agnes E. Meyer

Pacific Palisades, California
den 5. Jan. 1943

Liebe Freundin,
ich wollte Ihnen nicht schreiben, bevor ich Ihnen die Meldung machen könnte, die ich Ihnen hiermit nicht ohne eine gewisse Bewegung erstatte, nämlich daß der Joseph fertig ist. Gestern Mittag habe ich die letzten Zeilen geschrieben: es sind freundlich-menschliche Worte des Helden zu seinen Brüdern, die nach dem Tode des Vaters fürchten, er möchte sich doch noch an ihnen rächen. Auch dieses Motiv der Bibel habe ich noch mit aufgenommen. Es erlaubte mir, das Ganze mit Josephs heiterer Stimme ausklingen – ihn noch einmal *sprechen* zu lassen. – So ist es also getan und möge dastehen als ein Monument der Beharrlichkeit und des Durchhaltens, denn dergleichen sehe ich viel eher darin, als etwa ein Monument der Kunst und des Gedankens. Der Auffassung, daß die Kunst nur eine ethische Erfüllung meines Lebens sei, habe ich schon in den »Betrachtungen« Ausdruck gegeben und sehe mein Werk noch heute ganz vorwiegend unter diesem Gesichtspunkt. Es ist eine Lebensangelegenheit. Daß es darüber hinaus, objektiv, etwas taugen möge, ist eine Hoffnung, keine Behauptung von meiner Seite.
– Unterdessen sind Ihre beiden Briefe vom 28. und 29. Dezember gekommen, und ich danke Ihnen von Herzen. [...] Sie haben uns in diesen Festtagen, die ja durch den Abschluß einer viele Jahre erfüllenden Arbeit und den bevorstehenden 10jährigen Gedenktag unserer Abreise von München (11. Februar 33) eine besondere Betonung erhalten, soviel Zartheit, Güte, thoughtfulness erwiesen, daß wir nur mit Rührung und Verehrung der Freundin gedenken können. Joseph hat den schönen orientalischen Titel »Schattenspender des Königs«. Eine Schattenspenderin sind Sie auch, in mancherlei Hinsicht.

»Britain's Home Front« ist glücklich wieder angekommen – alles kommt sehr langsam an, wenn es überhaupt seinen Weg findet. Diese erfahrungsreichen Aufsätze gehören sicher zum Unterrichtendsten und Gewinnendsten, was man über das neue, von der harten Hand des Krieges geformte England, lesen kann. Ich verstehe das Aufsehen, das sie machen – sie können garnicht genug

machen. Es ist ja nur zu wahr, daß »what happens on our social front during the war will determine the nature of the peace«. Hierzulande gibt es wohl noch zuviel Verlangen und falsche Hoffnung, nach dem Kriege zur »normalcy« zurückzukehren, – und mit »normalcy« ist nichts Gutes gemeint. Der militärische Sieg mag sehr langsam kommen, aber er wird kommen; die Hauptsorge ist heute schon der Friede. Churchill, das alte Schlachtroß, versteht davon nichts, will auch garnichts davon verstehen, und bei F. D. R. scheint mir eine starke Neigung zu bestehen, den Frieden mit Hilfe der Kirche und des süd-europäischen Faschismus zu machen – womit World-war III wohl gesichert wäre. Nur dies habe ich dagegen einzuwenden. Denn das schlechterdings *alles* besser ist, als Hitler, davon bin ich durchdrungen, und fühle mich persönlich fähig, mit dem Kommunismus sowohl wie mit einem leidlich gebildeten Clerico-Faschismus auszukommen.
Dank für Ihre Auskunft über die Steine. Es ist doch interessant, und Jung-Tonio kann sich freuen. Sein Vater ist noch spitz und angegriffen, aber auf dem Wege der Besserung. Ich halte nachträglich das Ganze, so ernst es aussah, für einen nervösen fit spastischen Charakters.
Leben Sie herzlich wohl!

Ihr T. M.

An Harry Slochower

Pacific Palisades
9. Jan. 43

Sehr geehrter Herr Slochower,
vielen Dank für »Accent« und »Negro Quarterly«. Ihre beiden Artikel sind sehr interessant. Da ich den »Native Son« als Stück in New York gesehen habe, war mir Ihre Darstellung des Buches besonders merkwürdig. Ich war damals beeindruckt von der demonstrativ positiven Aufnahme, die das Bühnen-Plaidoyer beim Publikum fand.
Mit Hauptmann gehen Sie milde um. Und man soll es auch, trotz der persönlichen Bassessen, die er sich reichlich hat zuschulden kommen lassen. Die Unangepaßtheiten in dem Teil seines Werkes, den er innerhalb der Reichs-Kulturkammer getan, sind immerhin bemerkenswert.
Übrigens habe ich auch den Weiskopf'schen Artikel aufmerksam gelesen. Jünger äußert jetzt seine Verachtung für »Schinder und

Schinderknechte«. Aber er selbst hat geschunden und sich in Inhumanität genießerisch gesielt, daß es eine Art hatte. Erfreulich ist es doch, daß die Nazis auch dieses ihr einziges Talent, E. Jünger, nicht mehr haben.
Ich schicke Ihnen zum Dank meinen Washingtoner Joseph-Vortrag.
Freundlichste Grüße!

Thomas Mann

An Agnes E. Meyer

Pacific Palisades, California
12. Jan. 43

Liebe Freundin,
schöner als Ihr gestern empfangener Brief kann der beseitigte auch nicht gewesen sein. Ich bin mir voll der Lebensgunst, um nicht zu sagen: der Begnadung bewußt, die es bedeutet, solche Briefe zu erhalten. Obgleich ich Sie bitte, dies zu glauben, verstehe ich nur zu gut die Gefühle und Gedanken, die zur Vernichtung des vorigen führten, also die Schwierigkeit, an die Möglichkeit der Freundschaft mit mir zu glauben. Ich kenne die Kälte und Entmutigung, die von mir ausgeht, und habe neulich, als ich Ihnen schrieb, hart von mir gesprochen, – vielleicht zu hart. Sie wissen natürlich, daß die unheimliche Atmosphäre, mit der ich Goethe im Roman bis zur Komik umgab, eine Selbstzüchtigung und Selbstverspottung war. Daß ich über mich lachen kann, ist doch immerhin ein menschlicher Zug, nicht wahr? Und noch eines anderen bin ich mir bewußt: ich weiß mich einer sogar sehr starken und lebendigen Fähigkeit zur Dankbarkeit teilhaftig. Lassen Sie mich bei dem Glauben, daß sich auf diese beiden Eigenschaften schon eine Freundschaft gründen läßt! Ich habe Goethe, meine Vater-Imago, recht recht schlecht gemacht. Aber ich weiß, daß er gern das Schriftwort wiederholte, daß einer mit Engelszungen reden könne, und doch, wenn er »der Liebe« nicht habe, nur eine klingende Schelle sei. Ich müßte verzweifeln, wenn ich mir sagen müßte, daß ich ohne Liebe sei. Und da ich *nicht* verzweifle, – müssen, sollten Sie es an mir tun? Glauben Sie, daß die geringste Anmut, irgend etwas Gewinnendes, Erheiterndes, Erwärmendes, kurz: Liebenswertes hervorgebracht werden kann von einem, der »der Liebe nicht hat«? Wenn Sie das aber nicht glauben, – nun, bitte, so *glauben* Sie!
Ja, ich habe oft mit meiner Mutter musiziert, Beethoven Sonaten und anderes mit ihr gespielt. – Den »Lindenbaum« habe ich gewählt

aus demselben Grunde wie Hansens andere records, weil ich sie eben selbst hatte und sie mir auf meinem, ach, noch so primitiven Apparat immer wieder vorführte. Daher die minutiöse Beschreibung, die übrigens dem epischen Stil des ganzen Buches entspricht. Das Thermometer wird ebenso genau beschrieben, oder das Blut. Meine Lindenbaum-Platte war von Tauber gesungen, sehr musikalisch und geschmackvoll. Das Lied wurde mir zum Symbol alles Liebenswert-Verführerischen, worin der heimliche Keim der Verderbnis lauert. Das Romantische ist viel reizvoller, sogar geistreicher, als das Humanistische. Aber ich fühlte schon damals, daß der Geist kein Recht auf das Reizvolle hat, wenn es dermaßen um *den Menschen* geht wie »heute« – für mich war schon damals »heute«, und für Nietzsche, als er sich Wagner vom Herzen riß, war es schon viel früher.
Mein Gott, Ihre unglückliche Freundin! Wieviel Elend wird der Krieg, der hätte vermieden werden können, auch diesem Lande noch zufügen! Denn die Nazi werden, bevor sie untergehen, um sich schlagen auf eine Weise, von der man sich trotz allen schon wahr gemachten Unwahrscheinlichkeiten schwer eine Vorstellung macht. Sie kündigen es an. Goebbels hat geschrieben: »Wenn wir je gezwungen sein sollten, den historischen Schauplatz zu verlassen, werden wir die Tür hinter uns zuschlagen, daß die Menschheit ewig daran denken soll.« Und gegen diese höllischen Amokläufer muß man brave, gute, wertvolle Menschen wie Ihren Bill ins Feld schikken! – Neulich erfuhr ich, daß sie die 86jährige Witwe Max Liebermanns »nach Polen« deportiert haben, trotz dringlicher Intervention Schwedens, das die alte Frau aufnehmen wollte! Sie werden noch ganz anderes tun, wenn sie irgend Zeit haben. Fluch den verbrecherischen Schwachköpfen von Staatsmännern, die das ins Kraut schießen ließen! – Was kann man mehr tun, als von ganzem Herzen wünschen, der Kelch möge an Ihnen vorübergehen.

Ihr T. M.

An Kurt Wolff

Pacific Palisades, California
20. Januar 1943

Lieber Herr Kurt Wolff,
das George-Buch ist in meinen Händen – ein sehr kostbares Geschenk; ich danke Ihnen herzlich, daß Sie mich zu einem der ersten Empfänger dieses edlen Erstlings Ihres neuen Verlages machten.

Ich habe viel, mit eigentümlichen Empfindungen, darin gelesen. Es ist eine merkwürdige und charakteristische, mit unserm ganzen Schicksal übereinstimmende Erfahrung, dies rührend strenge Vermächtnis in der Sprache wieder zu lesen, an die wir Ohr und Mund nun gewöhnen. Ohne unsere Verpflanzung wäre ein solches Buch wohl kaum so bald zustandegekommen, das ein Werk treu bemühten Mittlerfleißes, ein schönes Geschenk ist des ausgewanderten deutschen Geistes an eine Welt, die von diesem sehr hohen Stück Deutschtum bisher wenig wußte. So ist mir aufgefallen, daß im Index eines amerikanischen kulturkritischen Werkes von sonst erstaunlich weiter Umsicht, »Art and Freedom« von H. M. Kallen, der Name Stefan George nicht vorkommt.
Schon die Auswahl ist vorzüglich: geschickt, klug, zugänglich, ich möchte beinahe sagen: populär. Alles, was Liebe ist in diesem stolzen und priesterlichen Gemüt, ist hervorgekehrt, das Natursüße und Innige, der Walther von der Vogelweide-Klang, – ohne das Herrisch-Herbe und Unerbittliche zu verleugnen. Ich spreche damit zugleich von der Übersetzung, in die dies alles, dank – wie ich weiß – langer, hingebungsvoller Arbeit, nach Menschenmöglichkeit eingegangen ist. Natürlich war es ein Wagnis, das Deutsche mit zu präsentieren, – eine treuherzige Herausforderung der Kritik, die sich denn hie und da auch meldet, so ungenerös es von ihr sein mag. Denn das Nebeneinander sagt ja offen genug: »Seht, wie man sich helfen und Zugeständnisse machen muß, Abschwächungen und Ungenauigkeiten so garnicht vermeiden kann!« Aber es spricht auch ein berechtigter Stolz aus der Zusammenstellung: das Bewußtsein, daß diese Übertragungen sich neben dem Original »sehen lassen können« und eine wirkliche Einverleibung seltenen Gefühls- und Sprachgutes in die Kultur unseres Gastlandes bedeuten. Namentlich die rhythmische Anschmiegsamkeit ist bewundernswert. Die Deutschen haben es immer gut verstanden, sich das Fremde anzueignen. In der Diaspora fangen sie an, das Deutsche der Fremde zu übereignen, und auch das machen sie gut. Man soll sie loben, wo sie zu loben sind.
Ihr ergebener

Thomas Mann

An Agnes E. Meyer

Pacific Palisades, California
28. Jan. 43

Liebe Freundin,
einen Abschiedsgruß sollen Sie doch noch haben, bevor Sie Ihren neuen patriotischen Opfergang antreten, während dessen Sie wohl schwer erreichbar sein werden. Aber zur Entschädigung werden Sie dann ja plötzlich persönlich erreichbar sein und werden mehr zu erzählen haben, als ich stillsitzender Mensch zu schreiben weiß. Ich werde das meine tun, um den Moses bis dahin parat zu haben, kann mir aber kaum vorstellen, daß Sie die Ruhe haben werden, zuzuhören. Jedenfalls wird es nur ein Auszug sein können, denn bei dieser Long short story wird die emphasis wohl auf dem »long« liegen.
Eben komme ich aus Hollywood zurück, wo ich in einem kleinen, im 5. Stock eines Kaufhauses gelegenen Theater mit ca. 350 Damen und 5 Herren einer lecture lauschen mußte, die eine routinierte aber einfältige stage-Hyäne über »Order of the Day« und »Listen, Germany« hielt. Danach mußte ich selber hervortreten und das Publikum begrüßen, schnitt aber jede Erwartung einer eigenen Produktion mit den Worten ab: »Everything I should add to this splendid analysis of my work could only be an anti-climax.« So muß man lügen, wenn man in die Welt geht! An eine Anti-climax war garnicht zu denken. Aber 3 Viertelstunden mußte ich noch sitzen und Bücher signieren. Was tut man nicht, um seine Popularität zu fördern! Selbst Jefferson war, wie ich eben in einem Buch über ihn las, »thirsty for public praise«, – und das war »the Apostle of Americanism«.
Sein Nachfolger im Amt hat sich ja wieder einen sensationellen Streich geleistet mit seinem Flug nach dem afrikanischen White House. Es war schon eine aufregende Nachricht, obgleich die mitteilbaren Ergebnisse des Treffens natürlich in keinem Verhältnis stehen zu den Akzenten, in denen die hohen Kontrahenten davon sprachen. Man muß hoffen, daß die Ergebnisse selbst in besserem Verhältnis dazu stehen werden. In any case, it will be a *very* long way to Tipperary, trotz Stalingrad und Rostow, das die Deutschen aufgeben zu wollen scheinen. Die Art ihrer Berichterstattung über ihre russische Niederlage ist wieder einmal grotesk. Auf einmal sind die längst besiegten bolschewistischen Untermenschen weit überlegen an Zahl und Ausrüstung, und der arme, zarte Eindringling

hat schwer für die Civilisation zu ringen gegen die tückisch gerüstete Barbarei. Man kann von einem völlig verdorbenen Denken sprechen, einem Denken, das nur noch als Lüge und verrückte Umkehrung der Wahrheit funktioniert. Ich möchte wissen, wieweit das Volk selbst ein Opfer dieser Verderbnis geworden ist.
Ist es nicht doch ein wenig zu bedauern, daß in Casablanca weder ein russischer noch ein chinesischer Vertreter zugegen war? Die Geographie wäre *kein* Hindernis gewesen. Der Volksmund behauptet, der Kronprinz von Italien und Señor Franco seien dabei gewesen, was natürlich lächerlich ist – und doch auch wieder garnicht so dumm. Ich glaube (ohne mich sehr darüber aufzuregen, da ich nicht glaube, daß die Weltgeschichte zu unserem Vergnügen da ist), daß aus dem »demokratischen Frieden« nicht viel werden wird. Es wird ein katholisch-faschistischer Friede sein. Mag sein, daß Europa nichts Besseres mehr verdient. Aber die angelsächsischen Okkupations-Armeen werden wohl hauptsächlich dazu dienen, die fälligen Revolutionen in Deutschland, Frankreich, Italien und Spanien hintanzuhalten. – Sie fahren mir immer kräftig über den Mund, wenn ich mich in politische Dinge mische, aber ich glaube, Sie werden einmal an mich denken. Die Russen könnten allenfalls störend wirken, aber man hört ja schon oft die Meinung äußern, daß wir uns nach der Besiegung Deutschlands mit den Russen auseinander zu setzen haben werden. Kommen Sie mit nach Moskau?
Das Library-Pamphlet der Joseph-lecture ist gekommen, sehr schmuck gedruckt. Gewiß ist es längst auch in Ihren Händen. Ich bedauere nur, daß nicht auch die Vorreden von Mac Leish und Wallace aufgenommen worden sind. Es wäre doch für die Teilnehmer ein vollständigeres Erinnerungs-Dokument gewesen.
Wir haben Regenzeit jetzt. Die triefenden Tage wechseln ab mit föhnigen, brennend sonnigen. Borgeses sind sehr glücklich bei uns und möchten am liebsten immer hier bleiben. Er schreibt an einem recht geistvollen Zeitbuch, »The cup for all«. Sie waren einige Tage in San Francisco, wo sie wieder mit Sforza zusammentrafen, der uns hier auch schon besuchte, – ein eleganter, unterhaltender, aber, glaube ich, etwas windiger Mann. Bibi ist gesund, hat sieben Schüler und ist mit Proben und Aufführungen sehr beschäftigt. Die Kinder waren berauscht von Ihrem modernistischen Wunderpferdchen, das auch hier Sensation machte.
Und nun reisen Sie glücklich, liebe Freundin, und überanstrengen

Sie sich nicht! Manchmal denke ich schon darüber nach, worüber ich nächsten Herbst in Washington sprechen soll.
Immer Ihr T. M.

An Fritz Kaufmann Pacific Palisades, California
3. Febr. 1943

Sehr geehrter Herr Dr. Kaufmann,
ich habe Sie lange auf ein Wort der Empfänglichkeit für die Verdienste Ihres Manuskripts warten lassen müssen, und auch heute, fürchte ich, wird es nur ein Wörtchen sein können. Ich bin auf meine älteren Tage ein mehr als je beschäftigter Mann. [...]
Mit Ihrem Traktat habe ich mich viel beschäftigt, viel darüber gesonnen, mich viel erinnert und war Ihnen dankbar für die Erwekkung der Erinnerung und die reiche Anregung zur Selbstbesinnung. Es ist ein wohlgeschliffener, angenehm beleuchteter Spiegel, vor den ich mich da gestellt sehe, und das Vergnügen, mit dem ich hineingeblickt habe, war zu nachdenklich, als daß ich es eitel nennen möchte, – obgleich ja ein gewisser Narzißmus von einem bewußt geführten und kultivierten Leben wohl unzertrennlich ist. Goethe hat die Eitelkeit immer unter die sozialen, in Schutz zu nehmenden Eigenschaften gerechnet und wußte, warum. Ihr Buch seinerseits weiß, warum es ihn soviel heranzieht, ihn so nötig hat zur Erläuterung meines Lebensspiels, das Sie als solches mit ernster Klugheit aufzeigen und ihm ehrende Namen wie »Repräsentation«, »Nachfolge«, »Selbstverwirklichung«, etc. geben. Ich sehe mit lächelnder Genugtuung, wie sehr es mir auf die Dauer gelungen ist, die Goethe-Assoziation heraufzurufen und andere, gleich mir selbst, in meinem Leben und Werk einen persönlich geprägten Beitrag zur Unsterblichkeit Goethes erblicken zu lassen. Überall, wo dies zum Ausdruck kommt, ist mir Ihr Versuch nicht nur am liebsten, sondern er ist dort, glaube ich, auch am besten. Es ist da mythische Stimmung, recht nach meinem Herzen, und man erfühlt jene geistig-majestätische goethische Lebenssegnung, in der »Vergangenheit beständig, das Künftige voraus lebendig« wird, und »der Augenblick Ewigkeit ist«.
Welche Stelle mir das meiste Vergnügen gemacht hat, will ich nicht verschweigen. Es ist die auf S. 227 über den sprachlichen Universalismus der Joseph-Bücher. Mehr und mehr im Lauf der Arbeit

daran gewöhnte ich mich, in erster Linie ein vielschichtiges Sprachwerk darin zu sehen. Daß aber das Sprachliche nur Gleichnis, Ausdruck, Zubehör seines eingeborenen Humanismus ist, versteht sich, und es freute mich außerordentlich, diese Bemerkung, anmutig formuliert, bei Ihnen wiederzufinden. Es war eine ehrenvolle Vereinzelung, in der man sich mit dieser menschheitlichen Neigung im Deutschland von damals befand. Wie fremd war man angesehen, vom Haß nicht zu reden.
Lassen Sie mich nur allgemein und sachlich noch sagen, daß ich in Ihrer Arbeit einen philologisch wohlgeschulten, geistvollen Beitrag von großer literargeschichtlicher Umsicht und Bildung sehe. Den Stempel deutscher geisteswissenschaftlicher Tradition trägt sie freilich deutlich an der Stirn. Aber da ihr Gegenstand selbst hier freundliche Aufnahme gefunden hat, – warum sollte es nicht auch ihr geschehen. Schon eine fragmentarische Veröffentlichung wäre zu begrüßen. Man könnte ja leicht einen kürzeren Aufsatz herauspräparieren, der etwa »Die Nachfolge – oder das Fortleben – Goethes im Werk Th. M.s« heißen könnte. Dabei denke ich im Grunde an ein weiteres Thema, das etwas für einen Essayisten im Nach-Kriegs-Deutschland wäre: die Abwandlungen des Goethe-Erbes und die charakteristische Brechung dieses Lichtes in verschiedenen Persönlichkeitsmedien wie Stifter, (Grillparzer), Hofmannsthal, Gottfried Keller (Übersetzung ins Alemannische), Barrès, Gide etc.
Zu Ihrem Fragebogen: Einen Abdruck der Washingtoner Joseph-Rede gebe ich diesem Briefe mit auf den Weg.
Gegen den Gedanken von Punkt 2 ist nichts zu sagen.
Mit den Zwergen hat es nicht viel mehr auf sich als den komischen Gegensatz von aufgeblasener, der »kleinen Art« untreuer Potenz und gütig-ängstlicher Ohnmacht.
Kleopatra und Peeperkorn würde ich lieber auseinander lassen.
Ausblick auf die deutsche Mystik durchaus legitim.
Einfluß Leibnizens sehr indirekt. Ebenso Schellings.
Von Flaubert viel stärker beeindruckt als von Baudelaire, dessen Versuch über Poe ich bei neulichem Wiederlesen fatal fand. Gegensatz zu Flaubert von Ihnen nach den »Betrachtungen« richtig wiedergegeben. –
Freundliche Wünsche und Grüße!

Thomas Mann

An Gottfried Bermann Fischer Pacific Palisades, California
6. Februar 1943

Lieber Doktor Bermann,
heute sende ich Ihnen das Joseph-Manuskript und wünsche ihm gute Fahrt zunächst einmal bis zu Ihnen. Bestätigen Sie mir bitte den Empfang und lassen Sie mich wissen, wie Sie die Weitersendung zu handhaben gedenken. Bei unserem Beschluß, das Buch in Stockholm drucken zu lassen, muß es ja wohl bleiben. Natürlich ist es schwer für mich, auf die Korrektur zu verzichten, und eine korrekte erste Ausgabe wird schwerlich zustande kommen. Wir müssen uns damit trösten, daß bald einmal, etwa in zwei Jahren, ein Neudruck wird veranstaltet werden können. Vorläufig ist mir der Gedanke doch wichtig, daß die immerhin wertvollen Reste des europäischen Marktes dem Buche offen sein sollen, und es bleibt wohl dabei, daß auch hier, wie von »Lotte in Weimar«, auf photographischem Wege eine Auflage hergestellt wird. Ich würde gern von Ihnen hören, wie Sie sich die Dauer des ganzen Prozesses bis zum Erscheinen der deutschen Ausgabe in Europa und hier vorstellen.
Auf den neuen Vertrag kommen wir nächstens zurück. Seien Sie mit den Ihren vielmals gegrüßt!
Ihr ergebener Thomas Mann

An Agnes E. Meyer Pacific Palisades, California
17. Febr. 1943

Dear Ag! (Learnt it from Eugene)
Soll ich nach Louisville schreiben oder nach Kansas City? Ich weiß es noch nicht. Muß es mir noch ausrechnen, unter Zugrundelegung der pessimistischsten Einschätzung heutiger Transport-Verhältnisse. Nur schreiben möchte ich doch einmal wieder, – wenn auch eben nur *um* zu schreiben –, da ich schließlich ungefähr weiß, wo Sie stecken. Eine Antwort erwarte ich beileibe nicht.
Während Sie sich im weiten Raume tummeln, lernend und lehrend, habe ich gleichmäßige Tage, unterschieden höchstens durch wechselndes Befinden. Bei dem Samum, den wir fast eine Woche lang zu ertragen hatten, habe ich mich abends nach des Tages Bruthitze erkältet und war zeitweise recht elend, huste auch gegenwärtig noch, doch geht es besser, und die Arbeit habe ich überhaupt nicht

unterbrechen müssen, sodaß der »Moses« stetige Fortschritte gemacht hat. Ich bin auf der 52. Seite, habe das Völkchen in der Oase Kadesch, nahe dem vulkanischen Horeb und komme nun zum Eigentlichen, der Gesetzgebung, die ich als eine Art von michelangeleskem Skulpturwerk an einem Rohmaterial von Volkskörper behandle. Welche Teile ich Ihnen hier werde vorlesen können, weiß ich noch nicht. Jedenfalls werde ich viel weglassen und mir mit Zwischen-Erklärungen helfen müssen.
Große Dinge sind unterdessen in Rußland geschehen, und offenbar geht es weiter damit. Der deutsche »Feldzug« dort scheint in eine unheilbare Katastrophe auszugehen, und es sieht ja auch aus, als wollte unser Adolf das Unternehmen mehr oder weniger liquidieren und die Verteidigung der Kultur nach dem Westen und nach Afrika verlegen. Erhoffen wir das Schlimmste für ihn auch dort! Er verdient es. Womit unsere Seite den schmerzlichen Rückschlag verdient hat, den sie in Tunesien erlitten, ist eine Frage zum Nachdenken. Es ist nur zu begreiflich, daß die civilisierten Jungen, die Sie hinübergeschickt, den abgebrühten Wüstenhasen des Rommel nicht gleich gewachsen sind. Aber ich halte für möglich, daß auch manche dem Kampfgeist nicht zuträgliche Verwirrung der Gemüter mit im Spiele ist. Es muß für die boys schon schwer genug sein, zu verstehen, warum sie Oklahoma in Afrika verteidigen müssen. Aber was es bedeuten soll, daß man den Faschismus Arm in Arm mit dem Faschismus bekämpft, das muß ihnen ganz unverständlich sein und die Frage »What are we fighting for?« für sie fast unbeantwortbar machen. – Das Schlimme ist, daß durch dies Mißgeschick der Angriff auf Europa wohl noch auf lange verzögert wird – in einem Augenblick, der außerordentlich günstig dafür gewesen wäre. Aber wer wollte darum am guten Ausgang verzweifeln? Ich meine, an der bestimmten Hoffnung, daß wir im Jahre 1944 einen Frieden haben werden, der wenigstens mit Hitler und Mussolini, wenn auch nicht gerade mit Franco, Ciano, dem Hause Savoyen und Vichy aufräumen wird.
Kurt Wolff kenne ich gut. Er war in München ein führender Verleger, fortgeschrittener Richtung. Das Publizieren von Büchern muß eine Leidenschaft sein, wie eine andere; alle fangen sie hier sogleich wieder damit an, obgleich die Umstände doch nicht verlockend sind. Wolff hat eine würdige deutsch-englische Ausgabe von Gedichten Stefan George's herausgebracht, zeigt Péguy an und wird

mutiger Weise auch ein umfangreiches politisch-philosophisches Buch meines Freundes Erich v. Kahler herausbringen. Die Übersetzung von Burckhardt's bewundernswerten Weltgeschichtlichen Betrachtungen war gewiß eine gute Idee. Ich würde mich nicht nur für ihn freuen, wenn Sie über das Buch schrieben, sondern würde mir auch für mich persönlich Freude und Genuß davon versprechen.
Heute hatte ich einen Kummer: ich las in »Nation« eine höchst abfällige, teilweise sogar boshafte Besprechung der »Radio Messages to the German People« von Reinhold Niebuhr, einem Mann, den ich aufrichtig hochschätze. Er findet sie langweilig, arrogant, propagandistisch falsch, ohne Gefühl für das tragische Dilemma des deutschen Volkes etc. etc.. Es ist da ein Unglück geschehen. Sie wissen, er hat, an derselben Stelle, über »Order of the Day« sehr ausführlich, klug und warm geschrieben, und – ich habe mich nicht dafür bedankt. Ich hatte einen langen Brief an ihn im Kopf, der auf die Hauptpunkte seiner Kritik meines Buches, die zugleich eine Kritik der deutschen Kultur war, eingehen sollte, – und dann kam ich Monate lang nicht dazu, war zu faul, zu beschäftigt, zu müde und – was weiß ich –, ihn zu schreiben, und Niebuhr blieb ohne jedes Zeichen meiner Erkenntlichkeit. Sie war reichlich vorhanden. Allen Leuten habe ich mit Freude über den Artikel gesprochen, nur dem Verfasser nicht. Ein solches menschliches Versäumnis rächt sich immer. Er hätte die Besprechung von »Listen, Germany« ja ablehnen können, wenn es ihm so mißfiel. Aber es ist bei dem Mißfallen, durch meine Schuld, nicht ganz mit rechten Dingen zugegangen. Schade, schade!
Ein Trost ist mir, daß Ihnen »Thamar« auch beim Lesen so gut gefallen hat. Es ist merkwürdig, wie in einem Buch die garnicht vorgesehenen, improvisierten Dinge, oft am besten gelingen. Ich habe mich sehr spät entschlossen, die Episode einzufügen.
Herzliche Reisewünsche, liebe Freundin! Möchten Sie in nicht allzu erschöpftem Zustand in Los Angeles anlangen! Wohl überlegt, möchte ich lieber Ihren Erlebnissen lauschen, als Ihnen vorlesen. Ich glaube, ich tue besser, Sie unter dem Eindruck von »Thamar« zu lassen. Diese bestellte Sache jetzt ist nicht sehr significant.

Ihr Thomas Mann

Ein Los Angeles Paper schrieb neulich über mich: »Some months ago high government officials invited him to Washington as a consultant on German matters.(!) There is every reason to believe that when the Nazis collapse Th. M. will be the cultural and political leader of the new Germany.« – Eine schöne Konfusion!

An Reinhold Niebuhr
[Konzept]

Pacific Palisades, California
19. II. 1943

Dear Dr. Niebuhr,
assuming that you read German without difficulty and not yet being able to express more delicate things in a decent English I take the liberty of addressing the following lines to you in my own language. I shouldn't like to have a translator between us.
Lassen Sie mich Ihnen danken für die Aufmerksamkeit, die Sie meinen letzten Buch-Publikationen geschenkt haben – in einer Zeitschrift, die ich nicht zuletzt darum bevorzuge und regelmäßig lese, weil Sie ihr Mitarbeiter sind. Ihre ausführliche Besprechung von »Order of the Day« war die einzige, die ich überhaupt zu sehen bekommen habe, aber ich zweifle nicht, daß sie die schönste, bedeutendste und am tiefsten dringende war, die darüber geschrieben worden ist. Ich war bewegt und entzückt davon, ungeachtet der Tatsache, daß ihre Wahrheiten teilweise auch ernste, kluge, kritische Wahrheiten über mich selber sind, – oder richtiger: gerade deswegen. Ein langer Brief an Sie war damals geplant, in dem ich auf die Hauptpunkte Ihrer Charakteristik der deutschen Kultur und Tradition, die schließlich auch meine eigene ist, eingehen und Ihnen für die meisterhafte Formulierung des Mißverhältnisses danken wollte, in das tragischer Weise diese eigentümliche Tradition das Deutschtum auf die Dauer zur übrigen Welt gebracht hat. Auch von der *Untreue* wollte ich in diesem Briefe sprechen, die, wie Sie leise andeuten oder durchblicken lassen, für einen deutschen Schriftsteller darin liegen mag, sich aus diesem Mißverhältnis zu lösen, die Teilhaberschaft daran zu verleugnen und den Versuch zu machen, es pädagogisch zu korrigieren, – eine Untreue, ein Versuch, für die es freilich auch nicht an großen traditionellen Vorbildern in der deutschen Geistesgeschichte fehlt, und die immer dadurch mehr oder weniger entschuldigt wird, daß es sich, bei aller scheinbaren pädagogischen Anmaßung, um Selbsterziehung, Selbstberichtigung, also doch wohl um etwas moralisch Anständiges handelt.

Und dann ist aus allen diesen epistolographischen Vorsätzen nichts geworden! Ich war zu träge, zu beschäftigt, zu müde – was weiß ich –, sie auszuführen. Meine 68 Jahre, die alles in allem kein Kinderspiel – oder doch ein recht schwieriges – waren, fangen eben doch an, sich hie und da bemerkbar zu machen. Zuweilen gibt es, namentlich in der Korrespondenz, einen Bankerott, ein Versagen. So habe ich Sie, Monate lang, ohne jedes Zeichen meiner Erkenntlichkeit gelassen, – die doch so reichlich vorhanden war. Zu allen Leuten, zu jedem, den ich traf, habe ich mit Freude und Dankbarkeit von dem Artikel gesprochen – nur zu seinem Verfasser nicht. Das war ein wirkliches menschliches Versäumnis, und nicht viel Zweck hat es, Sie dafür um Entschuldigung zu bitten, da ich von mir selbst nur schwer Entschuldigung werde erlangen können.
Zu jenen Essays und Ihren erregend geistvollen Bemerkungen darüber möchte ich heute nur noch Folgendes sagen. Die Vorgeschichte dessen, was Sie meine »Conversion to the importance of politics« nennen, also meines gegenwärtigen Demokratismus, hat sich in Deutschland vor aller Augen, in voller Öffentlichkeit, abgespielt. Ich habe dafür bezahlt mit vielem Haß und Schimpf, den ich im nationalistischen Deutschland dafür zu tragen hatte, und fühle mich frei, meine heutigen Gesinnungen in voller Unbefangenheit zu vertreten. Ich weiß ja, daß es sich dabei ganz einfach um ein organisches Wachstum handelt, das sich nur nebenbei im Politischen, viel besser in den drei künstlerischen Haupt-Denksteinen meines Lebens, den Romanen »Buddenbrooks«, »Zauberberg« und den Josephsgeschichten manifestiert. Ich möchte aber nicht wahrhaben, daß jene »Conversion« nötig war, um mich im Nazitum den Greuel sehen zu lassen, der es ist. Wäre ich auf der Stufe der »Betrachtungen eines Unpolitischen«, die schließlich kein anti-humanes Buch waren, stehen geblieben, so hätte ich mit derselben Wut *und mit derselben Berechtigung* gegen diesen Greuel Stellung genommen, wie ich es als »Demokrat« – sit venia verbo – heute tue.
Über »Listen, Germany« lassen Sie uns schweigen. Es war ein Malheur, daß Ihnen auch dies Büchlein in die Hände fiel, – besonders noch in der unvermeidlich denaturierenden englischen Übersetzung. Auf deutsch (es gibt auch eine deutsche Ausgabe, und auf sie hätte ich mich beschränken sollen) nimmt sich alles heller und unterhaltender aus, und selbst das Allzu-Persönliche erscheint mehr im Licht eines polemischen Lyrismus, der auch etwas mit deutscher

Tradition zu tun hat. Aber alles, was ich gegen Ihre Beanstandungen vorzubringen hätte, könnte sich doch nur auf die Radio-Sendungen als solche beziehen, nicht auf das Buch, das zusammenzustellen ein Fehler war. Es ist einfach »de trop«. Nach dem politischen Bande hätte der vierte Joseph-Roman kommen sollen und nicht erst noch wieder diese politisch gebundenen Dienstleistungen, die zwar Emigrantenherzen erquicken mögen, aber Amerikanern eher verdrießlich sein müssen, wenigstens, wenn sie sich auf das deutsche Problem verstehen, wie Sie, und nur zu gut die Flecken in unserer demokratischen Tugend kennen, über die ich in diesen Reden klüglich den Mund halten muß.

In aufrichtiger Sympathie und Bewunderung
Ihr ergebener
Thomas Mann

An Klaus Mann

Pacific Palisades
9. III. 43

Lieber Sohn,
im Living Room ist eine kleine italienische Versammlung, die Borgy zu Tea und Cocktail zusammengeladen hat, weil der nun bald mit den Seinen wieder abreist, aber ich habe mich davon gestohlen, um Dir endlich einmal einen Brief zu schreiben. Erstens weiß ich ja, wie wichtig es bei euch ist, Post zu bekommen, und zweitens steht ja auch noch mein Dank für das Gide-Buch aus, bei dessen Lektüre ich mir immer gern vorgestellt habe, daß es im Wesentlichen, vielleicht ganz, hier in unserer Mitte geschrieben wurde. Es hat mich sehr gefesselt, sehr unterhalten und auch vielfach belehrt, denn Du bist ja wirklich ein genauer und intimer, weil liebender Kenner dieser Seele und dieser Kunst, von der ich wohl eine Vorstellung habe, und eine sehr ehrerbietige, die mir aber doch keineswegs so Linie für Linie vertraut ist, wie Dir. Er hätte sich wohl wirklich keinen gewiegteren Portraitisten und Interpreten wünschen können, und jedenfalls wäre kein Amerikaner zu finden gewesen, der ihn hier hätte propagieren können, wie Du. Dazu war ein Europäer nötig – wir werden überhaupt noch für manches nötig sein, auch wenn wir nach diesem Kriege, wie wahrscheinlich, nur noch die Graeculi der Welt sein sollten. Du nun weißt den gutmütigen Barbaren das Griechische sehr zugänglich zu machen, im natürlichsten Englisch, mit heiterem, unüberschwenglichem Enthusiasmus, mit Anekdoten

und allem. Von manchem Zug des Gemäldes war ich frappiert, so von der Stelle mit der Cigarette, wie er die Dinger plötzlich ins Hoch-Lasterhaft-Moralische erhebt, seine Unfähigkeit zum Widerstande eingesteht und heimtückisch in den Worten der unsympathischen Romanfigur spricht. Ein unheimlicher Genosse, verwickelt, wenn auch keineswegs vertrackt. Das Hoffmann'sche »Verrucht« paßt schon besser und würde auch ihm wohl zusagen. Die eigentümlichste Mischung von Verführer und Erzieher – seit Sokrates, möcht' man sprechen.
Ich hätte Dir aus den beiden Gründen, aber auch sonst und überhaupt, weil Du uns doch jetzt mit der Waffe verteidigst und ein schweres, neues, sonderbares, wenn auch an sich nur zu gewöhnliches Leben hast, schon längst schreiben wollen, hatte aber immer zuviel zu tun. Neben dem Persönlichen läuft gerade jetzt so viel Angefordertes her, Broadcasts nach Deutschland, nach Europa überhaupt, auf englisch, nach Australien, auf englisch, Artikel für das Office of War Information über Deutschlands Zukunft und so fort, dummes Zeug, das man aber doch nicht immer verweigern kann, wenigstens, wenn man nicht viele War Bonds kauft (einige *haben* wir gekauft). Hauptsächlich hat mich in diesen Wochen die Moses-Novelle beschäftigt, die ja als Einleitung zu einem 10 Gebote-Novellenbuch bestellt war – ich weiß nicht, ob aus dem Plan überhaupt noch etwas wird. Jedenfalls hat mich die realistisch-groteske Geschichte, bei der es sich natürlich schlechtweg um die menschliche Gesittung handelt (das Goldene Kalb ist ein komisch-trauriger Rückfall) sehr amüsiert, und ich habe so rasch an hundert Seiten hingelegt, daß ich das Gefühl hatte, garnicht mehr neidisch sein zu müssen auf Deine Geschwindigkeit. Immer nach Abschluß von etwas Großem gönne ich mir so etwas, was mir gar keine Mühe macht.
Schlimm ist, daß die alte Lowe mit der Übersetzung des Joseph noch so sehr im Rückstand ist. Ich *konnte* ihn doch nicht selbst auf englisch schreiben, das könntest auch Du nicht. Aber nun ist es unsicher geworden, ob auch nur der *Herbst*-Termin eingehalten werden kann. Es wäre ein harter Schlag, schon wegen der immer schwieriger werdenden Papier-Situation und auch, weil ich doch nicht immerfort den Renten-Vorschuß beziehen kann, ohne daß endlich das Buch da ist.
Du wirst bald aus dem Dicksten heraus sein. Mit Genugtuung hörte

ich von dem Major, der Dich in den Intelligence Service zu bugsieren gedenkt. Saroyan scheint ja sofort da hineingekommen zu sein, führt sein Autorenleben in Uniform und privat so zwischendrin. Daß er sein Romänchen of the month »The Human Comedy« genannt hat, ist ein Gipfel ländlicher Treuherzigkeit.
Viel Glück und Ehre!
Herzlich Z.

Coudenhoven habe ich einen Kündigungsbrief geschrieben. Es ist ein zu zweideutiger Salon.

An Robert S. Hartmann Pacific Palisades, California
den 7. April 1943

Sehr geehrter Herr Hartmann,
Ihre beiden Sendungen, die große und die kleinere, die auch nicht klein ist, sind schon seit längerer Zeit bei mir, und immer wieder, zwischen anderen Angelegenheiten, habe ich mich mit ihnen beschäftigt. Das große Buch, On God's Side, mit den symbolisch-dämonisch angehauchten Illustrationen, glaube ich jetzt ganz zu kennen, – es wird da kaum noch etwas sein, was ich nicht gelesen oder doch, des Zusammenhangs wegen, überflogen hätte. Das Buch ist ein überaus charakteristisches Produkt dieser Zeit, großartig aus Zwang und Seelennot, aufgewühlt und dringlich bestrebt, von allen Dingen auf einmal zu reden. In seiner Mischung aus Mystik, Religion, Psychologie erinnert es an gewisse apokalyptisch getönte Erzeugnisse russischer Kritik, etwa Mereschkowski; auch durch das erregt Diskursive, leidenschaftlich Plauderhafte seines Stils. Bei den mich betreffenden Stellen habe ich natürlich mit besonderer Neugier verweilt; sie sind geistreich, oft tiefsinnig, und ich bin mir dabei des Ganges meiner Stimme in dem kontrapunktlichen Vokal-Satz der Zeit nachdenklich bewußt geworden.
Sehr gespannt bin ich, ob das in einem recht starken Sinn kuriose Werk, dessen Englisch mir gut scheint, hierzulande einen Verleger finden wird. Die Sache ist jedes Versuches wert. Es wäre z.B. interessant, was Simon & Schuster zu der Sache sagen würden.
Auch das kleinere Manuskript, Christian Manifesto, ist höchst lesenswert und in seiner Art ein richtiger Ausdruck für das, was nottut. Da die nationale Idee als bindende Kraft deutlich ausgespielt

hat, wird gewiß der christliche Universalismus bei der zukünftigen Weltgestaltung eine wichtige Rolle spielen: der Einfluß der katholischen Kirche auf das, was da kommen soll, ist ja heute schon sehr sichtbar, – was bei der manchmal schon eindeutigen Zweideutigkeit der Stellung dieser Weltmacht zum Fascismus einerseits, zu Sozialismus und Demokratie andererseits, freilich auch wieder sein Bedenkliches hat. Der Krieg (the peoples' war) wird ohne und gegen die Völker geführt (wäre es anders, er könnte schon gewonnen sein), und der Friede wird allem Anschein nach sehr wenig revolutionär, auch nicht christlich-revolutionär ausfallen: es wird wohl ein stark katholisch-fascistisch beeinflußter Friede sein. Ich werde mir darüber nicht die Haare raufen. [...] Es kann – vielleicht nach einem Zwischenspiel vollendeten Chaos' – nur besser werden, da es garzu miserabel gegangen ist. Die Tendenz zu irgendeiner Art von Welt-Organisation ist unverkennbar vorhanden, und nichts dergleichen ist möglich ohne eine bestimmende Dosis säkularisierten Christentums, ohne eine neue Bill of Rights, ein alle bindendes Grundgesetz des Menschenrechts und Menschenanstandes, das, unabhängig von Unterschieden der Staats- und Regierungsformen, ein Minimum von Respekt vor dem Homo Dei allgemein garantiert. Das wäre viel; es ist beinahe alles, was ich zu wünschen, zu erhoffen mich erkühne. Diese Erde ist ein Tal der Notdurft; eine Luderwiese muß sie nicht sein. Ich verlange nicht mehr, als daß sich darin leben läßt. In einer Nazi-Welt läßt sich nicht leben.
Mit diesem gemäßigten, auf ein Mindestmaß von humaner Dezenz und Gottesscham dringenden Pessimismus bin ich zum Fahnenträger schlecht geeignet. Sie nennen mich »einen der großen Propheten dieser Zeit« – auch das heißt wohl die Backen zu voll nehmen, aber mit der Prophetie ist es etwas anderes: sie ist Empfindlichkeit, Vorgefühl, *Grauen* – lauter Dinge, die sich in das einsame Geistesspiel des Werkes mehr einschleichen, als daß dieses sie sich thematisch vorgesetzt hätte. Wie allein war man in Deutschland mit seinem Grauen! Ich glaube, jetzt ist man doch besser verstanden mit seinem Widerstands-Demokratismus, – und so spät verstanden werden, bringt ja immer wohl in die Nachbarschaft des Prophetischen.
Seit fast einem Menschenalter läuft neben meinem künstlerischen Werk die direkte, bekennende, streitbare und nach Klärung strebende Rede her. Ich habe in dieser Beziehung meine Pflicht nicht

versäumt, denke sie ferner nicht zu versäumen und lasse mich ungern dazu mahnen und aufrufen, besonders da ich dem indirekt-unwillkürlichen Einfluß, der aus dem im Werke verwirklichten menschlichen Sein kommt, im Grunde mehr vertraue, als dem Reden und Lehren.

Ihr sehr ergebener Thomas Mann

An Karl Lustig-Prean Pacific Palisades, California
8. April 1943

Sehr geehrter Herr von Lustig-Prean,
die Bewegung der Freien Deutschen in Brasilien ist älter als ihre amtliche Existenz, aber zu dem Tage, an dem, vor einem Jahr, die höchste Autorität des Landes ihr staatliche Anerkennung gewährte, möchte auch ich ihren Leitern und Mitgliedern meinen herzlichen Glückwunsch darbringen und meinen Dank für ihre Tätigkeit, die dazu beiträgt, in der Welt den Glauben an das Fortleben eines anderen, besseren Deutschland aufrecht zu halten. Dieser Dank gilt zugleich dem großen, gastlichen Lande, das Ihrer Bewegung Schutz und Arbeitsfreiheit bietet, und dem ich mich durch Bande des Blutes verbunden fühle. Früh schlug der Preis seiner Schönheit an mein Ohr, denn meine Mutter war von dort gekommen, sie war ein Kind der brasilianischen Erde, und was sie mir von dieser Erde und ihren Menschen erzählte, war das Erste, was ich von fremder Welt überhaupt vernahm. Auch bin ich mir des Einschlages von latein-amerikanischem Blut in meinen Adern immer bewußt gewesen und fühle wohl, was ich ihm als Künstler verdanke. Nur durch eine gewisse konservative Schwerfälligkeit meines Lebens ist es zu erklären, daß ich Brasilien noch nie besucht habe. Der Verlust meines Vaterlandes sollte ein Grund mehr für mich sein, mein Mutterland kennen zu lernen. Ich hoffe, die Stunde dafür wird kommen. Den deutschen Landsleuten aber, denen Brasilien die Möglichkeit bietet, der Überlieferung deutscher Freiheit und Großherzigkeit tätig nachzuleben, gilt heute mein kameradschaftlicher Gruß.

Ihr ergebener Thomas Mann

An Caroline Newton

Pacific Palisades, California
den 23. IV. 43

Liebe Miss Caroline,
es ist hohe Zeit, daß ich Ihnen für Ihren freundlichen Brief und, in unser beider Namen, für den wundervollen Thee danke, den wir schon seit mehreren Tagen genießen. Ein kostbares Geschenk. Um den Genuß zu verlängern, mischen wir mit anderem. Er ist so aromatisch, daß er das gut verträgt und jede Sorte veredelt, der man ihn beisetzt.
Sie sind krank gewesen, das höre ich garnicht gern. Aber Sie sind ganz wiederhergestellt, wie ich hoffe, und genießen in vollem Wohlsein Haus und Garten draußen und die schöne Wohnung in New York. Alles in allem sind Sie eine begünstigte Frau, und sogar eine treue Schwarze haben Sie – wir dagegen sind gerade wieder einmal blank und bloß: without warning hat uns die unsere verlassen und hatte es doch so gut bei uns, auf Händen getragen und mit süßen Namen belegt wurde sie. Hat alles nichts geholfen. Nun, so müssen wir wieder einmal auf eigenen Füßen stehen. Aber schade ist es, daß wir auf diese Weise die San Francisco'er Enkel nicht bei uns haben können. Wir hatten eigentlich vor, sie für einige Wochen zu uns zu nehmen. Borgese's, die drei Monate hier waren (wir hatten eine gute Zeit mit ihnen) sind längst wieder in Chicago. Die kleine Angelica, ein originelles Kind, das englisch, deutsch und italienisch durcheinander schwätzt, hat sich in unserem Klima prächtig entwickelt, und selbst Medi sah schließlich weniger einem Kohlweißling ähnlich. [...]
Zimmers Tod ist auch mir nahe gegangen. Ich habe der armen Christiane einen herzlichen Brief geschrieben, höre aber nichts von ihr. Sie muß sehr niedergedrückt sein.
Viel wird gestorben. Ich zähle die befreundeten und bekannten Menschen nicht, die in den letzten Jahren, und gerade im letzten, dahingegangen sind. Wann man wohl selbst an die Reihe kommt? Noch tue ich, alsob daran nicht zu denken wäre, habe nach dem Joseph eine wohl gelungene Moses-Novelle »Das Gesetz« geschrieben und plane Neues, das mir merkwürdig scheint.
Niko läßt angelegentlich grüßen. Er ist ein gesundes, fröhliches und gutherziges Tier und allgemein beliebt. Eben ist er frisch und fein geschoren worden und sieht aus wie ein äthiopischer Prinz.
Herzlich

Ihr Thomas Mann

An Klaus Mann

Pacific Palisades
27. IV. 43

Dear son!
Ich weiß garnicht, ob Du Dich eigentlich so recht herzlich über meinen vorigen Brief, den Gide betreffend, gefreut hast. Hast es, soviel ich weiß, nie merken lassen. Oder vergaß ich's? Einerlei, heute schreibe ich wieder, p.p.c., sozusagen, und p.f., denn die letzten Nachrichten oder Andeutungen waren ja groß und ernst, und es sieht aus, alsob so bald nicht wieder Gelegenheit zum Schreiben sein sollte. Das p.f. gilt natürlich vor allem dem sergeant, der ja nach baldiger weiterer Rangerhöhung aussieht. Aber wieviel Glück wünsche ich auch sonst, bonne chance und good luck auf allen Deinen Wegen, für alles, was da an Merkwürdigem, Ehrenvollem, Interessantem und für alte Eltern auch Besorgniserregendem kommen soll!
Wie der Krieg nun auch in die amazing family eingreift, es ist unerwartet, obgleich nicht verwunderlich. Erika schwimmt schon wieder gen Portugal, wird nach England und Schweden, womöglich zu den Bolschewiken gehen. Nun Du als amerikanischer Offizier irgendwo in fernen Kampfgefilden. Und Golo wird gewiß, zur Stillung seines Neides, auch bald an die Reihe kommen. Kurios, kurios. Aber auf soviel verwundbare Punkte werde ich trumpfen können, wenn ich hier einmal den Mund aufmache, alsob ich zu Hause wäre.
Golo hat ja immer gesagt, Du habest eine eiserne Natur, aber wie Du das basic training absolviert hast, ist doch überraschend, – womit das Gegenteil der Meinung ausgedrückt ist, daß es eine Kleinigkeit war. Laß uns also sagen: es ist respektabel. Weder das Schreiben noch die Liebe haben offenbar der Gesundheit Deiner Grundsubstanz etwas anhaben können, sondern Du bewährst Dich nun, wenn auch unter Beihilfe einer humoristisch-achtungsvoll-nachsichtigen Volksgesinnung, ganz richtig und tapfer wie ein Mann. Ich finde das ausgezeichnet, und es fällt mir dabei, entschuldige, etwas ein, was ich kürzlich geschrieben habe in diesem Sinn. Mose nämlich, in der Geschichte »Das Gesetz«, lebt (was übrigens auch biblisch ist) eine Zeit lang mit einer Mohrin, an der er leidenschaftlich hängt, und hat deswegen großen Kummer mit seiner Familie. Als aber dann der Berg Sinai explodiert und Jahwe ihn zum furchtbaren Stelldichein auf den Gipfel ruft, sagt er: »Jetzt sollt ihr sehen, und alles Volk soll es sehen, ob euer Bruder entnervt ist von schwarzer

Buhlschaft, oder ob Gottesmut in seinem Herzen wohnt, wie in keinem sonst. Auf den feurigen Berg will ich gehen etc.« – So gewissermaßen auch Du.
Wie bei uns alles so geht und steht, weißt Du ja ganz genau von Mielein und Erika. Nächstens kommen vielleicht Fridolin und Tonio für einige Wochen zu Besuch, es können auch Monate werden, denn Gret will ja einen job annehmen. Alle wollen sich tüchtig erweisen, Mielein natürlich allen voran. Um sie bin ich etwas besorgt, wegen der Überlastung, freue mich aber auch wieder auf das Kleinleben im Hause, besonders auf Fridolin, der jetzt schwätzen soll, was ich mir noch garnicht vorstellen kann. Bisher war er die stumme Schönheit. Oft soll er sagen: »Aha, I see!« und zu seiner Mutter: »Pfui, Mama!«
Ich möchte gern wieder etwas schreiben und verfolge einen sehr alten Plan, der aber unterdessen gewachsen ist: eine Künstler-(Musiker-) und moderne Teufelsverschreibungsgeschichte aus der Schicksalsgegend Maupassant, Nietzsche, Hugo Wolf etc., kurzum das Thema der schlimmen Inspiration und Genialisierung, die mit dem Vom Teufel geholt Werden, d.h. mit der Paralyse endet. Es ist aber die Idee des Rausches überhaupt und der Anti-Vernunft damit verquickt, dadurch auch das Politische, Faschistische, und damit das traurige Schicksal Deutschlands. Das Ganze ist sehr altdeutsch-lutherisch getönt (der Held war ursprünglich Theologe), spielt aber in dem Deutschland von gestern und heute. Es wird mein »Parsifal«. So war es schon 1910 gedacht, als der politische Einschlag noch vorwegnehmender und verdienstlicher war. Aber ich hatte immer soviel anderes zu tun.
Niemand weiß, ob Joseph IV im Herbst erscheinen kann. Nach den Proben, die ich gesehen habe, macht die Lowe ihre Sache sehr gut, aber halt langsam, sehr langsam. Vielleicht wird die Stockholmer deutsche Ausgabe noch vor der englischen fertig. Bermanns und die alte Frau Fischer zeigten sich sehr entzückt von dem Band.
Dieser Krieg endigt nie. Dein Soldatentum wird so wenig eine *kurze* Episode sein, wie der National-Sozialismus selbst, den wir auch anfangs dafür hielten. Ich vermute, daß wir 1945 auch noch im Kriege sein werden, selbst in Europa. Aber Du wirst ja einmal Heimat-Urlaub bekommen, bald einmal, hoffe ich. Es ist ja zwischen den Erdteilen ein bewegtes Hin und Her.
Lebe wohl! Laß es Dir gut gehen! Dein Z.

[1943]

An Bruno Walter

Pacific Palisades, California
den 6. Mai 43

Lieber Bruno Walter,
Ihr guter Brief vom 24. April war eine unverhältnismäßige Belohnung für die kleine Gabe der deutschen Sendungen. Für die Washingtoner Rede, die ich nachfolgen ließ, nur eben weil sie doch auch zu Ihnen gehört, wäre nun jedes Wort des Dankes zuviel. Aber wahr ist, daß es zwischen New York und Pacific Palisades ein zu langes Schweigen gegeben hatte, – ich habe es oft im beschäftigten Dahinleben als ungehörig und betrübend empfunden und bin froh, daß durch das deutsche Büchlein und Ihre schöne Rückäußerung das Eis wieder einmal gebrochen ist. Zum Teil lag der Kontaktverlust ja daran, daß wir uns auf ein baldigeres Wiedersehen verlassen hatten: Sie sollten kommen im Winter und kamen dann nicht. Das war eine Enttäuschung. Übrigens aber sind Sie mit Ihrem Eigentlichsten immer unter uns. Das Walter-department unserer Plattenbibliothek ist doch recht bedeutend. Und neulich, an jenem großen Nachmittag (bei uns war es Vormittag) gab es eine wirklich preiswürdige Aufhebung des Weit-von-einandersseins: einschließlich des Geräusches des aufstehenden und sich wieder setzenden Chores brachte unser vorzüglicher Apparat uns alle ins Zimmer, 55 Minuten lang – so lange dauerte die Verbindung – waren wir tatsächlich so gut wie dabei, alles Hörbare war unser, und da Sie bekanntlich genau so dirigieren, wie ich dirigieren würde, wenn ich Dirigent wäre, so konnte ich auch dies nicht nebensächliche visuelle Zubehör mit der größten Leichtigkeit imaginieren. Die Choral-Chöre kamen mit zu Tränen rührender Zartheit und Reinheit.
Wir leben zwischen unseren Palmen und lemon trees so den längst gewohnten Wartesaal-Tag, in geselligem Reihum mit Franks, Werfels, Dieterles, Neumanns, immer dieselben Gesichter, und wenn es mal was Amerikanisches ist, so ist es auch so sonderbar öde und freundlich stereotyp, daß man für längere Zeit wieder genug hat. Aber für einige Wochen haben wir, da unser Schwyzer Schwiegertöchterchen einen defence job angenommen hat (sie ist tank cleaner), die beiden Bübchen aus San Francisco bei uns – beschwerlich für meine Frau, besonders da die schwarze Magd nur sehr sporadisch Dienst tut, aber auch eine heitere Belebung für das Haus. Tonio, der Jüngere, ist ja als Persönlichkeit noch unbedeutend, aber der

reizende Frido, noch hübscher geworden gegen das vorige Mal, ist mein tägliches Entzücken. Mit schwerer Zunge lernt er jetzt sprechen und sagt, auf die betreffenden Stellen deutend: »Augi, Nasi, Muhnd – und Chien (Kinn)«. Wenn er von etwas genug hat oder sich darüber trösten will, daß es nicht mehr davon gibt, so sagt er: »'habt!« Ich finde das ausgezeichnet. Wenn ich sterbe, werde ich auch »'habt« sagen. Sein Abschiedsgruß ist unter allen Umständen »'Nacht!« Zur Musik hat er ein ganz besonderes und intensives Verhältnis. Er nennt sie »Itsch«, und wenn das Radio spielt, ist er völlig absorbiert, sitzt nur da und lauscht. Nachher kommt er und berichtet mit glänzenden Augen: »Itsch habt.« Ich muß entschieden über ihn schreiben, werde ihn vielleicht in meinen nächsten Roman aufnehmen; denn ich habe beschlossen, dem Kriege *noch* einen Roman lang Zeit zu geben, sodaß Bermann nachher mit 4 unbekannten Büchern von mir durchs Brandenburger Thor einziehen kann. Die Beendigung des Joseph ist schon lange her, es war im Januar. Danach habe ich noch eine längere Moses-Novelle, Sinai-Phantasie, geschrieben, für eine interessante Anthologie, für die auch die Undset, Werfel, Rebecca West u. a. Beiträge liefern, und deren einzelne Erzählungen alle die 10 Gebote und ihre Mißhandlung durch Hitler behandeln. Das Buch erweckt im Voraus großes Interesse und wird englisch (in New York und London), deutsch und schwedisch (in Stockholm), französisch (in Canada) und spanisch (in Süd-Amerika) erscheinen. Meine Moses-Geschichte bildet die Einleitung. Werfel nannte sie recht hübsch ein »Vorspiel auf der Orgel«.
Jetzt schwebt mir etwas ganz anderes vor, etwas ziemlich Unheimliches und dem Theologischen-Dämonologischen nahe Stehendes, [...] der Roman einer pathologisch-illegitimen Inspiration, dessen Held übrigens nun wirklich einmal ein *Musiker* (Komponist) sein soll. Ich will's riskieren, – sehe aber kommen, daß ich Sie noch gelegentlich um Rat und sachliche Information werde bitten müssen, z.B. was schon gleich den fachmäßigen Ausbildungsgang eines creativen Musikers betrifft. Es ist wohl sehr verschieden und geht nicht notwendig auf einem Konservatorium vor sich? Hugo Wolf scheint nie auf einem solchen studiert zu haben. Auch Strawinsky nicht, der berichtet, daß ihn Harmonielehre höchlich gelangweilt habe, Contrapunkt dagegen sehr anziehend für ihn gewesen sei. Er hat seine produktive Früh-Entwicklung unter der Aufsicht von Rimskij-Korssakow durchgemacht. – Sollte ich wohl eine Kompo-

sitionslehre lesen? Haben Sie eine? Übrigens will ich Schoenberg um Rat fragen.
Daß Erika unterwegs nach Europa, England, Schweden, womöglich Rußland ist, wissen Sie. [...] Ein zweiter verwundbarer Punkt ist sergeant Klaus, der schon vor Wochen schrieb, er werde wahrscheinlich demnächst »eine weite Reise« (natürlich Afrika) anzutreten haben. Wir hören nichts mehr von ihm; offenbar ist er schon weg. Golo, noch in seinem College, wird im Juni hierherkommen, um sich einer nicht schweren Bruch-Operation zu unterziehen. Er erklärt, vor Neid auf den Bruder zu bersten und hat auch nur einen Gedanken: to join the army.
Leben Sie wohl! Tausend Galanterien Ihren Damen!

Ihr Thomas Mann

An Agnes E. Meyer

Pacific Palisades, California
8. V. 43

Liebe Freundin,
Dokumente einer so deprimierenden Dummheit und Bosheit, wie der Brief der Anne B. G. eines ist, sollten Sie mir garnicht schicken, sondern mit mir der Meinung sein, daß das keine Lektüre für mich ist. Unmöglich kann ich Klaus dafür verantwortlich machen, daß das absurde Frauenzimmer, in ihrem blinden Eifer, einiges Gift loszuwerden, mich, MacLeish und indirekt auch Sie in die Controverse hineinzieht. Was mein anti-politisches Kultur-Glaubensbekenntnis von 1916 und meine [...] Sinekure bei der Library zu tun haben mit Klausens Analyse des Verhältnisses zwischen Gide und Claudel, – einem Gegenstand, der in eine Gide-Biographie unbedingt hineingehörte, – danach würde man die alberne Person wohl vergebens fragen. Hätten Sie das Buch in der Hand gehabt – eine Ehre, dessen es durchaus würdig gewesen wäre –, so wüßten Sie so gut wie ich, daß seine Äußerungen über Claudel von vollkommenem Respekt und untadeliger Ehrerbietung für sein Genie getragen sind. Wie könnte es anders sein, da der Verfasser nicht nur weiß, wie nahe Sie dem großen Dichter stehen, sondern auch wie sehr ich selbst seine Poesie bewundere: ich habe dem ja schon in den »Betrachtungen« mit einer Verherrlichung von »L'annonce faite à Marie« Ausdruck gegeben. Im Übrigen ist Klausens Kennzeichnung von Claudels geistigem Charakter, wie er als eine andere Form des französischen Geistes sich gegen die Haltung

Gide's abhebt, absolut korrekt. Wäre ich gehalten, über ihn zu schreiben, so könnte ich mich nicht anders ausdrücken. Claudels ehrlicher Haß auf alles Deutsche und seine Verachtung der protestantischen Kultur hat ihn eines Tages dahin geführt, Goethe einen *Esel* zu nennen – über einen Kritiker von so amüsanter Ungeniertheit wird man ja wohl auch noch die Wahrheit sagen dürfen: nämlich daß seine politischen Neigungen in der Richtung eines katholischen Fascismus liegen, also mit den Tendenzen übereinstimmen, die wahrscheinlich auf die Gestaltung des Friedens den stärksten Einfluß ausüben werden.
Natürlich muß man als Katholik nicht notwendig Fascist sein. Es gibt Unterschiede, demonstriert durch die Tatsache, daß Bernanos und Maritain außer Landes gegangen sind, während Claudels Stükke, wie ich von Ihnen weiß, in Deutsch-Paris gespielt werden und er selbst zu den Aufführungen fährt. Ich glaube, daß Sie sich wegen seiner persönlichen Sicherheit unnötige Sorge machen. Die Nachricht, daß mein Sohn ihn »angegriffen« hat, könnte seine Stellung nur verbessern.
Es ist so merkwürdig! Wenn Klaus sich gegen einen amerikanischen National-Heiligen, sagen wir gegen Lincoln oder Jefferson etwas herausgenommen hätte, die Erbitterung könnte nicht heftiger sein, im Gegenteil, sie wäre viel geringer. Aber Claudel hat gesagt: »Jedem das Seine, darin besteht die Gerechtigkeit!« – ein schönes, konservatives Wort, das aber zu tun hat mit der grenzenlosen Geringschätzung des Smith College girls für »a conception of life in which economic equality is supposed to be the highest attainable goal«. Da haben wir den politischen Pferdefuß, das Gift und die Galle, die sich als Idealismus geben. Pfui Teufel!
Niedergeschlagen bin ich auch durch Ihr Geständnis, daß Ihre Reise Ihnen manche bittere und beschämende Enttäuschung gebracht hat. Ich leide mit Ihnen, denn es erfüllt mich alles mit Kummer, was den Glauben an dieses Land erschüttern könnte, das wir alle mit so enthusiastischem Glauben betreten haben. Ach, gewiß, es ist nicht alles wie es sein sollte. Aber ist nicht das Volk groß und gut, und muß man es nicht bewundern, wie das reiche, verwöhnte Land entbehren und Krieg führen lernt? Bizerta und Tunis sind 4 Wochen früher gefallen, als man erhoffen durfte. Für die nächsten Monate sind große Dinge zu erwarten, und selbst ein Mißlingen, ja gerade auch ein solches würde mein Herz höher schlagen lassen vor Dankbar-

keit für die Opfer, die Amerika einer Sache bringt, die so sehr auch die meine ist. Um was man besorgt sein muß, ist das Zusammenhalten der Koalition nicht nur bis zum Ende des Krieges (Hitlers einzige Hoffnung ist, daß sie schon vorher auseinander fällt), sondern auch nachher: davon hängt es ja ab, ob ein Friede, der haltbar ist, weil er mutig den neuen Bedingungen Rechnung trägt, zustande kommt oder nicht. Ich habe neulich einen Brief an Alexej Tolstoi geschrieben, der nach Rußland befördert und auch hier veröffentlicht werden wird. Vielleicht erst mit seiner Antwort.
Übrigens aber: Wenn die Alliierten nur siegen, nur recht bald siegen, damit das nicht mitanzusehende Elend in Europa ein Ende nimmt! Was die Sieger dann mit ihrem Siege anfangen, kümmert mich nicht so sehr. Alles fließt, und was sie falsch machen, wird die Geschichte richtig stellen. Nur erst einmal siegen! Freilich wäre es ein blamables Schauspiel, wenn die Verbündeten einander gleich danach in die Haare gerieten.
– Wir haben unsere Enkelkinder aus San Francisco bei uns [...] Tonio entwickelt sich kräftig und ist ein gutlauniges Kind, ohne noch zu ahnen, daß er außerordentliche Manschettenknöpfe besitzt. Frido aber, der zu sprechen beginnt – nur deutsch fürs erste, aber das wird sich bald ändern –, ist das Reizendste, was mir an Dreijährigkeit vorgekommen ist. Mir geht das Herz auf, wenn ich ihn nur ansehe. Und wir sind sehr befreundet.
Ich habe noch nicht wieder zu schreiben begonnen, sondern träume, notiere, sammle und bereite vor. Gestern Abend ließ ich mich dazu hinreißen, einem guten Freunde, dem Schriftsteller Alfred Neumann, den Plan des Romans zu entwickeln. Er war ganz aufgeregt und benommen.
Ein langer Brief soll sein Ende haben. Leben Sie herzlich wohl!

Ihr T. M.

An Frau Rewald Pacific Palisades, California
12. Mai 1943

Sehr verehrte Frau Rewald,
Sie sollen so schnell wie möglich wissen, daß Ihr ergreifender Brief vom 21. April richtig zu mir gelangt ist. Er traf heute ein. Es tut mir wahrhaft wohl, daß Sie meine Trostworte vom vorigen Mal nicht als leer und seelisch ganz nutzlos empfanden. Das Traurige ist, daß ich auch diesmal nichts Positives hinzufügen kann. Die

Konferenz in Bermuda, nach der Sie sich erkundigen, hat stattgefunden. Sie kam unter einem gewissen Druck der öffentlichen Meinung und eindrucksvollen Demonstrationen der amerikanischen Judenschaft zustande, aber von wieviel aufrichtigem guten Willen sie beseelt war, ist schwer zu sagen. Jedenfalls sind ihre Resultate null und nichtig. Die Mitteilung an die Öffentlichkeit lautete dahin, man könne über das Ergebnis nichts sagen, weil man dadurch den Erfolg gefährden würde. Ich halte das für eine leere Redensart. Tatsächlich und zur Entschuldigung der Konferenz ist zu sagen, daß man gegen ein Übel wie das Hitler-Regime nicht mehr tun kann als Krieg dagegen zu führen. Man muß es vernichten, und wir dürfen vertrauen, daß es vernichtet werden wird. Für zahllose Menschen aber wird diese Vernichtung zu spät kommen, und ich fürchte, daß der Fall Ihrer Schwestern unter dieses »zu spät« fallen wird. Es ist entsetzlich, und mein ganzes Mitgefühl gehört Ihnen. Indem ich Sie zu trösten versuche, muß ich selbst mich mit dem Trost begnügen, daß ich nach meinen schwachen Kräften alles tue, um die Welt zur Ausmerzung der infamen und mörderischen Machthaber anzuspornen, die so unsühnbares Leid über die Völker und Menschen gebracht haben.

Ihr sehr ergebener Thomas Mann

An Agnes E. Meyer Pacific Palisades, California
den 26. Mai 43

Verehrte Freundin,
ich war einige Tage unwohl und konnte nicht schreiben, auch keine Briefe.

Auf den Ihrigen bitte ich erwidern zu dürfen: Man sucht sich die Stunde nicht aus, in der ein Brief den Adressaten erreicht, und kann die seelische und körperliche Verfassung nicht berechnen, in der dieser sich beim Empfange befindet. Nach Ihrem Beispiel könnte ich sagen, Sie hätten sich den Augenblick »ausgesucht«, wo ich mich mitten in der Conception eines neuen Werkes und also in einem Zustand großer und leicht zu erschütternder nervöser Spannung befinde, um mir das nichtswürdige Geschwätz der Dame von Smith College zuzuschicken, – nicht, damit ich sähe, wie tückisch und haßerfüllt die Schreiberin ist, sondern damit ich sähe, was für ein Tunichtgut mein Sohn Klaus ist.

Ich habe viel und bitter darunter gelitten, daß Sie für meine Kinder nichts als unverhohlene Geringschätzung und Ablehnung hegen, da doch ich diese Kinder liebe, mit demselben Recht, mit dem Sie Ihre Kinder lieben. Glauben Sie mir, ich könnte mir – für mich selbst – kaum etwas Entsetzlicheres vorstellen, als daß Ihrem wundervollen Bill im Kriege etwas zustieße. Durch all meine täglichen Gedanken, die sich doch nach vielen Richtungen wenden müssen, zieht sich immer diese Sorge, wie auch die um das Wohl der Töchter, die ihren schweren Stunden entgegensehen. Ich habe es hier in meinem Kreise zuweilen ausgesprochen, daß ich nicht wüßte, wie ich leben sollte, wenn Ihnen durch eines Ihrer Kinder ein Leid geschähe. Aber das waren sehr einseitige Gefühle. Erika's Vortragstätigkeit, deren Erfolg auf einem großen Persönlichkeitsreiz und tiefem, leidenschaftlichem Gefühl für die moralischen und politischen Fragen der Zeit beruht; ihr Aufenthalt in England zur Zeit des schwersten »Blitzes« – es war alles nichts als Unfug, und die Russen, schrieben Sie, »haben keine Zeit für Reisende«. Für Reisende. Wenn Sie wüßten, wie lange ich, den Brief in der Hand, dagesessen und den Kopf geschüttelt habe!
Mit Recht waren Sie der Meinung, daß wenigstens einer meiner Söhne der Armee angehören müsse. Klaus hat um den Eintritt geradezu gekämpft. Als er ihn erreicht hatte, hat er, der 36jährige, ganz ungeübte Intellektuelle, sich dem harten basic training mit der Willenskraft der Begeisterung unterworfen und ist überraschend schnell zum staff-sergeant avanciert. Mit humoristischem väterlichen Stolz habe ich Ihnen davon berichtet. Kein Wort der Anerkennung, des Glückwunsches ist mir von Ihnen gekommen.
Jetzt habe ich einen begabten, fleißigen und mutigen Sohn gegen den meiner Überzeugung nach ungerechten Vorwurf in Schutz genommen, er habe sich unziemlich über einen großen Dichter geäußert, der noch dazu Ihr Freund ist. Zu meinem ungemessenen Schrecken und Staunen stellt sich heraus, daß ich damit *selbst* Claudel beleidigt und »condemned« habe, – ich, der ich noch vor einem Augenblick es mir nicht im Traume einfallen ließ, an die mir ferne, aber verehrungswürdige Sphäre dieses Geistes auch nur zu *rühren*.
Es ist Klaus, der ein Buch über André Gide geschrieben und darin notwendigerweise mehrfach auf Claudel Bezug genommen hat. An drei oder vier Stellen hat er es getan, dreimal in untadeligster Weise. Das vierte Mal scheint er sich einer auf falscher oder ver-

alteter Information beruhenden unzutreffenden Darstellung von Claudels Haltung nach der Okkupation Frankreichs schuldig gemacht zu haben. Wer wird dafür zur Rechenschaft gezogen? Ich. Klaus ist jung und, wenn nicht leichtsinnig, so doch leichten Sinnes. Er liest die Angriffe kaum, die er heraufbeschworen dadurch, daß er in das katholische Wespennest gestochen; er weiß auch von unserem Briefwechsel nichts und hat nichts als sein Soldatenleben nebst den ihn erwartenden Abenteuern im Kopf. Ich, der nichts verträgt, der Ruhe und Frieden braucht wie das liebe Brot, der bei Zank und Streit weder etwas leisten noch auch nur leben kann, sondern rapid dabei zugrunde geht, ich muß es ausbaden und um einer Sache willen, mit der ich nicht das mindeste zu tun hatte, eine Freundschaft zerbrechen sehen, die mir teuer war.
Sie war mir teuer. Ich wußte, was ich, der Fremdling, an ihr besaß, und habe ihr treu und sorgsam gedient. Von einem Dienst kann man wohl sprechen. Mehr Gedanken, Nervenkraft, Arbeit am Schreibtisch habe ich ihr durch Jahre gewidmet, als sonst irgend einer Beziehung auf der Welt. Ich habe Sie, so gut ich es verstehe, an meinem inneren und äußeren Leben teilnehmen lassen, Ihnen, wenn Sie da waren, stundenlang neue Arbeit vorgelesen, die noch niemand kannte, Ihrer patriotischen, sozialen Tätigkeit die aufrichtigste Bewunderung erwiesen. Nichts war recht, nichts war genug. In meinen Briefen war »keine Spur« – ich weiß nicht mehr wovon, wahrscheinlich von Menschlichkeit. Immer wollten Sie mich anders, als ich bin. Sie hatten nicht den Humor, auch nicht den Respekt, auch nicht die Diskretion, mich zu nehmen, wie ich bin. Sie wollten mich erziehen, beherrschen, verbessern, erlösen. Vergebens habe ich Sie in aller Güte und Zartheit gewarnt, daß das ein Versuch am untauglichen Objekt, daß mein Leben bei nahezu 70 Jahren dafür zu ausgeformt und festgelegt sei. Ich muß mir sagen, daß Ihr Zornesausbruch eines solchen Briefes wegen, wie meines vorletzten, eben nur der Ausbruch ist einer tieferen Enttäuschung und Erbitterung, die einen fast nichtigen Anlaß zum Vorwand nimmt, sich kundzutun.
So scheint denn für dies Verhältnis, dem ich so gern – ich kann nicht sagen, wie gern – den Charakter der Ausgeglichenheit und Heiterkeit, der ruhigen, sicheren Herzlichkeit gegeben hätte, die Krise gekommen zu sein, die ihm wohl vom ersten Augenblick an drohte. Gönnen wir ihm und uns also die Ruhe, die allein unser

seelisches Gleichgewicht wiederherstellen kann. Ich wenigstens brauche sie, um aus dieser Qual zu mir selbst und meinen Aufgaben zurückzufinden – es sieht noch nicht so aus, alsob es leicht gelingen werde. Was wir einander verdanken, können wir schwerlich vergessen, – ich sage: einander; denn was ich an Güte, Beistand, Lebenserleichterung von Ihnen empfing, durfte ich ohne Würdeverlust hinnehmen, da Sie mich glauben ließen, daß es sich nicht um einseitige Wohltaten handelte.
Unser Arrangement mit der Library of Congress freilich scheint mir durch die Denunziation jener warmherzigen Claudel-Verehrerin so bloßgestellt und besudelt, daß ich gut tun werde, Mr. Mac Leish nahezulegen, meine Verbindung mit seinem Institut zu lösen und dies öffentlich mitzuteilen. Ich muß ja fürchten, daß er den Vorwurf der Corruption, Begünstigung und Geldverschwendung, den die Dame gegen ihn richtete, als persönlich belastend empfindet.
Von Herzen und voll von guten Wünschen für Sie und die Ihren sage ich Ihnen Lebewohl.
Ihr ergebener Thomas Mann

An Sascha Marcuse Pacific Palisades
I. VI. 43

Liebe gnädige Frau,
ich bin ganz gerührt und beschämt durch Ihre große Güte und Aufmerksamkeit! Mein Gott es war ja nur ein Scherz – und doch auch wieder keiner, denn so ein Ding ging mir wirklich ab, und ich dachte nicht, daß es so bald wieder zu bekommen wäre. Nun haben Sie es buchstäblich von heut auf morgen aufgetrieben – ich nehme an, durch Zufall kam es Ihnen vor Augen, aber dann haben Sie doch mein gedacht und es mir angeschafft, – ich weiß wirklich nicht, womit ich es verdient habe. Jedenfalls allerwärmsten Dank! Sie haben in der Tat dem Manne geholfen und nicht gedacht: »Sehe jeder, wo er bleibe«, sondern dazu getan, daß: »Wer steht, daß er nicht falle«.
Ihnen und Marcuse herzlichen Gruß!
Ihr ergebener Thomas Mann

An Agnes E. Meyer Pacific Palisades
2. Juni 43

Verehrte Freundin,
ganz gewiß sollen Zank und Streit ein Ende haben, ich bin entschlossen, sie zu beenden, wir gehen ja beide zugrunde dabei: Vieles hat, schon früher und auch jetzt wieder, wohl einfach an meiner Schreibweise gelegen, die aus einer gewissen sprachlichen Leidenschaft kommt und oft etwas Verwundendes haben mag, während es mir nur um Präzision zu tun war. Mißverständnisse liegen um so näher, als Sie – selbstverständlich – das Deutsche nicht ganz so lesen wie die Landessprache und manches nicht richtig auffassen oder sich doch nachträglich unrichtig an das Gelesene erinnern. Zweimal setzen Sie in Ihrem Brief vom Freitag das Wort »lächerlich« zwischen Anführungsstriche, so, als hätte ich es gebraucht. Ich habe es aber keineswegs gebraucht und wüßte auch nicht, wie ich mich überwinden sollte, es auf Sie oder unser Freundschaftsverhältnis anzuwenden. Und wenn ich Sie nun gar ein primitives Weib genannt haben soll, wie Sie schlankweg behaupten, so schaudert mir einfach. Ferner haben Sie bei mir gelesen, *Sie* hätten unser Arrangement mit der Library besudelt. Geschrieben habe ich: »Durch die Veröffentlichung *jener warmherzigen Claudel-Verehrerin* scheint mir freilich unser Arrangement mit der L. o. C. so bloßgestellt und besudelt, daß ich gut tun werde etc.« Was mir da gut schien, habe ich unterdessen ausgeführt und sehe der Antwort entgegen, die mir zeigen muß, ob MacLeish sich, meiner Befürchtung gemäß, durch die zwischen den Zeilen gegen ihn erhobenen Vorwürfe belastet fühlt oder nicht. War die Äußerung im Geringsten repräsentativ und drückt sie die Mißbilligung der Sache auch nur durch einen Teil der öffentlichen Meinung aus, so muß mein Verhältnis zur Library gelöst werden. Einigen Sinn für Ehre und Würde habe ich auch.
Ich wollte die obigen Irrtümer noch richtig stellen, aber damit soll es nun für immer aus und genug sein. Ich möchte *nicht*, liebe Freundin, daß, wie man so sagt, wieder alles sei wie zuvor. Denn es war nicht gut und nicht richtig. Es war zu reibungsvoll, zu gespannt, elektrizitätsgeladen und peinvoll emotional. Ich will, daß die Krise, die uns beiden soviel Kummer und Erschütterung verursacht hat, die Atmosphäre ein für allemal von solchen Elementen gereinigt haben soll. Es ist mir ein Jammer und ein Gewissensschrecken, Sie

mir vorzustellen, wie Sie sich in Ihrem Brief vom Samstag schildern. Nie, nie wieder! Das muß ein Ende haben – und auch mir wäre es sehr, sehr schwer gewesen, wenn es das Ende unserer Freundschaft hätte sein müssen. Aber Briefe wie wir sie uns jetzt geschrieben haben, schreibt man nicht zum Spaß. Sie bedeuten einen *Abschluß*, wenn nicht einer Freundschaft, so doch einer Epoche innerhalb ihrer. Nochmals, ich möchte und will für mein Teil dafür sorgen, daß diese schmerzliche Krise in einem guten, heilsamen, befestigenden Sinn epochemachend in unserer Freundschaft gewesen sei. –

Vielmals habe ich zu danken für The British Home Front Compared with Ours. Das ist wirklich ein »Vital Speech of the Day« und wird ein Dokument großartiger amerikanischer Selbstkritik bleiben lange über den Tag hinaus. So klar, überzeugend und mutigscharfblickend aus Liebe und Sorge haben Sie, glaube ich, noch nie gesprochen. Ich kann mir nicht denken, daß solche Worte nicht gehört werden und nicht Nachdenklichkeit erregen sollten. Unsereiner hat nicht Ihre Erfahrung, aber die Sorge teilt er rein gefühlsmäßig, und zuweilen steigt die Angst auf, daß der Krieg zu lange dauern könnte, – denn daß die amerikanische Home Front einen langen Krieg nicht aushält, ist Hitlers einzige, aber leider nicht ganz unsinnige Hoffnung. Von einem Ihrer boys hörte ich die Äußerung, er könne aus seinem Urlaub garnicht schnell genug wieder dorthin kommen, wo es Ernst sei; zu Hause sei es unerträglich: Dancing, Erotik, Gleichgültigkeit, Ahnungslosigkeit weit und breit. Vielleicht war nur Californien gemeint. Vielleicht hat auch für den von der Front Kommenden das Leben derer zu Hause immer etwas Irritierendes. Aber mehr Sinn für den Ernst der Lage wäre dem Heimvolk zu wünschen – ich denke, damit sage ich nicht zuviel. Welche Ermutigung für den Feind, diese Strikes! Überlegen sich die Arbeiter, was aus ihnen wird, wenn Hitler siegt? Sie sollten mehr Fleisch haben. Aber es ist nicht mein Eindruck, daß es diesem Lewis um die Muskelkraft der Miners zu tun ist. Es handelt sich um eine schnöde Machtprobe, und man kann nicht umhin zu wünschen, daß sie zugunsten der Regierung und des Krieges ausgehen möge.

Ich *schreibe* wieder – an dem Roman, zu dem auch der Krieg in Europa mir wohl leider noch Zeit lassen wird. Die Sache ist schwer, düster, unheimlich, traurig wie das Leben, ja noch mehr so,

als das Leben, da immer Idee und Kunst das Leben übertreffen und übertreiben. Um genießbar zu sein, bedarf die Geschichte der Durchheiterung, und dazu bedarf es der Heiterkeit. Aber die ist mir bisher ja auch in noch schlimmeren Zeiten nicht ausgegangen.
Herzliche Grüße!
Ihr ergebener

Thomas Mann

An Agnes E. Meyer

Fairmont Hotel
San Francisco
18. Juni 43

Liebe Freundin,
einen Gruß vor der Reise nehmen Sie freundlich an zum Dank für Ihre letzten außerordentlich interessanten Briefe! Was Sie von dem Bericht Bill's aus Afrika wiedergaben, über die Existenz und die Stimmung der amerikanischen Truppen dort, war so echt und überzeugend wie möglich. Aber wie nahe diesen guten Jungen auch die Frage liegen mag »Was soll das Ganze?« – man hat merkwürdiger Weise doch das sichere Gefühl, daß sie bis zum Schluß ihre Pflicht tun und noch Großes ausrichten werden. Auch fühlt man, wie Europa auf sie wartet und auf das, was sie bringen, moralisch und physisch, denn in der Tatsache, daß die Befreiung der Völker zugleich ihre Ernährung bedeutet, liegen die größten Propaganda-Möglichkeiten, mit denen man Ihren Truppen vorarbeiten kann. Das Moralische, Freiheit und Menschlichkeit bringen sie mit sich und werden indirekten Einfluß damit üben, ohne es gerade *lehren* zu müssen. Die hier umgehenden Erziehungsideen hatten auch für mich immer einen leicht komischen Beigeschmack, und der Artikel aus der »Post« war mir aus der Seele geschrieben. Ich habe vor dem, was die europäischen Völker durchgemacht haben, zuviel Respekt, auch vor dem, was die Deutschen durchgemacht haben, als daß nicht der Gedanke der re-education von außen mich in Verlegenheit setzen müßte. Die sind durch ein Fegefeuer gegangen, durch das wir *nicht* gegangen sind, und in gewisser Weise sind sie uns voraus. Mein europäisches Selbstgefühl ist seit einiger Zeit im Wachsen – sogar mein deutsches. Die Nachrichten von der Münchener Universität haben mich tief bewegt, – umso mehr, als ich es immer als besonders traurig empfunden habe, daß gerade die Jugend durch eine Reihe von Jahren von der Nazi-Lügen-Revolu-

tion verblendet war. Und nun! Zehn Studenten und ein Professor hingerichtet – mit dem ausdrücklichen Hinzufügen, es gäbe viele von ihrer Art! *Die* wenigstens scheinen es nicht nötig gehabt zu haben, von den Angelsachsen in die Schule genommen zu werden. –

Pacif. Palisades, den 19. – Natürlich wurde ich gestört beim Schreiben und beende den Brief zu Hause. »Rebus bene gestis«, wie Julius Caesar zu sagen pflegte, hat die »Lark« uns wieder heimgebracht. Das Meeting, 10000 Menschen, und zwar der Mehrzahl nach Nicht-Juden, Leute aus allen Klassen, verlief sehr eindrucksvoll, und wenn es nichts nützen kann, so war es doch als populär-generöse Kundgebung erfreulich. Es schien, daß ich die rechten Worte gefunden hatte. Außer mir sprachen der Mayor, ein Senator (Labor-man), Dr. Philipps, (ein Volkswirtschaftler,) ein paar Rabbis und Eddi Cantor, ein offenbar ungeheuer beliebter Komiker. Musik gab es auch, ein junger Geigenvirtuos, Isaak Stern, etwas Fettknabe, vom Typ Menuhins, spielte den 1. Satz des Mendelsohn-Konzerts mit schönster Technik und bestem Geschmack. Es hilft nichts, die Juden sind erstaunliche Musiker. Leider aber war doch ich es nachher, der soviele Programmzettel zu autographieren hatte, daß es mir vorkam, alsob die ganzen 10000 Menschen an mir vorüberzögen.

Auch den Film »Mission to Moscow« haben wir uns gestern Nachmittag noch angesehen. Ich weiß nicht, wie Sie darüber denken, aber nach allen Verdammungen, die ich darüber gelesen, war ich angenehm enttäuscht. Die Reaktion des Publikums bewies, daß es gute Propaganda ist, freilich auch, daß die öffentliche Stimmung hierzulande ohnedies pro-russisch ist. Unleugbar ist der Film »well done«, und ich sehe auch nicht, was die Russen darüber zu lachen haben sollten. Es ist gut, daß der Darsteller des Botschafters gar keinen Anspruch auf Ähnlichkeit mit dem Original erhebt. Er ist einfach »Amerika«, sehr sympathisch repräsentiert, und dadurch ist das ganze weniger persönlich betont. Ein wunder Punkt sind natürlich die trials. Aber das waren sie in natura auch und werden es bleiben.

Meine Freude über die glückliche Wendung in Elizabeths Leben hätte ich schon früher zu Worte kommen lassen sollen. Eine frohe Überraschung, zu der ich Ihnen allen von Herzen Glück wünsche.

Homolka trafen wir neulich hier im Hause Feuchtwanger. Er berichtete, daß Florence schon im Osten ist. Möge alles nach Wunsch gehen! Die amerikanischen Ärzte sind ja große Könner. Golo war des Lobes voll über die Handhabung seiner Operation, die ihn hoffentlich militärtauglich gemacht hat. Er verläßt uns nächste Woche, und die Kinder aus San Francisco kommen, um ihre Kleinen zu holen. Es ist Zeit dazu; die Belastung für Katja war zu groß. Hat man seine Kinder aufgezogen, so soll man von den Enkeln nur noch das Vergnügen und keine Mühe und Verantwortung mehr haben.

Der Ihre, herzlich

Thomas Mann

P. P. den 21. VI. 43

Der Brief, schon kuvertiert, ist über den Sonntag liegen geblieben, darum öffne ich ihn noch einmal, um ihm gleich die unterdessen fällig gewordenen Danksagungen einzuverleiben. Erstens für Ihren neuen Brief und seine Beilage, die wieder ein packender Beweis für die ungeheuere Verbreitung ist, die Ihre Artikel finden. Gewiß, das Land wird Ihnen einmal dankbar sein für den aufrüttelnden, die Gewissen schärfenden sozialen Beitrag, den Sie damit in diesem Kriege leisten, – vielmehr, ich zweifle nicht, daß es Ihnen schon heute dankbar ist.

Dann, heute, reichlich und eigentlich unentschuldbar spät nach dem, was Sie mir über den Absendungstermin sagen, kam Ihr Buchgeschenk, diese Beethoven-Quartette, über die ich schon manches gelesen und die zu kennen ich mir gewünscht hatte. Sie hätten sich nichts Besseres erdenken können, mir eine Freude zu machen. Ob ich diesen Gedichten sprachlich schon gewachsen bin und aller ihrer Beziehungen werde habhaft werden können, ist eine andere Frage. Aber ich habe Ihr erhebendes Urteil und weiß also, daß die Eroberung jede Anstrengung lohnt. (Sonderbar, daß Eliot in einem der Stücke das deutsche Wort »Erhebung« benutzt, so, als griffe man zum Ausdruck dieser Idee am besten nach der deutschen Vokabel.) Übrigens kenne ich ihn als Essayisten. Ein Aufsatz von ihm, über Henry James, wenn ich nicht irre, hat mir großen Eindruck gemacht, und es scheint, auch diese Gedichte haben einen stark intellektuellen oder besser: geistigen Einschlag. Ich glaube längst, daß Poesie und höhere Prosa einander immer näher kommen und in einander aufgehen werden.

Mir ist sehr sonderbar zu Mut beim langsamen Vorwärtsgehen in den vorbereitenden Anfängen meines neuen »Romans«. Zu schreiben begonnen habe ich eigentlich, weil ich es nicht länger aushielt, *nicht* zu schreiben, stelle nun aber fest, daß ich vollkommen bereit dazu war und befinde mich in beständiger stiller Aufregung. Der Titel lautet:

Doktor Faust
Das seltsame Leben Adrian Leverkühns
erzählt von einem Freunde

Die schlimme, deutsch-mittelalterlich angehauchte Geschichte geht nämlich durch das Medium eines durchaus rational-humanistisch gesinnten Referenten und gewinnt dadurch die Durchheiterung, die sie braucht, – und die ich brauche. Der Schreibende (er schreibt jetzt, 1943, in Deutschland) ist ein von den Nazis pensionierter Oberlehrer und heißt Dr. phil. Serenus Zeitblom. In diesem Stil sind fast alle Namen gehalten. Nun denken Sie sich das Weitere!

Ihr Thomas Mann

An Ludwig Altman

Pacific Palisades, California
den 20. VI. 43

Lieber Herr Altman,
nochmals Dank für den Aufsatz, den ich mit großem Interesse gelesen habe. Sein Grundgedanke ist sicher eine Wahrheit. Besonders frappiert hat mich die Geschichte von Tschaikowsky und der reichen russischen Aristokratin, seiner Freundin, die er niemals gesehen hat. Ich kannte diese Geschichte nicht und finde sie höchst merkwürdig.
Die Schrumpfung von Schumanns Genie war wohl weniger die Folge seines Eheglücks, als der progressiven Paralyse, von der Sie freilich nicht gut sprechen konnten.
Es war schön, daß ich mich noch mit Ihnen unterhalten konnte. Ich hoffe, man sieht sich einmal wieder.
Ihr ergebener

Thomas Mann

An Caroline Newton

Pacific Palisades, California
1550 San Remo Drive
29. VII. 43

Liebe Miß Lina,
dankbar habe ich Ihren Brief empfangen. Zum Jubiläum der New School und vor allem zum Geburtstag Alvin Johnsons, dessen Ver-

dienste ich wie Einer schätze und bewundere, muß etwas geschehen, das ist klar. Auch ich werde mein Sprüchlein sagen müssen, da haben Sie recht. Wo und wie, das weiß ich noch nicht, aber es wird sich finden. Ich darf mich ja daran erinnern, daß ich selbst einmal unter seiner Ägide drei Vorträge in der School gehalten habe.
Was nun Ihre häusliche Feier betrifft, die sehr schön gedacht ist, so fühle ich mich da weniger sicher. Werde ich im rechten Augenblick im Osten sein, und bin ich der Mann, ein wissenschaftliches Institut zu feiern, von dessen Betrieb ich doch wenig weiß und verstehe? Unter uns gesagt, war ja unter den Gründen meiner Übersiedelung nach Californien auch gerade der dringende Wunsch, von solchen Verpflichtungen, wie New York sie unaufhörlich auferlegt, Kongresse, Meetings, Dinners, Redezwängen, durch die Entfernung entbunden zu sein. Die Einladungen dazu erreichen mich höflicherweise oft auch hier, und jedesmal bin ich froh, »weit weg« zu sein. Daß es sich hier um einen ganz besonderen Anlaß handelt, ist freilich unbestreitbar. Ich muß sehen, was sich tun läßt.
Ich muß jetzt anfangen, mich auf den herbstlichen Vortrag in Washington und die anschließende Lecture-Tour vorzubereiten – leider! denn nur mit Schmerzen unterbreche ich mich in dem neuen Roman, den anzufangen ich immer noch unternehmend genug war, und der mich ungeheuer beschäftigt. Es ist eine moderne Musikergeschichte, aber eine sehr sonderbare, und ich bin so neugierig darauf, daß ich um jeden Tag trauere, den ich an zeitliche Dinge, Broadcasts, Introductions, Messages und anderen Unfug wenden muß.
Wie froh bin ich zu hören, daß Sie sich wohl fühlen in Ihrem gewiß reizenden Heim mit Ihren Hunden. Niko ist kahl geschoren am Körper, sodaß sein Fell genau wie Breitschwanz wirkt, und nur eine schöne Woll-Perücke ist ihm stehen geblieben. Wir nennen ihn darum den Tory mit dem wig – ein unorthographischer Scherz.
Herzlich

Ihr Thomas Mann

An Alfred Döblin

Pacific Palisades, California
zum 14. August 1943

Verehrter Alfred Döblin,
Ihr Ehrentag ist auch für mich ein Tag des Gedenkens an viele großartig erfüllte Stunden, die ich Ihrem Werk verdanke, und auch mir ist die Gelegenheit lieb und festlich willkommen, Ihnen alle Be-

wunderung meines Herzens auszudrücken für soviel Kühnes, Neues, Belebendes, Vorwärtsführendes, womit Sie die deutsche dichterische Prosa beschenkt haben, indem Sie zugleich die jüngsten Schicksale des abendländischen Romans überhaupt auf die persönlichste Weise mitbestimmten. Sie vermochten das dank der Vereinigung archaischer und fortgeschritten-gegenwärtigster Elemente, die Ihre künstlerische Natur ausmacht: weil Sie kein Romanschriftsteller nach verbrauchtem Schema, sondern ein Sänger im ewig epischen Sinne des Wortes waren, ausgestattet dabei mit aller herausfordernden Intelligenz und Erkenntnisschärfe heutiger sozialer Geistigkeit. Wie sich das Unerschütterlich-Objektive im Darstellen der Menschen-Natur, die rhapsodische Reportage, mit dem Aufwiegelnden, Fordernden, Dichterisch-Revolutionären verbindet, das kann man an Ihrem Werk vielleicht am besten studieren, und so sehr es ein Merkmal ist für die Krise, durch die der Roman als Kunstform in unseren Tagen geht, beweist es als stürmische Phantasiegeburt und freier Traum zugleich die Voreiligkeit der ästhetischen Ansage, daß der Roman sich ausgelebt habe und das krude Dokument, soviel packender angeblich als all' Poesie, berufen sei, an seine Stelle zu treten.

Ihr gesichtereiches Erzählwerk, hervorgebracht obendrein mitten in ernst-alltäglicher Berufstätigkeit, »in der Unfallstation bei Nachtwachen, zwischen zwei Konsultationen, auf der Treppe beim Krankenbesuch«, wie Sie selbst einmal sagten, hat unser merkwürdiges Vaterland Ihnen gedankt, indem es Sie ausstieß. Sie haben das Los des Exils, des Abgeschnittenseins von Ihren natürlichen Grundlagen, der verwehrten Wirkungsmöglichkeit und alle damit verbundene innere und äußere Not mit vollkommener Würde getragen; der feste Blick auf die Schrecknisse und Wildheiten des Menschenlebens, den wir aus Ihren Büchern kennen, hat sich auch vor Ihrem persönlichen Schicksal und den irren Geschehnissen bewährt, die es verursachten, und nie hat man ein Wort der Klage aus Ihrem Munde vernommen. Dennoch wissen wir, daß Sie mehr gelitten, mehr verloren haben als die meisten von uns, daß Sie noch heute um Liebstes bangen müssen, und unsere Bewunderung für Ihre Lebensleistung wird vertieft durch menschliches Mitgefühl, für das wir ja alle durch eigene Erfahrung wohl gestimmt sind. Nicht viel fehlt, und Ihr fünfundsechzigster Geburtstag könnte auch schon im entschreckten Deutschland frei begangen werden. Er kann es gerade noch nicht. Desto nachdrücklicher wollen wir hier draußen uns heute zu unserem Wissen darum bekennen, was Sie für das geistige Leben Deutschlands, was Sie der Zeit und Zukunft bedeuten.

Thomas Mann

An Caroline Newton

Pacific Palisades, California
1550 San Remo Drive
15. VIII. 43

Liebe Miss Caroline,
meine Frau hat mir Ihren freundlichen Brief mitgeteilt, und da die arme Hausfrau überaus geplagt ist, habe doch lieber ich selbst es übernommen, Ihnen zu antworten. Sie wissen ja schon aus meinem vorigen Brief, wie schön ich Ihre Festidee für Johnson finde, und meine Zweifel, ob ich mich würde beteiligen können, beruhten gewiß nur auf äußeren Gründen, nicht etwa auf innerer Teilnahmslosigkeit. Ich sage Ihnen also heute gern, daß ich, wenn es mir während meiner Herbstreise physisch möglich ist, mit dem größten Vergnügen bei Ihrer Veranstaltung ein paar Worte sprechen werde. Schwierigkeiten hat es nur mit der Festlegung des Datums, denn mein schedule für die lecture-tour Oktober-November steht zwar in großen Umrissen fest, ist aber noch nicht vollständig ausgefüllt. Heute kann ich nur sagen, daß ich zwischen dem 9. und 30. November wiederholt in New York sein werde und in diesen Zeitraum müßte die Veranstaltung jedenfalls fallen. Das genaue Datum aber kann ich Ihnen erst angeben, wenn ich von meinem Agenten den endgültigen Zeitplan erhalten habe, worauf ich noch eine Weile zu warten habe.
Es tut mir leid, daß ich Sie in diesem Punkt noch in Unsicherheit lassen muß. Was ich ferner brauche, um nicht unvorbereitet in die Schule zu kommen, sind einige Daten über Johnson's persönlichen Erdenwandel, seine wissenschaftlichen Verdienste und die Geschichte der New School selbst, ihre Art von Lehrtätigkeit, über die ich wenig unterrichtet bin, die Professorenschaft, den Schülertyp und so weiter. Vielleicht veranlassen Sie einen der dort wirkenden Herren, z.B. Professor Brecht oder Prof. Simons, mir einige hilfreiche Angaben zu machen.
Mit herzlichen Grüßen von uns beiden in happy anticipation unseres Wiedersehens

Ihr Thomas Mann

An Konrad Kellen

Pacific Palisades, California
1550 San Remo Drive
19. VIII. 43

Lieber Konni,
man hört, daß Sie nun an dem Ort Ihrer vorläufigen Bestimmung, d.h. der Stätte Ihres »basic training« sind, sozusagen eine feste Adresse haben, wie unnatürlich sie auch immer lauten möge, und so sollen Ihnen denn auch von mir einige mitfühlende Zeilen auf dem von Ihnen besorgten Briefpapier eingehändigt werden, damit Sie nicht denken: »Aus den Augen, aus dem Sinn« und »Er muß ja keinen Küchendienst machen, und was andere Leute müssen, kümmert ihn nicht.« Es kümmert mich aber doch, nur, daß ich eben den Dingen dieser Welt ihren Lauf lassen muß und ihn gerade nur dadurch mildern kann, daß ich Ihnen ein wohlvertrautes Gekritzel zu lesen gebe, ohne daß Sie es abschreiben oder übersetzen müssen.
Doch, ich habe mich manches Mal nach Ihnen gefragt in diesen Wochen und scheue es, mir nur zu meiner eigenen Beruhigung, verfrüht mit der Hoffnung zu schmeicheln, daß das Schlimmste für Sie vielleicht schon überstanden ist – ich meine, das Schlimmste an Ungewohntheit, wenn auch nicht an Unannehmlichkeit. Es wird bei Ihnen wohl immer nur von der Gewöhnung daran die Rede sein können, daß Sie sich nicht gewöhnen (Hans Castorp). Verzeihen Sie das Selbstcitat! Wer nimmt sich denn seinem Sekretär gegenüber so sehr zusammen!
Aber eine Art von Gewöhnung ist das ja auch, und wenn erst die schlimmen Wochen des »basic« vorüber sind – die Zeit wird bei des Dienstes ewig gleichgestellter Uhr gewiß rasch vergehen – so wird sie in voller Kraft sein. Auch werden Sie dann wohl in den Hafen einer weniger martialischen Beschäftigung einlaufen. Und meine Haupthoffnung beruht immer darauf, daß Sie sowas an sich haben, was die Leute, die ja im Durchschnitt nicht böse sind, unwillkürlich abhalten wird, Sie allzu gröblich anzufassen.
Mit Ihrem Nachfolger geht es leidlich. Er kommt nur zweimal die Woche und schreibt seine Konzepte mit der Maschine, weil das bei ihm angeblich schneller geht, als mit dem Bleistift. Das Diktieren ins Geklapper hinein ist nicht angenehm, aber auch daran gewöhnt man sich. Übrigens schränke ich jetzt die Korrespondenz aufs äußerste ein, weil ich den Vortrag herstellen muß, eigentlich anderthalb, mit auswechselbaren Stellen. Einige Tage lang habe ich mir

Notizen gemacht und diktiere nun meiner Frau ins Stenogramm. Vielfach äußere ich erschreckend »linkse« Dinge, hoffe es aber durch das Darüberstreuen von ziemlich viel konservativem und tradionalischem Puderzucker vor skandalöser Wirkung zu schützen.
Ein Glück ist, daß Dr. Joseph meine Handschrift lesen kann. Er fängt jetzt an, den Roman abzuschreiben. –
Sie wissen, daß Erika als U.S. War Correspondent in Kairo ist? In Uniform, mit Offiziersrang! Sehr komisch war die Reaktion Sergeants Klaus darauf, der, durch und durch Soldat, sich weigerte, ihren Offiziersrang ernst zu nehmen: »Steht ja garnicht auf der Pay-role, gehört ja garnicht wirklich zur army!«
Nun, *Sie* gehören.
Die Lowe hat letzte Fragen gestellt und wird nun abliefern. Aber der Erscheinungstermin ist nicht abzusehen, for manufacturing is becoming extremely difficult and correspondingly slow sagt Knopf.
Ich muß aufhören. Was denken Sie, ich habe noch anderes zu tun.
Der Krieg geht ja beängstigend gut. Wir werden Sie und Golo, der nun auch eintritt, gegen Hitler garnicht mehr brauchen, höchstens noch gegen Hirohito, den Viktor Emanuel der aufgehenden Sonne.
Das denkbar Beste wünschend
Ihr alter boss Thomas Mann

An Wilhelm Herzog Pacific Palisades, California
den 20. Aug. 43

Lieber Herr Herzog,
so einen Brief hebt man sich auf. Er klingt ja geradezu feierlich! Im Ernst, ich habe mich sehr gefreut über den guten Eindruck, den die »Europa«-Sendung auf Sie gemacht hat. Sie kam mir von Herzen, besonders was die jungen Leute in München betrifft, und ich glaube wirklich auch, daß sie zu den besseren ihrer Familie gehörte. Es ist nicht leicht, das immer wieder zu tun, besonders in 6–6½ Minuten. Diesmal werde ich wohl den heiteren Vorschlag des »Bill« bearbeiten, einen reasonable and generous peace mit den Nazis zu schließen, bevor sie Stalin einen solchen offerieren. »Hénorme!« würde Flaubert bewundernd sagen.
Ich denke, Sie finden nachgerade, daß das Schicksal relativ ganz

freundlich über Sie verfügt hat? Jedenfalls dürfen Sie Ihre Tage von Trinidad als gezählt betrachten, denn Deutschland hält nicht mehr lange, ich kann es nicht glauben. Die Menschen leiden zu sehr – man hält es von Weitem kaum aus; wie sollen sie es noch Jahr und Tag aushalten. Man muß aber zugeben: nie war die Geschichte gerechter.
Wir haben hier neulich Döblins 65. Geburtstag gefeiert. Heinrich sprach, und dann gab es Musik und Rezitationen. Die Dankesworte des Jubilars waren bemerkenswert. Der Relativismus sei der Ruin, sagte er. Heute gelte es, »das Absolute« anzuerkennen. Nachher, im Gespräch mit mir, ging er weiter und erklärte: »Die Gêne, von Gott zu sprechen, die wird einem ausgetrieben!« – So steht es. Ich habe mich noch mit meiner protestantisch-humanistischen Tradition zu drücken gesucht und gesagt, Katholiken und Juden hätten es leichter. Aber so steht es.
Gute Wünsche!

Ihr Thomas Mann

An Agnes E. Meyer

Pacific Palisades, California
1550 San Remo Drive
27. VIII. 43

Liebe Freundin,
es ist der Vortrag, der mich in diesen Tagen gehindert hat, Ihnen zu schreiben, obgleich ich mich Ihnen für Ihren schönen langen Brief vom 15. und besonders noch für das anheimelnde Citat von Henry James so sehr verpflichtet fühlte. Ich habe Tage lang für die Rede Material ohne Ordnung zusammengekritzelt und sie dann diktiert, was aber ein ziemliches Gestrüpp ergab, das wiederum noch in Tage langer Arbeit durchgekämmt werden mußte. Nun ist das Ding zur Abschrift bereit und muß dann übersetzt werden. Zu lang ist es unbedingt für eine Stunde, aber ich habe es absichtlich so gemacht, damit mehrere angekündigte Titel darauf passen und ich es sozusagen à deux mains gebrauchen, einmal die eine, das andere Mal die andere Passage benutzen kann. Ein Vortrag ist es kaum zu nennen, mehr eine höhere Plauderei stellt es vor, über Deutschland, Wagner, Europa, den kommenden Humanismus, über die Ähnlichkeit unseres Schreckens vor sozialen Veränderungen mit dem immer wiederkehrenden Sichsträuben des Ohres gegen den musikalischen Fortschritt – und anderes mehr. Eine große Rolle spielt das Be-

kenntnis zu dem elementaren Bedürfnis nach Gleichgewicht [...] Daher mein Eintreten für die Vernunft seit dem Einbruch des Irrationalismus, – obgleich es unter anderen Umständen garnicht meine Sache wäre, beständig von Vernunft zu reden »wie ein gelehrter Esel« (Dostojewski).

Den 28. – Gestern mußte ich fort. Wir waren bei Schoenbergs eingeladen, und ich habe während des Abends viel mit ihm über Musik gesprochen. Es ist merkwürdig, wieviel Sinn und Pietät, ja Liebe diese Neutöner sich für das Alte, die ganze Welt der Harmonie und sogar der Romantik bewahren. Über Wagner ging das Gespräch mit großer Wärme, und es schien mir sehr gut, daß er die Längen verurteilte, aber Striche, wie Weingartner sie sich erlaubt hat, für ganz unmöglich erklärte. Wie charakteristisch aber dann wieder daß er Venedig *nicht leiden kann!* –

Hurrah! Eben beim Frühstück wurde Ihr Telegramm telephoniert. Meine jubilierende Antwort werden Sie in Händen haben, wenn diese Zeilen ankommen. Bin hoch vergnügt über diese Lösung und herzlich dankbar für Ihre Freundwilligkeit. Was ich gestern schrieb, ist nun ziemlich überflüssig. Immerhin ersehen Sie daraus, daß erst einmal das Ganze übersetzt werden muß, obgleich ich nicht alles auf einmal werde verwenden können. Sie werden mir raten, welchen Teilen ich für Washington den Vorzug geben soll.

Archie wird Ihnen von meinem Brief erzählt haben. Hoffentlich bringen meine notgedrungen knappen Termin-Vorschläge ihn nicht in Verlegenheit. Und Sie? Wollten Sie um diese Zeit überhaupt schon in Washington sein? Que voulez-vous que je fasse! Am 16. Oktober muß ich schon in New York sprechen.

Ich kürze diesen Brief ab, weil das Ereignis Ihres Telegramms alles verdrängt hat, was ich noch schwätzen wollte, und auch, weil ich heute morgen mit dem VIII. Kapitel noch etwas weitergehen möchte. Abends sind wir bei Werfel mit Strawinsky, den ich auch weidlich auszuhorchen gedenke. Wie ich meinen Adrian eigentlich musikalisch unterbringen soll, weiß ich komischer Weise immer noch nicht recht.

Was denn doch nicht zu vergessen ist: Ihr schönes, treu bemühtes Reisebuch ist in zwei Exemplaren eingetroffen. Mein Gott, wenn ich darin lese, schäme ich mich vor soviel ernstlich ratender, erfahrungsreicher Sachlichkeit, die halb-und-halb geistreichen pensées, der »glittering generalities«, die ich zu bieten habe! Nun, wenn sie wenigstens glittern! Der schönste Zug Ihres Buches ist das Mütterlich-Gütige und Begütigende darin, so z.B. Ihre Art, das Zootsuiters-Phänomen zu behandeln, das so kennzeichnend ist für unsere konfuse und ratlose Epoche. Man wird davon einmal sprechen wie von den Kinder-Kreuzzügen und anderen hysterischen Exzentrizitäten des ausgehenden Mittelalters.

Ihr Thomas Mann

An Agnes E. Meyer

Pacific Palisades, California
1550 San Remo Drive
13. Sept. 43

Liebe Freundin,
der Schrecken war groß, als wir schon neulich erfuhren, daß Elizabeth bei einer der sich unheimlich häufenden Zug-Katastrophen zugegen gewesen sei. Aber der Schrecken wird zum Entsetzen durch das, was Ihr Brief über die genauen Umstände, über die Knappheit berichtet, mit der das liebe Kind dem Verderben entronnen ist. Er wird auch zur herzlichen *Dankbarkeit* für eine fast wunderbare Rettung, und der den Eltern, dem jungen Gatten, Ihnen allen geltende *Glückwunsch* kann nicht ernst und froh genug sein. Aber was für qualvolle Stunden der Ungewißheit müssen Sie ausgestanden haben! Und Eugene hätte, wenn er kein Sonntagskind wäre, ebenso gut in dem Unglückszuge sitzen können! Dazu Bill, wegen dessen Ihr Mutterherz keinen Augenblick ruhig und sicher sein kann und leider noch lange nicht wird zur Ruhe kommen können. Wahrlich, es ist viel auf einmal, schon wenn man nur das Persönliche nimmt, und von den allgemeinen Erschütterungen, Hoffnungen, Spannungen, Sorgen ganz absieht. Meine, unser aller ganze bange und doch auch wieder vertrauende Sympathie ist mit Ihnen!
Was wiegt gegen das alles die kleine Frage meines Vortrags. Freilich, Ihre Reaktion darauf läßt alle meine Besorgnisse hinter sich, und schwer ist es mir, zu wissen, daß Sie sich nun mit einer Übersetzungsarbeit plagen, ohne daß irgendwelcher Glaube an die Sache Ihnen die Mühe erleichterte. Eine leise Hoffnung bewahre ich mir, daß eine gewisse Aussöhnung wenigstens mit Teilen des Inhalts gerade die Folge der Arbeit daran sein könnte. Ferner habe ich Ihnen ja im Voraus gesagt, daß ich, wenigstens in Washington, nichts aussprechen werde, was Sie für unmöglich halten. Wir werden an Ort und Stelle Zeit haben, uns darüber zu verständigen. Auch wollen wir

übereinkommen, daß Ihr Name nie, solange die darin behandelten Fragen Tagesfragen sind, öffentlich mit diesem Vortrag verbunden sein soll. Endlich aber bitte ich Sie zu bedenken, daß manches sich als geschriebener Text schlimmer und schlechter ausnimmt, als es sich ausnehmen wird, wenn ich es mit meiner sittsamen bürgerlichen Persönlichkeit vertrete.
Sie haben nur zu recht mit Ihrer Kennzeichnung des Zustandes, in dem ich die Rede schrieb. Meine Neigung, zu glauben, daß, was ich im Zustande der Müdigkeit mache, immer noch besser ist, als was andere in frischem Zustand zuwegebringen, schließt zweifellos eine gewisse Gefahr und Versuchung in sich.
Unter dem Eindruck Ihrer Ausführungen bat ich gestern abend Bruno Frank zu mir, dem ich früher die ganze Rede zu seiner offenbar ungeheuchelten Erbauung vorgelesen hatte. Er schätzt besonders die Stelle über die abergläubische Furcht vor dem »Kommunismus« als Quelle des gesamten Weltunglücks und war nur schwer zu überzeugen, daß ich besser tue, sie wegzulassen. Im Ganzen fühle ich mich seit dem Gespräch mit ihm wieder etwas wohlgemuter, – aber nicht zu sehr. Entschieden will ich Ihre Worte noch weiter in mir nachwirken lassen. Komme ich zu dem Ergebnis, daß ich wirklich die Aufgabe verpatzt habe, so muß ich mich eben krank melden und die Reise aufgeben.
Zweifeln Sie nicht, liebe Freundin, an meiner dankbaren Einsicht, daß es die Sorge um mich war, die Ihnen Ihre Vorhaltungen eingab! Ich hoffe immer noch, diese Sorge in gewissen Grenzen beschwichtigen zu können.

Ihr T. M.

An Agnes E. Meyer

Pacific Palisades, California
1550 San Remo Drive
30. IX. 43

Liebe Gräfin Tolstoi,
– so nenne ich Sie öfters bei mir selbst, weil Sie mich sehr an die bewundernswerte Frau und ihren Kummer erinnern, daß Leo, der große Künstler, der so schöne Romane schreiben konnte, außerdem so deprimierendes Zeug über Politik und Religion schreiben mußte. Nun, bis zur Religion habe ich es ja noch garnicht gebracht, und auch mit der Politik wird noch alles gut werden, glauben Sie mir!

Also, liebe Freundin, es ist hohe Zeit, daß ich Ihnen unsere Ankunft melde, und es ist ganz gut, daß die viele Arbeit mich solange nicht dazu kommen ließ, da unterdessen zu der bloßen Nachricht noch eine Bitte gekommen ist.
Es ist so: Unser Zug geht am 9. Oktober nachmittags 4.30 von Los Angeles ab, und wir sollen am *12.* (Tuesday) morgens 8.55 in Washington eintreffen. Da ich am 16. im Hunter College, New York, zu sprechen habe, müssen wir am 15. mittags 12 Uhr Washington wieder verlassen. Die Frist ist kurz, schmerzlich kurz, aber sie ist durch die Verhältnisse präzis gegeben. Dazu nun die Bitte.
Erika hat ihren europäischen Aufenthalt um ihrer hiesigen Vortragsverpflichtungen willen abbrechen müssen. Wir hatten vorgestern ein Kabel aus London und schon heute einen Telephon-Anruf aus New York, Hotel Savoy Plaza. Unglücklicher Weise muß sie gerade am 15. von New York aufbrechen, genau wenn wir ankommen oder etwas bevor wir ankommen. Sie könnte aber, bevor sie ihre Tour antritt, die zwei Tage mit uns in Washington verbringen. Und wäre es auch nur einer, wir könnten sie doch, nach so langer Zeit, wieder sehen und von ihren Erlebnissen hören. Will und kann Ihr Haus auch ihr eine kurze Gastfreundschaft gewähren? Ich werde nicht viel von ihr haben, denn für Sie und mich wird es zu arbeiten und manches zu besprechen geben. Aber begreiflicher Weise liegt meiner Frau ungeheuer viel an dem Zusammensein. Winken Sie Gewährung?
Mit dem Vortrag in seinem eleganten englischen Gewande habe ich mich noch viel beschäftigt und nicht alles unangetastet gelassen. Solche besserwisserischen Gegenvorschläge müssen nun wieder Ihrer Prüfung unterliegen. Die Zurechtstutzung auf eine Stunde hoffe ich hier noch zuwege zu bringen, sodaß uns die Redaktion im Großen keine Mühe mehr machen soll. Über Deutschland will ich noch etwas Besseres und Wärmeres einschalten, das ich der Rede entnehme, die ich am 3ten hier auf dem Writers Congress halten werde.
[...] Golo bereitet uns als Soldat dieselbe Überraschung wie sein Bruder. Er ist begeistert und erklärt, einen so vorzüglichen Eindruck habe er von diesem Lande überhaupt noch nie gewonnen wie durch die Army und die Art wie für die boys gesorgt sei.
Ich darf doch hoffen, daß Sie von Ihrem Captain weiter beruhigende Nachrichten haben?

Auf Wiedersehn, liebe Gräfin. Eine Sendung nach Deutschland ist heute auch wieder abgetan. Jetzt kann ich noch ein paar Vormittage an dem Roman schreiben, dann heißt es auffliegen. Und das Reisen soll kein reines Vergnügen mehr sein.

Ihr T. M.

An Caroline Newton

Pacific Palisades, California
1550 San Remo Drive
1. Oktober 1943

Liebe Miss Caroline:
Seien Sie nicht böse, aber ich habe mich endgültig entschließen müssen, auf die Alvin Johnson-Feier zu verzichten. Gestern, acht Tage vor meiner Abreise, Tage, die gepackt voll sind von Verpflichtungen und Vorbereitungen, erhielt ich das Material von der New School. Vergebens frage ich mich, wie ich es möglich machen sollte, in diesen Tagen vor dem Aufbruch noch eine Ansprache zustande zu bringen, die des Gegenstandes im Entferntesten würdig wäre. Unterwegs aber komme ich bestimmt erst recht nicht dazu. Ferner hat schon die erste Durchsicht des Materials mir so recht klar gemacht, wie wenig ich der Mann bin, eine Gelehrten-Existenz, wie Johnson, rednerisch zu würdigen und zu feiern. Wie komme ich dazu, und wie kann ich mir erlauben, über einen Ökonomie-Professor zu sprechen, von dessen wissenschaftlichem Werk ich *nichts* weiß, so sehr ich seine liberale Persönlichkeit und seine politisch-humanitäre Aktivität zur Zeit der Gelehrten-Vertreibungen aus Europa würdige und bewundere. Ich kann nicht zwanzig Minuten oder eine halbe Stunde von der Tatsache sprechen, daß er diesem Lande 167 wertvolle Gelehrte verschafft hat, und tatsächlich weiß ich kaum etwas Anderes über ihn zu sagen.
Um allem die Krone aufzusetzen, kommt hinzu, daß ich der berechtigten Forderung, das Datum anzugeben, für das ich zur Verfügung stehen würde, einfach nicht nachkommen kann. Ich übersehe bis heute nicht meinen Reiseplan, der auf alle Fälle ein höchst unruhiges Hin und Her darstellen wird, und ich sehe klar und deutlich, daß es schwierig, ja unmöglich sein würde, rechtzeitig für Sie, Dr. Johnson und alle Beteiligten ein Datum festzusetzen. Und somit denn, liebe Freundin, entlassen Sie mich aus dieser Sache, der ich gern gedient hätte. Aber man kann nicht alles tun, besonders nicht mehr in meinen Jahren. Ich muß mich darauf beschränken, dem zu

Feiernden zu seinem Geburtstag einen Glückwunsch zukommen zu lassen, in dem ich alle meine Ehrerbietung auszudrücken suchen werde. Sie für Ihre Feier werden sicher einen würdigen und sachlich besser vorbereiteten Redner finden.
Auf Wiedersehen und herzliche Grüße von uns beiden!

Ihr Thomas Mann

An Dieter Cunz

Pacific Palisades, California
1550 San Remo Drive
7. x. 43

Sehr geehrter Herr Dr. Cunz,
ich habe mit herzlichem Vergnügen Ihren Brief gelesen und danke Ihnen für Ihre Anteilnahme, Ihre schöne Empfänglichkeit.
Felix Krulls Hochstapelei ist ein wenig »zurückgeblieben«, da sie durch Joseph ins Mythische hinausgewachsen ist. Trotzdem kann ich Ihnen sagen, daß ich nach Abschluß des »Ernährers« an dem Punkte war, den Krull wieder aufzunehmen. Schließlich hat dann doch eine 40 Jahre alte Notiz, die den Kern eines Musiker-Romans bildet, den Sieg davongetragen – für diesmal.
Der Schlußband des Joseph ist in Stockholm ausgedruckt, und nun gehen die Bogen, erstaunlicher Weise, zum Binden durch Deutschland in die Schweiz.
Wir hoffen, bald ein Exemplar des Buches herüberzubekommen, das dann »photostatisch« vervielfältigt werden soll, damit auch hier eine kleine Auflage des deutschen Textes vorhanden ist.
Die englische Ausgabe ist seit einigen Wochen in Druck, wird aber kaum vor Anfang nächsten Jahres erscheinen können.
Leider muß ich mich jetzt in der neuen, mich außerordentlich fesselnden Arbeit unterbrechen, um eine Vortragsreise von etwa 8 Wochen nach dem Osten und nach Canada zu absolvieren.
Nochmals Dank und herzliche Wünsche für Ihr Wohlergehen,
Ihr ergebener

Thomas Mann

An Hendrik van Loon

The Copley Plaza
Boston, Massachusetts
22. x. 43

Dear van Loon!
Living in a detestable tumult we received your good letter. Of course it is a charming idea to see you again and have some quiet

hours with you. Tonight we are leaving for Canada but we hope to be back in New York, Bedford, end of this month, and we certainly will call you up then.
Your beautiful flowers are adorning our hotel-home in New York all the time.
Cordially yours
Thomas Mann

An Agnes E. Meyer

Hotel Bedford 118 East 40 Street
New York N. Y.
27. x. 43

Beste Freundin,
vor zwei Stunden sind wir von Montreal hier wieder eingetroffen, und noch einmal möchte ich Ihnen für Ihr wirksames Eingreifen in die Paß-Angelegenheit danken, mit der Colston Leigh's Personal offenbar nicht fertig werden konnte. Ohne Sie hätten wir das vor vielen Wochen beantragte Re-entry Permit wahrscheinlich nicht mehr rechtzeitig bekommen. Der Eindruck wächst, that you are running the country.
Meine Erfahrungen auf dieser Reise sind ergreifend und beschämend. Der stürmische Zudrang des Publikums, die überfüllten Säle, die lautlose Aufmerksamkeit, die Dankbarkeit, das alles hat etwas Verwirrendes und Unbegreifliches. In Montreal mußte Polizei aufgeboten werden, weil die nicht mehr aufzunehmende Menge nicht weichen wollte und die Türen einzudrücken drohte. In Boston mußten ca. 1000 Personen abgewiesen werden. Ich frage mich jedesmal: Was erwarten diese Menschen. Ich bin doch nicht Caruso! Werden sie nicht völlig enttäuscht sein? Aber sie sind es nicht. Sie versichern, das sei das Großartigste, was Sie je gehört hätten. Und zu Katja sagen sie: »You are a lucky woman«. Also muß es wohl alles so sein.
Es haben sich Massen von Briefen und Geschäften hier aufgehäuft. Ich sehe noch nicht, wie ich damit fertig werden soll. Am 7. November ist ein Vortrag in Chicago. Am 16. einer in Columbia University. Hoffentlich gibt es nicht noch Einlagen. Ich wünschte sehr, hier zwischendurch etwas zu arbeiten.
MacLeish fordert das Manuskript der lecture für den Library-Druck. Mein Gebrauchs-Exemplar kann ich ihm nicht schicken. Aber hat nicht Miß O'Hara einen oder zwei Durchschläge ihrer Abschrift

gemacht? Ich wäre sehr dankbar, wenn sie sie mir schickte, denn einen brauche ich ja auch für Fish Armstrong oder Atlantic. Auch »The Protestant«, der sich darum bewirbt, kommt wohl in Betracht. Ich muß aber das Manuskript für den Druck revidieren.
Möchten Sie wieder ganz wohlauf sein! Ich bin zuweilen erschöpft, aber gesund und bis jetzt nicht einmal erkältet.

Ihr Thomas Mann

An Caroline Newton

Hotel Muehlebach
Baltimore Avenue and
Twelfth Street
Kansas City, Missouri
den 5. Dez. 43

Liebe Miß Lina,
an einem letzten Reisegruß und einem Wort des Gedenkens an unsere Feier soll es doch nicht ganz fehlen. Sie müssen mit Gefühlen der Genugtuung an den Nachmittag und Abend zurückdenken. Die Veranstaltung, von Anfang bis zu Ende, hätte nicht besser gelingen, nicht harmonischer verlaufen können, und das ist in erster Linie Ihrer vorzüglichen Regie und Ihrer umsichtigen Gewandtheit als Gastgeberin zu danken. Ich habe es wirklich bewundert, wie alles klappte, mit welcher Bequemlichkeit so viele Menschen bewirtet und unterhalten wurden, zu schweigen von Ihrer liebenswürdigen und geschickten Art, bei den Vorträgen die Conférencière zu machen. Johnson war glücklich, alle fühlten sich wohl, der gewünschte Eindruck ist sicher erzielt worden, und die New School wird Ihnen für eine nachhaltige Wirkung zu danken haben.
Ich habe meine lectures in Cincinnati glücklich beendet. Hier, im Hause des Universitäts-Präsidenten Decker, wo wir 2 Tage verbrachten, hat unsere Family-reunion stattgefunden: Klaus kam von seinem Camp, und Erika fand sich, von Dallas kommend, dazu ein. Wir haben einen Abschiedstag zusammen verbracht. So bald werden wir diese Kinder wohl nicht wiedersehen.
Wir Alten treten nun heute Abend die weitere Rückreise an: in einem recht miserablen Zug, dem sogenannten »Pony Express«, der bis Los Angeles 2 Tage und 3 Nächte braucht. Ob es etwas zu essen gibt, ist auch die Frage. Nun, wenn man sich auf das Schlimmste gefaßt macht, ist der Verlauf am Ende noch relativ angenehm.

Was bedeutet das Schweigen der großen Drei? Ist Uncle Joe schlechter Laune gewesen?
Haben Sie ein heiteres Weihnachtsfest!
Mit herzlichen Grüßen von uns beiden Ihr Thomas Mann

An Bertolt Brecht

Pacific Palisades, California
1550 San Remo Drive
10. XII. 43

Sehr geehrter Herr Brecht:
Ihren Brief habe ich aufmerksam gelesen. Lassen Sie mich Folgendes darauf erwidern.
Mitte November habe ich in New York in der Columbia University einen politischen Vortrag gehalten. Tausend Menschen haben mir zugehört, aber, grundsonderbar und wohl echt deutsch, nicht ein einziger der Herren, mit denen ich damals versuchsweise über die Einigung der deutschen Hitlergegner im Exil zu beraten hatte, war darunter. Man hätte meinen sollen, daß wenigstens der Eine oder der Andere von ihnen sich für die öffentlich vorgetragenen politischen Gedanken eines Mannes interessieren würde, den sie für berufen halten, sogar für allein berufen halten, jene Einigung zustande zu bringen. Keiner war neugierig genug. Wäre aber nur Einer dabei gewesen, so hätten Zweifel an meiner Gesinnung, wie Sie sie in Ihrem Briefe äußern, nicht aufkommen können.
Ich habe in dem Vortrag zwar eingeräumt, daß eine gewisse Gesamthaftung für das Geschehene und das, was noch geschehen wird, nicht von der Hand zu weisen sei. Denn irgendwie sei der Mensch und sei ein Volk verantwortlich für das, was er ist und tut. Dann aber habe ich nicht nur genau all die Argumente gegen die Gleichstellung von Deutsch und Nazistisch angeführt, die Sie in Ihrem Brief gebrauchen, sondern ich habe erklärt, Weisheit in der Behandlung des geschlagenen Gegners sei allein schon geboten durch die schwere Mitschuld der Weltdemokratien an dem Aufkommen der fascistischen Diktatur, an dem Heranwachsen ihrer Macht und an dem ganzen Unheil, das über Europa und die Welt gekommen sei. Ich habe mich über diese Mitschuld der kapitalistischen Demokratien in Wendungen geäußert, von denen ich kaum erwartet hätte, daß sie geduldig hingenommen, geschweige denn, wie es der Fall war, mit großem Applaus aufgenommen werden würden. So-

gar über die blödsinnige Panik der bürgerlichen Welt vor dem Kommunismus habe ich mich lustig gemacht, nicht nur in New York, sondern zuvor schon in Washington in der offiziellen Library of Congress. Ich habe gesagt, daß es uns deutschen Emigranten nicht zustehe, den Siegern von morgen Ratschläge zu geben, wie Deutschland zu behandeln sei, aber ich habe mich auf das liberale Amerika berufen und der Hoffnung Ausdruck gegeben, daß die gemeinsame Zukunft durch die Maßnahmen der Siegermächte nicht zu schwer belastet werden möge. Nicht Deutschland oder das deutsche Volk sei zu vernichten und zu sterilisieren, sondern zu zerstören sei die schuldbeladene Machtkombination von Junkern, Militär und Großindustrie, die für zwei Weltkriege die Verantwortung trage. Alle Hoffnung beruhe auf einer echten und reinigenden deutschen Revolution, die von den Siegern nicht etwa zu verhindern, sondern zu begünstigen und zu fördern sei.
So ungefähr ging dieser Vortrag, und ich hoffe, Sie und Ihre Freunde entnehmen aus diesen Angaben, daß ich den Einfluß, den ich in Amerika besitze, keineswegs dazu benutze, um die Zweifel an der »Existenz starker demokratischer Kräfte in Deutschland« zu vermehren. Das alles hat aber garnichts mit der Frage zu tun, die mich wochenlang so ernstlich beschäftigt hat, ob der Augenblick gekommen ist oder nicht, ein Free Germany Committee in Amerika zu konstituieren. Ich bin zu der Überzeugung gelangt, daß die Bildung einer solchen Körperschaft verfrüht wäre, nicht nur weil Angehörige des State Department sie für verfrüht halten und jetzt nicht wünschen, sondern auch auf Grund eigener Überlegungen und Erfahrungen. Es ist eine Tatsache, und wenn ich mich recht erinnere, wurde sie bei unserer letzten Zusammenkunft ausgesprochen, daß, sobald Gerüchte von einem solchen deutschen Zusammenschluß an die Öffentlichkeit drangen, Beunruhigung und Mißtrauen bei den Exponenten der verschiedenen europäischen Nationen entstand und daß sofort die Parole ausgegeben wurde, der deutsche Ring, der sich da bilde, müsse gesprengt werden. Tatsächlich besteht nicht nur die Gefahr, sondern wir hätten zweifellos damit zu rechnen, daß unser Zusammenschluß als ein nichts als patriotischer Versuch gedeutet werden würde, Deutschland vor den Folgen seiner Untaten zu schützen. Mit der Entschuldigung und Verteidigung Deutschlands und der Forderung einer »starken deutschen Demokratie« würden wir uns in diesem Augenblick in einen

gefährlichen Gegensatz bringen zu den Gefühlen der Völker, die unter dem Nazijoch schmachten und nahe dem Zugrundegehen sind. Es ist zu früh, deutsche Forderungen aufzustellen und an das Gefühl der Welt zu appellieren für eine Macht, die heute noch Europa in ihrer Gewalt hat und deren Fähigkeit zum Verbrechen keineswegs schon gebrochen ist. Schreckliches kann und wird wahrscheinlich noch geschehen, das wiederum das ganze Entsetzen der Welt vor diesem Volk hervorrufen wird, und wie stehen wir da, wenn wir vorzeitig Bürgschaft übernehmen für einen Sieg des Besseren und Höheren, das in ihm liegt. Lassen Sie die militärische Niederlage Deutschlands sich vollziehen, lassen Sie die Stunde reifen, die den Deutschen erlaubt, abzurechnen mit den Verderbern, so gründlich, so erbarmungslos, wie die Welt es von unserem unrevolutionären Volk kaum zu erhoffen wagt, dann wird auch für uns hier draußen der Augenblick gekommen sein zu bezeugen: Deutschland ist frei, Deutschland hat sich wahrhaft gereinigt, Deutschland muß leben.

Ihr sehr ergebener Thomas Mann

An Agnes E. Meyer

Pacific Palisades, California
1550 San Remo Drive
25. Dez. 43

Liebe Freundin,
»es ist etwas sehr Üppiges«, hatte Katja mir im Voraus verraten, und das bewahrheitete sich denn vor meinen geblendeten Augen, als Ihr Geschenk gestern Abend auf meinem Gabentischchen lag. In schwerer Pracht lag es da, den Sinnen höchst angenehm, der Inbegriff des Luxus, in seiner Köstlichkeit noch gesteigert durch das Bewußtsein, daß es wahrscheinlich das Letzte seiner Art ist und seinesgleichen mehr und mehr aus der verkargenden Welt kommt. Sie haben mich wieder einmal höchst königlich bedacht, und mein Dank ist der eines Menschen, dem man Freude machen *kann.* Sie erwähnten in Ihrem letzten Brief etwas, was ich gesagt haben soll, über »Gewohnheit« oder »Selbstverständlichkeit«. Die Wahrheit ist aber die, daß mir überhaupt nichts gewohnt und selbstverständlich, sondern die Welt immer neu und erregend ist, und daß ich namentlich vor dem *Phänomen* der Güte und Fürsorge immer wieder mit unabgeschwächtem Staunen und wirklicher Rührung stehe.

Wir hatten uns schon an den Gedanken gewöhnt, den gestrigen Abend unter vier Augen zu verbringen, denn ohne Kinder und Kindeskinder wollten wir auch mehr oder weniger gute Freunde nicht bei uns sehen. Aber Golo hatte Urlaub bekommen und traf schon mittags ein. Vier Tage war er, in der Coach, gereist, um vier Tage bei uns zu sein. Vielleicht ist er das Aller-anhänglichste der Kinder, obgleich sie alle starke »rückwärtige Bindungen« haben. Er ist enttäuscht, Sie bei der Rückkehr in Washington zu verfehlen, – wie ich denn aus seinen Äußerungen über Sie, seinen Briefwechsel mit Ihnen etc. immer eine sehr lebhafte Verehrung heraushöre, die er wohl kaum nur mir schuldig zu sein glaubt.
Übrigens verstehe ich, daß er noch einen Freund, einen ehemaligen Camp-Kameraden in Washington hat, der ihm wohl eine Unterkunft für die Nacht verschaffen, ihn notfalls – und heutzutage ist Not ja fast immer der Fall – bei sich schlafen lassen wird.
Die Leutchen aus San Francisco werden wir nicht sehen. Auf den Weihnachtsabend war ein Symphonie-Konzert für die soldier-boys angesetzt worden, und so hatte Bibi Dienst. Die kleine Familie wollte heute fahren, aber im Zuge stellte sich heraus, daß er 20 Stunden statt 8 oder 10 zu fahren beabsichtige und das bei überfülltem Zustande. So resignierte man. Das Leben ist recht schwierig geworden, nicht ohne pädagogische Absicht wahrscheinlich, um der complacency zu steuern.
Unsere Heimreise ließ uns auch nicht vergessen, daß there is a war on. [...]
Hier eingelaufen, erfuhren wir denn freilich wieder das »Wohlwollen unsrer Zeitgenossen«, das Goethe »erprobtes Glück« nennt. Es gab Leute, die uns mit ihrem Wagen vom Bahnhof Los Angeles abholten. Es gab andere, die uns gleich Butter, Rahm, Kuchen, Blumen ins unbediente Haus brachten. Alles wäre bald wieder gut gewesen, wenn ich nicht meinen müden Nerven sofort eine Rede für die Max Reinhardt-Gedenkfeier hätte abringen müssen, die wir neulich hier abgehalten haben, und die übrigens sehr würdig verlief. Aber die Herstellung der Rede hätte mich fast zur Verzweiflung getrieben – so schwer wird mir alles von außen mir auferlegte – und da außerdem eine fast hoffnungslos aufgelaufene Korrespondenz zu bewältigen war, so wurde ich gründlich um den Stimmungs-Auftrieb gebracht, den so eine Heimkehr mit sich zu bringen pflegt.

Glücklich bin ich trotzdem, daß die Reise zurück liegt und ich wieder bei mir selbst bin. Für dieses von gutmütigem Massenbeifall durchrauschte Gastspiel-Dasein fühle ich mich nachgerade zu alt. Was mich nicht abgehalten hat, mit dem sehr zufriedenen Colston Leigh für Januar-Februar 1945 wieder abzuschließen. Unter allen sich aufdrängenden Vorbehalten natürlich. Es hat etwas Phantastisches oder auch Phantasie*loses*, Verträge für das Jahr 45 abzuschließen.

Zu meiner größten Überraschung trafen von der Library nicht weniger als 17 doppelseitige records ein, die meine ganze Washingtoner lecture in ihren Falten bergen. Ich hatte keine Ahnung gehabt! Oder, wenn eine Anfrage an mich ergangen war, so war sie mir total aus dem Sinn gekommen. Die Platten klingen sehr klar und verständlich, aber meine Redeweise hat etwas Pastorales, das mir nicht gefällt.

Aus der Schweiz hatte ich Telegramme zum deutschen Erscheinen des Joseph, und die Moses-Geschichte hier scheint einen guten Eindruck zu machen. In den N. Y. Times wurde sie »one of his best short-novels, a beautiful fable« genannt. Es ist immer tröstlich zu erfahren, daß man noch so *kürzlich* etwas Vorzügliches gemacht hat.

Was ich lese? Ein älteres Buch über den deutschen Bauernkrieg, eine Lektüre, die mehr in allgemeinen zeitlichen Zusammenhängen steht. Dazu aber allerlei Zweckgerichtetes, Medizinisches und Musikalisches: Schoenbergs Harmonielehre und Bücher über Venus-Krankheiten. An dem Roman hatte ich manches umzuformen und schreibe langsam weiter, – viel langsamer, als die ersten hundert Seiten im Neuigkeitsrausch vonstatten gingen. Für die Schwierigkeit der Sache ließen Sie ein ergreifendes Gefühl merken. Ich stelle eine sehr ernste Stimmung bei mir fest. Es ist wohl so, daß ein schweres Kunstwerk, wie etwa Schlacht, Seesturm, Gefahr, Gott am nächsten bringt, indem es den Aufblick nach Segen, Hilfe, Gnade, eine religiöse Seelenverfassung erzeugt.

Ihr T. M.

Für Ihre Gesundheit das Beste! Sie haben sie im Dienste des Landes *nicht geschont.*

An Jacob Klatzkin

Pacific Palisades, California
1550 San Remo Drive
28. Dezember 1943

Sehr verehrter Herr Doktor Klatzkin:
[...] Es ist in der Regel sehr gefährlich für mich, Fragen der Art zu beantworten, wie Sie sie in Ihrem Brief an mich richten. Was ich Goethe in dem Roman sagen lasse, ist zuweilen Zitat, zuweilen Halbzitat, zuweilen auch nur in seinem Geist frei erfunden. In Ihrem Fall nun kann ich getrost antworten: Ja, die beiden Worte über die Ironie, die das Körnchen Salz ist, welches die Speise erst genießbar macht, und das andere, »... ein Gedicht ist eigentlich gar nichts, es ist bloß wie ein Kuß, den man der Welt gibt, aber aus Küssen werden keine Kinder«, sind authentisch und wörtlich übernommen. Aber woher? Da bin ich nun überfragt und muß es leider Ihrem philologischen Forschertrieb anheim geben, die Stellen ausfindig zu machen. Gelehrte Goethe-Kenner werden Ihnen sicher dabei helfen. Die Quellen, aus denen ich damals geschöpft habe, sind mir mehr oder weniger aus den Augen gekommen, und es würde mich heute viel kosten, die beiden Stellen ausfindig zu machen. Das kann ich nicht, weil ich, eben dem zweimonatigen Reiseleben entronnen, fürchterlich viel zu tun habe.
Auf die Aphorismen-Sammlung freue ich mich.
Beste Wünsche und Grüße

Thomas Mann

An die Zeitschrift
The American Poet

Pacific Palisades, California
1550 San Remo Drive
December 28, 1943

Gentlemen:
It was with sincere pleasure that I received your news that Cadet William Alfred has ordered you to send me »The American Poet« for one year as a Christmas gift. This is, indeed, a very dear and welcome present, and I am sure that the magazine will be a constant source of pleasure to me. Please convey my best thanks to Cadet William Alfred for his kindness.
Returning your kind holiday greetings, I am,
yours sincerely

Thomas Mann

1944

An Agnes E. Meyer

Pacific Palisades, California
1550 San Remo Drive
7. Jan. 44

Teuerste Freundin,
etwas besorgt macht es mich, so lange nichts von Ihnen gehört zu haben, nicht zu wissen, wo Sie sind und wie Sie sich fühlen. Die Nachwehen der Grippe können so peinlich sein; eine Nerven-Depression ist fast unvermeidlich. Haben Sie sie überwunden? Hat mein Nach-Weihnachtsbrief Sie in Washington oder an einem südlichen Rastort oder vielleicht garnicht erreicht?
Was ich Ihnen erzählen wollte, ist, daß wir vorgestern unsere Bürgerprüfung abgelegt haben und nun bald, wie unsere Söhne und Enkel, cives romani sein werden, denn die noch ausstehende letzte Eidesleistung ist nur noch eine Formalität. Das war auch die Prozedur von neulich, aber eine sehr ausgedehnte. Fast 4 Stunden waren wir bei Amte, wovon freilich ein guter Teil aufs Warten und auf die Zeugen-Verhöre entfiel. Aber mit unserer Examination war es doch auch kein Spaß, besonders mit meiner nicht, da ich, im Gegensatz zu Katja, nichts gelernt hatte. Mit der Staatsform, der Constitution und den Regierungs-Ressorts wußte ich so ziemlich Bescheid, als aber die prüfende Dame auf die Verwaltung und Gesetzgebung der Einzelstaaten und Städte zu sprechen kam, hatte ich keine Ahnung mehr und konnte nur großes Erstaunen über die Eigenmächtigkeit dieser Kommunen an den Tag legen – da ich doch irgend etwas an den Tag legen mußte. »What, are you bold enough to make your own laws? I hope very much that they are in full harmony with the Federal laws and the Constitution!« Sie verbiß ein Lächeln über diese Fürsorge faute de mieux. Meinen größten Erfolg hatte ich bei ihr mit der Beantwortung der Frage, warum wir wohl zwei Häuser und nicht nur ein House of Representatives hätten. Das sei in erster Linie eine Sache der Gerechtigkeit, sagte ich, damit nämlich die kleineren Staaten, die nur wenige Congressmen entsenden, nicht im Nachteil seien gegen die großen, denn durch zwei Senatoren sei jeder vertreten. »That is a very pervasive answer!« sagte sie, erstaunt über die Mischung von Gescheitheit und Ignoranz, die ich darstellte; und als wir vor dem Judge

standen, erwies sich, daß sie ihm ein Exemplar von »Buddenbrooks« zugesteckt hatte, damit ich ihr etwas hineinschriebe. Was ich hineinschrieb, fand dann der Judge dermaßen rührend, daß er, von Eifersucht ergriffen, auch eine Widmung haben wollte, wenn auch nur auf einem Stück Papier, und mich dazu in sein Privat-Office führte.

So lief das ab. Nachher hatten wir mit unseren Zeugen, Professor Horkheimer und Frau, in einem Restaurant ein kräftiges amerikanisches Mahl, pancakes with maple-syrup, and coffee. Er sagte mir, als man ihn auf Ehre und Gewissen gefragt habe, ob ich ein desirable citizen sei, habe er geantwortet: »You bet!« –

Einen offiziellen Brief hatte ich von Freund Archie, worin er mir die freudige Mitteilung macht, er sei dank der Hochherzigkeit gewisser Gönner der library in der Lage, mein Verhältnis zu dem Institut wieder um ein Jahr zu verlängern. Ob ich geneigt sei, in die Verlängerung zu willigen. Ich habe zurückgeschrieben: er möge es glauben oder nicht, aber ich hätte mir die Frage garnicht zu überlegen brauchen und vereinigte mich mit ihm in dem Gefühl der Dankbarkeit gegen jene Gönner. War das nicht auch eine schöne Ceremonie? [...]

Endlich habe ich die Bögen von »Joseph der Ernährer« aus New York bekommen und schicke sie Ihnen. Möchten Sie sie bei bestem Wohlsein und mit Nachsicht für die langweiligen Partien des Buches lesen! So ein epischer Kuchen kann nun einmal nicht aus lauter Rosinen bestehen. Für mich liegt das alles weit zurück und interessiert mich kaum noch. Meine Sorgen gelten Adrian Leverkühn und dem Problem, wie man die musikalischen Exaktheiten, die sich aufdrängen, *readable* macht. Es handelt sich um solche Dinge wie die Polyphonie in der modernen, wesentlich homophonen harmonischen Instrumental-Musik, z. B. bei Brahms und schon bei Bach. Es ist keine echte Polyphonie, weil deren Hauptmerkmal, die wirkliche Selbständigkeit der Stimmen, wie in der alten Vokal-Musik, fehlt. Nur eine Übertragung des polyphonen Stils auf die Generalbaß-Technik, für die die Mittelstimmen nur akkordisches Füllwerk sind, wird versucht. Mit solchen Problemen gibt Adrian sich schon in Prima ab. –

Eben kam ein Kabel von Klaus, daß er an seinem überseeischen Bestimmungsort glücklich angekommen ist.

Was werden wir in den kommenden Monaten erleben? Der Sturm

auf Europa ist das riesenhafteste militärische Unternehmen, das die Geschichte kennt, und den friedlichsten Völkern ist es auferlegt. Wenn es gelingt, so wird bewiesen sein, daß man nicht weltanschaulich den Krieg zu bejahen braucht, um auch in ihm das Größte zu leisten.

Herzlich

Ihr Thomas Mann

An Erich von Kahler

Pacific Palisades, California
1550 San Remo Drive
16. Januar 44

Lieber, guter Freund,

Sie haben mir so lieb und gut und verständnisvoll geschrieben und mich getröstet in meinem Verdruß, so vieles schuldig bleiben zu müssen, daß ich nur recht herzlich danken kann. Dies ist nun wohl ein natürlicher und unabwendbarer Verdruß: ich fange einfach an, meine Jahre zu spüren, ein schon langes und von jungauf recht angespanntes und prekäres Leben, und bin, unter uns gesagt, oft recht *müde*, recht eigentlich *faul*, fürchte mich vor Energie-Aufgeboten, die ich früher so mitnahm. Ein gewohnheitsmäßiges Aktivitätsbedürfnis ist auf die Morgenstunden versammelt (der alte Haydn: »Wenn ich ein wenig gefrühstückt habe, setze ich mich zum Komponieren nieder.« Der Gute!), aber nachmittags mag ich eigentlich garnichts mehr tun, sehe schon mit Unbehagen der Sekretärin entgegen, wenn sie zum Brief-Diktat kommt und mache immer wieder die Erfahrung, daß, was ich mich sonst um diese Tageszeit anzulegen zwinge, schlecht wird, sodaß ich einsehe: ich muß einen oder zwei Vormittage dafür freimachen. Ich gebe zu: mehr oder weniger war es immer so, aber ein deutliches Bequemwerden und eine wachsende Neigung, zusätzlichen Anstrengungen aus dem Wege zu gehen, ist doch nachweisbar. Immerhin, vieles und Wesentliches bin ich noch nicht schuldig geblieben, und bei Ihrem Brief handelt es sich um eine Verzögerung, von der ich mit gutem Gewissen sagen kann, daß sie zur Zeit nur noch ganz äußerliche Gründe hat. Ich konnte den Band nicht mitnehmen, er war nebst vielen anderen in unserem Gepäck nicht unterzubringen. Eine ganz kleine Bibliothek, die sich im Hotelzimmer angesammelt hatte, auch Manuskript-Zeug darunter, haben wir Bermann zum Nachsenden in Auftrag gegeben, und dieses Paket ist unbegreiflicher Weise immer noch

nicht eingetroffen. Der Weihnachts-Post-Tumult machte sein Ausbleiben eine Weile entschuldbar, aber jetzt hat längst der Spaß aufgehört, und wir haben schon zweimal bei Bermann dringlich deswegen reklamiert. Es ist auch sonst unangenehm. Bei mehreren Personen habe ich mich wegen des Ausbleibens einer Äußerung über ihre Manuskripte und wegen dieser selbst entschuldigen müssen. Hätte ich wieder Kontakt mit dem Buch, so würde sich gewiß zwanglos und von innen heraus ein kleiner Aufsatz darüber ergeben. Alles, was Sie mir über die matte und furchtsame Aufnahme berichten, die es erfährt, bestärkt mich in dem Vorsatz, mich dazu zu bekennen, und noch gestern wurde dieser Vorsatz befeuert durch ein Gespräch mit Erwin Kalser, den wir in einer Gesellschaft trafen, und der sich von dem Werk bis zur Begeisterung angetan zeigte. Tagelang, sagte er, sei er nicht davon losgekommen.
Ich kann Ihnen nicht sagen, wie dankbar ich Ihnen bin für Ihre schöne Anteilnahme an meinem neuen Erzähl-Experiment. [...] Würde ich das nun »schuldig« bleiben, so wäre das freilich schlimm. Aber mit Geduld, Vorsicht, Umsicht und rechtzeitigem Aufstehen wird es nach »ein wenig Frühstück« schon werden, was es ist. Wiederholt bin ich nach Vorlesungen auf die Bogenlinie hingewiesen worden, die von den alten »Buddenbrooks« dazu hinüberführen soll, und es trifft sich merkwürdig genug, daß hier gerade jetzt verschiedene Leute, unabhängig von einander, den 44 Jahre alten Erstling mit erstaunlichem Vergnügen wieder gelesen haben. So Franks und fast gleichzeitig der todkranke Werfel, der sich das Buch von mir ausbat und sich bei meinem letzten Besuch völlig hingerissen darüber ausdrückte. »Ein unsterbliches Meisterwerk, unzerstörbar!« Und es sei ihm ganz sonderbar, so die empirische Person des Verfassers an seinem Bette stehen zu sehen. – Mit glücklichen, im günstigen Augenblick getanen Jugendwürfen ist es so eine Sache. Oft gilt es dann nur noch, den Rest des Lebens, einen vielleicht langen Rest, leidlich würdig auszufüllen, während man immer, und je länger desto mehr, der Mann jenes Erstlings bleibt. Ich will bei den »Buddenbrooks« nicht gerade an die »Cavalleria rusticana« denken, aber an den »Freischütz«, der ein wirkliches Ereignis war, wenigstens ein deutsches, kann man vielleicht dabei denken. Nun, »Oberon« und »Euryanthe« sind ja auch noch auf Repertoire... Und ich glaube sogar doch, daß es mir gelungen ist, mein späteres Leben mehr nach Goethe'schem Muster auszubauen.

Die Moses-Geschichte findet viel Anklang [...]. Sie haben recht, nach dem Buche nicht zu verlangen. Ich fürchte ehrlich, daß mein Beitrag mit Abstand der beste ist. Manches ist geradezu lächerlich und kompromittierend, z.B. eine Beschreibung der Rebekka West von Kopenhagen, so ignorant, daß man sich in Europa den Bauch halten wird. Sehr zu bedauern. – Leider habe ich von dem Original des »Moses« nur noch die Handschrift. Können Sie sich nicht vielleicht von Bermann-Fischer eine Abschrift verschaffen?
Wir sprechen oft von Ihnen und wünschen Sie her. Ich denke immer, der Tag wird kommen, wo Sie der Unsrige sind.
Herzlich

Ihr Thomas Mann

Die Fragen, was man nach dem Siege mit Deutschland tun soll, wollen nicht versiegen. Ich sage kein Wort. Rät man zur Milde, so wird man von den Deutschen womöglich gräßlich desavouiert. Rät man zur Unerbittlichkeit, so gerät man in eine schiefe und unzuträgliche Stellung zu dem Land, dessen Sprache man schreibt. Auch kommen mir alle Beratungen über das Fell des Bären immer noch unheimlich verfrüht vor.
Wir haben unser Bürger-Examen abgelegt, sind also eigentlich schon cives romani. Nach Europa reist man aber, glaube ich, besser mit einem tschechischen Paß.

An Wilhelm Herzog

Pacific Palisades, California
1550 San Remo Drive
18. Jan. 44

Lieber Herr Herzog,
es ist wahr, ich bin recht schuldig vor Ihnen geworden, aber Sie müssen Nachsicht haben [...]
In New York war ich zu zwei Vorlesungen, beide Male nur vorübergehend. Knopf war seinerseits verreist. Mit Bermann hätte ich wegen Ihres Manuskriptes sprechen sollen, hab' es aber im Trubel versäumt. Jetzt werde ich ihm schreiben und ihn zur Rede stellen, ihn auch fragen, ob ich mit meiner Meinung über das Buch dienlich sein kann. Mein vorläufiger Eindruck ist, daß in Amerika die »Begegnungen« bessere Aussichten haben, als der neue Candide. Hier ist längst eine gewisse Gereiztheit zu beobachten gegen den Einbruch

europäischer Intelligenz, die als national unbequem und »frightening« empfunden wird. Die Begegnungen mögen aber etwas für die Neugier sein. Sie sollten sie Knopf schicken, der einen deutschen Lektor oder doch einen Lektor des Deutschen hat. Gelegentlich habe auch ich ihm schon als solcher gedient, – was ich in diesem Fall wieder tun könnte.
Wie sehr kommt aber für uns alle alles darauf an, daß Europa wieder offen ist!
Das wird Sie wahrscheinlich auch mit meinem Bruder wieder zusammenführen. Sie sind einfach räumlich zu weit auseinandergekommen, und dieser große Eigenbrötler, nun schon 72, stößt gern Vergangenheit ab und hat nicht viel Gedächtnis. Andererseits ist er sogar gemütvoller als ich. Aber eine Frau hat er leider, die ist eine arge Hur'. Da haben Sie meine Gemütlosigkeit.
Klaus ist, als sergeant, overseas, Golo, auch in der army, scheint ihm bald nachfolgen zu sollen. Erika war einige Monate als Kriegskorrespondentin in Europa, auch in Ägypten, Persien, Palästina, nun durchkreuzt sie wieder vortragend diesen Kontinent. Tatsächlich ist sie Colston Leigh's, des New Yorker Agenten, big horse.
Der Schlußband des Joseph ist deutsch in Schweden längst herausgekommen. [...]
Ich habe danach noch eine ganz amüsante Moses-Novelle geschrieben [...] Das Neue ist die Geschichte eines syphilitischen Musikers mit paralytischer Inspiration. Recht freundlich, nicht wahr? Es ist aber eine ganz bedeutsame Conception.
Gute Wünsche und Grüße! Ihr Thomas Mann

Zum 60sten meine schwer verspäteten Glückwünsche! Ist ja ein Blütenalter. Meine Frau ist ebenso alt. Aber ich! Nächstes Jahr werde ich 70. Es ist schaurig und unglaubwürdig.

An C. B. Boutell
[Konzept]

Pacific Palisades, California
1550 San Remo Drive
21. Januar 1944

Dear Mr. Boutell,
es tut mir leid, daß die törichte Denunziation jenes Herrn Araquistain Ihnen solchen Eindruck gemacht hat. Mich hätte sie sehr

gleichgültig gelassen, und nie hätte ich mich zu einer Erwiderung genötigt gefühlt, ohne Ihre fast drohende Mahnung, mich zu rechtfertigen, zu erklären, zu entschuldigen. Wenn Herr Araquistain mir mein Werden und Wachstum, meine geistige und moralische Entwicklung, mein Leben nicht gönnt, so ist das sein Ärger, nicht meiner. Ich lebe, hoffe noch weiter zu kommen, als ich gekommen bin, freue mich des zurückgelegten Weges und verleugne keine seiner Stadien, weil ich von der Wahrheit des Goethe'schen Spruches durchdrungen bin:

»Jeder Weg zum rechten Zwecke
Ist auch recht in jeder Strecke«

Was auf englisch heißt

\- - - - - - - - - - - - - - - - - -

Ich habe meine Zweifel, ob es vernünftig ist, einen Menschen, der mit Aufbietung aller seiner nicht mehr jugendlichen Kräfte bemüht ist, seinen Mann zu stehen in dem Menschheitsringen unserer Gegenwart und seine Pflichten als Weltbürger täglich zu vereinen mit der Förderung und Vollendung eines vielen nicht unwerten persönlichen Lebenswerkes, – ich zweifle, ob es viel Sinn hat, einen solchen Menschen zu Äußerungen zurückzunötigen, die er in einer ganz anderen Phase der Geschichte und seines Lebens getan, und ihn zwingt, sich ihretwegen zu verantworten. Da Sie es aber für geboten halten, Ihre zahlreiche Leserschaft mit den Angebereien des Times-Briefschreibers zu beschäftigen, darf es wohl an einer kleinen Beisteuer dazu von mir nicht fehlen, und ich beantworte gern Ihre Frage, wenn Sie mir erlauben, nicht allzu ausführlich dabei zu sein.
Ich kann für die Korrektheit der Citate des Herrn Araquistain nicht mit voller Sicherheit einstehen, nehme aber doch an, daß er sich von seinem servilen Eifer, dem Vansittartismus Argumente gegen die Möglichkeit eines »anderen«, eines »besseren« Deutschland zuzutragen, nicht zu Fälschungen hat hinreißen lassen. Kein Zweifel, ich habe das alles gesagt, und arg genug nimmt es sich heute aus. Es wurde damals viel Arges und Ausbündiges gesagt in Europa, – nicht nur in Deutschland, wo Hauptmann, Dehmel und Hofmannsthal, Harden und Rathenau den nationalen Krieg bejahten, so gut wie ich, sondern auch von sonst erleuchteten Geistern des feind-

lichen Auslandes, und meine dialektischen Husarenstücke von 1914 sind zum Teil als Reaktion zu erklären auf eine Menge hitziger Insulte, die damals gegen deutsche Philosophie und Kultur, mit der ich in natürlicher Verbundenheit lebte, geschleudert wurden. Vor allem aber erklären sie sich aus der völligen politischen Unschuld und Ignoranz einer in Luthertum und Romantik wurzelnden deutschen Intelligenz, die, vom Kriege überrumpelt, lange nichts anderes in ihm zu sehen vermochte, als einen gerechten Verteidigungskampf für Werte, die sie zu ihrem fassungslosen Staunen plötzlich von Beschimpfungen überflutet sah. Was ich bis dahin persönlich hervorgebracht hatte, war in dieser Wertsphäre beheimatet, ich meinte sie, wenn ich »Deutschland« sagte, und trat für sie ein.

Mein Ankläger hebt hervor, und Sie sehen sich genötigt, ihm beizustimmen, ich sei damals 40 Jahre alt und meine Meinungen also die eines reifen Mannes gewesen. Nun, Reife ist ein sehr relativer Begriff, und ein Mensch, dem ein langes vitales Ausharren, ein weiter Weg bestimmt ist, ist mit 40 Jahren vielleicht durchaus nicht reif. Ich weiß auch nicht, ob ich heute reif bin. Vielleicht gehört zum Reifwerden ein ganzes Leben, und Reifsein ist vielleicht Reifsein zum Sterben. Als Künstler, wie es scheint, war ich ungewöhnlich frühreif, da ich mit 23 Jahren ein Buch schrieb, das noch heute lebt und möglicherweise alles überleben wird, was ich nachher getan. In politischer Beziehung dagegen ist bei mir (und das ist vielleicht national-deutsch) ein sehr langsames Reifen festzustellen, und tatsächlich setzte erst der mich in meinen Grundfesten erschütternde Kriegsausbruch von 1914 mich gewaltsam zu Problemen überhaupt in Beziehung, für die ich vorher garkein Organ entwickelt hatte.

»Politics«, hat Cardinal Manning gesagt, »is a part of morals.« Ich will mich nicht schlechter machen, als ich bin, und nicht behaupten, daß meine Jugend und mein »reifes« Mannesalter ohne Verhältnis zur Moral gewesen wären. Ich hing einer pessimistischen Ethik an, deren Inbegriff das »Trotzdem« war, die Tapferkeit, das Aushalten unter schweren Bedingungen, und ich sah in Deutschland ein Land, das unter schwierigen äußeren und inneren Bedingungen lebte, ein Land, das es schwer hatte, wie ein Künstler es schwer hat. Ich identifizierte mich mit ihm – das war die Form und der Sinn meines Kriegspatriotismus. Ich sprach zugunsten preußischer Gesinnung, preußischer Haltung, des preußischen Militarismus, – der arme Herr

Araquistain entsetzt sich noch nach 30 Jahren über die Excentrizität, mit der ich es tat. Ich muß dabei an einen Aufsatz denken, der kürzlich in der Moskauer »Internationalen Literatur« erschien und vom Preußentum in der deutschen Dichtung handelte. Der Verfasser, Georg Lukács, ein Literaturgelehrter kommunistischer Gesinnung, kam darin auf meine Äußerungen während des vorigen Krieges zu sprechen und erklärte, unmöglich könne man meinen Fredericianismus von damals, meine Apologie der preußischen Haltung psychologisch richtig beurteilen, wenn man sie nicht zusammensähe mit der vor dem Kriege erschienenen Erzählung »Der Tod in Venedig«, worin dem preußischen Ethos ein Untergang von ironischer Tragik bereitet werde. – Wie hoch steht diese Bemerkung über den trivialen Quengeleien des englischen Patrioten aus der Fremde!

Man wird nicht sagen können, daß ich auf meinen persönlichen Vorteil sehr sorgsam bedacht gewesen wäre, den Mantel nach dem Winde gehängt hätte. Die noch konservativen »Betrachtungen eines Unpolitischen« erschienen im Augenblick des Zusammenbruchs, 1918. Nicht einmal die Deutsch-Nationalen wußten etwas damit anzufangen. Sie haben immer ein von ihrem Standpunkt aus berechtigtes Mißtrauen gegen das Geistige gehabt, auch gegen konservative Geistigkeit. Als dann die nationalistische Flut wieder zu steigen begann, war ich so weit, mich ihr entgegenzuwerfen und trat mit der an die Jugend gerichteten Rede »Von Deutscher Republik« hervor. Ich hatte einfach etwas gelernt, – was viele andere nicht getan hatten. Ein Jahrzehnt lang habe ich, unter den giftigsten Anfeindungen, unter beständigen Opfern an Ruhe und Lebensbehagen, das Unheil abzuwehren gesucht, das ich kommen sah. Denn mein Blick war nun geschärft, ich verstand, was das Nazitum für Deutschland, für Europa und die Welt bedeutete, während die große Mehrzahl meiner Landsleute und mit ihnen Europa, mit ihnen die weite Welt es *nicht* verstand. Das muß man zu ihrer Ehre annehmen, denn wie stände es um die Welt-Demokratie, wenn sie den Nazi-Fascismus verstanden und ihm dennoch geholfen hätte?

Wenn ich erst 1933, im Exil, mein demokratisches Herz entdeckt hätte, so möchten die Ausgrabungen des Herrn Araquistain eine weniger stupide Illoyalität darstellen. Aber die Aufsätze des Buches »Order of the Day« sind mit Jahreszahlen versehen; er weiß, wie früh es mir gelang, meinen Humanitätsbegriff politisch zu vervollständigen, im Menschheitskampf meinen rechten Platz zu finden und in diesem Kampf meine Pflicht zu tun. Trotzdem entblödet er sich nicht, die blöde Frage zu stellen: »Who is the real Thomas Mann, the author of ›Gedanken im Kriege‹ or the author of ›Order of the Day‹?« Er weiß nichts von der organischen Einheit eines suchenden, wachsenden, sich in vielfältigen Werken bekennenden und bewahrenden Lebens. Aber er gefällt sich als Briefsteller für Literary Supplements.

Als Jüngling schrieb ich »Buddenbrooks, Verfall einer Familie«. Mit 50 den »Zauberberg«. Jetzt, wo ich mich den 70 nähere, steht das Erscheinen des Schlußbandes von »Joseph und seine Brüder« bevor. Das erste war ein deutscher Roman, das zweite ein europäischer, das dritte ein mythisch-humoristisches Menschheitslied. Ein wohlwollender Betrachter könnte von einem – unbewußt durch große Vorbilder bestimmten – Entfaltungs- und Vergeistigungsprozeß reden. Der geschätzte Mitarbeiter der London Times versteht von einem solchen Leben soviel, wie der Ochs vom Lautespiel.

Ich glaube nicht, daß seine Anzeige alter Schriften mir die Dankbarkeit vieler tausend gequälter Herzen entwenden wird für manches tröstliche, befestigende Wort, das ich in dunkelster Zeit gesprochen; noch daß sie die Nachwelt in dem Urteil beirren wird, ich hätte nicht nur einiges Schöne hervorgebracht, sondern sei auch immer, auf allen Stufen meiner Einsicht, bemüht gewesen, mich ins Gute und Rechte zu denken.

Sincerely yours

Thomas Mann

An Agnes E. Meyer

Pacific Palisades, California
1550 San Remo Drive
22. Jan. 1944

Dear Madam,

Ihre Glückwünsche zur Citizenship wären ja in der Tat zu früh gekommen. Wir werden auf den letzten Schwur und das Papier selbst wohl noch ca. 3 Monate zu warten haben. Nur die Vorbedingungen für das Ereignis sind geschaffen, viele Ämter müssen noch zustimmen, – und wie, wenn die F.B.I. uns wegen premature anti-fascism einen Strich durch die Rechnung macht? Aber ich glaube, dann würde die Washington Post eine campaign eröffnen.

Etwas gibt es zu gratulieren: Der Book of the Month Club hat sich

»Joseph the Provider« für einen der Monate zwischen Mai und Dezember reserviert. Das bedeutet einen neuen Aufschub für das Erscheinen des Bandes. Aber es hat seine Vorzüge unter dem Gesichtspunkt des Wohllebens.
Mit dem deutschen Druck sollten Sie sich keinesfalls plagen, solange Sie sich nicht recht frei und in Stimmung dafür fühlen. Aber eine Klage möchte ich in diesem Zusammenhang bei Ihnen anbringen. Bermann (L. B. Fischer Publishing Corp.) ist wegen der kleinen deutschen Auflage hier, an der mir viel liegt, in großer Verlegenheit. Es ist ja so, daß die Verlage nur so viel Papier verdrucken dürfen, wie sie i. J. 1942 verbraucht haben. Verleger, die mehr brauchen, hatten die Möglichkeit, für den Mehrverbrauch von einem andern Verlag, der weniger Bedarf hatte als i. J. 1942, zu kaufen. Da Bermann damals für den Bermann-Fischer Verlag nur sehr wenig Papier verbrauchte, war sein »allotment« für den Joseph viel zu gering. Er wollte das Fehlende dazukaufen, hatte auch seine Vereinbarungen für die Photo-Vervielfältigung getroffen und alles für den Druck vorbereitet. Da kam eine Verordnung vom War Production Board, daß in Zukunft der Handel mit Papier zwischen den Verlegern verboten ist. Als einziger Weg bleibt nun ein Antrag des Verlages beim W. P. B. Aber nach den Erfahrungen anderer mit fremdsprachigen Büchern, ist ein Erfolg sehr unwahrscheinlich.
Das bekümmert mich, denn viele deutsch Lesende hierzulande sind neugierig auf das Buch, und bei der kleinen Auflage, die natürlich nur in Betracht kommt, wäre die zu bewilligende Papiermenge so gering, sie spielte im Gesamt-Etat gar keine Rolle.
Könnte nicht etwas geschehen? Könnte man nicht Freund Archie oder auch Wallace bestimmen, einen sanften Druck auf das W. P. B. zu meinen Gunsten auszuüben? Wüßten Sie sonst einen Weg? Sie sehen, ich traue Ihnen alles zu, und mein erster Gedanke sind immer Sie, wenn Not am Manne ist. Aber nicht nur dann!
Nur soviel für heute. Es gibt viel zu tun. – Ihr Bericht über Ihre Rolland-Lecture war sehr witzig, besonders Ihre Kritik der französischen Erotik. Die Liebesnacht als unentbehrliche Vorbedingung zum Komponieren mutet auch mich etwas dilettantisch an. Es ist etwa so, wie der kleine Moritz sich die »Kunst« vorstellt. Besser ist es bei Turgenjew, im »Adeligen Nest«, wo der arme deutsche Musiker seine wunderschöne Melodie erfindet als *Ersatz* für die Liebesnacht, die einem Andern zufällt.

Auf den Barzun bin ich begierig. Warten Sie nur, der Tag wird kommen, wo auch ich die deutsche Romantik wieder verteidigen werde. Ich warte nur, bis Hitler in Argentinien ist.

Ihr T. M.

An Philip S. Bernstein

Pacific Palisades, California
1550 San Remo Drive
January 27, 1944

Dear Rabbi Bernstein:
Please excuse the slip of memory and dictation which occured in my letter to you. I really knew quite well that it was not in Cincinnati, but in Rochester, where I had the pleasure of making your acquaintance. There was the great flood, there was the tremendous crowd in the dining car, and there were the two friendly Rabbis between whom I was sitting.
With kindest regards
affectionately yours

Thomas Mann

An Agnes E. Meyer

Pacific Palisades, California
1550 San Remo Drive
16. II. 44

Meine liebe Freundin,
ich möchte gern wissen, wann Sie zuletzt Nachricht von Ihrem Sohn gehabt haben und ob Sie ungefähr wissen, wo er sich befindet. Ich gestehe, daß kein Tag vergeht, ohne daß ich, um Ihret- und seinetwillen, mich um ihn sorge und mich nach seinem Ergehen frage, im Gedanken an Ihr Mutterherz, für das ich zittere, wie für das meiner eigenen Frau. Soviel ich weiß, gehört Bill der 5. Armee an, die in beständiger exponierter Aktion zu sein scheint. Auch war ich gequält und geängstigt durch die Nachricht von dem Bombardement amerikanischer Feld-Hospitäler. Leicht konnte er in einem von ihnen tätig gewesen sein. Was für ein Leben für uns alle, in dem das Schreckliche jeden Augenblick so nahe liegt! Die Meldung von dem Kriegs-Tode eines Sohnes des Harry Hopkins gab mir auch einen mahnenden Schreckensstich. Sie haben von einem beurlaubten Freunde direkte Nachricht gehabt von Bill und Näheres darüber gehört, wie er sich bei der Landung in Sizilien ausgezeichnet. Aber das ist recht lange her. Hat seit dem Besuch des Kamera-

den ein Brief von ihm Sie erreicht? Ich frage auch deshalb, weil wir gern hörten, in welchen Intervallen etwa Sie und Eugene Austausch mit Ihrem Krieger haben. Unser Ältester nämlich, der auch irgendwo *dort* engagiert sein muß, ist uns seit seiner Ankunfts-Depesche gänzlich verstummt.
An Knopf habe ich in der Übersetzungs-Angelegenheit noch nicht geschrieben und brauche es wohl nicht mehr zu tun, da er seinen Besuch hier für die nächste Zeit angekündigt hat. Wir können dann die schwebenden Fragen besprechen, und jedenfalls werde ich ihn bitten, sich wegen der Übersetzung nicht voreilig anderweitig zu binden. Ihm, wie Ihnen, werde ich sagen, eine wie ungewisse, weitschauende Sache es mit dem Roman ist, und wieviel Zeit wir haben werden, uns seinetwegen schlüssig zu werden. Ich schreibe langsam daran weiter, ohne von diesem und jenem zu wissen, ob es stehen bleiben wird. Der junge Adept hat jetzt vorläufig mit der Musik gebrochen und studiert in Halle Theologie – ein weites, sonderbares Feld. Oft werde ich unterbrochen durch schwer abweisbare Forderungen von außen: einen Artikel zu Br. Walters 50jährigem Dirigenten-Jubiläum für N.Y. Times Magazin habe ich eben abgetan. Weitere Kleinigkeiten wollen noch ersonnen sein.
Ihre Worte über Joseph IV haben mich herzlich erquickt. Es ist erstaunlich genug, daß Sie unter den gegenwärtigen Umständen es möglich machten, das Buch zu *lesen*. Aber nie dürfen Sie sich verpflichtet fühlen, darüber zu *schreiben*, sondern nur, wenn die Lust dazu est plus forte que vous. Natürlich freue ich mich, daß Sie Hoffnungen auf den äußeren Erfolg des Buches setzen. Daß die judges vom Buch-Club Vertrauen dazu hatten, ist freilich ein ermutigendes Zeichen. Der Reichtum, den die Wahl mir einträgt, wird allerdings von den Leuten meist stark überschätzt. Zunächst sind es (da Knopf von allem die Hälfte bekommt) bloß 12000 Dollars, eine brauchbare Summe natürlich. Sie *kann* sich verdoppeln, sogar verdreifachen. Aber das ist eine spätere Frage und hängt davon ab, ob die judges den Geschmack des Publikums richtig beurteilt haben. [...]
Golo berichtet von seinen dienstlichen Erlebnissen ganz märchenhafte Dinge. Einige Wochen hat er unter den primitivsten Verhältnissen irgendwo in Wald und Flur verbracht. Plötzlich erhält er den Befehl, sich in Washington zu melden, d.h. sich an eine bestimmte Straßenecke zu stellen und, wenn ein Wagen dort hält, zu fragen:

»Is this the car of Mrs. Smith?« Er wird dann in den Wagen aufgenommen und zu einem wundervollen, Mount Kisco-artigen Landhaus gebracht, einem Schloß mit großer Bibliothek, in der er zusammen mit einer Anzahl anderer bebrillter Männer zu studieren hat, um dann Instructor zu werden. Phantastisch!
Amerikanischer als alles, was Sie mir von den Licht- und Schattenseiten der amerikanischen Civilisation erzählen können, ist folgende Meldung von der Front page der Los Angeles Times:

Bird to Sing at Funeral Tacoma (Wash.) Febr. 14.

Dickie, his pet canary, will sing, accompanied by a harpist, at funeral services tomorrow for John H. Dilderoy, 73.
Ich habe Tränen gelacht, als ich es beim Frühstück las, und kam mit feuchten Augen zum Schreibtisch.
Herzlich

Ihr T. M.

An Harry Slochower

Pacific Palisades, California
1550 San Remo Drive
18. II. 44

Lieber Herr Slochower,
vielen Dank für die Übersendung Ihrer Schrift. Sie hat sehr dazu gedient, mich der Philosophie Dewey's näher zu bringen, was bitter nötig war.
Außerordentlich frappiert war ich von dem Citat »that ideas have been in fact only reflections of practical measures – – – so that what passes as psychology was a brand of political doctrine.«
Was für ein Realismus! Oder eigentlich heißt das wohl »Ideologie-Verdacht«. Wir alle haben diesen Stachel im Fleisch. Man hat gut sagen: Krieg wird es erst dann nicht mehr geben, wenn die kapitalistische Wirtschaftsform gefallen ist. Aber kann man nach allen Erfahrungen zweifeln, daß die Menschen unter allen Umständen Vorwände finden werden dafür, einander abzuschlachten? Was kein Grund ist, nicht dem Sozialismus zugunsten zu reden. Aber den Frieden wird wohl auch er nicht bringen, sondern eher mag die Physik es tun durch die Entfesselung des Uran-Atoms, denn mit der wird freilich der Spaß aufhören.
Noch immer tut es mir leid, daß es damals zu einem Besuch in Brooklyn bei mir nicht mehr »reichte«. Es reicht nachgerade zu manchem nicht mehr, – hoffentlich eben noch zu dem verdammt

schwierigen Roman, noch einem Roman!, auf den ich mich leichtsinniger Weise eingelassen habe.
Bestens
Ihr Thomas Mann

An Annette Kolb

Pacific Palisades, California
1550 San Remo Drive
6. April 1944

Liebe, verehrte Freundin,
Ihren reizenden Brief erhielt ich noch zuletzt in Chicago, von wo wir gestern nach 14tägigem Aufenthalt zurückgekehrt sind. Der Besuch galt Medi und dem neuen Enkelkind Domenica. Alles ist sehr gut gegangen, die kleine Mutter erholt sich rasch, das Kind ist gesund und das schon 3 Jahre vorhandene Schwesterchen, Angelica, so glücklich über das Wundergeschenk, daß sie, wenn die Mama telephoniert, an den anderen Apparat geht und berichtet: »I got a baby!« Für den Hörer muß es etwas unheimlich klingen.
Wir hatten Schneesturm, Hagel, Wintergewitter, mörderische Winde dort, und ich bin froh, mit heiler Haut, bis auf den obligaten Schnupfen, den die Sonne hier bald kurieren wird, wieder zu Hause zu sein. Von jüngeren Genossen macht einer nach dem anderen schlapp, – Werfel, Lubitsch, Speyer, Schoenberg: alles schwere Herzgeschichten; und jetzt in unserer Abwesenheit wäre Bruno Frank beinahe an einer Coronar-Thrombose gestorben, einem Gerinnsel in einem der umgebenden Herzgefäße. Es scheint noch gut zu gehen und resorbiert zu werden, war aber höchst kritisch, und er muß noch Wochen immobil bleiben. Man kommt sich neben all den Kollapsen noch ganz prächtig vor und wie der standhafte Zinnsoldat. –
Den 10. IV. – Immerhin, der »obligate Schnupfen« war nicht so leicht zu nehmen, es wurde eine ganz richtige Bronchitis daraus, wegen der der Doktor mich ein paar Tage im Bett festhielt. Ich hasse das, die zerwühlten Kissen sind der unbequemste Aufenthalt, und da es zu keinem Fieber kam (ich bin sehr schwer zum Fiebern zu bringen), so habe ich die vertikale Lebensweise wieder aufgenommen, ohne gerade alle Segel zu setzen, denn der Katarrh macht etwas matt.
Ob Sie Erika unterdessen gesehen haben? Sie liebt Sie ja auch, das wissen Sie doch wohl! Überhaupt – oder »überhaupts«, wie man

in München sagte, – wer liebte Sie nicht? In meinem Umkreise sehe ich niemanden. Wir erwarten E. in etwa 8 Tagen – zu einem Besuch, der auch wohl nicht länger dauern wird, als eben 8 Tage, dann wird es die Tatendurstige wohl wieder nach Europa treiben. Merkwürdig, wie die Kinder, eins nach dem andern, dort lange vor uns wieder landen. Von Klaus hatten wir gerade heute ein paar winzig photographierte Briefe aus Italien, – wohl aus Neapel oder doch von nahebei, da er schreibt, daß er viel italienische Oper genießt. Im Übrigen macht er psychological warfare und speist verhungerte bambini. Und Golo, – Sie sollten besser wissen, als wir, ob er noch in New York, seinem Einschiffungshafen, ist. Wahrscheinlich ist er unterwegs nach Engelland oder auch schon dort. [...]
Herzlichst

Ihr Thomas Mann

An Siegfried Marck

Pacific Palisades, California
15. April 44

Lieber Herr Professor,
schönen Dank für Ihre Mitteilung und viel Glück zur Mitgliedschaft. Sie wissen ja, daß ich Ihnen nur »eher« abriet. Aber so ist es auch ganz gut, und Tillich ist jedenfalls ein braver Mann. Er hat mir einen sehr lesenswerten Aufsatz über Existenz-Philosophie geschickt, den er handschriftlich einen »Beitrag zur tragischen Geschichte des deutschen Geistes« nannte. Es gehört zum deutschen self-pity (Gegenstück der Brutalität), immer mit »tragisch« und »dämonisch« bei der Hand zu sein, wenn es sich um unsere Unfähigkeit handelt, mit dem Leben in ein gesundes, uns und anderen wohltätiges Verhältnis zu kommen. Ich sehe das wohl, kann aber doch auch nicht anders, als einen Roman zu schreiben, der die deutsche Tragik und Dämonie zum mehr oder weniger geheimen Gegenstand hat.
Eben besuchte uns G. Seger. Ich sagte ihm offen, daß mir die Russenfresserei der Volkszeitung auf die Nerven gehe. Er distanzierte sich und erklärte, auch für seinen Geschmack trieben Katz und Stampfer es etwas zu bunt.
Ihr ergebener

Thomas Mann

An Lion Feuchtwanger Pacific Palisades
April 1944

Lieber Lion Feuchtwanger,
es kommt mir recht drollig vor, daß ich auf diesem Büttenpapier via New York zu Ihnen reden und Ihnen meine Glückwünsche zum 60. Geburtstag darbringen soll, da wir doch Nachbarn sind an dieser leicht unwirklichen Küste und ich nicht selten die Freude habe, Sie zu sehen, auch nichts mich hindern soll, Sie am 7. Juli in Ihrem Schloß am Meer persönlich aufzusuchen und dem jungen Kollegen – mein Gott, 60 war ich schon, als Hitler in seiner Sünden Maienblüte stand – ermutigend die Hand zu drücken. Das wird besser sein, als Ihnen zu schreiben. Aber fehlen will und darf ich nicht, wenn die literarische Welt sich zur Kollektivhuldigung für Sie und Ihr reich gesegnetes Leben zwischen schmucken Mappendeckeln zusammenfindet, obgleich man an Festtagen lieber nicht wäre, was man alle Tage ist, nämlich formulierender, Worte wägender Schriftsteller.
Lassen Sie michs kurz und herzlich machen! Lassen wir auch dies hier mehr einen Händedruck sein, als ein Fest-Essay! Es wird Ihrer Beobachtung kaum entgangen sein, daß ich Sie gern habe und mit Vorliebe Ihr Gespräch suche, wenn wir in Gesellschaft zusammen sind. Das erklärt sich leicht. Sie sind ein lieber, heiter mitteilsamer, ein – verzeihen Sie das Wort – treuherziger Mann, dessen gut münchnerische Rede Behagen schafft; Sie sind zudem ein kenntnisreicher, erfahrener Mann, von dem man etwas lernen kann; und hinter Ihrer menschlichen Persönlichkeit steht ein vielfältiges, energisches, historisch wohlunterrichtetes und in der Kritik unserer eigenen Epoche klar- und scharfsichtiges Werk, ein glückhaftes Werk, das seit seinen Anfängen schon die verbreitetste Anteilnahme, in Deutschland zuerst, dann draußen in Ost und West, in Rußland sowohl, wie in den angelsächsischen Ländern gewann. In England hab ich's selbst gehört: Wenn einer etwas sehr loben wollte, so sagte er: »It's nearly as good as Feuchtwanger.«
Eine bewundernde Gewogenheit war es immer, was Ihre Existenz mir einflößte. Glück und Erfolg sind mit Ihnen geboren, sie werden Sie niemals verlassen. Sie sind ein tröstliches Beispiel dafür, wie die Heiterkeit individueller Bestimmung sich durchsetzt gegen die Düsternis der Umstände. Die Epoche hat Ihnen mitgespielt wie uns allen. Sie haben Einbußen erlitten und Schimpf erfahren, sind von

Ihren Wurzeln gerissen worden, durch persönliche Gefahren gegangen, – ich habe Sie nie anders als lachend davon sprechen hören, und alles ist gut für Sie ausgelaufen. Ich glaube, Sie waren der erste, der sich in der Emigration ein mehr als würdiges, ein glänzendes Heim zu schaffen wußten: in Sanary sur mer, wo wir zusammen die ersten Monate nach unserer Entlassung als deutsche Schriftsteller verbrachten. Ich hätte gern den Goebbels durch Ihre Räume geführt und ihm die Aussicht gezeigt, damit er sich gifte. Nun warten Sie, rastlos tätig, als ein geehrter Gast dieses weiten, schon traulich gewordenen Landes das Ende der blödsinnigen Episode ab, die sich National-Sozialismus nennt, und zu deren Vermeidung Sie, das können Sie sagen, Ihr Bestes versucht haben. Da Sie erst 60 sind, junger Mann, werden Sie, anders als der Unterfertigte, ein gut Stück noch hineinlegen in das, was nachher kommt. Ob ich sehr viel dabei verliere, ist eine Frage, die wir beiseite lassen wollen. Den Untergang der Schande des mörderischen Unsinns, der uns aus Deutschland vertrieb, werden wir, wenn nicht alles täuscht, zusammen erleben, zusammen feiern und, jeder zu seiner Stunde, aus dem Leben mit der immerhin beruhigenden Erfahrung scheiden, daß auf dem Stern, dessen flüchtige Bekanntschaft wir machten, zwar allerlei literarisch nicht Einwandfreies möglich ist, daß aber das Allerdümmste und Niederträchtigste sich denn doch nicht länger als ein knappes Dutzend Jahre darauf zu behaupten vermochte.

Ihr Thomas Mann

An Fritz Lissauer

Pacific Palisades, California
1550 San Remo Drive
19. April 1944

Sehr geehrter Herr Lissauer!
Es war mir ein rechtes Vergnügen, Ihren freundlichen Brief zu erhalten, der freilich lange gebraucht hat, bis er zu mir gelangte. Erst vor einigen Tagen traf er ein.
Zu meiner Beschämung muß ich gestehen, daß ich mich an Ihre Person, – trotz Bemühungen Sie mir wieder vor Augen zu rufen, nicht erinnern kann. Ich war in einer Klasse, ich glaube in Untersekunda, mit einem geweckten, besonders im Kopfrechnen hervorragenden Jungen namens Goslar zusammen, den der alte Rechenlehrer Meyer beständig als den »Schüler Lissauer« bezeichnete, wor-

auf der Junge auch ganz freundlich und gutwillig hörte. Aber der können Sie nicht gewesen sein.
Die Hauptsache ist, daß Sie meiner freundlich gedenken und mir Gutes von sich selbst berichten können. Was mich betrifft, so habe ich nach einem Aufenthalt von fünf Jahren in der Schweiz in Amerika eine neue Heimat gefunden, die mir und meiner Arbeit wohl will, und an die ich mich sehr gewöhnt habe. Das hindert nicht, daß mein Wunsch sehr stark ist, Europa und namentlich Deutschland möchte sich uns allen bald wieder öffnen, wobei ich für meine Person weniger an die leibliche Rückkehr dorthin denke, als an die Wiederherstellung des geistigen Kontaktes zwischen der deutschen Öffentlichkeit und mir.
Mit nochmaligem freundlichstem Dank für Ihre Zeilen bin ich, sehr geehrter Herr Lissauer,
Ihr ergebener
Thomas Mann

An Agnes E. Meyer
Pacific Palisades
28. IV. 44

Teuerste Freundin,
ich war gleich besorgt, ob nicht der Artikel, den Sie zuerst sandten, zu gut, zu hoch, zu lang, zu essayistisch sein würde für diesen Zweck. Man brauchte eine persönliche Plauderei. Die ist nun *auch* da, ebenso wohlgelungen in ihrer Art, wie der erste Aufsatz, und ich kann froh sein und von Glück sagen, daß gleich zwei solcher Dinge bei dieser kleinen Gelegenheit zustandegekommen sind – auf Kosten größerer Interessen, was mein Gewissen etwas beschwert.
Das heute Gelesene ist reizend, – eine feine Kohle- oder Rötel-Zeichnung, die von einem klug und warm hinschauenden Auge und einer so zarten wie festen Hand zeugt. Das Blättchen des Clubs könnte sich nichts Besseres wünschen – und ich wahrlich auch nicht. Sie haben aus dem unmöglichen alten Burschen noch etwas ganz Passables, zwar leicht Unheimliches, aber auch Neugier Erwekkendes gemacht, ein Bild, von Freundschaft leicht verklärt, aber, soweit ich urteilen kann, ohne einen unwahren Strich. Was mir in beiden Portraits allenfalls fehlt, ist die Feststellung eines sense of humor oder doch for comicality, der sich ja gerade im IV. Joseph fast unerlaubt stark hervortut (die Schweizer schrieben, man müsse

fast beständig lachen) und wohl auch im Persönlichen nicht ganz fehlen kann. – Aber es wäre noch schöner, wenn ich zu mäkeln anfinge!
Es versteht sich, daß der erste Artikel bedeutender, ernster, großartiger war, – so, wie es Ihnen eben natürlich ist, – und ein Jammer wäre es, wenn er umsonst geschrieben sein sollte. Atlantic bringt jetzt gerade die vorige Washingtoner Rede – wird der Mann nicht fürs erste von T. M. genug haben? Es muß sich zeigen. Wenn Sie noch die Hand legen an das schöne Stück: – ein klein wenig zu eremiten- und hagestolzenhaft haben Sie mich darin vielleicht geschildert. Ich habe ja *gern* Gäste (wenn ich ihnen Vertrauen entgegenbringe), liebe ausnehmend Feste, Geburtstage, Champagner, Weihnachten mit Kindern und Enkeln, Vorlese-Abende im Freundeskreise, mag Tiere gern, bin überhaupt nicht ohne *Sympathie.* Aber, noch einmal: es wäre noch schöner...
»Königliche Hoheit« – man darf das Buch nicht zu persönlich nehmen, obgleich das Persönliche Anteil daran hat und dafür benutzt wurde. Schon 1910 habe ich davon gesagt: »Es malt sich symbolisch darin die Krise des Individualismus, in der wir stehen, die geistige Wendung zum Demokratischen (!), zur Gemeinsamkeit, zum Anschluß, zur Liebe...« Ich glaube, man darf in dem seither übertroffenen und leicht zu übertreffenden Märchen-Roman einen Markstein sehen in der Entwicklung, die zur Zeit der »Betrachtungen« durch das Aufbegehren des protestantischen und romantisch-antipolitischen Elementes in mir unterbrochen und dann bewußter wieder aufgenommen wurde. –
Dies ist ein *Dankes*brief. Muß ich es hinzufügen?

Ihr T. M.

An Ernst Reuter

Pacific Palisades, California
1550 San Remo Drive
29. April 1944

Sehr verehrter Herr Doktor Reuter!
Dankbar melde ich Ihnen, daß Ihr sehr ergreifender Brief sicher in meine Hände gelangt ist, und daß auch die Abschrift nebst dem Heft mit Ihrer denkwürdigen Hauptmann-Rede ihm in kurzem Abstande nachgefolgt ist.
Lassen Sie mich Ihnen im Drang der Arbeit und Geschäfte und übrigens etwas beeinträchtigt von einem Bronchialkatarrh, den ich

aus dem klimatisch furchtbaren Chicago mitgebracht, nur Folgendes erwidern:
Ich widerstrebe aus Gründen des Gewissens und des Taktes einem gewissen deutschen Emigranten-Patriotismus, der sich mitten im Kriege, zu einem Zeitpunkt, wo der Feind noch bedrohlich stark ist, und die schwersten Opfer für den Sieg über ihn noch zu bringen sind, gleichsam mit ausgebreiteten Armen vor Deutschland stellt und verkündet, daß diesem Lande auf keinen Fall etwas geschehen darf, da doch den anderen europäischen Nationen durch eben dieses Deutschland das Unglaublichste geschehen ist. Ich halte das jetzt, wo wir von dem gegenwärtigen Deutschland und den Kräften, die dort für die Sache der Freiheit lebendig sind, noch ein so undeutliches Bild haben, für verfrüht und halte es als Deutscher nicht für schicklich, den Männern Ratschläge zu geben und Vorschriften zu machen, die nach dem noch weit entfernten Siege die Vorkehrungen zu treffen haben werden, die ihnen zur Sicherung des Friedens nötig erscheinen. Aus der Haltung gewisser politisch aktiver Emigranten spricht nicht das geringste Gefühl dafür, was Deutschland den anderen Nationen zugefügt hat und immer noch fortfährt, zuzufügen. Es spricht daraus nicht die geringste Besorgnis, diese Nationen in ihrem nur zu berechtigten Gefühl zu kränken. Diese Leute warnen davor, Deutschland einen unweisen und ungerechten Frieden aufzuerlegen. Ich meine nun aber, ein Deutschland auferlegter Friede könnte unweise sein, und man muß hoffen, daß Mäßigkeit und Weitsicht auf Seiten der Sieger einen solchen verhindern wird, aber einen ungerechten Frieden für Deutschland gibt es nach allem, was geschehen, überhaupt nicht.
Dies ist mein Gefühl, meine Überzeugung, und ich muß, auch wenn ich mir Feindschaft dadurch zuziehe, danach handeln, oder vielmehr Handlungen unterlassen, die damit in Widerspruch stehen. Aber obgleich im Begriff, amerikanischer Bürger zu werden, und umgeben von englisch sprechenden Kindern und Enkeln, bin und bleibe ich ein Deutscher, welche problematische Ehre und welch sublimes Mißgeschick das nun immer bedeuten möge. Ich bin entschlossen, der deutschen Sprache niemals untreu zu werden, mein Lebenswerk in ihr zu Ende zu führen und ersehne nichts mehr als den Augenblick, wo sich Europa meinem Werk wieder öffnen wird, und wo ich mit denjenigen meiner Landsleute, die noch etwas von mir wissen und wissen wollen, wieder in geistigen Kontakt

treten kann. Was ich, wie Sie sagen, an moralischem und geistigem Gewicht etwa einzusetzen habe, das soll, Sie mögen dessen versichert sein, dem Lande, in dessen Kultur ich wurzele, zur Verfügung sein, wenn aus diesem Kriege ein gereiftes, gereinigtes und zur Sühne williges Deutschland hervorgeht, das dem sündhaften und weltfeindlichen Superioritätswahn abgeschworen hat, der es in diese Katastrophe trieb.
Nehmen Sie meine besten Wünsche und Grüße!
Ihr sehr ergebener Thomas Mann

An Clifton Fadiman

Pacific Palisades, California
1550 San Remo Drive
29. Mai 1944

Dear Mr. Fadiman;
aus den Zeilen, die ich Ihnen neulich sandte, haben Sie ersehen, daß ich den guten Willen hatte, der Aufforderung nachzukommen, die Sie, auch im Namen des Writer's War Board an mich richteten. Gerade Ihnen, dem mein Werk soviel kluge und empfängliche Fürsprache beim amerikanischen Publikum verdankt, glaubte ich nicht verstummen zu dürfen, und so habe ich mehrere Tage ausschließlich dem Versuch gewidmet, mich mit dem Manifest des »Council for a Democratic Germany« auseinanderzusetzen und zu erklären, weshalb ich, wie viele andere namhafte Deutsche, die in diesem Lande leben, der Kundgebung meine Unterschrift verweigert habe. Meine Hemmungen dabei waren von Anfang an sehr groß; im Lauf der Bemühungen haben sie sich als unüberwindlich erwiesen, und ich habe mich überzeugt, daß ich es, wenigstens zur Zeit, bei dem negativen Akt meiner Ablehnung, den Aufruf zu unterzeichnen, muß sein Bewenden haben lassen.
Die erste, rein technische Schwierigkeit besteht darin, daß es mir, wie ich nun einmal bin, nicht gegeben ist, mich über den unendlich komplexen Gegenstand »Deutschland und die Welt«, »Deutschland und die Emigration«, »Deutschland und der Friede«, »What to do with Germany« in einer knappen Erklärung zu äußern, die man der Presse übergeben kann. Ein zweites persönliches Hemmnis ist die Tatsache, daß mein Bruder Heinrich das Manifest mit unterzeichnet hat, und daß sich also meine Polemik dagegen auch gegen ihn richten würde. Etwas Drittes kommt hinzu: die Kundgebung ist

durch eine Reihe sehr glänzender Namen des liberalen Amerika gedeckt, denen ich Achtung schuldig bin, und denen ich nicht gut sagen kann, daß sie eine schlechte, zumindest zweideutige Sache in ihren Schutz genommen haben.
Das alles aber wäre noch nicht ausschlaggebend, würde mich wahrscheinlich noch nicht entscheidend hindern, Ihrer Anregung zu folgen. Die Wahrheit ist, daß ich beim Schreiben unweigerlich in den umgekehrten Fehler verfallen würde wie die Herren vom »Council for a Democratic Germany«. So sehr ich davon durchdrungen bin, daß es zu früh ist, Mitleid mit Deutschland zu haben, so unverantwortlich gewagt ich es finde, wenn deutsche Emigranten heute die Bürgschaft für das künftige demokratische Wohlverhalten Deutschlands – eines uns allen wildfremd gewordenen Landes – auf sich nehmen, [...] so unschön und selbstzerstörerisch scheint es mir auch wieder, wenn ein Deutscher meiner Art, der auch als amerikanischer Bürger der deutschen Sprache treu zu bleiben, sein Lebenswerk in ihr zu beenden gedenkt, sich heute zum Ankläger seines verirrten und schuldbeladenen Landes vor dem Welt-Tribunal aufwirft und durch sein möglicherweise nicht einflußloses Zeugnis die äußersten, vernichtendsten Beschlüsse gegen das Land seiner Herkunft herausfordert.
Die Gefahr ist gering, daß Deutschland aus diesem Kriege allzu glimpflich davonkommt. Weder die Pläne der European Advisory Commission in London, noch russische Äußerungen lassen darauf schließen. Deutschland hat längst zu büßen angefangen und geht ohne Zweifel noch viel härterer Sühne entgegen. Ich habe dagegen nichts einzuwenden. Ich habe ja Deutschland verlassen, weil ich überzeugt war, daß Hitler den Krieg bedeutete, und daß dieser Führer Deutschland in Chaos und Ruin, in die Katastrophe, führen werde. Nun denn, die Katastrophe ist da, oder sie nähert sich mit Riesenschritten. Auch das deutsche Volk hätte sie vorhersehen müssen. Geschieht ihm Böses, so kann man nur fragen: Was hat es sich denn gedacht? Daß für einen Exzeß, einen Rausch des Kalibers, wie der, den es sich geleistet hat, nicht bezahlt werden muß? Es wird Sache der verantwortlichen Staatsmänner der Welt sein, die Entscheidungen zu treffen, die ihnen geeignet scheinen, zu verhindern, daß Deutschland in zehn oder zwanzig Jahren die Welt abermals in eine Kriegskatastrophe stürzt. Ich werde mich über keine Maßnahme wundern, die man zu diesem Zwecke für nötig hält. Aber

können Sie es einem deutschen Schriftsteller verargen, wenn er nicht gerade als Scharfmacher der Nemesis vor seinem Volke in aller Zukunft dastehen möchte?
Da Sie alles sehen und alles lesen, ist Ihnen möglicher Weise auch mein Beitrag im letzten Heft von Atlantic Monthly vor Augen gekommen. Es ist ein notwendig unzulängliches und fragmentarisches Beispiel für die grüblerische Beschäftigung mit den Weltproblemen, die beständig neben meiner künstlerischen Arbeit herläuft. Zur Ergänzung will ich mein jüngst über BBC gesandtes Broadcast nach Deutschland im Original veröffentlichen, das insofern mit dem Manifest des Council zu tun hat, als es sich gegen das Schlagwort von der bevorstehenden Versklavung des deutschen Volkes richtet, das ganz danach angetan ist, die neue Parole für die nationalistische Revanche zu werden und die Rolle zu spielen, die nach 1918 die Wörter »Dolchstoß« und »Schandfrieden« gespielt haben.
Mit besten Grüßen

Ihr Thomas Mann

An Viktor Polzer

Pacific Palisades, California
1550 San Remo Drive
30. Mai 44

Sehr verehrter Herr Polzer,
wie lange ist es schon, daß ich mich zu entschuldigen habe wegen meines Säumens, Ihnen Ihr Manuskript zurückzugeben und Ihnen zu danken für das Vergnügen, das es mir bereitet hat! Zur Entschuldigung führe ich am besten den Anfang eines Briefes Martini Lutheri vom Jahre 1542 an: »Ich habe nicht Zeit, viel zu schreiben. Ich bin abgemattet von Alter und Arbeit – alt, kalt, ungestalt, wie man sagt – aber auch so läßt man mir keine Ruhe, man peinigt mich von Tag zu Tag mit einer Masse von Fällen und Schreibereien...« Ein zutreffendes Bild meines Daseins, – so wenig ich sonst mit Luthern gemeinsam habe, mit den »Fällen und Schreibereien« stimmt es. Und auch mit dem äußerst pessimistischen Blick stimmt es leider, den er danach in Welt und Zeit tut, in die Zukunft Deutschlands und des Türkenkrieg-Europa: »Der Welt droht Untergang; darauf deutet gewiß das Wüten Satans und daß die Menschheit zum Vieh wird.« Kenn' ich, kenn' ich. Meine Laune und mein Ausblick auf das, was wir in Europa noch erleben werden und dann hier, sind nicht viel heiterer.

Darf man in solchen Zeiten so übermütig lustiges, dalberig-sorgloses Zeug schreiben, wie Sie es mit Ihren Tiergeschichten getan haben? Nun, ich bin der Letzte, der die Frage stellen sollte, denn ich habe ja in diesen elf Schreckensjahren nichts anderes getan, oder doch in der Hauptsache nichts anderes, als ein von Grund aus humoristisches Werk, die Joseph-Serie, zu beenden, auf das die Nachwelt einmal mit Erstaunen blicken wird, weil sie kaum glauben wird, daß dergleichen in unseren Läuften entstehen konnte. Eine ähnliche Verwunderung wird wohl einmal Ihr Buch erregen. Und doch wird es nur das nicht unbekannte Phänomen der Freiheit des Geistes sein, dem man da wieder einmal begegnen wird. Geistesfreiheit bedeutet ja nicht sowohl, daß einer nicht an Gott glaubt, als vielmehr die Unabhängigkeit des Geistes von verdunkelnden und niederdrückenden Umständen, die Fähigkeit, gegen das Finstere das Helle und Heitere, gegen das Quälende das Erquickende, gegen den Haß das Liebevolle durchzusetzen. Das haben Sie getan mit Ihren Arche-Noah-Scherzen, nicht aus Stumpfheit gegen die Leiden und Sorgen der Zeit, wie ich zu sehen glaube, sondern aus dem Bedürfnis, sich und andere darüber zu erheben. Eigentlich haben Sie Ihren Dank ja dahin, aber ich denke, Sie werden noch Dank dazu aus der Welt dafür haben, wenn nicht sogleich, so später. Nicht so rasch werden Zeiten kommen, wo die Menschheit der Erleichterung nicht bedarf. Ich persönlich kann nur sagen, daß ich, in meiner Sofaecke, den freien Humor Ihres Werkes herzlich zu schätzen gewußt habe – wobei ich ja gelegentlich sogar in die Sphäre eigener – mythologischer – Spiele zurückversetzt wurde, etwa durch das Tempelschwein.

Gute Wünsche und Grüße! Thomas Mann

An Agnes E. Meyer

Pacific Palisades, California
1550 San Remo Drive
3. Juni 44

Teuerste Freundin,

Ihr Geburtstagsbrief hat mich tief ergriffen. Haben Sie Dank, tausend Dank für Ihr Gedenken, Ihre treuen Wünsche, für all Ihre Güte! Es ist ein Triumph, daß Sie nun doch den Artikel für die »Times« schreiben sollen. Das Blatt hat sich zu seinem eigenen Vorteil entschieden – und zu meinem – und zu Knopfs. *Sie* haben die

Mühe – fast bin ich froh, um Ihretwillen, daß man Sie auf 1500 Worte eingeengt hat: soviel läßt sich am Ende ohne viel Kopfzerbrechen und Zeitverlust über das scherzereiche Buch sagen.
Auch auf Ihren vorigen Brief, in dem soviel von Bill die Rede war, muß ich noch zurückkommen – aus einem Gefühl der Rührung, der Dankbarkeit und des Stolzes, das sich in mir erhalten hat, seit ich jene Blätter las. Es ist so schön, daß Sie in mir einen Menschen sehen, in dessen Brust Sie all diese heiligen Empfindungen, Ihre Mutterliebe, Mutterfreuden und -Ängste vertrauensvoll ausschütten können. Möchten Sie Ihr geliebtes Kind, diesen braven, ehrliebenden Jungen, den der Krieg vollends zum Mann geschmiedet hat, bald wohlbehalten und ruhmbedeckt in Ihre Arme schließen können!
Meine letzten Nachrichten vom British Broadcast in London lauteten dahin, daß die Macht der Gestapo doch einigen Schaden gelitten hat, nicht nur durch die Ansprüche des Krieges an man power, sondern durch ein Nebenprodukt der Bombardements: die Zerstörung einer Unmenge von Dokumenten. Ein Polizei-System ist natürlich von Dokumenten sehr abhängig. Immer mehr Leute tauchen unter, verschwinden, leben außer Kontrolle.
Die Nazis setzen offenbar alle ihre Hoffnungen auf Zwistigkeiten zwischen den United Nations, zwischen Ost und West, aber sogar auch zwischen England und Amerika, wenn nämlich der Krieg sich lange genug hinzieht, wofür zu sorgen sie entschlossen sind. Die Doktrin ist: Wer sich nicht ergibt, kann nicht besiegt werden, und die größte Katastrophe wäre, wenn die Deutschen die Moral verlören. Nur niemals aufgeben! Die Errichtung einer westlichen Front, sagt Goebbels, wird wahrscheinlich *teilweise* erfolgreich sein, aber der deutsche Verteidigungsplan besteht in ausgedehnten Rückzügen, die zwar Anglo-amerikanische Landungen nicht verhindern, aber die deutsche Armee intakt lassen. Solange dies der Fall ist und eine Front existiert, wird der Krieg fortfahren Menschen und Material zu kosten, und ein andauernder Krieg wird jene Zwistigkeiten erzeugen, die Deutschland zur Gewinnung eines Verhandlungsfriedens benutzen kann. Übrigens seien die Westmächte von ihrer öffentlichen Meinung abhängig, und die könne schließlich zu Deutschlands Gunsten umschlagen. Die gegenwärtige scheinbare Entschlossenheit der Westmächte beweise nichts. – Rußlands scheinbare Entschlossenheit auch nicht? möchte man fragen. Aber

wenn es aussichtslos ist, ganz dumm ist das alles nicht. Ich habe neulich tatsächlich einen Brief von einem Literatur-Professor im Staat Ohio bekommen, des Inhalts, *ich* hätte durch mein feindseliges Verhalten gegen das ganz unprovokative deutsche Regime die Welt in den Krieg gegen dasselbe gehetzt und sei verantwortlich für die 300 Billionen, die der Krieg Amerika bereits koste. Das Wenigste, was ich jetzt tun könne, sei, auf den schleunigen Abschluß eines Versöhnungsfriedens hinzuwirken. – Ein Narr, werden Sie sagen. Aber die Welt ist voll von Narren, und es ist doch unheimlich sowas zu lesen.

Tausend Grüße! Ihr T. M.

An Hermann Broch

Pacific Palisades, California
1550 San Remo Drive
7. Juni 1944

Lieber Herr Broch,
recht herzlichen Dank für Ihren Brief! Es war uns beiden eine Freude, von Ihnen zu hören. Daß der Vergil noch so im Rückstand ist, und daß Sie bis vor kurzem noch soviel Plage damit hatten, war ich mir nicht vermutend. Prospekte und Maschinen hatten mir den Eindruck erweckt, die beiden Ausgaben lägen fix und fertig vor. Meine Bestellung habe ich schon vor Wochen gemacht und bin enttäuscht, daß man noch auf das Zusammenkommen von weiteren 500 Subskribenten wird warten müssen. Nun, es kommt alles heran, wenn man nur aushält und *vor*hält. Die Massenpsychologie gehört auch zu den Dingen, die einen wünschen lassen, noch etwas zu verweilen. Fontane hat ein sehr hübsches Gedicht über das Immer noch ein Weilchen mitmachen wollen aus Neugier: »Das mit Bismarck, ja, das möcht' ich noch erleben.«
Herrn Spitz möchte ich gern behilflich sein, kann aber wohl nicht mehr tun, als ihm einen Brief schreiben, daß ich von der Wichtigkeit der Erhaltung seines Instituts überzeugt bin. To whom it may concern.
Die Leistung, die Mrs. Lowe mit der Übersetzung des scherzhaften Urwelt-Monstrums vollbracht hat, ist gewiß zu bewundern, aber natürlich tun Sie doch gut, mit der Lektüre von Volumen IV auf die deutsche Ausgabe zu warten. Versprochen hat Bermann sie für diesen Monat.

Übrigens interessiere ich mich für den Joseph nur noch unter sehr groben Gesichtspunkten. Was mich angeht, ist das Neue – es ist von allen meinen Unternehmungen das am leichtesten zu verpatzende. Aber ich erinnere mich immer, daß Goethe einmal kalt und hochmütig sagte: »Von Leiden kann ja in der Kunst nicht die Rede sein.« Punctum. – Kalt und hochmütig ist auch mein Held, nur daß er dadurch kein Olympier sondern des Teufels wird. Es ist ein Fall von intellektuellem Künstlertum, das dank seinem Sinn für die ungeheure Ausdehnung des Gebiets des Banalen am Rande der Sterilität lebt. Das treibt ihn dem Teufel in die Arme. Etwas sehr Modernes wird im mittelalterlichen Stil erlebt. Nicht reizlos, aber so heikel, daß man selber nach euphorischer Entspannung trachtet. Was ja vielleicht richtig ist. – [...]
Die Erholung der alten Dame ist eine Freude. Aber daß Erich Puerto Rico absagen mußte, schmerzt mich doch. Man muß vertrauen, daß dieses Land sich seine edlen Gaben noch zunutze macht.
Von den Söhnen haben wir regelmäßig gute Nachricht. Möge es so bleiben. [...]
Herzliche Grüße Ihnen und allen Princetoner Freunden!

Ihr Thomas Mann

Von Dr. H. Steiner hörte ich, daß Wolfskehl in Neu Seeland gestorben ist.

An Caroline Newton

Pacific Palisades
9. VI. 44

Liebe Miß Caroline,
Sie haben mich, oder richtiger: uns ja mit köstlichen Gaben überschüttet! Katja hat gleich ihr berühmtes »Tommy, du mußt!« gesprochen, und so schreibe ich denn, hätte es auch ohne die Anspornung getan. Kurz gefaßt muß mein Dank – mein herzlicher Dank! – sein, denn die Leute haben mir am 6. viel zu tun gegeben. Je höher die Altersziffer steigt, desto mehr wird man, scheint es, dafür bewundert, daß man solange hienieden aushält. Wirklich zeugt es ja von bemerkenswerter Dickfelligkeit.
Hoch-dramatisch akzentuiert war der Tag, – durch den offenbar glücklichen Beginn dessen, woran man kaum zu glauben gewagt

hatte, und was doch kommen mußte. Gewiß war der Anfang nicht das Leichteste vom Ganzen, und es ist viel, daß er geglückt ist. Aber ein Anfang ist es eben doch nur, und ein Riesen-Stück-Arbeit liegt vor den Europa-Stürmern, – die ja freilich auch Riesen sind.
Hoffen wir! Es war immer so sehr mein Wunsch, daß an meinem 70sten Friede sein möchte. Daß er höchstens, so weit Europa in Frage kommt, erfüllbar ist, sehe ich ein.
Wir waren ohne Kinder und Enkel an dem Tag und hatten nur einige gute Freunde zum Abendessen. Erika ist in England ebenfalls. Wenn sie nicht mit im ersten Invasions-Bomber war, so kann das nur daran liegen, daß Damen nicht zugelassen waren.
Alles Gute Ihnen und nochmals unseren Dank!

Ihr Thomas Mann

An Klaus Mann

Pacific Palisades, California
1550 San Remo Drive
25. Juni 44

Dear soldier – son,
this is to thank you für Deine interessante Sendung von Ende April, insonderheit für den Brief, den ich gleich als einen Geburtstagsbrief aufgefaßt habe und als solchen wenigstens gleich nach dem so hochdramatisch akzentuierten 6. Juni zu bedanken gewünscht hätte. Ich muß mich bei Dir wie bei so manchem anderen mit dem Unwohlsein entschuldigen, von dem ich bald nach dem Tage befallen wurde, gewissen intestinal troubles, einer Art Magen- und Darm-flu, die jetzt hier umgeht. Auch Mielein war einige Tage häßlich davon angeflogen. Es macht einen sehr matt und unlustig.
Die Lettre hatte ich schon irgendwie mal zu sehen bekommen, aber so mit dem Duft Casablanca's zwischen den Blättern ist es doch was Besonderes damit. Die Gespenster-Reigen-Montage habe ich viel herumgezeigt. Der Eindruck ist noch mehr arm und erbarmenswert als schauerlich. Sie führen das deutsche Kulturleben fort und wissen nicht, wie es um sie steht. Daß der enorm gscheidte Pree ausgerechnet jetzt nach Ungarn fährt, um über die Feunheite der ostasiatischen Kunst zu schwätze, zeugt von der Abgestorbenheit der Begriffe. Und Pate Drosselmeyer mit dem rheinischen Dichterpreis. Es ist ein Elend.
Über uns weißt Du ja alles von Mielein. Vorgestern sind wir amerikanische Bürger geworden. Die Blätter haben Bilder und stories

gebracht, das Radio hat's auch erzählt, und in der Washington Post soll heute, Sonntag, ein editorial darüber stehen, zugleich mit Ag's Besprechung des Provider. Ein bißchen schlug mir das Gewissen von wegen der guten Tschechen, und ich sollte wohl Beneš noch einen Brief schreiben. Aber richtig und notwendig, wie alles liegt, war schon der Schritt, nicht nur der Schuldigkeit und allgemeinen Erwartung wegen, sondern auch weil mein Deutschtum in dieser großen kosmopolitischen Gemeinschaft am besten untergebracht ist. Auch werden wir ja doch wohl hier bleiben. Zwar verspreche ich mir von Europa sehr viel Interessantes, und glaube namentlich, daß Frankreich eine große geistige Rolle spielen wird. Aber nicht *viel* mehr von diesen Entwicklungen wird in meine Lebenszeit fallen, und vorderhand, so ahnt mir, werden wir noch Gräßliches mitmachen. Die Nazis sind entschlossen, von Europa mit sich zu reißen, was irgend sie fassen können, und wenn man ihnen nicht aus Angst vor den Folgen für Deutschland noch in den Arm fällt, werden sie das Äußerste an Zerstörung aufführen – und uns zwingen, daran teilzunehmen. Wie lange soll der Krieg dauern, und wie werden Städt' und Länder aussehen, wenn sie bis Berlin jeden Platz verteidigen wie jetzt Cherbourg? Wird doch vielleicht der deutsche Soldat nicht mehr mittun, wenn Paris gefallen ist? Ja, Du weißt es auch nicht.
Der alte Hesse (der übrigens etwas jünger als ich) hat sein »Glasperlenspiel« vollendet, und die beiden Bände sind zu mir gelangt. Höchst wunderlich. Spielt in einer Zukunft nach Abschluß der Kriegs- und Revolutionsepoche in einer gelehrt-künstlerischen Kulturprovinz. Der ergreiste Held stirbt schließlich, indem er einem Knaben in zu kaltem Wasser nachschwimmt. Dacht' ich's doch. Dabei fehlt es nicht an fast erschreckenden Verwandtheiten mit Adrian, und merkwürdiger Weise spielt ein gewisser Meister Thomas von der Trave eine Rolle darin, der es eleganter und ironischer treibt, als »Joseph Knecht«. Sehr geheimnisvoll.
Ob ich mit dem Meinen so recht fertig werde, mag, passender Weise, der Teufel wissen. Etwas kesser und lebensnäher wird diese Biographie, glaube ich, als die von Knecht, aber nie war etwas so leicht zu verpatzen, und die Schwierigkeiten türmen sich. Mußt ich mir sowas noch aufhalsen? Aber wie soll man auch wieder die Zeit hinbringen. Habe schon mehr als 250 Seiten, von unkleichem Wörte, wie Muncker gesagt hätte.

Möge es Dir *wohl* ergehen! Sähe Dich gern als Lieutenant, denn Du verdienst es.

Dein Z.

An Joseph Kaskell

Pacific Palisades, California
1550 San Remo Drive
June 27, 1944

Dear Mr. Kaskell:
I am informed that the editors of the »Deutsche Blätter« have applied for admission of their magazine to the prisoner-of-war camps of the United States. I am also informed that the decision in this matter lies with the War Department.
I want to express to you, with the authorization to submit my statement to the War Department, that I would wholeheartedly welcome the admission of the »Deutsche Blätter« as reading material for the German prisoners of war. The »Deutsche Blätter« is a magazine of a very high literary standard and of indisputable integrity. I could hardly imagine a more wholesome mental fare for German prisoners of war than the humanly and spiritually beneficial offerings of this magazine. I know that I share this conviction with many educated Americans who had occasion to become acquainted with the »Deutsche Blätter«.
With best regards
very sincerely yours

Thomas Mann

An Agnes E. Meyer

Pacific Palisades
6. Juli 44

Beste Freundin,
Dank für alles! Der Brief von Corporal Raney ist Goldes wert. Auch die Herald Tribune war angenehm zu lesen. Die Chicago Sun, unheimlich informiert, wußte sogar zu melden, daß ich zugleich mit dem Erscheinen des Provider mein Golden Anniversary als Autor begehe, denn es seien gerade 50 Jahre, daß in der Leipziger »Gesellschaft« meine erste Novelle erschien. Das wäre mir wirklich entgangen, aber es stimmt. Die Flasche französischer Champagner, die ich noch besitze, spare ich aber doch für die Einnahme von Paris.
Selten habe ich so gelacht, wie über die Geschichte vom zweimal

geretteten Piloten. So etwas kann der Mensch brauchen! Sollte man nicht den »New Yorker« damit bedenken?
Ich habe *während meiner Krankheit* etwas Gutes geschrieben: Das Verhältnis Adrians zu der Prostituierten, bei der er sich, obgleich gewarnt von ihr, die Krankheit holt, worauf zwei Ärzte, an die er sich wendet, vom Teufel beseitigt werden. Es ist sehr packend und geheimnisvoll. Br. Frank fand es großartig. Das Anfangsmotiv der tropischen Schmetterlinge (»Hetaera Esmeralda«) tritt dabei wieder auf.
In »Atlantic Monthly« hat wieder einmal jemand, ein Professor Peyre von Yale, Citate von 1914 gegen mich vorgebracht. Ich habe geantwortet und zwar in einer definitiven Weise.
Treulich Ihr T. M.

An Agnes E. Meyer Pacific Palisades, California
1550 San Remo Drive
17. Juli 44

Liebe Freundin,
von Ihrem Bericht über Ihre Lektüre der »Betrachtungen« bin ich sehr ergriffen. Ja, ich habe hübsch gelitten damals, und eben darum ist das Buch mir immer heimlich teuer geblieben. Auch ist es zum Teil vor Schmerz überraschend witzig. Die amerikanische Intelligenz wäre nachgerade »reif« dafür, denn dessen, was sie meine demokratischen Sonntagspredigten nennt, ist sie gründlich müde, und mit den »Betrachtungen« würde ich ihr heute literarisch viel mehr imponieren. Das ersah ich wieder aus der Besprechung des »Provider« im jüngsten Heft der »Nation«, gleich aus den ersten Zeilen. Der Artikel ist übrigens sehr anständig. Wenn ich nur wüßte, wie es kommt, daß ich den Eindruck olympischen Anspruchs mache! Ich möchte im Grunde ja nur die Leute zum Lachen bringen und bin im Übrigen die sich mühende Bescheidenheit selbst.
Meine Antwort auf den Brief in Atlantic schicke ich Ihnen auf deutsch. Sie wirkt doch natürlich trockener in der von Prof. Arlt, dahier, angefertigten Übersetzung, wenn auch Edw. Weeks von Atlantic sie »admirable« fand. Nachträglich kommt mir vor, als hätte ich die Sache lieber schweigend passieren lassen sollen. Aber vielleicht ist es auch gut, daß ich dies ein für allemal ausgesprochen

habe, sodaß ich wieder vorkommenden Dummheiten nun damit begegnen kann.
Das Kapitel, von dem ich Ihnen erzählte, ist sehr dezent und nur etwas geisterhaft. Ich kann es Ihnen ruhig zu lesen geben. Sie sollen es haben, sobald es nebst den vorhergehenden, die dazu gehören, abgeschrieben ist.
Eine Frau, Professorin am Hunter-College, Miß Anna Jacobson, verbringt hier einen halbjährigen Urlaub, den sie sich genommen hat, um ein Buch über »mich« zu schreiben. Warum sollte sie nicht? Es ist eine Beschäftigung comme une autre. Übrigens handelt es sich um keine Biographie. Ich sehe sie manchmal, um ihre Fragen zu beantworten, kann aber keine Verantwortung für das Entstehende übernehmen.
Ich bin stolz auf Ihren großen Erfolg in Pittsburgh! Das Bild kann mir nicht gefallen. Es ist immer eine Indiskretion, einen Redner, und nun gar eine Rednerin, im Zustande der Produktion, mit offenem Mund und heißen Augen, zu photographieren. Ich hätte dagegen in den »Betrachtungen« etwas sagen sollen. Aber man kann nicht an alles denken.
Die Deutschen sind zum Erbarmen. Golo und Klaus, die ihre Blätter lesen müssen, berichten uns manchmal über diese Lektüre. Das Volk hofft auf ein Wunder. Ein Gelehrter arbeite an einem Mittel, New York binnen 5 Minuten in Asche zu legen. »Nur Macht«, sagen die Zeitungen, »macht beliebt. Seit wir die Robot-Bomben über den Kanal schicken, liebt man uns wieder. Das deutsche Volk begleitet jeden der Höllenhunde mit seinen innigsten Segenswünschen.« Unglückliche Menschen! Aber ich bin überzeugt, daß sie »Deutschland« aufs Äußerste verteidigen und zum Schluß noch Schreckliches anrichten werden. Auch gibt es einen NN-Plan. NN heißt »nach der Niederlage«. Machen wir uns gefaßt!

Ihr T. M.

An Clara Zemplényi Neumann

Pacific Palisades, California
1550 San Remo Drive
20. Juli 1944

Sehr geehrte Frau Neumann!
Ihren Brief habe ich erhalten, und er hat mich sehr bewegt. Glauben Sie mir, daß ich Ihre Empfindungen angesichts dessen, was mit den europäischen Juden vor sich geht, von ganzem Herzen teile. Ihr Entsetzen, Ihr Grauen, Ihr Haß – das alles ist mir seit langem nur

zu wohl vertraut. Sie dürfen auch überzeugt sein, daß ich keine Gelegenheit habe vorübergehen lassen, um diesen Empfindungen öffentlich Ausdruck zu geben und das Gewissen der Welt nach Kräften wachzurufen. Noch jüngst habe ich für ein dem jüdischen Führer Chaim Weizmann gewidmetes Buch einen Beitrag geschrieben, worin ich meiner Ehrfurcht vor dem Judentum und meinem Abscheu vor den an diesen Menschen begangenen Verbrechen Ausdruck gegeben habe.

Nun fordern Sie mich auf, Vergeltungs- oder Abschreckungs-Maßnahmen zu verlangen zur Rettung der unglücklichen ungarischen Juden. Sie müssen aber bedenken, daß solche Maßnahmen ein sehr schweres moralisches Problem darstellen. Es ist eine große Frage, ob die alliierten Nationen, als Kämpfer für Freiheit und Menschlichkeit, es sich erlauben dürfen, auf das Niveau eines Feindes von der moralischen Verworfenheit der Nazis herabzusteigen und ihnen auf dem Wege der Unmenschlichkeit zu folgen. Ein gutes Stück haben sie ihm schon darauf folgen müssen und ihm die teuflische Genugtuung bereitet, sich notgedrungen auch ihrerseits in Blutschuld verstrickt zu haben. Die Nazis, in die Enge getrieben, wie sie sind, handeln als Desperados, für die es keine Rücksicht mehr gibt. Sie würden Maßregeln, wie Sie sie vorschlagen, mit anderen solchen Maßregeln beantworten, und vielleicht an den amerikanischen und englischen Kriegsgefangenen ihren Blutdurst stillen. So könnte es weitergehen und immer eine Untat die andere hervorrufen. Schon heute sieht man kaum, wie nach allem, was geschehen ist, ein Zusammenleben der Völker nach diesem Kriege überhaupt noch möglich sein soll. Es ist die ungeheure Schuld der Welt, daß sie durch Schwäche, Apathie und sogar eine gewisse Sympathie den Fascismus und National-Sozialismus hat groß werden lassen. Nun liegt sie in einem Kampf auf Leben und Tod mit ihm, und die Vernichtung des Feindes ist das einzige Mittel, seinen Verbrechen ein Ende zu machen. Ich kann auf Ihr Verlangen nur antworten, daß ich es, wenn auch mit Grauen, schweigend billigen würde, wenn zum Schutz der 800000 Juden zu Maßregeln geschritten werden sollte, wie Sie sie wünschen. Aber als Einzelperson und als ein Schriftsteller mit Verantwortungsgefühl selbst zu solchen Maßregeln aufzurufen, fühle ich mich außerstande.

Mit besten Wünschen und Grüßen

Ihr ergebener

Thomas Mann

An Heinrich Mann

Pacific Palisades, California
1550 San Remo Drive
29. Juli 44

Lieber Heinrich,
ich schicke Dir, da ich Deinen Brief an Katja las, gleich mein Handexemplar von »Joseph, der Ernährer«, um nicht das Eintreffen der bei Bermann bestellten Copien abwarten zu müssen.
Du wirst sehen, es ist ein durchaus humoristisches und populäres Buch, und nichts ist falscher, als die Beschreibung, die die meisten amerikanischen Kritiken davon geben, nämlich, daß es ein mit anspruchsvoller Weisheit überstopftes Werk sei.
Diese deutsche Ausgabe hat, wie so vieles heute, emergency-Charakter und wimmelt von dämlichen kleinen Druckfehlern, – immer »hatte« statt »hätte« und »dann« statt »denn«. Che vuole di questa gente!
Wie schade, daß ich die Seiten über die alten und neuen Tage nicht habe hören können! Ich freue mich herzlich darauf. Alte Tage werden mir jetzt auch wieder nahe gebracht, da ich meinen Musiker-Helden [...] für einige Zeit nach Palestrina zu unseren Bernardinis versetze. Ein starkes Stück, da dieses Plätzchen ja in der »Kleinen Stadt« endgültig geschildert ist! Aber es ist bei mir nur eine vorübergehende Unterkunft.
Möge doch Deine Gesundheit sich rasch vollkommen bessern! Bibi und Gret gehen sehr mit dem Gedanken um, Dich dort oben zu besuchen.

Dein T.

An Eduard Beneš

Pacific Palisades, California
1550 San Remo Drive
29. Juli 1944

Lieber und verehrter Herr Präsident,
lange habe ich nicht die Ehre und Freude gehabt, Ihnen zu begegnen, aber oft, während die Weltereignisse dieser letzten Jahre sich abrollten, waren meine Gedanken bei Ihnen, und mehr als einmal drängte es mich, Ihnen zu schreiben, Sie meiner dauernden Anhänglichkeit, Dankbarkeit, Verehrung zu versichern und Ihnen zu sagen, daß meine Genugtuung über den großen Gang der Dinge immer in erster Linie auch durch den Gedanken an Sie und Ihr

Land bestimmt wird. Aber ich wußte Sie in Anspruch genommen von Staatsgeschäften, von Reisen – und was für wichtigen, für die Zukunft bedeutsamen Reisen! – und wollte Ihnen nicht beschwerlich fallen. Nun ist in meinem persönlichen Leben eine früher nicht geahnte Wendung eingetreten, die mir ganz besonderen Anlaß gibt, Ihnen meine unveränderliche, durch nichts berührbare Treue und Ergebenheit zum Ausdruck zu bringen.
Ich möchte Ihnen melden, daß meine Frau und ich, nach mehr als sechsjährigem Aufenthalt in diesem Lande, das amerikanische Bürgerrecht erworben haben.
Das ist das Ergebnis eines natürlichen und ganz von selbst sich abspielenden Prozesses der Einwurzelung in diesen Boden, der mir, als Europa unbewohnbar für meinesgleichen wurde, eine ehrenvolle und großzügige Gastfreundschaft gewährt hat. Heute habe ich zwei Söhne in der Armee, die eben dadurch amerikanische Bürger sind. Eine Tochter ist Amerikanerin durch Heirat, und amerikanisch geborene, englisch sprechende Enkelkinder wachsen mir auf, die, wie ihre Eltern, wohl immer diesem Lande angehören werden. Ich selbst bin mit einer ganzen Anzahl amerikanischer Universitäten durch Ehren-Degree's verbunden und gehöre als Consultant in Germanic Literature dem Stab der Library of Congress an, bin also sozusagen amerikanischer Beamter. Ich gewinne hier als Schriftsteller und lecturer meinen Lebensunterhalt, hauptsächlich aus meinen Büchern, die, schmerzlich genug, in all diesen Jahren nur in der englischen Übersetzung überhaupt existent waren. Die Erwartung, daß ich nicht dauernd nur als Gast die Vorteile des amerikanischen Lebens genießen, sondern mich bürgerlich zu dem Land bekennen würde, war unverkennbar, unabweisbar und auch innerlich berechtigt. Denn ist nicht, wie heute alles liegt, meine Art von Deutschtum in dem kosmopolitischen Universum, das Amerika heißt, am richtigsten untergebracht? Der Gedanke, nach Deutschland zurückzukehren, liegt mir längst ganz fern. In seiner empirischen Wirklichkeit (wenn auch natürlich nicht als Idee) ist das Land mir tief verleidet und entfremdet, und es wird mir vollauf genügen, wenn mein Lebenswerk wieder Zugang hat zu denjenigen meiner ehemaligen Landsleute, die noch Sinn dafür haben – ich fürchte, es werden nicht mehr gar viele sein. In dieser Beziehung rechne ich mehr auf Frankreich, das Tschechenland, die Schweiz, kurz: auf *Europa*, das ja doch, wie ich überzeugt bin, die Leuchte der Welt

bleiben wird; und auf Deutschland nur insofern es imstande sein wird, sich dem neuen Europa im Geiste anzuschließen.
Natürlich verlangt es mich, wieder europäischen Boden zu betreten, europäische Luft zu atmen. Aber soweit ich sehe und über mich bestimmen kann, werde ich es nur als Besucher tun. Ich glaube nicht, daß ich diesem Lande hier, dessen freiheitliche Traditionen und menschlich wohlwollende Grundstimmung ich aufrichtig zu schätzen weiß, für die Dauer wieder den Rücken kehren und das mir lieb gewordene und meiner Arbeit günstige Heim aufgeben werde, das ich mir hier am Pacific gegründet.
Muß ich Ihnen aber sagen, lieber Herr Präsident, daß ich nicht ohne Wehmut im Herzen und nicht ohne ein Zögern meines Gewissens den Schritt getan habe, den mein Leben zwar logisch mit sich brachte, der aber doch leicht im Licht der Undankbarkeit erscheinen könnte gegen Sie und gegen Ihr liebenswertes Land, das mir mit so schöner Geste Bürgerrecht gewährte, als mir mein deutsches genommen war? Die Dekretierung, daß ich kein Deutscher mehr sei, war zu unsinnig, als daß sie mir hätte weh tun können; die Lösung aus der tschechischen Gemeinschaft tut mir weh, und um was ich Sie bitten möchte, ist, mit mir eher ein Geschehen, als ein Tun darin zu sehen.
Wenn ich an die Möglichkeit denke, Europa wieder zu besuchen, so verbindet sich damit unfehlbar die glückliche Vorstellung, Ihnen, Herr Präsident, zu Prag auf dem Hradschin, wie mehrmals zuvor, meine Ehrerbietung darzubringen. Ich werde es zwar nicht als tschechischer Bürger, aber doch als Bürger eines Landes tun, das zur Befreiung Ihres durch so furchtbares Leid gegangenen Volkes Entscheidendes beigetragen hat.
In herzlicher Ergebenheit Ihr Thomas Mann

An Agnes E. Meyer

Pacific Palisades, California
1550 San Remo Drive
5. Aug. 44

Liebe Freundin,
die Tage fliehen so schnell, viel zu schnell, mir ist, als sei es noch garnicht so lange her, daß ich Ihnen geschrieben – sollte etwas verloren gegangen sein? Das kommt jetzt *viel* vor, aber von einem Verlust möchte ich nicht reden, wenn es der Fall gewesen sein sollte.

Heute hätte ich Ihnen auf jeden Fall geschrieben, denn nicht nur daß Ihr Brief vom 1. kam, sondern auch für die beiden Bücher muß ich Ihnen danken, mit denen Sie meine Bibliothek und mich selbst bereichert haben: Croce ist sehr gut, sehr richtig, vernünftig und anständig, und Campbells Buch hat mich noch mehr beschäftigt und mir wieder einmal die Vermutung eingegeben, daß dieser Joyce wohl das größte literarische Genie unserer Epoche sein könnte. Jedenfalls ist Mr. Campbells Studie als analytische und exegetische Leistung einfach bewundernswert, und es wird Amerika zur Ehre gereichen, daß dies hier für das Werk des Iren getan worden ist. Ich persönlich muß den Verfassern umso dankbarer sein, als wissende und weisende Bücher *über* Joyce der einzige Weg zu ihm sind, der mir offen steht; denn ihn selbst zu studieren, dazu fehlt es mir an der nötigen rezeptiven Freiheit und Gutwilligkeit. Ich ahne eine Verwandtschaft, möchte sie aber lieber nicht wahrhaben, weil, wenn sie vorhanden wäre, Joyce alles viel besser, kühner, großartiger gemacht hätte. Was ich rezeptive Freiheit nenne, muß Mr. Campbell im höchsten Grade besitzen, sonst müßte ihm meine eigene Schreiberei als der flaueste Traditionalismus neben Joyce erscheinen.
Gestern habe ich ein gebundenes Exemplar des »Ernährers« an Sie auf den Weg gebracht. Die vielen kleinen Druckfehler sind ärgerlich; aber beim Wiederhineinsehen habe ich doch festgestellt, daß eine ganze Menge technischer Erfindung in dem Buche steckt. Ich mußte schon viel davon aufbieten, um bei Wegfall jeder Spannung dennoch spannend zu sein.
Ja, die Kritik des »New Yorker« ließ an wohlinformierter Albernheit nichts zu wünschen übrig. Was soll man machen? Die Leute sind genau so frech, wie die Umstände es zu erlauben scheinen, und augenblicklich scheinen sie, was mich betrifft, manches zu erlauben. Das sind Wellenbewegungen, die ich kenne. Wenn ich tot bin, kommt alles ins Gleiche.
Die Antwort an Prof. Peyre hat Ihnen gefallen. Aber der editor von Atlantic wollte nicht nur den Titel in »The atonement of Germany« ändern, sondern hatte auch sorgfältig jede ironische Spitze herausgestrichen, die den Briefschreiber hätte verletzen können. Ich durfte durch die Veröffentlichung rücksichtslos verletzt und bloßgestellt werden, aber Herrn Peyre muß man schonen. Das sehe ich nicht ein, und darum habe ich den Artikel zurückgezogen, es sei

denn, daß man sich entschließt, ihn zu bringen, wie ich ihn geschrieben habe. Ohnedies ist es recht spät geworden zum Antworten, und es fragt sich sehr, ob man diesen kleinen Depositionen der Torheit nicht zuviel Gewicht verleiht, indem man lang und breit darauf eingeht. [...]
Mit der Arbeit lasse ich mir Zeit und muß sie mir lassen, denn etwas Vertrackteres habe ich mir noch nie aufgehalst. Bis zum Ende des Krieges in Europa werde ich doch nicht mehr fertig. Das geht geschwinde jetzt – wird freilich zum Schluß wohl noch größere Verzögerungen erleiden und nicht an einem Tage zu Ende gehen. Hitler hat eine gute Zeit jetzt; er fühlt sich zurückversetzt ins Jahr 34, kann morden und Machtrivalen umlegen. Der Weg zu einem normalen, konventionellen Ende des Krieges (eines verlorenen Krieges, den man nach militärischer Vernunft eben liquidiert) ist durch den Generals-Purge verbaut. Der Fanatismus diktiert und wird dafür sorgen, daß alles so unkonventionell, revolutionär und blutig-phantastisch wie möglich verläuft. Was hat die Welt sich großgezogen an diesen apokalyptischen Lausbuben!
Immer treulich der Ihre T. M.

Zwei freundliche Äußerungen über den Joseph lege ich Ihnen bei: eine öffentliche aus dem »New Leader« und eine private.
Wegen Franks Citizenship schrieb ich Ihnen das vorige Mal.

An William Earl Singer Pacific Palisades
13. August 1944

Dear Mr. Singer,
was ich Ihnen hier auf dies Blatt Papier schreibe, könnte ich Ihnen ebenso gut auch mündlich sagen. Aber ich habe das Gefühl, daß die Stunde, in der ein mit Fleiß und Treue, mit Ernst und Freude ausgeführtes Kunstwerk, ein Menschenbildnis zum ersten Mal einem größeren Kreise von Freunden und Kennern der Kunst vorgeführt wird und sozusagen ins öffentliche Leben tritt, – daß eine solche Stunde dem Gedanken der Dauer, der Beständigkeit gewidmet ist; und so möchte ich auch meinen kleinen Glückwunsch zur Vollendung dieses gediegenen Werkes und meinen Dank dafür, daß Sie der Nachwelt ein so dauerhaftes und, wie ich glaube, wahres Bild meiner Person vermacht haben, nicht nur in die Luft sprechen, son-

dern meinen Worten durch die Schrift ein wenig Beständigkeit verleihen.
Wir haben, während Sie mich malten, viel von Kunst gesprochen, – kein Wunder, denn die Kunst war dabei in mehr als einer ihrer Erscheinungen gegenwärtig. Ich, der Schriftsteller, kam von meiner Arbeit, mit der ich innerlich noch beschäftigt war, und während Sie auf der Leinwand die Gestalt hervortreten ließen, erklang Musik, Radio- oder Grammophon-Musik, Brahms, Beethoven, Schubert, César Franck oder was es nun war; der Klanggedanke vereinte sich immer dem geistigen Gedanken und dem Gedanken der Farbe und Form. Die Sättigung dieser Stunden mit Musik war eine sehr gute und kluge Anordnung, uns beiden hilfreich. Man wird unzweifelhaft ein besseres Modell, wenn man Musik hört, ein malenswerteres. Den Augen dieses Bildnisses sieht man es an, daß der Gemalte Musik hörte. Daß man es ihnen aber so deutlich ansieht, daß der Künstler den seelischen Effekt so wohl zu benutzen wußte, beweist, daß man beim Musikhören auch ein besserer Maler wird.
Ich sage: wir sprachen viel über die Kunst, über ihre Einheit und wie es sich doch in allen ihren Abwandlungen, in der Malerei, der Dichtung, der Musik, der Bildhauerei, immer um dasselbe handelt: um Ordnung, Organisation, Form, Ausdruck, Harmonie, um das Neue und Gute, die Erhöhung des Lebensgefühls durch das, was man mit einem sehr vagen Worte das Schöne nennt. Aber wir haben, glaube ich, nie ausgesprochen, was eigentlich der Grundinstinkt der Kunst und des Künstlers ist, ihr tiefstes Anliegen und Verlangen. Es ist die Dauer. Es ist das Verlangen, den Dingen, Erfahrungen und Gesichten, den Leiden und Freuden, der Welt, wie sie dem Künstler erschien und damit zugleich seinem Ich, seinem Leben Beständigkeit zu verleihen. Der Künstler ist der geborene Gegner des Todes, der Vergänglichkeit. Sein Ziel ist nicht der Ruhm, es ist etwas Höheres, wovon der Ruhm nur ein Akzidenz ist: die Unsterblichkeit.
Ich glaube, lieber Herr Singer, in Ihrem Werk diesen Zug der Kunst besonders ausgeprägt zu finden. Es sind gute Bilder, so sagt man, aber es sind vor allem dauerhafte Bilder, dauerhaft durch den Fleiß, den Ernst, die Liebe, die Sie darin investierten, aber selbst materiell tragen sie die Marke der Beständigkeit, der Widerstandsfähigkeit gegen die Zeit, denn Sie haben Farben, deren Leuchtkraft der Vergänglichkeit Trotz bieten werden, und die nicht gesonnen scheinen,

zu verblassen und zu zerbröckeln. Ihre paintings sind eine kräftige Spur von Ihren Erdentagen. Sie wird vorhalten. Und eine solche Spur, eine der leuchtendsten und bleibendsten, glaube ich, ist dieses Bildnis, an dessen Beständigkeit auch das Objekt teilhat: meine Person und ihre Erscheinung, die es mit aller Energie der Kunst festhält. Dank Ihnen wird die Nachwelt wissen, wenn sie es wissen will, wie der funny fellow aussah, der den Magic Mountain und die Joseph-stories schrieb. Und da sie es durch ein Kunstwerk erfährt, wird sie es sogar besser wissen, als meine Zeitgenossen.
Sie haben mich auf einer bestimmten Stufe und an einer bestimmten Wende meines Lebens gemalt: in meinem 70. Jahr, als mir eben begegnet war, was kein Lied mir an der Wiege gesungen hatte, – als ich amerikanischer Bürger geworden war. Diese kleine Feier, diese vernissage ist ganz danach angetan, mich meiner neuen Eigenschaft froh zu machen. Sie widerspricht der Legende vom materialistischen Amerika, das keinen Sinn habe für das Geistige, für das, was uns aus den Banden des Nutzens befreit. Es ist eine gewinnende Feier, die in Paris nicht anders sein könnte und nicht anders hätte sein können in dem Florenz von 1500, wenn dem Cellini ein Guß gelungen war. Da war Hochstimmung in der Stadt, und in den Herzen schwoll der Ruf, der auch der unsere ist heute und hier: Three cheers for art, for beauty, for durability, for immortality!
Very truly yours

Thomas Mann

An Bruno Walter

Pacific Palisades, California
1550 San Remo Drive
16. August 1944

Lieber Bruno Walter:
Diese Zeilen diktiere ich Katja, damit wir dem lieben alten (und großen) Freunde doch zusammen danken für seinen guten Brief vom vorigen Monat, eine Danksagung, die sich schon allzulange verzögert hat. Das lag hauptsächlich an dem reichlichen Haus-Familien-Besuch, den wir hatten, und der besonders Katja stark in Anspruch nahm. Nicht nur die nun schon vierköpfige kleine Familie Michael aus San Francisco war da, sondern hinzu gesellte sich noch Katjas Bruder Peter, der im Begriff ist, seine Universitäts-Stellung in Chicago mit einer wissenschaftlich-industriellen Stellung in Pasadena zu vertauschen.

Nun ist alles wieder entflogen, was eine Erleichterung und zugleich eine Entbehrung ist. Besonders betrifft das die Enkel, die uns wieder großen Herzensspaß gemacht haben, wobei ich kaum hinzuzufügen brauche, daß es auch diesmal der reizende und träumerisch eigentümliche kleine Frido war, dessen Gegenwart uns beschäftigte, erheiterte und bewegte. Viel mußte ich ihm zeichnen, Busses, Palmbäume und Eisenbahnen, und ihm Geschichten erzählen, das heißt immer ein und dieselbe: von der schwarzen Köchin Myrtle, wie sie nach dem Abwaschen so müde ist, daß sie ihren rosenroten Schlafrock anzieht, sich aufs Bett legt und schnarcht. Dieses Schnarchen mußte besonders vorgeführt werden, und immer mußte es genau dasselbe sein. Ich glaubte schon, es recht satt zu haben, vermisse es aber nun.
Michael hat uns viel Musik ins Haus gebracht, was mir persönlich sehr zu Paß kam. Wiederholt hatten wir Streichquartett mit Gästen dazu und einem von Katja sozusagen aus dem Boden gestampften Buffet-dinner, mit ausgezeichneten Spielern. Ich nenne Temianka und van den Burg, und Bibi konnte es auch auf der Viola recht gut. Wunderbare Dinge gab es zu hören; mir ist vor allem ein Quartett von Mozart haften geblieben, eines von den sechsen, die Haydn gewidmet sind und mit denen er sich, wie es scheint, besondere Mühe gegeben hat; so mußte es denn was Rechtes werden. Zum zweiten und dritten Mal schon bekam ich Opus 132 von Beethoven zu hören, ein ungeheueres Werk, ungeheuer besonders in dem lyrischen Satz und dem unbeschreiblichen letzten.
Sie erkundigen sich auch nach den anderen Kindern. Wir haben häufige Nachrichten von Klaus sowohl wie von Golo. Dieser tut immer noch seinen Intelligence-Dienst in London, sprach allerdings in seinem letzten Brief die Hoffnung aus, bald nach Frankreich zu kommen, wo zum Beispiel mein ehemaliger Sekretär Katzenellenbogen schon seit Beginn der Invasion aktiv ist. Klaus schreibt immer gutgelaunt und voller Zuversicht, obgleich zeitweise die Hitze und Fliegenplage in Italien arg gewesen sein muß, und auch die Verpflegung und Versorgung mit Cigaretten zu wünschen gelassen haben soll. Melancholisch, schrieb er, berührte ihn hauptsächlich der Anblick der vielen zerschossenen schönen alten Ortschaften und das Elend der Bevölkerung, dem offenbar noch zu wenig abgeholfen werden kann. Von Erika haben Sie durch Lotte wahrscheinlich direkte Nachrichten. An uns schreibt sie wenig, wir wissen aber,

daß sie sich zwischen London und Normandie tummelt, und lasen gedruckt einen kleinen Aufsatz von ihr über ihre Begegnung und ihren Austausch mit Verwundeten. Ob dieses ganze Unternehmen den Einsatz wert ist, wagen wir als zurückhaltende Eltern nicht zu beurteilen. Ihr Drang, dabei zu sein, war nun einmal nicht zu dämpfen, und für ihre lectures werden ihr die Eindrücke ja immerhin fruchten, wenn sie erst, was Gott gebe, heil zurück ist. Dies Stoßgebet gilt auch den pflichttreuen Söhnen mehr als je, wie es denn ein Jammer ist um jedes Leben, das noch geopfert werden muß. [...]
Nun, lieber Freund, wie begierig sind wir auf die Früchte Ihres Rastjahres, das ja geistig kaum ein solches sein wird! Sie schreiben von Ihren Memoiren. Neugieriger sind wir kaum je auf ein Buch gewesen und leid tut es mir nur, daß ich Ihnen mit Ihrem schönen Glückwunsch von damals nicht zur Hand gehen kann. Diese Papiere ruhen irgendwo wohlverwahrt in einer Kiste auf Oprechts Speicher in Zürich. Bestimmt aber werden Sie sich leicht helfen können. Ich verweise auf meinen New Yorker literarischen Agenten, Dr. Franz Horch, 141 West 73. Street, den Sie ja wohl kennen und den Lotte bestimmt kennt. Er hat mir kürzlich erstaunlicher Weise aus der Public Library einen alten Aufsatz von mir in der Vossischen Zeitung, von dem ich auch nicht annähernd das Erscheinungsjahr wußte, verschafft, und Ihren Artikel aus der Neuen Freien Presse, dessen genaues Erscheinungsdatum bekannt ist, beizubringen, wird ihm bestimmt ein Leichtes sein.
Herzlich hoffen wir, daß die Ferientage in Maine Ihnen wohlgetan haben und weiter wohl tun. Wir hatten einen erstaunlich kalten und nebelreichen Sommer, sind bis jetzt eigentlich um den Sommer gebracht worden. Jetzt freilich hat strahlend schönes und dabei noch nicht zu heißes Wetter eingesetzt, und wir sind wieder einmal recht froh, uns diesen Platz hier gegründet zu haben.
Sie werden verstanden haben, daß ich Ihnen die englische Ausgabe des vierten Joseph-Bandes nicht geschickt habe. Natürlich möchte ich, daß Sie das Buch auf deutsch lesen. Bermanns Ausgabe ist jetzt erschienen, soweit man da von Erscheinen sprechen kann, und ich warte nur auf das Eintreffen zusätzlicher Exemplare zu dem Probe-Exemplar, das ich bisher erhielt, um Ihnen das Ihre zu senden. Ich kann wohl die Adresse Ihres Briefes dazu benützen.
Herzliche Grüße denn also von Haus zu Haus und auf ein glückliches Wiedersehen unter triumphalen Umständen! Wir haben

lange warten müssen auf das, was nun bevorsteht, aber es wird doch gut sein, einmal aus der Welt gehen zu können mit der Erfahrung, daß zwar auf dem Stern, dessen flüchtige Bekanntschaft wir machten, allerlei moralisch nicht Einwandfreies möglich ist, daß sich aber das Allerdümmste und -Niederträchtigste doch nicht viel länger als elf Jahre darauf zu halten vermochte und mit den vereinten Kräften der Menschheit hinweggefegt wurde.
Herzlich

Ihr Thomas Mann

An Julius Bab
[Ansichtskarte]

Pacific Palisades, California
1550 San Remo Drive
26. Aug. 44

Lieber Herr Bab,
vielen Dank! Natürlich erinnere ich mich. Wollte, wir säßen wieder einmal so zusammen. Hitler ist ein unvergleichliches Schwein. Ich habe da nie mit mir spaßen lassen.

Ihr Thomas Mann

An Anna Jacobson

Pacific Palisades
28. VIII. 44

Liebes Fräulein Jacobson,
ein vortrefflicher Anfang ist das, einfach, klar, allgemeinverständlich, und muß jedermann einnehmen für den prächtigen Mann, von dem da die Rede ist. Mich nimmt es namentlich ein für die Verfasserin und macht mich vertrauensvoll neugierig auf das Kommende.
Das Manuskript gebe ich Ihnen bei nächster Gelegenheit zurück.
Dank und Gruß! [...]
Die Züge meines Mose sind *nicht* »borrowed from Michelangelo's mighty monument«, sondern von Michelangelo *selbst*.
Auf bald!

Ihr Thomas Mann

An Bruno Walter

Pacific Palisades, California
1550 San Remo Drive
21. Sept. 1944

Lieber Freund,
wie traurig ich bin über das unendlich Schwere, das Sie zu tragen haben, kann ich Ihnen nicht sagen, möchte es Ihnen aber doch an-

deuten mit diesen unzulänglichen Zeilen. Sie sollen doch wissen, daß alle, die Sie kennen, ehren und lieben, mit Ihnen niedergedrückt sind von diesem Jammer und danach verlangen, ihn zu lindern, soweit das arme Wort der Teilnahme es vermag. Muß man nicht wünschen und hoffen, daß die arme Frau, der gewiß seit jenem unsinnig-furchtbaren Schlage das Leben in tiefster Seele zuwider geworden war, bald auf möglichst sanfte und unbewußte Art von ihm erlöst werden möge? Sie werden, wenn ihr das gewährt ist, die langjährige Gefährtin bitter beweinen, und doch wird Ihnen leichter sein und mit Ihnen uns allen. Ich weiß wohl, wie auch Sie, den Vater, das entsetzliche Unglück damals getroffen hat und weiß, daß auch Sie nie ganz darüber hinwegkommen werden. Und doch fällt es dem Mann, durch sein Talent, sein Werk, seine Aufgabe, immer leichter, sich nach einer solchen Zumutung mit dem Leben leidlich wiederauszusöhnen, als der Frau, der solche objektiveren Bindungen ans Leben fehlen. Ich habe über diese Dinge viel nachzudenken gehabt, weil ich zwei Schwestern durch freiwillige Absage ans Leben verloren habe. Wir Brüder haben allen Grund, uns zu fragen, wo wir wären ohne unsere Arbeit.
Sonderbar, man sollte eigentlich denken, daß der Geist zum Leben weniger tauglich machen müßte, als die weibliche Natur. Er macht aber offenbar widerstandsfähiger dagegen – und ist wohl überhaupt eine viel vitalere Angelegenheit, als die Romantiker der Antigeistigkeit uns glauben machen wollten. –
Dies nur zum Zeichen des Gedenkens, lieber Freund. Halten Sie sich tapfer und glauben Sie, daß unser aller Liebe und Bewunderung immer mit Ihnen ist!

Ihr Thomas Mann

An Alfred Neumann

Pacific Palisades, California
1550 San Remo Drive
1. X. 44

Lieber Alfred Neumann,
es war so besonders nett, daß Sie mir den Vortrag von Dr. Albersheim schickten. Man interessiert sich ja im Grunde *nur* für das, was gerade »einschlägig« ist; dafür aber auch brennend. Vielen Dank! Und meinen Dank auch an den Verfasser, wenn die Sendung mit seinem Wissen geschah. Ich verstehe, daß der Vortrag Aufsehen erregt hat. Es gibt viel zu denken. Ein way out muß gefunden werden,

das fühlen manche unter den Modernen selbst, z.B. Toch. Freilich zurück hinter das, was sich im Tristan und Parsifal vorbereitete und dann seinen Gang nahm, wird der Weg kaum führen können. Und mit dem common man ist es so eine Sache – die bewußte Anpassung an seine Wünsche, die ja nicht nur rückständig, sondern auch unter dem Niveau des guten Alten sind, schiene mir doch bedenklich.
Frau Katharina schrieb von Camels – her damit! Das heißt, wollen wir sie uns nicht teilen? Und wenn die herrliche Frau wieder einmal ein paar Pattys auftreibt, werde ich auch rührend dankbar sein.

Herzlich

Ihr Thomas Mann

An Gerhard Albersheim

Pacific Palisades
7. X. 44

Sehr verehrter Herr Dr. Albersheim,
haben Sie vielen Dank für Ihen Brief! Ich kann nur wiederholen, daß ich Ihren Vortrag als Vortrag und als Bild der Lage vorzüglich und höchst lehrreich fand. Auf Belehrung aber allein bin ich aus – und viel zu wenig Musiker, um mitreden zu dürfen. Die Tendenz Ihres Aufsatzes – wenn von einer solchen die Rede sein kann – war mir nicht überraschend. Eben hatte ich ganz Verwandtes aus dem Munde Ernst Tochs gehört, der gewiß nicht glaubte, damit seine Modernität zu verleugnen. Die Gegenbewegung gegen Schoenberg, Berg, Křenek etc., die Sie andeuten, hat sicher ihre künstlerische und soziale Notwendigkeit. Aber ihre Notwendigkeit und einen imposanten zeit- und materialkritischen Ernst hatte unleugbar auch die Bewegung selbst, und auch Sie versteht man wohl richtig dahin, daß sie nicht umsonst gewesen sein wird.
Die Krise in *allen* Künsten – steht es in der Malerei oder im Roman denn anders? – muß wohl mit der Problematik und Rechtfertigungslosigkeit unserer gesellschaftlichen Zustände überhaupt zusammenhängen, die den Künstler zwingen, entweder *Ware* zu produzieren oder den Widerspruch gegen das Bestehende wenigstens geistig anzumelden. Ich selbst bin im Vergleich mit Joyce oder Picasso ein flauer Traditionalist. Und doch habe ich viel Sinn für die Schrecken des Verbrauchten und viel Respekt für die Verachtung des Marktes und für kritische Konsequenz im Geistigen und Künstlerischen.

Von einem Gespräch mit Ihnen über die Situation könnte ich nur Nutzen haben. Hoffentlich bietet sich bald einmal Gelegenheit dazu.

Ihr ergebener Thomas Mann

An Ernst Lubitsch

Pacific Palisades, California
1550 San Remo Drive
7. Oktober 1944

Lieber, sehr verehrter Herr Lubitsch!

Das anliegende Manuskript ist nicht etwa von mir. Ich sollte das beklagen, denn es wäre ganz gut, wenn man so etwas machen könnte. Es war der Rezitator Ludwig Hardt, der es mir im Auftrage des Hauptverfassers, Mr. Marianoff, übergab. Dieser wünschte, daß ich es lese, – nicht so sehr aus Neugier auf meine Meinung, sondern in der Hoffnung, daß ich glauben würde, es könnte Ihnen gefallen, und daß ich es an Sie weitergeben würde.

Das tue ich nun, nachdem ich das Lustspiel gelesen, denn so viel glaube ich, daß die Beschäftigung damit für Sie keine ganz müßige wäre. Zwar ist die Idee des Stückes nicht gerade neu im Charakter. Der Film hat dergleichen schon gebracht. Aber es ist doch eine neue Wendung der Idee, und eine hübsche Intrigue mit amüsanten Szenen und filmischen Möglichkeiten kommen dabei heraus.

Noch einmal: Ich halte für möglich, daß, wenn Sie das Stück zu lesen beginnen, Sie es zu Ende lesen und vielleicht Lust haben werden, etwas damit anzufangen. Wir können ja gelegentlich über die Sache sprechen. Meine Frau und ich haben längst den Wunsch, Sie einmal bei uns zu sehen, und in den nächsten Tagen werden wir deswegen bei Ihnen anrufen.

Mit besten Grüßen
Ihr ergebener Thomas Mann

An Marianne Liddell

Pacific Palisades, California
1550 San Remo Drive
8. Okt. 44

Sehr geehrtes Fräulein,

mit Ihrem Brief haben Sie mir eine herzliche Freude gemacht. Immer bin ich froh, von Lesern der deutschen Ausgabe zu hören, ob-

gleich diese Notausgabe, in Stockholm ohne meine Aufsicht hergestellt und in New York photographiert, von Fehlern, Auslassungen etc. wimmelt. Immerhin es ist der deutsche Rhythmus, sind meine eigenen Sätze. Wie beneide ich die Musik, daß sie keine Übersetzung braucht. Man muß sich eine Musik vorstellen, die auf eine solche angewiesen wäre, um die Melancholie meines Zustandes zu verstehen und zu verstehen, daß ich an den 1800 deutschen Exemplaren in Amerika mehr Freude habe, als an den 200000 englischen.
Neugierig bin ich, wie sich das Ganze als Ganzes ausnehmen wird, etwa in 2 Bänden auf einmal vorgelegt, wie Knopf es vorhat, und wie wohl auch Bermann es bald einmal machen wird, – wenn sich nicht herausstellt, daß die deutsche Nachhol-Bedürftigkeit im Lesen ein vollständiger Irrtum war. Als ein Ganzes war es ja immer gedacht, und die Bandeinteilung ist mehr oder weniger zufällig. Ob die Nachwelt nur eine monströse Kuriosität darin sehen wird oder doch vielleicht etwas wie ein humoristisches Menschheitslied, gesungen in dunkelsten Tagen – wer kann es wissen! Daß eine Anzahl besserer Zeitgenossen Freude daran findet, ist schon viel.
Freundlichste Grüße und Wünsche!

Thomas Mann

An Agnes E. Meyer

Pacific Palisades, California
1550 San Remo Drive
11. Okt. 44

Liebe Freundin,
gegen Ihre Huxley-Kritik, scharf wie sie ist, läßt sich wenig oder nichts sagen, und ich bin froh, daß auch ich mich von dem Geist, der Gesinnung des Buches – und des Mannes überhaupt – entschieden distanziert habe. Dieser Geist ist extrem west-europäisch, mürbe, dekadent, wie Sie ganz richtig sagen. In Rußland würde er rasch zur Raison gebracht werden, und daß Amerika ihn ablehnt, kann man nur begrüßen. Es ist nicht zu wünschen, daß dieser mystische Defaitismus hier Anklang fände. Ich, der ich eine gewisse Schwäche für das Dekadente habe und auch im Morbiden mit einer Art von Wissensstolz zu Hause bin, ärgerte mich über die vollständige Unempfänglichkeit der Besprechungen, die ich sah, für die Reize des Buches *als Roman*, Reize, die auch Sie nicht leugnen können. Die Telephon-Scene mit der früheren Geliebten am einen

Ende, die ihm aus alten Briefen vorliest, und der gegenwärtigen am anderen, im Zimmer; der Tod des Onkels; die ganze Intrigue mit dem ersehnten Abendanzug und die moralische Verwicklung, aus der der Junge nicht mehr herausfindet, – das alles und anderes noch ist neu, daring, interessant, von boshafter Lebendigkeit. Man muß ein sehr sattelfester Moralist sein, um es einfach abzuweisen. Und doch leugne ich nicht, daß ich auf Schritt und Tritt moralisch verletzt war. Schon die Tatsache, daß ja der Autor seinen Haß auf alles Fleischesleben dazu benutzt, um durch die Darstellung der Genüsse des Fleisches als Roman-Schriftsteller attraktiv zu wirken, hat etwas Verstimmendes. Aber seine Eiseskälte gegen alles, was uns auf den Nägeln brennt, was wir hassen und was wir lieben, ist wahrhaft empörend. Ein italienischer Professor, der sein tyrannisiertes Land verläßt und ins Exil geht, muß nicht notwendig als Trottel dargestellt werden; es muß irgendetwas an ihm sein. Und die Art, wie die Erschöpfung und Enttäuschung eines sozialen Kämpfers geschildert wird, zeugt nicht von bitterem Pessimismus, ist keine Anklage der so schwer verbesserlichen Welt, sondern eine hundeschnäuzige Verhöhnung des Dummkopfs, der nicht lieber ans Heil seiner Seele dachte.

Es ist garnicht das Buch eines Engländers von heute, sondern scheint vor 10 Jahren geschrieben, als die Welt noch nicht verstand und verstehen *wollte*, was die Dinge in Italien und Deutschland bedeuteten. Die erste Voraussetzung des Buches ist ja, daß eine reiche britische Familie im Italien Mussolini's, vollständig gleichgültig gegen alles, was dort vor sich geht, ihr ästhetisch geschmücktes Schmarotzerdasein führt. Der vertriebene Anti-Fascist muß in England leben, und die Engländer leben dafür im schönen Italien. Man vermißt jedes Gefühl für den moralischen Stumpfsinn, der darin liegt, und mit dem keine hochasketische Erhabenheit über die Welt versöhnen kann.

Aber ich verbrauche Papier und Zeit, um Ihnen Dinge zu sagen, die Sie ohnedies wissen und mit mir empfunden haben. Das Buch ist aufregend, weil es begabt und literarisch eine bestechend avancierte Leistung ist. Aber es ist verwerflich, da haben Sie recht. Nur habe ich selbst kein ganz gutes Gewissen, wenn von Morbidität und Décadence die Rede ist. Ich habe da ja allerlei auf dem Kerbholz schon seit den »Buddenbrooks«; der »Tod in Venedig« ist auch nicht einwandfrei, und in dem »Dr. Faustus« jetzt geht es wieder nicht

gerade mit gesunden Dingen zu. Man darf aber wohl bei alldem an den Novellisten in der alten Skizze »Beim Propheten« denken, von dem es heißt: »Er hatte ein gewisses Verhältnis zum Leben.«
Der Faustus ist augenblicklich in eine Phase des Gesellschaftsromans getreten. Er spielt jetzt in München, und ich krame in meinen gesellschaftlichen Erinnerungen an das München von 1910. Adrian paßt natürlich wenig in die Atmosphäre dieses einfältigen Capua, das dann zur »Wiege der Bewegung« werden sollte. Ich hatte immer eine Ahnung von diesem Dummheitsschicksal.
Mein Gott, Aachen! Wir müssen es also in Schutt und Asche legen. Dabei haben die Einwohner weiße Fahnen aufgezogen. Poor people! Die Nazis wollen Zerstörung und Chaos bis zum Äußersten. Ihre Gedanken über diesen Krieg, den sie nicht als einen Krieg wie einen anderen ansehen, sind sehr unheimlich. Keinesfalls sollte man Klaus und Golo nach Deutschland schicken. Sie würden statt meiner ermordet werden.
Lassen Sie mich nicht mit dieser düsteren Gedankenwendung, sondern mit dem Wunsche schließen, daß Sie seelisch und körperlich wieder ganz auf der Höhe sind und vertrauensvoll in die Zukunft blicken. Dann will ich es auch tun.

Ihr T. M.

An Max Osborn

Pacific Palisades
15. Oktober 1944

Lieber Herr Doktor Osborn,
während Ihre Freunde darüber beraten, wie sie Ihnen zu Ihrem herannahenden fünfundsiebzigsten Geburtstag eine Freude machen könnten, sind Sie sich völlig darüber im Klaren, womit Sie sie Ihrerseits bei dieser schönen Gelegenheit erfreuen wollen. Man beschenkt ein Geburtstagskind; aber Ihre unverwüstliche Gebelaune dreht die Sache um und läßt uns alle zu Ihrem hohen Ehrentage die gerührt Empfangenden sein.
Sie haben ein langes, reiches, von bedeutenden Gestalten bevölkertes, mit Geist und wachem Sinn geführtes Leben hinter sich, und Sie werden uns davon erzählen – vielmehr haben Sie es schon getan. Während der letzten Jahre erschienen, meist in der Baseler Nationalzeitung, Aufsätze, in denen Sie über die künstlerischen und geistigen Erfahrungen Ihrer Jugend, das europäische Leben und Treiben der letzten Jahrzehnte vor den Weltkriegen, reizvolle Rechen-

schaft gaben. Das Echo, das diese Artikel weckten, war herzlich und bewies, daß die fürchterlich gerüttelte Welt von heute nicht ungern einer Epoche gedenkt, die schlecht ausging, der man aber das Fehlschlagen der Hoffnungen nicht nachträgt, die sie erregte. Aber was Sie sporadisch gaben, war nur ein Teil Ihres literarischen Erinnerungsarchivs. Sie sind im Begriffe, dieses zu organisieren und ein Lebensgedenkbuch herauszugeben, das keine Autobiographie im Sinne persönlichen Schicksalsberichtes sein wird: nicht von Ihnen wird es handeln, sondern von dem, was Ihnen begegnete, was Sie sahen, erfuhren, woran Sie mit intelligentem Enthusiasmus, als ein guter Zeitgenosse und Kamerad, lebendig teilnahmen, – und das ist viel, tut einer eine Lebensreise, wie Sie, so hat er was zu erzählen; wir alle dürfen uns freuen auf Ihr Geburtstagsgeschenk.
Gereist sind Sie wirklich ausgiebig, neugierig und mit Verstand. Wie förderlich und gesichtereich die Studienfahrten des jungen Kunstgelehrten und Weltfreundes waren nach Griechenland und dem nahen Orient, nach Rußland, Skandinavien und einem Italien, das nach begründeter Vermutung nicht just das Baedeker-Italien des Durchschnittstouristen gewesen sein wird, – wir werden es lesen. Aber, die fremden Länder in Ehren, Aufregenderes versprechen wir uns noch von Ihren nicht weniger frisch bewahrten Erinnerungen an große Männer. Wie mag es gewesen sein, mit Renoir, Pissarro, Maillol auf freundschaftlichem Fuße zu stehen, als Atelierintimer Liebermanns, Israëls, Slevogts und Klingers dem bildenden Griff des heimatlichen Genius nahe beizuwohnen, in Gesellschaft von Kainz, Rittner und Reinhardt die Sphäre dionysischer Verwandlung und hoher Gaukelei zu studieren? War es merkwürdig oder nicht, bei Menzel noch eingeladen zu sein, dem cholerischen Zwergen im Mantel des Schwarzen Adlerordens? Herrlich oder nicht, als historisch geschulter Zögling der Herman Grimm, Erich Schmidt, Dilthey und Zeller mit ganzer Seele auf der Seite des Neuen, der »Bewegung«, des noch Verschrienen und Verlachten, des schöpferischen Fortschritts zu sein und als kritischer Freund und Vorkämpfer teilzuhaben an der literarischen Revolution, den Sezessionen und »Freien Bühnen« der Zeit, kurz an allem, was einer Epoche an Sorgen, Erregungen, Streitfragen am Herzen lag, die das Wort »Kultur« noch nicht mit dem Griff nach dem Revolver beantwortete?
Ja, es war merkwürdig, herrlich, lebenswert und in höchstem Grade

bleibt es erzählenswert. Daß es so schlecht ausging, daß ein Sturm von Blut, Haß und Elend das alles verschlang, daß ein Geschlecht auf die Szene stampfte, welches den Begriff der Kultur, der jener Epoche so teuer war, als ein bürgerliches Hindernis auf dem Wege *seiner* Revolution empfand und den Revolver dagegen zückte, – kann den Glanz der Erinnerung nicht trüben an das, was längst »gute alte Zeit« geworden ist. Aber wissender hat es uns, die wir noch in die neue, böse, aber keineswegs hoffnungslose, des Dranges zum Guten in ihrer Tiefe keineswegs entratenden Zeit hineinleben, gemacht über die inneren Mängel unseres Kulturglückes von damals mit seinen leichten Sorgen und geistreichen Anstrengungen; es hat Zweifel bestätigt, die mancher von uns schon immer insgeheim an dem Bestande, der Rechtfertigung dieses Glückes hegte. Wir haben gelernt, daß das Gute sich nicht im ästhetisch Kühnen und Reizvollen erfüllt; daß eine Kultur der Barbarei ganz nahe wohnt, die »sich nicht für Politik interessiert« und das Soziale aus ihrem Gesichtskreis ausschließt; daß auf einem geistigen Menschen schwerere Verantwortungen liegen, als Probleme der Schönheit. Um diese Erfahrung reicher und reifer, blicken wir mit Ihnen zurück in eine Welt der Bildung und des Lebensgenusses, von der die Jugend dieses Kriegs- und Revolutions-Zeitalters keinen blassen Schimmer mehr hat. Ihr davon Nachricht zu geben, wie Sie es tun, ist gewiß kein müßiges Beginnen. Tradition ist viel, sie ist ein notwendiges Element des fortschreitenden Lebens, und wer soll sie vermitteln als wir Alten? Vermittelung – auch daran ist etwas gelegen. Ein Buch der Erinnerungen, wie Ihrem, mag wohl die Funktion zukommen, zwischen den Epochen zu vermitteln; es mag behilflich sein, eine Welt vorzubereiten, in welcher Kultur und Schönheit auf rechtem, tragfähigem Grunde ruhen.

Thomas Mann

An Erich von Kahler

Pacific Palisades, California
1550 San Remo Drive
20. X. 44

Lieber, guter Freund,
so schön und wohltuend haben Sie mir über den Joseph geschrieben – und ich mache mir Vorwürfe, daß ich es Sie habe tun lassen. So ein Buch ist ja ein Danaergeschenk: erst soll man es lesen, was bestenfalls streckenweise unterhaltend, aber im Tagesdrang schon

schwer durchzuführen ist; und dann soll man dem nach Vitamin P(raise) gierenden Autor auch noch etwas Gutes, Bedeutendes darüber schreiben, – eine Last mehr zu anderen. Längst hatte ich mir Vorwürfe gemacht, daß ich Ihnen nicht gesagt hatte: »Schreiben Sie mir nicht, wir werden im Winter darüber sprechen!« – und muß mich nun doch freuen, daß ich das Verbot schuldhaft unterließ. Denn so ein Brief ist natürlich ein großes Vergnügen, ein Trost und eine Stärkung und gibt einem Hoffnung, daß [...] auch das gerade in Arbeit Befindliche nicht ganz läppisches Zeug sein wird. »Der Fortgang des Faust«! Wie das klingt! Alsob Zelter oder Humboldt nach Weimar schriebe. Ich habe wirklich in mich hineingelacht. Aber es hat ja sein Mythisch-Reizvolles so gefragt zu werden, und etwas vom Faust hat alles bessere Deutsche – der Zauberberg und der Joseph hatten, weniger eingestanden, auch schon viel davon. Diesmal wird mit dem Namen herausgeplatzt – und dabei versucht, die Sache durch die lateinische Namensendung etwas zu vertuschen: »Doctor Faustus. Das Leben des deutschen Tonsetzers Adrian Leverkühn, erzählt von einem Freunde.« Das ist der Titel, wie er jetzt feststeht, und ich denke doch, er läßt nicht auf paralytischen Größenwahn schließen. Das Wort »deutsch« hat sich nolensvolens eingeschlichen, als Symbol aller Traurigkeit und alles Einsamkeitselends, wovon das Buch handelt, und was es selber symbolisch macht. Es ist sehr merkwürdig: eine Art von Schwermuts-Nationalismus scheint in unserer Dichtung auszubrechen, eine völlig neue Nuance darstellend. *Leonhard* Frank, der uns zuweilen aus einer neuen und sehr begabten, in altdeutsch-kleinstädtisch-handwerklicher Sphäre spielenden Erzählung vorliest, will ihr geradezu den Haupttitel »Deutsche Novelle« geben! Unter uns gesagt, ist diese Arbeit schon von dem »Deutschtum« meines Romans beeinflußt, der ihn, eben dadurch, bei jeder Vorlesung in Ekstase versetzt. – Ja, ja, sehr sonderbar. Umso sonderbarer, als mein dégoût an allem Deutschen gerade jetzt ins Unermeßliche wächst. [...] Sie haben nichts gelernt, verstehen nichts, bereuen nichts, haben nicht das geringste Gefühl dafür, daß ihnen Heroismus, nach allem, was sie angerichtet, nicht zukommt, und daß der heilige deutsche Boden längst nicht mehr heilig, sondern von Unrecht und äußerster Niedertracht über und über geschändet ist. Aber dumm und kritiklos werden sie ihn nebst Hitler und Himmler noch Monate lang mit dem »Fanatismus« verteidigen, den man sie gelehrt hat. Es ist zum

Erbarmen und zum Verzweifeln. Golo hat in der Basler Nationalzeitung gelesen,: Frau Elsa Bruckmann (die Cartacuzène) war zu den Festspielen in Luzern. Sie flucht furchtbar auf die Amerikaner, die vorsätzlich und systematisch deutsche Kinderhospitäler bombardieren. Man bezweifelt das leise und fragt übrigens, noch leiser, nach den gräßlichen Kinder-Massenmorden der Deutschen. »Das können Sie doch nicht vergleichen«, antwortet sie, »das waren ja Judenkinder«. Das Blatt fügt hinzu, es sei wohl ein Irrtum gewesen, zu glauben, daß nur die *jungen* Deutschen vertiert seien und fragt, was man da irgend für die Zukunft hoffen solle. – [...] Es ist sehr unheimlich.
Tausend Grüße und alles Gute!

Ihr T. M.

PS. Ich habe noch eine Bitte: der alte *Julius Bab* (14 Jessica Place, Roslyn Heights, L. J., New York) soll für die guten »Deutschen Blätter« in Santiago de Chile einen Artikel über den Joseph schreiben, kann aber von Bermann kein Exemplar bekommen, da die kleine Auflage vergriffen ist. Würden Sie so gut sein, ihm für 14 Tage Ihr Exemplar zu leihen?

An Archibald MacLeish

Pacific Palisades, California
1550 San Remo Drive
October 26, 1944

Dear Mr. MacLeish:
The schedule of my lecture tour next year is now almost completed, and I can give you my suggestions. On January 10, 1945, I shall speak in Tucson, Arizona, and hope to be in Washington on the 13th or 14th. For the speech in the Library I can offer you the days between January 15th and 18th. I personally would prefer the 16th or 17th. But I insist by no means on these two days.
I take the opportunity to ask you whether I may present to the Library the original handwriting of my Moses story which I wrote for the anthology »The Ten Commandments«. My special reason for this offer is the fact that the whole story is written on the particularly pleasant stationary of the Library, – a misuse for which I can best atone by this dedication. Of course, I do not know whether the Library is at all interested in such treasures.

I am looking forward with pleasure to your kind news, and remain
with my best regards
faithfully yours Thomas Mann

An Klaus Mann Pacific Palisades
6. Nov. 44

Dear soldier-son,
zu Deinem Wiegenfest recht herzliche Glückwünsche! Möge es doch, bitte, das letzte sein, das Du in Waffen verbringst!
Dein Brief über Joseph war ein Vergnügen. Eine sehr gute Kritik, alles ganz richtig. Mielein las ihn nach Tische vor, in Gegenwart von Dr. Anna Jacobson, Hunter College, die hier auf Urlaub ist, um über mich zu schreiben. Für die war es eine Sensation.
Dies ist das Erste, was ich wieder schreibe nach einem häßlichen Grippe-Anfall, der mit Neuralgien da und dort begann und sich dann auf Magen und Darm warf. Es war genau wie bei J. Caesar in Spanien:

»Als er in Spanien war, hatt' er ein Fieber,
Und wenn der Schau'r ihn ankam, merkt' ich wohl
Sein Beben...«

Bin hinter den Ohren sehr mager. Du wirst es wohl leider auch sein von Kälte, schlechtem Essen und Herumkutschieren. Dieser Krieg ist sehr neuartig und unheimlich. Eine Kapitulation, einen Waffenstillstands-, ja auch einen Friedensvertrag wird es wahrscheinlich nie geben. Einen Sieg auch nur sozusagen. Denn Siegen heißt, dem andern seinen Willen aufzwingen, und dazu muß man einen Willen haben.
Nun wollen wir nur hoffen, daß es morgen hier gut geht. Ich bin öffentlich für FDR herausgekommen, aber man hört auf mich immer noch viel zu wenig.
Nochmals alles Liebe und Gute. Z.

An Agnes E. Meyer

Pacific Palisades, California
1550 San Remo Drive
17. Nov. 1944

Meine liebe Freundin,
ich beeile mich, Ihnen zu schreiben, weil ich fürchte, daß Freund MacLeish Sie mit dem Telegramm unvermittelt erschrecken könnte, das ich gestern Abend an ihn (wie an den Agenten C. Leigh) absandte. Ich habe mich entschließen müssen, die Januar-Reise nach dem Osten fallen zu lassen – aus folgenden Gründen. Das Unwohlsein, von dem ich Ihnen langweiligerweise in meinen letzten Briefen berichtete (rheumatische Quälereien hauptsächlich) war nur der Vorbote einer akuten Erkrankung, die sich als Intestinal flu mit hohem Fieber entwickelte und mich etwa eine Woche im Bette hielt. Ich bin schon seit einigen Tagen wieder auf, aber eine recht empfindliche Angegriffenheit des Nervensystems, Verstimmung, Energielosigkeit sind, wie das nach der Grippe zu sein pflegt, von dem Anfall zurückgeblieben. Ich könnte hoffen, daß das bis zum Januar sich gebessert haben würde. Aber ich müßte jetzt sofort und schon in Eile, wenn die Übersetzung rechtzeitig fertig werden sollte, den Vortrag, eine heikle Aufgabe, in Arbeit nehmen und fürchte, nicht in der rechten Verfassung dafür zu sein. Immerhin, das ließe sich erzwingen. Es kommt aber hinzu, daß die Genesung von der akuten Krankheit nicht auch die Befreiung von den neuralgischen Gesichtsschmerzen gebracht hat, die ihr vorhergingen. Diese haben sich auf die Zähne geworfen und in dieser Sphäre eine Krise herbeigeführt, die ich bis nach der Reise aufschieben zu können gehofft hatte. Sie muß aber jetzt gelöst werden, und das ist ein langwieriger Prozeß, der bis zum Reise-Termin nicht beendet sein wird, und so habe ich mich mit dem Gedanken abfinden müssen, auf den Besuch im Osten für dieses Jahr zu verzichten.
Leicht ist mir das nicht geworden, denn ich verzeihe mir ein solches Aufgeben und Versagen immer nur schwer, und außerdem komme ich um vieles: den Luftwechsel, die Zerstreuung, den Kontakt mit dem Publikum, die New Yorker Anregungen und Begegnungen, namentlich aber um das Wiedersehen mit Ihnen, auf das ich mich von Herzen gefreut hatte, und das nun durch dies Mißgeschick recht weit ins Unbestimmte verschoben ist. Es ist mir sehr, sehr bitter. Aber der Entschluß war ganz unvermeidlich, und ich muß sehen, wie ich mich mit dem Verhängnis verständige.

Hoffentlich findet nun wenigstens dies undefinierbare Klima hier zur Sonnigkeit zurück und hilft mir damit ein bißchen weiter. Der feuchte, ewig neblige und kalte Sommer, den wir hatten, ist an allem schuld.
Leben *Sie* recht wohl und haben Sie Geduld mit
Ihrem leidenden, aber nicht verzagten T. M.

An Agnes E. Meyer Pacific Palisades, California
1550 San Remo Drive
26. Nov. 1944

Meine liebe Freundin,
ich kann Ihnen nicht sagen, wie wohl mir Ihr Brief getan hat, Ihre Sorgsamkeit und Treue, Ihre Anteilnahme an meinem Kummer, die freundlichen Aussichten, die Sie mir zum Trost für die Zukunft eröffnen. Daß Sie meine notgedrungene Absage nur als einen *Aufschub* betrachten, entspricht ganz meinen eigenen Bedürfnissen: bei einem Blutdruck von 90 und absurden Gesichtsschmerzen (Trigeminus! Scheußlich!) war freilich meine Resignation radikal. Aber jetzt, wo ich es wieder auf 120 gebracht habe und *schmerzfrei* bin (eine große Sache, wenn man wieder einmal erfahren hat, was das heißt: unter Schmerzensdruck zu leben), jetzt mag ich von keinem endgültigen Verzicht wissen und lasse mich gern mit dem Gedanken beruhigen, daß ein wenig später die Reise, in schönerer Form vielleicht sogar, nachgeholt werden soll.
Ein solches Versagen, wie es mir jetzt passiert ist, ist niemals schmeichelhaft; es ist eine Erschütterung des Selbstvertrauens: man erfährt, daß man sich nicht auf sich verlassen kann, und im aktuellen Fall kamen noch Gewissensbisse hinzu, die dem versäumten Vortrag galten. Ich habe nämlich das deutliche Gefühl, daß ich mich über die deutsche Frage, wie ich nun einmal dastehe, nicht dauernd in Schweigen hüllen kann, sondern irgendwann einmal mit einem Bekenntnis darüber hervortreten muß; und es war ärgerlich, mich im Verdacht zu haben, daß ich mich vor der allerdings heiklen Aufgabe »in die Krankheit geflüchtet« hätte. Als desto stärkender empfinde ich es, daß Sie mir, im Einverständnis mit Archie, den Gedanken des Aufschubs, und zwar eines nur mäßigen Aufschubs, entgegenbringen, den ich selbst schon seit Tagen bei mir zu bewegen begonnen hatte. Schon bevor Ihr Brief kam, hatte ich an Hun-

ter College geschrieben, daß ich zwar die Lecture-Tour als solche hätte aufgeben müssen, daß ich aber bestimmt hoffte, den Vortrag dort im Frühjahr, etwa im März, halten zu können. Aber Mai oder selbst Anfang Juni, wie Sie sagen, wird wahrscheinlich noch besser sein, – und alles in allem wird sich noch herausstellen, daß das Schicksal es bei dieser Korrektur meiner Pläne sehr gut mit mir gemeint hat. Es ist ja durchaus möglich, daß die militärische und politische Lage sich bis zum Frühjahr oder Frühsommer weiter geklärt haben und auch Deutschland uns allen schon sichtbarer geworden sein wird. Zeit macht klüger. Und wenn man sie auch nicht endlos abwarten kann, um etwas zu sagen, so ist doch heute für eine Rede über Deutschland jeder Zeitgewinn ein – *Gewinn*.
Kurzum, ich bin zu drei Vierteln getröstet, und über die noch bestehende Mattigkeit und leichte Erschöpfbarkeit (*alles* ist so anstrengend!) wird wiederum die Zeit und werden einige weitere Vitamin-Injektionen schon hinweghelfen. Sogar habe ich in den ersten Vormittagsstunden wieder ein wenig zu schreiben begonnen: Adrian ist nun in Italien, in Palestrina in den Sabiner Bergen, mir sehr genau bekannt; und dort, in dem steinernen Saal, den er bewohnt, soll er sein Zwiegespräch mit dem »Engel des Giftes« (das ist die Bedeutung von Sammael, Samiel) haben.
Wo denn haben Sie, treueste Verkünderin, »die erste Rede über T. M.« gehalten, und was für ein Publikum war es, das sich so enthusiastisch zeigte?! Und weitere sollen also noch folgen?! Bermann wird sich nicht wenig freuen über die Spende. Aber, um Gottes willen, von der Neuen Rundschau hätten Sie mir ja garnichts verraten dürfen! – Übrigens weiß ich es längst.
Und somit genug für heute. Leben Sie wohl und haben Sie Dank für alle Liebe und Güte in Vergangenheit (einer schon langen Vergangenheit!), Gegenwart und Zukunft!

Ihr T. M.

An Ida Herz

Pacific Palisades, California
den 3. Dez. 44

Liebes Fräulein Herz,
mit vielem Dank bestätige ich gleich den Eingang Ihres freundlichen Briefs vom 15. November und will Ihnen nur sagen, daß ich jetzt, wo ich wieder einige Exemplare von »Joseph der Ernährer« bekommen habe, zwei Stück davon, von Druckfehlern einiger-

maßen gereinigt, nach London abgehen lasse: an die alten Cousinen meiner Frau eines und eines an Sie. Das heißt: eine Buchhandlung im nahen village soll die Sendungen besorgen, denn nur solchen ist hier das Verschicken von Büchern overseas erlaubt. Haben Sie viel Vergnügen an dem Schmöker, wann immer er nun zu Ihnen gelangen möge! Zu Weihnachten wird er wohl leider noch nicht da sein. Was Ihr eigenes Buchgeschenk betrifft, so zweifle ich nicht, daß Sie eine gute und nützliche Wahl getroffen haben. Vielen Dank im Voraus! [...]
Erika ist ja die ganze Zeit auf dem Kontinent, wie soll sie Sie wohl besuchen. Außer in Paris war sie in Brüssel, Antwerpen, *Aachen*... und wird viel zu erzählen haben, wenn sie, kurz vor Weihnachten wahrscheinlich, hier wieder einläuft. Von Golo's eingespannter Existenz, nach des Dienstes ewig gleichgestellter Uhr, habe ich Ihnen ja gesagt. Warten Sie nur, wenn *wir* nach London kommen, nachher, bald einmal, werden wir uns schon nach Ihnen umsehen!
Eine reizende kleine Luxus-Ausgabe von »Das Gesetz« (meiner Moses-Geschichte), auf deutsch, hat der Verlag Pacifische Presse in Los Angeles gemacht. Sie wäre ein Schmuck Ihres gewiß appetitlichen Ladens, aber ich glaube, es ist alles in festen Händen.
Die ausgebombten und verzogenen Warburg & Secker sind sehr stolz, daß sie Papier für kleine neue Auflagen von »Buddenbrooks« und »Zauberberg« bekommen haben – alsob es kriegswichtige Bücher wären. Es ist wirklich viel Ehre.
Für den 30. Dezember (warum nicht für X-mas?) haben die Deutschen ja das Eintreffen einiger Robotbomben in New York angekündigt. Man ist allgemein sehr gespannt.

Ihr Thomas Mann

An Agnes E. Meyer

Pacific Palisades, California
1550 San Remo Drive
12. Dez. 44

Liebe Freundin,
ich sollte lieber sagen: Lieber Weihnachtsengel, denn gestern kamen ja schon Ihre blendend schönen Geschenke an. Wir widerstanden nicht der Neugier und haben die Pakete gleich geöffnet, was wohl einer Pietätlosigkeit gegen das Weihnachtsfest gleichkommt. Aber wo wollen Sie weihnachtliche Stimmung und Scheu vor Christpaketen hernehmen bei einer Sommerhitze, wie wir sie hier seit

Wochen schon haben. Es sind lächerliche Wetterverhältnisse hiezulande. Den ganzen Sommer haben wir im Nebel gefroren, und zu Weihnachten gibt es Hundstage.
Katja war völlig fasziniert von ihrer Tasche, die wirklich ein ausnehmend geschmackvolles und gediegenes Stück ist. Nach einigem Anschauen habe ich sie ihr wieder versteckt, damit sie sie erst auf dem Gabentisch wieder vorfindet. Von dem prächtigen Material der Jacke war ich entzückt auf den ersten Blick. Aber, die Wahrheit zu sagen, es hat sich herausgestellt, daß sie mir etwas zu kurz und zu eng ist. Ich habe es wieder und wieder versucht, aber es sieht nicht aus, alsob sie und ich uns je ineinander fügen werden. Das ist umso beklagenswerter, als Sie es im Prinzip *genau getroffen* haben: eine seidene Hausjacke war das, was ich mir wünschte, und hier wäre es schwer, eine aufzutreiben. Was tun? Ich kann das schöne Ding doch nicht in den Schrank hängen, um mich nur manchmal mit Aug' und Hand daran zu weiden! Ist noch ein Umtausch möglich? Dann sollte ich mich wohl mit der Rücksendung an das Geschäft beeilen und sie bewerkstelligen ohne Ihre Antwort abzuwarten. *Wenn* aber schon umgetauscht wird, dann sollte auch gleich auf eine andere Façon geachtet werden, more informal. Dies ist ein tief ausgeschnittenes Dinner-Jacket, keine Arbeitsjacke. Sowohl *loser* wie auch *höher geschlossen* sollte sie sein, um ganz ihren Zweck zu erfüllen.
Undankbar und mäklig nimmt sich das alles aus. Es sind mir fremde Eigenschaften, und dennoch muß ich sie an den Tag legen. Traurig, traurig! Nur zu wohl würde ich es verstehen, wenn Sie, beste Freundin, weder Zeit noch Lust hätten, sich weiter um die Sache zu kümmern. In diesem Fall vermache ich das wunderschöne Stück dem kleinen Tonio, zusammen mit den Jadeknöpfen.
Sorgen sind das –! Ich habe sie vorangestellt, weil die Pakete ein gestriges Ereignis waren. *Heute* nun kam Ihr Brief mit dem ergreifenden letter to the editor, – und abermals habe ich zu danken für Ihr hochherziges, ernstes, schönes, kraftvolles Eintreten! Die Angriffe müssen ja garstig gewesen sein, da auch MacLeish so ergrimmt darüber war. Wohl mir, daß ich mir nicht das Blut damit vergiftet habe. Von Ihrem Gegengift, einem Balsam aus Brangänes Schrein, verspreche ich mir die reinigendste Wirkung – selbst auf die Briefschreiber und selbst, wenn sie nichts verstehen. Es ist das Edel-Überlegene an Ihren Worten, das sie irgendwie beeindrucken und an ihrer eigenen Dummheit irre machen wird.

Ich leide mit Ihnen unter den Schrecken, Fehlern, Verwirrtheiten der Weltgeschehnisse. Mehr als Sie bin ich ein Bewunderer Englands. Aber was England, wie es scheint sogar mit Zustimmung der Labor Party, in Griechenland tut, ist schauerlich; und auch sonst gibt es so manchen Grund zur Beklemmung. [...] Am Militärischen liegt es nicht, wenn wir unserer Aufgabe nicht gewachsen sind, sondern am Geistigen, Politischen. Wir sind nicht klüger geworden, oder doch nicht entscheidend klüger, seit anno Spanien und anno München. Noch immer fürchten wir den Sozialismus weit mehr, als den Fascismus. Da es aber, wenigstens für Europa, nur das eine oder das andere gibt, so wissen wir nicht, was wir wollen, und daran kann immer noch alles zugrundegehen. –
Ich hatte nicht gedacht, daß Archie wegen seiner Berufung ins State Department die Library werde verlassen müssen und bin betrübt darüber. Hoffen wir, daß er im Frühjahr bei der Feier zugegen sein, die wir möglichst nahe an den Geburtstag heranlegen wollen, und auf die ich mich von Herzen freue.
Ihr getreuer T. M.

An Ida Herz Pacific Palisades, California
den 26. XII. 44

Liebes Fräulein Herz,
das Lexikon ist originell, interessant und nützlich. Haben Sie vielen Dank für die gute Wahl und das freundliche Gedenken.
Wir hatten ein rechtes Kinder-Weihnachten wie es im Buche steht, denn zu den italienischen Enkeln waren noch die Schwyzerischen hinzugekommen, und so gab es 4 Paar von Lichterschein und Geschenken geblendete Augen, und der Living room ist eine Spielsachenwüste, man wird gründlich reinmachen müssen.
Ich hoffe, Sie haben den Abend wohlgemut mit guten Freunden verbracht, ungeachtet des Sorgen- und Enttäuschungsdrucks, unter dem wir nun wieder stehen. Es ist ein scheußliches Schlamassl und hätte bei mehr Sorgfalt und mehr Verständnis für den Radikalismus des Feindes (von dem wir freilich so garnichts haben) vermieden werden können. Man stelle sich vor, daß die Deutschen wieder nach Paris gelangen! Eine Lektion hätten wir schon brauchen können, aber es geht ein bißchen zu weit.
Ich war sehr erleichtert durch einen überraschenden Anruf Eri-

kas aus New York. Sie ist mit Truppen-Transportschiff glücklich dorthin zurückgekehrt. Ich hatte heimlich Angst um sie gehabt, denn wer konnte wissen, wo sie sich gerade herumtrieb, vielleicht in der Gegend der deutschen Offensive. Ende des Monats kommt sie für einige Tage her und wird viel zu erzählen haben.
Im sonderbarsten Augenblick hat B. B. C. mich wieder mit 14tägigen Sendungen nach Deutschland und zwar speziell ins besetzte Gebietchen beauftragt. Aber ich habe ja in den dunkelsten Tagen dorthin gesprochen und kann also jetzt ganz passend wieder anfangen. [...]
Ob Sie wohl den »Joseph« bekommen? Er ist sorglich auf den Weg gebracht worden.
Alles Gute zum neuen Jahr!

Ihr Thomas Mann

1945

An Agnes E. Meyer

Pacific Palisades, California
1550 San Remo Drive
7. Jan. 45

Beste Freundin,
mein Gott, Ihr Geburtstag! Wieder einmal habe ich Ihnen Grund gegeben zu jeder bitteren Ironie! Es ist verflixt: Wenn er mir nach dem Versäumnis in Erinnerung gebracht wird, kann ich ihn mir nicht auf den Kalender schreiben, wie andere Merktage, weil er ja erst auf den nächstjährigen Kalender gehört, und so versäume ich ihn im nächsten Jahr wieder. Nach meiner Vorstellung, ich weiß nicht warum, fiel er in den Oktober, – was eine sonderbare Entschuldigung ist, da ich ja im Oktober auch nicht achtgegeben habe. Dabei, ich darf es sagen, bin ich nicht ohne Treue; nur kalendermäßig will diese Treue sich schlecht bewähren. Sie haben immerhin gesehen, wie mir daran lag, daß zu Christi Geburtstag ein Brief von mir in Ihren Händen sei. Wollen Sie zu dem Ihren (zum 2. Januar also? Sie *schrieben* am 2. Januar) noch heute meine herzlich freundschaftlichen Glückwünsche nachsichtig annehmen? War es denn nun der fünfundvierzigste? Verzeihen Sie die rasche Schätzung nach dem Bilde, das mir von Ihnen vorschwebt! Und haben Sie den Tag ein wenig festlich, mit Freunden, bei einem guten Dîner begangen? Was hat Eugene Ihnen geschenkt? Was *kann* man Ihnen schenken? Es gehört ein Eugene dazu, um Ihnen was zu schenken.
Man plagt Sie zu viel mit »mir«. Nun hat man Sie wieder gezwungen, für Bermanns Heft zu schreiben, – das weit entfernt sein wird, das erste Heft der in Freiheit neu erstandenen Zeitschrift zu sein. Sicher haben Sie es wieder vortrefflich gemacht, und Ihr Brief zeigt mir, welch eine Fülle von geistvollen Gedanken und Assoziationen Ihnen immer sich anbietet, sodaß wahrscheinlich die Beschränkung, die Wahl das schwerste bei solchen Gelegenheiten ist. Es hat sein Ergreifendes, was Sie von Deutschland und dem Bösen im Zusammenhang mit Baudelaire und Nietzsche sagen. Übrigens fand Nietzsche, es sei viel Deutsches in Baudelaire, – er war ja auch der erste Bewunderer Wagners in Frankreich. Sie tun Deutschland viel

Ehre an, es mit so tiefen Geistern wie Baudelaire und Nietzsche zu vergleichen. Tolstoi war meiner Meinung nach nicht tief, sondern nur hilflos in seiner Kraft. Ich habe immer nur eine schöpfungsmächtige Naturkraft, aber keinen Geist in ihm gesehen. Aber fern sei es von mir, Ihre Kreise zu stören. – Hoffen wir nur, daß Deutschland noch Tiefe besitzt und am Leiden produktiv zu werden weiß. An Erkenntnis des Unrechts aber gerade (und welcher Summe von Unrecht!) fehlt es dort nach allem, was man sieht und hört vollkommen. [...]
Was soll man ihnen sagen? In dem Wunsch nach Frieden und Wiederaufbau, der, wie auch Erika berichtet, sie sehr beschäftigt, kann man sie bestärken. Nur sollen sie toller Weise die Vorstellung haben, die Alliierten hätten für den Wiederaufbau der zerbombten Städte aufzukommen! Es sieht höchst sonderbar und schwer verständlich in diesen Köpfen aus.
Erika, mit einem Sack voll Erlebnisse von Paris, Brüssel, Antwerpen, Aachen heimgekehrt, war am Auspacken sehr gehindert durch eine böse Laryngitis, die sie zwang, ihre ersten lectures hierzulande abzusagen. Von einigen interessanten Eindrücken konnte sie uns doch flüstern: so von der »historischen« Entrevue im Aachener Stadthaus von Murphy (der deutsch spricht wie ein Deutscher), dem Erzbischof, dem Kommandanten, dem Bürgermeister etc. Dem katholischen Bürgermeister hat sie sich ausnahmsweise zu erkennen gegeben, d. h. ihm gesagt, sie sei meine Tochter. Darauf er, in gelindem Schrecken: »O... Ja... Nun, die ›Buddenbrooks‹ bleiben ja trotz allem ein sehr gutes Buch!« – – Ach, Deutschland, Deutschland! Jeder Laut von dort, auch noch der halbwegs freundliche, mutet *schaurig*, grotesk und schaurig an. Gestern Abend las ich in einem Emigranten-Club, vor 500 Menschen, die als Eintrittsgeld war-bonds gekauft hatten, darunter auch einige Amerikaner, die zweite Hälfte der Moses-Novelle vor. Das Publikum stand auf wie ein Mann bei meinem Eintritt, es hörte zu wie Kinder und stand am Ende wieder und applaudierte Minuten lang. Und in Deutschland sind trotz allem die Buddenbrooks noch immer... Nun, ich bin ja Amerikaner. –
Unser Haus ist wieder still geworden. Borgese's sind nach Neujahr fort, die Leutchen aus San Francisco auch, und Erika war nur einige Tage hier. Mein Bruder, der (zum Glück) seine Frau verloren hat, wird jetzt für einige Wochen zu uns ziehen. Es war hohe Zeit, daß

dieses Bündnis durch den Tod gelöst wurde. Es war ruinös, und wir haben viel zu sanieren.
Der Roman steht im XXV. Kapitel, einem entscheidenden. Es ist der große Dialog des armen Adrian mit dem Teufel, verteufelt schwer zu komponieren und in Gefahr, zu sehr an Iwan Karamasow zu erinnern. Es ist eben schon zuviel Gutes gemacht worden! Nach diesem Kapitel werde ich über den Berg sein; zwei Drittel sind dann getan, wenn ich nicht irre.
Daß ich es nicht vergesse: Ein Deutsch-Lehrer in Lawrenceville, N. J., schrieb mir neulich anläßlich des »Moses«: »Erst in der auf deutsch gedruckten Ausgabe kann man wirklich den ganzen Scherz genießen. Sie selbst haben mir erzählt, von nun an wird Frau Meyer Ihre Werke übersetzen. Ich freue mich deswegen sehr, denn, ohne daß ich die Dame kenne, habe ich den bestimmten Eindruck, sie fühlt Ihnen nach in Ihrem genialen Humor sogar in den tiefsten Stellen....« Für einen Deutschlehrer ist das kein sehr gutes Deutsch. Aber der bestimmte Eindruck wird Sie doch freuen, den er von Ihnen hat. Leider muß ich ihm sagen, daß er von Träumen und Schäumen spricht.

Ihr T. M.

An Anna Jacobson Pacific Palisades
den 19. I. 45

Liebe Biographin,
endlich, – und doch auch wieder nur in Kürze:
1.) Richtig, bei Jeremias war ich sehr zu Haus. Winckler habe ich nie direkt gelesen, ihn aber oft citiert gefunden. Um Jeremias' Tendenzen habe ich mich nicht gekümmert. Er war eine Quelle und zwar eine, die mich auf manches gebracht hat.
2.) Von W. F. Otto las ich die »Götter Griechenlands«. Karl Kerényi, der ungarische Mytholog, dessen Schriften ich viel verdanke, empfahl sie. Ein schönes Buch.
3.) Bei Hegemann ist *alles* Fiktion, oder vielmehr: er läßt mich sagen, was da und dort von mir gedruckt ist.
4.) Brandes' Klarheit war mir immer erquicklich. Ich traf ihn in München, als er dort über Voltaire vortrug (Anfang des Jahrhunderts), und besuchte ihn später in Kopenhagen. Er hatte viel von einem geistreichen alten Weib mit boshaftem Klatschmaul.
5.) Ganz gewiß stammt die »Hand über Kinn und Bart«-Haltung

von einer Michelangelo-Figur. Es muß ein Apostel sein. – Ich sah gerade nach. Es ist der Prophet Jeremiah.
Herzlich Ihr Thomas Mann

An Jonas Lesser Pacific Palisades, California
1550 San Remo Drive
23. 1. 45.

Lieber Herr Lesser,
Ihre Sendung ist glücklich eingetroffen und hat mir viel Freude gemacht. Diese Einleitung zusammen mit dem leckeren Inhaltsverzeichnis verspricht ein schönes, reiches Geburtstagsgeschenk zu werden. Stellen Sie es übrigens nicht so dar, alsob ich mich über »das Ganze« gar zu unumwunden lustig machte! Ich sehe zwar im Religiösen etwas sehr Menschliches und in der Theologie eine Wissenschaft vom Menschen und nicht – von Gott. Wie sollte man von dem auch wohl Wissenschaft haben. Und doch stehe ich zum Religiösen, auch in dem Buch, nicht so, daß ich mich gern entschieden ungläubig nennen hörte. Scherz mit dem Heiligen kann eine Form der Bescheidenheit sein und eine behutsame Art sich ihm zu nähern. Das Citat über Künstler und »Glauben« bezog sich nicht aufs Religiöse, sondern aufs Politische (es stammt ja aus den »Betrachtungen«). Es wird besser hier nicht benutzt.
Zum Verwundern haben Sie sich in das Werk vertieft und zeigen mit Feinheit Ihren und meinen Lesern Dinge auf, die mancher von selbst nicht sehen würde. Gewiß wird man Ihnen Dank wissen, auch die, denen Ihre Findungen nur Bestätigungen sind. Immer staune ich über die ungeheuere Erkenntlichkeit der Juden für diese Bücher. Noch heute hatte ich einen Doppelbrief von einem Ehepaar Manasse in Durham, N. C. Er schreibt: »Es scheint mir, alsob hier nach den Bemühungen der letzten Jahrzehnte um äußerste Möglichkeiten eine mittlere ›goethische‹ Tradition aufgenommen ist, die, da keine dieser Bemühungen verleugnet ist, nicht mehr Verengerung, sondern neues Wagnis bedeutet. Alles scheint goethisch und doch zugleich ganz neu, Rhythmus, Stil und die Gesinnung, das Miteinander von Distanz und Nähe.« – Sie schreibt: »Nach allem Grauenhaften, was den deutschen Juden vom deutschen Volk widerfuhr, scheint es mir unsagbar geheimnisvoll und vieldeutig, daß dieses Ihr Buch heute von einem deutschen Nichtjuden

geschrieben wurde. Aus Ihnen spricht auch Deutschland, ein so großartiges und göttliches, daß es den, der beides sieht und erlebt, sprachlos macht und umwirft. Ihre ›Verkündigung‹ ist symbolisch .... die Stimme eines Deutschen, der in tiefster Demut es auf sich nimmt, das auszulöschen, was seine Brüder an ihm und uns taten. Es gibt gar keine Worte dafür zu danken – es ist überwältigend und zu viel. Und wir haben nicht die Überlegenheit des Joseph, das Gottesspiel zu lenken und zu dirigieren...«
Beides sehr hübsch und fast bedeutend, nichtwahr?
Immer noch nicht bin ich recht von der Grippe erholt, die ich im Herbst durchmachte. Aber das Neue wird vorwärts getrieben, obgleich ich auch wieder für Ihr B.B.C. nach Deutschland spreche. Bald werd ich mich an einen Vortrag machen müssen, den ich im Mai in Washington und New York halten soll – über »Deutschland und die Deutschen«, – ein halsbrecherisches Thema. Bei mir heißt es immer: »Wer schwere Dinge sucht, dem wird es schwer«, wie da in dem Brief an die Ebreer gesagt ist.
Gute Wünsche und Grüße Ihr Thomas Mann

An Agnes E. Meyer Pacific Palisades, California
1550 San Remo Drive
15. Febr. 45

Dear Agnes,
daß Sie zwei Wochen lang nicht an mich gedacht haben, ist schon ein starkes Stück! Hoffentlich haben Sie wenigstens auch nicht an Toscanini gedacht. Ich wußte, daß Sie unterwegs und absorbierend tätig waren, darum habe ich nicht geschrieben, – wäre übrigens auch sonst wohl kaum fähig dazu gewesen, da ich erstens in einer schauderhaften Behandlung beim Zahnarzt war und zweitens akute Arbeit hatte: Auf Wunsch habe ich für Free World einen Aufsatz geschrieben, betitelt »The end«, eine Art von Nekrolog auf den National-Sozialismus, der mir, glaube ich, recht gut gelungen ist. Ich habe dazu Tagebuch-Aufzeichnungen aus dem Beginn der Emigration benutzt, die zeigen, wie die persönliche Verstörung und Beängstigung überherrscht war von dem Gefühl des Mitleids mit dem unglückseligen deutschen Volk und von der Frage: »Was soll eines Tages, früher oder später, aus diesen Menschen werden?« Denn daß es ein schlechtes Ende, ein Ende mit Schrecken nehmen müsse,

davon war ich vom ersten Augenblick an überzeugt und bin in dieser Überzeugung auch zur Zeit der größten Triumphe des Nazitums nie wankend geworden. Nicht schrecklich genug habe ich mir den Ausgang vorgestellt – er ist ja schon übermäßig furchtbar und wird immer noch fürchterlicher werden, da das Volk aus der Falle, in die es gegangen, nicht mehr herausfindet. Grausamere Herren hat wohl nie ein Volk gehabt, Herren, die eiserner darauf bestanden, daß es mit ihnen zu Grunde gehe. [...]
Ja, der arme L. Hardt! Ursprünglich verlangte er sogar, *ich* sollte den Brief schreiben, den er Ihnen nun hinter meinem Rücken geschrieben hat. Was für ein Unsinn! Er hat zu leben und sollte sich nicht darauf versteifen, eine Produktion, die schon in Deutschland veraltet war, hier wieder aufzunehmen, wo das Genre völlig landfremd ist. Ich habe hier aus Gefälligkeit einen englischen Abend von ihm mitgemacht, und es machte mich so traurig, daß ich nachher viel trinken mußte, um mir wieder auf die Beine zu helfen. Selbst Schalom Asch war tief deprimiert. –
Was für ein seltsames Vorkommnis, das mit dem jungen Frantz! Ich möchte in solchen Fällen immer mit Gretchen sagen: »Begreife nicht, was er an mir find't.« Aber diese Pennsylvania-Deutschen müssen ein merkwürdiges Geschlecht sein. Stark sektiererisch-religiös waren sie auch immer und erfanden durch einen Mann namens Beissel eine eigene kirchliche Vokal-Musik. Kommt im Roman vor. Beissels ungeheuer naive Manuskripte sind in der Library of Congress.
Die Vorlesung dort ist also auf den 29. Mai angesetzt. Ich habe mit der Ausarbeitung des Vortrags noch nicht begonnen, weil ich gern das Gespräch Adrians mit dem Teufel vorher fertig haben möchte.
Leben Sie wohl für heute!

Ihr T. M.

Das »Gesetz« hat in der Schweiz einen großen Erfolg und wird schon ins Französische übersetzt.
Klaus ist in die Redaktion von »Stars and Stripes« berufen.

An Anna Jacobson

Pacific Palisades, California
1550 San Remo Drive
22. Februar 1945

Liebes Fräulein Jacobson!

In aller Eile, da ich ungewöhnlich beschäftigt bin, die schon längst fällige Beantwortung Ihrer Fragen:

Das Lied vom buckligen Männlein machte auf Hanno nur eben als Gedicht, nicht als gesungenes Lied Eindruck. Ich wüßte nicht, daß es komponiert ist. Jedenfalls hat Hanno diese Komposition nicht kennen gelernt.

Die schlechte Romanze »In des Waldes finsteren Gründen« ist nicht von Eichendorff, sondern von Goethes Schwager Christian August Vulpius aus dem Jahr 1800.

Mereschkowski habe ich als Kritiker sehr bewundert, namentlich sein Buch »Tolstoi and Dostojewski« und das über Gogol. Seine Romane machten mir immer einen Eindruck von Unberufenheit und haben keinerlei Einfluß auf mich geübt.

Zu dem Aufsatz »Die Einheit des Menschengeistes« habe ich wenig Vertrauen, was eine Veröffentlichung in diesem Lande betrifft. Ich kann mir garnicht vorstellen, welches Organ da in Betracht kommen sollte. Auch ist der Aufsatz, wenn ich mich recht erinnere, ja in die Form einer Buch-Besprechung (Jeremias) gekleidet, was die englische Wiedergabe doch auch erschwert. Wenn Professor Luise Haessler das Ding auf gut Glück übersetzen will, weil sie einige Sicherheit hat, das Produkt unterzubringen, so habe ich gewiß nichts dagegen.

Klages hat meines Wissens nie in Küsnacht gelebt. Sein Wohnsitz war, so viel ich weiß, immer irgendwo am Bodensee. Daß ich seine Philosophie immer für gefährlich gehalten habe, wissen Sie wohl. Ich bin ihm einmal, sei es in Berlin oder München, flüchtig begegnet. Jung habe ich in der Schweiz nie gesehen. Er besuchte mich einmal in München zusammen mit einem anderen Herrn, an den ich mich nicht mehr erinnere. Jung machte einen außerordentlich gescheiten Eindruck auf mich. Seine Haltung gegenüber den Nazis war anfangs recht zweifelhaft und mehr als das. Literarische Beziehungen haben nie bestanden.

Auf Wiedersehen!

Herzlich

Ihr Thomas Mann

An Golo Mann

Pacific Palisades, California
1550 San Remo Drive
den 26. II. 45

Lieber, guter Gololo,
ist es nicht ausgesprochen unschön, daß ich Dir noch nie geschrieben habe, seit Du in London bist? Weiß nicht, wie Du darüber denkst, aber mir kommt es ausgesprochen unschön vor, besonders, da ich mich an Klaus schon das eine oder andere Mal, aus konkretem Anlaß, ich weiß nicht mehr, was es war, gewandt habe, *und* besonders noch, da ich doch an Deinen Briefen an ta pauvre maman immer so vergnüglich, so fast genüßlich teilnehme. In Wahrheit, Du kannst garnicht oft genug von Dir hören lassen, ganz gleich, in welcher Laune es geschieht, und ob Du wesentlich Neues zu sagen hast. Wir sind immer schon im Voraus erheitert und erwärmt, wenn im Kasten sich etwas von Dir vorfindet, und niemand kann den schelmischen Altersstil, der sich sogar in Deinem Englisch durchsetzt, mehr genießen, als wir beiden recht Einsamen bei unserem Täßchen nach Tische.

Heute schreibe ich Dir zu Deinem Geburtstag und wünsche Dir Glück und Segen, – sachlich gesprochen und um das Nächste und Wünschenswerteste zu nennen: daß der Krieg in Europa nun wirklich bald aus sein möge und Du zu den Wissenschaften zurückkehren kannst.

Gibt es denn das Optalidon, das ich Dir zur Aufmunterung Deines Befindens so herzlich gönnen würde, in Gottes Namen nicht auch in London? Mir hat es jetzt auch ein paar mal gute Dienste geleistet, nämlich beim Zahnarzt, wo ich denn, nach Einnahme von zwei Pillen vorher zu Hause, unter den greulichsten Umständen, zwischen impressions und Extraktionen, zur Verwunderung Coopers mit der Assistentin auf wirklich witzige Weise zu scherzen imstande war.

Von unseren Erlebnissen, Hausbesuchen, Wechselfällen weißt Du alles. Den Roman habe ich so weit gefördert, daß ich ihn nun ganz gut eine Weile liegen lassen kann, um erst einmal den Vortrag für Washington herzustellen. Ich habe als Thema »Germany and the Germans« angekündigt, – ein leichtsinniges Versprechen, denn wie man's macht, ist's falsch, und man stößt reihum alle vor den Kopf, die Deutschen, ihre Beschützer und ihre Vernichter. Bin selber neugierig, wie ich mich aus der Affaire ziehen werde. Das Schlimme

ist, daß es nicht einmal der Augenblick ist, humoristisch zu sein. Aber vielleicht ist dafür hier immer der Augenblick.
Die unglückseligen Deutschen! Ich finde doch, es geht ihnen dergestalt, daß man wenigstens auf ihre *Merkwürdigkeit* schon wieder hinweisen darf.
Erika wird nach Abschluß ihrer Tour den Mai hier mit uns verbringen und dann wollen wir zusammen gen Osten fahren. Darauf freue ich mich.
Noch einmal alles Gute! Z.

An Bruno Walter

Pacific Palisades, California
1550 San Remo Drive
1. März 45

Lieber Bruno Walter,
Erika schreibt mir, Sie hätten – Hofmannsthal würde sagen: indiskreter Weise – im »Aufbau« das abgerissene Stückchen aus den Anfängen des Romans gelesen und mehreres Musikalisch-Technische daran auszusetzen gehabt, was »Ihrer Überzeugung nach«, wie sie sich ausdrückt, unhaltbar sei. Natürlich bin ich erschrocken – obgleich ich mir noch garnicht vorstellen kann, was bei diesen Kindlichkeiten Unrechtes oder eine Streitfrage der Überzeugung sein könnte. Handelt es sich um den oft behaupteten und oft bestrittenen koloristischen Charakter der verschiedenen Tonarten? Oder um die »Entdeckung« der Windrose der Tonarten selbst? Oder darum, daß der junge Laborant auf das Modulationsmittel der enharmonischen Verwechslung verfällt? Denn das ist ja alles. Weiter kommt ja nichts vor. Und was ich nun garnicht verstehe, ist, wie etwas davon den Verdacht erregen kann, eine Einflüsterung Schoenbergs zu sein!
Bitte, klären Sie mich auf! Ist es mir gelungen, in diesen primitiven Erwähnungen eine Dummheit, und sogar mehrere, unterzubringen, über die der Fachmann lachen muß, so werde ich nichts Eiligeres zu tun haben, als sie nach Ihrer Anweisung auszumerzen. Werfel, der doch der Musik nahe steht, hat mir *nichts gesagt*, als er früher einmal dies Kapitel von mir hörte. Die Mahlerin war auch dabei. Aber was geht es die auch an, ob ich mich blamiere! Daß Sie aufpassen und scharf aufpassen, ist sehr gut von Ihnen.
Den Aufbau habe ich auch nicht mehr. Ich hatte kein Gefallen an der nichtssagenden Veröffentlichung. So schicke ich Ihnen einen

Durchschlag der Maschinenabschrift des Kapitels, damit Sie sich erinnern können, was Sie meinen, und mir Bescheid sagen.
Ich hatte jetzt a hell of a time mit meinen Zähnen. Impressionen, Extraktionen, toute la lyre. Auf diese Weise habe ich natürlich das durch die flu verlorene Gewicht nicht wieder eingebracht und bin ein nervöser Greis. Nun ja, was will man! Vielleicht sollte ich auch ein Ruhejahr einlegen. Aber Sie konnten schreiben unterdessen, während ich doch nicht gut zur Erholung dirigieren kann. Das ist ganz ausgeschlossen, sagen Sie, was Sie wollen. [...]
Meine Vorlesung in Washington (»Germany and the Germans«! Glatteis!) ist auf den 29. Mai angesetzt. Danach kommen wir für ein paar Wochen nach New York. Sie werden doch wohl da sein? Ich muß Ihnen dann Genaueres von dem Roman erzählen und wie ich es mit dieser intellektuellen Musikerfigur meine. Die »neue«, die »radikale« Musik, sogar das Schoenberg'sche System, *spielt* hinein, lieber Freund; denn es ist ja keine Frage, daß die Musik, so gut wie alle anderen Künste – und nicht nur die Künste! – in einer Krise liegt, die ihr manchmal ans Leben zu gehen scheint. In der Literatur wird sie manchmal durch einen ironischen Traditionalismus verdeckt. Aber Joyce zum Beispiel, dem ich in gewisser Hinsicht garnicht so fern stehe, ist für den klassisch-romantisch-realistisch gebildeten Sinn doch ein ebensolcher Affront wie Schoenberg und die Seinen. Übrigens kann ich ihn auch nicht lesen, schon weil man dazu in die englische Kultur hineingeboren sein müßte. Und was die entsprechende Musik betrifft, so brauchen Sie für mich persönlich nichts zu fürchten: Ich bin da im Grunde von Kopf bis Fuß auf romantischen Kitsch eingestellt, und bei einem recht schönen verminderten Septimakkord gehen mir immer noch die Augen über.
In dem Roman handelt es sich um eine Lähmung durch Gescheitheit, durch das intellektuelle Erlebnis der Krise – und um ein Teufelsbündnis aus Verlangen nach dem inspirativen Durchbruch. Eine tiefe und anspielungsvolle Angelegenheit. Die Musik als solche spielt im Grunde nur eine symbolische Rolle dabei, – was natürlich nicht hindert, daß die dabei präsentierten Exaktheiten *richtig* sein müssen.
Herzlich

Ihr Thomas Mann

P.S. Ich überlege gerade, daß es besser ist, Ihnen die ganzen Anfänge des Romans nebst dem fraglichen Kapitel zu schicken. So ganz ohne Atmosphäre ist das Fragment garzu elend.

An Agnes E. Meyer

Pacific Palisades, California
1550 San Remo Drive
7. März 45

Liebe, gute, verehrte Freundin,
haben Sie von Herzen Dank für Ihren Brief vom letzten Tage des Februar! Ich rechne es Ihnen so hoch an, daß Sie in allem Trubel der Pflichten und Leistungen doch immer wieder zu diesen ergreifend unmittelbaren Äußerungen Ihrer Zuneigung, Ihres Vertrauens Zeit zu finden wissen. Wenn die Pausen in unserem Austausch länger werden, – mein Gott, die Zeit bringt das mit sich, und in ähnlicher Lage, wie Sie, bin ja auch ich. Oft habe ich die Stunde schon bestimmt, wo ich Ihnen schreiben will, und dann wird sie mir genommen durch einen Besuch, ein notwendiges Diktat, irgend einen Zwischenfall. Jetzt, wo ich schon eingesessen in diesem Lande und Bürger bin, werden solche Ansprüche immer häufiger.
Bei dem, was Sie mir über die Entstehungsgeschichte der Jacke sagten, wurde mir ganz weh ums Herz. Schon als ich hörte, daß sie eigens angefertigt worden sei, fing ich an, mich zu fragen, ob ich ihr den rechten Empfang bereitet hätte, und nun kommt mein Verhalten mir wirklich roh und undankbar vor – oder ich finde doch, daß es *Ihnen* so vorkommen muß. Sie hatten es so lieb und gut gemeint und wollten, daß ich es ebenso fein hätte wie der Maestro! Aber, Beste, was sollte ich tun? Die Jacke war zu knapp, zu eng. Alle sagten es, und ich selbst sah und spürte es nur zu gut. Wäre *das* nicht gewesen, so hätte ich meine eigenen Meinungen über das, was an weltlicher Pracht zu mir paßt, gewiß zurückgestellt hinter Ihren gütigen Wunsch und Willen und das schmeichelhafte Stück behalten, um es gelegentlich zu tragen. Da es aber im allersimpelsten Sinn nicht paßte, wußte ich mir keinen anderen Rat, als es zurückzugeben – mit der vagen Vorstellung des Umtausches, der Änderung, des Ersatzes – was weiß ich! Kurz, ich bildete mir ein, daß *Sie* Rat wissen würden. Nun sehe ich ein, wie unzart die Geste der Rückgabe war. Ich mußte Ihnen die Freude verderben, mir eine Freude zu machen. Bei Gott, es ist nicht gern geschehen! –
Das Teufelsgespräch habe ich abgeschlossen und mich dem Vortrag zugewandt, aus dem ich, da ich diesmal auf kein Town Hall-Publikum Rücksicht zu nehmen habe, etwas Feineres machen möchte. Es wird wohl etwas wie ein essayistischer Ableger des Romans zustande kommen, mit dem Thema der musikalischen

Weltfremdheit der Deutschen, ihrer unglücklichen politischen Geschichte, bestimmt von Luthertum und Romantik. Man muß in der Kritik die melancholische *Größe* dieses Volks seiner *Schuld* die Waage halten lassen und zeigen, wie der Teufel seine Hand im Spiele hat, daß aus Innerlichkeit Verbrechen wird.
Der zwischendurch geschriebene Artikel für »Free World« hat eine Art von Sensations-Erfolg. Nicht nur mehrere Tagesblätter sondern auch Readers Digest haben ihn übernommen, was ein unverdient hohes Honorar ergibt, und mehrere große Radio-Stationen haben ihn auch verbreitet. Natürlich ist Mr. Dolivet entzückt, daß er den Geistesblitz hatte, mich zu beauftragen.
Ich glaube, ich werde durch die »Pacific Press«, die die Moses-Geschichte brachte, die Tagebuch-Notizen aus den Jahren 1933/34 veröffentlichen, aus denen ich in dem Artikel citierte, – etwa 80 Seiten. Es ist heute eine aufregende, erinnerungsvolle Lektüre. »Leiden an Deutschland« könnte der Titel sein.
Bibi ist bei wiederholter Untersuchung wegen nervösen Herzens für ein halbes Jahr zurückgestellt worden und fiedelt also wieder in seinem Orchester. [...]

Ihr T. M.

An Giuseppe Antonio Borgese — Pacific Palisades, 21. III. 45

Lieber Antonio,
es war sehr freundlich von Dir, uns Deinen großartigen Artikel zu schicken, der, wie ich mit Genugtuung feststelle, gerade bei Amerikanern des höheren Typs – und für das amerikanische Gewissen ist er ja geschrieben – nur zustimmende Bewunderung erregt. Wir machten diese Erfahrung noch gestern in einer Gesellschaft bei dem Schriftsteller Nathan, an der auch Maxwell Anderson teilnahm. Es gab nur *eine* Stimme: daß das eine höchst notwendige und höchst dankenswerte, mit großer Würde geformte Mahnung an den amerikanischen Idealismus sei. Ich stimme dem zu und habe meine Freude daran, an dem Gebilde den platonischen Doppelsinn des Wortes »gut« sich bewähren zu sehen: wie das Moralische und das Ästhetische sich darin vereinen, und wie das Schöne das natürliche und mitgeborene Kleid des geistig Anständigen ist. »Kleid« ist schon ein irreführender Ausdruck. »Natur hat weder Kern noch Schale.«
Im Übrigen tut es mir fast leid, daß Du das italienische Thema, das

Du eigentlich meintest, und aus dem viel unbedingtere Wirkungen zu ziehen gewesen wären, aus Diskretion ins Polnische transponiert hast. Ist es nicht ein wenig billig und fast boshaft, gerade an dem von Rußland und ihm allein befreiten Polen die Niederlage des Idealismus zu demonstrieren und zu verlangen, daß wir sie wenigstens eingestehen sollen? Sollen wir rufen: »Rußland hat uns gezwungen, wir können leider Gottes nicht anders, als ins Abscheuliche willigen!«? Das wäre eine schlechte Manier, den Nazis die hoffnungslose Einigkeit der Alliierten zu beweisen. Roosevelt ist mit großen Besorgnissen nach Yalta gegangen und erleichtert zurückgekehrt, weil man doch irgendwie beisammen geblieben ist. »Politik ist die Kunst des Möglichen«, sagte Bismarck. Der reine Geist hat leicht spotten oder zürnen über die Konzessionen, die sie machen muß als das vermittelnde und verwirklichende Prinzip, das sie ist. Jener ist nicht zu Verwirklichungen verpflichtet. Was aber hier zu verwirklichen, das ist in meinen Augen, mögest Du es auch borniert finden, erst einmal und vor allen Dingen die Vernichtung der Nazi-Bestie, – die sich diplomatisch erbietet, im Westen die Waffen zu strecken, wenn man ihr erlaubt, gegen Rußland allein weiter zu kämpfen. Was für eine Versuchung für eine Welt, die einst »München« lieferte! Ich werde nie das Zittern verlernen vor einem Über-München, und Yalta, so schlecht es nun immer gewesen sein mag, hat immerhin dies Zittern etwas gestillt. –
Fechterstreiche ersten Ranges geschehen in dem Meister-Artikel. Also, warum auch Spiegelfechtereien wie die, Amerika errege in seiner Sphäre doch auch keine Besorgnisse durch Größe und Überzahl, und also brauche man auch Deutschland in Europa nicht zu fürchten –? Na, höre mal!
Da hast Du etwas Kritik der Kritik. Deinem Aufsatz als Werk und Tat kann sie nicht die Haut ritzen.
Väterliche und großväterliche Grüße! T. M.

An Liesl Frank

Pacific Palisades, California
1550 San Remo Drive
28. III. 45

Frau Kätzchen!
Ja, was höre ich, Sie haben ein Sendschreiben vom Alten vermißt auf Ihrem von uns allen so hundertfach und bitter verwünschten

Krankenlager? Mein Gott, das rührt mich und bestürzt mich auch, denn da Sie's sagen, natürlich, kommt es mir selbst auf einmal vor, als hätte ich mich eines häßlichen Versäumnisses schuldig gemacht. Und doch kam ich die ganze Zeit nicht auf den Gedanken! Warum nicht? Wir waren ja sozusagen immer an Ihrem Bett, kein Tag, keine Mahlzeit, kein Spaziergang, ohne daß wir von Ihnen gesprochen, Sie laut beklagt, mit dem Schicksal, den Ärzten, den nurses gehadert und uns gegenseitig wiederholt hätten, *daß Sie es nicht verdienten*. Genau hielten wir uns über Ihren Tag, Ihre Nächte auf dem Laufenden, kannten Ihre Fieberkurve, wußten *wie* schlecht Sie geschlafen hatten und klagten's dem Himmel. Aber schreiben? Ich glaube, Sie haben bloß vergessen, wie *wenig* Sie Lust hatten, Briefe mit müßigem Beileid zu lesen, deren Schreiber ja gottlob gesund war und Ihnen nicht helfen konnte. Und dann: ich schreibe an soviel *Leute*, daß ich mir garnicht mehr vorstellen kann, ein Blatt von mir könnte irgendwelchen Affektionswert haben. Wonach mich mit Ungeduld verlangte, das war, Ihnen einen Kuß zu geben auf die neu erblühende Wange und Sie von ganzem Herzen zu *beglückwünschen zur Genesung*, die ja nun unterwegs ist und täglich, stündlich herrliche, bejubelnswerte Fortschritte macht, sodaß wir nur zwischendurch noch leise etwas murren, weil so etwas *Dummes* geschehen konnte!
Nun hab ich's Ihnen also geschrieben. Aber die bessere Redeweise wird jener erwähnte, ersehnte, väterlich verliebte Kuß sein aufs Wänglein von Ihrem

Thomas Mann

An Agnes E. Meyer

Pacific Palisades, California
1550 San Remo Drive
29. III. 45

Dies ist nur ein Lebenszeichen, liebe Freundin, und ein Zeichen treuen, wenn auch schweigsamen Gedenkens, auch der Dankbarkeit für Ihren mehrfach gelesenen Brief vom 14. d. Ms., den ich wahrhaftig gern längst beantwortet hätte. Aber es gibt so viel zu tun, besser gesagt: abzutun, zu erledigen, aus dem Wege zu räumen, broadcasts, statements, Äußerungen, Briefe. Der postalische Kontakt mit der Schweiz ist wieder eröffnet, aus Frankreich melden sich alte Freunde, die man kaum noch am Leben geglaubt hatte: so

Félix Bertaux, dessen Sohn 2 Jahre im Zuchthaus war und nun commissaire de la République in Toulouse ist. Auch Fernand Lion, der zeitweise editor von »Maß und Wert« war, ist *nicht* deportiert worden, sondern hat sich versteckt und durchgeholfen und schreibt aus Haute Savoie...

Mit Ihnen war ich erregt über das unverhoffte Kommen Ihres Schwiegersohns – mußte er wirklich nach zwei Tagen wieder enteilen und konnte die schwere, stolze Stunde seiner Frau nicht abwarten? Was für ein turbulentes Dasein voll eiserner Pflichten und Rücksichtslosigkeiten ist das heute! Und der Brief Claudels, mitten in alldem, – ein großartiges Stück rhetorischer Poesie, Ihnen gewidmet, die er zusammen mit sich selbst unter die Heroen, die Götter versetzt! Die Zaubermacht spielenden Gefühls und der Sprache gibt ihm die Macht dazu, und er übt sie entzückt. Seien Sie nur stolz und dankbar – wie Sie es sind, und wie ich es bin, weil ich an diesem prächtigen *Krönungs*akt teilnehmen durfte!

Er schickt Ihnen Gedichte, außer dem Briefgedicht, – ich sollte Ihnen auch wenigstens etwas schicken, aber ich zögere noch aus verschiedenen Gründen. Der Vortrag ist längst fertig – soweit dergleichen fertig sein kann –, aber ich verschiebe die Abschrift, weil die Ereignisse noch Einfügungen, Änderungen erzwingen mögen, und weil Skrupel wegen einzelner Ausführungen über den deutschen Charakter und seine historischen Manifestationen mich plagen. »Sobald man spricht, beginnt man schon zu irren.« Das sollte das Motto sein für alles direkte Reden. Aber den Menschen ist mit solcher bedingenden Selbsteinschränkung nicht gedient. Mit Recht verlangen Sie Positives.

Sie machen sich keine Vorstellung von der Verrücktheit des deutschen Emigranten-Patriotismus, von der Wut, die man erregt, wenn man sich zu der Wahrheit bekennt, daß der »National-Sozialismus« *nicht* etwas den Deutschen von außen Aufgezwungenes ist, sondern jahrhundertlange Wurzeln in der deutschen Lebensgeschichte hat, ohne natürlich immer so geheißen zu haben und ohne natürlich deshalb unsterblich sein zu müssen. Nein, das deutsche Volk, der deutsche Charakter, die deutsche Psychologie soll überhaupt nichts mit dem Nazismus zu schaffen haben, – wer es anders weiß, ist ein Verräter und ein Treuloser, alles fällt mit Wutgeschrei über ihn her, denn er gefährdet das Erstehen einer starken, zentralistischen Reichsdemokratie, die binnen Kurzem Europa wieder in der Tasche

haben soll. Ich habe viel auszustehen von Dummköpfen, die sich für deutscher halten, als mich.
Dann wünschen Sie, liebe Freundin, das Roman-Kapitel zu lesen, in dem Adrian sich mit dem ††† unterhält. Ja, ich will es Ihnen schikken, aber zögernd tu' ich's, weil mir unbehaglich ist bei dem Gedanken, daß Sie außer dem Zusammenhang lesen werden, und zudem vielleicht, weil ich selbst nicht recht zufrieden damit bin. Freilich, wann war ich das je? Und doch bin ich diesmal oft ernstlich zweifelhaft, ob ich das Unternommene je vollenden oder aus der Hand geben werde. Wäre es vielleicht besser, ich läse Ihnen in Washington einmal aus dem Geschriebenen vor? Ich habe das Gefühl, es wäre ihm besser, wenn ich selbst dafür einträte. – Nein, wenn Sie wollen, schicke ich's Ihnen. Vielleicht zwei zusammengehörige Kapitel.
Auch den Vortrag will ich erst einmal abschreiben lassen und Ihnen vorlegen. Änderungen können immer noch, sogar in der Übersetzung noch geschehen. Diese soll Professor Arlt, ein fähiger und williger Mann, herstellen – wie könnte ich Ihnen dergleichen jetzt zumuten!
Haben Sie, wie noch immer, Geduld mit mir und bleiben Sie mir gut!

Ihr T. M.

An Gerhard Albersheim

Pacific Palisades, California
1550 San Remo Drive
1. IV. 45

Sehr verehrter Herr Dr. Albersheim,
längst hätte ich Ihnen danken sollen für Ihren so klar und angenehm gedachten Artikel, – verzeihen Sie meine Langsamkeit! Es gibt immer so viele Geschäfte.
Ich habe Ihre einleuchtenden und wirklich erleuchtenden Analysen mit wahrer Befriedigung gelesen und besonders meine Freude gehabt an der Bezugnahme auf die Sprache, den Parallelismus von Wort und Intervall.
Dank auch noch für Ihren Weihnachtsgruß. Wenn Sie wieder einmal so schöne Hausmusik haben wie damals – wie sollten wir uns nicht freuen, dabei sein zu dürfen! Mir war immer das Wort des armen Nietzsche aus dem Herzen gesprochen: »Ohne Musik wäre das Leben ein Irrtum.«
Mit vielen Grüßen von Haus zu Haus

Ihr Thomas Mann

An Berthold Viertel

Pacific Palisades,
2. April 1945

Lieber Herr Berthold Viertel:
Da bin ich auch, wenn Sie erlauben, und drücke Ihnen recht herzlich die Hand zum Glückwunsch an Ihrem Ehrentage. Auch mein Leben bewahrt tiefe Eindrücke von Ihrem Dasein, Ihrem heiß beredten, schmerzerfahrenen und dabei dankbaren, dem Leben und der Menschheit treuen lyrisch-dramatischen Künstlertum, Ihrem Temperament, Ihrer zum Können erhobenen Leidenschaft. Ich habe Sie vorlesen hören, ein eben vollendetes Stück, noch dazu auf englisch geschrieben: es dauerte stundenlang, und es war keine Minute, in der man nicht an Ihren Lippen hing, in der einen die Bewunderung verlassen hätte für eine Virtuosität der Wahrheit, die den geübten Theatraliker und den Lebensfreund, den hingebungsvollen Liebhaber des Menschlichen erkennen ließ. Hingabe, – Sie haben ihr in einem Ihrer schönsten Gedichte, genannt »In der Hölle«, einen erschütternd naiven und klassischen Ausdruck gefunden. »Was tatest du im Leben?« wird da inquiriert. – »Ach, ich schrieb.« – »Und wozu schriebst du?« – »Ich wollte nur – die Wunde offen halten.« Die Wunde offen halten! Ist je eine einfachere, wahrere und schönere Bestimmung alles Dichtens gegeben worden? Ja, Dichten ist die insistierende Furcht vor dem, was Sie »Die Hölle« nennen, vor dem Ermatten, Erkalten, Absterben des Gefühls und Gewissens, vor dem Belangloswerden von Liebe und Haß...
Lieber Herr Viertel, wir haben alle durch unseren Haß, den Haß auf das Schlechte, Verworfene, das durch und durch Dreckhafte, das wir erlebten, diesen Haß, der heiß, unbedingt, unversöhnlich und fast unerwartet aus uns hervorbrach, – unsere Liebe erfahren, die wir auch so recht nicht gekannt hatten, die Liebe zum Recht, zum Guten und Menschenwürdigen.
Ich bin kein Jude, gehöre nicht, wie Sie, dem feierlichen Stamme an, dem unter dem matten Zublick der Welt von jenen Hunden das ekelhafteste Unrecht geschah. Aber ich bin Ihr Bruder ganz in dem Haß, der Liebe ist, Ihr Bruder im Eide, die Wunde dieser Liebe und dieses Hasses offen zu halten, auch wenn die frechste Zumutung, die je das Böse dem Leben stellte, – im Gröbsten denn doch – zurückgewiesen sein wird.

Ihr Thomas Mann

An Hermann Hesse

Pacific Palisades, California
1550 San Remo Drive
8. April 1945

Lieber Herr Hesse,
lange haben Sie nichts von dem nach Wildwest verschlagenen Bruder – oder doch Cousin – im Geiste gehört und hatten doch soviel Recht zu der Erwartung, etwas von ihm zu hören, nach dem erstaunlichen Geschenk, das Sie der geistigen Welt und auch ihm, auch mir, mit Ihrem köstlich reifen und reichen Roman-Monument vom »Glasperlenspiel« gemacht. Aber, Sie wissen, der Verkehr mit der Schweiz war Monate lang abgeschnitten – wenigstens so, daß auf unserer Seite keine Post angenommen wurde –, und dazu, noch während die Sperre dauerte, geriet ich in eine Krankheitsperiode [...] Kurzum, es handelte sich offenbar um einen, gleichgültig, wie, eingekleideten Altersschub, gegen den garnichts zu sagen ist, und nach welchem mir nun bis zum gottseligen Einnicken die Hosen um den Leib herum zu weit bleiben sollen. Dabei sehe ich aus wie 55, besonders wenn frisch rasiert, und mein Doktor, der von der modernen Idee des völligen Unterschieds zwischen rein zahlenmäßigem und biologischem »Alter« ergriffen ist, rät mir bei jedem Besuch, mir keine Schwachheiten einzubilden. Nun, man muß nur leicht neugierig zusehen, wie es mit einem gemeint ist. The readiness is all.
Mit Ihnen war es großartig und wundervoll gemeint. Zu einer Zeit, wo andere ermüden, (und auch die »Wanderjahre«, die sich zum Vergleich so nahe legen, sind doch ein hochmüdes, würdevoll sklerotisches Sammelsurium) haben Sie Ihr Lebenswerk übergipfelt und gekrönt mit einer geistigen Dichtung, – zwar romantisch verwuchert und arabeskenreich, aber doch völlig zusammengehalten, ein in sich ruhendes, kugelrundes Meisterwerk, worin Sie mit eigener Hand die hoch aufgelaufene »Summe Ihres Lebens, Ihrer Existenz ziehen«.
Das Buch kam damals ganz unverhofft, ich hatte nicht gedacht, es so bald nach seinem Erscheinen in Händen zu haben. Wie ich neugierig war! Es gab verschiedene Beschäftigungen damit, rasche und langsame. Ich liebe die ernste Verspieltheit, in der es lebt, sie ist mir heimatlich vertraut. Zweifellos hat es ja selbst sehr viel von einer Glasperlenspiel-Partie und zwar einer sehr ruhmwürdigen, – ist also eine jener Orgelphantasien auf sämtlichen Inhalten und Werten unserer Kultur, auf der Entwicklungsstufe des Spiels, wo die Fähig-

keit zur Universalität, das Schweben über den Fakultäten erreicht ist. Ein solches Schweben kommt natürlich der Ironie gleich, die das feierlich gedankenschwere Ganze doch zu einem Kunst-Spaß voller Verschmitztheit macht und die Quelle seiner Komik als Parodie des Biographischen und der gravitätischen Forscher-Attitüde ist. Die Leute werden nicht zu lachen wagen, und Sie werden sich heimlich ärgern über ihren stockernsten Respekt. Ich kenne das.
Bestürzung war auch unter den Gefühlen, mit denen ich das Werk las, – über eine Nähe und Verwandtschaft, die mich nicht zum ersten Mal beeindruckt, diesmal aber auf besonders präzise und gegenständliche Weise. Ist es nicht sonderbar, daß ich seit Jahr und Tag, seit dem Abschluß meiner »orientalistischen« Periode schon, an einem Roman schreibe, einem rechten »Büchlein«, das sowohl die Form der Biographie hat wie auch von Musik handelt? Der Titel lautet:

Doktor Faustus
Das Leben des deutschen Tonsetzers
Adrian Leverkühn
erzählt von einem Freunde.

Es ist die Geschichte einer Teufelsverschreibung. Der »Held« teilt das Schicksal Nietzsches und Hugo Wolfs, und sein Leben, von einer reinen, liebenden, humanischen Seele berichtet, ist etwas sehr Anti-Humanistisches, Rausch und Collaps. Sapienti sat. Man kann sich nichts Verschiedeneres denken, und dabei ist die Ähnlichkeit frappant – wie das unter Brüdern so vorkommt. –
Zum Schluß: Es ist kein Wunder, daß ein so »schwebendes« Werk wie das Ihre sich gegen die »Politisierung des Geistes« stellt. Nun gut, man muß sich nur über die Meinung verständigen. [...] Ist »Geist« das Prinzip, die Macht, die das *Gute* will, die sorgende Achtsamkeit auf Veränderungen im Bilde der Wahrheit, »Gottessorge« mit einem Wort, die auf die Annäherung an das zeitlich Rechte, Befohlene, Fällige dringt, dann ist er politisch, ob er den Titel nun hübsch findet oder nicht. Ich glaube, nichts Lebendes kommt heute ums Politische herum. Die Weigerung ist auch Politik; man treibt damit die Politik der bösen Sache. [...]
Leben Sie recht wohl, lieber Herr Hesse! Halten Sie sich gut, wie ich versuchen will, es zu tun, damit wir uns wiedersehen!

Ihr Thomas von der Trave

An A. W. Heinitz

Pacific Palisades, California
1550 San Remo Drive
19. April 1945

Lieber Herr Dr. Heinitz,
was mich einige Tage abgehalten hat, für Ihre freundliche Sendung zu danken, war der schwere, schwere Trauerfall in unserem Lande hier und die verschiedentliche Arbeit, die sich daraus ergab. Mein Kummer ist groß. Die Menschheit hat einen mächtigen Freund verloren – und ich auch. Das Amerika, in das ich kam, wird es nicht mehr sein. Er hatte sein Land über dessen Niveau gehoben, und es legt eine gewisse Eile an den Tag, auf das alte zurückzusinken. Wie wird er fehlen als Mittler zwischen Stalin und Churchill, der Revolution und dem Torytum. Er war der geborene Mittler überhaupt, eine Hermesnatur, d. h. ein Politiker großen Stils. Durch sein Glück und seine Liebenswürdigkeit hatte er viel von Caesar – und nicht nur dadurch. Wir werden nimmer seinesgleichen sehen.
Was für ein reiches Gedenken haben Sie mir erwiesen! Es ist ja ein ganzes Tagebuch, das Sie senden und zwar das eines klugen, sinnigen, auf beste Form haltenden und begabten Mannes. Ihre Gedichte sind vortrefflich, ich schätze sie sehr. Meine Vorliebe gilt den Stanzen – wohl von wegen des verehrten Tonfalls: „Der Morgen kam, es scheuchten seine Tritte..." Aber vielleicht ist das andere noch besser, noch leidenschaftlicher. Diese Produktion muß Ihnen glückliche Stunden, Stunden formender Überwindung bereiten.
Daß Ihnen meine eigene Arbeit dauernd ein herzliches, ein geistiges Anliegen bleibt, rührt mich und stimmt mich dankbar. Sie thun bei »Lotte in Weimar« und den Joseph-Büchern nicht mehr recht mit, – nun, ich muß froh sein, daß Sie so weit mitgegangen sind. Manche haben schon beim Zauberberg aufgehört, z. B. der schwedische Literatur-Professor, der über den großen Preis gebietet, und der von Hans, Clawdia und Peeperkorn garnichts wissen wollte. Vielleicht hat er recht – oder doch Sie. Warum sollte man nicht sein Bestes in der Jugend gemacht haben. Der Werther ist auch wohl besser, als der Diwan oder manches in Faust II. Es fehlt nicht viel, daß der »Tonio Kröger« mir selbst immer noch das Liebste von mir wäre. Vierzig Jahre und mehr ist er alt, und gerade las ich in der »Germanic Review« eine lange Analyse seiner musikalischen Struktur. – Was wollen Sie, man führt halt sein Leben mit möglichstem Anstand zu Ende.

Daß A. Kerr sein heiteres Genußleben, oder, wie er sagte, sein »Reiterleben in den Erdteilen« noch immer weiterführt, wußte ich, hatte aber lange nicht an ihn gedacht und an die unangenehmen Stunden, die er mir bereitet hat. Heute bin ich zu wetterfest für ihn – auch ohne Reiterleben. Ein Spottgedicht? Der Lose! Ist es etwas Neues? [...]
Möchten doch Ihre persönlichen Befürchtungen, quälend gerechtfertigt wie sie sein mögen, sich nicht erfüllen. Ich wünsche es Ihnen von Herzen. Tatsächlich geschehen »Wunder« auf diesem Gebiet. Mir ist mancher umgekommen, aber mancher hat sehr unwahrscheinlicher Weise überlebt.
Herzliche Wünsche dem musikalischen Techniker (beinahe die Definition des boche), meinem Patenkind!
Ihr ergebener Thomas Mann

An Paul Friedländer

Pacific Palisades, California
1550 San Remo Drive
20. April 45

Sehr geehrter Herr Dr. Friedländer,
haben Sie vielen Dank für Ihre große Aufmerksamkeit! Diese Dokumente sind ein wertvolles Geschenk. Die Liebe zu »schelten«, der sie ihr Dasein verdanken, würde mir schlecht anstehen, – der ich kaum von diesen Brunnenwiesen emporgestiegen bin und solange mit Cybele und Attis auf Du und Du stand. In gewissem Sinn kommt Ihre Gabe zu spät; ich hätte davon profitiert. So war das Vergnügen von schöner Nutzlosigkeit, aber es war ein großes Vergnügen.
Ihr sehr ergebener Thomas Mann

An Agnes E. Meyer

Pacific Palisades, California
1550 San Remo Drive
24. April 45

Liebe Freundin,
ich schreibe Ihnen nach Washington auch für den Fall, daß Sie noch auf Reisen sein sollten. Gewiß wird Ihre Post Ihnen nachgeschickt.
Wir waren entzückt von Ihrem Telegramm mit der glücklichen Nachricht. Das nennt man eine blühende Familie! Katja beschloß, Ihnen auf eigene Hand zu schreiben. In aller Überbeschäftigung

will sie es sich nicht nehmen lassen. Mit Mutter und Kind steht doch wohl alles zum besten? Möge dem neuen Erden-citizen das Leben leicht sein!
Ihr Brief vom Sonntag kam heute. Liebe Freundin, es war mir in all diesen Tagen peinlich, daß ich Sie gebunden wußte, mir über diese Roman-Kapitel etwas zu sagen. Es ist das ja kaum möglich, und ich hätte Sie gern davon dispensiert. Durch Ihre freundlich charakterisierenden Worte haben Sie mir nun diese Sorge genommen. Es wird wohl so sein: das Fascinierende, das der Conception des Ganzen angehört, setzt sich bis zu einem gewissen Grade auch in den zwar notwendigen, aber prekären Teilen durch. Der Anfang des Teufelsgesprächs ist gut, und es wird noch einmal gut bei der Beschreibung der Hölle. Dazwischen ist viel Pénibles, das ich nicht abschütteln konnte und durfte. Gott weiß, ob aus dem Ganzen etwas Genießbares wird. Nach der Erledigung einiger mir abgeforderter Zwischenarbeiten, Broadcasts, Tischreden und dergleichen, die mir als Beschäftigung im Zustande der Ermüdung, um nicht zu sagen: des Überdrusses, gewissermaßen willkommen waren, habe ich jetzt die Arbeit an dem nächsten Kapitel wieder aufgenommen und werde sie fortsetzen – mit dem dauernden Gefühl des Experimentellen und vielleicht nicht Durchführbaren. Der »Joseph« war ein harmloses Kinderspiel im Vergleich hiermit, denn es ist ziemlich aufreibend, etwas Schreckliches auch noch vor der Lächerlichkeit schützen zu müssen. Dieser nämlich verfällt die Fiktion eines Genies nur allzu leicht.
Die historischen Ereignisse geben zu meinem Tun, das des inneren Zusammenhanges mit ihnen nicht entbehrt, eine passende Begleitmusik. Schauerlich, schauerlich! Trotz Ihrer stärkenden Zustimmung bangt mir etwas um meinen *Vortrag*, denn ich muß mich fragen, ob er gerade jetzt, nach den Erfahrungen, die man mit Deutschland, *in* Deutschland gemacht hat, als erträglich empfunden werden wird. Und doch ist das Beste und Wahrste daran die Selbst-Solidarisierung mit dem deutschen Unglück und die Leugnung des Zweierlei von »gutem« und »bösem« Deutschland. Die patriotische Emigration – und sie ist kolossal patriotisch jetzt – nimmt es mir übel, daß ich durch *diese* Katastrophe *alles* Deutsche, die deutsche Geschichte, den deutschen Geist als mitbetroffen empfinde. Aber kann man denn anders? Muß man sich als Deutscher nicht schämen, es als tiefe Schande empfinden, wie jetzt die Nazi-Greuel

den Blicken der fremden Commissionen preisgegeben werden? Allerdings sollte man ihnen vielleicht nicht sagen: »Seht, das ist Deutschland!« sondern »Seht, das ist der Fascismus! Dieser Taten ist er fähig, und in jedem Lande, das ihm verfällt, wird er ihrer fähig sein.« Das wäre die rechte Lehre.
Wollen Sie mir erlauben, liebe Freundin, einen großen Mann zu betrauern? Mir ist, als wäre es das Land nicht mehr, in das ich kam, seit er tot ist. Ich habe ihm einen Nachruf geschrieben, der deutsch im »Aufbau« erschienen ist und englisch in »Free World« erscheint. Ich möchte, daß sie ihn deutsch lesen.
Ihr herzlich ergebener T. M.

An Walther Franke-Ruta Pacific Palisades, California
1550 San Remo Drive
24. April 1945

Sehr geehrter Herr Franke-Ruta,
Sie sollen doch wissen, daß Ihr so interessanter Brief richtig zu mir gelangt ist, und daß ich ihn mit aller Aufmerksamkeit gelesen habe. Es ist ja ein wahres Dokument, worin ein aufrichtig nach dem Guten strebender Mensch das Wissenswerte von seinem Leben, seine Erfahrungen, Einsichten, Wünsche und auch Zweifel niedergelegt hat, und es ist viel Ehre für mich, daß Sie mich zum Empfänger dieser Bekenntnisse wählten. Wenn ich aber meine Dankbarkeit, mein Verständnis, meine Sympathie bekundet habe, was kann ich dann noch tun? Ich bin keineswegs ein »Orchesterleiter«, sondern ein Solist so gut wie Sie und kann nur kameradschaftlich zu Ihnen hinüberblicken, Ihnen aber keinen Einsatz, kein Tempo und keine dynamischen Winke geben. Wir alle sind ja Stimmen in einem großen Klangkörper, und mein Part ist im Fortschreiten der Symphonie immer schwieriger geworden, sodaß er mir Sorge genug macht und ich auf das Fiedeln und Blasen anderer eher mit Neid blicke, als daß ich den Mut hätte, sie zu belehren. Von Ihrem Tun, zu dem Sie so hervorragend befähigt scheinen, verstehe ich wenig, durchdrungen wie ich bin von seiner Wichtigkeit und Würde, – von der Vorstellung der Genugtuung, die es Ihnen bereiten muß, sich darin auszuzeichnen. Sind Sie denn nicht zu beneiden um die Möglichkeit direkter – und obendrein amüsanter – Einwirkung auf die Phantasie, das Denken und Fühlen des Volkes, ja der Völker,

diese Möglichkeit, die Ihnen ein wohlmeinendes Land auf Grund einer gewiß seltenen Vereinigung von Begabung und Gesinnung gewährt? Ich gebe zu, daß ich Ihnen vielleicht eher einmal einen Rat geben kann, als Sie mir, und gern will ich meinen alten Kopf, der am liebsten für sich dahinträumte, aber, wie die Zeit schon ist, von allen Seiten aufgerufen wird, auch in dieser Richtung einmal in Bewegung setzen, wenn Sie mich darum angehen.
Am liebsten wäre es mir, wenn das an Ort und Stelle geschehen könnte, nicht hier, so weit fort. Wie ich neulich an Hermann Hesse schrieb: Wenn ich von den Vorbereitungen höre, die für eine direkte Flugverbindung New York–Zürich getroffen werden, so schlägt das Herz mir höher. Der Gedanke einer Rückkehr nach Deutschland ist mir längst fremd geworden. Ich bin amerikanischer Bürger, habe mir hier Hütten gebaut und denke hier mein Leben zu beschließen. Aber den Boden des alten Continents noch einmal unter den Füßen zu spüren, wäre doch schön und bewegend, und wenn ich daran denke, denke ich in erster Linie an die Schweiz, wo ich 5 glückliche – oder wenn nicht glückliche, so doch gute Jahre verbrachte und gern noch einmal zu Gast wäre. Das muß nicht lange mehr hin sein, und so hoffe ich, man sieht sich bald einmal und kann sich aussprechen.
Ihr sehr ergebener Thomas Mann

An Erich von Kahler

Pacific Palisades, California
1550 San Remo Drive
1. Mai 1945

Lieber, guter Freund,
was für eine Freude – Ihr Brief. Und einen Stein aufheben von Schweigens wegen dürfen wir doch gewiß nicht. Sitzen wir doch im Glashause, was das betrifft, und können uns auch nur mit dem Bewußten, Leidigen entschuldigen, den Geschäften und den Geschäftchen, den Sorgen, der Routine, den Forderungen des Tages. Was Sie über die Ereignisse sagen, all das längst Vorweggenommene, zu spät Kommende und doch als Wirklichkeit Erschütternde, haben wir mit einmütigem Beifall gelesen, einzeln und zusammen. Sie haben ja so recht, daß man den deutschen Anteil nicht isolieren soll von der allgemeinen Dummheitsschuld, – die sich ja ununterbrochen weiter bewähren zu wollen scheint. Daß aber die Deut-

schen – darauf muß nun ich wieder bestehen – eine besondere, entsetzlich echte Rolle im Stück gespielt haben, das zu leugnen wird der tiefe Kenner des deutschen Charakters in der Geschichte der Letzte sein. [...]
Sie haben recht, wozu viel schreiben, wir sehen uns bald. Erika ist bei uns, und am 24. werden wir zusammen über Chicago nach Washington fahren, wo ich am 29. in der Library spreche. Am 3. oder 4. Juni werden wir dann wohl ins New Yorker »Bedford« einlaufen, und am 8. wiederhole ich den Vortrag im Hunter College. Am 6. Juni sollen wir abends bei Bruno Walter sein, der uns mit Bronislav Hubermann zusammen vormusizieren will. *Dazu müssen Sie auch kommen.*
Was fällt Ihnen eigentlich ein, das Manuskript zu lesen! Ich muß sagen, ich war ehrlich erschrocken über die Nachricht. Das Buch ist ja ein Geheimnis und vorläufig ganz privates Experiment, dessen Veröffentlichung ich mir noch garnicht vorstelle. Die Lowe betrachte ich nicht als Leserin; sie ist ein schweigendes Instrument, tut nie einen Mucks. Und nun lesen Sie das einfach. Bitte, geben Sie es wenigstens *auf keinen Fall irgendwie weiter!*
Roosevelt – lassen Sie mich nichts sagen! Es ist das Land nicht mehr, in das wir kamen. Verwaist und verlassen fühlt man sich. Aber für ihn war es freilich wohl gut so.
Was für eine porcheria wieder, diese vibrierende Rede des Dönitz an Volk und Heer über des Führers Heldentod! P. M. fragte heute telegraphisch bei mir an: »Do you believe that Hitler is dead?« Ich habe geantwortet: »Who cares.«
Grüßen Sie Broch und alle Helden! Auf Wiedersehn!

Ihr Thomas Mann

An Heinrich Mann

The St. Regis
New York
9. Juni 45

Lieber Heinrich,
Deine Briefzeilen, die Du dem großartigen Aufsatz in der »Rundschau« noch hinzufügtest, habe ich so wenig wie diesen ohne Tränen lesen können. Laß mich Dir danken, so gut es in dem nicht gesuchten, aber doch eben auch nicht vermiedenen – aus »Freundlichkeit« nicht vermiedenen Trubel dieser Tage gehen will, für all Deine

Liebe und Treue, die mich nicht so ergreifen würde, wenn nicht ihresgleichen aus meinem Herzen ihr innig antwortete.
Im Übrigen ist es nicht so einfach, bei alldem, was die guten Leute mir jetzt erweisen, äußerlich und innerlich die rechte Haltung einzunehmen. Rührung ist auch schon komisch. Man muß es mehr als eine Nervenleistung auffassen und seinen Mann dabei stehen trotz gründlicher Skepsis, ja melancholischen Besserwissens. [...]
Dein Beitrag ist selbstverständlich das größte Stück in Bermanns Heft, reizend im Persönlichen, ergreifend besonders durch die Erinnerungen an Papa, an den auch ich so oft im Leben habe denken müssen, und ein wundervolles Dokument, wo es unser brüderlich-vaiiierendes Verhältnis zum Deutschtum darstellt. Die Prosa ist einzigartig. Ich habe nicht zum ersten Mal das Gefühl, daß diese kondensierte und intellektuell federnde Schlichtheit die Sprache der Zukunft, der neuen Welt ist.
Auf Wiedersehn, sobald wir zurück sind! T.

An Alfred Neumann The St. Regis
New York
[11. VI. 45 Poststempel]

Liebe Freunde,
es ist ein Trubel, daß Gott erbarm, aber ich hab es ja nicht anders gewollt (*hab* ich's gewollt? Manchmal bestreite ich es vor mir selbst. Es hat sich mehr so gemacht.) Und es ist ja auch wieder ganz aufkratzend und ausruhend dies Nach außen leben, nichts tun und »Morgen wieder lustik«. Nur *kann* ich meinen Namen nicht mehr hören und lesen und bin froh, daß nun wahrscheinlich die Welt bis an mein selig Ende sich überhaupt nicht mehr um mich kümmern wird. Bei der Gelegenheit wird sie wieder einiges anstellen, aber dabei brauche ich nicht mehr meinen Mann zu stehen, sondern werde nur noch als Büste repräsentieren.
Daß Alfred seinem reizenden Beitrag zur »Rundschau« auch noch einen so lieben Geburtstagsbrief eigens hinzufügte, dafür verlangt es mich schon seit Tagen ihm recht herzlich zu danken, und ich kam immer nicht dazu. Nächst meinem alten Bruder sind Sie, lieber Neumann, der Erste, dem ich schreibe – zu tun wird es für Monate geben, aber ein, wenn auch nur hastiger Ausdruck meiner

warmen Erkenntlichkeit für die schönen Bezeugungen Ihrer Freundschaft, Treue, Anhänglichkeit soll vorangehen.
Das Rundschau-Heft ist wirklich sehr reich und zum Teil bedeutend. Ein Stoß Telegramme aus Europa, Schweden, Schweiz, freute mich besonders, den unsere guten Mieter nachsandten. Die Theres' war zu unserer Beruhigung mit Oprechts auch dabei.
Hier ist feuchte Hitze, – kein begünstigender Umstand. Übermorgen gehen wir für einige Tage aufs Land, Lake Mohank, glaube ich, in ein Quaker-Hotel, sodaß wir Sherry mitnehmen müssen. Dann kommt noch das Nation-Dinner, dann Chicago. Und dann machen wir, daß wir wieder in die Sommerkühle zu Ihnen und zu Niko kommen.
Kitty, der Wunderhenne, und Ihrem glücklichen Gemahl alles Liebe von uns beiden.

Ihr Thomas Mann

An Klaus Mann Lake Mohonk Mountain House
Mohonk Lake, Ulster County, New York
21. Juni 1945

Lieber Eissi-Sohn!
Es ist hohe Zeit und wäre an sich auch gute Gelegenheit dahier, Dir Dank zu sagen für all Dein liebes, treues, schönes Gedenken zu meinem verwunderlichen Festtage. Nur sind wir schmerzlich bestürzt und verstört, und alles ist umflort durch die heute Morgen eingetroffene Nachricht vom Hinscheiden des guten Bruno Frank. Liesl telegraphierte, im Schlafe, gegen Morgen, sei er dahingegangen. Uns ist natürlich sehr weh. Fünfunddreißig Jahre gute Freundschaft, Nachbarschaft, Gemeinsamkeit! Er war ein lieber, heiterer, grundanhänglicher, von ganzem Herzen bejahender Lebensgenosse. Es ist recht bitter. Der Verlust fordert natürlich auch zu allerlei Aktivität auf... Trotzdem, zuerst einmal sei Du bedankt: Für Deinen langen, interessanten und viel herumgereichten Brief, Deinen melodiösen Beitrag zu Bermanns Heft, der ebenfalls *allgemeines* Wohlgefallen erregt hat, und das findig und sinnig aufgetriebene Geschenk. Hat mich alles innig gefreut, denn schließlich spricht es ja doch gewissermaßen für den Vater, wenn die Söhne, begabte, ehrenvoll ihren Mann stehende Söhne, es sich so angelegen sein lassen, ihm Liebes zu erweisen. Den Töchtern war es sichtlich auch darum zu tun: Eri, belebend, warmherzig, hilfreich (ihr Glückwunsch-Brief im Aufbau wirklich entzückend); poor Mönchen,

welkend-lieblich, sobald geredet wurde in Tränen schwimmend; Medi-Eisenstirnchen, die es fertig gebracht hatte, ihre Kinder irgendwo unterzubringen (sie ist ohne help) und zum Tage nach New York zu kommen, überall anmutig genießend und Sympathie erregend dabei. Einmal fuhren die drei Schwestern allein zusammen in einer Droschke durch die Stadt, was noch nie vorgekommen war. Auch war es ganz neu, daß ich einmal, ich glaube im Suisse Chalet, mit Medi an der Theke bei einem Old fashioned saß, unwissend, daß es schon ihr vierter Cocktail diesen Vormittag war. Nachher befürchtete sie mit feinem Stimmchen, sie hätte »sich vielleicht etwas zu angeregt mit Herrn Papale unterhalten«.
Reichlich hat es ja in den Tagen auf mein Haupt geträufelt, und hat auch noch kein Ende damit, denn am 25. kommt noch das testimonial dinner der »Nation« in New York, dann eines in Chicago, und mit den Briefen und Telegrammen aus drei Erdteilen werde ich *nie* fertig werden. Wäre man schon frei und blickte nur noch zurück, liefe man viel eher Gefahr, sich dumm machen zu lassen. Aber wenn man noch in solcher Arbeit steckt, ist man viel zu versorgt, um auf die Gesänge hineinzufallen. Das Rundschau-Heft ist immerhin ein Dokument, hoffentlich siehst Du es, namentlich des Onkels wegen, der durch ehrwürdigste Naivität unter allen hervorleuchtet. Übrigens war er begeistert von »Deutschland und die Deutschen«, dem in Washington und New York gehaltenen Vortrag, den er auf deutsch las. Er hat nämlich die tugendselige Deutschenhetze der schwer mitschuldigen Welt *satt*, und es gefällt ihm, daß ich in dem Vortrag etwas die Rolle Marc Antons an der Leiche Caesars spiele... Auch in Westwood in der Universität werde ich ihn noch halten.
Mielein wird Dir gewiß noch Einzelnes von den Festivitäten berichten. Aber bei alldem ist, wie gesagt, der arme Bruno nun tot, mag er es im Grunde auch wohl garnicht mehr anders gewollt haben. Walter steht auch auf garnicht sehr festen Füßen (»Magengeschwüre«, schlaffe, bleiche Gesichtszüge, hat keine Lust mehr am Dirigieren); der Onkel ist bald 75, und mehr und mehr wird man zum entlaubten Stamm für die verbleibenden Jahre. Bibi's mit den Bübchen werden wohl bald etwas zu uns kommen. Aber wir haben viel Sehnsucht nach euch Großen, dem guten, gescheiten Gololo. Solltet euch alle recht bald um uns scharen, – was aber wohl nie recht gehen wird, verständig hinzugefügt.
Lebe wohl, mein Lieber! Kehre glücklich zurück! Z.

An Maxwell S. McKnight

Pacific Palisades, California
1550 San Remo Drive
July 8, 1945

Dear Major McKnight:
Please permit me to express to you my sincere thanks for your kind transmission of the birthday greetings of the twenty one German prisoners of war. I would be especially grateful to you if you could inform the twenty one Germans that their beautifully formulated message gave me more pleasure than all the other greetings which reached me on that day from near and far.
Very sincerely yours

Thomas Mann

An Victor Reissner

Pacific Palisades, California
1550 San Remo Drive
12. Juli 1945

Sehr geehrter Herr Reissner!
Ihre freundlichen Zeilen empfing ich auf einer Reise. Man soll natürlich in seinem Urteil über die Äußerungen des Bischofs Grafen Galen nicht zu weit gehen und ihn als Hitlerianer abtun. Das ist er sicher nie gewesen. Aber seine Äußerungen waren auch mir sehr widerwärtig und deprimierend zu hören, und leider sind sie umso glaubwürdiger, als zahlreiche solche patriotischen Torheiten jetzt aus dem unglücklichen Lande zu uns dringen. Niemandem kann das dort herrschende Elend näher gehen als mir, und ich verstehe sehr wohl die bitteren Gefühle mancher aufrichtigen Gegner des Nazitums, die nun mit den Schuldigen zu leiden haben. Aber das rechte Verständnis für das, was Deutschland, als Nation genommen, in der Welt angerichtet hat, scheint mir wirklich bei Menschen, von denen man es erwarten sollte, einfach nicht oder noch nicht entwickelt zu sein. Ich habe in meiner Radioansprache an die Deutschen gesagt, sie sollten sich an Galen kein Beispiel nehmen und sich jetzt nicht in erster Linie als Deutsche, sondern als Menschen fühlen, die es nicht zur Selbstbefreiung gebracht haben, sondern durch äußere Mächte zur Menschheit zurückgeführt werden mußten.
Ihr sehr ergebener

Thomas Mann

An Helen Lowe-Porter

Pacific Palisades, California
1550 San Remo Drive
19. Juli 1945

Liebe Mrs. Lowe:
Es ist mir eine Erleichterung, zu hören, daß Sie jenes interview gar nicht gelesen haben und also auch nicht erzürnt sein konnten. Erzürnt war offenbar nur Ihr lieber Mann, von dem unser Freund Kahler mir mit ängstlicher Miene erzählte, er sähe eine schwere Beleidigung Ihrer Person in meiner allgemeinen Äußerung über die Schwierigkeiten des Übersetzens und werde Sie veranlassen, mein Roman-Manuskript zurückzugeben und die Übersetzung zu verweigern. Da mußte natürlich etwas geschehen, und hastig schrieb ich in Chicago jenen berichtigenden Brief.
Aber wenn er vielleicht auch unnötig war, so kann er doch keineswegs schaden. Denn nie kann ich oft genug Ihre Verdienste um mein Werk öffentlich preisen. Auch Knopf hat seine Freude an meinem Brief gehabt und mir seine Genugtuung darüber ausgedrückt. Er hängt sehr an Ihnen und wird immer treu zu Ihnen halten, auch wenn die New Yorker Presse sich schlecht benimmt.
Erholen Sie sich gut auf Ihrer Insel. Wir sind froh, aus der feuchten Hitze des Ostens zurück zu sein in unserer Sommerkühle. Ich bin fast fertig mit meiner Einleitung zu einer Ausgabe von Dostojewskis kleineren Romanen, die die Dial Press in New York herausbringen wird. Das war mir eine interessante Aufgabe. Aber in wenigen Tagen schon werde ich zu dem Roman zurückkehren können.
Mit vielen herzlichen Grüßen, auch von meiner Frau an Sie und Ihren Gatten,
Ihr ergebener

Thomas Mann

An Julius Bab

Pacific Palisades, California
den 22. VII. 45

Lieber Herr Bab,
Dank für den schönen Nachruf, den ich an Liesl Frank weitergebe. Es wird ihr wohltun, Ihre Worte zu lesen.
Du lieber Gott, Härte? Ich weiß von keiner. Geduld, Ausdauer, eine sonderbar großzügige Zeitwirtschaft scheint mir eher der Grund. Bruno sagte mir einmal, er fühle etwas wie *Schauder*, wenn er dächte, wie meine Wälzer zustande kommen. Nun, das Schau-

dern ist ja das beste Teil derer, die nicht so herangekriegt werden. Wir sind unsäglich dankbar für die sonnige Sommerkühle hier – nach den stickigen Erfahrungen im Osten. Aber eine gewisse Erfrischung hat die Reise mir doch gebracht, wohl durch die freundlichen Eindrücke zeitgenössischen Wohlwollens.
Bestens Ihr Thomas Mann

Mit Schrecken und schlechtem Gewissen habe ich im Mai/Juni-Heft der deutschen Blätter Ihren Aufsatz über Joseph vermißt, der doch angekündigt war. Sie sehen, es war doch falsch, daß ich meinen Vortrag hergab. Mir ahnte gleich nichts Gutes, aber ich wußte und hatte nichts anderes. Was wird nun aus Ihrer Mühe und Arbeit? Sie kann doch nicht ganz umsonst getan sein! Andererseits kann *ich* jetzt nicht auch noch nach der Veröffentlichung des Aufsatzes verlangen. Eine ganz dumme Geschichte.

An Christiane Zimmer

Pacific Palisades, California
1550 San Remo Drive
28. Juli 1945

Liebe und verehrte Frau Christiane!
Vielmals habe ich zu danken für die freundliche Übersendung des reizenden Briefes Ihrer Mutter aus Oxford zu meinem Geburtstag. Ich habe mich unendlich darüber gefreut und bitte Sie sehr, bei nächster Gelegenheit Ihrer lieben Mutter meinen herzlichsten Dank für ihr Gedenken zu übermitteln.
Es war mir ein so wohltuendes Wiedersehen, das mit Ihnen bei Bermanns, und die Bekanntschaft Ihres Sohnes, der Hofmannsthals Augen hat, habe ich nun auch gemacht. [...]
Leben Sie recht wohl. Wollte doch einmal Ihr Weg Sie in unsere Gegend führen! Für uns werden nun wohl viele Monate vergehen, bis wir wieder nach dem Osten kommen.
Mit vielen herzlichen Grüßen und nochmaligem Dank,
Ihr ergebener

Thomas Mann

An Agnes E. Meyer Pacific Palisades, California
den 25. Aug. 45

Liebe Freundin, ich schulde Ihnen Dank für mehrere merkwürdige Lektüre: den Nachruf Gide's auf Valéry, der schlicht und warm ist und ein Neid erregendes Gefühl gibt von der Einheit der französischen Literatur, der höheren Solidarität ihrer verschiedenartigsten Repräsentanten; dann für das seiner Zeit unterdrückte Kapitel aus den »Dämonen«, von dem ich nur durch Mereschkowski wußte, weil es in meine deutsche Dostojewski-Ausgabe nicht aufgenommen ist. Es ist wirklich ein tolles und packendes Stück Schrifttum, wenn auch seine Kühnheit nur der Sache nach, stofflich, über das bei Dostojewski Gewohnte hinaus geht. Von der »Modern Library« finde ich es sehr tapfer und liberal, daß sie es mit eingeschlossen hat. Ich hätte das wohl wissen müssen, und etwas komisch muß es wirken, daß ich in meinem Vorwort von etwas längst Bekanntem so geheimnisvoll und aus persönlicher Unkenntnis spreche. Nun, es macht nichts. Die Herren von der Dial Press haben es nicht beachtet, und die Kritiker ihrer Ausgabe haben eine Gelegenheit, ihre Bildung zu zeigen.
Sind Sie zu Hause oder wieder und immer noch in ernsten, pflichttreuen Abenteuern begriffen? Sie meinen es gut, mühen sich, lernen, wollen raten und helfen. Ich bewundere Sie und empfinde es fast als Roheit, irgend einen Zweifel laut werden zu lassen, ob Sie gegen das Verhängnis etwas werden ausrichten können. Es sieht bedrohlich aus in der Welt. Der Friede hat einen düsteren Aspekt, niemand kann recht an ihn glauben, will es auch garnicht, und um die Menschheit als Ganzes steht es so unheimlich wie noch nie. Dabei soll niemand sich anmaßen, zu sagen, wie man es besser hätte machen sollen, oder noch machen sollte – [...] wir sind so weit, daß die Erde durch Explosions-Rückstoß aus ihrer Bahn geworfen werden kann, sodaß sie nicht mehr um die Sonne läuft, – wozu man allerdings einfach sagen mag: »Wenn schon!« Aber beschämend ist es doch, daß das Leben sich eine andere kosmische Unterkunft wird suchen müssen, weil es auf Erden vollkommen fehlgegangen ist. Oder gibt es vielleicht für das Leben, eben weil es Leben ist, überhaupt keinen rechten Weg? Man fängt an, die Weisheit der Schöpfung zu bezweifeln. »Drum besser wär's, wenn nichts entstünde«, sagt Mephistopheles. »Ich liebte mir dafür das ewig Leere.«

Übrigens ist es ja durchaus möglich, daß dies der letzte Krieg gewesen ist, daß die Menschheit ihren Selbsterhaltungswillen zusammenreißt und die friedliche Nutzbarmachung der innersten Kräfte die Arbeitszeit auf eine Stunde täglich herabsetzt: Dann wird man für Unterhaltung sorgen müssen. Nicht jeder hat einen Roman zu schreiben.
Wir haben einen bewundernswerten Sommer, fast immer klar, mit erfrischender Meeresbrise gegen die Hitze, und meine Gesundheit ist gut. Ich arbeite regelmäßig an der deutschen Lebensgeschichte, weiß aber garnicht, was ich davon halten soll. Entweder es ist etwas sehr Neues und Originelles, fast Geniales, oder es ist Mist. Diese Alternative erregt eine gewisse Neugier, die mich bei der Sache hält.
Als meine Freundin wird es Sie freuen, zu hören, daß mein Geburtstag sozusagen über die ganze Erde hin, bis nach Süd-Afrika, freundlich und ehrenvoll begangen worden ist. Überall Artikel und Veranstaltungen und von überallher Glückwünsche. Ein guter Mann in Queenstown-Georgetown, British Guayana, bittet um meine Zustimmung zur Gründung einer T. M.-society whose object would be to encourage the deeper study and discussion of my works. Was soll ich nun darauf antworten? »In my opinion there is nothing more urgent than that«?
Die Kinder aus San Francisco sind zur Zeit bei uns und werden uns, wenn sie wieder reisen, die beiden Enkelknaben noch für einige Wochen da lassen. Frido ist nicht mehr so idealisch, sondern jungenhafter, aber sehr drollig, und spricht englisch mit furchtbar schweizerischem Akzent.
In der deutschen »Presse« ist wieder ein Artikel erschienen, der es mir zur Pflicht macht, zurückzukehren und dem Volke ein Seelenarzt zu sein. Der Verfasser ist ein gewisser Walter von Molo, der die ganze Zeit wacker mitgemacht hat und der Nazi-Dichterakademie angehörte. Das Groteske ist, daß man dort felsenfest von meinem ungeheueren Einfluß auf die Entschlüsse der Alliierten, zum mindesten der Amerikaner, in deutschen Angelegenheiten überzeugt ist. Wenn es den Deutschen schlecht geht – und wie sollte es ihnen anders gehen –, so werde ich die Schuld haben, weil ich nicht genug vorstellig geworden bin. Sancta simplicitas!
Ihr obedient servant

T. M.

An Walter von Molo

7. September 1945

Lieber Herr von Molo!
Ich habe Ihnen zu danken für einen sehr freundlichen Geburtstagsgruß, dazu für den Offenen Brief an mich, den Sie der deutschen Presse übergaben und der auszugsweise auch in die amerikanische gelangt ist. Darin kommt noch stärker und dringlicher als in dem privaten Schreiben der Wunsch, ja die verpflichtende Forderung zum Ausdruck, ich möchte nach Deutschland zurückkehren und wieder dort leben: »zu Rat und Tat«. Sie sind nicht der einzige, der diesen Ruf an mich richtet; das russisch kontrollierte Berliner Radio und das Organ der vereinigten demokratischen Parteien Deutschlands haben ihn auch erhoben, wie man mir berichtet, mit der stark aufgetragenen Begründung, ich hätte »ein historisches Werk zu leisten in Deutschland«.

Nun muß es mich ja freuen, daß Deutschland mich wieder haben will – nicht nur meine Bücher, sondern mich selbst als Mensch und Person. Aber etwas Beunruhigendes, Bedrückendes haben diese Appelle doch auch für mich, und etwas Unlogisches, sogar Ungerechtes, nicht Wohlüberlegtes spricht mich daraus an. Sie wissen nur zu gut, lieber Herr von Molo, wie teuer »Rat und Tat« heute in Deutschland sind, bei der fast heillosen Lage, in die unser unglückliches Volk sich gebracht hat, und ob ein schon alter Mann, an dessen Herzmuskel die abenteuerliche Zeit doch auch ihre Anforderungen gestellt hat, direkt, persönlich, im Fleische noch viel dazu beitragen kann, die Menschen, die Sie so ergreifend schildern, dort aus ihrer tiefen Gebeugtheit aufzurichten, scheint mir recht zweifelhaft. Dies nur nebenbei. Nicht recht überlegt aber scheinen mir bei jenen Aufforderungen auch die technischen, bürgerlichen, seelischen Schwierigkeiten, die meiner ›Rückwanderung‹ entgegenstehen.

Sind diese zwölf Jahre und ihre Ergebnisse denn von der Tafel zu wischen und kann man tun, als seien sie nicht gewesen? Schwer genug, atembeklemmend genug war, Anno dreiunddreißig, der Choc des Verlustes der gewohnten Lebensbasis, von Haus und Land, Büchern, Andenken und Vermögen, begleitet von kläglichen Aktionen daheim, Ausbootungen, Absagen. Nie vergesse ich die analphabetische und mörderische Radio- und Pressehetze gegen meinen Wagner-Aufsatz, die man in München veranstaltete und die mich erst recht begreifen ließ, daß mir die Rückkehr abgeschnitten sei; das Ringen nach Worten, die Versuche, zu schreiben, zu antworten, mich zu erklären, die »Briefe in die Nacht«, wie René Schickele, einer der vielen dahingegangenen Freunde, diese erstickten Monologe nannte. Schwer genug war, was dann folgte, das Wanderleben von Land zu Land, die Paßsorgen, das Hoteldasein, während die Ohren klangen von den Schandgeschichten, die täglich aus dem verlorenen, verwildernden, wildfremd gewordenen Lande herüberdrangen. Das haben Sie alle, die Sie dem »charismatischen Führer« (entsetzlich, entsetzlich, die betrunkene Bildung!) Treue schworen und unter Goebbels Kultur betrieben, nicht durchgemacht. Ich vergesse nicht, daß Sie später viel Schlimmeres durchgemacht haben, dem ich entging; aber das haben Sie nicht gekannt: das Herzasthma des Exils, die Entwurzelung, die nervösen Schrekken der Heimatlosigkeit.

Zuweilen empörte ich mich gegen die Vorteile, deren Ihr genosset. Ich sah darin eine Verleugnung der Solidarität. Wenn damals die deutsche Intelligenz, alles, was Namen und Weltnamen hatte, Ärzte, Musiker, Lehrer, Schriftsteller, Künstler, sich wie ein Mann gegen die Schande erhoben, den Generalstreik erklärt, manches hätte anders kommen können, als es kam. Der Einzelne, wenn er zufällig kein Jude war, fand sich immer der Frage ausgesetzt: »Warum eigentlich? Die anderen tun doch mit. Es kann doch so gefährlich nicht sein.«

Ich sage: zuweilen empörte ich mich. Aber ich habe Euch, die Ihr dort drinnen saßet, nie beneidet, auch in Euren größten Tagen nicht. Dazu wußte ich zu gut, daß diese großen Tage nichts als blutiger Schaum waren und rasch zergehen würden. Beneidet habe ich Hermann Hesse, in dessen Umgang ich während jener ersten Wochen und Monate Trost und Stärkung fand – ihn beneidet, weil er längst frei war, sich beizeiten abgelöst hatte mit der nur zu treffenden Begründung: »Ein großes, bedeutendes Volk, die Deutschen, wer leugnet es? Das Salz der Erde vielleicht. Aber als politische Nation – unmöglich! Ich will, ein für allemal, mit ihnen als solcher nichts mehr zu tun haben.« Und wohnte in schöner Sicherheit in seinem Hause zu Montagnola, in dessen Garten er Boccia spielte mit dem Verstörten.

Langsam, langsam setzten und ordneten sich dann die Dinge. Erste Häuslichkeiten fanden sich, in Frankreich, dann in der Schweiz;

eine relative Beruhigung, Seßhaftigkeit, Zugehörigkeit stellte sich aus der Verlorenheit her, man nahm die aus den Händen gefallene Arbeit, die einem schon zerstört hatte scheinen wollen, wieder auf. Die Schweiz, gastlich aus Tradition, aber unter dem Druck bedrohlich mächtiger Nachbarschaft lebend und zur Neutralität verpflichtet bis ins Moralische hinein, ließ verständlicherweise doch immer eine leise Verlegenheit, Beklommenheit merken durch die Anwesenheit des Gastes ohne Papiere, der so schlecht mit seiner Regierung stand, und verlangte »Takt«. Dann kam der Ruf an die amerikanische Universität, und auf einmal, in dem riesigen freien Land, war nicht mehr die Rede von »Takt«, es gab nichts als offene, unverschüchterte, deklarierte Freundwilligkeit, freudig, rückhaltlos, unter dem stehenden Motto: »Thank you, Mr. Hitler!« Ich habe einigen Grund, lieber Herr von Molo, diesem Lande dankbar zu sein, und Grund, mich ihm dankbar zu erweisen.
Heute bin ich amerikanischer Bürger, und lange vor Deutschlands schrecklicher Niederlage habe ich öffentlich und privat erklärt, daß ich nicht die Absicht hätte, Amerika je wieder den Rücken zu kehren. Meine Kinder, von denen zwei Söhne noch heute im amerikanischen Heere dienen, sind eingewurzelt in diesem Lande, englisch sprechende Enkel wachsen um mich auf. Ich selbst, mannigfach verankert auch schon in diesem Boden, da und dort ehrenhalber gebunden, in Washington, an den Hauptuniversitäten der Staaten, die mir ihre Honorary Degrees verliehen, habe ich mir an dieser herrlichen, zukunftatmenden Küste mein Haus errichtet, in dessen Schutz ich mein Lebenswerk zu Ende führen möchte – teilhaft einer Atmosphäre von Macht, Vernunft, Überfluß und Frieden. Geradeheraus: ich sehe nicht, warum ich die Vorteile meines seltsamen Loses nicht genießen sollte, nachdem ich seine Nachteile bis zur Hefe gekostet. Ich sehe das namentlich darum nicht, weil ich den Dienst nicht sehe, den ich dem deutschen Volke leisten – und den ich ihm nicht auch vom Lande California aus leisten könnte.
Daß alles kam, wie es gekommen ist, ist nicht meine Veranstaltung. Wie ganz und gar nicht ist es das! Es ist ein Ergebnis des Charakters und Schicksals des deutschen Volkes – eines Volkes, merkwürdig genug, tragisch-interessant genug, daß man manches von ihm hinnimmt, sich manches von ihm gefallen läßt. Aber dann soll man die Resultate auch anerkennen und nicht das Ganze in ein banales ›Kehre zurück, alles ist vergeben!‹ ausgehen lassen wollen.

Fern sei mir Selbstgerechtigkeit! Wir draußen hatten gut tugendhaft sein und Hitlern die Meinung sagen. Ich hebe keinen Stein auf, gegen niemanden. Ich bin nur scheu und ›fremdle‹, wie man von kleinen Kindern sagt. Ja, Deutschland ist mir in all diesen Jahren doch recht fremd geworden. Es ist, das müssen Sie zugeben, ein beängstigendes Land. Ich gestehe, daß ich mich vor den deutschen Trümmern fürchte – den steinernen und den menschlichen. Und ich fürchte, daß die Verständigung zwischen einem, der den Hexensabbat von außen erlebte, und Euch, die Ihr mitgetanzt und Herrn Urian aufgewartet habt, immerhin schwierig wäre. Wie sollte ich unempfindlich sein gegen die Briefergüsse voll lange verschwiegener Anhänglichkeit, die jetzt aus Deutschland zu mir kommen! Es sind wahre Abenteuer des Herzens für mich, rührende. Aber nicht nur wird meine Freude daran etwas eingeengt durch den Gedanken, daß keiner davon je wäre geschrieben worden, wenn Hitler gesiegt hätte, sondern auch durch eine gewisse Ahnungslosigkeit, Gefühllosigkeit, die daraus spricht, sogar schon durch die naive Unmittelbarkeit des Wiederanknüpfens, so, als seien diese zwölf Jahre gar nicht gewesen. Auch Bücher sind es wohl einmal, die kommen. Soll ich bekennen, daß ich sie nicht gern gesehen und bald weggestellt habe? Es mag Aberglaube sein, aber in meinen Augen sind Bücher, die von 1933 bis 1945 in Deutschland überhaupt gedruckt werden konnten, weniger als wertlos und nicht gut in die Hand zu nehmen. Ein Geruch von Blut und Schande haftet ihnen an; sie sollten alle eingestampft werden.
Es war nicht erlaubt, es war unmöglich, ›Kultur‹ zu machen in Deutschland, während rings um einen herum das geschah, wovon wir wissen. Es hieß die Verkommenheit beschönigen, das Verbrechen schmücken. Zu den Qualen, die wir litten, gehörte der Anblick, wie deutscher Geist, deutsche Kunst sich beständig zum Schild und Vorspann des absolut Scheusäligen hergaben. Daß eine ehrbarere Beschäftigung denkbar war, als für Hitler-Bayreuth Wagner-Dekorationen zu entwerfen – sonderbar, es scheint dafür an jedem Gefühl zu fehlen. Mit Goebbels'scher Permission nach Ungarn oder sonst einem deutsch-europäischen Land zu fahren und mit gescheiten Vorträgen Kulturpropaganda zu machen fürs Dritte Reich – ich sage nicht, daß es schimpflich war, ich sage nur, daß ich es nicht verstehe und daß ich Scheu trage vor manchem Wiedersehen.

Ein Kapellmeister, der, von Hitler entsandt, in Zürich, Paris oder Budapest Beethoven dirigierte, machte sich einer obszönen Lüge schuldig – unter dem Vorwande, er sei ein Musiker und mache Musik, das sei alles. Lüge aber vor allem schon war diese Musik auch zu Hause. Wie durfte denn Beethovens ›Fidelio‹, diese geborene Festoper für den Tag der deutschen Selbstbefreiung, im Deutschland der zwölf Jahre *nicht* verboten sein? Es war ein Skandal, daß er nicht verboten war, sondern daß es hochkultivierte Aufführungen davon gab, daß sich Sänger fanden, ihn zu singen, Musiker, ihn zu spielen, ein Publikum, ihm zu lauschen. Denn welchen Stumpfsinn brauchte es, in Himmlers Deutschland den ›Fidelio‹ zu hören, ohne das Gesicht mit den Händen zu bedecken und aus dem Saal zu stürzen!

Ja, so mancher Brief kommt nun aus der fremden, unheimlichen Heimat, vermittelt durch amerikanische Sergeants und Lieutenants – nicht nur von bedeutenden Männern, sondern auch von jungen und einfachen Leuten, und merkwürdig: von denen mag keiner mir raten, so bald nach Deutschland zu kommen. »Bleiben Sie, wo Sie sind!« sagen sie schlicht. »Verbringen Sie Ihren Lebensabend in Ihrer neuen, glücklicheren Heimat! Hier ist es zu traurig...« Traurig? Wäre es nur das – und nicht unvermeidlich auch fortdauernd böse und feindselig. Als eine Art von Trophäe bekam ich kürzlich von amerikanischer Seite ein altes Heft einer deutschen Zeitschrift zugeschickt: ›Volk im Werden‹, März 1937 (Hanseatische Verlagsanstalt Hamburg), herausgegeben von einem hochgestellten Nazi-Professor und Dr. h. c. Er hieß nicht gerade Krieg, sondern Krieck, mit ck. Es war eine bange Lektüre. Unter Leuten, sagte ich mir, die zwölf Jahre lang mit diesen Drogen gefüttert worden sind, kann nicht gut leben sein. Du hättest, sagte ich mir, zweifellos viele gute und treue Freunde dort, alte und junge; aber auch viele lauernde Feinde – geschlagene Feinde wohl, aber das sind die schlimmsten und giftigsten. – –

Und doch, lieber Herr von Molo, ist dies alles nur eine Seite der Sache; die andere will auch ihr Recht – ihr Recht auf das Wort. Die tiefe Neugier und Erregung, mit der ich jede Kunde aus Deutschland, mittelbar oder unmittelbar, empfange, die Entschiedenheit, mit der ich sie jeder Nachricht aus der großen Welt vorziehe, wie sie sich jetzt, sehr kühl gegen Deutschlands nebensächliches Schicksal, neu gestaltet, lassen mich täglich aufs neue gewahr werden,

welche unzerreißbaren Bande mich denn doch mit dem Lande verknüpfen, das mich ›ausbürgerte‹. Ein amerikanischer Weltbürger – ganz gut. Aber wie verleugnen, daß meine Wurzeln dort liegen, daß ich trotz aller fruchtbaren Bewunderung des Fremden in deutscher Tradition lebe und webe, möge die Zeit meinem Werk auch nicht gestattet haben, etwas anderes zu sein als ein morbider und schon halb parodistischer Nachhall großen Deutschtums.
Nie werde ich aufhören, mich als deutschen Schriftsteller zu fühlen, und bin auch in den Jahren, als meine Bücher nur auf englisch ihr Leben fristeten, der deutschen Sprache treu geblieben – nicht nur, weil ich zu alt war, um mich noch sprachlich umzustellen, sondern auch in dem Bewußtsein, daß mein Werk in deutscher Sprachgeschichte seinen bescheidenen Platz hat. Der Goethe-Roman, der, geschrieben in Deutschlands dunkelsten Tagen, in ein paar Exemplaren zu Euch hineingeschmuggelt wurde, ist nicht gerade ein Dokument des Vergessens und der Abkehr. Auch brauche ich nicht zu sagen: »Doch schäm ich mich der Ruhestunden, Mit euch zu leiden war Gewinn.« Deutschland hat mir nie Ruhe gelassen. Ich habe »mit euch gelitten«, und es war keine Übertreibung, als ich in dem Brief nach Bonn von einer Sorge und Qual, einer »Seelen- und Gedankennot« sprach, »von der seit vier Jahren nicht eine Stunde meines Lebens frei gewesen ist und gegen die ich meine künstlerische Arbeit tagtäglich durchzusetzen hatte«. Oft genug habe ich gar nicht versucht, sie dagegen durchzusetzen. Das Halbhundert Radiobotschaften nach Deutschland (oder sind es mehr?), die jetzt in Schweden gedruckt wurden – diese immer sich wiederholenden Beschwörungen mögen bezeugen, daß oft genug anderes mir vordringlicher schien als ›Kunst‹.
Vor einigen Wochen habe ich in der Library of Congress in Washington einen Vortrag gehalten über das Thema: ›Germany and the Germans‹. Ich habe ihn deutsch geschrieben, und er soll im nächsten Heft der Juni 1945 wiedererstandenen ›Neuen Rundschau‹ abgedruckt werden. Es war ein psychologischer Versuch, einem gebildeten amerikanischen Publikum zu erklären, wie doch in Deutschland alles so kommen konnte, und ich hatte die ruhige Bereitwilligkeit zu bewundern, mit der, so knapp nach dem Ende eines fürchterlichen Krieges, dies Publikum meine Erläuterungen aufnahm. Meinen Weg zu finden zwischen unstatthafter Apologie – und einer Verleugnung, die mir ebenfalls schlecht zu Gesicht

gestanden hätte, war natürlich nicht leicht. Aber ungefähr ging es. Ich sprach von der gnadenvollen Tatsache, daß oft auf Erden aus dem Bösen das Gute kommt – und von der teuflischen, daß oft das Böse kommt aus dem Guten. Ich erzählte in Kürze die Geschichte der deutschen ›Innerlichkeit‹. Die Theorie von den beiden Deutschland, einem guten und einem bösen, lehnte ich ab. Das böse Deutschland, erklärte ich, das ist das fehlgegangene gute, das gute im Unglück, in Schuld und Untergang. Ich stände hier nicht, um mich, nach schlechter Gepflogenheit, der Welt als das gute, das edle, das gerechte Deutschland im weißen Kleid zu empfehlen. Nichts von dem, was ich meinen Zuhörern über Deutschland zu sagen versucht hätte, sei aus fremdem, kühlem, unbeteiligtem Wissen gekommen; ich hätte es alles auch in mir; ich hätte es alles am eigenen Leibe erfahren.
Das war ja wohl, was man eine Solidaritätserklärung nennt – im gewagtesten Augenblick. Nicht gerade mit dem Nationalsozialismus, das nicht. Aber mit Deutschland, das ihm schließlich verfiel und einen Pakt mit dem Teufel schloß. Der Teufelspakt ist eine tief-altdeutsche Versuchung, und ein deutscher Roman, der eingegeben wäre von den Leiden der letzten Jahre, vom Leiden an Deutschland, müßte wohl eben dies grause Versprechen zum Gegenstand haben. Aber sogar um Faustens Einzelseele ist, in unserem größten Gedicht, der Böse ja schließlich betrogen, und fern sei uns die Vorstellung, als habe Deutschland nun endgültig der Teufel geholt. Die Gnade ist höher als jeder Blutsbrief. Ich glaube an sie, und ich glaube an Deutschlands Zukunft, wie verzweifelt auch immer seine Gegenwart sich ausnehmen, wie hoffnungslos die Zerstörung erscheinen möge. Man höre doch auf, vom Ende der deutschen Geschichte zu reden! Deutschland ist nicht identisch mit der kurzen und finsteren geschichtlichen Episode, die Hitlers Namen trägt. Es ist auch nicht identisch mit der selbst nur kurzen Bismarck'schen Ära des Preußisch-Deutschen Reiches. Es ist nicht einmal identisch mit dem auch nur zwei Jahrhunderte umfassenden Abschnitt seiner Geschichte, den man auf den Namen Friedrichs des Großen taufen kann. Es ist im Begriffe, eine neue Gestalt anzunehmen, in einen neuen Lebenszustand überzugehen, der vielleicht nach den ersten Schmerzen der Wandlung und des Überganges mehr Glück und echte Würde verspricht, den eigensten Anlagen und Bedürfnissen der Nation günstiger sein mag als der alte.

Ist denn die Weltgeschichte zu Ende? Sie ist sogar in sehr lebhaftem Gange, und Deutschlands Geschichte ist in ihr beschlossen. Zwar fährt die Machtpolitik fort, uns drastische Abmahnungen von übertriebenen Erwartungen zu erteilen; aber bleibt nicht die Hoffnung bestehen, daß zwangsläufig und notgedrungen die ersten versuchenden Schritte geschehen werden in der Richtung auf einen Weltzustand, in dem der nationale Individualismus des neunzehnten Jahrhunderts sich lösen, ja schließlich vergehen wird? Weltökonomie, die Bedeutungsminderung politischer Grenzen, eine gewisse Entpolitisierung des Staatenlebens überhaupt, das Erwachen der Menschheit zum Bewußtsein ihrer praktischen Einheit, ihr erstes Ins-Auge-Fassen des Weltstaates – wie sollte all dieser über die bürgerliche Demokratie weit hinausgehende *soziale Humanismus*, um den das große Ringen geht, dem deutschen Wesen fremd und zuwider sein? In seiner Weltscheu war immer so viel Weltverlangen; auf dem Grunde der Einsamkeit, die es böse machte, ist, wer wüßte es nicht, der Wunsch, zu lieben, der Wunsch, geliebt zu sein. Deutschland treibe Dünkel und Haß aus seinem Blut, es entdecke seine Liebe wieder, und es wird geliebt werden. Es bleibt, trotz allem, ein Land voll gewaltiger Werte, das auf die Tüchtigkeit seiner Menschen sowohl wie auf die Hilfe der Welt zählen kann und dem, ist nur erst das Schwerste vorüber, ein neues, an Leistungen und Ansehen reiches Leben vorbehalten ist.

Ich habe mich weit führen lassen in meiner Erwiderung, lieber Herr von Molo. Verzeihen Sie! In einem Brief nach Deutschland wollte allerlei untergebracht sein. Auch dies noch: der Traum, den Boden des alten Kontinents noch einmal unter meinen Füßen zu fühlen, ist, der großen Verwöhnung zum Trotz, die Amerika heißt, weder meinen Tagen, noch meinen Nächten fremd, und wenn die Stunde kommt, wenn ich lebe und die Transportverhältnisse sowohl wie eine löbliche Behörde es erlauben, so will ich hinüberfahren. Bin ich aber einmal dort, so ahnt mir, daß Scheu und Verfremdung, diese Produkte bloßer zwölf Jahre, nicht standhalten werden gegen eine Anziehungskraft, die längere Erinnerungen, tausendjährige, auf ihrer Seite hat. Auf Wiedersehen also, so Gott will.

Thomas Mann

An Bruno Walter

Pacific Palisades
den 22. Sept. 45

Lieber Freund,
daß ich nicht vergesse, Ihnen das so treu Bewahrte und freundlich Geliehene wieder zuzustellen. Schon war es mir halb aus den Augen gekommen. Bei mir herrscht eine pedantisch übertünchte Unordnung, in deren Gründen sich so etwas leicht verliert.
Mit Recht haben Sie Vermutungen. Aber freuen Sie sich nicht, es wird alles sehr melancholisch. Die Liebe zu einem Kinde, seinem kleinen Neffen, kommt ganz zuletzt in dem teuflisch erkälteten Leben meines Komponisten. Das wird ihm dann auch genommen. Ich weiß nicht, warum ich mir so traurige Geschichten ausdenke. Die Kunst soll uns doch erheben und erheitern.
Gerade lese ich in den galleys ein schönes Buch: »The Life of the Heart. George Sand and her Times« von Frances Winwar (»Kriegsgewinner«?) mit einer ergreifenden Chopin-Episode. Es erscheint bei Harper & Brothers, New York. Ich empfehle es Ihnen sehr. [...]
Alles Liebe und Gute!

Ihr Thomas Mann

An Agnes E. Meyer

Pacific Palisades, California
1550 San Remo Drive
2. Oktober 45

Liebe Freundin,
wir haben hier erschlaffende Gluthitze seit Tagen schon. Die Arbeit am Roman (Kriegsausbruch 1914) heute Morgen war mir gerade genug; Sie müssen vorlieb nehmen.
Ich wollte Ihnen nur sagen, daß ich mit besonderer Genugtuung, Zustimmung, Billigung Ihren Entschluß aufgenommen habe, jetzt nicht nach Europa, i. e. nach Deutschland zu gehen. Nichts könnte richtiger und vernünftiger sein. Niemand sollte Ihnen zumuten, sich in ein Elend zu setzen, an dem Sie durch Ihre Gegenwart nichts ändern können. Ihr Werk hier ist unvergleichlich wichtiger und nützlicher. Darüber ist kein Wort zu verlieren, und Sie dürfen wahrhaftig ein gutes Gewissen haben.
Zufrieden bin ich auch über das Ausscheiden Bills aus der Army. Schon daß er zuletzt außer der Gefahrenzone war, gereichte mir zu größter Beruhigung. Ich habe es Ihnen damals gesagt: ich hätte nicht gewußt, was tun, wenn ihm etwas zugestoßen wäre. Einige

leichte Unterhaltung schicke ich Ihnen: den in der Schweiz erschienenen Briefwechsel mit einem Gelehrten und meine Antwort an den deutschen Kollegen. Der Briefwechsel hat mich gewissermaßen gerührt, da meine Beiträge dazu ja etwas wie ein Stückchen Autobiographie aus den ersten Jahren der Emigration darstellen. [...]
Was für ein Jahr, dieses 1945, bei dem mein 70. Geburtstag mit unterlief! Schwerlich hat es in der Geschichte ein ereignisreicheres gegeben. Es hat unseren Herzen und Hirnen zugesetzt; kein Wunder, wenn wir etwas betäubt wären. Ein Gedränge von Chocks und erschütternden Geschehnissen, die mit F.D.R.'s Tod begannen. Ein Schnellfeuer persönlicher Verluste dazu: Frank, Werfel, nun auch Bartok, der Componist, und Beer-Hofmann. Übrigens auch der begabte und ritterliche Roda-Roda und wer nicht noch. Unsere alte München-Pariser Freundin Annette Kolb kehrt nach Frankreich zurück, ausdrücklich um dort zu sterben. Ein rapider Ausfall von Figuren, die zur eigenen Epoche gehörten: Valéry, um noch einen zu nennen. Es wird leer ringsum, und wenn man etwas von sich selber liest, wie diese Briefe, kommt es einem auch schon posthum und »historisch« vor. Kurios, kurios! wie der alte Buddenbrook zu sagen pflegte. Ein paar Jahre noch, und es wird ein halbes Jahrhundert sein, daß das Buch erschien. Es ist jetzt gerade, zusammen mit einem Band »Ausgewählte Erzählungen« und einem Essay-Band »Adel des Geistes«, in Stockholm neu gedruckt geworden – das 1166–70. Tausend der deutschen Ausgabe. Wenn ich denke, wie blutjung und gemütskrank ich war, als ich es schrieb! Brav gehalten hat man sich, über das eigene Erwarten.

Ihr T. M.

An Joseph Kaskell

Pacific Palisades, California
1550 San Remo Drive
16. Oktober 1945

Sehr geehrter Herr Doktor Kaskell,
ich habe Nachrichten von Erich von Kahler und stelle mit Vergnügen fest, daß er in der Frage des Fortbestandes oder Eingehens der »Deutschen Blätter« genau so denkt und fühlt wie ich. Wir beide halten die Zeitschrift wert, in erster Linie wegen ihrer schönen, tapferen und – was heute überhaupt und zumal unter Deutschen so selten ist – instinktsicheren moralischen Haltung, die gleich weit entfernt war von Renegatentum und Desertion aus dem deutschen

Schicksal, wie von jener unbekümmerten und gedächtnislosen Empörung über das, was man den Deutschen heute antut, die man selbst unter ganz unverdächtig rechtschaffenen und ehrlich antinazistischen Deutschen jetzt so oft antrifft.
Zwischen diesen beiden Extremen haben die »Deutschen Blätter« in vorbildlicher Weise die rechte Mitte gehalten, und darum meine ich – meinen wir –, daß sie heute nötiger denn je, ja, man kann sagen: unersetzlich sind. Die »Neue Rundschau«, wenn sie nun wieder ins Leben tritt, hat teils andere Aufgaben, teils kann sie, wie nun heute einmal alles liegt, nicht die gleiche moralische Wirkung ausüben, die ein so prononciert »arisches« Unternehmen, wie die D.B., gewinnen kann. Es war Kahler, der mich darauf hinwies, und ich muß ihm recht darin geben, daß die richtige Haltung von der »arischen« Seite ausgehen und ihren Einfluß üben muß.
Das Argument, daß eine solche Zeitschrift jetzt nach Deutschland gehen sollte, habe ich antizipiert, halte es aber so wenig wie Kahler für gültig. Es ist sehr fraglich, ob sie dort die richtige, unabhängige Haltung würde behaupten können. Sehr bald würde sie unter den Einfluß der Okkupationsbehörden oder der und jener Partei, jedenfalls in das Gestrüpp der unvermeidlichen wilden Konflikte, die zu gewärtigen sind, geraten. Es ist wohl sicher, daß man nur vom Ausland aus sich in der nächsten Zeit eine unabhängige Stellung und einen freien Blick wird erhalten können. Und es wäre ganz denkbar, daß ein solches Organ von außen einen gewissen Einfluß auf die deutschen Entwicklungen, auf die Entwicklung des Weltdeutschtums, wie eines weltkundigen Deutschland selbst, ausüben könnte: unter wachsender Beteiligung der innerdeutschen Kräfte. Gerade durch eine solche Wechselwirkung von Außen und Innen auf einem überlokal, übernational deutschen Boden könnte eine allmähliche Selbstbesinnung und innere Wandlung sehr gefördert werden.
Mit diesen Gründen etwa, sehr geehrter Herr Kaskel, müßte man denen, an die man sich wegen des benötigten Geldes wendet, die Wünschbarkeit der Erhaltung der Zeitung begreiflich zu machen suchen. *Wer* das sein mag, – ich kann es nicht sagen. Ich habe von meinen, neulich in dieser Beziehung geäußerten Zweifeln und Sorgen kein Wort zurückzunehmen und keines hinzuzufügen. Kahler hat an die Oberlaender Foundation in Philadelphia gedacht, oder an verständige und zugleich kapitalkräftige Deutsch-Amerikaner, vielleicht gibt es solche. Jedenfalls möchte ich Sie versichern und bitte

Sie, auch die Herren in Santiago zu verständigen, daß sie meine volle moralische Unterstützung haben, wenn sie sich zu weiteren Versuchen der Geldgewinnung – mein Gott, es handelt sich ja um keine immensen Summen! – entschließen. Ich unterzeichne jeden öffentlichen oder privaten Werbebrief, den Sie etwa im Sinn der gemachten Bemerkungen abfassen wollen. Für eine solche Werbung wären gewiß auch gute amerikanische Namen, wie R. Niebuhr, Frank Kingdon, Dean Gauss in Princeton und andere zu gewinnen.
Mit den besten Wünschen
Ihr sehr ergebener

Thomas Mann

An die Redaktion des »Aufbau«,
New York

Pacific Palisades, California
1550 San Remo Drive
22. X. 45

Sehr geehrte Herren:
Sie weisen mich darauf hin, daß die New Yorker Staatszeitung ihren von mir bereitwillig autorisierten Nachdruck meines Briefes nach Deutschland mit der Überschrift versehen hat: »Ich bleibe deutscher Schriftsteller, fürchte mich aber vor den deutschen Trümmern, sagt Thomas Mann«. Das war mir neu, denn aus einer begreiflichen Unlust haben die Herren von der Staatszeitung davon abgesehen, mir einen Beleg zukommen zu lassen. Ihrerseits nennen Sie die Überschrift »eine böswillige Entstellung und Irreführung«, und ich will nicht leugnen, daß etwas Verstimmendes liegt in dieser Art, meinen Artikel zu präsentieren. Sie müssen aber bedenken, daß das deutsch-amerikanische Blatt sich einer sehr gemischten Leserschaft bewußt ist, die sich aus kultivierteren und wohlwollenden, wie auch aus geistig weniger bemittelten und politisch sehr störrischen Elementen zusammensetzt. Den Einen möchten die Editoren etwas bieten, ohne die Anderen in ihrer Dummheit zu betrüben, und so haben sie hinter meinem Rücken dem Brief eine alberne kleine Bosheit angehängt, um der Publikation die Zweideutigkeit zu verleihen, die das Los dieser Zeitung bleiben zu sollen scheint.
Das muß man verstehen. »Übers Niederträchtige«, heißt es, »niemand sich beklage«, und am wenigsten hat ein Recht dazu, wer ihr mit so unverbesserlicher Gutmütigkeit auf den Leim geht, wie ich.
Ihr sehr ergebener

Thomas Mann

An Emil Preetorius

Pacific Palisades, California
1550 San Remo Drive
23. Oktober 1945

Lieber Emil Preetorius:
Ihre beiden Briefe, der, worin Sie so freundschaftlich meines Geburtstags gedachten, und der zweite, nicht weniger inhaltreiche, sind mir richtig zugestellt worden. Ich danke Ihnen recht herzlich für diese lieben und bedeutenden Zeichen Ihrer Anhänglichkeit. Sie waren, man muß es kaum sagen, mit Abstand das Klügste und Sensibelste, was mir in diesen Monaten aus Deutschland zugekommen ist. Der Vergleich mit gewissen gedruckten Äußerungen schöner Seelen aus der »inneren Emigration« ist garnicht zulässig.
Auch die mir freundlich zugedachten Bücher, das eine von Ihnen selbst, das andere über Ihr Werk, sind in meinen Händen, und ich habe meine Freude gehabt an der glänzenden Entfaltung Ihres Talentes und Ihrem sich ausbreitenden Ruhm. Unsere in dekorativen Dingen oft recht altmodische »Met« in New York könnte eine kühne und dabei ohne Extravaganz auf der Höhe der Zeit stehende Phantasie wie die Ihre wohl brauchen, und ich würde mich nicht wundern, wenn sie Sie eines Tages zu Hilfe riefe, – was eine Chance mehr wäre, daß man sich hienieden noch einmal wiedersähe.
Es ist mir nahe gegangen, daß Ihnen durch Bombenschlag Ihr Heim und alle Ihre kostbare Habe verloren gegangen ist. Gewissermaßen kann ich Ihnen aus alter, längst verschmerzter Erfahrung den Choc nachfühlen. Die Münchner Zerstörungen, wie überhaupt den Ruin der deutschen Städte, stelle ich mir nur mit Grauen vor und sehe mit tiefer Beklemmung dem nun anbrechenden deutschen Winter entgegen, von dem unsere eigenen Militärärzte drüben für die Bevölkerung das Schlimmste befürchten. Möchten Sie persönlich in Ihrer oberbayerischen Ländlichkeit vor Kälte und Mangel leidlich geschützt bleiben!
Es ist natürlich, daß man sich seines äußeren Wohlseins in diesem noch satten und sicheren, wenn auch auf lange Sicht keineswegs unbedrohten Lande ein wenig schämt. Im Übrigen bin ich längst versöhnt mit meinem Schicksal [...]. In Wahrheit ist aus dem »Exil« etwas ganz anderes geworden, als was es in früheren Zeiten war. Es ist kein Warte-Zustand mehr, auf Heimkehr abgestellt, sondern spielt schon auf die Auflösung der Nationen an und auf die Vereinheitlichung der Welt. [...]

Haben Sie irgend eine Möglichkeit des Kontaktes mit Hans Reisiger? Dann lassen Sie ihn doch wissen, daß ich nie etwas von ihm gehört habe. Er will mir nämlich geschrieben haben. Und mein alter Freund Ernst Bertram, der Pate unserer Medi, die nun Mme Borgese ist? Was hört man von ihm? Der Typus des sinnigen Edel-Nazi und betörten Germanisten. Aber seine Nietzsche-Legende bleibt doch ein ergreifendes Gedicht.

Mit allen guten Wünschen Ihr Thomas Mann

An Agnes E. Meyer

Pacific Palisades, California
1550 San Remo Drive
25. Okt. 1945

Liebe Freundin,
es ist mir schmerzlich, daß die Pausen zwischen meinen Briefen länger werden. Aber meine Lage ist der Ihrigen verwandt: Sie sind in Anspruch genommen durch Ihre bewundernswerte soziale, humanitäre und im höchsten Sinn politische Tätigkeit, und bei mir liegt es so, daß seit der Wiedereröffnung Europa's meine Korrespondenz sich beinahe verdoppelt hat, wobei der durch amerikanische Stellen vermittelte neue Kontakt mit Deutschland eine recht erregende Wirkung auf mich hat. [...]

Ein Schriftsteller der jüngeren Generation, Manfred Hausmann in Worpswede bei Bremen, schreibt: »Nicht über die zerstörten Städte bin ich verzweifelt – wiewohl das Ausmaß der Zerstörung grauenvoll ist –, sondern über die zerstörte Seele meines Volkes. Was hier angerichtet ist, was sich hier anläßlich der Naziherrschaft offenbart hat, läßt sich nicht beschreiben. Sie kennen wohl die Greuel der Konzentrationslager, aber Sie kennen den deutschen Alltag der letzten Jahre nicht, Sie kennen den verbrecherisch-dummen, größenwahnsinnigen, rohen Durchschnittsdeutschen nicht. Ich habe ihn kennen gelernt, daß mir zuweilen Hören und Sehen vergangen ist. Die Niederlage, der Zusammenbruch hat nichts, garnichts daran geändert. Im Gegenteil: das Volk ist heute, in seinen bürgerlichen Schichten jedenfalls, nationalsozialistischer als je. Ein hoffnungsloser Fall. Und wenn ich den Amerikanern einen Vorwurf machen darf, dann den, daß sie viel zu nachsichtig sind. Die deutsche Frechheit ist bereits wieder obenauf. Ich komme mir wie ein Fremdling in meinem eigenen Volke vor.«

Ich wollte doch, daß Sie das läsen. Ein patriotischer Ton desperater Liebe klingt durch und macht die Schilderung leider glaubwürdig. Da aber eigentlich niemand etwas aus der Katastrophe gelernt hat, – warum sollten gerade die Deutschen etwas gelernt haben? Der Friede, wenn das Wort erlaubt ist, sieht so aus, daß man anfängt, den Krieg als ein erhebendes Zwischenspiel zu empfinden. Die Geschichte scheint an den tiefsten Punkt unseres Erlebens, an »München« wieder anzuknüpfen, – was sicher teilweise die Schuld des russischen »proletarischen Pessimismus« ist, wie ein gescheiter Schweizer Korrespondent es nennt, also des östlichen Mißtrauens. Aber der Westen gibt nur allzuviel Grund, oder doch Anlaß dazu.
Assez! wie meine selige Großmutter zu sagen pflegte. Sie mögen so etwas garnicht lesen, und ich schreibe es auch nicht gern. Es sind Zwangsgedanken. [...]
Gut, also mit dem Roman komme ich zur Zeit wieder erfreulich vorwärts. Vom Kriegsausbruch 1914 habe ich durch das Medium des Biographen eine erinnerungsvolle Schilderung gegeben. Jetzt halte ich bei einer grotesken Opernsuite für das Marionetten-Theater, die Leverkühn komponiert, und deren Stoffe er dem alten Fabel- und Legendenbuch »Gesta Romanorum« entnimmt. Es sind da Geschichten, wenigstens eine, die ich ihm am liebsten wegnähme, um selbst eine merkwürdige Novelle daraus zu machen. Ein unväterliches Verhalten! Aber mit einem gewissen Vergnügen stelle ich fest, daß ich mir immer noch neue und aufregende Creationen vorstellen kann.
Es ist aber doch etwas Gefährliches ums Creative. Mit jedem zurückgelegten Werk macht man sich das Leben schwerer und endlich doch wohl unmöglich, da eine gewisse Selbstverwöhnung einen zuletzt in die Disintegration, ins Unmachbare, nicht mehr zu Bewerkstelligende treibt. Das Problem ist schließlich: Wie halte ich mich im Machbaren? Man spürt das bei manchem Alterswerk. Natürlich weiß die Mittelmäßigkeit nichts davon. [...]
Wir hatten neulich die Freude, Florence zum Dinner bei uns zu sehen. Sie sah prächtig aus und zeigte uns wunderhübsche, selbst aufgenommene Photo's ihres Söhnchen, das eine tschechische Nase hat.
A propos die Tschechen. Sie haben für einige Zeit die ganze deutsche Musik verboten, einschließlich Bachs und Beethovens. Smetana in Ehren, aber das heißt doch, sich ins eigene Fleisch schneiden.

Und nächsten Monat ist Eugenes 70. Geburtstag! Das wird ein Familienfest geben! Wenn ich ein Vöglein wär', flög' ich zu euch.
Herzlich

Ihr T. M.

more
»Germany and the Germans« hat die Yale Review angenommen. Die Library sollte nun endlich ihre Broschüre machen, sonst interessiert sich niemand mehr dafür.

An Anni Loewenstein

Pacific Palisades, California
1550 San Remo Drive
27. Okt. 45

Sehr geehrtes Fräulein Loewenstein,
Dank für Ihre schöne, rührende Sendung! Sie hat mir eine ähnliche Freude gemacht, wie das Ehren-Doktorat of Hebrew Letters, das mir kürzlich von einem jüdischen College in Cincinnati verliehen wurde.
Schelling kenne ich beschämend wenig, wohl weil sein Platz gewissermaßen von Schopenhauer von frühan bei mir besetzt war. Bei der Beantwortung Ihrer Frage muß ich mich also für reine Koinzidenz entscheiden. Meine Darstellung ergibt sich aus der in den Joseph-Romanen herrschenden Fortschrittsidee, dem »mit Gott (zusammen) über etwas hinauskommen«. Gewisse Dinge waren einmal ganz richtig und vernünftig, hören aber auf, es zu sein und werden zur »Gottesdummheit«. Religiosität besteht wesentlich darin, hierauf, auf Veränderungen im Bilde der Wahrheit und des Rechten *achtzugeben*. Zu wissen, was die Glocke geschlagen hat, und wo Gott mit uns hinauswill, das nennt Joseph Gottesklugheit.
Ihr ergebener

Thomas Mann

An Rudolf W. Blunck

Pacific Palisades, California
1550 San Remo Drive
19. November 1945

Sehr geehrter Herr Blunck!
Ihren freundlichen Brief vom 6. November habe ich erhalten und spreche Ihnen meine Teilnahme aus an den Unannehmlichkeiten, die Ihr Bruder, Dr. Friedrich Blunck, zur Zeit zu erleiden hat. Aber

auch wenn ich mir mehr Einfluß auf die Entschlüsse der britischen Militär-Regierung zutrauen könnte, als zu besitzen ich mir einbilden darf, wäre ich nicht in der Lage, in dieser Sache etwas zu tun. Die Haltung Ihres Bruders während der Nazi-Jahre bietet mir keinerlei Handhabe dafür, und ich würde berechtigtes Befremden erregen, wenn ich jetzt für ihn einträte.
Sicherlich wird niemand Ihren Herrn Bruder für einen »war criminal« in einem irgendwie engeren Sinne des Wortes ansehen. Aber Sie müssen bedenken, daß er während der ganzen zwölf Jahre als Präsident der Nazi-Reichsschrifttumskammer eine hochprominente, offizielle Stellung innerhalb der Nazi-Kultur eingenommen hat, daß er alle Vorteile genossen hat, die ihm aus dieser Stellung erwuchsen, und sich unmöglich wundern kann, wenn nach dem Zusammenbruch des Regimes, unter dem und mit dem er wirkte und arbeitete, ein gewisser Rückschlag für ihn persönlich stattfindet.
Ernst Wiechert, ein sehr deutscher Schriftsteller, der dem Nazi-Regime von Anfang an mit großem Mut opponiert und dafür schwer gelitten hat, zitiert aus einem Brief, den Ihr Herr Bruder seinerzeit an ihn gerichtet hat und worin er sagt, daß »der neue Staat zum ersten Mal seit Jahrhunderten, ja vielleicht seit den Zeiten Walthers von der Vogelweide die Würde der deutschen Kunst wiederhergestellt habe«. Das geht denn doch über das »Nur Deutsche«, mit dem Sie Ihren Bruder charakterisieren, weit hinaus.
Wir müssen uns, glaube ich, damit trösten, daß die englischen Lager bestimmt etwas anderes sind als die Nazi-Konzentrationslager, in deren einem ein Mann wie Ernst Wiechert, ohne den geringsten Protest seiner Kollegen in Deutschland, geschmachtet hat. Die Gefangenhaltung wird auch wohl kaum sehr lange dauern, und wir dürfen hoffen, daß Ihr Bruder bald in der Lage sein wird, mit seinem bedeutenden Talent an dem Wiederaufbau Deutschlands und seiner eigenen Existenz zu arbeiten.
Mit hochachtungsvoller Begrüßung
Ihr sehr ergebener Thomas Mann

An Albert Einstein

Pacific Palisades, California
1550 San Remo Drive
27. November 1945

Sehr verehrter Herr Professor Einstein!
Verzeihen Sie die Störung, aber ich möchte Sie in zwei Fällen um Ihre Meinung fragen und Ihre Stellungnahme erfahren. Ich lege Ihnen den Brief eines Herrn Alexander Stern in Nairobi bei, der angibt, sich mit seinem Vorschlag einer allgemeinen Emigranten-Organisation auch an Sie wenden zu wollen. Ich würde sehr gern Ihre Meinung über diese Sache hören, die ja auf den ersten Blick nicht unvernünftig aussieht, mir aber doch in ihren politisch-ehrgeizigen Absichten viel zu weit zu gehen scheint. Lehnen Sie einfach ab, so werde ich es auch tun. Wenn Sie Bedingungen und Einschränkungen machen, so wäre ich sehr dankbar, wenn Sie sie mir mitteilten.
Es war zweitens heute ein Musiker namens Franz Waxman bei mir, der mir den Plan eines Huldigungsgeschenks der internationalen Immigration in Amerika vortrug. Es handelt sich um das berühmte Portrait des Präsidenten Washington von Gilbert Stuart, das zum Verkauf stehen soll, und das man mit Hilfe einer Geldsammlung von $ 75.000, dem Preise des historischen Gemäldes, dem Weißen Hause zu schenken beabsichtigt. Ich habe starke Widerstände gegen diesen Plan, der mir dem gegenwärtigen moralischen Zustand des Landes, der wachsenden Fremdenfeindschaft, dem wachsenden Antisemitismus, usw. nicht zu entsprechen scheint. Außerdem wäre der Vorwurf berechtigt, daß man eine solche Geldsammlung lieber zu Gunsten der hungernden europäischen Kinder veranstalten sollte als zum Zwecke eines Geschenks, das ein wenig nach Kriecherei und dem Wunsch aussieht, gut Wetter zu machen. Auch hier wäre ich Ihnen außerordentlich dankbar für die Mitteilung Ihrer Stellungnahme.
Mit herzlichen Grüßen
Ihr sehr ergebener

Thomas Mann

An Fritz Strich

Pacific Palisades, California
1550 San Remo Drive
27. Nov. 45

Lieber Professor Strich,
eine reiche, gewichtige Sendung war das, diese Akademie-Reden, unter denen Burckhardt, Müller, Wölfflin hervorleuchten, diese schöne, lehrreiche Schrift über Stifter, die mir deutlicher, als irgend etwas früher über ihn Gelesenes zeigte, wie doch auch sein lauteres, scheinbar so ungestörtes Werk durchgesetzt worden ist gegen den Trubel und die abziehenden Streitfragen der Zeit. Endlich, mein Gott, natürlich zuerst gelesen, dieser generöse Geburtstags-Aufsatz im »Bund«, den ich tatsächlich noch nicht gesehen hatte, und bei dessen guten Nachreden man immerhin einige festliche Hochstimmung in Rechnung stellen mag, – es bleibt noch genug Tröstliches übrig, das sich also, wenn man will, über meine Erdenfahrt sagen läßt. Allerschönsten Dank! Hierfür und für die ganze freigebige X-mas-Bescherung.
Es traf sich, daß ich, als Ihre Sendung kam, gerade im besten Wiederlesen Stifters, jeden Abend vor Einschlafen, begriffen war. Ich gehöre zu denen, die selbst den »Witiko« strikt zu Ende gelesen haben und sehe seitdem in dem merkwürdigen Schulrat einen der größten und ermutigendsten Ehrenretter der Langenweile. Es ist doch mehr und anderes als das bekannte noble ennui. Es ist ein stiller, blasser, pedantischer Zauber, der fester hält, als das meiste Interessante und einem demonstriert, was, welches Maß von Langweiligkeit unter Umständen möglich ist, möglich gemacht werden kann, – was für den Erzähler eine sehr wichtige und in sich selbst geradezu aufregende Erfahrung ist. Aber was für ein aufregender, außerordentlicher, alle Augenblicke ins Extreme, man kann schon sagen: Pathologische vorstoßender Erzähler der Mann außerdem und trotzdem ist, das habe ich jetzt beim Wiederlesen, bzw. auch beim Zum ersten Male lesen der »Studien« und »Bunten Steine« und solcher feuilletonistischen Abnormitäten wie des Schneefalls im Bayerischen Wald und des beängstigenden Besuchs in den Katakomben, mit staunender, jeden Abend wachsender Bewunderung erfahren und zu jedermann davon gesprochen. Was für eine tolle Sache, der »Abdias«! Und die Kinder im Eise! Und das »Katzensilber«, wo so ausbündige Erzählung wie der Hagelschlag *und* die Feuersbrunst gehäuft ist! Und das völlig einzigartige Milieu des

»Hagestolzes«! Bei dem Pedanten mit seinem »Bei dem Frühmahle« etc. ist irgend etwas nicht in Ordnung, nicht ganz geheuer. Das Sensationellwerden der Langenweile ist ohnehin im schönsten Sinne unheimlich. – Ach, ich wollte, Sie hätten über diese erzählerischen Wunder und Merkwürdigkeiten, von denen nur eine Handvoll Liebhaber, und auch die nicht recht, etwas wissen, mehr gesprochen und nicht so viel von weltanschaulich-politisch-moralischen Dingen, – wie die Zeit es mit sich bringt, wie die Zeit es fordert, ich weiß! Und doch, sogar in Bezug auf mich selbst – können Sie mir verzeihen? – regte sich ein ähnlicher Wunsch in mir. Wir sind Weiber, oder halbe Weiber, lieber Freund. Immer wollen wir noch lieber, daß man vom Charme unseres Lebens, als daß man von dessen Tugend spricht.
Ich weiß Sie gern in der Schweiz eingewurzelt und an würdigster Stelle tätig. Würden Sie einem Ruf nach Deutschland folgen, wenn er käme? Nun, Sie müssen darauf nicht antworten. Grüßen Sie unseren alten Freund Singer! Ich habe sein gelehrtes Buch bestellt, kann mir garnicht schaden, ein paar altdeutsche Sprichwörter an der Hand zu haben, als Gegengewicht gegen all die Juden-Geschichten, für die das Hebrew Union College in Cincinnati mich neulich zum Doctor of Hebrew Letters gemacht hat. Ich habe das in meinem Entschuldigungsbrief an Molo zu erwähnen vergessen.
Ich wünsche mir oft unseren Kegelabend in Tegernsee bei Bruno Frank zurück. Der ist nun tot, und Werfel ist tot, die Witwen sind nach dem Osten, auch Leonhard Frank, ein interessanter Mensch, ist dorthin, und es wird einsam. Geselligkeit gibt es genug, aber kaum noch einen, mit dem man recht reden kann, wenigstens auf deutsch. Vorgestern verbrachten wir den Abend bei dem Komponisten Eisler mit Charlie Chaplin. Ich habe drei Stunden lang Tränen gelacht über seine Imitationen, Szenen und Clownerien und wischte mir noch die Augen, als wir wieder in den Wagen stiegen. Nichts erquicklicher in Gesellschaft, als das schauspielerische Talent! Es wünscht immer, sich zu produzieren, und so ist man geborgen.
Ihr ergebener

Thomas Mann

An Wigand Kenter

Pacific Palisades, California
1550 San Remo Drive
1. Dezember 1945

Sehr geehrter Herr Dr. Kenter!
Ich habe Ihren freundlichen und interessanten Brief vom 20. Oktober durch die Vermittlung des »Aufbau« richtig erhalten und finde Ihren Gedanken, eine fahrbare Zahnklinik in Palästina einzuführen, sehr gut und begrüßenswert. Sie werden mir aber verzeihen, wenn ich die Sache ein wenig zu speziell finde, um nun gerade für sie meinen Namen besonders einzusetzen. Es ist mir jedes Mal eine Genugtuung, wenn ich mich in diesem Lande hier an Unternehmungen und Organisationen, welche einer Linderung des europäischen Elends gewidmet sind, beteiligen kann, aber Sie verstehen, man darf sich nicht verzetteln, wenn man will, daß die Unterstützung, die man einer Sache widmet, noch irgend welchen Eindruck machen soll.
Sie werden diese Ablehnung nicht als kaltherzige Gleichgültigkeit gegen Ihren so berechtigten Vorschlag deuten und meine besten Wünsche für das Gelingen Ihres Planes nicht zurückweisen.
Ihr sehr ergebener

Thomas Mann

An Karl Kerényi

Pacific Palisades, California
1550 San Remo Drive
3. Dez. 1945

Lieber Professor Kerényi,
eine prächtige Sendung! Und ein bewundernswertes, vorbildliches Zeugnis Ihrer Spannkraft, Aufgelegtheit, Schaffensfreude! Recht herzlichen Dank für alle davon ausgehende Anregung und geistige Bewegung. Ich habe den Eindruck, daß Sie im Schweizer Kulturleben bereits eine ganz bodenständige und allerseits achtungsvoll anerkannte Rolle spielen. Denken Sie überhaupt noch an Rückkehr in die Heimat, deren Problematik Sie in der Neuen Schweizer Rundschau mit großer Klugheit und freilich durchaus nicht ohne einen Unterton gefühlsmäßiger Anteilnahme analysiert haben? Bald werden Sie in der Lage sein, den Schweizern die ihre zu erläutern, denn wo gibt es keine Problematik? In diesem kolossal siegreichen und »mächtigen« Lande hier, der letzten Zuflucht bürgerlicher complacency, ist auch nachgerade die Atmosphäre so ge-

spannt davon, daß man sich fragt, wie das lange noch ohne schwere Entladungen dauern soll. – Gewiß ist, daß Ihre wissenschaftlichen, menschheitskundlichen Impulse ebenso gut, oder vielleicht besser und direkter, von der Schweiz aus und in deutscher Sprache in die Welt ergehen können. Nur möchte ich gerade hier, die Sprache betreffend, die schließlich (was Sie leicht vergessen lassen) nicht Ihre Muttersprache ist, um immer wache Vorsicht und strenge Befragung des poetischen Gewissens bitten, das bei der Behandlung von Stoffen wie den Ihren, den edelsten, unbedingt mitzureden hat. »Wie nahe eine solche Frage in der Zeit der ›Pariser Rechenschaft‹ lag, ebenso unmöglich erscheint sie...«. Das ist keine logische Ordnung im Deutschen. Richtig wäre das einfache »So nahe – so unmöglich«. Oder man müßte sagen: »Wie nahe auch eine solche Frage etc. – – sie erscheint unmöglich, sobald etc.«. Der Fall steht, begreiflich genug, nicht *ganz* vereinzelt da. Schulmeisterei? Pedanterie? Ich kann mich nur noch einmal auf die hohe Würde Ihrer Gegenstände berufen.
Sie sehen, trotz der faszinierenden Sippe mit dem Goldglanz in den Augen (eine wundervolle Idee!) und trotz der vexatorischen, zu immer neuen Ergründungen lockenden Gottesgestalt des Maia-Sohnes galt meine eifrigste und dankbarste Angelegentlichkeit doch der Bachofen-Nietzsche-Schrift, die gegenwärtig am meisten zu mir, in meinen Kreis (Zauber- oder Inkantationskreis) gehört. *Ist doch*, wie man früher im Deutschen gern sagte, *ist doch* der vielleicht unmögliche Roman, den ich schon seit Mai 1943 vor mir her wälze, im Grunde ein Nietzsche-Roman und also auch wieder ein wenig mythisch angehaucht, obgleich er nicht vor dreitausend Jahren, sondern zur Zeit unserer Kriege spielt und eigentlich vom Charakter und Schicksal Deutschlands handelt. Schon als Alterswerk hat er eine gewisse, wenn auch entfernte Verwandtschaft mit dem »Glasperlenspiel«. Nietzsches Gestalt ist gegenwärtiger in ihm, als die Bachofens, die für mich die Werk-Aktualität nicht mehr besitzt, die sie zur Zeit des »Joseph« hatte. Sie verstehen vollkommen, wie sehr meine ungewichtigen Äußerungen über ihn in den 20er Jahren von politischer Beängstigung eingegeben waren und von dem tendenziösen Mißbrauch, den man mit ihm trieb. Er ist ja, bei allem Sinn für das »Untere« (ohne den es gar keine Humanität gibt) durchaus kein Dunkelmann, sondern sein Gedankensystem gipfelt in der Verkündigung der Zeus-Religion. Art und Zeitpunkt der

Präsentierung schienen mir unpädagogisch, aber für meine Person habe ich mich nie gefürchtet vor dem Basler und ihn studiert – beinahe wie Schopenhauer. Als ich jetzt bei Ihnen wieder von seiner dichterischen Idee sumpfiger Stofflichkeit und der Wasserpflanzen und Sumpffauna-Symbolik las, erinnerte ich mich nicht ohne Erheiterung an Potiphars »heilige Elterlein« im 3ten Joseph, die ehelichen Geschwister, die einander immer Kosenamen wie »liebe Erdmaus«, »mein Sumpfbiber«, »Dotterblümchen« und »guter Löffelreiher« geben, auch »Maulwürfin« und »Steinkauz« – sie können sich garnicht genug tun, auf diese Weise ihre archaische Zugehörigkeit zu einem vormutterrechtlichen »Äon« zu bekunden und Bachofen zu parodieren. –
Leben Sie weiter recht wohl! Meine Europa-Reise, sofern sie schon für nächstes Frühjahr gedacht war, wird mir immer zweifelhafter. Erstens wird wahrscheinlich bis dahin »Doktor Faustus« nicht fertig sein, und zweitens werde ich vor den zerrütteten Zuständen in Europa immer wieder aufs ernstlichste gewarnt. Hinüber gelangt man schon, aber das Reisen dann, auf dem Kontinent, ist offenbar ein abenteuerliches Improvisieren, dem bestimmt meine Nerven und Eingeweide nicht gewachsen wären. Bei solcher Gelegenheit spüre ich, ehrlich gegen mich selbst, mehr Verwandtschaft mit Erasmus, als mit Goethe.
An der Hoffnung auf ein Wiedersehen lassen Sie uns dennoch festhalten.

Ihr Thomas Mann

An Agnes E. Meyer

Pacific Palisades, California
1550 San Remo Drive
14. Dez. 1945

Beste Freundin,
ich wußte Sie von Arbeit hingenommen, dachte Sie mir auch wohl out of town und begnügte mich darum, zum Zeichen meines Gedenkens, mit einer Drucksachen-Sendung: es war der Aufsatz von Lukács, der mir bedeutend und für Sie von Interesse schien, obgleich seine einseitig soziologische Orientierung auf der Hand liegt. Auch erklärt sich mein Stillschweigen daraus, daß ich, wie Sie, fast brutal in Anspruch genommen war, denn es bleibt dabei, daß meine Korrespondenz seit der Wiedereröffnung Europas sich verdoppelt hat; und hier waren amerikanische Wünsche zu befriedigen: ein

Vortrag in der Universität, für Phi-Beta-Kappa (zu dessen Honorary Councillors ich gehöre) über Dostojewski und Nietzsche, wozu ich die Ihnen bekannte Einleitung benutzte; eine Tischrede beim Dinner des »Independent Citizens Committee«, einer sehr braven und nur allzu notwendigen antifaschistischen Corporation, deren Mitglied ich vor Schrecken über die Lage der Demokratie in diesem Lande geworden bin. Aber gerade bei solchen Gelegenheiten, in persönlicher Berührung mit den liberalen Kräften des Landes, Professoren, Universitätspräsidenten, höheren Offizieren, prachtvollen Typen zum Teil, faßt man wieder Mut und Vertrauen. So etwas gab es in Deutschland eben doch *nicht*, und man getröstet sich, daß die Smith und Rankins und Reynolds es nicht leicht haben werden, diesen klaren, festen und männlichen, dabei immer humoristisch durchheiterten Widerstand zu besiegen.
Also: viel zu tun, außer und neben dem »Hauptgeschäft«, von dem nicht abzulassen Sie mir zur Pflicht machen. Und dabei war und ist die liebe Gesundheit nicht die beste. Die Nerven sind mitgenommen (ist es denn ein Wunder?) und ein schon chronischer Bronchialkatarrh und Schnupfen ermüden mich, sodaß ich mich oft schlechter fühle, als es erlaubt ist. Übrigens wundere ich mich nicht, daß in diesem Jahre, wo ich das Alter erreichte, in dem meine Mutter starb, mein Leben auf einen Tiefpunkt kommt, – aus dem es sich immerhin noch wieder erheben mag. Ich habe ja für dieses Jahr meinen Tod prophezeit – das braucht sich und scheint sich ganz wörtlich nicht zu erfüllen. Aber wenigstens andeutungsweise tut es das doch.
Danke, daß Sie nach den Söhnen fragen. Sie sind beide discharged, bleiben aber im Civil-Dienst beide in Europa, Klaus in Rom, wo auch Film-Interessen ihn festhalten, und Golo in Bad Nauheim, das ein Centrum des Intelligence Service zu sein scheint. Er ist materiell viel besser gestellt als vorher (Majors-Gehalt), und seine broadcasts sind sehr angesehen – nicht nach seiner eigenen Behaupttung, aber nach allem, was ich von anderen Seiten höre. Auch Erika bleibt, zu meiner Enttäuschung, noch bis zum Frühjahr in Europa, vorwiegend in Deutschland, aber sie will auch nach Wien, Prag etc. gehen. Gegenwärtig ist sie wohl »covering« den Nürnberger Prozeß. Vom Military Government in München hatten wir – völlig spontan – eine höchst schmeichelhafte Anerkennung ihrer Leistungen dort (Artikel etc.), mit der Versicherung, wir könnten

stolz sein auf eine solche Tochter. Nun ja, schon Harold Nicolson hat uns einmal eine »amazing family« genannt. [...]
Heute kam auch Ihre Sendung mit Rosenhaupts Brief. Seine Kritik unserer Behandlung der Deutschen mag zutreffen; von zuvielen Seiten wird sie bestätigt. Aber sie ist »harsh«, – harsher, als es bei der großen Schwierigkeit der Sache am Platze ist, und harsher, als mein Offener Brief, worin ich versucht haben soll, »den Mentor zu spielen«, was ganz unzutreffend ist. Es ist auch ein Irrtum, daß ich über die deutsche Produktion der 12 Jahre abgeurteilt habe, ohne sie zu kennen. Was ich gesagt habe, ist, daß Bücher mir unheimlich und anrüchig sind, die unter Goebbels gedruckt werden konnten. Es ist der gute Herr Rosenhaupt, der über meinen schonenden und von Deutschlands Zukunft mit herzlicher Wärme redenden Brief aburteilt, ohne ihn zu kennen. [...]
In das Lob der »Marmorklippen« stimmt er ein, – es ist das Renommierbuch der 12 Jahre und sein Autor zweifellos ein begabter Mann, der ein viel zu gutes Deutsch schrieb für Hitler-Deutschland. Er ist aber ein Wegbereiter und eiskalter Genüßling des Barbarismus und hat noch jetzt, unter der Besetzung, offen erklärt, es sei lächerlich, zu glauben, daß sein Buch mit irgendwelcher Kritik am nationalsozialistischen Regime etwas zu tun habe. Das ist mir lieber, als das humanistische Schwanzwedeln und die gefälschten Leidens-Tagebücher gewisser Renegaten und Opportunisten. Aber eine Hoffnung für die »deutsche Demokratie« stellt Ernst Jünger auch nicht gerade dar. Glauben Sie überhaupt an eine solche? Wo es einem schon schwer wird, zuweilen, auch nur an die Zukunft der amerikanischen zu glauben?
Die pro-deutsche Propaganda ist hier ganz in den Händen der Faschisten. Man muß sich sehr hüten, aus Mitleid darauf hineinzufallen. Mir war schon bange, als ich neulich einmal einen Aufruf zur Hilfe für deutsche Kinder unterschrieben hatte. Es stellte sich aber heraus, daß es sich da wirklich ausnahmsweise um eine gutgemeinte Aktion handelte, ausgehend von dem Gedanken, daß man die demokratischen Kräfte in Deutschland stütze, wenn man dem Elend steuere. Meistens ist es ganz anders gemeint. Und übrigens geht es den Deutschen unter den Europäern nicht am schlechtesten, vielleicht geradezu am besten. Der Mangel ist zum Teil sogar in England größer. Man darf sich durch die deutsche Selbstbemitleidung nicht zu weich machen lassen. [...]

– Der Dostojewski-Vortrag in der Universität hat großen Eindruck gemacht. Das Niveau bekommt einen Ruck nach oben, wenn Ihr Freund auf den Plan tritt. Aber was es mich kostet, was ich bei jeder solchen Gelegenheit an Nervenkraft investiere, das wissen die guten Leute nicht, die mich dazu auffordern. Der Unterschied gegen den bequemen Durchschnitt wird übrigens empfunden. Ich mußte dreimal wieder aufstehen, um für den Beifall zu danken.
Der Roman spielt jetzt zur Zeit des ersten Zusammenbruchs, 1918, und ich laufe Gefahr, mich durch diese Erinnerungen von der Hauptlinie des Buches abbringen zu lassen. Außerhalb des Gegenstandes ist unkünstlerisches Gebiet – alsob ich es nicht wüßte!
Gestern las ich die Apokalypse, da Adrian ein Oratorium daraus machen wird. Ich war tief ergriffen von dem Wort: »Du hattest eine kleine Kraft und hast mein Wort behalten und hast meinen Namen nicht verleugnet.« – Wohl dem, der das als Epitaph verdient!
Nun kommt Weihnachten. Am Lichterabend und ein paar Tage länger werden wir wohl die Leutchen aus San Francisco bei uns haben, besonders den zauberhaften kleinen Frido, auf den ich mich freue. Sonst läßt das junge Geschlecht uns im Stich, und man kann's ihm nicht übelnehmen.
Ihnen, liebe Freundin, ein heiteres Fest und ein gutes, mutig unternommenes neues Jahr!

Stets Ihr T. M.

An Viktor Mann Pacific Palisades
15. XII. 1945

Lieber Bruder Viko:
Gestern kam durch den guten Herrn Salm Deine jüngste Sendung mit weiteren alten rührenden Photographien. [...]
Schon für zwei weitere ausführliche und inhaltreiche Briefe bin ich Dir ja noch Dank schuldig. Wem sagst Du das, mein Lieber, was Du in dem zweiten vom 12. November über die Mitschuld der Außenwelt an dem deutschen Unglück und den deutschen Sünden schreibst! Uns draußen hat es nie an der vollen Einsicht in diese Mitschuld gefehlt, und Du weißt nur nicht, wie ausführlich und erbittert ich seinerzeit in einer Schrift, genannt »Dieser Friede«, über die Schuld der Demokratien abgerechnet habe. Ich schrieb das

kleine Buch, das auf englisch in New York und deutsch in Stockholm herauskam, gleich nach unserem Einzug in Princeton, nach dem fürchterlichen Erlebnis der Kapitulation der Demokratien vor dem Fascismus in München, und da steht das ganze Sündenregister der Länder, die dann mit dem Kriege für ihre falsche und unmoralische Friedfertigkeit zu büßen hatten. Alles war so klar vorauszusehen, daß nun das Resultat geradezu überholt und langweilig anmutet. Außerdem ist es großenteils unerfreulich, wie Du ebenfalls in Deinem Brief sehr richtig andeutest. Wir sehen auch von hier genau die Fehler, die in der Behandlung Deutschlands durch die Alliierten gemacht werden. Man bevorzugt die Falschen und ist hart da, wo man milde sein sollte. Andererseits muß man die Schwierigkeit zugeben, es den Deutschen recht zu machen. [...]

Sehr interessiert hat uns natürlich Deine Aktivität, das Haus im Herzogpark betreffend. Ich hätte kein ganz gutes Gewissen dabei, wenn es auf Staatskosten unter dem Gesichtspunkt wiederhergestellt werden sollte, daß wir bald wieder dort einziehen. Aber die Vorstellung, daß ein richtiges Haus in München uns wieder erwartet, hätte doch etwas Erwärmendes. So oder so hoffen wir ja doch, in absehbarer Zeit dort vorzusprechen.

Ein zweites Paket, enthaltend vor allem einiges wollene Unterzeug aus meinen eigenen Beständen (da man zur Zeit auch hier dergleichen nicht kaufen kann), auch Bilder von uns und einiges Nahrhafte, haben wir vor ca. zwei Wochen schon auf den Weg gebracht. Ich bin etwas besorgt wegen der rechten Ankunft. Es geht erschreckend viel verloren, und ob Du auch nur das erste bekommen hast, steht noch dahin. Es wird gestohlen in aller Welt, kein Wunder, da alle Welt verarmt und bedürftig ist.

Die Manuskripte, die Heins in Verwahrung hatte, sind wohl leider endgültig dahin. Die Angaben, die er dem Justizrat Veit macht, sind übrigens unwahr. Wir haben nie einen tschechischen Kurier beauftragt, die Manuskripte über die Grenze zu bringen, sondern sie sollten mit dem gesamten, legal frei gegebenen Umzugsgut eines zuverlässigen Bekannten, der eine Vollmacht von uns in Händen hatte, direkt nach den Vereinigten Staaten geschifft werden, was ohne jedes Risico geschehen konnte, und es bleibt unverzeihlich, daß Heins, dem die Dinge als unserem Anwalt von mir anvertraut worden waren, die Herausgabe verweigert hat. Wenn er

es für seine Pflicht hielt, so mußte er sie im Augenblick meiner Enteignung dem Staat abliefern, aber keinesfalls durfte er sie gegen meinen ausdrücklichen Wunsch zurück behalten. Ich kann darin nur die Absicht sehen, Geldeswert von mir in Händen zu haben, eine Absicht, die ihm fehlgeschlagen ist und mir schwer zu berechnenden Schaden zugefügt hat.
Wenn auch nicht mehr zu Weihnachten, so wird dieser Brief Dich hoffentlich noch vor Ende des Jahres erreichen, und wir beide wünschen Dir und Nelly, für deren persönliche Zeilen ich noch besonders danke, ein recht gutes, vertrauensvoll unternommenes neues Jahr, ein besseres wenigstens, so wollen wir hoffen, als die jüngst vergangenen.
Herzlich Dein T.

An Agnes E. Meyer Pacific Palisades, California
1550 San Remo Drive
25. Dez. 45

Liebe Freundin,
gestern habe ich unterm Lichterbaum (wir halten immer noch an den Wachskerzen fest; es flimmert märchenhafter und duftet besser) Ihr hochwillkommenes Geschenk, die schöne Weckuhr, vorgefunden und eile Ihnen zu danken für Ihre Güte und freundschaftliche Aufmerksamkeit. Sie konnten nicht besser wählen. Meine Schweizer Nachttisch-Uhr erwies sich nachgerade als ausgedient, und nun ist sogleich elegantester Ersatz dafür da.
Katja's Hausfrauen-Herz ist entzückt von den reizenden Deckchen und Servietten, die wir wirklich nur auf legen sollten, wenn wir Gäste aus der allerobersten Gesellschaftsschicht bei uns sehen, wie etwa unseren Nachbarn, den Grafen Ostheim, der eigentlich Erbgroßherzog von Sachsen-Weimar und Königliche Hoheit ist. Er war ein »roter Prinz«, der den Kaiser, Preußen, das Militär verabscheute und früh der Erbfolge entkleidet wurde. Eine Amerikanerin hat er auch zur Frau. Kurz es ist weit mit ihm gekommen. Aber man merkt ihm von früher her immer noch etwas an, und er kokettiert mindestens so sehr mit seinem Hohenzollernblut wie mit seinem Liberalismus.
Wie komme ich nur auf ihn? Möchten Sie im Kreise Ihrer Lieben einen hellen, heiteren Weihnachtsabend verbracht haben und als die groß geartete Frau, die Sie sind, mutig und tatenfroh in ein neues

Jahr dieser Weltkrise, die, ungeheueren Wandel bringend, noch lange weiterrollen wird, hineingehen! – –
Ich wurde unterbrochen, es ist schon der 28. geworden. Was ich sagen wollte, ist: Wenn man sich Sorgen macht über das Schicksal der Demokratie in diesem Lande und in Melancholie verfallen möchte über die Funktionsstörungen und Niedergangserscheinungen, die sie aufweist, dann richtet man sich auf durch den Gedanken an Kräfte, Charaktere, Persönlichkeiten, die die Dinge denn doch wohl, ganz anders als in Europa, im Gleichgewicht halten werden, Kräfte und Persönlichkeiten wie Sie oder etwa Colonel Carlson (Organisator der berühmten Marine Raids), dessen nähere Bekanntschaft wir neulich beim Dinner des Independent Citizens Committee machten. Ich weiß nicht, ob Sie ihn kennen oder von ihm gehört haben: Ein vortrefflicher Mann, der beste Typ des amerikanischen Soldaten und Bürgers, gereist, gebildet, klarsichtig, voll des energischsten Wohlwollens. Besonders weiß er über China Bescheid, wo er lange gelebt hat, und es machte mir Eindruck, ihn sagen zu hören, daß der »kommunistische« Teil sich noch der relativ anständigsten Verwaltung erfreue. Diese sogenannten Kommunisten scheinen die eigentlichen Patrioten zu sein, ungefähr wie die spanischen Loyalisten. Der ganze Fall erinnert überhaupt stark an Spanien, und im Interesse unseres Ansehens wäre zu wünschen, daß er nicht zu stark daran erinnerte.
Der Ergriffenheit durch zeitliche, »moderne« Probleme kann man sich heute nur schwer entschlagen, weil sie deutlicher als je, auf dem Hintergrund der ewigen stehen und mit ihnen zusammenfließen. Aber Sie haben nur zu recht, wenn Sie die Betrachtungsweise des Lukács einseitig und ungenügend finden. Ich fühle selbst, daß man mir mit dem rein soziologischen Gesichtspunkt nicht gerecht wird. Aber immerhin, es ist ein Gesichtspunkt, und als soziologisch determinierte kritische Studie ist Lukács' Arbeit eine ernste, schöne Leistung, menschlich erfreulich durch ihre Wärme und den anständigen Respekt, der sich darin kundgibt. So schreibt über mich ein Moskauer Kommunist; und wie äußert sich ein in amerikanische Uniform gesteckter junger Deutscher namens Rosenhaupt, der sich bisher als »Verehrer« gab, und dem ich nur Freundliches erwiesen habe? Ich muß gestehen, daß sein Brief an Sie mich noch nachhaltig beschäftigt hat. Er ist mir ein unheimliches Beispiel der Korruption und Entfremdung durch die deutsche Luft. »Your friend

Mann« und »one of his last attempts to play the mentor«, – das ist ja alles überraschend unverschämt. Ich war doch wohl das Bindeglied zwischen ihm und Ihnen, und ohne mich hätte er garnicht das Recht, Ihnen zu schreiben. Er sollte durch seinen Brief dies Recht verwirkt haben. Ich jedenfalls will nichts mehr von ihm hören.
Daß Ihnen der Dostojewski-Aufsatz auch auf englisch gefallen hat, sits smiling to my heart. [...] Nun freue ich mich auf Ihren Columbia-Vortrag. Versäumen Sie nicht, ihn mir zu schicken!
Das Hunter College will schon wegen meines nächsten Vortrags mit mir abschließen. Ich nehme an, daß ich im April oder Mai wieder nach Washington kommen werde und denke zuweilen über das Thema nach. Das schwierigste, aber auch reizvollste und beziehungsreichste ist »Nietzsche«, etwa »Nietzsche und das deutsche Schicksal«. Würden Sie den Gegenstand billigen?
Ein Korrespondent von Time Magazine war bei mir, um mich im Auftrage seiner Redaktion zur Rede zu stellen: Ich hätte doch für dieses Jahr meinen Tod prophezeit, wie es denn komme, daß ich immer noch lebe. Es war nicht leicht, mich herauszureden.
Herzlich der Ihre

T. M.

An Theodor W. Adorno

Pacific Palisades, California
1550 San Remo Drive
30. Dez. 1945

Lieber Dr. Adorno,
ich möchte Ihnen einen Brief schreiben über das Manuskript, das ich neulich bei Ihnen zurückließ, und das Sie wohl gar schon zu lesen im Begriff sind. Ich habe nicht das Gefühl, mich dabei in meiner Arbeit zu unterbrechen.
Die wunderliche, vielleicht unmögliche Komposition (soweit sie vorliegt) in Ihren Händen zu wissen, hat etwas Spannendes für mich; denn in immer häufigeren Zuständen der Müdigkeit frage ich mich, ob ich nicht besser täte, sie fallen zu lassen, und es kommt ein wenig auf das Gesicht an, das Sie dazu machen werden, ob ich daran festhalte.
Worüber es mich hauptsächlich kommentierend Rede zu stehen verlangt, ist das Prinzip der *Montage*, das sich eigentümlich und vielleicht anstößig genug durch dieses ganze Buch zieht, – vollkommen eingeständlich, ohne ein Hehl aus sich zu machen. Es wurde mir

noch neulich wieder auf halb amüsante, halb unheimliche Weise auffällig, als ich eine Krankheitskrise des Helden zu charakterisieren hatte und dabei die Symptome Nietzsche's, wie sie in seinen Briefen vorkommen, nebst den vorgeschriebenen Speisezetteln etc. wörtlich und genau ins Buch aufnahm, sie, jedem kenntlich sozusagen aufklebte. So benutze ich montagemäßig das Motiv der unsichtbar bleibenden, nie getroffenen, im Fleisch gemiedenen Verehrerin und Geliebten, Tschaikowski's Frau Meck. Historisch gegeben und bekannt wie es ist, klebe ich es auf und lasse die Ränder sich verwischen, lasse es sich in die Komposition senken als ein mythisch-vogelfreies Thema, das jedem gehört. (Das Verhältnis ist für Leverkühn ein Mittel, das Liebesverbot, Kälte-Gebot des Teufels zu umgehen).
Ein weiteres Beispiel: Gegen Ende des Buches verwende ich offenkundig und citatweise das Thema der Shakespeare-Sonette: das Dreieck, worin der Freund den Freund zur Geliebten schickt, damit er für ihn werbe – und der »wirbt für sich selbst«. Gewiß, ich wandle das ab: Adrian *tötet* den Freund, den er liebt, indem er ihn durch die Verbindung mit jener Frau einer mörderischen Eifersucht (Ines Rodde) ausliefert. Aber an dem unverfrorenen Diebstahl-Charakter der Übernahme ändert das wenig.
Die Berufung auf das Molière'sche »Je prends mon bien où je le trouve« scheint mir selber nicht recht ausreichend zu sein zur Entschuldigung dieses Gebarens. Man könnte von einer *Alters*neigung sprechen, das Leben als Kulturprodukt und in Gestalt mythischer Klischees zu sehen, die man der »selbständigen« Erfindung in verkalkter Würde vorzieht. Aber ich weiß nur zu wohl, daß ich mich schon früh in einer Art von höherem Abschreiben geübt habe: z.B. beim Typhus des kleinen Hanno Buddenbrook, zu dessen Darstellung ich den betreffenden Artikel eines *Konversationslexikons* ungeniert ausschrieb, ihn sozusagen »in Verse brachte«. Es ist ein berühmtes Kapitel geworden. Aber sein Verdienst besteht nur in einer gewissen Vergeistigung des mechanisch Angeeigneten (und in dem Trick der indirekten Mitteilung von Hanno's Tod).
Schwieriger, um nicht zu sagen: skandalöser liegt der Fall, wenn es sich bei der Aneignung um Materialien handelt, die *selbst schon Geist sind*, also um eine wirkliche literarische Anleihe, getätigt mit der Miene, als sei das Aufgeschnappte gerade gut genug, der eigenen Ideen-Komposition zu dienen. Mit Recht vermuten Sie, daß ich hier die dreisten – und hoffentlich nicht auch noch völlig tölpel-

haften – Griffe in gewisse Partien Ihrer musikphilosophischen Schriften im Sinne habe, die gar sehr der Entschuldigung bedürfen, besonders da der Leser sie vorderhand nicht feststellen kann, ohne daß doch, um der Illusion willen, eine rechte Möglichkeit gegeben wäre, ihn auf sie hinzuweisen. (Fußbemerkung: »Dies stammt von Adorno-Wiesengrund«? Das geht nicht). – Es ist merkwürdig: mein Verhältnis zur Musik hat einigen Ruf, ich habe mich immer auf das literarische Musizieren verstanden, mich halb und halb als Musiker gefühlt, die musikalische Gewebe-Technik auf den Roman übertragen, und noch kürzlich, zum Beispiel, hat Ernst Toch in einem Glückwunsch mir »musikalische Initiiertheit« ausdrücklich und nachdrücklich bescheinigt. Aber um einen Musiker-Roman zu schreiben, der zuweilen sogar den Ehrgeiz andeutet, unter anderem, gleichzeitig mit anderem, zum Roman der Musik zu werden –, dazu gehört mehr als »Initiiertheit«, nämlich *Studiertheit*, die mir ganz einfach abgeht. Deshalb denn auch war ich von Anfang an entschlossen, in einem Buch, das ohnehin zum Prinzip der Montage neigt, vor keiner Anlehnung, keinem Hilfsgriff in fremdes Gut zurückzuschrecken: vertrauend, daß das Ergriffene, Abgelernte sehr wohl innerhalb der Komposition eine selbständige Funktion, ein symbolisches Eigenleben gewinnen könne – und dabei an seinem ursprünglichen kritischen Ort *unberührt bestehen bleibe*.
Ich wollte, Sie könnten diese Auffassung teilen. – Tatsächlich haben Sie mir, dessen musikalische Bildung kaum über die Spät-Romantik hinausgelangt ist, den Begriff von modernster Musik gegeben, dessen ich für ein Buch bedurfte, welches unter anderem, zusammen mit manchem anderen, die *Situation der Kunst* zum Gegenstand hat. Meine »initiierte« Ignoranz bedurfte, nicht anders, als damals beim Typhus des kleinen Hanno, der *Exaktheiten*, und Sache Ihrer Gefälligkeit ist es nun, korrigierend einzugreifen, wo diese der Illusion und Komposition dienenden Exaktheiten (die ich nicht ganz ausschließlich Ihnen verdanke) schief, mißverständlich und das Gelächter des Fachmannes erregend herauskommen. *Eine* Stelle ist fachmännisch ausgeprobt. Ich habe Bruno Walter die Abschnitte über opus 111 vorgelesen. Er war *begeistert*. »Nun, das ist großartig! Nie ist Besseres über Beethoven gesagt worden! Ich habe keine Ahnung gehabt, daß Sie so in ihn eingedrungen seien!« Und dabei möchte ich nicht einmal allzu rigoros den Fachmann allein zum Richter einsetzen. Gerade der musikalische Fachmann, immer sehr

stolz auf seine Geheimwissenschaft, ist mir etwas allzu leicht zum überlegenen Lächeln bereit. Mit Vorsicht und cum grano salis könnte man sagen, daß etwas als richtig wirken, sich richtig ausnehmen könnte, ohne es eben so ganz zu sein. – Aber ich will nicht gut Wetter bei Ihnen machen. –

Der Roman ist so weit vorgetrieben, daß Leverkühn, 35jährig, unter einer ersten Welle euphorischer Inspiration, sein Hauptwerk, oder erstes Hauptwerk, die »Apocalipsis cum figuris« nach den 15 Blättern von Dürer oder auch direkt nach dem Text der Offenbarung in unheimlich kurzer Zeit komponiert. Hier will ein Werk (das ich mir als ein sehr *deutsches* Produkt, als Oratorium, mit Orchester, Chören, Soli, einem Erzähler denke) mit einiger Suggestiv-Kraft imaginiert, realisiert, gekennzeichnet sein, und ich schreibe diesen Brief eigentlich, um bei der Sache zu bleiben, an die ich mich noch nicht herantraue. Was ich brauche, sind ein paar charakterisierende, realisierende *Exaktheiten* (man kommt mit wenigen aus), die dem Leser ein plausibles, ja überzeugendes Bild geben. Wollen Sie mit mir darüber nachdenken, wie das Werk – ich meine Leverkühns Werk – ungefähr ins Werk zu setzen wäre; wie Sie es machen würden, wenn Sie im Pakt mit dem Teufel wären; mir ein oder das andere musikalische Merkmal zur Förderung der Illusion an die Hand geben? – Mir schwebt etwas Satanisch-Religiöses, Dämonisch-Frommes, zugleich Streng-Gebundenes und verbrecherisch Wirkendes, oft die Kunst Verhöhnendes vor, auch etwas aufs Primitiv-Elementare Zurückgreifendes (die Kretzschmar-Beissl-Erinnerung), die Takt-Einteilung, ja die Tonordnung Aufgebendes (Posaunenglissandi); ferner etwas praktisch kaum Exekutierbares: alte Kirchentonarten, A-capella-Chöre, die in untemperierter Stimmung gesungen werden müssen, sodaß kaum ein Ton oder Intervall auf dem Klavier überhaupt vorkommt etc. Aber »etc.« ist leicht gesagt. –

– Während ich diese Zeilen schrieb, erfuhr ich, daß ich Sie früher als gedacht sehen werde, eine Verabredung für Mittwoch Nachmittag schon getroffen ist. Nun, so hätte ich Ihnen dies alles auch mündlich sagen können! Aber es hat auch wieder sein Schickliches und mich Beruhigendes, daß Sie es Schwarz auf Weiß in Händen haben. Unserm Gespräch, nächstens, mag es vorarbeiten, und gibt es eine Nachwelt, so ist es etwas für sie.

Ihr ergebener Thomas Mann

1946

An Lotte Eichmann

Pacific Palisades, California
1550 San Remo Drive
5. Januar 1946

Sehr geehrte Frau Eichmann:
Gestern, den 4. Januar, gelangte Ihr freundlicher Brief vom 3. November vorigen Jahres in meine Hände, frankiert mit einer schönen helvetischen 30 Rappen-Marke, die unberührt ist, und die ich aus Pietät aufbewahren werde.
Ihr Brief, der mit Schiffspost gegangen zu sein scheint, hat zwar an Eindruckskraft nichts verloren, seit Sie ihn niederschrieben, aber der Winter, von dessen Schrecken und Gefahren er handelt, ist nun schon in vollem Gange, und irgend welche Hilfe von meiner Seite, wenn sie überhaupt in meiner Macht stände, käme wohl leider schon zu spät. Sie überschätzen, wie so viele Leute, bei weitem meine Verbindungen, meinen Einfluß, meine Möglichkeiten, den unglücklichen Deutschen und den Europäern überhaupt zu helfen. An wen wohl sollte ich mich wenden, um verhindern zu helfen, daß die im Ruhrgebiet geförderte Kohle nicht wegen Transport- und Arbeitsschwierigkeiten liegen bleibt und durch Selbstverbrennung verdirbt, statt den Menschen in Europa Wärme zu geben? Ich führe ein recht eingezogenes Leben, habe praktisch nichts mit den Weltgeschäften zu tun und wüßte nicht, wo und wie ich versuchen sollte, Einfluß zu nehmen.
Über die Bewegung »Freies Deutschland« in der Schweiz hatte ich manches gehört und gelesen, und es schmerzt mich, zu hören, daß diese Bewegung, die auch mir Hoffnung einflößte, Enttäuschungen erlitten hat. Bei all dem habe ich den Eindruck, daß Sie, die Sie den europäischen Problemen so viel näher sind, mit Hilfe der Hilfsorganisationen, denen Sie nahe stehen, mehr ausrichten können als ich. Ihr Appell an die internationalen Frauenorganisationen sowohl wie der an Professor Keller und die kirchlichen Hilfsorganisationen leuchtet mir sehr ein, und ich gebe mich der Hoffnung hin, daß Ihnen in den möglichen Grenzen unterdessen schon gewisse Erfolge zuteil geworden sind.
Seien Sie überzeugt, daß ich zu den vielen gehöre, die auf dieser Seite der Welt mit Sorge und tiefem Erbarmen an das Leid und die

Entbehrungen denken, denen das unglückliche Deutschland und Europa unterworfen sind. Das Gefühl hierfür und auch für die gefährlichen politischen Konsequenzen, die daraus erwachsen können, scheint mir im Wachsen zu sein in diesem Lande, und ich bin nicht ohne Hoffnung, daß in absehbarer Zeit die Dinge sich zum Bessern wenden werden, – mit dem leidigen Vorbehalt freilich immer: soweit es möglich ist.
Mit vielem Dank für Ihr Vertrauen und für die freundlichen Worte über meinen offenen Brief, bin ich
Ihr sehr ergebener Thomas Mann

An Miss Canby

Pacific Palisades, California
1550 San Remo Drive
8. Januar 1946

Dear Miss Canby:
Wie ich höre, bewirbt sich Mr. Wilhelm Speyer um eine fellowship, um für die Vollendung eines umfangreichen Zeitbildes in Roman-Form ökonomische Freiheit zu gewinnen.
Ich habe den literarischen Werdegang Wilhelm Speyers von seinen ersten Veröffentlichungen an mit Interesse und aufrichtigem Respekt verfolgt und erinnere mich an Jugendarbeiten von ihm, die mein Entzücken erregten und bei der deutschen und europäischen Kritik eine sehr günstige Aufnahme fanden. Daß er an einem Roman arbeitet, der die deutsche Geschichts-Epoche von der letzten Regierungszeit Wilhelm I. bis zum Anbruch der Nazi-Diktatur in lebendigen Bildern und persönlichen Schicksalen umfassen soll, war mir bekannt, und bei der Schätzung, die ich für sein Talent hege, habe ich mir von diesem dichterischen Vorhaben immer viel versprochen.
Den Erwartungen, die ich in das Werk setze, wurde kürzlich eine gewisse Bestätigung zuteil gelegentlich einer Vorlesung, die Speyer in einem kleinen Freundeskreis veranstaltete, und bei der man einige signifikante Kapitel aus dem Buch kennenlernte, die mich überzeugten, daß hier ein Werk von entschiedener Bedeutung, von dokumentarischem Wert und von dichterischem Reiz im Entstehen begriffen ist.
Dies bestimmt mich, mir die Freiheit zu nehmen, bei Ihnen zu Gunsten der Bewerbung Speyers ein gutes Wort einzulegen. Ich

bin überzeugt, daß die finanzielle Unterstützung, um die er sich bewirbt, keinem Unwürdigen zuteil würde und einem Werk zur Existenz verhülfe, das den Zeitgenossen und auch kommenden Generationen etwas zu sagen haben wird.

Very sincerely yours Thomas Mann

An Pierre-Paul Sagave

Pacific Palisades, California
1550 San Remo Drive
[28. 1. 46 Poststempel]

Sehr geehrter Herr Professor,

es war mir ein großes Vergnügen, Ihren Brief zu empfangen und dazu das amüsante Blatt, das durch eine Redensart in meinen Kampfrufen angeregt wurde. Dem Künstler meinen Dank und Glückwunsch. – Die 55 Radio-Ansprachen liegen nun gesammelt vor und wirken zu meiner eigenen Überraschung nicht monoton, obgleich sie beharrlich dasselbe sagen. [...]

Das Ende der bürgerlichen Kultur-Epoche würde ich nicht erst 1933, sondern schon 1914 ansetzen. Die Erschütterung, die wir damals empfanden, gründete ja in dem Gefühl, daß der Ausbruch des Krieges das Ende einer Welt und den Anfang von etwas völlig Neuem historisch markierte. Seitdem ist alles in aufwühlender und umwälzender Bewegung und wird es noch lange sein. Wie wollen Sie, daß ich das Neue, das sich aus den Kämpfen und Krämpfen der Mutationskrise, durch die wir gehen, entwickeln wird, mit einem Wort oder zweien bestimme? Ich bin wenig berufen dazu, denn ich bin ein Sohn des bürgerlichen Individualismus und von Natur (wenn ich mich nicht durch den Verstand korrigieren lasse) sehr geneigt, die bürgerliche Kultur mit der Kultur selbst zu verwechseln und in dem, was danach kommt, Barbarei zu sehen. Aber meine Sympathie mit dem sich wandelnden Leben lehrt mich, daß das Gegenteil der »Kultur«, wie wir sie kannten, nicht Barbarei ist, sondern *Gemeinschaft*. Ich denke in erster Linie an die Kunst. Es wird charakteristisch sein für die nach-bürgerliche Welt, daß sie die Kunst aus einer feierlichen Isolierung befreien wird, welche die Frucht *der Emanzipation der Kultur vom Kultus*, ihrer Erhebung zum Religionsersatz war. Befreit werden wird die Kunst aus dem Alleinsein mit einer Bildungselite, »Publikum« genannt, die es schon nicht mehr gibt, sodaß also die Kunst bald völlig allein, zum Absterben

allein sein wird, es sei denn, sie fände den Weg zum »Volk«, das heißt, um es unromantisch auszudrücken, zu den Massen. Ich glaube, ihre ganze Lebensstimmung wird sich verändern und zwar ins Heiter-*Bescheidenere*. Viel melancholische Ambition wird von ihr abfallen und eine neue Unschuld, ja Harmlosigkeit ihr Teil sein. Die Zukunft wird in ihr – sie selbst wird wieder in sich die Dienerin sehen an einer Gemeinschaft, die weit mehr als »Bildung« umfassen und Kultur nicht *haben*, vielleicht aber dergleichen *sein* wird...
Nun, das nenne ich Prophetie! Sie haben sie herausgefordert durch Ihre Anfrage, und ich fürchte, ich habe zu wenig gegeben, indem ich zuviel gab. Nehmen Sie vorlieb!
Ihr sehr ergebener Thomas Mann

An die Redaktion von
»Freies Deutschland«

Pacific Palisades, California
den 6. Februar 1946

Geehrte Herren vom Freien Deutschland,
bei Annäherung des fünfundsiebzigsten Geburtstages meines Bruders fragen Sie mich nach seinem Ergehen. Es geht ihm recht wohl, ich danke sehr. Den vor bald anderthalb Jahren erlittenen Verlust seiner Lebensgefährtin, der Frau, die ihn an jenem 21. Februar 1933 in Berlin zur Straßenbahn, zum Bahnhof nach Frankfurt (zunächst nach Frankfurt) begleitete und tapfer dabei ihre Tränen unterdrückte, hat er mit der eigentümlichen Kraft und Gefaßtheit des Geistes, die dem Schicksal ebenbürtig sind, überwunden, und seine Einsamkeit, ein im Grunde natürliches Element für seinesgleichen und ihm vertraut durch viele Jugend- und frühe Mannesjahre, ist belebt und diskret betreut von bewundernder Freundschaft, von der ehrerbietigen Liebe seiner Nächsten.
Die Entfernungen hierzulande sind beschwerlich. Die zwischen seinem Platz und unserem könnte hinderlicher sein: Sie beträgt eine halbe Stunde Wagenfahrt, wenn man Glück hat mit den Lichtern. Es ist so, daß wir näher dem Ozean, schon in den Hügeln von Santa Monica leben, während er in städtischerer Gegend, landeinwärts, nicht gerade down-town, aber in Los Angeles doch, seine Wohnung hat. Gern, einmal wöchentlich gewiß, läßt er sich von uns ins Ländliche holen und verbringt die Stunden vom Lunch bis Dunkelwerden bei uns. Zur Abwechslung finden wir uns bei ihm zu einer

Art von Picknick-Abendessen ein, das außerordentlich gemütlich zu sein pflegt, und nach welchem er uns, nach Befinden, aus neuen Merkwürdigkeiten liest, die er geschrieben, oder von dem zu hören verlangt, was ich zustande gebracht.

Man plaudert, man spricht von der Vergangenheit, von italienischen Tagen, von unseres Lebens wunderlicher Führung, in deren Billigung wir uns finden, von den Zeitereignissen. Seine Art, sich über diese zu äußern, könnte man jovial nennen, da sie nicht weit entfernt ist von dem, was kritische Beobachter Goethes seine »Toleranz ohne Milde« nannten. Nein, milde ist er nicht, aber duldsam von oben herab und recht pessimistisch. Dem Faschismus verheißt er noch eine große Zukunft – natürlich, denn da nie ernstlich und ungebrochenen Willens gegen ihn Krieg geführt wurde, ist er auch nicht geschlagen und wird bewußt, halbbewußt, am liebsten unbewußt begünstigt so gut wie zur Zeit des appeasement. Die Furcht vor seinen Greueln, die schließlich Ordnungsgreuel sind, wird weit überwogen von der vor seiner Alternative, dem Sozialismus, und so stehen die Gemüter ihm offen. Die amerikanischen Soldaten lernen ihn in Europa – sie können ihn ebenso gut zu Hause lernen, wenn sie ihn überhaupt erst lernen müßten. Die Epoche selbst ist faschistisch – eine Feststellung, die sich gelassen gibt, aber eine resignierte Brandmarkung ist.

Es gibt über diese Dinge zwischen uns keine Meinungsverschiedenheiten. Zu seiner Nichte Erika, meiner Ältesten, hat er auf einer Heimfahrt von uns einmal gesagt: »Mit Deinem Vater verstehe ich mich politisch jetzt wirklich recht gut. Etwas radikaler ist er als ich.« Das klang unendlich komisch, aber was er meinte, war unser Verhältnis zu Deutschland, dem teuern, auf das er weniger zornig ist als ich, aus dem einfachen Grunde, weil er früher Bescheid wußte und keinen Enttäuschungen ausgesetzt war. Heute lehnt er es ab, in der deutschen Aufführung einen ganz und gar »monströsen Einzelfall«, eine »unbedingte und zusammenhanglose Verschuldung« zu sehen – ich brauche seine Worte. Es ist alles bedingt und erklärlich, wenn nicht verzeihlich, und die Deutschen sind auch nur Menschen: Ich glaube, die Behauptung, sie seien so ganz ausnehmend schlecht, würde ihm als eine Form des Nationalismus erscheinen. Er hat von der deutschen Verrücktheit an Qual und Einbuße so viel auszustehen gehabt wie ich – mehr sogar, da er bei seiner Flucht aus Frankreich in persönlicher Lebensgefahr geschwebt hat. Aber er

bringt es fertig, es den Leuten dort nicht so übel zu nehmen, wie ich ihnen, schlecht und recht, den Verlust von Freunden nachtrage, die Zierden meines Lebens waren (Karel Capek, der an gebrochenem Herzen starb, Menno ter Braak in Holland, der sich erschoß). Die Sache ist, daß er, obgleich von zarterer Körperbeschaffenheit, seelisch immer viel ausgeglichener war als ich, und dabei politisch viel früher auf dem Plan.
Wäre in Deutschland beizeiten die rettende Revolution ausgebrochen, ihn hätte man zum Präsidenten der Zweiten Republik berufen müssen, ihn und keinen anderen. Und selbst jetzt – wie lächerlich, daß um mich dieser törichte Lärm entstanden ist, ob ich zurückkehre, ob nicht, – während nach ihm niemand zu fragen schien. In wem von uns beiden war denn unser lateinisch-politisches Bluterbe aktiv von je? Wer war der gesellschaftskritische Seher und Bildner? Wer hat den »Untertan« geschrieben und wer in Deutschland die Demokratie verkündet, zu einer Zeit, als andere sich in der melancholischen Verteidigung protestantisch-romantisch-antipolitischer deutscher Geistesbürgerlichkeit gefielen? Ich habe mir in die Lippe gebissen, als er schließlich in aller Sanftmut fragte: »Warum läßt man eigentlich mich ganz in Ruh?« Und es war mir eine wahre Erleichterung, als jetzt endlich ein Ruf ihn aus Deutschland erreichte, natürlich aus der russischen Zone: Becher hat ihm geschrieben und ihm gemeldet, das alles dort auf ihn warte. Nun, es war Zeit. Er wird kaum gehen; er ist, Gott weiß es, entschuldigt. Aber es schickte sich doch, daß man nach ihm verlangte.
»Wie heute die Dinge liegen«, meinte er kürzlich, »bleibt man am besten zu Hause.« Auch das kam rührend komisch heraus, denn es ist ja, gelinde gesagt, ein etwas zufälliges Zuhause, das er so nennt, – irgendwo in der Gegend, wo Los Angeles in Beverly Hills übergeht. Er hängt aber an seiner bequemen kleinen Parterre-Wohnung, South Swall Street, von wo er zu Fuß seine Einkäufe machen kann, und durch die noch der Atem der Verstorbenen weht. Der nach der Straße gelegene living room, gut eingerichtet, mit elegantem Schreibtisch, den er aber nicht benützt, da er zurückgezogen im Schlafzimmer arbeitet, hat einen vorzüglichen Radio-Apparat, und viel hört er abends Musik – in Californien ausgerechnet hat er seine Kenntnis des symphonischen Weltbestandes bedeutend erweitert und vertieft. Zu bestimmten Stunden des Tages liest er französisch, deutsch und englisch, und zwar, wenn die Prosa es wert ist, laut.

Am Morgen, wenn er seinen starken Kaffee gehabt, früh sieben Uhr wohl bis Mittag, schreibt er, produziert unbeirrbar in alter Kühnheit und Selbstgewißheit, getragen von jenem Glauben an die Sendung der Literatur, den er so oft in Worten von stolzer Schönheit bekannt hat, – fördert das aktuelle Werk, indem er, immer noch mit eingetauchter Stahlfeder, Blatt auf Blatt mit seiner überaus klaren und deutlich ausgeformten Lateinschrift bedeckt, – gewiß nicht mühelos, denn das Gute ist schwer, aber doch mit der trainierten Fazilität des großen Arbeiters.
Da entstehen denn die unermüdeten, von seines Geistes Siegel unverwechselbar geprägten Neuigkeiten, von denen man bald hören wird: die in eigentümlichem Emaille-Glanz historischen Kolorits leuchtenden episch-dramatischen Szenen, die, überraschende Stoffwahl, dialogisch das Leben des preußischen Friedrich erzählen; der Roman »Empfang bei der Welt«, gespenstische Gesellschaftssatire, deren Schauplatz überall und nirgends; ein neuer Roman schon wieder, ich weiß noch nicht welchen Gegenstandes; vor allem (ich finde: vor allem) das faszinierende Memoiren-Buch »Ein Zeitalter wird besichtigt«, von dem große Teile in der Moskauer »Internationalen Literatur« zu lesen waren, und dessen englische Übersetzung abgeschlossen ist: eine Autobiographie als Kritik des erlebten Zeitalters von unbeschreiblich strengem und heiterem Glanz, naiver Weisheit und moralischer Würde, geschrieben in einer Prosa, deren intellektuell federnde Simplizität sie mir als die Sprache der Zukunft erscheinen läßt. Ja, ich bin überzeugt, daß die deutschen Schul-Lesebücher des einundzwanzigsten Jahrhunderts Proben aus diesem Buch als Muster führen werden. Man druckt es in Stockholm zur Zeit, und für mein Teil kann ich kaum erwarten, daß unsere Deutschen daheim es zu lesen bekommen. Natürlich werden sie beleidigt sein – wann wären sie es nicht? Sie müssen sich immerfort und um jeden Preis beleidigt fühlen und unverstanden, und wenn man sie nur zu gut versteht, so sind sie desto beleidigter. Aber das ist Kinderei. Die objektive Tatsache, daß dieser nun Fünfundsiebzigjährige einer ihrer genialsten Schriftsteller war, wird sich als stärker erweisen als ihre Laune, und über kurz oder lang auch von ihrem widerstrebenden Bewußtsein Besitz ergreifen.

Thomas Mann

An Bruno Walter

Pacific Palisades, California
1550 San Remo Drive
9. Febr. 1946

Lieber Freund,
auch für mein Teil muß ich Ihnen doch noch für Ihren lieben, an Katja gerichteten Jahres-End-Brief danken, der auch mir soviel Freude gemacht hat. Ich hätte es längst getan, wenn ich nicht ein so gehetztes Reh und immerfort, mit Luther zu reden, »uberladen, ubermengt, uberfallen mit Sachen« wäre. (Dieses Reformations-Deutsch ist prächtig. Adrian Leverkühn hat eine besondere Affinität dazu.) – Lieber, guter Meister, ich war aufrichtig gerührt über die schönen, gefühlten und uns beide, Katja und mich, so ehrenden Worte, die Sie in Ihrem Brief unserer nun schon hübsch alten und vielerfahrenen Freundschaft widmeten. Über meine »spröden Formen« habe ich mich anläßlich Hans Castorps und auch sonst oft genug selber lustig gemacht. Aber glauben Sie mir, ich bin dem »oberen Leitenden« nicht weniger dankbar dafür, als Sie, daß es uns zusammengeführt und durch die Jahrzehnte neben einander gehalten hat. Die Freundschaft mit Ihnen, dem großen Musiker und dem guten, rein bemühten und meinem Wesen bestätigend geneigten Menschen, war, ich bekenne es freudig, ein Glücksfall in meinem Leben, eine seiner Zierden, für die ich mehr tief erkenntlichen Sinn habe, als ich mir den Anschein geben mag. [...]
Hubermann war hier und konzertierte prachtvoll in der Philharmonie (Chaconne von Bach, Violin-Konzert von César Franck!). Wir hatten ihn nächsten Tages zum Lunch, und er empfahl mir den Brüsseler Agenten Dr. Hohenberg, der mich nämlich zu einer ziemlich umfassenden europäischen Vortragsreise (London, Paris, Brüssel, Amsterdam, Zürich) aufgefordert hat, wobei er mir die Sache reise-technisch recht plausibel zu machen wußte. Wenn nur nicht *jeder*, der mir wohlwill, mir dringend riete, meine Europa-Reise doch ja nicht zu übereilen! Und wenn nicht alles so kompliziert würde durch das deutsche Problem! Denn es ist ja nicht gut denkbar, daß ich Deutschland ganz auslasse, wenn ich den Kontinent überhaupt wieder betrete. Andererseits scheint mir die Atmosphäre dort keineswegs günstig zu sein, vielmehr allgemeine Gekränktheit zu herrschen. Und wieder andererseits sage ich mir, daß, wenn ich überhaupt noch dort wieder vorsprechen will, ich es bald tun muß,

da sonst, das sehe ich schon, die Kluft unüberbrückbar wird. Kurz, ich weiß garnicht recht, was ich tun soll. [...]
Leben Sie wohl! Auf Wiedersehn!

Ihr Thomas Mann

An Gerhard Albersheim Pacific Palisades, California
den 10. II. 46

Lieber Herr Dr. Albersheim,
Dank für Ihr vortreffliches Schreiben. Gewiß, all dies kann man sagen zu meinem Versuch einer Erläuterung der deutschen Dinge (einem Versuch, der so wenig musikfeindlich wie eigentlich deutschfeindlich ist) – *zu* ihm und *gegen* ihn, und niemand könnte es besser sagen, als Sie. Schriftstellerei ist ein waghalsiges Geschäft, denn immer setzt man sich höchst berechtigten Korrekturen aus, und man kann dann nur mit dem weisen Alten erwidern:

»Ihr müßt mich nicht durch Widerspruch verwirren.
Sobald man spricht, beginnt man schon zu irren.«

Sehr gut, nicht wahr? Er hat auch gesagt:

»Denn alles Meinen ist nur Fragen.«

Einen solchen Aufsatz schreiben heißt: einen Gesichtspunkt in Vorschlag bringen, unter dem momentan die komplizierten Dinge ein bißchen klarer und verständlicher werden. Das »Ja, aber« folgt unvermeidlich nach. Und doch hat mancher eine gewisse Genugtuung dahin. Daß in dem Balzac'schen Bonmot von den »grands instruments de la musique« ein Kern von Wahrheit steckt, ist ja doch unleugbar.
Über Wagner habe ich sogar zweimal geschrieben. Der Zürcher Vortrag über den »Ring«, bei dem ich durchaus zum Positiven angehalten war, ist mir vielleicht sogar lieber als der allzu »psychologistische« erste.
Auf bald, hoffe ich.
Ihr ergebener Thomas Mann

An Bruno Walter Pacific Palisades, California
den 25. II. 46

Lieber Freund,
seien Sie ganz unbesorgt, es hätte Ihrer Warnung kaum noch bedurft, von allen Seiten, auch aus Deutschland selbst, sind mir ähn-

lich dringende Abmahnungen gekommen, und so sage ich nun, wie Gerh. Hauptmann (als man ihn zum Präsidentschafts-Kandidaten aufstellen wollte): »Nach reiflicher Überlegung *denke* ich nicht daran.«
Die Europa-Reise wäre auch ohne das Vaterland ein scharfer Angriff auf meine doch auch nicht ganz verschonte Gesundheit. Ich tue entschieden besser, erst einmal meinen Roman fertig zu machen, der als Anspruch an meine Kräfte gerade genügt.
Übrigens hat der selige Werfel seine letzten 18 Monate *gut* benutzt. »Der Stern der Ungeborenen« ist eine tolle Sache, hervorragend, sensationell, – mystisch natürlich, aber mit Humor. Zwar hat das Werk keine rechte Sprache, wodurch es sich immerhin von Dante unterscheidet. Aber als Phantasie-Leistung ist es höchst imposant, Sie werden sehen.
Herzlich Ihr T. M.

An Dolf Sternberger

Pacific Palisades, California
1550 San Remo Drive
19. März 46

Sehr verehrter Herr Dr. Sternberger,
sehr ermüdet von einer eben überstandenen (oder noch nicht recht überstandenen) Grippe, kann ich Ihnen nur mit wenigen Worten für Ihre freundlichen Zeilen von Mitte Januar und das erste Heft der »Wandlung« danken, das First Lieutenant Kellen mir treulich übermittelt hat. Es ist das Beste, Eindeutigste, moralisch Mutigste, was mir aus dem neuen Deutschland (ja, wie neu ist es eigentlich?) bisher vor Augen gekommen ist. Jaspers' Rede ist ein Dokument hohen Anstandes, das *bleiben* und, denke ich, in die deutschen Schulbücher des 21. Jahrhunderts eingehen wird. Sehr stark und entsetzlich erlebt ist auch Alfred Webers Schilderung des nicht für möglich gehaltenen Gemeinheitsrausches von 1933. Und wie hübsch und klug die Stelle in Ihrem Tagebuch über das »Bequeme« – bei Goethe und bei dem amerikanischen Policeman! Ja, wenn man die Deutschen entkrampfen, sie für die Freiheit und Lockerheit einer wirklich herrenhaften Haltung gewinnen könnte! Eine Zeitschrift wie die Ihre mag auch dafür das beste pädagogische Instrument sein. Möge es Ihnen gelingen, sie auf der Höhe dieser Gala-Erstausgabe zu halten!

Ich bin verblüfft und betrübt über die unglaubliche Erbitterung, die mein doch eigentlich schonender und menschlich vertrauensvoller Offener Entschuldigungsbrief an Herrn von Molo in Deutschland erregt zu haben scheint. [...] Frank Thiess soll öffentlich »Abschied« von mir genommen haben. Wieso? Man sagt doch nicht Adieu, wenn man nie Guten Tag gesagt hat.
Wie hoch schätzen Sie den Prozentsatz von Deutschen, der, wenn es Freizügigkeit gäbe, heute mit Begeisterung nach Amerika auswandern würde? – Aber ich soll zurückkehren. Eine Kollegenschaft fordert es, die mein Ausscheiden vor 13 Jahren völlig kühl ließ. Man zuckte die Achseln über den Narren, der es mit dem Sieghaft-Neuen verdorben hatte.
Es tut mir leid um den armen Hartung, der so prompt nach seiner Heimkehr gestorben ist. Ich bin überzeugt, daß es mir ebenso gehen würde. Wozu ich nur mit jenem Hamburger Budiker, dem ein Junge wiederholt in die Häringstonne spuckte, sagen kann: »Schadt ja nix, nich? Aber was soll es, nich?«
Ihr ergebener Thomas Mann

An Jonas Lesser

Pacific Palisades, California
1550 San Remo Drive
21. März 1946

Lieber Herr Doktor Lesser,
Ihr Manuskript, das seit einigen Tagen in meinen Händen ist, sogleich von Anfang zu Ende zu lesen, hatte ich nur zu gute Muße, da eine recht böse Grippe mich mehr als eine Woche ans Bett fesselte, das ja zum Lesen der geeignetste Aufenthalt ist. Ich bin noch recht müde von dem Anfall und kann Ihnen nur mit wenigen Worten für Ihre Arbeit danken und Sie dazu beglückwünschen.
Was soll ich sagen, da ich nur wenig sagen kann? Ich war gerührt und ergriffen von der ungeheueren Genauigkeit, mit der Sie mein Werk literarisch betrachten, und zugleich etwas beängstigt durch eben diese ergreifend liebevolle Genauigkeit. Wird die Öffentlichkeit sie ertragen und sie nicht übertrieben und einem modernen Werk, dessen Autor noch im Fleische wandelt, unangemessen finden? Ich weiß es nicht. Wir müssen hoffen, daß wenigstens ein Häuflein von Menschen sich findet, die all diesen minutiösen Hinweisungen, Deutungen und Kombinationen aus eigener Sympathie mit Interesse folgen.

An einem Punkt, wie mir scheint (ich sollte das wegen der vorerwähnten Hauptsorge garnicht sagen), setzt merkwürdiger Weise die Intensität Ihrer Beobachtung aus, nämlich in dem kleinen Kapitel über die Zwerge. Es hat ja viel Zutreffendes, den würdigen Dudu einfach als Nazi zu charakterisieren, aber darüber wird die Sexual-Satire übersehen, die bei der Charakterisierung der kleinen Leute die Hauptrolle spielt. Dudus ganze Würde, Gediegenheit und »Ehrpußlichkeit« beruht ja auf seiner Zeugungsfähigkeit, seiner Eigenschaft als solider Ehemann, und Gottliebchens ganze Abneigung gegen ihn auf seiner reinen, am Geschlecht unbeteiligten Zwergheit. Ich will das nicht weiter ausführen, aber hier hat Ihre Kritik Einiges ausgelassen. Auch hat es mich gewundert, daß Sie bei der so liebevollen Analyse der Sprache und, wenn ich so sagen darf, der lexicalen Fülle des Buches das Vokabular der Zankscene zwischen den beiden Zwergen ausgelassen haben, das doch für Ihren Zweck ganz ergiebig gewesen wäre. Diese Scene gehört übrigens in den Zusammenhang Ihres Vergleiches des Joseph mit dem »Ring des Nibelungen«, denn sie erinnert ja entschieden an das zankende Zusammentreffen von Mime und Alberich.
Nur noch zwei kleine Nebenbemerkungen. Das Wort Parodie scheint mir zu oft und zuweilen auf eine Weise verwendet, die den Leser verwirren könnte. Ferner möchte ich warnen vor stilistischen Wendungen, wie »Erinnert ihr euch« usw., mir scheint das in einem kritischen Buch irgendwie unpassend, und ich würde mich an das konventionellere »Wir erinnern uns« halten.
Daß mir Ihr großartiger, liebevoller Commentar herzliche Freude gemacht hat, geht hoffentlich auch aus diesen wenigen und trockenen Zeilen unmißverständlich hervor. Ich danke Ihnen und wünsche Ihnen die Dankbarkeit der Öffentlichkeit. Das Manuskript geht wohlverpackt an Sie zurück.
Ihr ergebener

Thomas Mann

An Walter G. Hesse

Pacific Palisades, California
1550 San Remo Drive
30. März 1946

Sehr geehrter Herr Hesse,
meine Danksagung für Ihre Sendung vom November vorigen Jahres hat sich auf das allerbedauerlichste verzögert, erstens weil diese

sehr lange gebraucht hat, um in meine Hände zu gelangen, dann aber auch, weil ich Wochen lang unpäßlich und bettlägerig war und meine Korrespondenz vernachlässigen mußte. Es war eine Grippe, die mehr den Charakter eines tropischen Wechselfiebers hatte – wahrscheinlich eingeschleppt von Heimkehrern aus dem Pacific. Der Erreger ist von größter Zähigkeit. Noch heute muß ich ihn unter Salizyl-Säure oder Chinin halten, wenn ich normale Temperatur haben will.

Der verspätete Dank, der nun wieder eine lange Wanderschaft haben wird, muß also auch noch dürftig ausfallen. Aber sagen will ich Ihnen doch endlich, daß Ihre große Studie über den »Zauberberg« mir wahre, herzliche Freude gemacht hat: durch die rührende Ergebenheit an den Gegenstand, die daraus spricht, das treue und umsichtige Eingehen auf alle Absichten dieses wunderlichen Nachzüglers des deutschen Bildungsromans.

Goethe notiert, ein Engländer habe ihm »panoramic ability« zugesprochen, – »wofür ich allerschönstens zu danken habe«. Nun, auch ich habe allerschönstens zu danken, möchte aber die »panoramic ability« Ihnen zuschreiben; denn Ihre Abhandlung ist ja ein über den einen Roman weit hinausgehender Rundblick über mein ganzes, nachgerade garnicht mehr so leicht zu überschauendes Lebenswerk – und ein sehr gutwilliger, gutheißender, ja verklärender Rund- und Überblick. Des Vergnügens an solchen reinen Bejahungen des Eigenen soll man sich nicht schämen. Sie dürfen, sagt wieder Goethe, »dem Dichter wohl einen angenehmen Eindruck machen; es ist ihm, als wenn er an Spiegeln vorbeiginge und sich im günstigen Licht dargestellt erblickte«. Der Gute, er hatte also auch das Gefühl, daß das Seine eine freundliche Beleuchtung brauche, um zu bestehen! Wozu mir etwas einfällt, was ich selbst einmal geschrieben habe: »Die Kunst... braucht eine gewisse Atmosphäre des Wohlwollens, des Entgegenkommens, um zu bestehen, den Unbilden entschlossen-verschlossener Feindseligkeit hält sie nicht stand. Ein Kunstwerk ist nicht an sich und von vornherein gut oder schlecht... es ist vielmehr ein schwebendes Angebot an das Herz und den Geist des Menschen, und erst zusammen damit wird es zur wirkenden Einheit, zum Wert...« Das mag eine etwas bedenkliche, allzu subjektivistische Ästhetik sein, und vor allen Dingen muß man festhalten, daß zwar etwas Gutes für den Augenblick schlecht – aber nichts Schlechtes auch nur vorübergehend gut gemacht wer-

den kann. Immerhin, eine »günstige Beleuchtung« können wir alle verteufelt gut brauchen.
Mit herzlichen Wünschen für Ihre Studien und Ihr Wohlergehen

Thomas Mann

An Agnes E. Meyer

Pacific Palisades, California
1550 San Remo Drive
3. April 1946

Liebe Fürstin,
bitte sehen Sie es mir nach, daß ich diese Zeilen diktiere, aber ich möchte Sie nicht ohne Nachricht lassen, und handschriftliche Arbeit strengt mich gegenwärtig zu sehr an.
Was ich mitzuteilen habe, ist, daß die Vertagung meiner Reise nach dem Osten nun beschlossene Sache ist. Gelegentlich meiner Grippe, mit der ich so garnicht fertig werden konnte, hat sich eine kleine Affektion meiner Lunge herausgestellt, die gewiß schon lange vorhanden ist und mir manchen Ermüdungszustand erklärt, unter dem ich in den letzten Monaten, ja seit Jahr und Tag, gelitten habe. Die Wiederherstellung wird also langwieriger sein als nach einer einfachen Virus-Infection; ich habe nachmittags noch immer ziemlich hohe Temperaturen und muß einen großen Teil des Tages im Bett verbringen. Was ich am meisten vermisse, sind meine Spaziergänge, die die Ärzte (unser Hausarzt und ein zugezogener Spezialist) mir vorläufig ganz verweigern. Die Ärzte versprechen mir Genesung in etwa drei Monaten, aber das ist ja gerade Prüfung genug.
Benachrichtigen Sie bitte Luther Evans von der Sachlage. Wenn man der Sache eine gute Seite abgewinnen will, kann man sagen, daß der Herbst ja für Washington sicher eine bessere Jahreszeit ist, als der späte Mai.
Recht herzlichen Gruß.
Ihr getreuer

Thomas Mann

An Heinz Politzer

Pacific Palisades, California
1550 San Remo Drive
3. IV. 46

Lieber Herr Politzer:
Ihr Manuskript, für eine solche Reise viel zu leicht verpackt, kam in desolatem Zustand bei mir an, sozusagen in voller Auflösung,

nur durch eine von der Post spendierte große Enveloppe notdürftig zusammengehalten. [...]
Ich kann für mich selbst wenig aktiv sein und also auch anderen nicht viel helfen. Aber einen sehr dringlichen Brief an Bermann habe ich ausgefertigt und ihn auf Ihr Angebot für die Rundschau hingewiesen mit dem Bemerken, daß es bestimmt in hohem Grade der Mühe wert sei, es rasch und sorgfältig zu prüfen.
Ich nehme bestimmt an, daß sich unter den Rundschau-Beiträgen auch ein Abschnitt aus Ihrem Buch über die deutsch-jüdische Symbiose befindet, wodurch meine Mahnung an Bermann noch berechtigter würde. Ich habe, obgleich das dünnblättrige Manuskript sich im Bett schlecht handhabt, viel in dem Buch gelesen und zwar mit Freude. Es hat die musische Annehmlichkeit aller Dinge, die von Ihrer Hand gehen, und der Gegenstand, wie seine Behandlung, ist neu, wichtig, lehrreich und interessant. Das Glanzstück des Ganzen ist zweifellos die große Charakteristik Heinrich Heines, die mir das Muster einer nicht ins Verunglimpfende abgleitenden klarsichtigen Kritik zu sein scheint. Dabei ging meiner, vielleicht deplazierten, Pietät diese Kritik gelegentlich doch zu weit ins Negative. Denn nicht nur das europäische Virtuosentum Heines, sondern auch seine soziale und politische Intuition bleiben ja doch etwas Erstaunliches und in deutscher Sphäre kaum wieder Vorkommendes.
Frappiert hat mich die Zusammenstellung mit Nietzsche. Denn ich bin im Begriff, einen Vortrag über Nietzsche auszuarbeiten, des Sinnes, daß er, der nicht genug den »theoretischen Menschen« schmähen konnte, jeder Beziehung zur Wirklichkeit entbehrte und im leeren Raum ein mythisches Lebensschauspiel zur Aufführung brachte und sich in ästhetizistischen Kühnheiten unverantwortlichster Art erging.
Genug für heute. Ich hoffe, daß Sie bald positiven Bericht von den Leuten der Rundschau erhalten.
Herzlich Ihr Thomas Mann

An Frederick Rosenthal

Chicago 14. Mai 1946

Lieber Dr. Rosenthal,
von meinem Krankenlager, das meistens schon gar kein Lager mehr ist, sondern ein Lehnstuhl, möchte ich Ihnen den ersten schriftlichen

Gruß senden, den ich wieder hinausgehen lasse. Sie haben durch Ihre Vor-Behandlung einen großen Anteil an dem in fast sensationellem Grade glatten und glücklichen Verlauf dieser chirurgischen Affäre, denn die schon zu Hause abgehaltene Penicillin-Kur hat ja doch bewirkt, daß ich schon auf der Reise und dann während der ganzen der Operation vorangehenden Woche hier fieberfrei war, was sich gewiß sehr günstig ausgewirkt hat.
Freilich war ich auch hier in den besten Händen, und das Ganze vollzog sich mit soviel Sorgfalt und Schonung, von dem Können der Ausführenden zu schweigen, daß von wirklichem Leiden eigentlich garnicht die Rede sein kann. Übrigens kam meine gutwillige und geduldige Natur den Helfern zu Hilfe.
Heute war ich, bei sonnigem Wetter, zum ersten Mal wieder im Freien, noch unter Benutzung des Rollstuhls, aber ich *gehe* zwischendurch sehr unbehindert und muß mich nur hüten durch zu rasche Bewegungen außer Atem zu geraten.
Wir wollen am 24. reisen und hoffen, am Sonntag den 26. wieder zu Hause zu sein. Sie dort bald zu sehen und Ihnen des näheren zu berichten, auch Ihnen meine gewaltige Narbe zu zeigen, gehört zu den Dingen, auf die ich mich freue.
Richten Sie, bitte, meinem Bruder herzliche Grüße aus!
Ihr ergebener

Thomas Mann

An Erich von Kahler

Chicago,
Billings Mem. Hospital
15. Mai 1946

Lieber Freund Kahler,
recht herzlichen Dank für Ihren wohltuenden, unterhaltenden Brief-Besuch! Ihnen so Gutes mit Gutem zu vergelten bin ich ganz außerstande, denn mein Leben ist gegenwärtig ebenso gedanken- wie tatenarm, was zusammen wirklich ein bißchen wenig ist. Dabei darf ich sagen, daß ich dies ganze unerwartete Abenteuer, wenn auch ohne mitteilenswerte Gedanken, so doch mit ernster Aufmerksamkeit durchgestanden habe und, so weit es als *Bewährungs*gelegenheit aufzufassen war, mit mir zufrieden sein kann. Sogar muß ich froh sein, einige »Taten« im aktiven Sinn des Wortes hinter mir zu haben, denn eine fast unheimliche seelische Bevorzugung passiver Leistungen hat sich bei dieser Gelegenheit erwiesen, ein

Muster-Patiententum, das denn doch sein Dubioses hat. [...] Dabei war die Sache *kein* Spaß, wie die gewaltige, von der Brust zum Rücken laufende Narbe auch deutlich anzeigt. Ohne Codein wäre noch kein Auskommen mit den Verwachsungs- und Rückbildungsschmerzen. Aber ich *gehe* sehr mühelos, war gestern schon mit dem Rollstuhl im Freien und muß mich nur vor zu raschen Bewegungen hüten, da eine Neigung zur Kurzluftigkeit noch besteht und wohl noch für Monate bestehen wird.
Die Klinik ist nicht genug zu loben. Adams hat sich als ersten Ranges bewährt, und die alles bedenkende Sorgfalt der Vor- und Nachbehandlung war vollendet. Ich habe alles kennen gelernt: Bronchoskopie, Bluttransfusion, Pneumothorax etc., aber alles in der schonendsten, fortgeschrittensten Form.
Am 24. wollen wir reisen und hoffen am Sonntag den 26. mit Erika wieder in unseren Blumenhof einzufahren. Mein Sinnen und Trachten soll sein, den Roman fertig zu machen. Er verdient es im Ganzen, obgleich im Einzelnen manches verdorben sein mag. Ich habe zuletzt gegen die Krankheit an geschrieben. Aber in einem Werk, das diesen Namen verdient, muß nicht alles gelungen sein. Ich lese gerade, zum ersten Mal ganz, glaube ich, den »Grünen Heinrich«. Seine Schwächen, Längen, Ärgerlichkeiten hat das auch, ist aber ein *Werk* recht nach meinem Herzen.
Ist das letzte Rundschau-Heft nicht recht gut? Nicht zuletzt durch Ihren vortrefflichen Aufsatz! Ein Nietzsche-Wort übrigens: »Ich spreche von Demokratie als von etwas *Kommendem*.«
Dank nochmals für Ihren Besuch! Man kommt hoffentlich bald einmal wieder zusammen. Grüßen Sie Broch bestens von mir und empfehlen Sie mich Ihrer lieben Mutter!

Ihr T. M.

An Theodor und Gretel Adorno
[Ansichtskarte]

Chicago 19. v. 1946

Liebe Freunde,
einen herzlichen Gruß noch vor dem Wiedersehen! Es geht mir, den Umständen nach, unerlaubt gut; und nur gegen Kurzatmigkeit werde ich noch eine Weile zu kämpfen haben – langatmig wie Gott mich schuf. Wir denken am 24. zu reisen und hoffen Sie beide im besten Wohlsein anzutreffen.

Ihr Thomas Mann

An Agnes E. Meyer

Chicago, 20. Mai 1946

Meine liebe Freundin,
von Herzen Dank für Ihre gütigen Zeilen und für alle Zeichen Ihrer wahrhaft freundschaftlichen Anteilnahme in diesen schweren Wochen. Ich sage »schwer«, dürfte aber eigentlich nur »ernst« und »unerwartet« sagen; denn eine höchst fortgeschrittene ärztliche Kunst und Technik hat mir das Bestehen dieser späten Prüfung so leicht wie möglich gemacht. Allerdings kam ihr die Gutwilligkeit und Geduldigkeit meiner Natur entgegen, um einen beinahe sensationellen klinischen Erfolg zu zeitigen, den glattesten, störungslosesten, »elegantesten« Operationsverlauf, den man sich denken kann. Nicht jeder 30jährige geht mit solcher Gemütsruhe, so ohne »Geschichten« zu machen durch das Abenteuer. Es war kein Kinderspiel – und hohe Zeit, daß es geschah. Ein paar Monate weiteren Zuwartens, und unendliche Scherereien, schlimmer als der Tod, wären mein Los gewesen. Es handelte sich um einen Absceß in der Lunge, der durch Bronchoskopie festgestellt wurde und im Begriffe war, heillos auszuarten. Jetzt bin ich davon gereinigt.
Ich war schon (noch mit dem Rollstuhl) im Freien und hielt heute Nachmittag in einem Gesellschaftszimmer der Klinik eine Presse-Konferenz ab, um das Lob meiner Ärzte zu singen. Morgen gehen wir noch für ein paar Tage ins Hotel Windermere und hoffen am Freitag den 24. die Heimreise anzutreten – wenn der Zug geht, was ja heutzutage nicht sicher ist.
Da ich Ihr Leben kenne, – wie dürfte ich mich wundern oder klagen, weil ich Sie nicht mehr sehen werde? Kommen Sie bald einmal an unsere Küste!
In Treuen

Ihr T. M.

An Agnes E. Meyer

Pacific Palisades, California
1550 San Remo Drive
2. Juni 46

Liebe Freundin,
Ihnen einen Gruß zu senden aus dem glücklich zurückgewonnenen Zuhause, möchte ich mir nicht versagen. Unsere Abreise von Chicago mit der vorzüglichen »City of Los Angeles« wurde durch den strike nur um 24 Stunden verzögert. Wir hatten eine komfor-

table Rückfahrt mit Erika, die sofort über den Ozean geflogen kam und Katja während der schweren Tage zur Seite stand. Nun freuen wir uns hier der Blumenpracht des Gartens, der leicht zu atmenden Luft, und ich bessere, in ein Kissen gelehnt, an früheren Teilen des Romans. [...] im Ganzen geht es erstaunlich gut, und der Hausarzt ist begeistert von dem was in Chicago an mir geschehen. Eine Rippe hat man mir auch genommen und mich so wenig um Erlaubnis gefragt wie Gott den Adam. Ist aber bei mir kein Evchen daraus geworden.
Viel besorgte Teilnahme von nah und fern habe ich erfahren; es tat doch wohl. [...]
Leben Sie recht wohl und grüßen Sie Eugene, der mich loben möge, weil ich seine Vorhersage, daß wir beide es noch eine gute Weile treiben werden, nicht zuschanden gemacht habe.

Ihr T. M.

An Anna Jacobson Pacific Palisades, California
den 9. Juni 46

Liebes Fräulein Jacobson,
für Ihren guten und treuen Geburtstagsbrief nehmen Sie schönsten Dank! Es geht mir recht leidlich. Nicht daß ich schon alle Segel setzen könnte; aber vormittags bastle ich ein bißchen am Manuskript, gehe im Garten herum, der von Blumen prangt, und eine halbe Cigarre nach Tisch kann ich mir auch schon wieder leisten.
Im Grunde bin ich nicht unzufrieden, daß meine Natur auf diese Bewährungsprobe gestellt wurde. Die Ärzte erklären, ein Dreißigjähriger hätte die Affaire nicht besser durchstehen können. Mein Typ kann wohl immer, wie Nietzsche, von sich sagen: »Denn abgesehen davon, daß ich ein décadent bin, bin ich auch dessen Gegenteil.« – Müßte wohl eigentlich heißen: »das Gegenteil eines solchen«.
Ich nehme an, daß Sie den Artikel von Kästner nicht im Zusammenhang gelesen haben, sondern nur die beiden irreführenden Sätze kennen, die Sie anführen. Erika besitzt zufällig den Text und gab ihn zum Besten. Er ist das Unverschämteste, was die Deutschen sich gegen mich geleistet haben, und ein klassisches Stück sächsischer »Heemdicke«. »Nach D. kehre ich nicht zurück«, schrieb mir die liebe Annette Kolb im Jahre 33. Es ist bei uns ein geflügeltes Wort geworden.
Herzlich Ihr Thomas Mann

An Ida Herz Pacific Palisades, California
den 14. Juni 46

Liebes Fräulein Herz,
ich war sehr gerührt von Ihrem warmherzigen Geburtstagsbrief. Haben Sie Dank für Ihre Anhänglichkeit und nehmen Sie vorlieb mit der Kurzangebundenheit dieses Dankes! Die jungen Verwachsungen und »Adhäsionen« in meinem Rücken erlauben mir weder viel zu schreiben noch viel zu diktieren. Beim ersteren gibt es bald Schmerzen, und beim anderen geht mir leicht der Atem aus. Aber das ist eine Sache von ein paar Monaten der Anpassung an die neuen inneren Verhältnisse. [...] Schon skribble ich vormittags wieder am Roman und gehe im Garten spazieren, der jetzt so herrlich in Blumen prangt. Wir haben einen passionierten japanischen Gärtner namens Vattaru, dessen Frau (Koto) der Küche vorsteht. Die besten Dienstboten, die wir je hatten, civilisiert, artig, fleißig, reinlich. Und sie verbeugen sich so hübsch, die flachen Hände auf den Oberschenkeln.
Merkwürdig, was für ein Choc für das Nervensystem so eine Operation doch ist. Immer gleich Schweißausbrüche; und ich ärgere mich, daß ich das Rauchen, wenigstens die Cigarre, noch nicht vertrage. »San's froh, daß Sie sitzen!« heißt es im »Eisenbahnunglück«.

Ihr T. M.

Leider haben die Low'schen Cartoons ihren Weg zu mir (noch) nicht gefunden. Aber Churchills Aufsätze sind da, und ich lese sie mit Genuß und Respekt.

An Golo Mann Pacific Palisades, California
den 16. Juni 46

Lieber Golo,
wie sehr habe ich mich über die große Besprechung Deines Buches in New York Times gefreut, die wir in Chicago, schon im guten alten Windermere, gleich für Dich ausschnitten! Der Gentz hat mich eine ganze Woche lang, die im Übrigen der Vorbereitung zu meiner Operation gewidmet war, beschäftigt und unterhalten. Ich muß sagen, es ist selbst in der Übersetzung, die es doch etwas einebnet und einem bestimmten westlichen Buch-Typus ähnlich macht, ein vortreffliches, wohltuend gescheites, geistig originelles, faszinie-

rendes Buch, das seinem Verfasser alle Ehre macht und ihm gewiß auch praktisch Ehre machen und Förderung bringen wird. Ich kann nicht weiter darauf eingehen, aber gratulieren wollte ich Dir doch noch selbst zu der schönen und glücklichen Veröffentlichung.
Nun habe ich durch Vermittlung des politisch deutschfreundlichen, deutsch-amerikanischen Journalisten Lochner (hm!) den anliegenden Brief aus Berlin erhalten, der mir viel Kopfzerbrechen verursacht, ja mich in wirkliche Verlegenheit gesetzt hat. Soll ich den Vorsitz oder Ehren-Vorsitz dieser deutschen Friedensliga, die offenbar auf sehr schmalem Boden steht, annehmen und mich dadurch vielleicht mit allerlei patriotischen Bedingungen identifizieren, die diese Leute wahrscheinlich an ihren Friedens- und Versöhnungswillen zu knüpfen *gezwungen* sein werden? Das Wort »Versöhnung« wird in Deutschland ja sehr sonderbar gebraucht, nämlich in dem Sinne, daß es gilt, *Deutschland zu versöhnen*, – und wie soll sich eine deutsche Friedensgesellschaft in ihren öffentlichen Kundgebungen, Aufrufen, Vorträgen etc. von dieser Auffassung freihalten?
Andererseits möchte ich mich nicht immer entziehen, Nein sagen, mich von Deutschland trennen. Auch Mielein möchte nicht, daß ich das tue und ist eher für die Annahme. Ich wollte Dich um Rat fragen, Deine Kenntnis der Verhältnisse in Anspruch nehmen. Ist der Kreis ernst zu nehmen? Kann man sich mit ihm sehen lassen? Ich muß doch mit einem ziemlichen stir in der Weltpresse rechnen, wenn sich eine deutsche Friedensliga mit mir als Präsidenten auftut. Die Verantwortung ist groß. Und warum gerade diese Zufallsliste? Warum sind nicht die Heidelberger, Vossler etc. dabei, kurz alles, was irgend in Deutschland eines guten Willens ist und über das »Reich« hinausdenkt? Bitte, prüfe und urteile!
Damit genug. Ich bin jetzt wie Onkel Vicco's Kinderfrau Hanne, die für ihn auf einer Garnwinde blies und, wenn er mehr haben wollte, sagte: »Nee, mein Engel, nu kann ich nich mehr.«

Herzlich Dein Z.

An Gerhard Albersheim

Pacific Palisades, California
den 19. Juni 46

Lieber Herr Albersheim,
Dank für Ihren freundlichen Zuspruch! Ich schreibe über Wagner gewiß mit mehr Sicherheit und Richtigkeit, als über Beethoven.

Aber in einem Roman, der von Musik-Dämonie handelt, konnte es ohne diesen nicht abgehen.
Es ist schrecklich, daß ich beim Schreiben nicht an einen Menschen denken kann, ohne daß nachher alle Welt an ihn denkt und ihn erkennt. Diesmal hat mich wohl hauptsächlich das Stottern verraten, das wahrscheinlich besser beschrieben ist, als opus 111.
Es geht mir recht leidlich, ich hole etwas Gewicht auf und skribble auch schon wieder etwas an dem Roman.
Bestens
Ihr Thomas Mann

An Georg Strauss

Pacific Palisades, California
den 20. Juni 46

Sehr geehrter Herr Dr. Strauss,
für Ihren Glauben an den guten Sinn meines Erdenwallens muß ich Ihnen sehr dankbar sein, und danken möchte ich Ihnen auch für die Mitteilung Ihrer angenehm klar gedachten und klar geformten Gedichte, unter denen mich das Stück über Bismarck, ich spreche besser von einer Huldigung, besonders interessiert hat.
Merkwürdig genug, gegen den »eisernen Kanzler«, seine sehr deutsche Größe, seine schlaue Gewalttätigkeit, seine Reichsgründung ist doch allerlei einzuwenden; aber im Vergleich mit dem jüngst Erlebten erscheint sein Wesen und Werk allerdings als »kristallene Vernunft«, und Ihr Bild von ihm erinnert auffallend an dasjenige, das mein Bruder Heinrich in seinem Memoirenwerk »Ein Zeitalter wird besichtigt« von ihm gibt. Das ist ein faszinierendes Buch, das Sie hoffentlich, und auch die Deutschen zu Hause, bald werden lesen können.
Ich bin Rekonvaleszent von einer recht ernsten Lungen-Operation, einer späten, unerwarteten Prüfung, die für diesmal cum laude bestanden ist.
Ihr sehr ergebener
Thomas Mann

An Erich von Kahler

Pacific Palisades, California
den 20. Juni 46

Guter Erich,
ist's möglich, Prinz? Kann dieser Vorwurf Ihr Gewissen drücken? Ein gleichgültiger Einundsiebzigster! Rührend genug, daß Sie noch nachträglich dran dachten.

Es geht mir recht leidlich, und wenn ich nicht so ungebärdig wäre und mich geistig und körperlich zuviel tummelte, wäre ich wahrscheinlich schon weiter. Immerhin, seit wir hier sind, habe ich 5 Pfund zugenommen, quite satisfactory.
Das Zusammenleben mit Erika, die an einem Buch über Europa schreibt, ist sehr lieb und reizvoll. Wir lachen viel über das U.S.-Chaos, – the biggest chaos the world ever saw.
Herzlich Ihr T. M.

An Hans Friedrich Blunck Pacific Palisades
22. Juli 1946

Sehr verehrter Herr Blunck,
das Gefühl, mit dem ich Ihre Sendung, Brief und Memorandum, empfing, kann ich nicht anders als »Bestürzung« nennen. Wie komme ich dazu, diese Berichte, Erklärungen, Rechtfertigungen aus Deutschland (Ihr Schreiben ist nicht das einzige seiner Art) entgegenzunehmen? Ich habe doch nicht Macht, zu binden, zu lösen! Und wenn man mich als Repräsentanten der »Welt« nimmt, – diese Welt benimmt sich ja heute so mangelhaft, daß wenig Anlaß besteht, sich bei ihr zu entschuldigen. Es suche jeder allein mit seinem Gewissen fertig zu werden.
Meine Äußerung über Sie war vollkommen gelegentlich, unbeabsichtigt, rein provoziert. Ich mußte Ihrem Herrn Bruder einfach antworten, und ich *konnte* nur antworten, daß es mir, der ich dem III. Reich so ostentativ den Rücken gewendet, sonderbar zu Gesicht stehen würde, wenn ich mich jetzt bei den Besatzungsbehörden für einen literarischen Exponenten und Notablen dieses »Reiches« verwenden wollte.
Sie wollen das nicht gewesen sein, und ich will Ihr Leugnen nicht einfach der allgemeinen Erscheinung zurechnen, daß heute niemand »es gewesen« sein will. Ich glaube gern an Ihre guten Absichten. Aber wenn man in Ihrem Exposé Sätze liest, wie: »Als Hitler 1933 vom Reichspräsidenten von Hindenburg zum Reichskanzler berufen war und *er den Eid auf die Weimarer Verfassung geleistet hatte*, habe ich den feierlichen Erklärungen vertraut, daß alle Staatsbürger unter gleichen Rechten stehen würden. Ich nahm an, daß es sich um eine kurze Zeit des Übergangs zu einer *neuen Verfassung* handle... Nach dem Tode R. Bindings bin ich auf seinen Sitz in

der Deutschen Akademie in München berufen worden. Meine Tätigkeit beschränkte sich darauf... *den Unterricht in deutscher Sprache im Auslande*, den die Akademie übernommen hatte, mit Rat und Vorschlägen zu unterstützen --«, so kann man nur den Blick gen Himmel wenden und sprechen: »Ja, du allmächtiger Gott!« ist denn soviel Blindheit möglich, ein solcher Mangel an Blick und Gefühl für die Scheußlichkeit, die im Gange war, einem geistigen Menschen erlaubt? Bestand Hitlers Zauber darin, daß die Leute glaubten, er werde der Schützer der Weimarer Verfassung sein? Bevor er eine neue Verfassung gäbe? Und der »Unterricht in deutscher Sprache im Ausland«! Jedes Kind in der weiten Welt wußte, was mit dem Euphemismus gemeint war, nämlich die Unterminierung der demokratischen Widerstandskräfte überall, ihre Demoralisierung durch Nazi-Propaganda. Nur der deutsche Schriftsteller wußte es nicht. Er hatte es gut, er durfte ein reiner Tor sein und ein stumpfes Gemüt, ohne moralische Reizbarkeit, ohne jede Fähigkeit zum Abscheu, zum Zorn, zum Grauen vor dem durch und durch infamen Teufelsdreck, der der Nationalsozialismus für jedes anständige Herz vom ersten Tage an war.
Und in die Münchner Nazi-Akademie haben Sie sich berufen lassen. Stellen Sie sich vor: ich bin der Meinung, daß *nie* ein Kollege sich hätte finden dürfen, der bereit gewesen wäre, den Platz einzunehmen, von dem ich, gleich nachdem Hitler »die Weimarer Verfassung beschworen«, in schnödester Form weggewiesen worden war. Finden Sie das sehr dünkelhaft? Aber ich stehe nicht allein mit dieser Auffassung. Die ganze geistige Welt teilt sie. Nur in Deutschland fehlt es an jedem Gefühl für solche Solidarität, solchen Stolz, solchen Mut zum Protest und zum Bekenntnis. Man ist dort allzu bereit, sich zum offenkundig Bösen zu bekennen, – solange es aussieht, als wollte diesem die »Geschichte« recht geben. Aber ein Schriftsteller, ein Dichter sollte wissen, daß zwar das Leben sich allerlei gefallen läßt, daß aber das *ganz und gar* Unsittliche nicht vor ihm besteht.
Dieser Brief artet in eine Philippika aus – gegen alle Vorsätze. Ich tauge garnicht zum starren Sittenrichter, bin der Letzte, einen Stein aufzuheben und fühle mich nicht im Geringsten als Instanz, bei der Lossprechungsanträge vorzubringen wären. Aber den Kummer und die Scham über das entsetzliche, herz- und hirnlose Versagen der deutschen Intelligenz bei der Probe, auf die sie 1933 gestellt wurde,

wird niemand mir ausreden. Sie wird viel *Großes* leisten müssen, um *das* in Vergessenheit zu bringen. Möge Gott ihr die Kraft und innere Freiheit dazu geben! Das ist ein allgemeiner und zugleich ein ganz persönlicher Wunsch für Ihr Werk und Lebensglück.
Ihr ergebener

Thomas Mann

An Martin Gumpert

Pacific Palisades, California
1550 San Remo Drive
30. Juli 1946

Lieber Dr. Gumpert,
ich kann nicht sagen, wie traurig ich war, als ich von Ihrer plötzlichen Erkrankung hörte, dieser bösen Anwandlung, die Sie ja in einer unvergeßlichen Geschichte prophetisch anticipiert und sich damit gewiß im Voraus zu ihrem Herrn und Überwinder gemacht haben. Sie leben – darum werden Sie genesen, ich bin so herzlich froh darüber, denn solange *ich* lebe, möchte ich Sie, den lieben Freund, auch im Leben und, wenn auch weit entfernt, doch irgendwie an meiner Seite wissen. Waren Sie nicht auch prompt und treu an meiner Seite, als ich neulich selber krank war? Es war eine wirkliche Freude und Hilfe, und ich möchte, daß Sie beruhigend zur Stelle sind, wenn es einmal Ernst wird mit meinem Abschied. Achten Sie also meinen Vorsprung und kommen Sie bald wieder auf die Beine!
Hoffentlich haben Sie nicht allzu sehr unter der dortigen Hitze zu leiden in Ihrem Krankenzimmer.
Meine Erholung hat ganz gute Fortschritte gemacht. Vormittags skribble ich etwas an dem unendlichen Roman (in dem diesmal nicht Sie, aber eine Menge anderer Leute vorkommen) und gehe mühelos spazieren (½ Stunde). Wenn ich das Rauchen ließe, würde es mir wahrscheinlich noch besser gehen. –
Also, guter Mann, Mut! Hoffnung! Vertrauen! Besserung von Tag zu Tag!

Ihr Thomas Mann

An Gottfried Kölwel

Pacific Palisades, California
den 13. Aug. 1946

Sehr geehrter Herr Kölwel,
Ihre 3 Sendungen sind glücklich zu mir gelangt, und herzlich habe ich mich gefreut über diese Gaben Ihres milden, reifen, gütigen

Dichtertums. Wen sollte Ihre Liebe nicht rühren zu der einst so schönen, strahlenden, lebensvollen Stadt und Ihre Trauer über das Verderben, von dem auch sie betroffen worden! Die Beweise dafür, »daß der Mensch nicht reif sei, zu sitzen als Gast an der gütigen Tafel der Welt«, haben ja mit dem Kriege leider kein Ende genommen. Es geht weiter damit, unbelehrt, blind, dumm und bubenhaft, und wer genug Leben vor sich hat, mag sich noch wüsterer Erfahrungen versehen. Das Reine, Wohlwollende, Ehrenrettende ist freilich auch immer da – man empfindet es dankbar beim Lesen Ihrer Elegien.
Wir haben hier einen wunderbaren, jeden Tag wieder unverwüstlich aufstrahlenden und nie belästigend heißen Sommer, der mir sehr behilflich ist bei der Erholung von dem klinischen Abenteuer, in das ich so unerwartet hineingeriet. [...] ich schreibe wieder an dem melancholischen Roman, der auch im Grunde Deutschland zum Gegenstande hat.
Nehmen Sie meine besten Wünsche für Ihre Arbeit und Ihr Lebensglück!

Thomas Mann

An Hans Feist Pacific Palisades, California
den 25. Aug. 46

Lieber Dr. Feist,
ich kann nicht viel schreiben, aber das möchte ich Ihnen doch sagen, daß »Ewiges England« ein *erstaunlich* schönes Buch und ein Besitz ersten Ranges ist, über den ich mich täglich freue. Von Blake und Keats haben Sie genau meine Lieblinge übersetzt, und mehreres davon habe ich auch meinen Roman-Musiker komponieren lassen. Ich finde, für das Verdienst, das Sie sich um englische Dichtung erworben haben, sollten Sie geknightet werden, Sir John.
Schönsten Dank auch für Ihren Brief! Wir haben z.Z. Erika, Klaus und Elisabeth mit ihren Kindern bei uns. Es wäre gut und richtig, wenn Sie eines Tages hier auftauchten. Kommt doch jetzt der Herbst und damit die Nebel*-Jahreszeit.
Bestens Ihr Thomas Mann

* Unübersetzbares Wortspiel

An Konrad Kellen

Pacific Palisades, California
den 27. Aug. 46

Lieber Konni,
tausend Dank für Ihren freundlichen Brief! Es kommt jetzt vieles aus Deutschland, aber meist sind es in Schmeicheleien gewickelte Bitten um Pakete. Darin ist man übrigens in Wien noch zudringlicher, wohl aus Gründen. Aber man kann doch nicht alle Leute versorgen, was denken sie, es läuft zu sehr ins Geld.
Ihre Schilderung der deutschen Zustände stimmt mit allem überein, was man von weitem sieht und hört. Trübe, trübe. Und daß auch das Bessere so trübe, so unhell und unbefriedigend wirkt, ist deprimierend. Gewiß trifft »uns« ein gut Teil der Schuld, wenn die Position der Wohlgemeinten so schwach ist. Aber sie ist schwach von Natur und wird es bleiben – ich mag nicht hinzufügen »wie überall«, denn die Deutschen berufen sich zu gern auf das allgemeine Weltübel.
Sternbergers Aufsatz habe ich gelesen. Er hat mich gefreut. So, und noch feierlicher, wird jetzt manchmal über mich geschrieben. Komisch, immer bekam man Kröten zu schlucken, und ganz unvermittelt ist man zu einer Art von Merlin, altem Goethe und die Zeiten überschauenden Wundergreis geworden.
Der geflickte Wundergreis druckst und skribbelt wieder ganz fleißig an dem Faustus-Roman, der eine gar »unförmige Riesenschlange« wird. So nannte Brahms die Symphonien von Bruckner. Wir Genies verstehen alle garnichts von einander.
Gute Wünsche und Grüße!

Ihr Thomas Mann

An Hedwig Fischer

zum 8. September 1946

Liebe Frau Fischer!
Ihr 75. Geburtstag steht bevor, was für ein rührender Tag für uns alle! Ich muß mir beim Schreiben immer noch eine gewisse Einschränkung auferlegen, aber das lasse ich mir nicht nehmen, Ihnen zu Ihrem hohen Tage meine herzlichsten, freundschaftlich pietätsvollsten Glückwünsche darzubringen und Ihnen zu danken dafür, daß Sie durch all diese Jahre treu und standhaft mit uns ausgeharrt haben. Tun Sie's auch ferner! Sie gehören zum »Bilde«, das an Figuren und Farben ohnedies schon so viel eingebüßt hat. Viel denke

ich in diesen Tagen zurück an die Zeit – rund ein halbes Jahrhundert muß es wohl her sein – als ich zuerst Ihre und Ihres Mannes Bekanntschaft machte, und als der scheue, junge Debütant von Ihnen und Ihrem glänzenden Berliner Kreis so freundlich aufgenommen wurde. Ich denke an die Fasanenstraße, dann an das schöne Haus im Grunewald und ich überblicke damit Ihr Leben, wie es sich an der Seite eines Mannes, bei dessen Erfolgen Verdienst und Glück auf klassische Weise zusammenspielten, aus bescheidenen Anfängen zu reichen Ehren und allen Freuden, die die Kultur zu bieten hat, erhob. – Dann kam der Bergrutsch, »der Einbruch der Weltgeschichte«, das große Schlamassel, und wir alle, die es in einem vermögenden Kulturland zu etwas gebracht hatten, mußten viel aufgeben und auf anderem Boden mit anderen Mitteln uns wieder einzurichten suchen. Kein Grund zur Melancholie! Was wir gehabt haben, das haben wir gehabt. Das können freilich auch unsere nun gestürzten politischen Expropriatoren sagen, aber doch nicht mit Recht. Denn sie haben sich im Reichtum nur blöde gesielt, während wir ihn mit Anstand genossen haben und auch noch ohne ihn etwas sind. – Verbringen Sie Ihren Ehrentag recht heiter, vertrauensvoll und im Ganzen doch dankbar, im Kreis Ihrer blühenden Familie und seien Sie der treuen Anhänglichkeit versichert

Ihres Thomas Mann

An Agnes E. Meyer Pacific Palisades, California
14. IX. 46

Liebe Freundin,
gute, beste, unübertreffliche Nachricht brachte Ihr jüngster Brief! Auf bald also!
Florence war gestern zum Lunch bei uns, wohl aussehend, lachfreudig, offenbar guter Dinge. Auf Wunsch hatte sie ihren Apparat mitgebracht und machte im Garten eine Reihe von Aufnahmen. Mit frohem Staunen empfing ich von ihr die Kunde Ihres bevorstehenden Besuches, und mit etwas koketter Melancholie vermutete sie, daß Sie wohl eher meinet- als ihretwegen kämen, – was ich natürlich nur mit bitterem Gelächter beantworten konnte.
Viele Briefe aus Deutschland, lange, der Raumersparnis wegen sehr klein geschriebene Explikationen, Entschuldigungen und Liebeserklärungen.

Man wollte, daß ich Hersey's Hiroshima-Reportage ins Deutsche übersetzen sollte. Ich habe aber nicht das geringste Interesse daran, daß die Deutschen das lesen. Als ein Stück amerikanischen self-criticism ist es sehr gut, aber die Deutschen haben ohnedies Stoff genug zur Schadenfreude.
Auf Wiedersehn! Ihr T. M.

An Bruno Walter

Pacific Palisades
zum 15. September 1946

Lieber Freund,
es ist sehr ärgerlich. Soeben sind wir, nach einer strengen Prüfungszeit von vierunddreißig Jahren, übereingekommen, fortan Du zueinander zu sagen, und nun muß ich Dir einen Geburtstagsbrief schreiben, in dem die schöne Neuerung gar nicht zur Geltung kommt, da man ja in diesem verdammt übercivilisierten Englisch sogar seinen Hund mit »you« anredet. Sei es darum! Die kameradschaftlichen Gefühle, die ich Dir entgegenbringe, die festliche Herzlichkeit, mit der ich Dich auf der kürzlich auch von mir schon, nicht ohne verwundertes Kopfschütteln, beschrittenen Lebenshöhe, der Höhe der »Siebzig« begrüße, sie werden hoffentlich auch in der zwischen uns abgeschafften pluralischen Anredeform ihren Ausdruck finden – für uns und für alle, die irgendwie teilnehmen an unserem Dasein, irgendwann einmal davon berührt, beeindruckt wurden: Wenn man sie alle zusammenzählt, die von uns wissen, denen wir, jeder auf seine Art, etwas vorgespielt, etwas vorgelebt haben, so ist es nachgerade ja ein ganz ansehnlicher Ausschnitt der erdbewohnenden Menschheit.
Die größere Quote, versteht sich, kommt auf Dich. Das liegt, gesetzt, daß Du Deine Sache nicht einfach besser gemacht hast, als ich die meine, an der scheinbar allgemeineren Zugänglichkeit Deiner Kunst, der Musik, an ihrer scheinbaren Gutmütigkeit im Annehmen von »Genießen«, an ihrer gesellschaftlichen Festlichkeit und daran, daß auch bei ihren hohen Manifestationen an emotionellen, sinnlichen, sentimentalen, »erhebenden« Nebenwirkungen so viel für die Menge abfällt. Die Musik »läßt die Kindlein zu sich kommen«, – aber sehr nahe, unter uns gesagt, läßt sie sie nicht an sich heran. Sie ist im Grunde so exklusiv, so kühl und unnahbar wie irgendeine Kunst, wie das Geistige selbst, – streng in der Anmut

noch, formell noch im Scherz und von Schwermut durchtränkt wie alles Höhere auf dieser Erde. Wer war es, der gefragt hat: »Kennen Sie eine lustige Musik?« Ich glaube gar, es war Schubert, der »Heitere«, »Goldene«, dessen literarische Textwahl eine merkwürdige Vorliebe zeigt für die Sphäre einer rätselhaften und todbeschatteten Einsamkeit...

Alles, was ich sagen will, ist, daß es bestimmt kein Spaß ist, von der Musik erwählt, zum Musiker geboren zu sein. Aber eine herrliche Berufung und Auszeichnung ist es eben doch, glücklicher wahrscheinlich und mit froherem Staunen begrüßt von aller Welt, als jede andere spezifische und eminente Begabung. Gerade, lieber Freund, hast Du uns Deine Erinnerungen geschenkt, das Märchen Deines Lebens, – ein Märchen wahrhaftig, wie große und kleine Kinder es gerne hören, ein aus schlichtester Bürgerlichkeit entspringender und zu traumhaften Höhen des Welterfolges führender Lebenslauf – dank der Gabe, die eine Fee Dir mit ernstem Lächeln, – wer weiß, warum unter mehreren Geschwistern gerade Dir – in die Wiege legte, der Zaubergabe »Musik«.

Das Talent, – was für ein unergründliches und erheiterndes Geheimnis! Nicht ohne tiefes Amüsement kann ich in Deinem Buch das Bild des Zehnjährigen betrachten, wie er, ein schon öffentlich Auftretender, fein gekleidet, mit Fallkragen und weißer Schleife, ein Bein übers andere geschlagen, auf einem Tischchen sitzt, – sehr gerade, den Kopf hoch, intelligent, stolz, seines Sonderloses bewußt, mit einer Miene kecker und fester Weltbereitschaft. Das ist kein Lausbub, kein Durchschnittsjunge. Das ist ein von Begabung Gezeichneter und auf sie Verpflichteter, mit dem es bestimmt hoch hinausgehen wird, – der alte Radeke, Direktor des Berliner Stern-Conservatoriums, hat es gleich gesagt. Es ist so erquicklich und alles ganz, wie man es sich denkt und wie es im Buche steht: Die guten Eltern, betroffen von dem, was der Achtjährige schon anstellt, führen ihn zur Prüfung zu dem Musikgewaltigen, welcher die Leutchen in seinem prächtigen Arbeitszimmer mit Beethoven-Büste und Bechstein-Flügel empfängt. Nun, nun, sehen wir zu! Das absolute Gehör? Es erweist sich, bei kompliziertesten Versuchen, als unfehlbar. Der Kleine spielt unbekannte Stücke vom Blatt. Er darf, zum ersten Mal, auf einem richtigen Konzertflügel, wie er ihn nie gesehen, Stücke eigener Wahl, einen Satz Mozart, ein paar »Lieder ohne Worte« spielen. Hernach läßt man ihn ein wenig improvisieren. Dann schickt der alte Herr ihn hinaus, um mit den Eltern ein Wort zu reden, bei dem der Junge nicht gerade zugegen sein muß. Er sagt ihnen: »Hören Sie, das ist etwas ganz Außerordentliches! Der sorgfältigsten Ausbildung wert. An Ihrem Sprößling da ist jeder Zoll Musik!« Pädagogisch abgemildert bekamst Du es schließlich auch zu hören, als anfeuerndes Lob, als Mahnung zu strengstem Fleiß...

Fleiß – muß die Begabung, eine Besessenheit von Begabung, dazu ermahnt werden? Er ist ja eines mit ihr, sie treibt dazu, er ist das Mittel ihrer Erfüllung. Das Genie ist natürlich maniakalisch fleißig. Ich sehe Dich auf dem Schulweg die Synchronisierung regelmäßiger Achtel mit Achtel-Triolen exerzieren, indem Du bei jeden zwei Schritten laut und in vollkommen gleichem Rhythmus »Eins, zwei, drei« zählst, wobei »Eins« immer auf den linken Tritt fallen muß, – und dann, ebenso, »Eins, zwei«, bei drei Schritten, – und »Eins« muß abwechselnd gleichzeitig sein mit dem Aufsetzen des rechten, des linken Fußes. Die Leute werden sich gewundert haben. Es ist ein etwas besessenes Benehmen. Aber so macht man sich die korrekte Ausführung einer Triolen-Begleitung zu einfachen Noten zur mühelosen Gewohnheit. Und so kommt es später, daß Strawinsky, dessen »Concerto« Du, gewiß ein bißchen gegen Deine klassisch-romantischen Überzeugungen, in Paris mit ihm gespielt hattest, in seinen Memoiren schreibt: »Walter machte mir dank seiner ungewöhnlichen Geschicklichkeit meine Aufgabe besonders angenehm. Bei ihm werde ich niemals Furcht vor denjenigen Stellen haben, deren Rhythmus Gefahren für das Zusammenspiel bietet, und die für so viele Dirigenten ein Stein des Anstoßes sind.«

»Im Anfang war der Rhythmus«, hat Hans von Bülow gesagt. Ein Dirigentenwort, gewiß, aber ich vermute, es gilt für alle Kunst, und für die Dichtung, mit der ich nicht nur die Lyrik meine, gilt es gewiß. Schiller bekannte, daß der sternnebelhafte Urzustand eines Werkes ein musikalischer Zustand, ein rhythmisches Vorgefühl sei. Beim Schreiben, ich versichere Dich, ist der Gedanke sehr oft das bloße Produkt eines rhythmischen Bedürfnisses: um der Kadenz und nicht um seiner selbst willen – wenn auch scheinbar um seiner selbst willen – wird er eingesetzt. Ich bin überzeugt, daß die geheimste und stärkste Anziehungskraft einer Prosa in ihrem Rhythmus liegt, – dessen Gesetze so viel delikater sind, als die offenkundig metrischen. Und ich war außerordentlich geschmeichelt, als über

meinen ersten Roman ein Kritiker sagte, meine Vortragsart habe viel von der Aktivität eines – Dirigenten.
Als ich einmal dem metaphysischen Vorsatz Ausdruck gab, »das nächste Mal« Kapellmeister zu werden, gabst Du mir die elegante Antwort:
»Nun, ich bin recht froh, daß Du es nicht schon diesmal geworden bist.«
Wahr ist es: Einer von uns wäre dann wohl überflüssig gewesen. Zum Musiker geboren, hätte ich komponiert ungefähr wie César Franck und dirigiert – wie Du. Entschuldige, das habe ich bei früherer Gelegenheit schon einmal gesagt. Es liegt eine Menge Sympathie darin mit Deiner Art der Führung, dem Maß und Geschmack Deiner Gestik, Deines mimischen Eingehens auf die Musik, eine Menge Bewunderung Deiner Souveränität und Meisterschaft, um die ich Dich beneide, indem ich behaupte, daß ich sie haben *würde*... Ach ja, das, was man *nicht* kann, das ist die Kunst. Ein oder der andere Seufzer soll Dir entflohen sein, der verriet, daß auch Dir der gelegentliche Wunsch nicht fremd ist, zu tauschen; und unter den Meinen (nun, Du kennst und liebst sie ja) ist über uns beide das Wort aufgekommen, es sei doch selten, und hübsch zu sehen, daß zwei Greise einander so herzlich bewundern. Ich lache Tränen bei jeder Wiederholung des Satzes. Aber dann sage ich mir, daß zum Neide auf meiner Seite denn doch wohl mehr Anlaß ist und bin geneigt, Dich vor unvorsichtigen Wünschen zu warnen.
Ich kann Dir die Wiedergeburt zum Schriftsteller, den durch und durch prekären Lebenslauf eines solchen als Freund nicht empfehlen. Zu der Zeit, als der alte Radeke Dich staunend prüfte, spielte ich, mit meinen unschuldigen Schwestern, unseren Eltern und Tanten blödsinnige kleine Stücke vor, die ich verfaßt hatte, und von denen eines, wie ich mich nur zu gut erinnere, den Titel führte: »Mich könnt ihr nicht vergiften!« Ein alter Radeke, der mir daraufhin bescheinigt hätte, jeder Zoll an mir sei Poesie, hätte sich des ungeheuerlichsten Leichtsinns schuldig gemacht. Es war ja drollig, was ich mir einfallen ließ, aber Zukunftshoffnungen darauf zu gründen, ließ niemand, auch ich nicht, denke ich, sich in den Sinn kommen. Treibt Einer es dann weiter, wie ich, mit Gedichten und müßigen Schreibereien, (ein Hang, der mit einem Mangel an fröhlicher Derbheit, mit Übertriebenheiten des Gefühlslebens nahe zusammenhängt), so wird die Sache bedenklich und ist für die Näch-

sten fast nur eine Sorge. Mit fünfzehn Jahren war ich nichts, als ein schlechter Schüler. Um diese Zeit mußte mein Vater sterben, und in seinem Testament hatte er von mir gesagt, ich hätte ein weiches Herz und werde ihn beweinen. Das war alles, was er beim besten Willen von mir erwarten konnte. Zehn Jahre später, ausnehmend früh also, hatte ich dank einem spezifischen Fleiß, den ich dem Deinen vergleichen darf, und dank der Gabe zu bewundern und zu lernen, ein weltmögliches Buch geschrieben. Zehn Jahre – ich gebe zu, daß sie zwischenein schon dies und jenes ermutigende Vorzeichen gebracht hatten. Im Ganzen aber waren sie Jahre scheuer Verborgenheit, des melancholischen Alleinseins mit einem vagen und unbelegbaren Selbstbewußtsein gewesen.

Nein, Du hattest es besser, – nicht leichter, das sage ich nicht, aber besser. Wieviel erkennbarer, einleuchtender, manifester, glänzender, *willkommener* ist von vornherein das musikalische Talent, als das dichterische! Wieviel besser ist die Gesellschaft darauf eingerichtet, es zu empfangen und auszubilden! Man kann es prüfen und nachher schaut der phänomenale Prüfling drein wie Du auf dem Kinderbild. Staatliche Institute, Conservatorien, Singakademien, Opernhäuser stehen bereit, warten mit offenen Armen. »Was willst du werden?« – »Musiker.« Und jedes Gesicht wird heller. »Was willst du werden?« – »Dichter.« Aber das sagt man gar nicht.

Was ich so hoch an Dir schätze, alter Freund, ist, daß Du, bei der weltbeliebtesten Begabung, die der Himmel zu spenden hat, Dir nie an ihr genügen ließest, daß die hohe Unbestimmtheit des Reichs der Töne, in dem Du herrschtest, Dir nicht alles war, sondern daß Dich von früh an auch nach den Ehren und Freuden des artikulierten Geistes, des Gedankens, des Wortes, nach menschlicher Ganzheit, nach Bildung – scheuen wir doch nicht das altmodische Wort – verlangte. Das ist unter Musikern nicht gerade eine Selbstverständlichkeit, aber der größte, Beethoven, mahnte rührend zu solcher Verpflichtung, als er in einem Briefe schrieb: »Es gibt keine Abhandlung, die so bald zu gelehrt für mich wäre. Ohne auch im mindesten Anspruch auf eigentliche Gelehrsamkeit zu machen, habe ich mich doch bestrebt, von Kindheit an den Sinn der Besseren und Weisen jedes Zeitalters zu fassen. Schande für einen Künstler, der es nicht für Schuldigkeit hält, es hierin wenigstens so weit zu bringen.«

Die »Schuldigkeit« war Dir Liebe und Lust, ein natürliches Bedürfnis Deines wachen, lebendig nach allen Seiten strebenden Geistes.

Von Deiner weltliterarischen Umgetanheit gibt Dein Erinnerungsbuch Zeugnis, Dein Gespräch tut es noch mehr. Und es haben Dir gewiß so viel Schriftsteller, wie Musiker, freundschaftlich nahe gestanden. Einer davon war ich, und schreib' ich einmal meine Memoiren, – freudig, mit Stolz und Dank soll des glücklichen Lebensfaktums darin gedacht sein.
Für heute, mein Lieber, laß mich die Gefühle, die an Deinem hohen Tage mich, wie eine ganze empfängliche Welt, bewegen, in den Zuruf zusammenfassen, den im römischen Augusteo, als Du nach einigem Widerstreben, auf lärmendes Verlangen, *Siegfrieds Rheinfahrt* da capo zu spielen begannst, ein Enthusiast von der Galerie heruntersandte:

»Bravo, Bruno!«

Thomas Mann

An Karl Kerényi — Pacific Palisades, California den 15. IX. 46

Lieber Professor Kerényi,
wie sehr habe ich mich über Ihren Brief vom 1. August gefreut, und wie erkenntlich muß ich Ihnen sein für Ihren getreuen Versuch, mich gegen gewisse kleine Niederträchtigkeiten zu schützen, die man den Leuten vielleicht lieber mit freundlichem Lächeln hingehen lassen sollte. Die Tatsache, daß ich mich vor 30 Jahren zu romantisch-protestantisch-nationalistischen Gesinnungen bekannte und ein »geistiges« Deutschtum gegen den expressionistischen Pazifismus und Aktivismus von damals verteidigte, scheint für manche Schreiber nie an Reiz zu verlieren, es drängt sie immer wieder darauf hinzuweisen, und diese Besessenheit von meiner moralischen Biographie hat ja sogar etwas Schmeichelhaftes. Nur geht es freilich ein bißchen weit, meine Haltung von 1914–18 in Parallele zu stellen mit Jungs unheimlich pronazistischen Äußerungen von 1933 und diese mit jener zu entschuldigen. Wirklich, das gefällt mir nicht. Man konnte als ein wesentlich deutsch Erzogener, als Goethe- und Nietzsche-Schüler im vorigen Kriege wohl einige Ironie hegen gegen die jakobinisch-puritanische Tugendrhetorik der anderen Seite. Aber einen Teufelsdreck wie den deutschen National-Sozialismus *nicht* sofort als Teufelsdreck zu erkennen, sondern anfänglich ganz anderes, höchst Peinliches darüber zu sagen, das war, glaube ich, –

weniger verzeihlich, obgleich ich es entschieden langweilig finde, wenn man es dem großen Gelehrten immer wieder vorrückt.
Auf den reichen Gedankengehalt Ihres Briefes wünschte ich wohl besser eingehen zu können. Gestehen muß ich, daß ich für Goethe's Korrespondenz-Maxime, die Sie zitieren, immer viel heitere Sympathie und Beifall gehabt habe. Die meisten Briefe, die unsere Augen und Gedanken in Anspruch nehmen, erinnern doch an die Szene des Münchener Komikers Valentin, wie er als Schreinermeister Brandstädter hereinkommt und sagt: »Grüß Gott, Herr Kommerzienrat! Ich komme da in Sachen, wegen – *mir.*« Alle »bezwecken sie etwas für ihr Individuum«, und bis sich ein Briefschreiber findet, dem nur daran liegt, einem eine Freude zu machen, ein uneigennütziger, der einen nicht nur ausbeuten und vorspannen will, – das dauert lange. Ich will Goethe's Kühle nicht verteidigen. Ich verstehe sie allzu gut und habe selbst viel davon. Aber ich weiß, daß Goethe, wie all unsere Großen, wie Luther, Bismarck, Nietzsche, zwar eine ungeheuere Zierde des Deutschtums, aber, als prägende Macht, doch auch ein Verhängnis dafür war. In »Lotte in Weimar« habe ich mich bemüht, das in all seiner »apprehensiven« Komik zu fühlen zu geben.
Was ich über die Notwendigkeit eines religiös empfundenen Humanismus und der *Sammlung* in seinem Zeichen gesagt habe, kam mir von Herzen. Man sollte die Völker zusammenrufen gegen das, was ein blindwütiges Interesse der Menschheit anzutun im Begriffe ist. Wer hätte gedacht, daß nach diesem Kriege, der von allen Anständigen als ein Kampf für den Menschen und seine Freiheit gemeint war, alle politischen Dummheiten und Laster solche Orgien feiern würden! Ich werde nie einen Zweifel darüber lassen, wo ich stehe, aber ein Mann der Kongresse und Diskussionen bin ich nicht und glaube, daß die Akademie Ihres Traumes erst unter dem World Government möglich sein wird, das wohl noch lange ein Traum bleiben wird, – obgleich er gerade hierzulande von einer Gruppe braver Menschen auf sehr exakte Weise geträumt und zur Überführung in die Wirklichkeit ganz détailliert bereit gemacht wird. Das geschieht ausgerechnet in Chicago.
Das Buch von Dr. Maier habe ich natürlich zu lesen bekommen – und mich streckenweise auf Durchsicht beschränkt. Ich habe für solche Bemühtheiten ein »Warum nicht?« und ein Gewährenlassen. Daß aus einzelnen seiner Bemerkungen eine komische Ängstlich-

keit spricht, finde ich auch. Guter Gott! Wenn die Mutter mich zum Pathetiker und steilen Propheten geboren hätte – soviel Figur, wie George, hätte ich auch noch gemacht.

Herzlich

Ihr Thomas Mann

An Otto Basler

Pacific Palisades,
23. Sept. 1946

Lieber Herr Basler,

für Ihren prächtigen Brief vom 15. sage ich umso beeilter Dank, als ich heimlich fürchte, schon für einen früheren noch in Ihrer Schuld zu sein. Ich habe alles mit angenehmen Gefühlen gelesen. Denn ein angenehmer Korrespondent sind Sie nun einmal, ein braver, das Rechte mit Anstand sagender und vor allem ein uneigennütziger. [...]

Freud hatte seine limitations, aber die E. Ludwigs sind doch wohl enger gezogen, obgleich er ein Welt-Interviewer ist und mit Stalin gesprochen hat. Sein Buch über Freud kenne ich ebenso wenig wie das über Jesus Christ. Unter uns gesagt, habe ich den Verdacht, daß er Freud schlecht macht, *weil* ich mit Ehrerbietung von ihm gesprochen habe. Es gibt einen T.M.-Komplex, der mir schon manche verdrießliche Stunde bereitet hat. Ludwig hat ihn, weil ich gewagt habe, *nach seinem* Goethe-Buch »Lotte in Weimar« zu schreiben. Nun, das kann man verstehen. Warum aber Döblin – seit ganz kurzem erst – mich haßt und systematisch verfolgt, ist ganz unerfindlich. Es mutet rein krankhaft an. Ich habe ihm nie etwas zuleide getan, bin ihm nie in die Quer gekommen, bin ihm vielmehr immer mit der größten Artigkeit begegnet, schon im Gedenken an Bulwers Wort: »The fool flatters himself. The wise man flatters the fool.« Aber es hat nichts genützt, er möchte mich umbringen, denn nichts anderes bedeutet es ja, wenn er behauptet, ich *sei* tot. Was dahinter steckt, noch einmal, ich kann es nicht sagen. D. ist verbittert, weil er in diesem Lande ein seiner Gaben nicht würdiges, unbeachtetes und armes Leben geführt hat, – wobei er wahrscheinlich Glanz und Glori *meines* Lebens gallig überschätzte. Meine Erfolge hier haben sich immer in bescheidenen Grenzen gehalten – buchhändlerisch, meine ich –, und nie habe ich gescheffelt wie Feuchtwanger oder Werfel. Allerdings lernte ich englisch, wozu er zu stolz war, und hielt Vorträge im Rahmen meines Kampfes

gegen Hitler, den ich in Wahrheit tödlich gehaßt habe. Aber paßt darauf das Wort, »Wer haßt, ist tot«? Es ist reiner Unsinn, – ein ebensolcher, wie daß ich »nichts, garnichts weiß«. Er kann nur meinen: von Deutschland. Aber weiß ich weniger von Deutschland als er? Er hatte hier neulich in einem Magazin einen Artikel über das Deutschland von heute, den ich etwas unterhaltender geschrieben hätte, sonst aber ebenso hätte schreiben können. Was will er? Das weiß er nicht. Aber er will mir übel.
Wie kommt denn aber sein Brief in die Schweizer Presse? Der Frau [...] habe ich einen freundlichen Brief über ihren Frauen-Lager-Roman geschrieben, mit der Erlaubnis, Gebrauch davon zu machen. Nun scheint sie Feindseligkeiten gegen mich in die Zeitungen zu lancieren. »Menschen, Menschen, falsche, heuchlerische Krokodilbrut!« heißt es in den »Räubern«.
Wobei mir eine Geschichte einfällt, die wirklich nett zu erzählen ist. Der kleine Moritz wird in der Schule gefragt, wer die »Räuber« geschrieben hat. Er antwortet: »Herr Lehrer – ich nicht«. Dafür wird er bestraft. Es kommt dann aber der alte Moritz zum Lehrer und sagt: »Herr Lehrer, mein Moritzchen hat viele Fehler, aber er bleibt stets bei der Wahrheit. Wenn er sagt, er hat die »Räuber« nicht geschrieben, so *hat* er sie nicht geschrieben. Schließlich aber, Herr Lehrer: *wenn* er nun wirklich die »Räuber« geschrieben hätte, – es ist doch nur ä Kind!«
Herzlich

Ihr Thomas Mann

An Viktor Mann

Pacific Palisades, California
den 4. X. 46

Lieber Vikko,
Dein guter Brief vom 7. August ist schon seit einigen Tagen in unseren Händen und hat uns viel Freude gemacht. Es ist nur vernünftig, daß Du euere Wünsche und Bedürfnisse in puncto Ernährungszulage genau präzisierst. Katja wird ihr Bestes tun, Deinen Angaben zu folgen. Wir wollen nur hoffen, daß immer ankommt bei euch, was sie so treu verpackt. »Manches geht in Nacht verloren«, heißt es bei Eichendorff-Schumann.
Wenn irgend jemand etwas aus »Lotte i. W.« abdrucken will, verfällt er mit Sicherheit auf die Passage, die Dir Sorge macht, – ein Zeichen, daß die Leute sich an dem unverschämten Anachronismus

auch noch gaudieren, den ich mir da geleistet habe. Natürlich kann man die Anspielung auf den hochseligen Adolf nicht anders nennen. Heute könnte ich sie mir schon verkneifen, aber damals war er noch nicht hochselig, und so konnt' ich es nicht. Meine Reue darüber ist milde. Im Grunde halte ich es nicht für ganz unsinnig und unmöglich, daß Goethes Gedanken, da sie schon bei den Deutschen sind, sich so ins Vorwegnehmende, noch nicht zu Rechtfertigende steigern. Es gibt so merkwürdige Beispiele! Schlage einmal in Kellers Werken das Gedicht »Die öffentlichen Verleumder« auf! Es ist ganz unglaublich. Der Anlaß zu der frenetischen Schilderung dieser Pest war ganz geringfügig, irgend ein kleiner Revolverjournalist in Zürich, wie man mir sagt. Aber in welche prophetische Schreckensbilder verirrt sich die durch das bißchen Wirklichkeit gereizte Phantasie! Es ist ja die Vorwegnahme des Nationalsozialismus, bis in die Schlußwendung hinein, daß man einst davon reden werde »wie von dem Schwarzen Tod«. So etwas kommt vor.

Aber viel komische Verwirrung habe ich angericht. Vielleicht hast Du die Geschichte gehört, daß der britische Prosecutor in Nürnberg Goethe über die Deutschen zitiert hat, vermeintlich authentisch, in Wirklichkeit aber nach »Lotte in Weimar«. Die wachsame englische Presse hat laut geschrieen, das sei ja garnicht von Goethe, sondern aus meinem Roman, und die Botschaft in Washington fragte ganz betreten bei mir an, wie das sich nun verhalte. Ich habe geantwortet, ich verbürgte mich dafür, daß Goethe alles, was er bei mir denkt und sagt, ganz gut wirklich hätte denken und sagen können, und in einem höheren Sinn habe der Prosecutor also doch richtig zitiert. Ich weiß nicht recht, ob das Lord Inverchapel und den Foreign Secretary, in dessen Auftrag er schrieb, getröstet hat. Es bleibt ein peinliches Vorkommnis. –

Gegenwärtig sind Bibi und Gret mit ihren netten Buben bei uns zu Besuch. Auch Eri ist noch da, aber ihre lectures haben schon, sehr erfolgreich, begonnen, und bald wird sie ganz entschwinden. Dafür steht Golo in Aussicht [...] Ferner erwarten wir aus Japan Katja's Zwilling, den alten Klaus und seinen Sohn. – Ich lasse Platz für einen Gruß von Erika.

Herzlich T.

Ich rauche ungeniert. Meine Lunge ist ja eigentlich kerngesund.

An Erika Mann Pacific Palisades, California
den 26. Okt. 46

Liebes Erikind,
gerade hat die unselige Ines den armen Rudi in der Trambahn totgeschossen, womit der vorletzte Teil unseres schlank gekürzten Büchleins abgeschlossen ist. Ein paar Tage tu ich nun nichts als Briefe schreiben, und davon sollst Du doch profitieren, treues Kind, in Deiner turbulenten Einsamkeit. Du fehlst uns sehr, das wisse! Es ist ein guter, belebender Geist im Hause, mehr vigor, wenn Du da bist. Aber wie die Zeit dahinfliegt (jeden Abend ist man abgekämpft, aber sie fliegt), wirst Du ja »bald« wieder da sein, – obgleich ich an Weihnachten nicht recht glauben kann. Genug, daß Du im Frühjahr kommst, wenn ich mit Adri fertig bin und den Nietzsche-Vortrag mache. Mit dem reisen wir dann im Mai nach Osten, vielleicht sogar nach dem fernen Osten, wozu ich allerdings nur in Deiner Gesellschaft knappen Mut fassen könnte, trotz Hohenberg, der wieder schreibt, das Leben dort sei völlig normal und komfortabel.
Gestern war Abschied von den San Francisco-Leutchen. Die Eltern waren ja fast die ganze Zeit in Mexico und haben uns die Bübchen gelassen. Sie haben mich so manchesmal gestört, mit Uhr, Weltkugel, Elephantenzahn und Music box, wenn ich ruhig sitzen wollte, aber nun ist mir doch ganz weh, daß sie weg sind, und mit Segensküssen habe ich sie entlassen.
Die Beilagen sind nicht gerade wichtig. Daß man heute, Goethen citierend, nur noch »L.i.W.« citiert, ist kein gesunder Zustand. Ich habe den »German American« auf seinen Irrtum aufmerksam gemacht, wie es von dem Herrn mit der Hummer-Mayonnaise heißt. – Und was für ein verschüttet Gäßchen in Dresden es wohl sein mag, das nach mir benannt ist. Pieck-fein wird es schon nicht sein.
Aus dem Osten sind gegenwärtig Alfred Knopf und Henry Wallace hier. Mit jenem hatten wir schon dinner bei Eddi's, wo er viel von dem pocket money sprach, das er der Lowe-Porter gegeben, 2400 Dollars genau. »Since she took the money, Tommy, I am sure, she will do her best.« – Henry hat hier *kolossalen* Zulauf. Hulle und Herzog wollten das Mass-Meeting besuchen, aber es war ganz aussichtslos: 11 000 drin und 5000 draußen. Wir wollten ihn wenigstens bei der »Privat« cocktail Party begrüßen, die bei Ciro, Sunset Blvd., stattfand, gaben aber auf, da wir nie herangekommen und noch we-

niger wieder weggekommen wären. Sachlich ist das ja sehr erfreulich. Am Ende steht es garnicht so schlimm um die Democrats.
Lebe recht wohl, liebes Kind, und mache überall der amazing family Ehre! In Washington solltest Du einmal sprechen,
[Briefschluß fehlt]

An Frederick Rosenthal

Pacific Palisades, California
1550 San Remo Drive
28. Okt. 1946

Lieber Herr Dr. Rosenthal,
ich möchte Sie um eine medizinische Information bitten, die Ihnen hoffentlich nicht zuviel Mühe machen wird. Was ich brauche, sind einige charakteristische Einzelheiten über den (letalen) Verlauf der Meningitis (am besten wohl der Zerebrospinal-Meningitis) bei einem 5 oder 6jährigen Kinde. Wie sehen sich die Anfangs- und die späteren Symptome an? Worin besteht die Behandlung? Welches ist das Antitoxin? Kann eine notwendige Gehirn-Punktation an Ort und Stelle vorgenommen werden, da das Kind auf dem Lande lebt? Es wäre wünschenswert, daß der Transport in die Stadt und die Klinik (auch zum Zweck der Isolierung) wegen des raschen Verlaufs der Krankheit nicht möglich ist. Wie lang pflegt die Krankheitsdauer zu sein? Ist Fieber dabei? Muß das Kind sehr leiden? Tritt bald Bewußtlosigkeit ein? Die Verhältnisse sind so, daß die Behandlung, zunächst wenigstens, in den Händen eines einfachen Landarztes liegt.
Ich wäre Ihnen sehr dankbar für einige Angaben.
Ihr ergebener

Thomas Mann

An Frederick Rosenthal

Pacific Palisades, California
1550 San Remo Drive
5. Nov. 1946

Lieber Dr. Rosenthal,
recht herzlichen Dank! Das ist alles, was ich brauche, – mehr sogar. Aber man kann nie zuviel wissen, auch wenn dann manches nur, wie Fontane sagte, »hinter der Szene spukt«. Sie haben sich rührende Mühe gemacht!
Mir geht es recht gut. Mit meinem Hautleiden, von dem ich noch

absurde Qualen auszustehen hatte, bin ich schließlich bei einer russisch-jüdischen Ärztin namens Segetz gelandet, – es war wirklich eine Landung nach dem Sturm, die weise Frau hat mich im Lauf von 5 Besuchen völlig kuriert, nachdem Stout mit seinen X rays nichts als Schaden angerichtet und noch ein gewisser Philipps völlig versagt hatte. Ich nehme an, daß Sie mich auch noch an die Segetz verwiesen hätten. Jedenfalls sagte mir Willy Speyer, ein anderer Erlöster, daß er sie durch Sie kenne. In diesem besonderen und *sehr heiklen* Fall ist sie tatsächlich die Einzige, who knows how.
Ich habe dasselbe, nur viel schwächer, schon einmal vor Jahren nach längerer Bettlägerigkeit mit Gesichtsrose gehabt. Diesmal war es offenbar eine Nachkrankheit nach der Lungengeschichte. Selbst bei schwerster Ischias habe ich nicht solche Nächte gehabt, und nun ist es wie weggezaubert. Schicken Sie jeden solchen Patienten zur Segetz!
Bestens, nochmals dankend

Ihr Thomas Mann

An Rudolf Kayser

Pacific Palisades, California
den 8. Nov. 1946

Lieber Dr. Kayser,
mit Rührung beende ich eben die Lektüre Ihres »Spinoza« und danke Ihnen für die guten, erhöhten Stunden, die ich damit verbrachte. Aufrichtig bewundere ich das Werk, das von Liebe eingegeben, von reichem Wissen gespeist und mit großer literarischer Kunst aufgebaut ist. Welche philosophische Schulung und welch historisches Talent gehörte dazu, dies verehrungswürdige Leben in der Atmosphäre seines Jahrhunderts so klar und wahr uns Heutigen, unsere unmittelbare Anteilnahme gewinnend, zur Anschauung zu bringen! Nie zuvor ist mir die ergreifende Gestalt dieses bis heute einflußreichen Denkers und wahren Gottsuchers so nahe gekommen. Sie haben das Erdenwallen eines Heiligen geschildert, eines Geistes, wie ihn reiner und inniger dem Guten zugewandt die Menschheit kaum hervorgebracht hat. Es geht wahrhaftig eine Art von kathartischer Wirkung aus von dieser Lebensbeschreibung, – man fühlt sich reiner, frommer, besser, wenn man sie beendet hat, – sehnsüchtiger zum mindesten, in der Güte und in der Wahrheit zu leben. Ich glaube, daß viele Leser diese Erfahrung mit mir teilen werden. Und wie nötig hat die arme, moralisch tödlich gefährdete Menschheit von heute solch Stimulans zum Guten!

Soviel zum Dank. Zu einer öffentlichen Besprechung des Buches, wie Sie sie mir zutrauen, »reicht« es bei mir in *keinem* Sinn. Was braucht denn auch eine Novität, die ein Vorwort von Einstein hat, eine Anzeige von mir!
Herzliche Wünsche und Grüße! Ihr Thomas Mann

An Agnes E. Meyer Pacific Palisades, 1. Dez. 46

Liebe, verehrte Freundin,
wie froh war ich, zu sehen, daß Sie sich wenigstens für einige Tage aus dem Staube gemacht hatten und ausruhten, wo es gut und friedlich ist! Ich fürchte, Sie hatten es bunt getrieben in letzter Zeit und sind auch schon wieder dabei, es so zu treiben, – aber kann man Sie schelten wegen Ihres Opferwillens? Wer mag und kann es sich bequem machen heutzutage? Irgendwie verzehren wir uns alle und haben, ob wir wollen oder nicht, schmerzhaft teil an der Geburt einer neuen Welt. Wenn meine Natur nicht eine so sonderbare Mischung aus Erregbarkeit und Phlegma wäre, – wo wäre ich! Man hat ja allerlei durchgemacht, hat gehaßt und verzweifelt und gekämpft und dabei noch Lieder gesungen. Sie haben nicht unrecht, mich für ziemlich abgebrüht zu halten. Vor »Dämonen« habe ich das Fürchten verlernt. Das sind unglückliche, ungesegnete Wesen, mit denen es bald ein schlechtes Ende nimmt. Was will dieser Lewis in seinem dicken Schädel? Will er es zu einem show-down treiben, das ihn zum Diktator macht? Er wird unter die Räder kommen. Aber was Sie von der Widerstandsfähigkeit dieses Büffels gegen den Haß sagen, macht mir einen gewissen Eindruck. Wenn ich denke, wie mir vor jedem Haß schaudert, den ich (ohne jede Absicht, durch meine pure Existenz) errege, so kommt mich etwas wie Bewunderung für ihn an. Nerven muß er haben wie Telegraphendrähte.
Amerika als Ganzes ist nicht in der glücklichsten Verfassung – moralisch geschädigt durch einen Krieg, der eine Notwendigkeit war, aber böse und schädlich eben doch einfach als Krieg. Das sind die Antinomien dieses Jammertals. Nun haben wir hier viel Verfinsterung der Gemüter, rohe Habgier, politische Reaktion, Rassenhaß und alle Merkmale geistiger Depression, – worüber man aber das reichliche Vorkommen von gutem Willen und gesunder Ver-

nunft nicht vergessen darf, dessen das Land sich immer noch erfreut. Als Deutscher neigt man natürlich zum Pessimismus und fürchtet zuweilen, das ganze Elend, etwas modifiziert, noch einmal erleben zu müssen, – wovon es kein Emigrieren mehr gäbe, – denn wohin? Aber die geschichtlichen, geistigen und materiellen Bedingungen sind doch ganz anders und weit günstiger hier. Amerika wird schon durchkommen. Wenn aber der Fascismus kommt, so kann ich ja geltend machen, daß ich einmal mit Ihnen Senator Tafts Tischgast gewesen bin. Dann entgehe ich vielleicht dem Konzentrationslager.
Wir haben das Haus voll von Familie. Der Zwillingsbruder Katja's ist mit seinem jungen Sohn aus Tokio gekommen, und seit heute Morgen sind nun auch Golo und Moni da. Der Civil-Oberstleutnant ist des falschen Herrendaseins in Deutschland, eines verwöhnenden und geistig herunterbringenden Daseins, wie er sagt, endgültig müde und wird nicht dorthin zurückkehren. Er schwankt zwischen einer Professur (für die er, glaube ich, geboren ist) und einem finanziell vorteilhafteren educational job, den das State Department ihm anbietet. Einige Wochen werden wir ihn jedenfalls bei uns haben, was mich freut. Es tut ihm sehr leid, Sie verfehlt zu haben, und angelegentlichst erwidert er Ihre Grüße.
Die Hausgäste, die wieder Gäste herbeiziehen, sind etwas zerstreuend, aber ich mache alle Anstrengungen, mit dem Roman zu Rande zu kommen und denke, bis zum Februar werde ich es geschafft haben. Mrs. Lowe hat schon einige 720 Manuskript-Seiten und ist an der Arbeit. Auch hat der Druck der deutschen Ausgabe schon begonnen – in der Schweiz diesmal, und ich erwarte die ersten Korrekturen. Das ist das erste Mal seit Langem, daß ich den Druck eines Buches wieder selbst überwachen kann. Auch hoffe ich, daß der »Faustus« zu einer Zeit erscheinen wird, wenn meine Bücher wieder Eingang in Deutschland haben. Es dauert über Erwarten lange damit!
Hatte ich Ihnen von meiner Conrad-Lektüre berichtet? Sonst wäre es ein merkwürdiges Zusammentreffen, daß Sie ihn gerade lesen. Mich hat er außerordentlich gefesselt, mit »Victory« besonders, dem »Nigger vom Narcissus« und vor allem mit »Nostromo«, worin süd-amerikanisches Korruptheitsleben aufs großartigste lebendig gemacht ist. Er ist ein Erzähler, der zuviel äußeres Leben aufgenommen hat, um sehr innerlich zu sein. Aber er ist ein Mann und sehr oft ein wahrer Dichter.

Und was für ein Dichter ist Blake! Ihr Citat – berühmt übrigens! – beweist es am besten. Ich habe ihm meine Huldigung dargebracht, indem ich Adrian Leverkühn mehrere Seltsamkeiten von ihm habe komponieren lassen, z.B. »Silent, silent Night«. – Gerade hat ein amerikanischer Freund, Dr. Angell von Pomona-College, mir »The Portable Blake«, eine gute, von Alfred Kazin besorgte Ausgabe geschenkt.
Nun, das ist ein langer Sonntagsbrief geworden. Seien Sie gegrüßt – und more power to you! Ich denke oft, wenn die Welt von einigen verständigen Frauen regiert würde, wäre sie besser daran.

Ihr T. M.

An Erika Mann Pacific Palisades, California
11. Dez. 46

Liebes Erikind,
Deinen l. Brief haben wir recht sehr genossen. Was nun Deinen Weihnachtsbesuch betrifft, ach, so muß ich verständigerweise sagen: unterlaß ihn lieber! Ich habe mich bei Deinem Scheiden von vornherein erst auf März oder selbst April eingerichtet, und wie die Dinge jetzt liegen, und wie vorauszusehen war, daß sie sich lagern würden, bin ich dafür, daß wir es dabei lassen. Es wäre ja auch kaum Platz für Dich zu schaffen, wo Gölchen und Mönchen da sind, und das Schwägerle nebst seinem Sprossen. Nun könnte man ja gerade wünschen, daß Du kömmst, um die Suppe zu salzen, aber, von der Platzfrage ganz abgesehen, finde ich, es wäre einfach schade drum, und Du bleibst besser außen, bis sich die Szene geändert hat. Es würde sich für Dich die weite Reise ja auch kaum lohnen.
Des Büchleins halber und von wegen seiner supervision wär Deine Anwesenheit freilich wichtig und gut, sonst ganz zu schweigen. Ich bin Dir sehr dankbar für Dein Anerbieten, da auch in der Entfernung nach dem Rechten zu sehen und der Pedanterie zu wehren. Die späteren Kapitel, einschließlich Rudi's Tod, sind z.T. noch in Abschrift, aber ich bekomme das Fehlende bald und korrigiere schon unterdessen das andere. Gern würde ich Dir freilich auch die eben beendeten Abschnitte über Nepomuk Schneidewein und wie er »genommen« wird, mitschicken. Aber bis das abgeschrieben und korrigiert ist, vergeht wohl zu viel Zeit. Wieviel Zeit hast Du denn überhaupt? Wie lange bleibst Du in New York?

Lebe wohl und hab' Danch! Ich bin sehr dafür, daß Du dem scheffelnden Colston seinen Dreck hinwirfst, wenn er Dich nicht besser bezahlt. – A propos, Agenten. Der in Brüssel hat wieder geschrieben und schildert, wie seine Geschäftsfreunde in Skandinavien, Holland, London, Paris, der Schweiz, schlechthin hysterisch werden, wenn er die Möglichkeit meines Kommens blicken läßt. Er schwört, für jede Bequemlichkeit werde gesorgt sein, jede Überbeanspruchung vermieden werden, und eine schöne Erholungszeit in der Schweiz könne sich anschließen. Mir scheint, Mielein, der hiesigen Tretmühle müde, hat *Lust* zu der Sache, besonders da ich so dick bin. Das Problem bliebe D.. Ich glaube, Vikkoffs müßten in die Schweiz kommen.

Dein Z.

An Elisabeth Mann-Borgese

Pacific Palisades, California
1550 San Remo Drive
14. Dez. 46

Gutes Medikind,
der bescheidenste Punkt Deines Wunschzettels, nämlich ein Weihnachtsbriefchen von Signorpapale zu haben, soll doch gleich von Herzen erfüllt sein. Freilich bist Du ja über alle Vorgänge dahier, das lustige Gedränge im Hause etc. aufs beste unterricht, und so – was soll ich erzählen? Aber alle meine guten Wünsche will ich euch senden, Dir, unserem großartigen Antonio und den lieben und interessanten Kleinen, für einen heiteren Lichterabend und ein gutes neues Jahr, das noch recht neu sein möge, bis wir uns wiedersehen! Ich war nicht wenig beeindruckt von Deiner Mitteilung über das Genfer Treffen, zu dem Antonio selbstverständlich der einzig mögliche Abgeordnete wäre. Auch bei uns sieht es ja mehr und mehr so aus, alsob wir hinüber gehen werden. Das Problem bliebe Deutschland. Obgleich es jetzt dort guter Ton zu sein scheint, anständig von mir zu sprechen, graule ich mich davor und glaube, Onkel Vikkoff lassen wir lieber nach Zürich kommen.
Im Grunde denke ich nicht über die Beendigung des Romans hinaus, mit der es nun aber wirklich nicht lange mehr anstehen kann – ich rechne Februar oder so. Viel länger *darf* das Ding ja garnicht mehr werden, denn ich habe bereits das 809. Manuskript-Blatt numeriert, und ohnehin kommen schon alle Leute darin vor, z.T. mit Namensnennung, wie Reiffs in Zürich. Ganz einfach. Reisi

ist von seiner Unterbringung benachrichtigt. Bermann findet, er könne sich nur freuen, aber das »nur« wenigstens ist wohl ein Wort zuviel. Er ist aber zur Erheiterung dringend nötig, denn das Ganze ist recht traurig und wird gegen den Schluß immer trauriger – wie denn auch nicht. Gestern Abend habe ich Mielein, dem Schwägerle, seinem Söhnchen und Golo zwei Kapitel vorgelesen, wie der reizende Nepomuk Schneidewein, eine Art Ariel, nach Pfeiffering kommt und dort an der Meningitis stirbt, weil ja Adrian nichts erlaubt ist. Der Kleine, ein elfenhaft idealisierter Frido, ist gewiß das Schönste im ganzen Buch, und dann holt ihn der Teufel. Wir waren alle garnicht weit von Tränen.
Nicht weit von Tränen war ich auch, als heute Dein liebes, wohlgedachtes Geschenk, das Schumann-Album eintraf – und denke Dir, jede einzelne Platte ist zerbrochen! Welch ein Jammer! Ich habe meinen Dank für die schöne Gabe nur so lange verzögert, weil ich die betrübliche Nachricht damit verbinden muß. Das Album war ohne Holzwolle, nur zwischen Pappdeckeln, verpackt, aber es muß außerdem aufs brutalste damit herumgeschmissen worden sein. Die Frage ist nun: Ist das Geschäft für die Verpackung verantwortlich? Man muß sie unzureichend nennen, denn ich habe sonst Platten immer in Holzwolle gebettet zugeschickt bekommen und finde, die Firma müßte Ersatz leisten. Nur ist uns die Sache nicht ganz klar: es scheint auch Deine Handschrift auf der Schachtel zu sein. Warst Du an der Beförderung beteiligt? – Wie gesagt, habe ich den Eindruck, daß man besonders roh mit der Sendung umgegangen ist, gerade weil sie als fragile gekennzeichnet war. Die Menschen sind so boshaft jetzt. –
Drei Personen sind zu dick geworden hier: Niko, Golo und ich. Niko von der Freßsucht, Golo wohl von der blähenden Army-Kost und ich von der Operation. 20 Pfund Zunahme seit wir schieden! Und alle Hosen zu eng! Aber man soll später wieder etwas abnehmen.
Den Artikel für die Students of F.W.G. hatte ich eigentlich Henry Wallace für seine New Republic angeboten, habe ihn aber zurückgezogen, weil er mir bald nicht mehr gefiel. Er sagt zu wenig auf der einen und zu viel auf der anderen Seite. Höchstens als Gelegenheits-message mag er im Augenblick das Richtige gewesen sein.
Noch einmal ein schönes Weihnachten!

H. P.

An Anna Jacobson

Pacific Palisades, California
den 15. Dez. 1946

Liebes Fräulein Jacobson,
mit vielem Dank schicke ich Ihnen heute das kleine Buch von Bauer zurück, das Sie so freundlich waren, mir zu leihen. Ich habe es unterdessen aus Deutschland selbst noch einmal zugesandt bekommen und besitze es gern, weil es intelligent und mit Gutwilligkeit von meinem Leben und Streben spricht. Es scheint jetzt zu Hause doch wieder mehr oder weniger guter Ton geworden zu sein, anständig von mir zu reden – mit Ausnahmen natürlich, aber gewisse Kollegen wird man nie mit seinem Dasein versöhnen. Sonderbar! Sind sie mit sich selbst und ihrem Werk so zufrieden und so beruhigt darüber, daß sie Lust haben, auf andere zu schimpfen? Ich kann mich da garnicht hineinversetzen.
Von Hesse, dem Gekrönten, hatte ich einen ganz vergnügten Brief. Bei aller Hypochondrie und Weltflucht haben ihm die Ehrungen der letzten Zeit doch wohlgetan. Er findet, er kann zufrieden sein: der Goethepreis, der Nobelpreis *und* sein schlimmster Feind, nämlich Rosenberg, zu Nürnberg *gehängt!* Klingt beinahe alttestamentarisch. Aber die Herren in Stockholm sind wirklich zu loben, daß sie meinen 10 Jahre alten Vorschlag endlich angenommen haben.
Nun wünsche ich Ihnen ein heiteres Weihnachten und ein gutes neues Jahr! Gute Gesundheit und eine gesegnete Tätigkeit!
Ich kämpfe den Endkampf um meinen Roman. Länger als 30–40 Tage ins nächste Jahr hinein kann es nicht mehr dauern.
Ihr ergebener

Thomas Mann

An Hans Pollak

Pacific Palisades, California
1550 San Remo Drive
29. Dezember 1946

Sehr geehrter Herr Dr. Pollak!
Sie hatten die Freundlichkeit, mir die Schulausgabe meiner Skizze »Das Wunderkind« nebst Commentary und das Heft »The Australian Quarterly« mit Ihrem Aufsatz »How Shall the Teacher of German Present Germany?« zukommen zu lassen. Ich danke Ihnen bestens für diese interessante Sendung. Besonders hat mich der Artikel im Australian Quarterly gefesselt, worin Sie mit gebührender Vorsicht die Verantwortlichkeit des deutschen Geistes für die

tragische Entwicklung berühren, die es mit Deutschland genommen hat. Ich begreife vollkommen, daß Sie als Lehrer einen scharfen Trennungsstrich ziehen zwischen den auf hoher Ebene vollzogenen Kundgebungen des deutschen Gedankens und jener Wirklichkeit, die heute die Welt in so tiefen Zweifel an der Gesundheit und Lebensgerechtheit des deutschen Gedankens überhaupt gestürzt hat. Als Lehrer, wie gesagt, haben Sie recht, zu erklären, daß »certainly no writer of the past bears the responsibility for the fact that the Junkers and industrialists put Hitler into power« und daß man nicht Hegel oder Nietzsche für moderne Demagogie verantwortlich machen kann.
Dennoch habe ich ein zweifelndes Hm an den Rand geschrieben. Heißt es nicht, den Geist herabsetzen und verharmlosen, wenn man ihn von aller Verantwortung für seine Konsequenzen, seine Verwirklichungen freispricht? Daß Hegel, Schopenhauer, Nietzsche dazu beigetragen haben, den deutschen Geist und sein Verhältnis zum Leben und zur Welt zu formen, ist so unbestreitbar wie die Tatsache, daß Martin Luther etwas mit dem Dreißigjährigen Kriege zu tun hat, dessen Schrecken er im Voraus ausdrücklich »auf seinen Hals« nahm. Die Schuld des Geistes zu verneinen, scheint mir seine Verkleinerung zu bedeuten, und wir Deutsche haben heute allen Grund, von der Problematik des deutschen Gedankens und des deutschen großen Mannes ergriffen zu sein und darüber zu grübeln.
Aber noch einmal: was sollten Sie als Lehrer mit solchen im Grunde fruchtlosen Grübeleien anfangen? Sie haben recht, sich, wenigstens solange Sie sprechen und unterrichten, davon freizumachen und Ihre Schüler auf das Große und Gute hinzuweisen, das diese gewaltige und oft zur Katastrophe drängende Problematik eben doch enthält.
Mit wiederholtem Dank und den besten Wünschen für Ihr persönliches Wohlergehen,

Ihr ergebener

Thomas Mann

An Emil Preetorius

Pacific Palisades, California
1550 San Remo Drive
30. Dez. 46

Lieber Pree,
ich mag das Jahr nicht *ganz* zu Ende gehen lassen, ohne Ihnen doch wieder einmal ein Wort freundlichen Gedenkens zu schreiben,

wenn es Sie auch erst lange nach Beginn des 1947 p. Chr. n. erreichen wird. Mein langes Schweigen wollen Sie mir nicht verübeln: Es ging mit der Wiederherstellung nach jener Operation doch nicht so ganz rasch, viel Müdigkeit, z. Z. habituell durch niedrigen Blutdruck, der durch das hiesige Klima noch herabgesetzt wird, blieb zurück, und oft ist es nach geleistetem Vormittagspensum nichts mehr mit irgendwie persönlicher Korrespondenz, – man »hat für heute genug«. Ich setze, wissen Sie, alles daran, das Roman-Monstrum fertig zu machen, das mich schon 2½ Jahre beschäftigt, diesen D. Faustum, der, weil eben zuviel von Zeit und Kunst und Leid der Zeit und Not der Kunst hineinwollte, solche Dimensionen angenommen hat. Es soll mir aber nicht wieder passieren. Nie wieder Roman, ich bin entschlossen. In den Jahren, die mir noch bleiben, will ich gewißlich nur noch kurze, rasch abzutuende Dinge machen: Aufsätze, Memoirenhaftes, eine short story einmal, – ich denke es mir ganz nett und unbeschwert, das Leben eines Atlas zu führen ist eigentlich schon jetzt nichts mehr für mich. Buddenbrooks, der Zauberberg, die Josephsgeschichten mit eingelegtem Goethe-Götterspiel und nun dies – für ein Leben ist das an Hochbauten genug und für das meine überraschend viel. Ich habe Geduld gehabt, – die Schopenhauer heroisch nannte. Der Gute, er fand schon sein Ein-und-alles, immer Festgehaltenes heroisch. Der Arme, viel Gutes hat er mit seinem Lebensliede der Menschheit nicht getan. Von da ging es zu Nietzsche hinauf ins Eis und dann unglaublich schnell, unglaublich tief hinunter.

Eben imaginiere und komponiere ich für meinen Musiker die »Symphonische Kantate«, mit der er vom geistigen Leben Abschied nimmt, »D. Fausti Weheklag« (nach dem Volksbuch), ein Lied an die Trauer, da die »Freude« der Neunten Symphonie offenbar nicht sein soll und ihre Verkündigung zurückgenommen werden muß. Es ist ein expressivstes Werk, denn der erste und eigentliche Ausdruck ist Klage, und sobald die Musik sich zum Ausdruck emanzipiert, am Beginn ihrer modernen Geschichte, wird sie zum Lamento und zum »Lasciatemi morir«. – Nun, die Klage ist ja ein recht zeitgemäßer Ausdrucksgehalt, und auch *Ihr* »Unbehagen an der Kultur« geht wahrscheinlich weit über die materiellen Unzuträglichkeiten und Entbehrungen hinaus, die, so suche ich mir wenigstens vorzumachen, in Ihrer oberbayerischen Ländlichkeit nicht *ganz* so schlimm sein mögen, wie anderwärts in deutschen

Landen – – Schrecklich, schrecklich! Bei Erzählungen, wie Europa-Reisende, Dieterle's jetzt zum Beispiel, sie liefern, wird mir weh und bange. Wie könnte aus solchem Leben etwas anderes kommen, als Verzweiflung am Leben? –
Merkwürdig! Da ich mit diesen Zeilen genau so weit gekommen bin, erreicht mich Ihr Brief vom vorigen Monat. Ein melancholischer Brief. Was soll ich weiter dazu sagen? Daß ihr Deutschen lieber fidele und vertrauensvolle Briefe schreiben solltet? Das wäre etwas viel verlangt. Was Ihnen da zu Ohren gekommen, war nichts Neues, nichts von Heute. Sie hatten es gelesen in dem Brief an Molo, an einer viel beanstandeten Stelle, wo ich von den unheimlichen Gefühlen sprach, mit denen ich Produkte des Dritten Reiches entgegennähme. Wir draußen und ihr drinnen, wir haben beide eine wohl etwas krankhafte Sensitivität in Dingen dieses Dritten Reiches. Genug! Ich will nur feststellen, daß ich diesen Neujahrsgruß gestern spontan zu schreiben begann, und daß erst heute Ihr Brief kam.
Freundschaftlich der Ihre

Thomas Mann

1947

An Otto Basler

Pacific Palisades,
den 15. Jan. 47

Lieber Herr Basler,
der erste Monat des Jahres ist schon halb herum (zu meinem Schrecken, denn die Zeit hatte immer etwas Schreckhaftes und Teueres für mich, und ich habe einen Hang, sie zu überwachen und sie am Schwanz zu halten), aber für gute Wünsche ist es nie zu spät, auch für Neujahrswünsche heute wohl noch nicht, und so nehmen Sie denn die freundlichste Erwiderung der Ihrigen, die Sie in einen so wohl gefügten und treu gefühlten Briefsatz kleideten. Ich habe wenig dagegen zu bieten, denn solange dieses von Deutschtum, Musik und Schicksal trächtige und auf recht deutsche Art unmögliche Roman-Monstrum nicht fertig ist, sondern ich mich vormittags daran verausgabe (es fehlt nicht mehr viel), tauge ich den übrigen Tag fast zu garnichts und lasse meine Korrespondenz mit verwildertem Gewissen im Argen liegen. Längst z.B. wollte ich an Hesse schreiben, besonders noch, weil ich ihm für seine mild-strengen, unter dem Tolstoi-Titel gesammelten Aufsätze zu danken habe, und komme nicht dazu, weil man doch einem großen Herrn, wie Goethe sagen würde, »irgend etwas Bedeutendes vorlegen« muß. Grüßen Sie ihn doch vorläufig von mir und sagen Sie ihm, wie es um mich steht! Seinerseits hält er an einem Lebenspunkt, wo man, wie es auch mir ein paar mal begegnet ist, als Briefschreiber notwendig und hoffnungslos bankrott machen muß, was einem zunächst wie eine Katastrophe vorkommt, sich aber dann als ganz gleichgültig erweist. Wie sehr spricht es dabei für Sie, guter Mann, daß Hesse Ihnen in diesem Trouble ein- bis zweimal wöchentlich schreibt! Ich hoffe, Sie bleiben demütig.
Das ist auch ein Neujahrswunsch, ein recht christlicher, und ist nicht damit gemeint, daß Sie nicht als freier Schweizer und grundehrliches Menschenkind den Kopf sollten hoch tragen! Die Schweiz kommt viel vor in meinem Buch, auf mannigfache Weise, zuletzt in Gestalt eines wundersamen, zu frühem Tode bestimmten Knäbchens, das einen Schweizer Vater hat und aus dessen würdigem Tonfall eine Art von sprachlichem Altdeutschtum entwickelt, wo-

durch es, bei lieblichster Schönheit, den geheimnisvollen Eindruck des Weitherkommens erweckt.
Und nun fehlt nur, daß ich ins Schwatzen komme.
Ob ich glaube, daß die Welt besser wird? Nein, nicht einmal klüger. Und doch glaube ich, daß sie, die liebe Menschheit, letzthin, nolens-volens ein gutes Stück vorwärts gestoßen worden ist auf dem Wege zu ihrer sozialen Reife. Das wird sich noch zeigen, und auch die Deutschen werden es schließlich einsehen und ihre nihilistischen Hoffnungen begraben.
Herzlich
Ihr Thomas Mann

An Agnes E. Meyer Pacific Palisades, California
den 28. I. 47

Liebe Freundin,
waren meine news gut, so beantworten Sie sie mit noch besseren. Willkommen im Voraus an dieser Küste! So werde ich also endlich, am 1. April, einen Ihrer berühmten Vorträge hören!
Am *29.* – oder den Tag vorher – wollen wir dann bei Ihnen sein. Ich habe den *letzten* Dienstag des Monats gewählt, um auch für die Familie in Chicago etwas Zeit zu gewinnen. Am Crescent Place werden wir gewiß nur zwei Tage bleiben. Das ist heutzutage Zumutung genug.
Vor ein paar Tagen bekam ich aus Bonn (nicht ohne daß vorher behutsam bei mir angefragt worden wäre) die Erneuerung meines Ehrendoktor-Diploms mit feierlichen Briefen des Rektors, des Dekans der philosophischen Fakultät, und – des amerikanischen officer's für Universitätsangelegenheiten. Bin nun also wieder ein deutscher »Herr Doktor« – wer hätt' es gedacht!
Wenn ich bis morgen Mittag lebe, woran bei 20 Pfund Zunahme kaum zu zweifeln ist, so wird bis zu dieser Stunde die letzte Zeile des Dr. Faustus geschrieben sein.
As ever and for ever
yours T. M.

An den Dekan der Philosophischen Fakultät der Universität Bonn

Pacific Palisades, California
1550 San Remo Drive
28. Jan. 1947

Sehr verehrter Herr Dekan,
herzlich und feierlich habe ich zu danken für die Erneuerung des Ehren-Doktor-Diploms und für die schönen, alles sagenden Briefe, welche Sie und der Herr Rektor dem Dokument mit auf den Weg gaben. Nicht ohne Rührung habe ich den würdig latinisierenden Wortlaut der verloren gegangenen Urkunde, worin die meiner Arbeit erwiesene Ehre so freundlich begründet wird, wieder gelesen und brauche Ihnen, lieber Herr Professor, nicht zu versichern, daß es mir ein erwärmendes Bewußtsein ist, einer deutschen Universität nun wieder als Mitglied ihrer philosophischen Fakultät verbunden zu sein.
Wenn etwas meine Freude und Genugtuung dämpfen kann, so ist es der Gedanke an den entsetzlichen Preis, der gezahlt werden mußte, ehe Ihre berühmte Hochschule in die Lage kam, den erzwungenen Schritt von damals zu widerrufen. Das arme Deutschland! Ein so wildes Auf und Ab seiner Geschichte ist wohl keinem anderen Land und Volk beschieden gewesen.
Persönlich bin ich ja sonderbar genug geführt worden und hätte es mir in meiner Jugend nicht träumen lassen, daß ich meine späten Tage als amerikanischer Staatsbürger an dieser Palmenküste verbringen würde. Im Grunde aber hat das Schicksal es immer freundlich mit mir gemeint, und ich habe es zu bewundern, wie doch das Individuelle sich immer gegen das Allgemeine, die äußeren Umstände durchsetzt. Ich lebe und tue das Meine hier nicht anders, als früher im Münchener Herzogpark, und was meine »Entdeutschung« betrifft, um Nietzsche's Wort zu brauchen, so hat sie recht geringe Fortschritte gemacht. Im Gegenteil finde ich, daß man sich in der glücklicheren Fremde seines Deutschtum nur desto bewußter wird, und gerade während der letzten 2½ Jahre hat ein Roman – oder wie man das Ding nun nennen will – mich beschäftigt, den ich in den nächsten Tagen abschließen werde, und der etwas so ausbündig Deutsches ist, daß ich sehr für seine Übersetzbarkeit fürchte – oder mich vielmehr schon garnicht mehr darum sorge.
Indem ich Sie bitte, werter Herr Dekan, dem Herrn Rektor Konen meine verbindlichsten Empfehlungen auszurichten, bin ich mit

herzlichen Wünschen für Ihr persönliches Wohlergehen, für die Universität Bonn und für die alte Heimat
Ihr ergebener Thomas Mann

An Erika Mann Pacific Palisades
[Telegramm] January 29, 1947

keen glorious child must know that Adrian's sad story was definitely brought to a happy end today

unsigned

An Cilly Neuhaus Pacific Palisades, California
den 18. Febr. 1947

Sehr verehrte Frau,
Krankheit, Arbeit, vielfache Ansprüche von außen haben meine Danksagung für Ihren so freundlichen Brief von Anfang Januar verzögert. Ich habe mich aufrichtig darüber gefreut. Den Namen Carlebach habe ich in sehr fester Erinnerung. In den unteren Schulklassen in Lübeck war ich gut befreundet mit einem Kameraden dieses Namens, einem Sohn des Rabbiners Dr. Carlebach, ich glaube, er hieß Ephraim und war intelligent, sanft und munter. Seine Gestalt hat sich mir vor anderen, gewöhnlicheren eingeprägt.
Von Ihrem schweren und abenteuerlichen Erleben, so typisch für die Wildheit und Härte dieser Zeit, habe ich mit Teilnahme gelesen. Möge Ihr weiteres Leben in diesem Lande, dessen innere Entwicklung freilich auch zu mancher Sorge Anlaß gibt, Sie für das Ausgestandene entschädigen!
Mein Bruder, der seine zweite Frau verloren hat, steht in Verbindung mit Mimi und seiner Tochter in Prag. Theresienstadt hätte sie sich ersparen können, wenn sie in Rußland geblieben wäre, wo man sie um seinetwillen aufgenommen hatte – wenn meine Information richtig ist.
Es wird mir sehr interessant sein, die Arbeit Ihres Neffen über Thamar zu lesen, die größte Frauenfigur meiner Josephsgeschichten.
Ihr sehr ergebener

Thomas Mann

An Fritz Grünbaum Pacific Palisades, California
den 20. Febr. 1947

Werter Herr Dr. Grünbaum,
die Frage ist öfters an mich gerichtet worden, und ich habe immer versucht, begreiflich zu machen, daß ich die rechte Instanz garnicht bin, sie zu beantworten. Ich habe ja selber alles im Dunkeln gelassen, im unsicheren Halbdunkel der Wagenlaternen, und so kommt es mir nicht zu, nachträglich über Real oder Irreal zu entscheiden.
Am liebsten würde ich jedesmal, wenn ich zur Entscheidung aufgerufen werde, beiden Parteien recht geben. Aber alles wohl betrachtet muß ich gestehen: ein wenig mehr neigt die Schale nach der Seite des Irrealen. Entschieden, soweit von Entschiedenheit die Rede sein kann, deutet vieles im Text darauf hin, daß es sich um Träumerei handelt und um etwas, wovor man, weil man es selbst hervorbringt, »nicht erschrickt«. Goethe würde kaum in Wirklichkeit das Zittern von Lotte's Kopf erwähnen – das kommt aus ihr. Er würde auch nicht soviel in Jamben reden – das kommt daher, daß Lotte gerade im Theater war. Sie spricht ja auch in Versen: »Ach, es ist wundervoll ein Opfer zu bringen, / jedoch etc.«! Er würde auch kaum seine Rede mit dem Schlußwort der »Wahlverwandtschaften« beschließen, und wenn er da wäre, würde Mager, als er der Frau aus dem Wagen hilft, ihn wohl sehen. Einmal heißt er »der Mantelträger« – das ist ja ein mythologischer Name; ich glaube, Wodan hieß so. Und wie seine Stimme am Schlusse »verhaucht«: »Friede deinem Alter«, ist auch leicht gespenstisch.
Ich habe den Verdacht, daß Lotte so tief nach einem abschließenden, die Dinge leidlich ins Lot bringenden Gespräch verlangt, daß sie sich die Szene einfach produziert. Ist es aber so, so kann immer noch nicht von purer Irrealität gesprochen werden. Es mag sich dann um ein Geistergespräch handeln, das zustande kommt, weil dem Verlangen der Frau das des alten Freundes entgegenkommt, ein Geistergespräch, worin das, was Goethe sagt, sein ist, obgleich er nicht körperlich neben ihr sitzt, und das also doch eine höhere Wirklichkeit hat.
So verschwommen denken wir Geschichtenerzähler. Nichts für ungut! Historisch, wie das Dîner, ist die Begegnung im Wagen ohnehin nicht. Goethe hat Lotte nicht vom Theater abgeholt.
Ich habe bei Gelegenheit Ihres Briefes wieder in dem Buch gelesen.

Es steht meinem Herzen doch sehr, sehr nahe, und gute Zeit war es, als ich daran schrieb.
Ihr ergebener Thomas Mann

An Udo Rukser

Pacific Palisades, California
1550 San Remo Drive
1. März 1947

Sehr verehrter Herr Rukser,
Ihr freundlicher Brief vom 18. Februar ist in meinen Händen, und mit Bedauern habe ich Kenntnis genommen von der Einstellung Ihrer schönen Zeitschrift, an der ich so oftmals meine Freude gehabt habe. Es ist nicht die erste Erfahrung dieser Art, die ich mache. Eingehen mußte nach kurzer Zeit die »Sammlung« meines Sohnes in Amsterdam, eingehen mußte seine wirklich sehr gute Zeitschrift »Decision« in New York und eingehen mußte schließlich, wenn auch nicht an Mangel an Beteiligung, sondern infolge der Schwierigkeit der Umstände, meine eigene Zeitschrift »Maß und Wert«. Ich habe die Melancholie dieser Sterbefälle immer sehr lebhaft empfunden und empfinde sie wieder in diesem Fall, der mich so oft beschäftigt hat. Sie können sich damit trösten, daß ja auch in früheren Zeiten hochstehende Zeitschriften, auch die Goethe's und Schillers, immer nur einige Jahre bestanden haben. Der historische Wert der Jahrgänge der Deutschen Blätter wird bestimmt nicht gering sein und nicht nur Ihnen, sondern der ganzen deutschen Emigration zur Ehre gereichen.
Es freut mich, daß der Briefwechsel mit Kerényi Sie interessiert hat. Für mich haben diese Dokumente einen gewissen rührenden biographischen Wert, weil sie mich immer an die Zeit der Arbeit an der Joseph-Tetralogie erinnern werden. Ich bin mit der Verbindung von Mythos und Psychologie, von der Sie sprechen, von langer Hand her vertraut; sie hat mich immer fasziniert. Ich habe sie bei Wagner, bei Nietzsche gefunden, praktiziert in dem Joseph-Werk in dem Geist, daß ich gewissermaßen den Mythos seinen Mißbrauchern, den Fascisten, aus den Händen nahm und ins Humane wendete. Aber darüber habe ich ja bei Ihnen selbst, in Ihren Blättern, sprechen dürfen.
Ich habe bedauert, daß Herr Albert Theile verhindert war, in dieser Gegend vorzusprechen. Sagen Sie ihm meine besten Grüße, wenn

er wieder bei Ihnen ist, und nehmen Sie für Ihr Wohlergehen, Ihre Arbeit meine herzlichen Wünsche.
Ihr ergebener Thomas Mann

An Manfred George Pacific Palisades, California
1550 San Remo Drive
11. März 1947

Lieber Herr Manfred George,
die Verteidigungsschrift Furtwänglers sende ich Ihnen hier als registriertes Luftpoststück zurück. Ich habe das Memorandum aufmerksam gelesen und kann mir denken, was für einen guten Kommentar der »Aufbau« ihm geben wird. Denn daß es bei aller Geschicklichkeit und allen eindrucksvollen Fakten, mit denen es arbeitet, viele Angriffspunkte bietet, ist ja keine Frage. Was mich betrifft, so habe ich nach einiger Prüfung und einigem Versuchtsein endgültig beschlossen, nicht Stellung dazu zu nehmen. Schließlich war ich es, der Furtwänglers Haltung vor aller Welt getadelt hat, und wenn er sich nun verteidigt, so ist es nicht an mir, mich wieder gegen seine Verteidigung zu verteidigen. Die Antwort würde mich, wie ich nun einmal bin, notwendig weit führen, und ich würde mich dieser Weitläufigkeit schämen. Denn so viel wichtigere und brennendere Dinge wären jetzt zu sagen, daß es mir müßig und verbissen schiene, noch dazu nach langem Schweigen, gegen die schon vier Monate alte Verteidigungsschrift eines Kapellmeisters zu polemisieren, der sich um das Recht bewirbt, seine Kunst in Deutschland wieder auszuüben. Mit einer Zeitschrift, die laufend, Woche für Woche, die Vorgänge in Deutschland bespricht, ist es etwas ganz Anderes.
Aus Furtwänglers Schriftsatz, wie aus so vielen anderen Dokumenten, geht mir wieder hervor, welch ein Abgrund zwischen unserem Erlebnis und dem der in Deutschland Zurückgebliebenen klafft. Eine Verständigung ist über diesen Abgrund hinweg völlig unmöglich, und ich habe mich, wenn auch anfangs ungläubig, mehr und mehr davon überzeugen müssen, daß auch meine Äußerungen während des Krieges und nachher in Deutschland nur als ein unwissendes Gerede empfunden worden sind, das an das Erlebnis der Deutschen in keiner Weise heranreicht, und nur außerhalb Deutschlands als Trost und Stärkung empfunden werden konnten.

So habe ich aus zuverlässiger Quelle, daß mein Brief nach Bonn, der doch die Runde um die Welt gemacht hat und, man kann wohl sagen, überall als eine Art von Ehrenrettung für den deutschen Geist und die deutsche Würde empfunden worden ist, dem Philosophen Karl Jaspers, demselben, der eine so gute Rede über die deutsche Schuld gehalten hat, »*wehe getan*« hat, als er ihn las. Dies streng privat. Ich erzähle es Ihnen nur, um Ihnen meinen Entschluß begreiflich zu machen, den Deutschen nicht mehr »wehe zu tun« und ihnen ihren Furtwängler zu lassen, wenn sie ihn haben wollen. Genug damit. [...]
Nehmen Sie jedenfalls meinen Dank für Ihre Aufmerksamkeit und seien Sie bestens begrüßt
von Ihrem Thomas Mann

An Herbert Frank Pacific Palisades, California
den 19. III. 47

Sehr geehrter Herr Frank,
wie sehr fühle ich mit Ihnen und wie gern möchte ich ausführlich eingehen auf Ihren so vertrauensvollen, so klug besorgten und einsichtigen Brief! Aber ich kann nicht [...] So geht es, die »Geistigen« haben ihre eigenen Angelegenheiten im Kopf; es weiß auch einer nichts vom anderen, will nichts vom anderen wissen; jeder denkt: »Lebt man denn, wenn andre leben?«, leugnet im Stillen alle anderen weg und fühlt sich als Insel einzelner und einmaliger Problematik. Im Grunde ist es ja auch eine gesunde Bescheidenheit, wenn jemand, der es schwer genug hat, sein eigen Heil zu finden, sich nicht anmaßt, auch noch die Welt zu retten. Der »Geist« ist, wie Sie sehr richtig sehen, nichts Homogenes, sondern die Sphäre der von Zeit und Umwelt aufs verschiedenartigste bestimmten Persönlichkeit, und eine »Organisation der Geistigen« ist kaum möglich. Ich habe gelegentlich solche Versuche mitgemacht, aus sozialem Pflichtgefühl, z.B. als Mitglied des Comité permanent des lettres et des arts des Völkerbundes (mit italienischen Fascisten und französischen Ästheten). Ich kann Ihnen sagen: es war hoffnungslos, ein akademisches Herum- und an einander vorbei-Gerede, ausweichend allen entscheidenden Fragen. Seitdem hat man einige Erfahrungen gemacht, und doch ergreift mich tiefe Verlegenheit bei der Vorstellung eines Intellektuellen-Welt-Areopags zur Gewaltbegren-

zung. Wird er sich nicht lächerlich machen? Sich sogar selber komisch vorkommen? Die Neigung des Geistes zur Selbstironisierung besteht unverändert fort. Soll der alte Shaw Präsident sein? Er wird nichts als selbstgefällige Paradoxe bieten und empfehlen, daß man nur noch seine Stücke spielt.
Mißverstehen Sie mich nicht! Ich habe herzliche Sympathie mit allen Menschen guten Willens, möchte selbst zu ihnen gehören und finde, daß, selbst wenn man nicht glaubt, man so sprechen und handeln muß, alsob man glaubte. Ich bin froh, in einem Lande zu leben, über das zwar augenblicklich eine reaktionäre Welle hingeht und dessen herrschende Klasse Faschismus brütet, das aber dabei voll ist von Menschen guten Willens, und wo die Luft schwirrt von World Government-Plänen, Ideen von ökonomischer Gesamt-Administration der Erde, internationalem Völker-Parlament zur Erzwingung des Friedens u.s.f. Ich stelle mich immer zur Verfügung, wenn man nach mir verlangt. Aber Sie haben natürlich recht, zu sagen, daß von Konferenzbeschlüssen und juridischen Institutionen wenig zu erwarten ist. Die Atmosphäre wäre erst einmal zu schaffen, in der solche Institutionen gedeihen können. Nietzsche meint einmal, in der Welt der Zukunft könnten die religiösen Kräfte immer noch stark genug sein zu einer atheistischen Religion à la Buddha, welche über die Unterschiede der Konfession hinwegstriche, und die Wissenschaft hätte nichts gegen ein neues Ideal. »Aber allgemeine Menschenliebe wird es nicht sein«, fügt er vorsorglich hinzu. – Und wenn es nun gerade das wäre? Ein religiös fundierter und getönter Humanismus, der alles Wissen ums Untere und Dämonische hineinnähme in seine Ehrung des menschlichen Geheimnisses? Ein alles durchwaltender, jeden bindender Respekt vor dem Geheimnis, das der Mensch ist, vor dem Adel und der Schwierigkeit des Menschseins? Würde das ein einverleibtes Gefühl, eine Lebensstimmung, der niemand sich entzöge, so könnte praktisch viel Gutes daraus erfließen. Der Dichter und Künstler kann einiges tun, um, von oben her unmerklich ins Breite wirkend, diese Atmosphäre zu schaffen.
Ihr ergebener Thomas Mann

An Viktor Mann Pacific Palisades, California
27. März 47

Lieber Vikko,
Dein guter Brief vom 10. Februar ist richtig angelangt und der vorige auch. Ich glaube nicht, daß in dem Austausch irgend eine Lücke entstanden ist. Wohltuend ist mir zu wissen, daß mein englischer Brief euch ein gewisses Gefühl der Sicherheit gibt. Und eine Freude, von dem Eindruck zu hören, den »Lotte in Weimar« Dir gemacht hat. Sobald ich wieder ein paar Exemplare habe, schicke ich Dir eines zu eigenem Besitz.
Daß gerade die S.E. Post bei euch die Runde macht, ist mir garnicht lieb. Das Bild war ja ganz nett. Aber daß das Interview mit dem Agenten Colston Leigh unrichtig wiedergegeben ist, geht schon daraus hervor, daß Erika, wohl sein bestes Pferd zur Zeit, überhaupt nicht genannt ist. Was über mich da steht, hat er nie gesagt. Ich »lecture« ja wenig, aber wenn ich es mal tue, wie ich es jetzt in Washington und New York wieder tun werde, so kommen die Leute ganz gewiß nicht nur, to look at me. Sie taten das sogar zu Anfang nicht, als ich viel schlechter sprach, aber mit »The coming victory of Democracy« durch den ganzen Kontinent zog.
Ro-Ro-Rowohlt hat mir also richtig einen langen Brief geschrieben, [...] Ich habe seinen Brief an Bermann weitergegeben. Der sagt, die Zeitungsdrucke seien nichts Neues, man habe früher schon Ähnliches gemacht, und er selbst plane mit Suhrkamp auch dergleichen. Er will seinerseits an Rowohlt schreiben. Sicher ist ja, daß diese wohlfeilen Massendrucke ein sehr gutes Mittel sind, Autoren, deren Bild den breiten Schichten in Deutschland recht undeutlich geworden ist – und zu denen gehöre ich – diesen Schichten wieder präsent zu machen.
Unser Besuch in München, lieber Vikko, ist ein sehr ernstes Problem, über das wir viel nachdenken und diskutieren. Könnte ich als Privatmann in aller Stille kommen und gehen, so wäre die Sache sehr einfach. Aber ich käme ja offiziell, unvermeidlich mit ziemlichem Geräusch, müßte mich der Öffentlichkeit darstellen – und der Gedanke gewinnt, seien wir ehrlich, von Tag zu Tag ein brenzlicheres Ansehen. Wie die Dinge in Deutschland sich entwickeln, wie die Atmosphäre heute dort schon wieder ist (wieder einmal nicht ohne Verschulden der anderen, aber das ist ein Kapitel für sich) – kann es mich nicht befremden, daß alles mich beschwört,

nicht hinzugehen. [...] Wiechert, jetzt in der Schweiz, weil er es nicht mehr aushielt, hat »Stockholm's Tidningen« erklärt, wenn Hitler morgen wieder käme, würden 60 bis 80% des Volkes ihn mit Hurrahoch empfangen. Was er sonst noch über die Verkommenheit und böse Hoffnungslosigkeit des Landes sagt, lasse ich weg. Aber weil er einmal, sehr mild und verschwiemelt, etwas von »Schuld« gesäuselt hat, ist er als »Landesverräter« beschimpft worden, man hat ihm die Fenster eingeworfen, ihn andauernd bedroht, er hat amerikanischen Schutz nachsuchen müssen, und eine Wache ist in sein Haus gelegt worden. Das ist Wiechert, der konservativ-nationale Mann. Und nun erst ich, der ich bei den Rettern und Rächern der deutschen Ehre soviel schlechter, röter angeschrieben bin. Glaubst Du, daß mein Aufenthalt ohne »Störung« verliefe? Hier rechnet man sehr mit dem Gegenteil. Nicht daß ich für mein Leben fürchtete. Aber stelle Dir die Ungemütlichkeit und das *Beschämende* der Situation vor! Das Military Government würde sich verpflichtet fühlen, mich zu schützen, obgleich gesetzlich ein naturalisierter Amerikaner in seinem Ursprungslande gar keinen Anspruch auf Schutz hat. Einerlei, gibt man mir das Visum, so wird man auf mich aufpassen und unangenehmen Zwischenfällen vorbeugen müssen. Soll ich in München mit einer M.P.-Bodyguard herumlaufen? Unvermeidlich würde ich öffentlich sprechen, sagen wir: in der Universität einen Vortrag halten müssen. Also: Polizei-Cordon, Zuhörer-Kontrolle, Spannung, Besorgnis, daß es Radau gibt. Und was soll, was kann man den Deutschen sagen, mimosenhaft empfindlich, wund, hautlos, überreizt wie sie sind? Sie sehen ja offenbar nicht, daß Deutschland genau in dem Zustand ist, in dem seine Führer es haben wollten, wenn sie den Krieg schon verlieren mußten. Aber gegen diese Führer etwas zu sagen, ohne die Okkupation zu kritisieren (was ich allenfalls hier tun kann, aber nicht dort) wäre schon unpatriotisch. Die Deutschen wollen im Grunde auf ihr Drittes Reich garnichts kommen lassen. Also nur von der Zukunft sprechen! Aber die liegt ja völlig im Dunkeln, und man weiß garnicht, was man wünschen, hoffen, empfehlen soll. [...] Alles Sprechen wäre ein Lufttreten, Ausweichen, Lügen, tröstliches Wischi-Waschi – ohne auch nur dadurch Anstoß vermeiden zu können.

Von dem Ansturm auf meine Nerven, dem Jammer, den Hilfsgesuchen, dem quälenden Vertrauen auf meinen »Einfluß«, die mich

umdrängen würden (ich sage schon »würden«, obgleich dies alles nur Überlegungen sind) – rede ich garnicht. Ich habe geringen Zweifel, daß Du Dir dies auch alles im Stillen schon ausgemalt und Dich gefragt hast, wie ich mich frage, welchen Zweck ein Besuch hat, von dem man sich so schnell wie möglich mit tiefstem Erleichterungsgefühl wieder aus dem Staube macht. Erleichterung würden wahrscheinlich auch die Amerikaner fühlen, wenn ich erst wieder weg wäre. Mein Eindruck ist, daß sie mir die Einreise nicht gern gewähren würden – wohl gewähren, aber nicht gern –, weil sie »troubles« befürchten müßten und solche garnicht lieben. Wir müssen das in Washington noch genauer feststellen. Es ist damit zu rechnen, daß man dort einfach Nein sagt.
Schmerzlich ist gewiß ein schlichtes Wort für unser aller Enttäuschung, wenn die Wiedersehenspläne, die von beiden Seiten mit soviel Vorfreude gehegt worden, an der harten Vernunft scheitern müßten. Sie müssen das aber nicht unbedingt, selbst wenn es kommt, wie ich es kommen sehe. Einen Wunsch glaube ich schon frei zu haben bei meinen Amerikanern in München, und Erika (jetzt hier bei uns) macht sich anheischig, dazu mitzuwirken, daß ihr zu uns herüber kommen dürft, wenn wir in Zürich sind. Ich soll dort am 3. Juni vor dem Internationalen P. E. N. Club-Congress über Nietzsche lesen. Es wäre doch zünfti, wenn ihr dabei wärt, – mal was anderes für euch und für uns eine harmlose Entschädigung für den Verzicht auf ein nicht ganz harmloses Unternehmen.
Herzlich

T.

An Herbert Sinz

Pacific Palisades, California
1550 San Remo Drive
9. April 47

Sehr geehrter Herr Sinz,
Ihr guter Brief hat mich trotz der großzügigen Adressierung richtig erreicht. Ihr Familienname ist mir nicht ganz deutlich. Es kann Linz oder Sinz oder auch noch anders heißen. Hoffentlich verfehlt mein Dank Sie nicht, wenn ich auf dem Umschlag den Namen auf gut Glück markiere.
Ihre Entdeckung meiner und anderer Bücher in der Freiheit, die Ihnen die Krankheit gewährte, hat etwas Packendes für mich, und sie erinnert auch an die berauschende Horizont-Erweiterung, die

der junge Castorp »bei uns hier oben« erfuhr. Es mag Sie freuen, zu hören, daß der »Zauberberg«, »The Magic Mountain«, hierzulande als »classic« gilt und an Popularität weit die »Buddenbrooks« und die Josephsgeschichten übertrifft – sonderbar genug bei dem dialektischen und im Grunde doch extrem deutschen Charakter des Buches. An Ihnen hat es offenbar einen ausnehmend disponierten Leser, – aber wollte Gott, diese Disposition wäre nicht so spezifischer Art! Es ist mir nahe gegangen, was Sie von Ihrem körperlichen Schicksal sagen. Möge Davos für Sie leisten, was es doch in zahllosen Fällen geleistet hat, und Ihr Leiden sich als ein Jugend-Zwischenfall erweisen, über den Sie bei reifenden Jahren völlig hinwegkommen!
Der »Zbg« war eine Zeit lang in der Schweiz schwer erhältlich, weil eine Stockung in der Fertigstellung der Neuauflage eingetreten war. Wenn Sie jetzt an die Buchhandlung von Dr. Emil Oprecht, Zürich, Rämistr. 5, schreiben und ihm meinen Gruß ausrichten, wird er Ihnen das Buch bestimmt verschaffen. Ich würde es Ihnen selber schicken, wenn ich außer meinem Handexemplar eines hätte.
Mit herzlichen Wünschen

Thomas Mann

An Jonas Lesser

Savoy Hotel London
20. Mai 47

Lieber Dr. Lesser,
es war sehr freundlich von Ihnen, uns und unserem Wohlsein noch diese guten Dinge zu opfern. Herzlichen Dank! Der Zucker war fast eine Notwendigkeit, und mit dem Jam habe ich mir gestern Abend aus mitgebrachten Eiern eine Omelette machen lassen, – beinahe das Einzige, was ich essen mag. Mein Magen ist auf Reisen schrecklich nervös und ablehnend.
Glückliche Reise und nochmals Dank für Ihren Besuch. Es war sehr gut, daß wir ihn noch einschalten konnten.
Ihr ergebener

Thomas Mann

An Heinrich Mann

Savoy Hotel London
22. Mai 47

Lieber Heinrich,
einen Gruß aus dieser ehrwürdigen Hauptstadt noch bevor wir sie wieder verlassen, – als Zeichen des Gedenkens im Trubel der Welt. Warum man sich in diesen stürzt, statt weislich »zu Hause« zu bleiben, – Gott weiß es. Es war wohl das Gefühl, daß ich mich einmal auf andere Weise anstrengen müsse nach langer Anstrengung auf der Schreib-Unterlage. Bunt genug geht es zu. Schon die 10 Tage New York waren übertrieben lebhaft nach dem gewohnten Gleichmaß. Die Überfahrt auf dem Riesenschiff gestört durch seinen zu hohen Bau, der ein Rollen verursacht, das einen nicht zur Ruhe kommen läßt. Die Ankunft in Southampton mit 2000 Menschen und ihren Massen von Gepäck konfus bis zum Katąstrophalen. Ich hatte hier die ersten Tage mit einer Magen- und Darmaffektion zu kämpfen, der zum Trotz ich alles durchführte: Interviews, Press Conferences, Receptions, Broadcasts und, unter großem Zudrang, die lecture in der London University. Der Nietzsche-Vortrag, simpel wie er ist, hat sich hier wie in Washington und New York gut bewährt. [...]
Nach Zürich fliegen wir am Samstag Morgen. Hoffentlich erwartet uns dort ein wärmerer Frühling. Hier war es dunkel und kalt die ganze Zeit. London wirkt recht mitgenommen, und trotz fleißiger Reparaturen sind überall die Spuren der schweren Prüfungen sichtbar, durch die die Stadt hindurchgegangen, Lücken in den Straßen, geschwärzte Mauerreste. Die Nervenbelastung durch die Bomben und V-Geschosse muß zeitweise kaum zu ertragen gewesen sein, und es ist fraglich, ob irgend ein anderes Volk sie ertragen hätte, ohne nach Frieden um jeden Preis zu schreien. An die unbedingte Notwendigkeit der Erhaltung der Labour-Regierung glaubt jedermann, außer faschistischen Straßenrednern, von denen ich einem zuhörte. Ich sah nur gleichgültige oder angewiderte Gesichter. Selbst Konservative, wie Harold Nicolson, treten der Partei bei.
Möge es Dir wohl ergehen! Herzliche Grüße von Katja und Erika.

T.

An Otto Basler Zürich, 4. Juni 47

Dank, lieber Freund, für Ihren Gruß und die einladende Rauch-Ware! Ich lebe in einem hitzigen Trubel und will froh sein, wenn es wieder still um mich wird. Hesse schrieb, daß er mir zusieht wie der Bürger im Cirkus dem Seiltänzer oder Athleten. Der Besuch in Burg wird nicht aus den Augen gelassen. Aber viele halsbrecherische Kunststücke habe ich vorher noch zu vollbringen.

Ihr T. M.

An die Redaktion der »Neuen Zeitung« Flims, Graubünden den 25. Juni 1947

Sehr geehrte Herren,
durch deutsche Blätter verbreitet der Schriftsteller Manfred Hausmann die Nachricht, ich hätte im Jahre 1933 in einem Brief an den Innenminister Frick inständig um die Erlaubnis gebeten, ins nationalsozialistische Deutschland zurückzukehren, mit der Versicherung, ich würde dort – sehr im Gegensatz zu meinem Benehmen vorher – Schweigen bewahren und mich in die politischen Dinge nicht mehr mischen. Auf keinen Fall wolle ich in die Emigration gehen. So, nach Hausmann, mein Brief, der unbeantwortet geblieben sei. Gern also wäre ich damals ins Dritte Reich eingekehrt, hätte aber gegen meinen Willen draußen bleiben müssen, weil ich die Erlaubnis nicht erhielt, es zu betreten.
Der Widersinn der Nachrede liegt auf der Hand. Zu meiner Rückkehr nach Deutschland bedurfte es 1933 keiner »Erlaubnis«. Diese Rückkehr war ja das, was gewünscht wurde: von der Münchner Gestapo, damit sie Rache nehmen könne für meinen Kampf gegen das heraufziehende Unheil, von der Berliner Goebbels-Propaganda aber aus internationalen Prestigegründen und damit die Literatur-Akademie über meinen Namen verfüge. Mehr als ein Wink mit dem Zaunpfahl (durch die »Frankfurter Zeitung« etwa) bedeutete mich, das Vergangene solle vergessen sein, wenn ich wiederkehrte. Bermann-Fischer, der damals hoffte, den Verlag in Berlin halten zu können, versprach, mich mit dem Automobil an der Grenze abzuholen und nach Berlin zu bringen. Er schickte den Redacteur der »Neuen Rundschau«, S. Sänger, zu mir nach Sanary sur mer, damit er mich zur Heimkehr überrede. Ich weigerte mich. In jüngst ver-

öffentlichten Tagebuchblättern aus den Jahren 1933/34 spiegelt sich das tiefe Grauen vor Deutschland, das ich damals empfand, und dessen ich, fürchte ich, nie wieder ganz ledig werden kann. Es spricht auch daraus die unerschütterliche Überzeugung, daß nichts als Elend, nichts als blutiges Verderben für Deutschland und für die Welt aus diesem Regime entstehen könne, – nebst frühem Erbarmen mit dem deutschen Volk, das eine solche Menge von Glauben, Begeisterung, stolzer Hoffnung ins offenkundig Makabre und Verworfene investierte. Durch meine öffentlichen Äußerungen in der Schweiz, mein Bekenntnis zur Emigration erzwang ich die Ausbürgerung, die Goebbels keineswegs gewünscht hatte. »Solange ich etwas zu sagen habe, geschieht das nicht.« – Jetzt soll ich um die Erlaubnis gefleht haben, dem Führer den Treueid zu leisten und in die Kulturkammer einzutreten. Hausmann weiß es.
Warum er mir mit der sinnlosen Denunziation in den Rücken fällt, womit ich es um ihn verdient, was ich ihm zuleide getan habe, das weiß ich nicht. Ist er so zornig, weil ich heute »nicht will«, was ich damals »nicht durfte«? Es sind keine zwei Jahre, daß er an unseren gemeinsamen Verleger nach Amerika schrieb, er sei tief verzweifelt in Deutschland, ein Fremder im eigenen Lande. Dies Volk sei hoffnungslos, bis in die Wurzeln, verdorben, und er ersehne nichts mehr, als den Staub von den Füßen zu schütteln und ins Ausland gehen zu können. Heute spricht er von einem »zwar armseligen und unglücklichen, aber doch einigermaßen demokratischen Deutschland«, in das ich häßlicher Weise nicht zurückkehren wolle. Es steht – und wer wollte sich darüber wundern? – grundunheimlich um das deutsche Equilibrium.
Wenn unter den »Briefen in die Nacht« (so wollte René Schickele sie nennen), die ich in meiner Qual zu jener Zeit schrieb, – wenn unter diesen Rufen, dem davonschwimmenden Deutschland nachgesandt, sich auch ein Brief an Frick befindet, und wenn Manfred Hausmann es verstanden hat, sich in den Besitz dieses Briefes zu setzen, so soll er ihn in seiner Gänze veröffentlichen, statt mit einer offensichtlich verfälschten Inhaltsangabe hausieren zu gehen. Ich bin gewiß, daß ein solches Dokument aus dem Jahre 1933 mir nicht zur Unehre gereichen wird, sondern zur Schande nur dem seither Gerichteten, der, wie Hausmann mit einer Art von Genugtuung feststellt, »nicht darauf antwortete«.
Ihr sehr ergebener Thomas Mann

An Ernst Gottlieb

Grand Hotel Surselva
Flims Waldhaus
27. Juni 47

Lieber Herr Gottlieb,
wir haben die Flinte zu früh ins Korn geworfen. Niko befindet sich seit Wochen schon 1550 San Remo Drive. Er ist einfach nach Hause getrottet. Schon am nächsten Tage nach seinem Entweichen muß er dort eingetroffen sein und ist von den Gelben in Empfang genommen worden. Mir hat immer geahnt, daß er der Klügste von uns allen ist, – wovon freilich Sie nur Sorge und Aufregung gehabt haben. Verzeihen Sie und haben Sie nochmals Dank! Gelegentlich, bitte, liefern Sie Bett und Schüsseln des Undankbaren wieder in seiner Residenz ab, wo ja auch Golo als statthaltendes Herrchen wieder eingezogen ist.
Auf Wiedersehen!

Ihr T. M.

An Agnes E. Meyer

Grand Hotel Surselva
Flims-Waldhaus
27. Juni 47

Liebste Freundin,
es ist unverzeihlich, daß ich nichts hören ließ in all der Zeit – und verzeihlich doch auch wieder, denn ich habe ein tolles Leben geführt seit wir schieden (Sie kennen das nur zu gut): in New York, London, Zürich, Bern, Basel ein Gedränge von Abenteuern, Festen, Leistungen, Menschen, das mich nicht zu Atem kommen ließ. Nun haben wir uns für einige Wochen in diese Höhe zurückgezogen und genießen nach soviel Tumult die Waldesstille. Aber von rechter Rast kann auch hier nicht die Rede sein, denn ein Augias-Stall von liegengebliebener Arbeit ist zu säubern, und die Korrekturen des »Faustus« strömen herzu. Dieses rapide Durchgehen des in Jahren Geschriebenen, mit dem Besserungsstift, hat etwas sehr Erschütterndes für mich. Und dabei hacken, zwacken und placken die lieben Deutschen nebenan unaufhörlich an mir herum, sodaß ich schon, als es zu arg wurde, einen längeren Brief an die amerikanische »Neue Zeitung« in München habe schreiben müssen. Das nennt man Erholung. […]
Aus dem verabredeten, für den Druck geeigneten Reise-Bericht kann, wie Sie gütig einsehen, vorerst nichts werden. Neue Pflichten

erwarten mich, wenn wir hier aufbrechen, namentlich Vorlesungen zugunsten der in Deutschland Darbenden. Auch drängt die Komposition des Goethe-Bandes nebst Vorrede für Dial Press – und anderes. Ein Aufenthalt in Holland wird wahrscheinlich unsere europäische Tour noch abrunden. Wir hoffen, ein holländisches Schiff zu bekommen für die Heimreise Ende August.
Auch Ihnen muß ich noch klagen, daß es eine Katastrophe wäre für Bermann und mich, wenn die deutsche Ausgabe des »Faustus« nicht vor der amerikanischen erscheinen könnte, die *besten* Falles Frühjahr 1948 fertig werden wird. Ein amerikanisches Copyright-Gesetz, in dem mein Fall (eines amerikanischen Staatsangehörigen, der in einer fremden Sprache schreibt,) garnicht vorgesehen war, bedroht mich mit dieser schmerzlichen Verschleppung. Ich habe deswegen sehr dringend an Luther Evans geschrieben und um eine inoffizielle Zusicherung gebeten, daß der amerikanischen, im Lande hergestellten Ausgabe das Copyright nicht verloren geht, wenn die deutsche schon diesen Herbst in Europa erscheint.
Adieu, liebe Freundin, und nehmen Sie vorlieb! Ich wünsche Ihnen einen glücklichen Sommer in Mount Kisco.
Ihr getreuer Thomas Mann

Die Schweiz, die mir wieder unendlich wohlgefällt, feiert mich aufs rührendste. So taten die Engländer in King's College.

An Arnold Bauer

Flims, Gbd. 4. Juli 47

Sehr verehrter Herr Bauer,
Dank für Ihren bewegenden Brief, der mir durch das Intern.Rescue Comittee, New York, zugestellt wurde. Glauben Sie mir, ich sehe das alles auch und fühle mit Ihnen. Meine »Interviews« sind z.T. verstümmelt und um ihr Gleichgewicht gebracht wiedergegeben worden. Ich sage jeden Tag, daß mit der »Welt« jetzt vor den Deutschen nicht viel Staat zu machen ist, und daß es für diese, eine folgsame Menschenart im Grunde, jetzt auf das *Beispiel* ankäme, das leider ein schlechtes Beispiel ist. Überzeugten sich die Deutschen, daß wirklich eine neue, sozial reifere Welt im Entstehen begriffen ist, worin mit dem nationalistischen Heroismus oder Pseudo-Heroismus nichts mehr anzufangen ist, so würden sie sich fügen, sich

anschließen und begierig sein, ihre Gaben in den Dienst dieser neuen Welt zu stellen. Aber woher sollten sie zur Zeit diese Überzeugung nehmen?
Daß freilich die Nation das Geschehene als Ganzes, eben national, ohne Ausnahme werde zu büßen haben, war meine gramvolle Voraussicht all die Jahre her. Deutschland hat Eigenschaften an den Tag gelegt, zu einmalig, als daß ihnen nicht das Stigma »deutsch« noch lange anhaften müßte. Kennen Sie das Buch »Der S. S.-Staat« von Kogon? Und glauben Sie, daß diese aufs äußerste organisierte Bestialität, zu der Zehntausende, *Hundert*tausende die Hand reichen mußten, daß diese infernalische Pünktlichkeit irgendwo sonst in der Welt möglich gewesen wäre? Liest man den offenbar wahrheitsgetreuen Bericht über diesen nie dagewesenen Graus, so wundert man sich nicht, daß heute noch Deutschland aufs Deutsche festgelegt und noch nicht aus dem nationalen »Pferch« herausgelassen wird – wie Sie es schildern.
Es klug und weise zu heißen bin ich weit entfernt. Aber das »erlösende Wort« zu sprechen – so mächtig oder ohnmächtig es wäre – wird einem durch die Erinnerung erschwert – und durch manches Gegenwärtige. [...]
Ich breche ab – es wäre noch soviel, auch Liebevolleres, Barmherzigeres zu sagen – die Dankbarkeit nicht zu vergessen, die Ihnen gilt für Ihren offenbar gelungenen Versuch, dem deutschen Publikum mein Werk wieder näher zu bringen. Ich höre von Bermann-Fischer, daß jetzt größere, billige Auflagen mehrerer dieser Bücher in Deutschland selbst hergestellt werden sollen.
Ihr ergebener

Thomas Mann

An Hedda Eulenberg — Flims, Gbd. Hotel Surselva
den 6. Juli 47

Liebe, verehrte Frau Hedda Eulenberg,
mit einer erdrückenden Menge anderer Dinge mußte leider Ihr ergreifender Brief so lange unbedankt liegen bleiben. Verzeihen Sie! [...] Deutschland ist mir unsäglich unheimlich geworden, und ich stehe unter dem Eindruck, daß die meisten Leute dort $^{3}/_{4}$ meschugge sind, zum mindestens einen Knacks für immer abbekommen haben, – wobei nichts zu verwundern ist. Dabei ist meine Ehrerbietung für Solche, die sich gehalten haben wie Ihr

bewundernswerter Gatte, grenzenlos. Nicht Ehrenbürger von Düsseldorf sollte er heißen, sondern Ehrenbürger der Welt – und wird auch so heißen. Glauben Sie auch nicht, daß bei Ihrer Schilderung des Matthäus- und Johannispassion-Publikums vorm Eingang des Kellers und in der Kirchenruine mir die Tränen nicht ziemlich nahe waren! Ein unsingbares Lied, das Ganze, Sie haben recht. Dabei habe ich in dem Faustus-Roman *etwas* davon zu singen versucht – und wurde krank dabei, bekam einen Lungenabsceß und mußte operiert werden. Nie ist ein Buch mir so auf die Knochen gegangen. Der Joseph war das reine Opernvergnügen dagegen. Aber wie habe ich mich über Ihre musikalische Charakteristik des 4. Teiles gefreut! Es war, artistisch, etwas wie mit der »Götterdämmerung« nach den Einlagen »Tristan« und »Meistersinger«, ein Arbeiten mit altgegebenen Motiven. [...]
Was haben Sie alles verloren! Der bonhomme Göring nannte das »kahljeschossen«. Ich bin es auch zum Teil. Freunde, die Zierden meines Lebens waren, haben sich getötet, sind getötet worden, sind an gebrochenem Herzen gestorben etc. Ein unsingbares Lied. – Meine Liebe und Verehrung an Herbert!

Ihr Thomas Mann

An Charlotte Gentzen — Flims, Hotel Surselva
8. Juli 1947

Sehr verehrte Frau Gentzen,
von Californien wurden mir Ihre beiden Briefe nachgesandt, derjenige vom Jahre 1945, der mir in der Tat vorher nie vor Augen gekommen ist, und der neuere vom 29. März dieses Jahres, auch die Beilage, die Karte Ihres Sohnes.
Lassen Sie mich Ihnen aussprechen, daß Ihr Schreiben mich tief ergriffen hat und daß es mir zu den liebsten Dokumenten gehört, die mir seit vielen Jahren aus der alten Heimat gekommen sind. Daß diese Briefe nun gerade aus meiner Vaterstadt datiert sind, hat etwas besonders Rührendes.
Die Liebe Ihres offenbar so vortrefflichen Sohnes zu meiner Lebensarbeit, besonders zu den Joseph-Büchern, ist mir von höchstem Wert und eine wirkliche Freude. Behilflich sein zu können, ihn aus der Gefangenschaft zu befreien, würde mir große Genugtuung bereiten. Darauf, daß es gelingt, will ich Ihnen lieber nicht zu viel Hoffnung machen. Die russischen Behörden sind außerordentlich

schwer zugänglich, wie mich frühere Erfahrung schon gelehrt hat. Ich werde mich aber an einen Kultur-Prominenten der russischen Sphäre in Berlin wenden, ihm die Karte Ihres Sohnes einsenden und ihn bitten, alles aufzubieten, um die Entlassung Ihres Sohnes zu erreichen. Mehr, wie gesagt, kann ich nicht versprechen, aber die Freude, die ich an Ihren Briefen hatte, möge Ihnen Gewähr sein, daß ich für meine Person mein Bestes tun werde.
Wenn Sie Ihrem Sohn schreiben, so richten Sie ihm meine herzlichen Grüße und Wünsche aus! Diese, sehr verehrte Frau Gentzen, gelten auch Ihnen.
Ihr sehr ergebener Thomas Mann

Ich würde Ihnen gerne den verbrannten »Joseph in Ägypten« ersetzen, habe aber hier keine Bücher zur Hand. Aus Amerika will ich Ihnen den Band schicken.
Bis Anfang August bin ich zu erreichen unter der Adresse: c/o Dr. Emil Oprecht Verlag, Rämistr. 5, Zürich.

An Kitty und Alfred Neumann Flims, Gbd., den 14. Juli 47

Lieber Alfred Neumann und Frau Wunderhenne!
Schön ist es kein bißchen, daß ich auf dieser ganzen Reise noch nichts habe von mir hören lassen, aber Sie wissen ja schon und können sich's denken, wie wir seit Washington und New York (lang ist's her!) gelebt haben: es war ein recht atemloser Reigen von Anforderungen, Festen, Leistungen, auch Spannungen, Aufregungen, Abwehr-Aktionen gegen unbehagliches Drängen, das natürlich aus D. kam. Es gab offizielle und inoffizielle Einladungen, Sendboten erschienen und insistierten. Aber ich habe mich nicht entschließen können [...] und tue mein Möglichstes, die Bitterkeit zu stillen, habe an deutsche Blätter geschrieben, in St. Gallen zugunsten des Münchener Waisenhauses gelesen etc...
Der Nietzsche-Vortrag hat sich auf englisch (besonders in London) gut bewährt und besser dann noch auf deutsch in den Schweizer Städten. Aber das Netteste war doch die »Faustus«-Vorlesung im Zürcher Schauspielhaus, die als Situation genau an die Abschiedsfeier von 1938 anknüpfte, als ich aus »Lotte« las, so genau, daß die ganzen 9 Lebensjahre seitdem versunken schienen. Ich gab das

Fitelberg-Kapitel (die Versuchung durch die »Welt«) zum Besten, und es herrschte große Heiterkeit und Herzlichkeit. Opus 111 kam zum Schluß. Die Zürcher mischen, wenn sie erfreut sind, Getrampel in den Applaus, was eine Art von Donner ergibt. Erika war ganz glücklich. Sie besteht seitdem darauf, daß ich ein Lustspiel schreiben müsse, worin wir beide zusammen auftreten sollten. Ja, dazu wird es wohl nicht reichen.
Hier ist es nun sehr schön und wohltuend nach all dem Saus und Braus: herrliche stille Tannenwälder mit Felsdekorationen und Schluchten wie von Doré, und der Anblick der Mauern, Zinnen und Hochmatten der umringenden Berge ist auch einmal etwas anderes nach dem ewigen Pacific. Es war (und ist) ein Koffer voll liegengebliebener Korrespondenz aufzuarbeiten, ein Augias-Stall, und dazu habe ich hier die Korrekturen des Romans gelesen – mit gemischten Gefühlen. Sonderbar ist es schon, vielleicht zu sehr, und neben wirklichen Merkwürdigkeiten hat es Längen, Schwächen, Fehler genug. Es ist nun, wie es ist. Bermann behauptet, die Copyright-Sache mit Amerika sei geordnet, und die deutsche Ausgabe könne diesen Herbst erscheinen. Ich habe ihn noch nicht gesehen. Er telegraphierte auch, daß große wohlfeile Auflagen meiner Bücher und anderer (150000 Stück von jedem) jetzt in Deutschland auf den Markt kämen.
Sie haben Ärger gehabt, lieber Freund? Der kam gewiß, woher all Ärgernis kommt, aus D. Ich rate auf Schnödigkeiten gegen den Münchener Roman. Aber Sie werden uns erzählen.
War die Geschichte mit Niko nicht aufregend? Nach Gottliebs Brief blieb uns nichts übrig, als das gute Wesen zu beweinen. Und dann war er einfach nach Hause getrottet. Ist eben der Klügste von uns allen.
Am 20. kehren wir nach Zürich zurück. Von dort gibt es noch allerlei Ausflüge, auch ins Italienische zu Mondadori und nach Luzern zur Begegnung mit Hesse. Dann kommen einige Wochen Holland, und am 29. August schiffen wir uns in Rotterdam auf der kleinen »Westerdam« wieder ein. Wir hätten sogar die »America« haben können, scheuen aber die Reise nach Cherbourg, die umständlich und chicanös sein soll.
Meinen Münchener Bruder haben wir an der Grenze begrüßt und sogar nach Zürich geführt. Die Protektion eines französischen Grenz-Offiziers machte es möglich. [...]
Auf gutes Wiedersehen! Ihr Thomas Mann

An Richard Menzel

Flims, Gbd. den 14. Juli 47

Sehr geehrter Herr,
mit Vergnügen habe ich Ihren Brief empfangen, der Gruß eines Nachkommen Wolfgang Menzels. Ich habe immer zuviel Sinn für leidenschaftliche Kritik gehabt, als daß ich Ihrem Ahnherrn seine Aufsässigkeit gegen Goethe verübeln könnte. Aus Nietzsches Wagner-Kritik kann man mehr über Wagner lernen und sogar mehr klarsichtigen Enthusiasmus für W. daraus ziehen, als aus allen dämlichen Panegyriken. Börne war wohl noch schärfer gegen G., als Menzel, und auch Novalis hat böse, in ihrer Art richtige Dinge über ihn gesagt. Keine Idolatrie! Ich sah neulich »Stella« im Zürcher Schauspielhaus. Es ist ein sehr schwaches Stück. –
Unser Schweizer Aufenthalt geht für diesmal leider schon zu Ende. [...] Aus einem Besuch in Wädenswil zur Besichtigung Ihrer Schätze wird dies Jahr kaum noch etwas werden. Wir müssen froh sein, wenn wir wenigstens Hesse noch zu sehen bekommen (vielleicht in Luzern). Bleibt aber einer geprüften Welt auch nur das Maß von Frieden erhalten, das ihr heute gegönnt ist, so denke ich, Gesundheit vorausgesetzt, jedes Jahr wiederzukehren.
Ihr sehr ergebener

Thomas Mann

An Herbert Eulenberg

Zürich den 26. Juli 47

Lieber Herbert Eulenberg,
mit Rührung halte ich Ihren Brief in Händen und danke Ihnen herzlich. Sie haben schwer gelitten, unverschmerzbare Einbußen erfahren, größere Opfer zu bringen gehabt, als die Mitglieder der fatalen Körperschaft, die sich die »Innere Emigration« nennen, und die ich sitzengebliebene Dummköpfe heiße, Ofenhocker, über denen der Ofen zusammengefallen ist, und die sich dieses Malheur nun zur höchsten Ehre und als Treue zu Deutschland anrechnen, während wir es uns »bequem« gemacht hätten. Ich kann Sie versichern: es war nicht bequem.
Daß Sie Ihren Sohn darangeben mußten! Zwei der unseren taten Kriegsdienst, der eine recht exponiert in Italien. Aber es ist gut gegangen. Desto inniger empfinde ich mit Ihnen und Ihrer Frau.
Ihren Nietzsche-Aufsatz werde ich mir verschaffen. Er wird nicht

unedelmütig sein gegen den, dessen schlimmste Verirrungen noch im Edelmut geschahen. Ich habe in meiner unzulänglichen Studie, die in der »Neuen Rundschau« erscheinen wird, versucht, zwischen Kritik und Ehrerbietung das Gleichgewicht zu halten. [...]
Schon Monate lang, seit April, sind wir nun unterwegs [...] gehen noch nach Holland und werden uns dort Ende August wieder nach unserer neuen, schon nicht mehr neuen, weitläufigen Heimat einschiffen. Ich werde ganz froh sein, wieder in meinem californischen Winkel, unter meinen Palmen zu sitzen und zuzusehen, wie die Welt läuft. Schlecht wird sie laufen, das steht von vornherein fest. Die Weltgeschichte ist nicht dazu da, uns Vergnügen zu machen. Dem deutschen Nationalismus wird aller Voraussicht nach volle Genugtuung werden. Das »Mitleid« mit Deutschland ist durchaus politischer Natur, das springt in die Augen. Man wird es aufrichten und aufrüsten, und in knapp 50 Jahren, wenn das nicht zu hoch gerechnet ist, wird es trotz allem das nicht-russische Europa in der Tasche haben, – wie ja schon Hitler, wenn er etwas weniger unmöglich gewesen wäre, alles hätte haben können. Um die machtpolitische Zukunft Deutschlands brauchen wir uns also keine Sorge zu machen, – wenn sie unsere Sorge ist.
Leben Sie recht wohl! Gedenken Sie meiner auch ferner in Freundschaft, Kameradschaft, Wohlwollen!

Ihr Thomas Mann

An Hermann Hesse

Zürich, Baur au lac
den 10. Aug. 47

Lieber Hermann Hesse,
im letzten Augenblick (wir fliegen heute) Dank für Ihre lieben Zeilen. Die »Nationalen« in Luzern haben uns insofern Wort gehalten, als wir für den königlichen Salon, den sie uns eröffnet, und den wir nicht bestellt hatten, bestimmt *nicht* haben zahlen müssen.
Es war ein gutes Zusammensein, an das wir das ganze Jahr zurückdenken werden. Wie ich nun aber des Treibens müde bin, kann ich nicht sagen, und es ist recht arg, daß es in Holland nochmal ein bißchen von vorn anfangen soll. Ich will froh sein, wenn wir auf dem Schiff sind, und habe geheime Zweifel, ob ich mich nächsten Mai (was ja nur 8 Monate wären) schon wieder auf den Tanz einlassen werde. Die Schweiz freilich lasse ich ungern. Es ist nun einmal ein reizendes Land, und der Alpen-Übergang neulich, als

wir im Auto nach Stresa fuhren, hat mir tiefen Eindruck gemacht. (Wie haben sie es nur damals mit den Elefanten fertig gebracht?) Wenn man weither ist und nicht zu oft kommt, erhält man auch viele Fränkli.
Aus Washington habe ich mißliche Nachrichten in der Copyright-Angelegenheit, und es ist wieder eher wahrscheinlich geworden, daß die deutsche Ausgabe des »Büchleins« noch acht, neun Monate liegen bleiben muß, was für mich schmerzlich, für Bermann aber, glaube ich, ein fürchterlicher Schlag ins Kontor wäre. Von Dr. Benedikt (ehemals Wien), der in Schweden die Korrekturbögen gelesen hat, bekam ich einen erfreulich aufgeregten Brief.
Leben Sie recht wohl, Sie und Frau Ninon, die wir beide mit Ihnen herzlich grüßen.

Ihr Thomas Mann

An J. Buising

Huis ter Duin
Noordwijk
23. August 1947

Sehr geehrter Herr Buising,
mit bestem Dank beantworte ich Ihren freundlichen Brief vom 20. August, der mir hierher nachgesandt wurde.
Es tut mir sehr leid, daß die Nachricht, die ich in gutem Glauben verbreitete, offenbar verfrüht war. Noch in Californien erhielt ich vor etwa einem halben Jahr die Mitteilung von der Bildung einer holländischen Vereinigung die, mit Billigung der Regierung, Lebensmittelpakete nach Deutschland sende. Die Genehmigung dieser Sendungen ist aber, wie ich nun hier erfahre, noch immer nicht erteilt.
Ich gebe Ihnen für alle Fälle die Adresse der Vereinigung: Miarka-Vriendenkring, Secr. J. W. Halsema, Sumatrastraat 27 III, Amsterdam (O). Ich denke, es wird jedenfalls gut sein, wenn Sie sich an sie wenden; je mehr Zuschriften aus dem Publikum sie erhält, desto mehr Aussicht auf Erlangung der offiziellen Genehmigung besteht wahrscheinlich.
Mit freundlichen Grüßen und in der Hoffnung, daß Sie bald Ihre menschenfreundlichen Absichten ausführen können,
Ihr sehr ergebener

Thomas Mann

An A. M. Frey

Pacific Palisades, California
1550 San Remo Drive
17. Sept. 47

Lieber Herr Frey,
vielen Dank für die makabre Liste. Daß auch H. L. Held und Loerke darauf stehen, machte mich doch betroffen. Das übrige Völkchen ist ganz an seinem Platz, aber merkwürdig bleibt, wie wenig diese Ponten, v. Scholz, Seidel etc. sich um unser Außensein kümmerten. Gab es ihnen garnicht zu denken? Noch heute könnt' es mich kränken.
Das Dokument ist schon bewahrenswert. Aber ich zweifle, ob man Ihrem Erinnern daran viel Aufmerksamkeit schenken wird. Man will von alldem nichts mehr wissen, und besonders die Schweiz wünscht ihre Beziehungen zur deutschen Kultur wieder aufzunehmen, darum auch zu Schnack, Finkh und Schussen. Die liebe Schweiz! Ich habe nun einmal einen Narren an ihr gefressen. Und wie überwältigend hat sie mich aufgenommen! Was kann's mir da ausmachen, wenn sie auch Schneider-Edenkoben und Köhler-Irrgang bejaht und ehrt?
Bei Eckart von Naso fiel mir Leibnizens von Nietzsche citiertes Gedicht ein:

»Was kümmern uns die Griechen?
Sie müssen sich verkriechen,
Wenn sich die teutsche Muse regt:
Horaz in Flemming lebet,
In Opitz Naso webet,
In Gleim Senecens Traurigkeit.« –

Sehr sonderbar ist es, wieder am alten Fleck zu sein, und man hat nach der Ausschweifung einen kleinen Kater. Es gilt nun, ein paar Jahre abzuwarten, wie der Hase läuft. Dies Haus und dieser Garten sind mir lieb. Aber sterben möchte ich doch lieber daheim in der Schweiz.
Alles Gute!

Ihr Thomas Mann

Was ist eigentlich aus meinem Brief an den S.D.S. in München geworden? Habe nie etwas darüber gehört.

An Klaus Mann

Pacific Palisades, California
1550 San Remo Drive
19. Sept. 47

Guter Eissi,
Dank für Deine neuen Angaben im Brief vom 5. Ich werde sie sorgfältig in einem programmatischen Schreiben benutzen, das ich nächster Tage an Dich richten will. Ich will dabei auch fragen, wieweit man dort zum research work in Übersetzungsdingen bereit ist, und gebe Dir dann Nachricht. Wegen des Insel-Bändchens habe ich nach New York geschrieben. Gib mir die Briefe nur an.
Ich war hier die ersten Tage nach unserer Ankunft so müde, daß ich kaum lesen und an nichts denken konnte. Diese Zeilen sind schon ein Zeichen wiederkehrenden Lebens. Aber man belebt sich nur zum Sorgen. Die Einnahmen sind stark zurückgegangen, und Knopf war bei unserem Frühstück neulich entsetzlich gloomy. Erika kommt schon bald, erfreulicher Weise, aber nicht aus erfreulichen Gründen, denn sie hat kaum engagements, weil man von Europe nichts wissen will. Onkel Heinrich klagt über schlechte Nächte und Angstzustände, und Rosenthal spricht hinter seinem Rücken von Angina pectoris, einer leichten zwar, kombiniert mit Bronchial-Asthma und Vagus-Beängstigungen. Da drohen auch schwere Probleme und Erschütterungen. Dabei die Elendspost aus Deutschland *und* aus der Schweiz, wo A. M. Frey hungert und unterstützt werden muß.
Mögest Du Dir zu helfen wissen, und möge Dir geholfen sein!
Übrigens ist es hier wunderschön, und nach dem Badestuben-Qualm von New York und Chicago genieße ich die reine, frische Luft. Mielein ist heldenhaft tätig, aber auch die Jüngste nicht, und ihretwegen bin ich froh, daß Heinrich keine Treppe steigen darf (was er nicht weiß) und also nicht zu uns ziehen kann, sondern nur öfters geholt werden soll. Golo prangt mit vollen Wangen und einem Gelehrtenbäuchlein und ist sehr nett.
Herzlich Z.

An Klaus Mann

Pacific Palisades, California
1550 San Remo Drive
25. Sept. 47

Lieber Eissi,
ich habe die Goethe-outline noch etwas erweitert, einige Gedichte, wie »Sah ein Knab' ein Röslein stehn«, hinzugefügt und besonders eine eigene Rubrik für Sprüche in Vers und Prosa aufgemacht (aus dem »Divan«, den »Sprüchen in Reimen« und den »Maximen«), weil ich für seine Aphoristik und Sprichwort-Prägungen eine Vorliebe habe. Unter den Gedichten sollte meiner Meinung nach weder die »Trilogie der Leidenschaft« noch ein gewisses Zwiegespräch Hatem-Suleika im Divan fehlen. »Du beschämst wie Morgenröte dieser Gipfel ernste Wand« ist unerläßlich und ebenso ihr »Magst du meine Jugend zieren mit gewalt'ger Leidenschaft«. Allerdings geht es mit der Einteilung in Love and Youth – Wisdom etwas drunter und drüber, denn die »Trilogie« ist nicht Youth und die Altersliebeslieder nicht Wisdom. Darüber wäre im Vorwort zu scherzen.
Ich habe nun eine vollständige Aufstellung des Inhalts, wie ich ihn wünschte, an Dial Press gesandt, nebst einem langen Begleitschreiben, worin ich auch all unsere Wissenschaft, die vorhandenen Übersetzungen betreffend, zum Besten gebe. Ich gestehe darin, daß ich nicht mehr übersehe, auf wieviel Seiten das Buch, wie es mir jetzt vorschwebt, kommen wird, gebe aber zu bedenken, ob es denn ein Unglück wäre, wenn eine zweibändige Ausgabe (in Kassette) daraus würde. Außerdem habe ich angefragt, wie weit sich der Verlag an der Eruierung und Wahl der vorhandenen Übersetzungen beteiligen kann und will. Sehr weit kann diese Beteiligung meiner Meinung nach nicht reichen. Vor allem handelt es sich doch darum, festzustellen, welche der in Aussicht genommenen Gedichte und Sprüche unübersetzt sind oder neu übersetzt werden müssen, damit ich mich an Auden, Spender oder Prokosch, oder zwei von ihnen, oder alle drei, wegen bestimmter Aufgaben wenden kann. Unbeschadet meiner Anfrage beim Verlag halte ich es für geboten, daß Du gleich den Bubi K. in Bewegung setzest, damit er in diesem Punkt die Klarheit schafft, die ich für meine Korrespondenz mit den Dichtern brauche.
Die Sprüche und Aphorismen schreibt die Kahn mir aus. Ob ich das Briefbändchen der Insel bekomme, weiß ich nicht. Du tätest am besten, mir Dein Exemplar zu schicken. Die Abschriften werde ich hier schon machen lassen.

Die ganze Sache wird gewiß noch viel Mühe und Kopfzerbrechen kosten, mehr, als mit 2000 $ bezahlt ist. Aber wenn ich überhaupt mitmachte, mußte ich schon das Ganze machen.
Eri ist diese Nacht eingetroffen. Es ist sehr gut, daß sie sich von ihren Reisen und der Nieren-Attacke erst einmal hier erholt, bevor sie wieder auf Tour geht. – Dein Vergleich des heutigen Paris mit dem Wien von 1918 leuchtet mir sehr ein. Traurig, traurig. Ein demokratischer Senator hat neulich den Rock ausgezogen und in Hemdärmeln erklärt, wir hätten keinen einzigen Freund mehr in der Welt.
Du hast welche und verdienst sie auch. Sei nur wohlgemut! Was Mielein meinte, war: »Vom Leben müde«, nicht »lebensmüde«.
Herzlich

Z.

An Oskar Seidlin

Pacific Palisades, California
1550 San Remo Drive
28. Sept. 47

Lieber Herr Seidlin,
ich habe hier bei meiner Rückkehr von Europa unter einem Wust von liegengebliebener Post Ihre schönen, fleißigen Arbeiten vorgefunden, die schon gleich nach meiner Abreise, vor 5 Monaten, hier eingetroffen sein müssen. Gestern habe ich sie gelesen und danke Ihnen viel Erinnerung, Anregung und Nachdenklichkeit. Es ist erstaunlich, was Sie aus meiner knappen Bemerkung über mein Verhältnis zu Sterne, in jenem Vortrag, kritisch herauszuholen gewußt haben. Ich selber hätte bei Weitem nicht so viele und gute, lehrreiche Belege für die Gemeinsamkeit einer gewissen humoristisch-epischen Technik beizubringen gewußt. Aber die bedeutendste dieser Studien ist natürlich, ihrem Gegenstand entsprechend, die über Helena. Seit gestern Abend hört, dank Ihrer gelehrt-intuitiven und eindringlichen Deutungskunst, die träumerische Greisengenialität nicht auf, mich zu beschäftigen, mit der Goethe die krankhafte und »bedrohte« Halb-Existenz der Königin und ihren Weg vom Idol zur Person dargestellt hat. Es gehört zum Allerwunderlichsten und Verwegensten im Faust, und ein großes Glück muß es sein, diesen bleichen, sittlich tiefen und schalkhaften Geheimnissen mit den ausgebildeten Werkzeugen der Kritik mutig beizukommen.
Ich bin zum Goethe-Dienst auch wieder angehalten durch einen

Auswahl-Band, den die Dial Press in New York zum 200. Geburtstag herausbringen will, und dessen Zusammenstellung und Bevorwortung ich übernommen habe. Während ich Sie las, kam es mir in den Sinn, Ihnen meine Aufstellung des Inhalts zu schicken, aus Neugier, ob Sie sie, unter dem amerikanischen Gesichtspunkt, wohl billigen können. Dazu tue ich gut, den deutschen Entwurf meines letzten Briefes an den Verlag beizufügen, worin eine Liste der zur Verfügung stehenden Übersetzungen gegeben ist. Wie Sie sehen, tut mir hauptsächlich not, eine Übersicht derjenigen von mir ausgewählten *Gedichte* zu gewinnen, die unübersetzt sind oder der Neu-Übersetzung bedürfen, damit ich sie den am Schluß des Briefes genannten Dichtern in Auftrag geben kann. Würden, könnten, möchten Sie mir bei der Aufstellung behilflich sein? Klaus, der mitbeschäftigt ist, sagte mir schon, daß er sich an Sie wenden wolle.

Ihr ergebener Thomas Mann

An Jean Cocteau

Pacific Palisades, California
1550 San Remo Drive
8 octobre 1947

Cher Monsieur Cocteau,

Klaus m'a raconté sa visite chez vous. Il sait bien, combien ces choses m'intéressent, il m'a donc décrit en détail vos multiples activités littéraires, et comment vous ne permettez pas à certains tourments causés par l'état de votre santé de vous interrompre. Cela m'a impressionné. J'ai toujours trouvé qu'en jugeant une œuvre on devrait tenir compte des circonstances, dans lesquelles, contre lesquelles elle a été créée. Dans »Lotte à Weimar« (demandez à Gide) je fais dire au vieux Goethe à soi-même: »Ils apprécient au plus l'œuvre, – la vie personne ne l'apprécie. Je dis aussi: Qu'on fasse comme moi sans se casser le cou!« (»Machs Einer nach und breche nicht den Hals!«). Au cours de la conversation vous avez demandé où en était mon plan d'une version de votre »Machine Infernale« pour le théâtre allemand. J'ai été charmé d'apprendre qu'après toutes ces années vous restez fidèle à cette idée, – vous aussi, car soyez assuré que je n'ai jamais perdu de vue cet attrayant travail. Mais il y avait le troisième, le quatrième volume de »Joseph«, entre les deux »Lotte«, ensuite, de 1943 à 46, le »Faustus«, la chose la

plus étrange, pour moi la plus excitante, que j'aie jamais faite. Bref, j'avais toujours un lourd fardeau à porter, et il fallait toujours de nouveau ajourner notre plan.
Maintenant, sous l'impression de la lettre filiale, j'ai pris en main le volume qui avait dû m'accompagner dans toutes mes migrations, avec le séduisant profil d'ange que vous y avez dessiné pour moi, et en le relisant j'ai renouvelé ce vieux rêve. Qu'est-ce-qui m'empêcherait de le réaliser enfin? Pour le moment une sélection américaine de Goethe pour 1949, qu'il me faut composer et munir d'une introduction. Après cela il me semble qu'il n'existerait vraiment plus d'obstacle sérieux, et mon désir est d'autant plus vif, que je me rapelle la promesse du Zürcher Schauspielhaus de jouer la pièce immédiatement dans ma traduction.
En parlant de théâtre: Klaus m'a dit que vous étiez assez disposé à vous occuper amicalement de la version française de son »Septième Ange«. Vraiment, cela m'a fait plaisir. L'auteur nous a lu sa pièce lors de sa visite ici, et je ne saurais nier que j'ai été captivé par une certaine poésie étrange, audacieuse et délicate dans ces scènes. Il me semble qu'elles pourraient faire impression sur un public parisien, surtout si vous donniez une dernière touche au texte français.
Adieu, cher Monsieur Cocteau. Je reste toujours votre ami et admirateur. Dans mon nouveau roman je vous nomme une fois expressément.

Toujours votre Thomas Mann

An Lion Feuchtwanger

Pacific Palisades, California
1550 San Remo Drive
9. Okt. 1947

Lieber Herr Feuchtwanger,
Dank für Ihr prächtiges Buch mit der freundschaftlichen Zueignung! Ich habe gute Stunden mit dem Werk verbracht und zähle es zu Ihren besten, ja neige unter dem frischen Eindruck dazu, es für Ihr bestes zu halten, durch heiterste Beherrschung des Gegenstandes, Aufbau, Charakteristik und sprachliche Haltung. Es ist namentlich die geistige Munterkeit, die Fröhlichkeit der Gestaltung, die mich erquickt, und zu der ich Sie beglückwünsche. Jugendlichkeit zusammen mit Wohlgeübtheit und Erfahrung, das ergibt natürlich ein großes Vergnügen. Bleiben Sie noch lange so jung, und

wenn Sie alt werden, dann wird es vielleicht wieder auf andere Weise schön!
Wir würden Sie beide so gern bald wieder bei uns sehen, haben aber auf die Nervenschwäche unserer gegenwärtigen help ängstliche Rücksicht zu nehmen und können Einladungen nur in gemessenen Abständen wagen. Trotzdem: auf bald! An Konversationsstoff, brenzlichem, schauerlichem und belustigendem, fehlt es ja nicht.
Mit herzlichen Grüßen von Haus zu Haus

Ihr Thomas Mann

An Ludwig Marcuse

Pacific Palisades, California
1550 San Remo Drive
9. Okt. 1947

Lieber Herr Marcuse,
Dank für Ihr hoch-originelles neues Werk mit der freundschaftlichen Zueignung! Ich habe ja keine Ahnung gehabt! Es ist eine Überraschung in jeder Beziehung! Da hat in aller Verschwiegenheit eine Zeitbombe getickt, die nun plötzlich explodiert – übrigens nicht zerstörerisch, sondern höchst auferbauend für Geist und Gemüt. Nichts Fesselnderes, oder so Fesselndes, ist mir vor Augen und Sinn gekommen seit Längerem, wie der Prozeß des Sokrates. Was würde Nietzsche dazu gesagt haben? Gefühlt haben würde er jedenfalls, in welche Gesellschaft der Geist gerät, wenn er sich konservativ gebärdet. Wahrscheinlich doch hätte er Sie umarmt nach der Lektüre. Diese Doppel-Biographie war ein Fund und Treffer von Konzeption. Sie gewährte Ihnen die Entfaltung all Ihrer Tugenden, Ihres Wissens, Ihrer philosophischen Vielerfahrenheit, Ihres politischen Herzens. Das glückliche Werk wird Ihnen viel Achtung und Sympathie gewinnen – zu der, die Sie schon besitzen.
Wir hoffen, Sie und Ihre liebe Frau bald bei uns zu sehen.

Ihr Thomas Mann

An Agnes E. Meyer

Pacific Palisades, California
1550 San Remo Drive
10. Okt. 1947

Liebe Freundin,
[...] die Frage, ob und wieweit Sie überhaupt noch an mir teilnehmen, beschäftigt mich oft und macht mich natürlich beim

Schreiben unbestimmt zaghaft. Dennoch besteht das eingewurzelte Bedürfnis fort, mich Ihnen mitzuteilen. Dulden Sie es, so gut Sie können!

Unter den Meinen halten Sie etwas von Golo – sehr mit Recht und zu meiner Freude, denn er ist ein vortrefflicher Bursche, und ich bin froh, ihn wieder in der Nähe zu haben: als Geschichtsprofessor am Pomona-College, von wo er immer in seinem Ford-Wägelchen zum Wochenende zu uns gerollt kommt. Erika, die die Rückreise von Europa getrennt von uns zurücklegte (sie ging von der Schweiz nach Prag zu unserem Freunde Beneš und nach Polen), leistet uns Gesellschaft in Erwartung des Beginns ihrer lecture-Saison. Es mag wohl die letzte sein, denn bei ihren Gesinnungen (die keineswegs kommunistisch sind) und bei den Wegen, die wir, die U.S., jetzt wandeln, wird auch ihr die Möglichkeit sich zu äußern wohl mehr und mehr schwinden. Sie ist gescheit und lebendig genug, sich auf andere Weise durchzuhelfen. Ich selbst unterschreibe *nichts* mehr von allen Aufrufen, mit denen die verzweifelte Linke sich lästig macht, denn ich habe wenig Lust, noch einmal den Märtyrer zu spielen. Die Auslegung, daß es sich um eine gewisse moralische Abspannung des Landes nach den Anstrengungen der Roosevelt'schen Genie-Periode handle, ist mir noch die liebste. Im Übrigen tröste ich mich mit einem hübschen Wort, das ich in London von Harold Nicolson hörte: »In Amerika«, sagte er, »muß man zwischen Wetter und Klima unterscheiden. Das Wetter ist schlecht dort zur Zeit, aber das Klima ist gut.« – Das Klima ist gut! Und ein dunkel-unbehagliches Gefühl für die wachsende Unpopularität Amerikas in der übrigen Welt ist auch vorhanden.

Aus persönlichen Gründen geht mir der Fall Hanns Eisler nahe. Ich kenne den Mann recht gut, er ist hoch gebildet, geistvoll, im Gespräch sehr amüsant, und oft habe ich mich mit ihm, namentlich über Wagner, glänzend unterhalten. Als Musiker ist er, nach dem Urteil all seiner Kollegen, ersten Ranges. Seit die Inquisition ihn dem »weltlichen Arm« zur Verschickung empfohlen, besteht die Gefahr, daß er in einem deutschen Lager landet. Ich höre, daß Strawinsky (ein Weißrusse!) eine Demonstration zu seinen Gunsten einleiten will. Aber ich habe Weib und Kinder und erkundige mich nicht weiter danach.

Da ich schließlich ein Romancier bin, habe ich sogar den Prozeß gegen jenes junge Eltern-Mörderpärchen und seinen Ausgang mit einer gewissen Aufregung verfolgt. Der Freispruch ist ein Phänomen, das ich noch nicht aus dem Sinn bringe. Für viel Geld konnte man Einblick tun in die Korrespondenz der jungen Leute während ihrer Untersuchungsgefangenschaft. Ernst Lubitsch zum Beispiel hat diese Briefe gelesen und berichtet, an Obszönität seien sie schwer zu übertreffen, dagegen komme nichts darin vor, was auf das geringste Nachgrübeln über den eigenen Fall, das Geheimnis des Todes der Eltern schließen lasse. Während der Verhandlung haben die beiden verliebte Blicke getauscht, offenbar nach Anweisung des Verteidigers; denn nach dem Freispruch erklärt das Mädchen, ihren Freund nicht heiraten zu wollen »and leave it to us to figure out why she doesn't care«. Was mag die cheering crowd des Gerichtssaals dazu sagen? Verstehen Sie überhaupt, warum und worüber die Leute jubelten? Das Paar hatte persönlich nach allen Bildern doch nichts Bezauberndes. Gibt es eine volkstümliche Begeisterung darüber, daß man ein krasses Verbrechen begehen kann and may get away with it? Das wäre keine sehr gesunde Begeisterung. Der Gipfel von allem scheint mir zu sein, daß der Verteidiger jetzt die Versicherungssumme einklagen will – was ja der Annahme des Selbstmordes zynisch widerspricht. Ich glaube, die Hausfrau, die ganz allein bis zuletzt standhielt und nur gezwungen dem »Nicht schuldig« schließlich zustimmte, wird recht behalten mit ihrem Vertrauen, daß irgendwie die Strafe die Schuldigen schon noch ereilen wird. –

Nun muß ich Ihnen, lächerlich verspätet, einen freundschaftlichen Vorwurf machen, der aber mehr eine Bitte um Erklärung und Belehrung ist. In Ihrer unvergeßlichen Rede hier, vor der Lehrer-Organisation, in der Sie auch an »Hollywood« so mutige Kritik übten, haben Sie, wenn ich mich nicht ganz und gar irre, in der Wahl des speziellen Objekts ganz seltsam fehlgegriffen, indem Sie nämlich »The best years of our lives« von Sherwood als eine disgrace für die amerikanische Produktion und für das Land selbst bloßstellten. Verehrte Freundin, wieviele volksverderberische Machwerke gab es anzuprangern statt dieses Films, den ich damals nicht kannte! Erst gestern habe ich ihn zufällig gesehen und muß sagen: er gehört zum Vorzüglichsten, was mir auf diesem Gebiete vorgekommen, – von unübertrefflicher Natürlichkeit, grundanständig in der Gesinnung, glänzend gespielt und voll von echt amerikanischem Leben. Sagen Sie mir um Gottes willen: wo ist etwas Hetze-

risches, Herabsetzendes, an schlechte Instinkte Appellierendes in dieser Vorführung, etwas, was dem Lande zur Schande gereichte? Die Schwierigkeiten der Wiederanpassung der Heimkehrer ans zivile Leben sind ja mit Diskretion, Humor und Güte geschildert, die Frauen ergreifend bis auf die Eine, Ordinäre, die zum Bilde gehört, die Männer, als Individuen mit ihren abgestuften Schicksalen, durchaus lebenswahr – und lebenswahr die Welt, in die sie zurückkehren. Durfte die Tragik nicht anklingen, daß jedesmal, wenn die boys zurückkehren, die Idee des Krieges, in dem sie ihre Gliedmaßen opferten, verraten und ausverkauft ist? Haben Sie etwas dagegen, daß der Mensch, der die Roheit und politische Schlechtigkeit besitzt, dem heimgekehrten Krüppel zu sagen: »We fought the wrong people«, *niedergeschlagen* wird? Wenn nicht, wogegen haben Sie etwas? Ich muß die Überlegenheit des Urteils einer Amerikanerin wie Sie es sind a priori anerkennen. Da ich Amerikaner sein möchte, muß ich wünschen, zu sehen und zu denken, wie Sie. Ich bitte Sie ernstlich, klären Sie mich auf, wenn Sie Zeit dazu finden, über die Gründe Ihres verwerfenden Spruches, damit ich sie bei mir verarbeiten kann! –
In belebteren Stunden bewege ich allerlei Arbeitspläne: eine mittelalterliche Legenden-Novelle, die mit den »Vertauschten Köpfen« und der Moses-Geschichte das dritte Stück meiner »Trois contes« bilden könnte; den Ausbau des Felix Krull-Fragments zu einem modernen, in der Equipagenzeit spielenden Schelmen-Roman. Das Komische, das Lachen, der Humor erscheinen mir mehr und mehr als Heil der Seele; ich dürste danach, nach den nur notdürftig aufgeheiterten Schrecknissen des »Faustus« und mache mich anheischig, bei düsterster Weltlage das Heiterste zu erfinden. Wer zur Zeit von Hitlers Siegen den »Joseph« schrieb, wird sich auch vom Kommenden nicht unterkriegen lassen, sofern er es erlebt. Ihr Erleben, liebe Freundin, wird weiter reichen als meines, und vielleicht werden Sie zuweilen dabei an mich denken.
Ihr getreuer

Thomas Mann

An Mr. Gray
[Konzept]

Pacific Palisades, California
1550 San Remo Drive
12. Oktober 1947

Dear Mr. Gray,
ganz so, wie Mr. Lyons sie wiedergibt, werden die beiden Äußerungen in Bob Nathans Living room wohl nicht gelautet haben. Feuchtwanger kann unmöglich gesagt haben: »I'm going home to Germany«, denn er denkt ja, so wenig wie ich, daran, das zu tun, und so wenig wie ich, würde er, obendrein in dem Hause eines amerikanischen Schriftstellers, Deutschland, im Gegensatz zu Amerika, als ein Land bezeichnen, »where real culture can be found«. Wie ich unseren Lion kenne, hat er einen Sprach-Patriotismus verfochten, der das Leben des deutschen Wortes an das Leben Deutschlands gebunden sieht. Er wird auseinandergesetzt haben, daß eine Sprache nicht in der Luft stehen kann, daß sie ohne den Rückhalt von Volk und Staat eine tote und tonlose Sprache ist, und daß darum wir deutschen Schriftsteller ein Interesse an der politischen Existenz Deutschlands haben. Das hat viel Wahres.
Was mich betrifft, so habe ich gelegentlich schon gelesen, ich müsse immer ein Patriot sein, sei es von Natur, und da ich meinen deutschen Patriotismus aufgegeben hätte, sei ich ein amerikanischer Patriot geworden. Die Äußerung, die Mr. Lyons mir zuschreibt, scheint das zu bestätigen, und wirklich, ich kann dergleichen wohl gesagt haben. Es gab eine Zeit, in der mein Glaube an die menschheitliche Sendung Amerikas sehr stark war. Er ist in den letzten Jahren leichten Schwankungen ausgesetzt gewesen. Statt die Welt zu führen, scheint Amerika sich entschlossen zu haben, sie zu kaufen, – was ja in seiner Art auch recht großartig, aber doch weniger begeisternd ist. Daß ich aber auch unter diesen Umständen immer noch ein amerikanischer Patriot bleibe, zeigt mir der aufrichtige Kummer, mit dem ich die wachsende Unpopularität Amerikas in der übrigen Welt beobachte. Das amerikanische Volk ist unschuldig daran und begreift es nicht. Stimmen, die es über die Gründe aufklären könnten, werden mehr und mehr zum Schweigen gebracht. Erste Anzeichen von Terror, Gesinnungsspionage, politischer Inquisition, beginnender Rechtsunsicherheit sind spürbar und werden entschuldigt mit einem angeblichen Zustande von emergency. Als Deutscher kann ich nur sagen: So fing es an auch bei uns. Aber nur mit leiser Stimme, so gelegentlich und anspruchslos wie hier, spre-

che ich die Warnung aus und würde sie überhaupt nicht aussprechen, wenn ich nicht im Herzen den Glauben bewahrte, daß dieses große Land unserer Liebe, unserer Sorge – und unseres Vertrauens wert ist.

An Albert Einstein

Pacific Palisades, California
1550 San Remo Drive
14. Oktober 1947

Lieber, sehr verehrter Professor Einstein,
ich schreibe Ihnen heute in einer Angelegenheit, die mir nahe am Herzen liegt, aus persönlichen wie aus prinzipiellen Gründen. Sie kennen jedenfalls in großen Zügen die Geschichte mit dem Komponisten Hanns Eisler, einem guten Bekannten von mir, nach dem Urteil aller seiner Kollegen einem hervorragenden Musiker und einem hochgebildeten, geistvollen Mann. Seit die Inquisition ihn dem weltlichen Arm zur Deportation übergeben hat, besteht die Gefahr, daß er in einem deutschen Lager landet, und seine hiesigen Freunde möchten versuchen, ihm behilflich zu sein, diesem Schicksal vorzubeugen. Er hofft, mit wieviel Recht weiß ich nicht, daß er durch die Erklärung, das Land freiwillig verlassen zu wollen, die Deportation vermeiden kann. Dazu braucht er Einreise-Papiere in ein anderes Land, und er denkt dabei an die Tschechoslowakei, wo er als Künstler Freunde und Anhänger hat. Es ist nun ein Telegramm entworfen worden, dessen Text ich Ihnen beilege, und das über das tschechische Generalkonsulat in San Francisco auf diplomatischem Weg an den Präsidenten Beneš gehen soll. Es wäre der Sache natürlich ungeheuer gedient, wenn Sie den Namen, die für dieses Telegramm gedacht sind, den Ihren hinzufügten. Die Unterschreiber wären außer Ihnen nur noch mein Bruder Heinrich und ich, und, wie ich hoffe, auch der amerikanische Schriftsteller William L. Shirer, den ich mit gleicher Post um seine Zustimmung bitte. Da die Sache dringlich ist, bitte ich Sie, mir telegraphisch Bescheid zu geben.
Herzlich

Ihr Thomas Mann

An Otto Basler
[Telegramm]

Santa Monica
20. X. 47

Kindly airmail important swiss reviews Faustus
cordially

Thomas Mann

An Albrecht Goes

Pacific Palisades, California
1550 San Remo Drive
22. Okt. 1947

Sehr geehrter Herr Goes,
haben Sie Dank für Ihr Versbuch! Diese Gedichte haben etwas Schlichtes, Mildes und Gütiges, was mich sehr wohltuend angesprochen hat.
Möge Ihnen Ihre gute, menschlich vertrauende Grundstimmung in »winterwährend dunkler Welt« erhalten bleiben. Es ist ja wahr:

»Wer geboren in bös'sten Tagen,
Dem werden selbst die bösen behagen.«

Ihr ergebener

Thomas Mann

An Ida Herz

Pacific Palisades, California
1550 San Remo Drive
26. Okt. 1947

Liebes Fräulein Herz,
Ihr Brief vom 5. mit der Beilage des klugen alten Newman (nur von Nietzsche versteht er nichts) ist eingetroffen, und »so sind«, wie unsere Gastländer sagen, die beiden so hübsch ausgesuchten Buchgeschenke: meine Frau freut sich über und auf das ihre, und ich picke manchmal mit Vergnügen etwas aus meinen »Quotations« auf, in denen wirklich zum Teil sehr pralle und schmackhafte Lesefrüchte ausgelegt sind. Da der gute Lord ja nur die Hälfte von allem, was er sich gemerkt, hier ausgesucht hat, kann ich mir etwas darauf einbilden, daß er mein Riemer-bon-mot mit aufgenommen hat.
Wir sind nun schon so lange wieder am altgewohnten Fleck, wo in altgewohnter Weise, bei nur gelindem Wechsel ihres Äußeren, die Tage vergehen, daß die Europa-Reise, London, die liebe

Schweiz, Stresa, Amsterdam und Nordwijk, wie ein nicht ganz mehr zurückzurufender Traum hinter mir liegt. Nur ein paar greifbare Trophäen, eine Schweizer Armbanduhr und dergleichen, zeugen von ihrer wirklichen Gewesenheit. [...]
Fürs erste warte ich, langsam und etwas zerstreut an einer »Phantasie über Goethe« schreibend (für 1949), gespannt, wie nie zuvor, auf das Echo, die »Wirkung«, wenn von dergleichen die Rede sein kann, des »Dr. Faustus«, – der deutschen Ausgabe nämlich, denn die englische, die mich schon kaum noch interessiert, steht in weitem Felde. Man hat hier von dem Original eine mimeographierte und signierte, gebundene Luxus-Auflage von 50 Stück zum Preise von 60 Dollar hergestellt, die vom Copyright-Amt zugleich für die nicht in Amerika fabrizierte gedruckte deutsche Ausgabe angenommen wurde. Diese ist am 20. d. Ms. in Europa erschienen, und die ersten Schweizer Besprechungen sind, wie Bermann mir kabelte, heraus: die früheste gleich, von Rychner, in der Zürcher »Tat«, soll enthusiastisch sein. Nun, an Dämpfern und Douchen wird es schon auch nicht fehlen.
Ich selbst besitze das Buch noch nicht anders als in der Form des maschinengeschriebenen Quartbandes, und es ist bewegend genug, das Ganze in seiner Vielheit zwischen zwei Buchdeckeln beisammen zu haben. Ob Sie nicht suchen sollten, sich von Oprecht in Zürich ein Exemplar der gemeinen Ausgabe zu verschaffen? Auch der eifrige Dr. Jonas Lesser weiß gewiß nicht, daß das Buch auf dem Kontinent im Handel ist. –
Wir sind zu Dritt und Viert jetzt: Erika ist bei uns und macht von hier aus lecture-Ausflüge, und Golo kommt immer in seinem Wägelchen zum Wochenende von Pomona College. [...] Die politische Atmosphäre ist recht wenig erfreulich in diesem Lande, am besten noch zu erklären aus einer gewissen moralischen Abspannung nach den Anstrengungen der Roosevelt-Genie-Periode. Wenigstens aber stößt das idiotische und verfassungswidrige Treiben des »Committee on unamerican activities« doch auf ziemlich starken öffentlichen Widerstand, und mit dem Angriff auf Hollywood, das eine Macht ist, hat es sich möglicherweise sein Grab geschaufelt. – Alles Gute!

Ihr Thomas Mann

An Max Rychner

Pacific Palisades, California
1550 San Remo Drive
26. Okt. 1947

Lieber Herr Dr. Rychner,
Bermann hat sich mit Recht beeilt, mir Ihre Besprechung des »Faustus« zu schicken, – die erste, die mir vor Augen kam, und die erste auch wohl, die erschienen ist. Ich bin tief bewegt von der Wärme all dessen, was Sie über dies Schmerzensbuch aussagen. Ich weiß nicht, welche exceptionelle Bewandtnis es damit hat, aber mir treten die Tränen in die Augen, sobald ernstlich davon die Rede ist. Nun ist Ihre große Anzeige die erste geformte, öffentliche Betrachtung des Werkes, und das hat etwas Erschütterndes für mich. Auch etwas Beruhigendes wieder; denn mir ist, als ob ihm nun nicht mehr viel passieren könnte. Einem Buch, das erst einmal gleich so besprochen und beurteilt werden konnte, mag nachher noch allerlei Tadel und Ablehnung zustoßen, – viel, denke ich, kann das ihm dann nicht mehr anhaben.
Was werden die Deutschen sagen zu diesem Roman? Es ist dafür gesorgt, daß sie eine eigene Ausgabe bekommen. Vielleicht lehrt er sie doch, daß es ein Irrtum war, einen Deserteur vom Deutschtum in mir zu sehen.
An die Schweiz und die Aufnahme, die ich dort gefunden, denke ich zurück wie an einen allerfreundlichsten Traum.
Ihr ergebener

Thomas Mann

An Agnes E. Meyer

Pacific Palisades, California
1550 San Remo Drive
31. Okt. 1947

Liebe Freundin,
[...] Ihr Kampf gegen die Beherrschung der Schule durch die Kirche, liebe Freundin, zeugt von Ihrer Tapferkeit, die ich bewundere, – und vielleicht von zuviel Glauben an den modernen Groß- und Machtstaat, der ein gefräßiges Ungeheuer ist. Man muß zugeben, daß etwa die Jesuiten-Väter feine Pädagogen waren und wenigstens in Europa vorzügliche Schulen unterhielten (Feldkirch, Stella matutina), mit viel Musik und Theater, – es wäre etwas für mich gewesen, – wenn überhaupt irgendeine Schule etwas für mich gewesen wäre. Bei der ziemlich sinistren Rolle freilich, die heute in

der großen Diskussion der Zeit die katholische Kirche spielt, ist ihr Einfluß auf die Erziehung gewiß nicht sehr wünschenswert. Wenn es nur für die Religion einen Ersatz gäbe, das moralische Vacuum zu füllen, das heute überall klafft, dem verwahrlosten Nihilismus zu steuern, der nicht zuletzt auch in der Jugend gang und gäbe ist! Kann das der Staat? Können es die Ideen Vaterland, Demokratie und Bürgerpflicht? Die Bälge glauben ja an garnichts mehr und haben leider so unrecht nicht, an garnichts mehr zu glauben. Der neue Humanismus, von dem ich so gerne rede, und an dessen Kommen ich glauben möchte, könnte als allgemeine religiöse, disziplinierende Bindung es wohl leisten. Aber wird er überhaupt Zeit haben, sich in die Gemüter zu senken? Wird nicht die Menschheit in Katastrophen rennen, von denen man sie täglich mit unheimlichem Leichtsinn schwätzen hört, und die uns jedes Nachdenken über Erziehung ersparen würden?
Gleichviel, Sie führen Ihren Kampf aus mütterlich gutem Willen, und darum ist er ein guter Kampf. Auch Seine Hochehrwürden wird ihn ehren, wenn er ist, wie Sie ihn mir schilderten.
Herzlich

Ihr T. M.

An Helen Lowe-Porter

Pacific Palisades, California
1550 San Remo Drive
7. November 1947

Liebe Freundin,
ich beeile mich, Ihre Fragen zu beantworten und danke für Ihre Gewissenhaftigkeit. Diese hat sich in Sachen der Schneidewein'schen Kinder am glänzendsten bewährt. Selbst meine Frau hat den Balzac-Schnitzer beim Korrekturenlesen nicht bemerkt, was etwas Beruhigendes hat, denn wer soll ihn dann merken. In der deutschen Ausgabe ist der Gedächtnisfehler stehen geblieben und kann erst bei der nächsten Auflage verbessert werden. Im Englischen sollten wir ihn natürlich korrigieren, und zwar so, daß die Anordnung, wie sie zuletzt, bei der Ankunft Nepomuks in Pfeiffering gegeben ist, beibehalten wird, das heißt also, die drei ältesten Kinder sind in drei auf einander folgenden Jahren geboren, und Nepomuk ist der zehn Jahre später geborene Nachkömmling. Dabei bleibt ja bestehen, daß die Schwester, die ihn bringt, siebzehnjährig und der ein Jahr jüngere Ezechiel im optischen Handel tätig ist.

Nun zu Ihren weiteren Fragen: Der Titel ist jedenfalls und in allen Sprachen »Doktor Faustus«; wenn irgend möglich sollte aber auch der Untertitel wie im Deutschen dazukommen, das heißt, wenn es sich im Englischen machen läßt. Ich wiederhole ihn hier: »Das Leben des deutschen Tonsetzers Adrian Leverkühn, erzählt von einem Freunde.«

2) Die Zahl der Kapitel. Ich habe nichts dagegen, wenn Sie es übersichtlicher und schöner finden, 50 aus den 47 Kapiteln zu machen. Die eben erschienene deutsche Ausgabe behält meine Anordnung von 47 Kapiteln plus Epilog bei.

3) »Die Elementa speculieren«, ein Ausdruck des alten Faust-Buches. Ich wäre durchaus dafür, das einfach zu übersetzen »speculate the elements«.

4) page 126: Terenz-Quotation. Don't worry.

5) Seite 188: Moselblümchen, ein mit Holunderblüte gewürzter Moselwein. Da die Übersetzung dieser Definition zu umständlich ist, setzen Sie am besten irgend ein Wort für einen leichten Moselwein dafür ein.

6) »Numinos« bedeutet göttlich-dämonisch (numen ist die alte römische Bezeichnung für Gott, es ist aber dabei an eine Göttlichkeit von unheimlicher Tönung gedacht).

7) Seite 213: »Seinshaft« scheint mir mit existential richtig übersetzt.

8) Seite 239: Höhenpfand Druckfehler für Höhenpfad.

9) Seite 309: »Den Becher leert ich« haben Sie richtig als Zitat empfunden. Es stammt aus dem »König von Thule« von Goethe (Faust), worin von einem Becher die Rede ist: »Er leert ihn jeden Schmaus, Die Augen gingen ihm über, So oft er trank daraus«.

10) Seite 386 und andere: Das Wort Standard wird im Deutschen häufig in solchen Verbindungen wie Standard-Stimmen, Standard-Leistungen gebraucht. Es hat das den Sinn einer Record-Leistung, das heißt einer Leistung, durch die ein neuer Standard geschaffen ist, der zum Überbieten herausfordert.

11) Seite 433: Kaspar-Samiel. Dies bezieht sich auf Webers »Freischütz«, von dem ja dann weiter die Rede ist. Kaspar ist der dem Teufel verschworene Bösewicht des Stückes, der den braven Tenor Max verführt; Samiel ist der Name des Teufels. Da nun in alten Teufelssagen der Böse als der schwarze Käsperlin bezeichnet wird, so stellt sich die Identität von Kaspar und Samiel heraus.

12) Seite 443: Don't worry, translate simply: the philosopher.
13) 507: »Die Sonne mit sieben Trabanten« hat nichts mit dem alten Faust-Buch zu tun. Gemeint ist das Sonnensystem nach moderner Auffassung, wobei bis lange ins 19. Jahrhundert nur sieben Planeten bekannt waren.
14) Seite 461: »Aventuere« ist das mittelalterlich-ritterliche Wort für Abenteuer. Sie müssen wohl adventure übersetzen, wenn es kein älteres englisches Wort dafür gibt.
Die Redensart »etwas mit eisernen Kochlöffeln« oder »Kochkesseln gegessen haben« ist ein älterer Ausdruck für einer Sache sehr satt sein. Sie kommt wiederholt im »Simplicius Simplicissimus« vor. I think you should just translate it.
15) Seite 452: Ein Asyl ist eine Unterkunft und ein Asylist ein Mensch, der Unterkunft gefunden hat. In diesem Sinn nennt der Sprecher gewisse Musiker, die bei gewissen Schulen Unterkunft gefunden haben und sich vor der allgemeinen Ratlosigkeit gerettet haben, »Asylisten«.
16) Seite 575, 76 and elsewhere: Zitiert ist ein alter Studenten-Vers: »Aus dir wird nichts, Halleluja, Gott segne deine studia.«
17) Seite 683,84: Es gab in Deutschland tatsächlich [den Titel] Literatur-Professor. Professor Joseph Nadler in Königsberg, der eine bekannte Literaturgeschichte nach Stammeszugehörigkeit geschrieben hat.
18) Seite 668. Auf den fehlerhaften Namen Domitian bin ich schon aufmerksam gemacht worden. Es ist der Kaiser Nero.
19) Seite 710. Explodierend ist nicht explosive, sondern exploding.
20) Seite 709: »insultierend« heißt ganz wörtlich beleidigend, kränkend. Ich meine das englische »insulting« sollte entsprechen.
21) Seite 711: »Konterkarrierung« ist, wie Sie richtig annehmen, die substantivische Form für das französische contrecarrer. Es handelt sich also um gegenläufige Bewegung.
22) Seite 858: Auerhahn oder, nach der älteren Orthographie Awerhan ist eine beliebte Bezeichnung von Teufeln und Dämonen. Der mit dem Teufel redet, sagt »mein Geist und Auerhahn«. Capercailzie ist ja der entsprechende englische Name des balzenden Vogels und, meinem Lexicon zufolge, ein gälisches Wort. Aber vielleicht ist Ackercocke noch besser.
23) Seite 881. Sie brauchen sich um meine Umschreibung des Shakespeare'schen Ausdruckes für das Futter, das die Schafe nicht

fressen, nicht zu kümmern und dürfen sich gern genau an den Ausdruck des englischen Originals halten.
Ich habe bisher nur per Luftpost ein Exemplar der deutschen Ausgabe bekommen. Sobald eine größere Anzahl von Exemplaren eintrifft, sollen Sie selbstverständlich die erste sein, die eines bekommt.
Was Sie geleistet haben, wenn Sie diese Aufgabe hinter sich gebracht haben, ist nicht zu sagen. Meine französische Übersetzerin, Mademoiselle Servicen, die »Lotte in Weimar« vorzüglich übersetzt hat, hat, wie ich höre, im Voraus aufgegeben, weil sie sich nicht zutraut, eine adäquate Übersetzung des »Faustus« herzustellen. Da sehen Sie, was für eine mutige Frau Sie sind.
Erika ist augenblicklich bei uns und kommt in absehbarer Zeit nicht nach England.
Auf gutes Wiedersehen!
Herzlich

Ihr Thomas Mann

An Richard Braungart

Pacific Palisades, California
1550 San Remo Drive
7. November 1947

Sehr geehrter Herr Braungart!
Ihr freundlicher Brief vom 25. September ist nun auch in meinen Händen, und ich möchte Ihnen nur ein beruhigendes Wort sagen über die Spuk-Szene im »Zauberberg«, die Sie so sehr verwirrt hat. Sie sollten die Sache nicht zu schwer nehmen. Es wird ja zu dieser Geisterszene mit den vorangehenden, auch schon okkulten Vorkommnissen mit der kleinen Schwedin hingeführt, und daß dann der gute Hans Castorp auch noch seinen verstorbenen Vetter in der noch unbekannten Uniform des bevorstehenden Weltkriegs sieht, ist eine dichterische Lizenz, deren realer Erfahrungshintergrund sich auf Experimente in Dr. Schrenck-Notzings Laboratorium beschränken, an denen ich damals wiederholt teilgenommen hatte. Sie kennen vielleicht den Aufsatz »Okkulte Erlebnisse«, den ich veröffentlichte, während ich am »Zauberberg« schrieb. Er zeigt Ihnen am besten mein zwiespältiges Verhältnis zu dieser ganzen Sphäre, ein Verhältnis, das nicht ganz ungläubig, aber geringschätzig ist. Der »Zauberberg« bot seiner ganzen Natur nach die Gelegenheit, erzählerischen Gebrauch davon zu machen. Aber der Schluß

des Kapitels, Hans Castorps Abgang aus dem Séance-Raum, zeigt deutlich, daß auch er das Gesehene als unwürdig, sündhaft und widerwärtig empfindet.
Mit besten Wünschen und Grüßen
Ihr ergebener Thomas Mann

An Theodor W. Adorno

Pacific Palisades, California
1550 San Remo Drive
8. Nov. 1947

Lieber Dr. Adorno,
diese Schweizer Anzeige des »Faustus« wollte ich Ihnen aus dem markierten Grunde doch schicken. Andere sind noch aufgeregter, aber dies, der Eindruck, daß die Musik doch da sein muß, ist mir, wie das Überzeugende der biographischen Fiktion überhaupt, besonders wichtig.
Die Neue Zürcher Zeitung kündigt in einem Vorbericht, der etwas Atemloses hat, ein Gespräch über das Buch mit einem Musiker an, nämlich mit dem darin genannten Musikkritiker Dr. Schuh: Seien wir neugierig!
Bestens
Ihr T. M.

Bitte um Rückgabe!

An Martin Gumpert

Pacific Palisades, California
1550 San Remo Drive
10. Nov. 1947

Lieber Dr. Gumpert,
man weiß, daß Sie es ernst nehmen mit Ihrer Biographie, durchaus mit Recht, und ein fünfzigster Geburtstag ist nun vollends ein Lebensaugenblick, wo das Interesse eines undurchschnittlichen Menschen für sich selbst begreiflicher Weise ins Feierliche steigt. Wir teilen alle die ruhig-festliche, ernst-gehobene Stimmung, die Sie an diesem Tag erfüllen mag, – ich auch. Darum erlauben Sie, daß ich dem jüngeren Freunde, dem älteren Freunde meiner Kinder, von dem auch ich immer nur Freundliches, Wohltuendes, Förderliches erfahren, und dem ich von meiner Seite immer gut war, von Herzen gratuliere und Ihnen den Ausdruck der Werthaltung und

Sympathie erneuere, deren Zeichen an diesem Tage gewiß von vielen, vielen Seiten zu Ihnen kommen werden – zu dem Arzt, dem Schriftsteller, dem Menschen.
Sie haben Ihr Leben bis dato musterhaft und wie ein ganzer Mann geführt, haben, als die arme dumme Heimat Sie ausstieß, sich geduldig und energisch einer fremden Gesittung angepaßt, wohltätig in ihr gewirkt, ihr Ihre klaren, klugen und menschenfreundlichen Bücher geschenkt, die auch mir immer Genuß und Freude waren, und werden sich selber nächstens überbieten, indem Sie mit einem Roman hervortreten, von dem unser Klaus mir das Schönste berichtet hat. So geht es, unter Ihrer eigenen sachlich interessierten Aufmerksamkeit, immer noch aufwärts mit Ihnen, und an Ihrem Sechzigsten werden Sie gewiß mit noch vollerer Genugtuung auf ein weit übers Gewöhnliche wohlverbrachtes Leben zurückblicken können.
Und so fortan. Ich bleibe Ihr Freund Thomas Mann

An Robert O. Held Pacific Palisades, California
[Ansichtskarte] 1550 San Remo Drive
12. XI. 47

Sehr geehrter Herr Doctor,
Dank für Ihre Sendung. Vom »Simpl« war mir schon mehreres Triste vor Augen gekommen, und so recht befreiend kann ich auch den Humor dieser Ausgabe nicht finden. Aber woher sollen die armen Deutschen es nehmen? Man kann nichts tun als Pakete schicken.
Ihr ergebener Thomas Mann

An Hermann Hesse Pacific Palisades, California
1550 San Remo Drive
25. Nov. 1947

Lieber Herr Hesse,
ich bin im Besitz (es ist ein Besitz) Ihres lieben Briefes vom Oktober mit dem freundlichen Zusatz, den Frau Ninon spendete, und dem schönen Briefwechsel über das »Glasperlenspiel«. Man sieht, wie rein, hoch, innig die Wirkung dieses »inkommensurablen« Werkes ist und findet wieder, daß überhaupt nichts interessant ist, außer

dem Inkommensurablen. Das Wort wurde ja wohl auf Goethes Faust, von ihm selbst, zuerst angewandt, und er bleibt das Musterbeispiel, an das man denkt, wenn etwas von der extraordinären Gattung wieder erscheint. Ich habe mich gerade wieder, gelegentlich der Zusammenstellung einer Goethe-Auswahl, mit Faust II beschäftigt. Können Sie verstehen, daß man so oft eine langweilige allegorische Geheimniskrämerei darin gesehen hat? Ich war wieder einmal vollkommen transporté und *ermutigt* davon, – soviel natürlich gegen das sonderbare Gewächs mit seinem zweifelhaften Helden, seinem katholischen Opernschluß und in seiner Mischung aus Revue und Weltgedicht zu sagen ist. Aber wie *vorzüglich* ist es doch an jeder Stelle, wie geistreich und humorvoll in der Behandlung des Mythos, auf den Pharsalischen Feldern und am Peneios, und des Mysteriums der Helena! Wie *getroffen* überall durch das scherzende, weise, lyrische Wort! Es ist auch durchaus übersehbar und durchdringbar, und es könnte einen wohl die Lust ankommen, einmal einen ganz frischen, zutraulichen Faust-Kommentar zu schreiben, der den Leuten die allzu fromme Scheu vor dem hohen, heiteren, keineswegs unzugänglichen Werk, exceptionell wie es ist, kühn und menschlich fehlbar, – nehmen sollte.

Das »Glasperlenspiel« ist gewissermaßen von der Familie, prosaisch gekleidet zum Unterschied, – so etwas wird heutzutage in Prosa getan. Am besten hat wohl E. R. Curtius in der deutschen Zeitschrift »Merkur« darüber geschrieben – Sie kennen den Aufsatz natürlich, ich habe den Verfasser in Zürich sehr dafür belobt, aber er war im Übrigen wenig genießbar, politisch garnicht anzuhören, – es ist da eine wenigstens partielle intellektuelle Schrumpfung und selbst Verelendung, die man bei fast allen findet, die all die Zeit drinnen gesessen haben, und die zugleich dégoûtiert und traurig stimmt.

Europa liegt schon weit zurück wie ein Traum, dem ich oft und gern in meinen Gedanken nachhänge, besonders der Wiederanknüpfung mit der Schweiz, der Wiederbegegnung mit Ihnen. Alles war »wieder«, zuletzt kam noch das Wiedersehen nach 8 Jahren mit einem sehr geliebten Ort, dem »Huis ter Duin« in Noordwijk »aan Zee«. Es ist so schlecht wie teuer dort heutzutage, aber die große Terrasse, der Strand, das Meer sind herrlich, und ich schrieb wieder in der sandigen Hütte. Beim Wiedereinlaufen hier in den Hudson sagte der Paßbeamte: »Are you *the* Thomas Mann? Welcome home!«

Nun ja, – home. Man kann so sagen. Was eigentlich »home« ist, weiß ich längst nicht mehr recht, habe es im Grunde nie gewußt. Siehe dazu »Meerfahrt mit Don Quixote«, woraus ich Ihnen, als es frisch geschrieben war, in Montagnola einmal vorlas.
Daß Sie die alten Aufsätze wieder hören möchten! Es stehen bessere in dem Bande »Adel des Geistes«, und zwar gerade die kleineren, glaube ich, sind lesenswert, der über Storm und der über Platen, der den mir eindrucksvollen Beifall Croce's hatte. Schließlich ist er ein gelernter Kritiker, was ich garnicht bin. Ich liebe es nur, vertrauliche Huldigungen darzubringen und dabei etwas aus der Schule zu schwatzen.
Derzeit tue ich gar nichts Rechtes, probiere innerlich dies und das (was würden Sie sagen, wenn ich das Felix Krull-Fragment zu einem richtigen Schelmenroman ausbaute, zur Unterhaltung auf meine alten Tage?) und schaue aus nach dem nun in die europäische Welt getretenen »Doktor Faustus«, [...] ich werfe jede Post auseinander, um zuerst zu sehen, ob etwas aus Schweden oder der Schweiz über das Buch darunter ist. Es kam auch schon manches, worin immerhin etwas von der Erregung nach-vibriert, die dem Buch trotz und in seiner Langweiligkeit eigentümlich ist. Haben Sie es denn? Im Unvertrauen auf den Verlag sollte ich es Ihnen selber schicken, aber zu mir sind bisher nur einige Exemplare gelangt, die ich hier dringend nötig hatte. Sobald mehr kommen, geht eines an Sie ab, – wenn ich nicht vorher höre, daß Sie es schon besitzen.
Herzliche Grüße von Haus zu Haus, Paar zu Paar!

Ihr Thomas Mann

An Barker Fairley

Pacific Palisades, California
1550 San Remo Drive
1. Dez. 1947

Werter Herr Professor,
Oxford University Press war so freundlich, mir Ihr Buch »A Study of Goethe« zu schicken, vielleicht auf Ihren Wink, vielleicht aus eigenem Antrieb. Wie dem sei, ich möchte Ihnen, dem Autor, persönlich danken – in der Sprache Goethe's, die Sie mit so beschämender Intimität beherrschen, – für die außerordentlichen, belebenden, bereichernden Stunden, die ich mit Ihrer »Studie« (eine bescheidene Bezeichnung!) verbracht habe und noch weiter ver-

bringen werde. Man ist natürlich einem Buche dankbar, welches einem zeigt, daß man noch mit versunkener Anteilnahme, mit Feuereifer zu lesen vermag, wie in empfänglichster Jugendzeit. Tatsächlich ist mir, alsob ich nie ein besseres, nein, ein so gutes, so interessantes Buch über Goethe gelesen hätte, ein so richtiges, aufschlußreiches, die ganze Erscheinung auffrischendes, das in seiner Wärme und seinem Wahrheitssinn so sehr meinen kritischen Bedürfnissen entsprach. Viel hat mit diesem Eindruck gewiß die außer-deutsche Perspektive zu tun, unter der das Deutsch-Interessante und Große hier gesehen ist, eine Distanziertheit, der es an genauester Vertrautheit mit dem letzten Winkel des Goethe'schen Kosmos wahrhaftig nicht fehlt, die aber einen festeren, ruhigeren, klareren Blick auf den merkwürdigen Gegenstand erlaubt, als der zu unpsychologischer Untertänigkeit neigende deutsche Goethe-Kult ihn in der Regel aufzubringen vermag. Wie wohl steht die west-europäische Optik gerade dieser Gestalt an, die, wie alles große Deutschtum, soviel Anti-Deutsches hatte! Man glaubt einen ganz neuen, lebendigeren Goethe zu sehen, der nicht verkleinert ist, aber schärfer umrissen, menschlich übersehbarer und liebenswürdiger in seiner Problematik als der sonst Angebotene.
Es sind bewundernswerte kritische Einzelheiten in dem Werk, die ich mir angestrichen habe, so die Aufzeigung des Jamben-Monologs »Erhabener Geist« als des seltsamen Fremdkörpers, den er im »Faust« bildet, und als Mischung aus »nature and Charlotte«. So ferner die feine Bemerkung über das Aufgehen von Fausts vermißten Gewissensleiden nach Gretchens Untergang in der Schuld und Reinigung des Orest. Oder was Sie über das tempo von G.'s Persönlichkeit, den Widerspruch sagen, zwischen seiner fast anormal verzögerten und langsamen Entwicklung und der täuschenden äußeren Geschwindigkeit seines Wesens. Dieser Widerspruch, könnte man hinzusetzen, wiederholt sich in seinem Verhältnis zur *Zeit* selbst, das in wachsamste Betreuung und Kultivierung des Zeitgeschenks und ewig aufschiebenden Schlendrian auseinanderfällt. – Oder auch nur ein so einfaches und gutes Wort, wie: »He was no friend of last words and never or hardly ever tried to say one« – worin soviel von der »Nähe des Chaos« und des natur-elbischen Nihilismus, der Unsicherheit liegt, in der er allezeit mit größter Kunst und Würde gelebt hat.
Ich hätte nicht erst beginnen sollen mit Anführungen. – Sie meinen

einmal, wenn man gewisse Goethe-Charakteristiken der frühen Zeit (Carus) mit den späteren vergleiche, so frage man sich, ob es eigentlich vorwärts gegangen sei oder rückwärts mit der Goethe-Erkenntnis. Es ist verzeihlich, daß ich mir hier, wie sonst noch manchmal beim Lesen wünschte, es möchte Ihnen »Lotte in Weimar« vor Augen gekommen sein, der Goethe-Roman, den ich zwischen dem 3. und 4. Bande des Joseph-Cyklus schrieb, und den Sie, gottlob, im Original zu lesen vermöchten, denn die Übersetzungen sind – so gut, wie sie sein können. Ich kann nicht zweifeln, daß dieser wandelnde und nahe herangebrachte Goethe Sie unterhalten würde, – obgleich mir ein wenig das Gewissen schlug bei Ihrer sehr berechtigten Abwehr des »point of view that would have preferred to have him go to pieces at all costs like a good poet rather than make a success of things«. Denn es ist nicht zu leugnen, daß der Roman von diesem »point of view« etwas hat in seinem und seiner Heldin melancholischen Nachsinnen über das »Mögliche« und das »Wirkliche«, über Entsagung und Verkümmerung. Aber es scheint nur so, daß ich etwas dagegen hätte, to make a success of things. Das ist durchaus meine eigene Sache auch. Jenes Fragwürdigmachen des »Erfolgs« hängt mit der Absicht zusammen, das Bedrückende des Genies zu zeigen, aus einer spezifisch deutschen Erfahrung; denn in Deutschland neigt immer die Größe zum Hypertrophieren und dazu, Sklaverei zu schaffen. Auch Goethe war schließlich etwas wie ein lastender Tyrann, ein übergroßes Ich, von seinem Volk viel weiter entfernt, als irgend ein Genie in den Ländern ausgleichender Civilisation, und es war lächerlich aber *wahr*, wenn Börne ihn »eine ungeheuer hindernde Kraft« nannte.

Wie gut haben Sie seine notwendig reaktionäre un- und antipolitische Anlage geschildert! Ich kann da mitreden, denn in seiner Nachfolge habe ich das alles gründlich durchgemacht, und genau als ich 40 war, hat für mich der erste Weltkrieg dieselbe Rolle gespielt, wie für ihn die Französische Revolution. Man hat mir meine Haltung von damals, diese verzweifelte Opposition gegen die Demokratie, noch heute nicht vergessen und verziehen, obgleich ich vieles getan habe, sie gut zu machen.

Übrigens rechne ich es Ihnen hoch an, daß Sie, der West-Europäer, in Goethe nicht, nach banalem Herkommen des Auslandes, den Klassizisten und Humanisten, »das gute Deutschland«, sozusagen, sehen und loben, sondern mit einer gewissen Genugtuung feststellen:

»It was Faust that won out and not the Classics.« Er war garnicht »das gute Deutschland«, sondern Deutschland auf seiner glücklichsten und gebildetsten Höhe, wo es urbane Dämonie ist – viel civilisierter als Luther, aber viel »böser« und gewaltiger als Erasmus. –
Verzeihen Sie diesen lästig langen und dabei unzulänglichen Erguß und nehmen Sie meinen Glückwunsch zu Ihrem unglaublich kundigen und erquickend geistvollen Werk!
Ihr ergebener Thomas Mann

Auf Seite 228 ist ein Schreib- oder Druckfehler: »Sind Rosen, und sie werden blühn.« Nach meiner Erinnerung heißt es: »Sind's Rosen, nun, sie werden blühn.« (Turgenjew citiert den Vers in einem Brief an junge Schriftsteller.)

An Alfred Freiherr von Winterstein

Pacific Palisades, California
1550 San Remo Drive
6. Dezember 1947

Sehr geehrter Herr Baron von Winterstein!
Lange hat Ihr Stifter-Buch zu mir gebraucht, das Sie im Januar des Jahres mir so freundlich zueigneten. Ich danke Ihnen bestens für diese Aufmerksamkeit und habe mich viel mit Ihrem Werk beschäftigt.
Es ist für mich kein Zweifel, daß die bisherige Stifter-Kritik viel zu sinnig und gutmütig war, um ihrem durchaus seltsamen und oft recht unheimlichen Gegenstand gerecht zu werden. Diesen aber nun der strikten psychoanalytischen Methode unterworfen zu sehen, ist auch wieder nicht recht nach meinem Geschmack, nicht weil ich diese Methode pietätlos finde, obgleich freilich das analytische Vokabular in einem krassen und oft komischen Widerspruch zur Bewunderung steht, – sondern weil ich nicht umhin kann, den Gesichtspunkt als einigermaßen eng und doktrinär zu empfinden. Eine solche Kritik erinnert mich an gewisse streng kommunistische Betrachtungen des Geistigen und Dichterischen. Ich möchte die Tiefenpsychologie nicht als allein seligmachend auf alle großen Erscheinungen der Literatur angewandt sehen, und wenn ich an Sainte-Beuves Essay über Molière denke, der nichts von Sexualsymbolen und Komplexen weiß, so wird mir wohler.
Das alles hindert nicht, daß ich in Ihrer so fleißigen, gründlichen

und offenkundig liebevollen Arbeit einen interessanten kritischen Beitrag sehe und Ihnen zu Dank verbunden bin, daß Sie mir die Bekanntschaft damit gewährten.
Mit hochachtungsvoller Begrüßung
Ihr sehr ergebener Thomas Mann

An Ernst Heimeran Pacific Palisades
8. XII. 47

Lieber Herr Heimeran,
Dank für Ihre lustige und lehrreiche Verleger-Autobiographie! Es gibt also doch noch gute Laune in Deutschland. Man muß sie wohl eine Spielart des Heroismus nennen. Aber welche »naheliegenden Gründe« es gewesen sein mögen, die mich damals hinderten, mich öffentlich mit Ihrer Zeitschrift zu beschäftigen! Das kann ich nun garnicht mir denken.
Grüßen Sie Ernst Penzoldt und wen Sie sonst noch empfänglich glauben in der Stadt für einen Gruß von mir!
Ein fröhliches Weihnachten und glückliches neues Jahr wünscht Ihnen
Ihr ergebener Thomas Mann

An Emil Preetorius Pacific Palisades, California
1550 San Remo Drive
12. Dez. 1947

Lieber Pree,
Pipers Sendung und die meine, Ihre »Gedanken zur Kunst« und der Sonderdruck meines Nietzsche-Versuchs, haben sich gekreuzt, und ich muß gestehen, ich komme gut weg bei diesem Austausch: für eine Gelegenheitsleistung, die allenfalls der Stunde gerecht wurde, aber recht weit hinter den Träumen zurückbleibt, die ich selbst wohl hegte, wenn ich daran dachte, über Nietzsche mein Herz auszuschütten, erhalte ich das voll ausgetragene und ausgebaute Gedankenwerk eines Künstlers, der über die Sphäre seines Wirkens so treu und tief nachgedacht hat wie wenige und alle Bildung, alle Ausdrucksmittel besitzt, um seine Erfahrung zur schönen Lehre werden zu lassen. Ich bin ja eigentlich kein Augenmensch, sondern mehr ein in die Literatur versetzter Musiker, aber wenn ich von

dem Genuß, den mir Ihr Buch bereitet hat, auf denjenigen schließe, den erst bildende Künstler daran finden müßten, so kann ich mir ihre Dankbarkeit für dies erhaltende Geschenk nur enthusiastisch denken. Wirklich habe ich das Gefühl, als ob seit Ruskin nicht mit soviel Wissen und Weisheit über Kunst geschrieben worden sei. Unsere deutschen Kunst-Schriftsteller vom Schlage Meyer-Graefe's, waren doch Feuilletonisten, die nur den Finger am Pulse der Zeit hatten, und selbst Wölfflin, ein großer Kenner, Deuter und Historiker gewiß, hatte kaum diesen philosophischen Tiefgang. Die Goethe-Sprüche an den Portalen der einzelnen Essays oder Vorträge sind keine Dekoration, mit der das weniger Bedeutende sich einen Anstrich gäbe. Was folgt, ist durchaus ihres Geistes und Ranges, und in der aphoristischen Schluß-Abteilung steht manches Wort, das tatsächlich in den »Maximen« oder in Ottiliens Tagebuch vorkommen könnte.
Sie haben den armen Deutschen mit diesem Buch etwas Geistiges und Gutes, wie aus ihrer besten Zeit, gegeben. Hoffen wir, daß sie es nicht nur als »Sachwert« kaufen, sondern es dem moralischen Werte nach, den es gerade heute darstellt, zu schätzen wissen. –
Der Nietzsche-Aufsatz, um es zu wiederholen, ist nicht das, was ich selbst, und andere wohl auch, von mir über diesen Gegenstand erwartet haben. Das ist viel eher der Faustus-Roman [...] Seine innerdeutsche Ausgabe mag eben in Druck gehen, und ich darf – oder soll ich sagen: muß – damit rechnen, daß Ihnen das Buch in naher Zeit vor Augen kommt. Darum ein Wort darüber.
Es ist ein Lebensbuch von fast sträflicher Schonungslosigkeit, eine sonderbare Art von übertragener Autobiographie, ein Werk, das mich mehr gekostet und tiefer an mir gezehrt hat, als jedes frühere [...] und dessen innere Erregung, glaube ich, noch dort durchschlägt, wo es am langweiligsten ist. Sie zittert nach in fast jeder Besprechung, die ich zu lesen bekommen habe, und selbst ein kühler Kritiker wie Emil Staiger meint in der »Neuen Schweizer Rundschau«, der »Faustus« ordne sich nicht einfach in die Reihe meiner früheren Werke ein, ein höherer Rang gebühre ihm »sogar in diesen Rängen«, und eine Leidenschaft sei hier am Werke, »die vorauszusagen bei dem biblischen Alter des Verfassers wohl niemand die Kühnheit aufgebracht hätte.« [...]
Der Ring schließt sich. Es ist, nach fünfzigjährigen Wanderungen durch Raum und Zeit, eine Heimkehr ins Deutsch-Altstädtische,

Deutsch-Musikalische, und der »Zufall« will, daß ich gerade durch den Wiederabdruck eines Kapitels aus »Buddenbrooks« in einer amerikanischen Anthologie »The World's Best« des Jugendromans wieder ansichtig werde. Eine Heimkehr unter wie veränderten, wie erschütternden Umständen! Aufwühlender, als das vermiedene persönliche Wiedersehen es hätte sein können, und, wie Sie zugeben werden, ein reichlicher moralischer Ersatz dafür.
Es ist keine Generationen-Saga geworden diesmal, sondern eine fiktive Biographie, in der die Gemessenheit des Schreibenden und die Dämonie des Gegenstandes eine kuriose Mischung eingehen, und die, von 1884 bis 1945 spielend, die Epoche zu umfassen sucht, in der ich gelebt habe. Wie »Buddenbrooks« fern von seinem Schauplatz entstand, in Rom und München, so dieses Buch noch ferner von den seinen, tief abgetrennt von diesen durch alle Umstände, unter denen es – von 1943 bis 46 – geschrieben wurde – was dazu beitrug, seine Rücksichtslosigkeit, seinen menschlichen Radikalismus zu steigern. Soll ich ihn Unmenschlichkeit nennen? In der Figur des Helden selbst, dieses Adrian Leverkühn, liegt etwas Kaltes und Unmenschliches, aber auch so viel von Selbstopfer, daß es vielleicht die menschlichen Kruditäten des Buches, das kalte Portrait meiner Mutter, die Preisgabe des Schicksals meiner Schwestern, zu sühnen vermag. Eine eigentümliche *Montage*-Technik, erregend und aus Erregung kommend wie alles Übrige, setzte sich durch, bei der Fragmente geistiger Wirklichkeit – wie etwa die Détails aus Nietzsche's Leidensgeschichte und das Thema der Shakespeare-Sonette – aber auch bürgerlicher Wirklichkeit, Namen, Fakten, der Fiktion gleichsam aufgeklebt wurden, – etwas in dieser Weise mir nie Vorgekommenes und Zugestoßenes.
Irgendwo mittendrin nun sind da, in naher Verbindung mit Leverkühns ankündigungsvollem Kapitalwerk, der »Apocalipsis cum figuris«, Szenen aus einem Münchener Debattier-Klub, bei denen der Teufel mich ritt, an gewisse, mit geistreichen Herren in Ihrem Heim in der Ohmstraße verbrachte Abende zu denken und diese doch eigentlich völlig dezente Erinnerung meiner Schilderung vom Wachstum des Bösen zu unterlegen! Muß ich Sie bitten, sich nicht davor zu entsetzen und nicht darüber zu zürnen? Ich muß es wohl allerdings und tue gut, die Bitte ins Beschwörende zu treiben, wenn da nun auch noch die neugierige und Darmstädtisch redende Randfigur des freundlichen Gastgebers schattenhaft, sehr schattenhaft

auftaucht, ein Schemen ohne vollere Existenz, der mit Ihrer Person 2½ Äußerlichkeiten gemeinsam hat, und das ist alles. Noch einmal, *muß ich Sie bitten*, sich mit mir zusammen über die Dummheit und Bosheit, auch die Entrüstung derer hinwegzusetzen, die da sagen werden, das seien Sie? Absurd! Und doch, als Bitte, notwendig von mir aus, auch wenn Sie die Achseln darüber zucken. Ich habe sogar noch ein weiteres Anliegen und Ersuchen, nämlich, daß Sie diesen Brief wieder lesen, wenn Sie eines Tages an die Lektüre des »Faustus« gehen.

Leben Sie recht wohl, lieber Meister! Ich lege Ihnen ein neuestes, von einer amerikanischen Freundin angefertigtes Bildchen von mir und eine kleine Ansicht unseres Hauses und Gartens bei.

Ihr Thomas Mann

An Theodor W. Adorno

Pacific Palisades, California
1550 San Remo Drive
18. Dez. 1947

Lieber Dr. Adorno,
dies Symposion, durch zwei Ausgaben der »Neuen Zürcher Zeitung« gehend, darf ich Ihnen nicht vorenthalten, besonders nicht die Äußerung des Dr. Schuh, die manches Compliment enthält, das ich *weiter*zugeben habe. Mein einziges Verdienst ist, die guten Dinge gut untergebracht und sie der Komposition einverseelt zu haben.

Überhaupt ist die literarische Schweiz in nicht geringer Aufregung. Dies Colloquium ist wohl ein Unikum in der Geschichte der journalistischen Buchbesprechung.

Man sieht sich zu selten. Jetzt kommen Kinder, Enkel, Getümmel und Feste. Aber nach Weihnachten müssen wir uns einmal einen ruhigen, gesprächigen Abend schaffen.

Grüße von Haus zu Haus!

Ihr T. M.

An Erika Fischer-Wolter

Pacific Palisades, California
1550 San Remo Drive
20. Dez. 1947

Liebes Fräulein Erika,
ich nenne Sie wieder so, wie vor Zeiten. Auch meine älteste Tochter, mein Lieblingskind, heißt Erika. Ich habe den Namen gern.

Es scheint meine dauernde Aufgabe zu sein, Sie zu trösten und Ihnen die Mutlosigkeit zu verweisen, damals Ihretwegen und nun des armen Deutschlands wegen. Es hat sich fürchterlich und fast aussichtslos in die Tinte gebracht, das ist wahr. »In Schande liegst du, leugn' ich das?« sagt bei Wagner Hagen zu Gunther. Aber es bleibt wichtig für Europa und für die Welt, und wenn es das nicht als Trumpf und Vorteil, sondern als Verpflichtung gegen das Ganze zu empfinden lernt, so hat es gewiß auch als Volk und Gesamtheit noch eine Zukunft. Freilich:

> »Die Deutschen sind recht gute Leut',
> Sind sie *einzeln*, sie bringen's weit.«

So war es immer, und so wird es wohl bleiben.
Ich bin arm an Exemplaren meiner Bücher. Aber große, billige Auflagen davon in Deutschland sind geplant. Ich denke, sie werden bald wieder zugänglicher sein.
Haben Sie ein frohes, oder doch nicht allzu trübes Weihnachten und ein gutes, ein besseres neues Jahr!
Ihr ergebener Thomas Mann

An Max Rychner

Pacific Palisades, California
1550 San Remo Drive
24. Dez. 1947

Lieber Dr. Rychner,
die Neue Schweizer Rundschau mit Ihrer bewundernswerten »und«-Studie kam gewiß von Ihnen persönlich. Meinen Dank also und mein aufrichtiges Compliment! Sie haben das »garstig Lied« so melodiös, angenehm, taktvoll, geschmackvoll gesungen, daß es *fast* aufhört, garstig zu sein, – der bestschreibende aller Eidgenossen!
Sereni Zeitbloms »Politik«, seine »Durchbruchs«-Philosophie etc. haben Sie sich entgehen lassen. Sein Dégoût vor der jakobinisch-puritanischen Tugend, seine Neigung zum revolutionären Rußland 1919, dann seine Option für den Westen, sie entsprechen ziemlich genau den Stationen meiner eigenen »Entwicklung«. Wie sich freilich seitdem die Dinge gestaltet haben, weiß ich, daß *tiefstes Schweigen* mein Teil wäre, wenn es zur tödlichen Auseinandersetzung zwischen Ost und West käme.
Valéry, Gide und Proust hatten gut schweigen 1914. Sie hatten ja

allen moralischen Applaus der Welt für ihr Land und schwiegen aus demselben guten Geschmack, den ich in ihrer Lage bewahrt hätte. Mit überlegener Weltbürgerlichkeit hat das nichts zu tun. Davon war im Grunde in den »Betrachtungen« mehr, als bei Rolland, der keinen Augenblick die Sache Frankreichs von der der Menschheit zu trennen wußte. »War ich deutscher, Herr Rolland, als Sie französisch waren?« So frage ich noch heute und bestreite noch heute, daß er mehr »au dessus de la mêlée« war als ich.
Die Wendung vom »Sand der metaphysischen Dinge« und »der Erde einen Menschensinn geben« ist ja von Nietzsche und hat sozialistische Färbung so gewiß wie es eine falsch-idealistische Art gibt, von »Materialismus« zu reden. Warum sollte seine Sensibilität nicht von den sozialistischen Tendenzen der Zeit so gut berührt gewesen sein, wie von der faschistischen, – besonders da die Grenze nicht scharf zu ziehen ist und bei Sorel noch ganz fließend war?
Für meinen Haß auf das unbescheidene Verbrechertum der Nazi-Canaille fehlt Ihnen, wie ich wußte, das Organ. Ihre Fußbemerkung darüber hat notwendig etwas Schnödes bekommen. Glauben Sie mir, ich habe den Agitator nicht gespielt und nichts Vorgegebenes paraphrasiert, sondern aus tiefstem Herzensgrund geschimpft und bin des mystischen Glaubens, daß mein *tödlicher* Haß nicht ohne Einfluß auf den Gang der Dinge gewesen ist.
Ihre geistige Umsicht und freie Bildung offenbart sich in der Anführung der Lukács, Benjamin, Bloch, die ungeheuer richtig gekennzeichnet sind. Es ist, verdammt nochmal! wohl unzweifelhaft die *gescheiteste* Sphäre heute, wie immer man dies Attribut nun bewerten möge, und ich kann nicht umhin, mich geschmeichelt zu fühlen, wenn ein Wort des Lobes mich von dorther erreicht. Lukács, der mir irgendwie wohlwill (und sich im Naphta offenbar nicht erkannt hat) hat vielleicht den besten Artikel zu meinem 70. Geburtstag geschrieben, in der »Internationalen Literatur«, unter liniengetreuer Auslassung des Joseph. Über diesen nun wieder hat Bloch sehr Gutes gesagt: Das Wort von der »Umfunktionierung des Mythos« stammt von ihm. – In Benjamins »Ursprung des deutschen Trauerspiels« habe ich während der Arbeit am Faustus gelesen – unter Blitzen von Verständnis dann und wann.
Und wie schön ist Ihr Wort von der kathartischen Funktion der »Betrachtungen« in meinem Leben, – die sie für die Deutschen nicht hatten. Gerade das habe ich ihnen so übel genommen. Da müht

man sich an Stelle der Christenheit, um mich Claudelisch auszudrücken, und die Christenheit ist zu faul, mitzutun.
Ein glückliches neues Jahr!

Ihr Thomas Mann

An Maximilian Brantl

Pacific Palisades, California
1550 San Remo Drive
26. Dez. 1947

Lieber Dr. Brantl,
etwas verblüfft sage ich Dank für Ihren großen Brief, der jedenfalls die lebhafteste Reaktion auf meinen – ach, so unzulänglichen, so übers Knie gebrochenen – Nietzsche-Versuch ist, die ich erfahren habe: eine ganze Kaskade von inständigen Vorhaltungen, mit denen Sie aber doch, entschuldigen Sie, meistenteils offene Türen einrennen. Anfangs glaubte ich tatsächlich, Sie wollten Nietzsche gegen mich in Schutz nehmen. Dann wurde mir klar, daß meine Kritik Ihnen bei Weitem nicht radikal genug ist. Und doch kann man kaum radikaler vorgehen, als indem man sein Leben als die Geschichte einer inspiratorisch wirksamen Paralyse und die Entwicklung seiner Philosophie als die Verfallsgeschichte eines ursprünglich zeitkritisch berechtigten Gedankens darstellt. Ich schreibe ja immer »Verfalls«geschichten; mein erster Roman gleich war eine solche – herkommend vom Nietzsche-Erlebnis, und der »Dr. Faustus«, den Sie bald lesen werden, ist erst der richtige Nietzsche-Roman, gegen den jener Aufsatz nur small talk, ein kleines Geplauder ist. Die Schweiz ist schon seit einigen Wochen in Tränen darüber.
Absolut entwertend ist Krankheit mir nicht – das mag der Unterschied zwischen uns sein. Zu leicht ist Ihr Christkatholizismus chockiert durch das Wort »Idiot«, angewandt aufs Heiligste. Es ist ja der Titel einer Heiligengeschichte, des vielleicht tiefsten Romans eines byzantinischen Psychologen, den Nietzsche höchlich bewunderte. Wollen Sie leugnen, daß Fürst Myschkin Christus-Züge trägt? Und wenn man unter einem Heiligen nicht einfach einen frommen Mann versteht, sondern den Typ etwas unheimlicher sieht, so hatte Nietzsche sehr viel, ergreifend viel vom Heiligen, – die einfachen Leute in Turin haben das deutlich gefühlt. »Un Santo!«
»O, welch ein *edler* Geist ist hier zerstört!« Das Motto ist am Platze, und Sie können sich nicht beklagen, daß ich es im Aufzeigen der

Zerstörung und des Zerstörerischen habe fehlen lassen. Die nebenher ausharrende Verehrung für eine Sprachsteigerung sondergleichen, für den fast beispiellosen Reichtum an Geist und penetranter Einsicht, der in seinen früheren Büchern ausgeschüttet ist, und für ein Lebensschauspiel von mythisch-schaudervoller Größe – sollten Sie mir nicht verübeln.

»Der große Mann ist ein öffentliches Unglück«, sagen die Chinesen. Besonders der *deutsche* große Mann ist das. War Luther kein öffentliches Unglück? *War Goethe keines?* Sehen Sie sich ihn genau an, wieviel von Nietzsche's Immoralismus schon in seinem naturfrommen Anti-Moralismus steckt! Damals konnte alles noch schön, heiter und klassisch sein. Dann wurde es grotesk, trunken, kreuzleidvoll und verbrecherisch. Das ist der Gang der Zeit, der Gang des Geistes, der Gang des Schicksals. Nur die Flakes schreiben, wenn der Augenblick günstig scheint, simple Broschüren dagegen.

Ich kann Nietzschen nicht böse sein, weil er »mir meine Deutschen verdorben hat«. Wenn sie so dumm waren, auf seinen Diabolism hineinzufallen, so ist das ihre Sache, und wenn sie ihre großen Männer nicht vertragen können, so sollen sie keine mehr hervorbringen.

Herzlich

Ihr Thomas Mann

An Agnes E. Meyer

Pacific Palisades, California
1550 San Remo Drive
31. Dez. 1947

Liebe Freundin,

das Wohlgefallen des ganzen Hauses habe ich Ihnen zu melden an dem schmucken Tafelaufsatz für Früchte oder Blumen, mit dem Ihre Güte uns zu Weihnachten bedacht hat. Sie hatten die Gabe zeitig in Auftrag gegeben, das weiß ich, – und erst am 29. kam sie an! Es ist nicht das einzige Beispiel solcher Verspätung. Die Stauung der weihnachtlichen Paketpost muß dieses Jahr besonders schwer gewesen sein.

Es wird Ihrer hier viel und mit Bewunderung gedacht. Ihr Artikel aus der W. P. und Ihr Vortrag über Kirche und Schule gehen von Hand zu Hand. Es sind Dokumente eines Patriotismus, der sich mit Freimut und Unerschrockenheit eint, und einer mütterlich klugen Fürsorge für Erziehung und Gesellschaft, die Ihnen die Achtung

und den Dank aller Verständigen eintragen muß, den Titel einer großen Bürgerin!
Ein Jahr geht zu Ende, das für mich persönlich nicht arm an Ereignissen war. Die Vollendung des »Dr. Faustus«, die Europa-Reise, das Erscheinen des Romans und sein Widerhall in der Schweiz, – ich blicke dankbar zurück. So, wie in dem kleinen Alpenlande wird das Buch wohl nirgends gelesen werden, auch in Deutschland nicht, wo es jetzt gedruckt wird. Ich fürchte, der geistige Blutdruck ist einfach zu niedrig dort. Immerhin, manches Mißverständnis meines Verhältnisses zu Deutschland und deutschem Schicksal mag beseitigt oder modifiziert werden.
Mit welcher Genugtuung *Sie* auf Ihr Wirken im vergangenen Jahr zurückblicken können, vermag ich ungefähr zu ermessen. Wenn irgend jemand, so haben Sie Ihre Pflicht getan. Meinen Glückwunsch zum Abschluß und zum Neubeginn!

Ihr Thomas Mann

NACHWORT

Von 1938 bis 1952 lebte T. M. in den Vereinigten Staaten. 1944 wurde er amerikanischer Bürger. Seinen neuen Landsleuten aber galt er längst als Amerikaner. Anders als die Mehrzahl seiner Schicksalsgenossen – auch der berühmtesten (Einstein, zum Beispiel) – nahm er aktiv teil am Leben der Nation. Durch sein Wirken in der breiten Öffentlichkeit machte er sich viele Freunde und manchen Feind, vor allem aber zog er sich Briefe zu – Tausende von englisch geschriebenen Briefen im Verlauf jener vierzehn Jahre. Da er, englisch vortragend, das Land bereiste, nur zu häufig gehalten war, Interviews zu geben, und bald mühelos englisch sprach, nahm man an, er schreibe es ebenso mühelos. Dies war irrig. Das Schreiben im fremden Idiom wurde ihm sauer, kostete ihn unverhältnismäßig viel Zeit, und sich halbwegs differenziert und fehlerfrei darin auszudrücken, fand er unmöglich. Um der amerikanischen Korrespondenz dennoch gerecht zu werden, nutzte er drei Möglichkeiten:

1) Das Gros aller Antworten wurde deutsch ins Stenogramm diktiert und vom jeweiligen Sekretär übersetzt. War die Arbeit getan, entledigten die damit Betrauten sich der Stenogramme, und so ist von den deutschen Originalen nicht eines erhalten geblieben.

2) Kurze Briefe schlichten Inhalts diktierte oder schrieb T. M. auf englisch. Aus der Gruppe dieser Verlautbarungen, die er unter Umständen durchsehen und korrigieren ließ, enthält unser Band eine Reihe von Beispielen.

3) War ein Brief ihm besonders wichtig oder zur Veröffentlichung bestimmt, und wünschte er ihn also nicht zu diktieren, so übergab er dem Sekretär die Handschrift und erhielt sie mit der Übersetzung zurück. Die Manuskripte fanden sich in seinem Nachlaß und wurden zu guten Teilen in unsere Auswahl aufgenommen. Für die Übersetzung geschriebene Briefe sind dem Leser ohne weiteres erkennbar. T. M. bedient sich darin der englischen Anredeform und flicht gelegentlich englische Redewendungen ein. Wo ungewiß blieb, ob ein Brief abgegangen sei, ist dem Schreiben die Bezeichnung »Konzept« beigefügt.

Von einer vierten Möglichkeit, mit geborenen Amerikanern zu korrespondieren, hat T. M. – wie in der Einleitung vermerkt – reichen Gebrauch gemacht. Doch ist es nicht Mrs. Agnes E. Meyer

allein, der er sich in der Muttersprache mitteilte. Ein oder der andere seiner amerikanischen Freunde und Bekannten las gleichfalls deutsch und bereicherte so unseren Band.
Von dem Ausmaß und der geradezu komischen Buntheit der amerikanischen Korrespondenz auch nur andeutungsweise ein Bild zu geben, war trotzdem nicht möglich. Weder ließ ein deutscher Briefband englische Beiträge in erheblichem Maße zu, noch schienen Rückübersetzungen statthaft. Angesichts dieser Sachlage will erwähnt sein, daß es kaum eine Schicht der Bevölkerung gab, mit deren Vertretern T. M. *nicht* korrespondierte. Was uns vorlag, reichte von der literarischen, allgemein künstlerischen und politischen Prominenz des Landes über die interessierte Leserschaft bis in Kreise, denen der Name T. M. nur aus Zeitungsüberschriften bekannt war, und die sich in den entlegensten Fragen an ihn wendeten. In ihrer Gesamtheit entfielen die meist ausführlichen und wichtigen englischen Briefe an Alfred A. Knopf, T. M.'s amerikanischen Verleger, dem er sich bis zum Ende in dankbarer Freundschaft verbunden fühlte.
Eines besonderen Hinweises bedürfen die brieflichen Versuche, den Schicksalsgenossen behilflich zu sein, sie physisch zu retten, ihre Einreise zu ermöglichen, ihnen Stellungen, Verträge, Stipendien, finanzielle Unterstützung zu verschaffen. Dabei handelte es sich nicht nur um Deutsche, Österreicher, Tschechen, sondern um Flüchtlinge aus allen von Hitler überrannten Ländern. Diese einander ähnelnden Bemühungen geben wir in relativ äußerst geringer Anzahl wieder.
Je mehr T. M.'s Korrespondenz anwuchs und je häufiger sie Personen betraf, die, auf dem Kontinent und über die Erdteile verstreut, einander nicht kannten oder außer Kontakt miteinander waren, desto zahlreicher sind die Wiederholungen in seinen Briefen. Was er von sich selbst erzählt, von seinen Plänen und von dem, was er kürzlich erlebt, gedacht, gelesen und geschrieben, ist natürlich an einem Montag nichts wesentlich anderes als am nächsten oder übernächsten. Gewissen Gedankengängen folgt er immer wieder – auch über längere Zeiträume hinweg. »Leiden an Deutschland«, so heißt die einzige Sammlung von Tagebuchblättern, die er je publizierte. Und »Leiden an Deutschland«, so wären die gesammelten Briefstellen zu benennen, die »Deutschland und die Deutschen« zum Gegenstand haben. Der zehrende Gram über das deutsche Unheil verläßt ihn keinen Augenblick, es sei denn während der künstleri-

schen Arbeit. Zu wechselnden Ereignissen nimmt er wechselnd Stellung, doch der Gram bleibt derselbe, und so findet sich besonders in diesem Zusammenhang unzumutbar Wiederholsames.
Unsere Kürzungen, die durch drei Punkte in eckigen Klammern [...] gekennzeichnet sind, betreffen zu etwa 95 Prozent derlei Wiederholungen. Letztere haben uns auch veranlaßt, mehrere große Collectionen aufs sparsamste zu behandeln. Die verbleibenden fünf Prozent unserer Streichungen sind Sache der Diskretion und eliminieren Briefstellen, auf welche die Öffentlichkeit noch kein Anrecht hat. Alle »Empfänger«, deren Briefe gekürzt werden mußten, bitten wir um Einsicht und Entschuldigung.
In den Briefen an die »Kinder« gab es für unsere Zwecke sehr wenig zu beanstanden. Dies Wenige aber war zu intim-familiärer Natur, als daß wir jeweils die Aufmerksamkeit des Lesers auf das bloße Vorhandensein der Kürzungen hätten lenken dürfen. Doch zeigt schon die Flüssigkeit auch dieser Briefe mit ihren logisch fundierten Übergängen, wie geringfügig unsere »Eingriffe« waren.
Briefe an Katja Mann lagen uns nicht vor. Seit dem Tage, da sie mit dem Gatten Deutschland verließ, gab es keine Korrespondenz mehr zwischen den beiden – sie waren unzertrennlich.
»Deutschland und die Deutschen«, wir haben den Titel erwähnt. Er benennt den Vortrag, den der Siebzigjährige in Washington hielt (Library of Congress), unmittelbar nach dem deutschen Zusammenbruch. Es war ein kühnes, wo nicht tollkühnes Unternehmen, da ja die Hitler-Greuel eben erst in vollem Umfang bekannt, das Inferno der »Lager« eben erst Gegenstand weltweiten Entsetzens geworden. Er sagte:
»Was ich Ihnen in abgerissener Kürze erzählte, meine Damen und Herren, ist die Geschichte der deutschen ›Innerlichkeit‹. Es ist eine melancholische Geschichte – ich nenne sie so und spreche nicht von ›Tragik‹, weil das Unglück nicht prahlen soll. Eines mag diese Geschichte uns zu Gemüte führen: daß es nicht zwei Deutschland gibt, ein böses und ein gutes, sondern nur eines, dem sein Bestes durch Teufelslist zum Bösen ausschlug. Das böse Deutschland, das ist das fehlgegangene gute, das gute im Unglück, in Schuld und Untergang. Darum ist es für einen deutsch geborenen Geist auch so unmöglich, das böse, schuldbeladene Deutschland ganz zu verleugnen und zu erklären: ›Ich bin das gute, das edle, das gerechte Deutschland im weißen Kleid, das böse überlasse ich euch zur Aus-

rottung.‹ Nichts von dem, was ich Ihnen über Deutschland zu sagen oder flüchtig anzudeuten versuchte, kam aus fremdem, kühlem, unbeteiligtem Wissen; ich habe es auch in mir, ich habe es alles am eigenen Leibe erfahren.«

Wenn unser Band manches enthält, was als hart oder lieblos empfunden werden könnte und was wir, der Wahrheit zu Ehren, dennoch aufnahmen, so bedenke man, daß gerade die verwundete Liebe – mehr: daß die Solidarität, ja Selbstidentifizierung mit *allem* Deutschen solchen Äußerungen zugrunde liegt.

Im übrigen sind es zwei Briefstellen, auf die wir abschließend hinweisen möchten:

»›Sobald man spricht, beginnt man schon zu irren‹«, zitiert er und fährt fort: »Das sollte das Motto sein für alles direkte Reden.« Hat er aber »direkt« gesprochen in seinen Vorträgen, Aufsätzen und Radiobotschaften, um wieviel direkter gibt er sich in den Briefen, an deren Veröffentlichung er nie – oder doch nur in Einzelfällen – gedacht.

Was ihn dagegen immer dringlicher beschäftigte, war der Klang seines Namens im Nachher – nicht auf Erden und bezüglich seiner Bücher, vielmehr im Sittlich-Religiösen und in der Transzendenz.

Am »Doktor Faustus« arbeitend, teilt er mit:

»Gestern las ich die Apokalypse, da Adrian ein Oratorium daraus machen wird. Ich war tief ergriffen von dem Wort: ›Du hattest eine kleine Kraft und hast mein Wort behalten und hast meinen Namen nicht verleugnet!‹ – Wohl dem, der das als Epitaph verdient!«

Erika Mann

ANHANG

Danksagung

Herzlich danken wir allen, die Briefe für unseren Band zur Verfügung stellten. Vornehmlich gilt unser Dank den Bibliothekaren der Universitäten Yale und Princeton, Mr. James T. Babb und Dr. William S. Dix – sowie dem Thomas Mann-Archiv Zürich und dessen Bibliothekarin, Edith Egli, der wir uns für mannigfache, unentbehrliche Hilfe sehr verpflichtet fühlen.
Bei den Anmerkungen waren uns – besonders in amerikanischen Fragen – Prof. Klaus Jonas (Universität Pittsburgh, Pennsylvania), Erich von Kahler (Gastprofessor Universität Princeton, N. J.) und Prof. Oskar Seidlin (Staatsuniversität Ohio, Columbus, Ohio) aufs dankenswerteste behilflich.
An der Auswahl der Briefe war Frau Katja Mann maßgebend beteiligt.

Zu den Anmerkungen

›Angemerkt‹ sind vor allem sämtliche Briefempfänger. Von den Namen, die in den Texten figurieren, haben wir diejenigen aufgenommen, deren Träger noch lebten, als T. M. zur Welt kam. Wir folgten damit einem Prinzip, das uns bereits für Band I dienlich schien: nur wer vom Epistolographen als zeitgenössisch empfunden wurde, findet sich mit seinen Daten in den Anmerkungen, wobei mutmaßlich Bekanntes auf ein absolutes Minimum zu beschränken war.

ANMERKUNGEN

Mitarbeit Hans Bürgin

1937

Neujahr

1] *Dekan der Philosophischen Fakultät der Universität Bonn:* Prof. Dr. Karl Justus Obenauer.

2] *Küsnacht am Zürichsee:* Seit dem Frühherbst 1933 bewohnten T. M. und Familie ein möbliertes Haus, Schiedhaldenstraße 33, in Küsnacht bei Zürich. Im Sommer 1939 wurde das Heim in Küsnacht aufgelöst.

3] *Harvard-Universität:* Am 20. Juni 1935.

22. I.

Otto Basler (geb. 1902): Lehrer, Essayist, lebt in Burg im Aargau/Schweiz. Freund von Hermann Hesse, auch von T. M. In der Sammlung »Briefe an einen Schweizer 1930–1945« hält Basler sich bescheiden im Hintergrund (»Schweizer Annalen«, H. 9/10 1945, »Altes und Neues« 1953). Schrieb wiederholt über T. M. in verschiedenen Schweizer Publikationen.

20. II.

1] *Lavinia Mazzucchetti* (geb. 1889): Essayistin, Kritikerin, Übersetzerin; hat T. M.'s Werke ins Italienische übertragen; Veranstalterin der ersten ausländischen Gesamtausgabe (Opera Omnia, Mondadori Verlag, Milano). Autorin u. a. des Buches »Novecento in Germania« (1959), sowie verschiedener Schriften über T. M.: »Thomas Mann e Goethe«, »Thomas Mann, i medici e la medicina«, »L'uomo Thomas Mann«, »Riccordi di Thomas Mann«, »L'ultima messe di Thomas Mann«.

2] *Arturo Toscanini* (1867–1957).

3] *Übersetzung:* Des Briefes nach Bonn.

4] *»Marianne«:* Damals einflußreiche französische Wochenschrift.

5] *Eroberung von Malaga:* Durch die faschistischen Truppen während des Spanischen Bürgerkrieges (1936–1939).

6] *»Lotte in Weimar«:* Roman (Stockholm 1939).

7] *vierte Joseph:* »Joseph der Ernährer« (Stockholm 1943).

23. II.
1] *Hermann Hesse* (1877–1962): Schriftsteller, – Erzähler, Lyriker. Eine Reise nach Indien, 1911, zog ihn in den Einflußkreis indischen Denkens und vertiefte seinen natürlichen Abscheu vor Nationalismus und Krieg. Verließ Deutschland 1912, lebte bis 1919 in Bern, dann in Montagnola bei Lugano; wurde 1923 Schweizer Bürger. War mit T. M. sehr befreundet, der in »Das Glasperlenspiel« etwas wie ein »brüderliches Buch« erblickte. (S. auch T. M. »Hermann Hesse zum siebzigsten Geburtstag« in »Altes und Neues« 1953, und »An Hermann Hesse« in Ges. W. X.) Nobelpreis 1946.
2] *literaturfreundliche Dame:* Madame Aline Mayrisch de St. Hubert, Witwe des Luxemburger Stahlmagnaten, Emile Mayrisch, Direktors von »Arbed«.
3] *Emil Oprecht:* s. Anmerkung 1 zu 30. I. 39.
4] *Ferdinand Lion:* s. Anmerkung 1 zu 27. VII. 38.
5] *»Maß und Wert«:* Zweimonatsschrift für freie deutsche Kultur, Herausgeber: Thomas Mann und Konrad Falke; Verlag Oprecht, Zürich (Sept. 1937–Nov. 1940). Redaktion: Ferdinand Lion (1. u. 2. Jahrgang), Golo Mann und Emil Oprecht (3. Jahrgang).
6] *Ninon Hesse* (geb. 1895): Studium der Kunstgeschichte und Archäologie in Wien und Berlin. 1918 Verheiratung mit dem Zeichner und Karikaturisten B. F. Dolbin. Scheidung 1931; im gleichen Jahr Eheschließung mit Hermann Hesse, dem sie als Vierzehnjährige erstmals schrieb – und er hatte geantwortet. Publikationen: Zwei Märchenbücher, Buchkritiken und Beiträge in verschiedenen Zeitschriften.

1. III.
1] *Georges Motschan* (geb. 1920): In der chemischen Industrie tätig. Als Sohn schweizerischer Eltern in Rußland geboren, seit 1924 in der Schweiz. In seinem Wagen und von ihm gefahren, absolvierte T. M. 1949 seinen ersten Deutschlandbesuch nach dem Kriege (Frankfurt und Weimar). Motschan besitzt das ihm zugeeignete Manuskript der »Ansprache im Goethejahr«.
2] *»Junge Joseph«:* Zweiter Band der Tetralogie »Joseph und seine Brüder« (Berlin 1934).

9. III.
1[*Erika Mann* (geb. 1905): Schauspielerin, Journalistin, Schriftstellerin. Kurze Zeit verheiratet mit Gustaf Gründgens, seit 1935

mit dem englischen Dichter Wystan H. Auden. Unter ihren Arbeiten: Sieben Kinderbücher; Texte für das Cabaret »Die Pfeffermühle«; »School for Barbarians«, über Erziehung unter Hitler (New York 1938); »The Lights Go Down«, wahre Geschichten aus dem »Dritten Reich« (New York 1940); »Das letzte Jahr, Bericht über meinen Vater« (1956); Herausgeberin von »Wagner und unsere Zeit«, Thomas Mann-Anthologie über Richard Wagner (1963). Mit Klaus Mann: »Rundherum, ein heiteres Reisebuch« (1929); »Escape to Life« (Boston 1939) und »The Other Germany« (New York 1940). (S. auch T. M. anläßlich des amerikanischen Gastspiels über »Die Pfeffermühle« in Ges. W. XI; Geleitwort zu »School for Barbarians«, deutsch »Zehn Millionen Kinder« in Ges. W. XII.)
2] *American Jewish Congress:* Erste amerikanische Massenversammlung gegen das Nazitum unter Mitwirkung prominenter und offizieller Redner (Madisonsquare Garden, 23 000 Zuhörer). Vorsitz: Rabbi Stephen Wise; Sprecher u. a.: New Yorks Bürgermeister Fiorello La Guardia, General Hugh Johnson, Gewerkschaftsführer John L. Lewis.
3] *Walt Whitman* (1819–1892): Amerikanischer Dichter, dithyrambischer Lyriker. In Deutschland wurde sein Werk in verschiedenen Übersetzungen, u. a. von Ferdinand Freiligrath und Johannes Schlaf, bekannt. Auf höherer literarischer Ebene und vermittels größerer dichterischer Angleichung machte schließlich die Übertragung von Hans Reisiger ihn berühmt (»Grashalme«, 1919; »Ausgew. Werke« 2 Bde. 1922; einbändig 1956).
4] *Franklin Roosevelt:* s. Anmerkung Telegramm-Beilage zu Brief vom 9. 11. 42.

1. IV.
1] *René Schickele* (1883–1940): Schriftsteller, – Erzähler; gebürtiger Elsässer, Sohn eines Deutschen und einer Französin. Während des Ersten Weltkrieges in Zürich Herausgeber der pazifistisch-expressionistischen Zeitschrift »Die weißen Blätter«. Ging 1933 in die freiwillige Emigration nach Frankreich und starb dort. – Unter seinen Werken: »Das Erbe am Rhein«, Romantrilogie (1925–31); »Symphonie für Jazz« (1929); »Le Retour« (Paris 1938), deutsch von F. Hardekopf; »Die Heimkehr« (Straßburg 1939). Gesammelte Werke (3 Bde. 1959). Sein Drama, »Hans im Schnakenloch« (1916), wurde zwischen den beiden Weltkriegen häufig gespielt. Seit lan-

gern mit T. M. gut bekannt, war Schickele ihm von 1933 an sehr befreundet.
2] *Rückreise:* Von Amerika.
3] *französisches Buch:* »La Veuve Bosca«, Paris 1939. T. M. schrieb ein Vorwort (s. »Zur französischen Ausgabe von René Schickele's ›Witwe Bosca‹« in »Altes und Neues« 1953).
4] *Ihr Roman:* »Die Flaschenpost« (Amsterdam 1937).

4. v.
1] *Sigmund Freud* (1856–1939): Begründer der Psychoanalyse. Emigrierte 1938 von Wien nach London, wo seine Gesammelten Werke erschienen. (S. auch T. M. »Die Stellung Freuds in der modernen Geistesgeschichte« in »Altes und Neues« 1953; »Freud und die Zukunft« in »Adel des Geistes« 1945.)
2] *Moses-Aufsatz:* »Moses ein Ägypter« (»Imago«, Wien 1937).
3] *Vortrag:* Freud hatte T. M. privat eine Theorie vorgetragen, wonach das Leben des biblischen Joseph für Napoleon so etwas wie ein »mythisches Vorbild« gewesen sei, »so daß die Josefsphantasie als der geheime dämonische Motor hinter seinem komplexen Lebensbild erraten werden« dürfe. (Freud an T. M., 29. XI. 36; »Sigmund Freud, Briefe 1873–1939«, S. Fischer 1960.)

11. v.
1] *Joseph W. Angell* (geb. 1908): Amerikanischer Anglist und Militärhistoriker. 1936–1939 an der Universität Yale; seiner Initiative ist die dortige »Thomas Mann-Collection« zu verdanken. Lehrte 1939–1951 am Pomona College, Kalifornien. Seither Professor an der Air-University (Amerikanische Luftwaffe). Publikationen: »The Thomas Mann Reader« (1950), verschiedene Aufsätze über die »Thomas Mann-Collection«, sowie zahlreiche Artikel militärgeschichtlichen und -theoretischen Inhalts.
2] *Sammlung:* Aus dieser Sammlung entstand die »Collection« der Universität Yale.
3] *Bermann-Fischer:* s. Anmerkung 1 zu 14. XI. 37.
4] »*Zauberberg*«: Roman (Berlin 1924).
5] »*Lebensabriß*«: Als T. M. 1929 den Nobelpreis erhielt, war er, wie jeder Träger dieses Preises, gehalten, die Geschichte seines Lebens in aller Kürze aufzuzeichnen; sie erschien in der »Neuen Rundschau« im Juni 1930 (Ges. W. XI).

6] *Lowe-Porter:* s. Anmerkung zu 19. VII. 45.
7] *»Buddenbrooks«:* Roman (Berlin 1901).
8] *Alexander Lange Kielland* (1849–1906): Norwegischer Schriftsteller, – Dramatiker, Satiriker; witziger Bekämpfer von Heuchelei und religiösem Duckmäusertum. Beeinflußte den jungen T. M. durch seine gesellschaftskritischen Romane. Unter seinen Werken: »Arbeiter« (1881); »Schiffer Worse« (1882); »Johannisfest« (1887); »Rings um Napoleon« (1905).
9] *Jonas Lie* (1833–1908): Norwegischer Schriftsteller, – Dramatiker; Mitschüler von Ibsen und Björnson; besonders bekannt durch seine Darstellung dämonischer Mächte, die noch im Leben des Volkes lebendig sind: »Die Familie auf Gilje« (1883); »Ein Mahlstrom« (1884); »Böse Mächte« (1890); »Troll«, Märchensammlung (1891/92).
10] *Jens Peter Jacobsen* (1847–1885): Dänischer Schriftsteller, – Lyriker und Erzähler. Verfasser des bekannten Frauenromans »Frau Marie Grubbe« (1876); sein zweites bedeutendes Werk, »Niels Lyhne«, (1880) wurde damals die »Bibel des Atheismus« genannt.
11] *Knut Hamsun* (1859–1952): Norwegischer Erzähler. Nobelpreis 1920. (S. auch T. M. »Die Weiber am Brunnen« in »Altes und Neues« 1953, und »Knut Hamsun zum siebzigsten Geburtstag«, Ges. W. X.)
12] *Leo Tolstoi* (1828–1910): Russischer Erzähler. »... seine Optik auf sich selbst war immer von historischer Großartigkeit, und schon mit 37 Jahren reihte er in seinen Tagebüchern die eigenen Werke, die fertigen und die noch erst zu schreibenden, den berühmtesten Werken der Weltliteratur an.« (T. M. »Goethe und Tolstoi« in »Adel des Geistes« 1945). T. M. teilte Tolstois Urteil über sich selbst durchaus. (S. auch »Tolstoi« in »Altes und Neues« 1953 und »Anna Karenina« in »Adel des Geistes« 1945.)
13] *Iwan S. Turgenjew* (1818–1883): Russischer Erzähler. Unter seinen Hauptwerken: »Tagebuch eines Überflüssigen« (1850); die Erzählungen: »Erste Liebe« (1860), »Ein König Lear der Steppe« (1870). Romane u. a.: »Väter und Söhne« (1862), »Neuland« (1876). Für die Bühne: »Ein Monat auf dem Lande« (1850). Turgenjew zählte jahrelang zu T. M.'s Lieblingsdichtern; auch figuriert er fast überall, wo T. M. über russische Literatur schreibt, – etwa in »Russische Anthologie« (»Altes und Neues« 1953) und »Goethe und Tolstoi« (»Adel des Geistes« 1945).
14] *Fjodor M. Dostojewski* (1821–1881): Russischer Erzähler. Siehe

auch T. M. »Goethe und Tolstoi«, – ein Essay, worin der Autor Goethe in der Nachbarschaft Tolstois und Schiller in derjenigen Dostojewskis ansiedelt (»Adel des Geistes« 1945); sowie »Dostojewski mit Maßen«, Einleitung zu einem amerikanischen Auswahlband Dostojewskischer Erzählungen (»Neue Studien«, 1948).

15] *Richard Wagner* (1813–1883): Über T. M.'s Verhältnis zu Wagner siehe T. M. »Wagner und unsere Zeit«, Aufsätze, Betrachtungen, Briefe (1963).

16] *Henrik Ibsen* (1828–1906): Norwegischer Dramatiker. T. M. war ein großer Verehrer Ibsens, wirkte übrigens an der deutschen Uraufführung von »Die Wildente« mit (Großhändler Werle). (S. auch T. M. »Ibsen und Wagner« in »Wagner und unsere Zeit«, 1963).

17] *Theodor Fontane* (1819–1898): War, besonders durch seine Dialogführung, von deutlichem Einfluß auf den jungen T. M.; die tiefe, sympathievolle Wertschätzung T. M.'s für Fontane hatte Bestand. »Effi Briest« gehörte zu seinen deklarierten Lieblingsbüchern, und zur Lektüre des »Stechlin« kehrte er selbst im hohen Alter immer wieder zurück. (T. M. über Fontane: »Der alte Fontane« in »Adel des Geistes« 1945; »Anzeige eines Fontane-Buches« und »Über einen Spruch Fontane's« in Ges. W. X; »Noch einmal der alte Fontane« in »Nachlese« 1956.)

18] *Gottfried Keller* (1819–1890): Über T. M.'s Beziehung zu Keller siehe auch unsere Briefe vom 15. v. und 4. x. 46 und »Ein Wort über Gottfried Keller« (Ges. W. X).

19] *Friedrich Wilhelm Nietzsche* (1844–1900): Wirkte schon in der Frühzeit entscheidend auf T. M., der im Zeichen des »Dreigestirns« Schopenhauer, Nietzsche, Wagner heranwuchs. (S. hiezu u. a. »Betrachtungen eines Unpolitischen«, 1956, S. 63–86; »Vorspruch zu einer musikalischen Nietzsche-Feier« in »Altes und Neues«, 1953; »Lebensabriß«, 1930 in Ges. W. XI; »Nietzsche's Philosophie im Lichte unserer Erfahrung« in »Neue Studien« 1948.) Einen »Nietzsche-Roman«, so hat man »Doktor Faustus« oft genannt. Die Bezeichnung trifft nur sehr bedingt zu, da außer Nietzsche auch Hugo Wolf und, wie bei fast allen T. M.-Figuren, der Autor selbst zum Bilde seines Helden beitrug.

20] *»Fiorenza«:* T. M.'s einziges Bühnenstück; Uraufführung in Frankfurt am 11. Mai 1907. (S. auch T. M. »Über Fiorenza«, Ges. W. XI.

21] *Pasquale Villari* (1827–1917): Italienischer Historiker und Po-

litiker. Eines seiner Hauptwerke, »Savonarola ed i suoi tempi«, erschien 1868 erstmalig in deutscher Übersetzung und gehörte zu T. M.'s Quellenmaterial für »Fiorenza«.
22] *Quellenwerke:* Sämtliche hier erwähnten Quellenwerke – mit Ausnahme des Buches von Arthur Weigall – befinden sich im Thomas Mann-Archiv Zürich.
23] *Johann Jakob Bachofen* (1815–1887): Jurist und Philosoph, – Erforscher der alten Rechts-, Religions- und Kulturgeschichte; gilt als der Entdecker des Mutterrechts (»Das Mutterrecht«, 1861). Gesammelte Werke, 1943.
24] *Alfred Jeremias* (1864–1935): Theologe, Orientalist. Außer dem genannten Werk war sein »Handbuch der altorientalischen Geisteskultur« wichtiges Quellenmaterial für den Joseph-Roman. Unter dem Titel »Die Einheit des Menschengeistes« (Ges. W. X) schrieb T. M. eine ausführliche Besprechung dieses Buches.
25] *»Zauberberg«-Manuskript:* Das »Zauberberg«-Manuskript war – wie sämtliche Handschriften von T. M. bis zum Jahre 1933 – dem Münchner Anwalt, Dr. Valentin Heins, anvertraut worden. Dr. Heins verweigerte T. M.'s »sicherem Boten« die Herausgabe und gibt seit Kriegsende an, die gesamten Manuskripte, Briefe etc. seien während eines Bombardements verbrannt.

21. V.
1] *nichts darauf zu erwidern:* Hesse hatte es vorderhand abgelehnt, an »Maß und Wert« mitzuarbeiten.
2] *Neue Gedichte:* Sammlung der seit 1929 neu entstandenen Gedichte (Berlin 1937).

31. V.
1] *Ernst Glaeser* (1902–1963): Schriftsteller, – Erzähler und Journalist. Bekannt vor allem durch seinen Roman »Jahrgang 1902« (1928) und dessen weniger erfolgreiche Fortsetzung »Frieden« (1930). 1933 freiwillige Emigration in die Schweiz. 1939 Heimkehr nach Deutschland. In der Folge Hauptschriftleiter der P.K.-Zeitung »Adler im Süden«. Nach Kriegsende vornehmlich zeitkritischer Essayist. Unter seinen im Exil erschienenen Werken: »Der letzte Zivilist«, Roman (1936, in 24 Sprachen übersetzt).
2] *elendes Gefasel:* Besprechung von Schickeles Roman »Die Flaschenpost« in der »Neuen Zürcher Zeitung« (24. V. 37).

3] *waldloses Land:* Schickele lebte im Exil an der »waldlosen« französischen Riviera.
4] *Ecole de Zurich:* Gemeint sind in erster Linie Ernst Glaeser und Bernard von Brentano.
5] *Eduard Korrodi* (1885–1955): Schweizer Literarhistoriker und Kritiker. Von 1914–1950 Feuilletonchef der »Neuen Zürcher Zeitung«. Unter seinen Werken: »Gottfried Keller als Lyriker« (1911); »Schweizerische Literatur-Briefe« (1918); »Schweizer Biedermeier« (1936).
6] *University in Exile:* Angegliedert der New Yorker »New School for Social Research« und Zentrum antifaschistischer oder vertriebener Wissenschaftler. Ein Gönner hatte sich bereit erklärt, die genannte Summe zu stiften, falls T. M. nach Amerika käme, um für die Institution zu werben.

6. IX.
1] *Martin Gumpert* (1897–1955): Arzt und Schriftsteller, – Autor u. a. von »Das Leben für die Idee, neun Forscherschicksale« (Berlin 1935); »Dunant. Der Roman des Roten Kreuzes« (Stockholm 1938) und »Der Geburtstag«, Roman (1948). Emigration 1936 nach New York. Als Freund und Arzt stand Gumpert der Familie T. M. sehr nahe.
2] *»Tagebuch«:* »Das Neue Tagebuch«, Paris, Wochenschrift; Herausgeber: Leopold Schwarzschild.
3] *Bedford:* Hotel Bedford, das damals nicht nur T. M. und den Seinen, sondern einer Reihe bekannter deutscher Emigranten als New Yorker Unterkunft diente.
4] *Mr. Peat:* Harold Peat, damals T. M.'s Vortrags-Agent.
5] *Nägels:* Deutsch-amerikanisches Ehepaar, Manager des Hotels Bedford.

10. X.
1] *Karel Čapek* (1890–1938): Tschechischer Schriftsteller, stand dem Kreise um Masaryk und Beneš nahe. Starb wenige Monate nach der Abdankung des letzteren (»München«), weil er sein Land weder verlassen noch bleiben konnte, wo Hitler im Anzuge war. Unter seinen Werken: der utopische Roman »Der Krieg mit den Molchen« (1936), und das prophetische Drama »Die weiße Krankheit« (1937). – Mit T. M. befreundet.
2] *Thomas G. Masaryk* (1850–1937): Tschechischer Soziologe und

Staatsmann. Emigrierte 1914 nach Paris, wurde 1917 Präsident einer provisorischen tschechischen Regierung. 1918–1935 Staatspräsident der Tschechoslowakei. Unter seinen Werken: »Der Selbstmord als soziale Massenerscheinung der modernen Zivilisation« (1881); »Die tschechische Frage« (1895); »Die Weltrevolution. Erinnerungen und Betrachtungen 1914–1918« (1927). (S. auch T. M. »Thomas Masaryk«, Ges. W. XII.)
3] *Eduard Beneš:* s. Anmerkung zu 29. VII. 44.

28. X.
1] *Hermann J. Weigand* (geb. 1892): Amerikanischer Germanist, – Yale-University. Unter seinen Werken: »The Modern Ibsen« (1925); »Thomas Mann's Novel ›Der Zauberberg‹« (1933); »A Close-Up of the German Peasants' War« (1942), sowie verschiedene Arbeiten und Besprechungen über T. M.
2] *Eröffnungsfeier:* Des Thomas Mann-Archivs in Yale.
3] *kleine Ansprache:* Gehalten am 25. Februar 1938 in Yale (»Zur Gründung einer Dokumentensammlung in Yale University«, Ges. W. XI).
4] *Reise-Lecture:* Der Vortrag »Vom kommenden Sieg der Demokratie« (»The Coming Victory of Democracy«, übersetzt von Agnes E. Meyer), den T. M. auf einer Lecture-tour in 15 Städten der Vereinigten Staaten während des Frühjahrs 1938 hielt. Zuerst veröffentlicht unter dem Titel »Vom zukünftigen Sieg der Demokratie« im Europa-Verlag Oprecht, Zürich 1938 (Ges. W. XI).
5] *Studie über den Joseph:* »Thomas Mann's Joseph in Ägypten« (»Monatshefte für deutschen Unterricht«, Okt. 1937).

14. XI. A
1] *Stefan Zweig* (1881–1942): Österreichischer Schriftsteller, – Erzähler, Biograph, Essayist. Militanter Pazifist, gehörte, mit Romain Rolland und anderen, zu denjenigen europäischen Geistern, die sich während des Ersten Weltkrieges demonstrativ in der Schweiz aufhielten. Emigrierte 1935 nach England, 1940 nach Brasilien; zusammen mit seiner schwerkranken zweiten Frau (Charlotte Zweig, geb. Altmann) beging er dort Selbstmord. (S. auch T. M. »Stefan Zweig zum zehnten Todestag« in »Altes und Neues« 1953.) Unter seinen Werken: »Verwirrung der Gefühle«, Novellen (1926); »Sternstunden der Menschheit. Historische Miniaturen« (1928);

»Joseph Fouché« (1929); »Marie Antoinette« (1932); »Brasilien, ein Land der Zukunft« (1941); »Die Welt von Gestern« (posthum, 1942).
2] *neuer Band:* »Begegnungen mit Menschen, Büchern und Städten« (Wien 1937); der Band enthält den Essay »Ernest Renan«.
3] *Vortrag über Wagners »Ring des Nibelungen«:* Gehalten am 16. November 1937 in der Universität Zürich (Ges. W. IX).

14. XI. B
1] *Gottfried Bermann Fischer* (geb. 1897): Dr. med., Verleger, Schwiegersohn von S. Fischer. Seit 1928 als Geschäftsführer im Verlag tätig, übernahm Dr. B. F. nach dem Tode von S. Fischer (Oktober 1934) den Verlag. Blieb bis 1936 in Berlin, evakuierte dann, was immer von seinen Beständen zu retten war, und verlegte seine Tätigkeit nach Wien. Emigrierte von dort nach Stockholm – diesmal ganz ohne »Bestände«. Mit Hilfe des Bonnier Verlags, Stockholm, Neueröffnung des Verlages. 1940, nach zweimonatiger Haft (wegen anti-nazistischer Betätigung) Ausweisung aus Schweden und Emigration in die USA. Dort Gründung (mit F. Landshoff) der »L. B. Fischer Corp.«, eines Verlagsunternehmens, das nur auf englisch publizierte. Bei Kriegsende Rückkehr nach Schweden und schließlich Heimkehr nach Deutschland. Nach Überwindung verschiedener Schwierigkeiten Wiedereröffnung des S. Fischer Verlages, Frankfurt/Berlin, im Jahre 1950. Neben Gottfried Bermann Fischer wirkt seine Gattin, Brigitte Fischer, in leitender Stellung im Verlage; Geschäftsführer bis 1962: Rudolf Hirsch; seither: Janko von Musulin.
2] *Biographie der Curie:* Eve Curie, »Madame Curie. Leben und Wirken« (Wien 1937).
3] *Ödön von Horvath* (1901–1938): Österreichischer Schriftsteller, – Dramatiker. 1933 freiwillige Emigration von Bayern nach Österreich, 1938 nach Frankreich und Holland; wurde – besuchsweise in Paris, – auf den Champs Elysées von einem Ast erschlagen. Unter seinen meist zeitkritischen Bühnenstücken: »Geschichten aus dem Wiener Wald« (1931); »Ein Dorf ohne Männer« (Prag 1937). Unter seinen Romanen: »Jugend ohne Gott« (Amsterdam 1938).
4] *Tutti:* Brigitte Bermann Fischer, Tochter von S. Fischer.

4. XII.
1] *christliches Emigranten-Dinner:* Bankett des »Committee for

Christian German Refugees«, dessen Ertrag den nicht-jüdischen Exilierten zugute kam.
2] *Einleitung zu einer amerikanischen Schopenhauer-Kondensierung:* Der Essay »Schopenhauer« erschien 1938 bei Bermann Fischer, Stockholm, in der Schriftenreihe »Ausblicke«; leicht gekürzt diente er als Einleitung für eine Zusammenfassung von Schopenhauers Hauptwerk »Die Welt als Wille und Vorstellung« (»The Living Thoughts of Schopenhauer«, presented by T. M., Verlag Longmans, Green & Co., New York/Toronto 1939). Diese Auswahl wurde in fast allen europäischen Sprachen veröffentlicht; die deutsche Buchausgabe, »Schopenhauer, dargeboten von Thomas Mann«, erschien erst 1948 im Classen-Verlag Zürich (Ges. W. IX).

8. XII.
1] *Ida Herz* (geb. 1894): Ursprünglich Buchhändlerin. Emigrierte in den dreißiger Jahren nach London, lebt seither dort. Frühe Verehrerin von T. M. und leidenschaftliche Sammlerin, der er im Laufe der Jahrzehnte zahllose Zeitungsausschnitte und publizistische Kuriosa sandte. Die so entstandene und von der Besitzerin laufend erweiterte Collection befindet sich heute im Thomas Mann-Archiv, Zürich.
2] *Jüngster:* Michael Mann (geb. 1919): Zunächst Musiker, Violinist und Bratschensolist. Als Bratschist spezialisiert auf die modernste Musik. Tourneen in Amerika (mit Yaltah Menuhin), im Fernen Osten und in Europa. Studierte dann Germanistik und promovierte in Harvard, USA. Seit Herbst 1961 als Professor für Germanistik an der Berkeley University, Kalifornien.
3] *Monika Mann-Lányi* (geb. 1910): Feuilletonistin, Verfasserin eines autobiographischen Buches »Vergangenes und Gegenwärtiges«. War mit dem Kunsthistoriker Jenö Lányi verheiratet, der 1940 bei der Versenkung der »City of Benares« durch die Deutschen umkam. Lebt auf Capri.
4] *Golo:* s. Anmerkung zu 26. IX. 39.
4] *Medi:* s. Anmerkung 1 zu 14. XII. 46.
5] *Die beiden Großen:* Erika und Klaus.

13. XII.
1] *Bruno Walter* (1876–1962): Dirigent. Als solcher Nachfahre und Sachwalter von Gustav Mahler, dessen Werk er zu internatio-

nalem Durchbruch verhalf. 1913–1922 Generalmusikdirektor in München und seither T. M. nahe befreundet. (S. auch T. M. »Musik in München« in Ges. W. XI; »Für Bruno Walter zum sechzigsten Geburtstag« in Ges. W. X und unseren Brief zum 15. September 1946.) – 1933 Emigration nach Österreich (1934–36 Leiter der Staatsoper Wien) und 1940 in die USA. Unter seinen Werken: »Über die moralischen Kräfte der Musik« (Wien 1935); »Gustav Mahler« (Wien 1936); die Autobiographie »Thema und Variationen« (1947) und die große Abhandlung »Von der Musik und vom Musizieren« (1957).
2] *Anton Bruckner* (1824–1896): Unter seinen Werken: Neun Symphonien, deren letzte unvollendet blieb; Messen; Motetten; Kammermusik.

16. XII.
Gedichte: »Drei Bilder aus einem alten Tessiner Park«: »Gartensaal«, »Durchblick ins Seetal«, »Pavillon« (»Maß und Wert«, 1. Jg. H. 4, März/April 1938).

22. XII.
1] *Ernst Weiß* (1884–1940): Arzt und Schriftsteller, – Erzähler; Freund von Kafka. Der gebürtige Österreicher emigrierte 1938 und endete durch Selbstmord beim Einmarsch der Deutschen in Paris. Zu Unrecht vielfach vergessen; war einer der bedeutendsten Romanciers seiner Generation. Unter seinen Werken: »Die Galeere« (1913); »Mensch gegen Mensch« (1919); der Balzac-Roman »Männer in der Nacht« (1925); »Georg Letham, Arzt und Mörder« (1931); »Der arme Verschwender« (Amsterdam 1936).
2] *»Der Verführer«:* Roman (Zürich 1937).

23. XII.
1] *Kienberger:* Unbekannt.
2] *Konrad Falke* (1880–1942): Schweizerischer Schriftsteller, Herausgeber von Raschers Jahrbüchern und von »Maß und Wert« (mit T. M.; siehe Anmerkung 5 zu 23. 11. 37). Unter seinen Werken: Übersetzung von Dantes »Divina Commedia« (1921); »Der Kinderkreuzzug« (2 Bde. 1924); Dramatische Werke (5 Bde. 1930–33).
3] *Alfred Döblin:* s. Anmerkung zu 14. VIII. 43.
4] *Oswald Spengler* (1880–1936): Geschichtsphilosoph. Haupt-

werk: »Der Untergang des Abendlandes« (2 Bde. 1918–22). S. auch T. M. »Über die Lehre Spenglers« (Ges. W. X).

28. XII.
1] *Alfred Neumann* (1895–1952): Schriftsteller, vor allem Erzähler. Begann als Lektor im Georg Müller Verlag, München; war sehr erfolgreich mit geschichtlichen Romanen auf literarisch anerkannter Höhe. Lebte in München. Emigration 1933 nach Italien und Südfrankreich, 1940 in die Vereinigten Staaten. Kehrte nach dem Kriege zunächst nicht zurück und erlag bald nach seiner Heimkehr nach Europa (Schweiz) einem Herzleiden. – In München wie in Californien waren Neumann und T. M. aufs herzlichste befreundet. (S. auch »Für Alfred Neumann« in »Nachlese« 1956). Unter seinen Hauptwerken: »Der Teufel« (1926); die Trilogie des französischen 19. Jahrhunderts: »Neuer Caesar« (Amsterdam 1934), »Das Kaiserreich« (Amsterdam 1936), »Die Volksfreunde« (Amsterdam 1940, vernichtet); »Es waren ihrer sechs« (Stockholm 1944).
2] *»kleiner Roman«:* »Die Goldquelle« (Amsterdam 1938).
3] *Bibi:* Michael.
4] *»Tod in Venedig«:* Novelle (1912).

30. XII.
Willem de Boer (1885–1962): Holländischer Geiger, Komponist und Musikpädagoge. Als Konzertmeister des Zürcher Tonhalleorchesters übte er einen entscheidenden Einfluß auf das Zürcher Musikleben aus und förderte besonders die zeitgenössische Musik. Seine eigenen Kompositionen galten vor allem der Violine und Viola d'amore.

1938

4. I.
1] *Félix Bertaux* (1876–1948): Französischer Germanist, Publizist; Übersetzer von »Der Tod in Venedig« (1925) und »Leiden und Größe Richard Wagners« (1933). Standardwerk: »Panorama de la Littérature Allemande« (1928).
2] *kleine politische Schrift:* Bonner Briefwechsel.
3] *André Gide* (1869–1951): Französischer Schriftsteller, – Romancier. Unter seinen Werken: »Les caves du Vatican« (1914); »Si le

grain ne meurt«, Autobiographie (1926); »Les faux-monnayeurs« (1926); »Journal, 1889–1939« (1939). Nobelpreis 1947. (S. auch T. M. »Si le grain ne meurt« in »Altes und Neues« 1953 und »Zum Tode André Gides« in »Nachlese« 1956.)

4] *Paul Desjardins* (1859–1940): Französischer Philosoph und Philologe. Unter seinen Hauptwerken: »Le devoir présent« (1892); »La méthode des classiques français« (1904).

5] *Pierre Bertaux* (geb. 1907): Sohn von Félix Bertaux. Französischer Germanist, Hölderlin-Forscher, Schriftsteller, Politiker. Während des Krieges Organisator einer Widerstandsgruppe in Südfrankreich. – Pierre sprach damals am Radio (Paris) über T. M.'s »Avertissement à l'Europe«.

6] *Joseph Goebbels* (1897–1945): Hitlers »Reichsminister für Volksaufklärung und Propaganda«.

7] *»Avertissement«:* T. M.'s Sammlung politischer Aufsätze »Achtung Europa!« (1938) erschien auf französisch unter dem Titel »Avertissement à l'Europe« (1937); der Essay selbst figuriert in dieser Ausgabe an zweiter Stelle (Ges. W. XII).

9. I.

Fritz Strich (1882–1963): Schweizerischer Literarhistoriker. 1915 außerordentlicher Professor in München, 1929–1953 Ordinarius in Bern. Seit 1941 Schweizer Bürger. Unter seinen Hauptwerken: »Deutsche Klassik und Romantik« (München 1922, Bern 1962); »Goethe und die Weltliteratur« (1946); »Der Dichter und die Zeit« (1947); »Kunst und Leben« (1960; enthält u. a. drei Aufsätze über T. M.: »Tief ist der Brunnen der Vergangenheit«, »Thomas Mann oder der Dichter und die Gesellschaft«, »Schiller und Thomas Mann«).

22. III.

1] *Agnes E. Meyer* (geb. 1887): Ursprünglich Journalistin, Studentin an der Sorbonne Paris, dort mit führenden Künstlern befreundet, besonders mit Rodin. Gattin von Eugene Meyer (s. Anmerkung zu 13. XI. 38); schriftstellerisch, politisch und auf dem Gebiete der sozialen Fürsorge tätig. Unter ihren Werken: »Journey Through Chaos« (1944); »Out of these Roots«, Autobiographie (1953). Zahlreiche Artikel u. a. in »The Washington Post«, »New York Times Book Review«, »Atlantic Monthly«, »Reader's Digest«.

Siehe auch Einleitung zu diesem Band. Sämtliche Briefe an Mrs. Meyer – bis auf einzelne in den Texten gekennzeichnete – sind handgeschrieben.
2] *etwas tun ließe:* In Sachen der österreichischen Exilierten und der in Österreich Gefährdeten.

18. IV.
1] *Gräfin Mercati:* Das Wohltätigkeitskonzert zugunsten österreichischer Flüchtlinge stand unter ihrem Patronat. Das Telegramm wurde in den »New York Times« veröffentlicht (20. IV. 38).
2] *Jascha Heifetz* (geb. 1901): Amerikanischer Geiger russischer Herkunft, gab neunjährig sein erstes Konzert.
3] *Artur Rodzinski* (1892–1958): Amerikanischer Dirigent.

26. V.
1] *Erich von Kahler* (geb. 1885): Schriftsteller, – Historiker, Philosoph. Emigrierte 1933 in die Schweiz, 1938 in die Vereinigten Staaten. Hauptwerk: »Der deutsche Charakter in der Geschichte Europas« (Zürich 1937); außerdem die englisch geschriebene Kulturhistorie »Man the Measure« (New York 1943); »Die Verantwortung des Geistes: Gesammelte Aufsätze« (Frankfurt 1952). Freund von T. M. (S. auch T. M. »Erich von Kahler« in »Altes und Neues« 1953.) Kahler ist Gastprofessor an der Universität Princeton.
2] *»Joseph in Egypt«:* Erschienen bei Alfred A. Knopf New York, 1938.
3] *kleines Land im Osten:* Tschechoslowakei.
4] *geliehenes Häuschen:* Das Haus in Jamestown, Rhode Island, gehörte Miss Caroline Newton (S. Anmerkung 1 zu 4. IV. 39).

27. V.
1] *Ihr Buch:* »Dunant. Der Roman des Roten Kreuzes« (Stockholm 1938).
2] *Henri Dunant* (1828–1910): Schweizerischer Philanthrop, Hauptgründer des Roten Kreuzes; erhielt 1901 den Friedens-Nobelpreis.

19. VI.
Demokratie-Rede: »Vom kommenden Sieg der Demokratie«, übersetzt von Agnes E. Meyer (s. auch Anmerkung 4 zu 28. X. 37).

18. VII.
1] *Freundesbesuch:* Bei Félix Bertaux.
2] *Werner Türk* (geb. 1901): Schriftsteller, – Journalist. Emigrierte über die Tschechoslowakei und Norwegen nach England. Verfasser u. a. von: »Der Arbeitslöwe« (1932); »Kleiner Mann in Uniform« (Prag 1934); »Die Zauberflöte«, Mozart-Biographie (Kopenhagen 1939). »Thomas Mann og var tid«, Artikel (»Samtiden«, Oslo, Dezember 1939).
3] *Unterseeboot:* Fehlmeldung. Klaus Mann entkam aus Valencia auf einem kleinen Loyalistenboot, während Erika Mann als britische Staatsbürgerin vermittels eines englischen Zerstörers evakuiert wurde.

24. VII.
Bolko von Hahn (geb. 1904): Kaufmann, – nebenberuflich Journalist. 1925–1958 in Südamerika tätig, seither als Public-Relations-Manager bei seiner eigenen Firma, Ferrostal AG. Autor u. a.: »Das Herz des Gaucho«, historische Studien über südamerikanische Geschichte.

27. VII.
1] *Ferdinand Lion* (geb. 1883): Elsässischer Schriftsteller deutscher Sprache, – Essayist und Kulturkritiker. Unter seinen Werken: »Cardillac«, Oper (1926, Musik von Paul Hindemith); »Romantik als deutsches Schicksal« (1947); »Der französische Roman im 19. Jahrhundert« (1952); »Geburt der Aphrodite« (1955); »Thomas Mann, Leben und Werk« (Oprecht Zürich, 1947), sowie zahlreiche Artikel über T. M.
2] *Stückchen Annettens:* »Kriegsvorabend 1914« (1. Akt) von Annette Kolb (s. Anmerkung 1 zu 6. IV. 44) in »Maß und Wert« (2. Jg., Heft 2, 1938).
3] *Bernard von Brentano* (geb. 1901): Schriftsteller, – Erzähler und Essayist; Urgroßneffe von Clemens Brentano. 1933 freiwillige Emigration in die Schweiz. Unter seinen Werken: »Theodor Chindler« (Zürich 1936); »Franziska Scheler« (Zürich 1945); »Die Schwestern Usedom« (1948); »Du Land der Liebe«, Autobiographie (1952).
4] *St. Hubert:* Bezieht sich auf Madame Mayrisch de St. Hubert.
5] *Emil Alphons Rheinhardt* (1889–1945): Österreichischer Schrift-

steller und Übersetzer. Lebte bereits vor 1933 in Frankreich; bekämpfte, zunächst vermittels heftiger Proteste, später als Mitglied einer Widerstandsgruppe, das Hitler-Regime, wurde denunziert, verhaftet und starb in Dachau. Unter seinen Werken: »Das Leben der Eleonore Duse« (1928); »Napoleon III. und Eugenie«, Tragikomödie eines Kaisertums (1930); »Josephine«, eine Lebensgeschichte (1932); »Der große Herbst Heinrichs IV.« (Wien 1936). – Das im Brief erwähnte Romanfragment ist nicht in »Maß und Wert« erschienen.
6] *Friedrich Walter* (geb. 1902): Schriftsteller und Journalist. 1925–30 Feuilletonredakteur des »Berliner Börsen Courier«, 1930–33 Dramaturg der Berliner Barnowsky-Bühnen. 1933 Emigration nach Frankreich, 1940 nach England. Seit 1952 Londoner Kulturberichterstatter des »Südwestfunk« Baden-Baden. Unter seinen Werken: »Kassandra« (Amsterdam 1939); »Tobias« (Amsterdam 1940); »Selections from Thomas Mann«, with Introduction and Notes (1948).
7] *Kuno Fiedler:* s. Anmerkung 1 zu 19. III. 40.
8] *Autobiographie:* »Die Flucht«, konnte aus politischen Gründen nicht erscheinen.

6. VIII.
1] *Heinrich Mann* (1871–1950): Schriftsteller; begann als Buchhändler in Dresden. Hauptwerke u. a.: »Professor Unrat« (1905); »Die kleine Stadt« (1909); »Der Untertan« (1918). Während des Ersten Weltkrieges und nachher spielte Heinrich Mann eine bedeutende Rolle als geistiger Führer der pazifistischen Linken. 1931–1933 Präsident der Sektion für Dichtkunst der Preußischen Akademie der Künste in Berlin. Emigrierte 1933 nach Südfrankreich; schrieb dort am Werk seiner Reifezeit, dem großen zweibändigen Roman »Die Jugend des Königs Henri Quatre« (Amsterdam 1935) und »Die Vollendung des Königs Henri Quatre« (Amsterdam 1938). 1940 Emigration in die USA, wo er in Californien T. M. benachbart lebte. Letzte aufsehenerregende Publikation »Ein Zeitalter wird besichtigt« (Stockholm 1946). Kehrte nicht nach Europa zurück. – (S. auch T. M. »Vom Beruf des deutschen Schriftstellers in unserer Zeit« und »Heinrich Mann« in Ges. W. X; »Brief über das Hinscheiden meines Bruders Heinrich«, »Altes und Neues« 1953.)
2] *großes Werk:* »Die Vollendung des Königs Henri Quatre« (Amsterdam 1938).

3] *Nietzsche-Einleitung:* Erschien in »Maß und Wert« (2. Jg. H. 3, Januar 1939) und in der französischen Ausgabe: »Nietzsche. Des Pages Immortelles, choisies et expliquées par H. Mann« (Paris 1939).

25. VIII.

1] *Menno ter Braak* (1902–1940): Holländischer Schriftsteller, Philologe und Kritiker. Entschiedener Gegner des Nationalsozialismus; erschoß sich beim Einmarsch der Deutschen in Holland. Unter seinen Werken: »Het Carnaval der Burgers« (1930); »Démasqué der Schoonheid« (1932); »Verzameld Werk« (1951). (S. auch T. M. »In memoriam Menno ter Braak« in »Altes und Neues« 1953.)
2] *Aufsatz:* »Nordamerikanisches; das Drama der amerikanischen Südstaaten«, erschien in »Maß und Wert« (2. Jg. H. 4, 1939).
3] *Annemarie Clarac-Schwarzenbach* (Schriftstellername: Clark, 1908–1942): Schweizerische Schriftstellerin und Journalistin, nah mit Erika und Klaus Mann befreundet. Unter ihren Büchern: »Freunde um Bernhard« (1931); »Lyrische Novelle« (1933); »Winter in Vorderasien« (1934); »Das glückliche Tal« (1940).
4] *Kurt Hiller* (geb. 1885): Schriftsteller, – Aphoristiker, Journalist, revolutionärer Pazifist. Konzentrationslager 1933; Emigration 1934 nach Prag, 1938 nach London. Kehrte 1955 nach Deutschland zurück, lebt in Hamburg. Unter seinen Werken: »Die Weisheit der Langenweile« (1913); »Der Aufbruch zum Paradies« (1922); »Köpfe und Tröpfe« (1950).
5] *»Profile«:* Prosa aus einem Jahrzehnt (Paris 1938).

8. IX.

1] *Robert Musil* (1880–1942): Österreichischer Schriftsteller, – Erzähler. Emigration 1933 von Berlin nach Wien, 1938 in die Schweiz. Erste Veröffentlichung: »Die Verwirrungen des Zöglings Törless« (1906); Hauptwerk: »Der Mann ohne Eigenschaften«, fragmentarischer Roman (Lausanne 1943). S. auch T. M. »Robert Musil ›Der Mann ohne Eigenschaften‹« (Ges. W. XI) und unseren Brief vom 1. VI. 39.
2] *Paul Amann* (1884–1958): Österreichischer Philologe und Kulturhistoriker, Übersetzer aus dem Französischen. Humanist, Pazifist, »Europäer«, selbst im Ersten Weltkrieg. Verehrer Romain Rollands. Trotz ursprünglich diametral entgegengesetzter Ansichten ausgedehnte Korrespondenz mit T. M., 1915–1952. (S. auch »Briefe

an Paul Amann«, Schmidt-Römhild, Lübeck, 1960). Emigration 1939 nach Frankreich, 1941 in die USA. Unter seinen Werken: »Tradition und Weltkrise« (1934); »Kristall meiner Zeit. Verschonte Verse 1914–1955« (Selbstverlag 1956).
3] *Jakob Rudolf Welti* (geb. 1893): Journalist, – Schriftsteller. Neben Eduard Korrodi Feuilletonredaktor der »Neuen Zürcher Zeitung« von 1919–1955. Unter seinen Arbeiten: »Die Venus vom Tivoli«, Komödie (1931); »Fahnen über Doxat«, Drama (1932).

12. x.
1] *Hedwig Leser* (geb. 1879): Seit 1903 in Amerika (Heirat). Germanistin an der Universität Indiana bis 1946; Übersetzerin am »Kinsey Institute for Sex Research« bis 1962.
2] *Princeton:* Im Herbst 1938 bezog die Familie T. M. ein möbliert gemietetes Haus in Princeton, New Jersey, 65 Stockton Street. Dort blieb man bis zum Frühling 1941.
3] *»D. u. W.«:* »Dichtung und Wahrheit«.
4] *Gesamtwerk:* »Joseph und seine Brüder«.

19. x.
1] *Sammlung politischer Essays:* »Achtung Europa!« (Stockholm 1938).
2] *Arthur Neville Chamberlain* (1869–1940): Britischer Staatsmann. 1937 Premierminister und Leiter der britischen Außenpolitik, die zu »München« führte (1938). 1940 als Premierminister gestürzt. – T. M. über Chamberlain: »Es grenzt ans Unheimliche, wie vollkommen die Figur jenes elenden von Papen, des Konservativen, der Deutschland an Hitler auslieferte, in dem Engländer Chamberlain wiederkehrt.« (»Dieser Friede« in »Altes und Neues« 1953).

25. x. A
1] *Sammlung:* s. Anmerkung 1 zu 8. XII. 37.
2] *Warburg Direktor:* Direktor des Warburg Institute, London.

25. x. B
1] *Cordell Hull* (1871–1955): Amerikanischer Außenminister von 1933–44. Berater Roosevelts an den Konferenzen in Moskau und Teheran. Friedens-Nobelpreis 1945.
2] *auf meinen Namen getaufte Gesellschaft:* Thomas Mann-Gesell-

schaft Prag; Präsident: Prof. J. B. Kozák, Ordinarius für Philosophie an der Karls-Universität; Generalsekretär und Initiator: Friedrich Burschell.

3] *Leo Kestenberg* (1882–1962): Pianist (Busoni-Schüler); Musikreferent im preußischen Kultusministerium (1919–32). Emigration 1933 nach Prag, 1938 nach Palästina. Außerordentliche Verdienste um das gesamte Musikleben in Palästina/Israel. Unter seinen Werken: »Musikerziehung und Musikpflege« (1921); »Bewegte Zeiten. Musisch-musikantische Lebenserinnerungen« (Zürich 1961).

4] *Joachim Werner Cohn, später Conway* (1906–1955): Journalist. Emigrierte 1933 in die Tschechoslowakei, 1938 nach England. Mitarbeiter u. a. von »Spectator«, »Manchester Guardian«, »Daily Telegraph«. Unter seinen Werken: »Von der Freiheit und ihren Hassern« (unvollendet, 1937); »Romantische Briefe« (1941).

5] *Wilhelm Necker* (geb. 1897): Journalist und Schriftsteller. Emigration 1934 nach Prag, 1938 nach England; lebt in London. Unter seinen Werken: »Nazi Germany Can't Win« (London 1939); »This Bewildering War« (London 1940); »Invasion Tactics« (London 1944); »Es war doch so schön«, Autobiographie (1947). Mitarbeiter u. a. von »Evening Standard« und »Daily Mail«.

6] *Alexander Bessmertny* (1888–1943): Schriftsteller. Emigration 1933 nach Frankreich, später Tschechoslowakei; wurde 1939 in Prag durch die Gestapo verhaftet und 1943 in Berlin hingerichtet. Unter seinen Werken: »L'Atlantide« (Paris 1949). Mitarbeiter der »Prager Presse«.

7] *Egon Lehrburger* (geb. 1904): Schriftsteller, – ursprünglich Journalist und Photograph. Emigrierte 1935 nach Frankreich, später in die Tschechoslowakei und 1938 nach England; lebt in London, Berichterstatter des Bayerischen Rundfunks. Unter seinen Werken: »Chase across Europe« (London 1940); »Inventors' Cavalcade« (London 1943); »Abenteuer der Technik« (1950); »Mensch und Meerestiefe« (1957).

8] *Ursula Hönig:* Stieftochter von Friedrich Burschell, damals Sekretärin der Thomas Mann-Gesellschaft in Prag; jetzt Gattin von Egon Lehrburger.

9] *Willy Sternfeld* (geb. 1888): Journalist. Emigrierte 1933 nach Paris, 1935 nach Prag, 1939 nach London. In Prag tätig für die T. M.-Gesellschaft, in London Sekretär einer T. M.-Gruppe innerhalb des tschechoslowakischen Hilfsdienstes für Emigranten sowie

Vertrauensmann der Self Aid of Refugees from Germany. Selbst mittellos, hat Sternfeld Hervorragendes für seine Schicksalsgenossen geleistet. Seit 1948 Berater des Künstlerfonds des Süddeutschen Rundfunks und Vertrauensmann des Künstlerfonds des Bundespräsidenten. – Verfasser u. a.: »Deutsche Exil-Literatur 1933–1945«, eine Bio-Bibliographie, mit Eva Tiedemann und einem Vorwort von Hanns W. Eppelsheimer (1962).
10] *Friedrich Burschell:* s. Anmerkung 1 zu 9. VII. 40.
11] *Fritta Brod:* Schauspielerin, Gattin des Schriftstellers Friedrich Burschell. Emigrierte 1939 aus Prag nach London; dort sporadisch an der deutschen Abteilung der BBC tätig (1940–47). Viele Lesungen für Studenten der Germanistik in Oxford.
12] *Schutz der amerikanischen Demokratie:* Er wurde den Genannten nicht zuteil; mit zwei Ausnahmen entkamen sie nach England.

I. XI.
1] *Oskar Maria Graf* (geb. 1894): Erzähler. Trotz urbayerischer Bodenständigkeit seit Ende des Ersten Weltkrieges zeitkritisch gesinnt, gehörte Graf der Münchner Gruppe um Kurt Eisner an. Freiwillige Emigration 1933 nach Wien, dann in die Tschechoslowakei, 1938 nach New York. Außer humorvollen und handfesten Bauerngeschichten schrieb er u. a. sein Bekenntnisbuch »Wir sind Gefangene« (2 Bde. 1920 u. 1927); die Romane »Unruhe um einen Friedfertigen« (1947) und »Die Eroberung der Welt« (1948). – (S. auch T. M. »Für Oskar Maria Graf«, Ges. W. X.)
2] *Bruno Frank* (1887–1945): Erzähler, Dramatiker, Lyriker; naher Freund von T. M. Emigrierte 1933 in die Schweiz, dann nach London und 1937 nach Californien, wo er und seine Frau, wie im Münchner Herzogspark, der Familie T. M. benachbart wohnten. Hauptwerke u. a.: »Die Kelter«, Gedichtsammlung; »Tage des Königs« (1924), »Trenck« (1926), »Cervantes« (Amsterdam 1934), »Die Tochter« (Amsterdam 1943), – Romane; »Politische Novelle« (1928); Bühnenstücke: »Zwölftausend« (1927), »Perlenkomödie« (1928), »Sturm im Wasserglas« (1930). (S. auch T. M. »Politische Novelle« in »Altes und Neues« 1953, »Bruno Frank« in Ges. W. X und »In memoriam Bruno Frank« in »Nachlese« 1956.)
3] *Manfred George:* s. Anmerkung 1 zu 11. III. 47.
4] *Ferdinand Bruckner* (1891–1958): Österreichischer Schriftsteller, – vor allem Dramatiker und Theaterleiter. Gründete 1923 das Ber-

liner Renaissance-Theater. Emigrierte 1933 nach Österreich, 1936 in die USA; kehrte 1950 zurück. Hauptwerke: »Krankheit der Jugend« (1929); »Die Verbrecher« (1929); »Elisabeth von England« (1930); »Simon Bolivar« (New York 1945); Gesammelte Dramen I u. II (1947).

5] *Dorothy Thompson* (1894–1961): Ursprünglich amerikanische Auslandskorrespondentin; hatte vorausgesagt, Hitler würde von den Deutschen nie akzeptiert werden, und wurde infolgedessen, gleich nach der »Machtübernahme«, von den Nazis ausgewiesen. Erste amerikanische Bürgerin, der dies geschah. Ihr Ruhm gründete sich auf diese falsche Prophezeiung und deren sensationelle Folgen. Hochbegabt und von zunehmendem politischen Spürsinn, spielte sie dann eine hervorragende Rolle in der Publizistik ihres Landes. Vereinte leidenschaftlichen Anti-Faschismus und Freundschaft für die Emigranten mit andauernder Deutschfreundlichkeit.

2. XI.

Rudolph B. Jacoby (geb. 1906): Kaufmann; nebenberuflich Verfasser von Kurzgeschichten und Lyrik. Emigrierte 1933 nach Palästina, 1938 in die USA, wo er blieb.

6. XI.

1] *Oskar Koplowitz* (geb. 1911): Schriftsteller und Germanist. Nannte sich – seit er publizierte – Oskar Seidlin und ließ sich nach seiner Einwanderung in die Vereinigten Staaten auch legal so umnennen. Koplowitz war ein Jugendfreund von Klaus Mann, und T. M. kannte ihn seit jener Zeit unter seinem ursprünglichen Namen. Emigrierte 1933 in die Schweiz, 1938 nach den USA. Seit 1946 Professor für deutsche Literatur an der Staatsuniversität von Ohio (Columbus, Ohio). Unter seinen Werken: »Otto Brahm als Theaterkritiker« (Zürich 1936); gesammelte Aufsätze in zwei Bänden: »Essays in German and Comparative Literature« (1961) und »Von Goethe zu Thomas Mann« (1963).

2] *Manuskript:* »Über Goethe's ›Faust‹« – aus dem Princetoner »Faust«-Kolleg, aufgenommen in »Adel des Geistes« 1945.

7. XI.

Aufsatz über Nietzsche: s. Anmerkung 3 zu 6. VIII. 38.

13. XI.
Eugene Meyer (1875–1959): Gatte von Agnes E. Meyer, geb. Ernst; amerikanischer Großbankier, Philanthrop, Besitzer und Herausgeber der »Washington Post«. 1933 von ihm erworben, wurde diese Zeitung zu einer der einflußreichsten der USA. Inhaber zahlreicher wichtiger offizieller Posten, u. a. Präsident des »Federal Reserve Board« und – nach dem Zweiten Weltkrieg – erster Präsident der »World Bank«. Obwohl überzeugter Republikaner, wurde er, seiner eminenten Fähigkeiten wegen, auch von demokratischen Administrationen in hohe Ämter berufen. Eugene Meyer zählte zu den markantesten amerikanischen Persönlichkeiten seiner Epoche.

15. XI.
Ihr Gedichtbuch: »Mein Bilderbuch« (Zürich 1938).

22. XI.
die jüngsten deutschen Viechereien: Am 9. November wurde von Goebbels die sogenannte »Kristallnacht« organisiert, in der seine Gefolgsleute jüdische Geschäfte und Wohnungen zerstörten, deren Inhaber und Bewohner mißhandelten, vielfach in Konzentrationslager verschleppten und die Synagogen niederbrannten.

30. XI.
1] *Anna Jacobson* (geb. 1888): Germanistin. 1923 Auswanderung in die USA. 1924–1956 Professor für Germanistik am Hunter College, New York; jetzt emeritiert. Unter ihren Büchern: »Kingsley's Beziehungen zu Deutschland« (1917); »Nachklänge Richard Wagners im Roman« (1932); zahlreiche Aufsätze über Walt Whitman, Stefan George, Gerhart Hauptmann, Franz Werfel, Hermann Hesse und Thomas Mann. Seit 1928 vorwiegend mit letzterem befaßt. –
Unser Brief erschien auf englisch im »Hunter College Bulletin« (Leserschaft 3000) und machte die Runde auch in anderen Colleges und Universitäten. Die beim »Hunter College« angedrohte Eliminierung des Lehrfaches »Deutsch« erfolgte nicht.
2] *Rudolf Kayser:* s. Anmerkung zu 8. XI. 46.

4. XII.
Alvin T. Embrey: Unbekannt.

6. XII. A

1] *Karl Kerényi* (geb. 1897): Ungarischer Philologe und Religionswissenschaftler. Lebt seit 1943 im Tessin. Unter seinen Werken: »Apollon« (Wien 1937); »Die antike Religion« (Amsterdam 1940); »Die Mythologie der Griechen« (1951); »Geistiger Weg Europas« (1955). (S. auch »Thomas Mann – Karl Kerényi, Gespräch in Briefen«, Rhein Verlag, Zürich 1960.)

2] *»Dieser Friede«:* Das Vorwort »Die Höhe des Augenblicks« zu »Achtung, Europa!« wurde mit geringen Änderungen gleichzeitig als selbständiger Essay veröffentlicht (Stockholm 1938).

3] *meine beiden ersten Vorlesungen:* Als »Lecturer in the Humanities« hielt T. M. Vorlesungen vor den Princeton Studenten, u. a. über Goethe's »Faust«. Da nur eine Faust-Vorlesung – von ungewöhnlicher Länge – nachweisbar ist (s. »Adel des Geistes« 1945), dürfte T. M. sie an zwei Tagen gehalten haben.

6. XII. B

1] *englische Dame:* Mrs. Molly Shenstone (s. Anmerkung 1 zu 16. VI. 39).

2] *Dr. Meisel:* Hans (James) Meisel (geb. 1900): Schriftsteller, – Übersetzer. Emigration 1934; 1938 in die USA. 1938–40 T. M.'s Sekretär; seitdem lehrtätig – jetzt Professor der politischen Wissenschaft an der Staats-Universität von Michigan. Veröffentlichungen u. a.: »Torstenson, Entstehung einer Diktatur« (1927); »The Myth of the Ruling Class« (1958), deutsche Ausgabe: »Der Mythos der herrschenden Klasse« (1962).

3] *Buch von Borgese:* »Goliath, the March of Fascism« (1937) von Giuseppe Antonio Borgese (s. Anmerkung 1 zu 17. VIII. 42); erstes grundlegendes Werk über Geschichte und Wesen der faschistischen Diktatur.

4] *Briefsammlung der Vertriebenen:* Das Projekt kam nicht zustande.

5] *alte Frau Fischer:* Hedwig Fischer (s. Anmerkung zu 8. IX. 46).

6] *»Vier Erzählungen«:* »Die schönsten Erzählungen« in »Forum deutscher Dichter« (Amsterdam 1939); enthält: »Tonio Kröger«, »Unordnung und frühes Leid«, »Der Tod in Venedig« und »Mario und der Zauberer«.

7] *»Der Bruder«:* T. M.'s Aufsatz »Bruder Hitler« erschien englisch in der amerikanischen Zeitschrift »Esquire« (März 1939) und

wurde in die nächste Sammlung politischer Essays »Order of the Day« C 19 aufgenommen; deutsch erstmalig im »Neuen Tagebuch« (Paris, 25. III. 39). (S. auch »Altes und Neues« 1953.)
8] *Forum-Sammlung:* Gemeinschaftsproduktion der Verlage Bermann Fischer, Stockholm, Querido und Allert de Lange, Amsterdam (1938 und 1939); in dieser Buchreihe erschienen insgesamt 14 Titel von: Vicki Baum, Hugo von Hofmannsthal, Annette Kolb, Emil Ludwig, Heinrich Mann, Thomas Mann, Alfred Neumann, Joseph Roth, Arthur Schnitzler, Franz Werfel und Stefan Zweig. – Die Serie wurde durch die Alliance Book Corporation in den USA vertrieben.
9] *Alfred A. Knopf:* s. Anmerkung 1 zu Brief datiert: Ende Februar 1942.

15. XII.
August-Kapitel: Sechstes Kapitel aus »Lotte in Weimar«, in welchem August von Goethe die Einladung seines Vaters zum Abendessen überbringt.

21. XII.
Phönix-Becher: Kostbarer chinesischer Jade-Becher aus der Chou Dynastie; heute im Besitz des Thomas Mann-Archivs, Zürich.

30. XII.
1] *Harry Slochower* (geb. 1900): Literarhistoriker und Soziologe; begann in Deutschland mit einem Buch über Richard Dehmel »Der Mensch und der Denker« (1928), folgte einem Ruf der Universität Brooklyn und lebt seither in den USA. Schrieb u. a.: »Thomas Mann's Joseph Story« (New York 1938), sowie zahlreiche Aufsätze über T. M.
2] *Erwiderung:* »Echoes of Mann's Manifesto«, New York Herald Tribune (29. XII. 38).
3] *Farrell:* s. Anmerkung zu 22. IX. 39.

Dezember
1] *Klaus Mann* (1906–1949): Schriftsteller. Während des Krieges amerikanischer Soldat. Nahm sich am 21. Mai 1949 in Cannes, Südfrankreich, das Leben; ist dort begraben. (S. auch T. M. »Vorwort zu einem Gedächtnisbuch für Klaus Mann« in »Altes und

Neues« 1953.) – Unter seinen Werken: »Der fromme Tanz«, Roman (1926); »Alexander«, Roman der Utopie (1929); »Kind dieser Zeit«, erste Autobiographie (1932). Im Exil geschrieben u. a.: die Romane »Flucht in den Norden« (Amsterdam 1934), »Symphonie Pathétique« (Amsterdam 1935), »Mephisto« (Amsterdam 1936), »Der Vulkan« (Amsterdam 1939); »The Turning Point«, Autobiographie (New York 1942); »André Gide, The Crisis of Modern Thought«, Biographie (New York 1943), vom Autor ins Deutsche übersetzt: »André Gide, Geschichte eines Europäers« (Zürich 1948); »Der Wendepunkt«, erweiterte Fassung der Autobiographie (posthum 1952). – Klaus Mann war Herausgeber von »Die Sammlung« (Querido, Amsterdam) und »Decision«, Internationale Zeitschrift für Literatur (New York).

2] *ein Buch:* »Escape to Life« (Houghton Mifflin, 1939). Das Motto bildet ein Wort von Dorothy Thompson: »Practically everybody who in world opinion had stood for what was currently called German culture prior to 1933 is now a refugee.« – Unser Brief diente dem Band als Vorwort.

3] *es ist schon Jahre her:* T. M.'s Offener Brief – vom 3. 11. 36 an Eduard Korrodi, damals Feuilletonredaktor der »Neuen Zürcher Zeitung« –, der seine Ausbürgerung zur Folge hatte.

1939

18. 1.

1] *Francesco Crispi* (1819–1901): Italienischer Staatsmann. Als Premierminister hat er zusammen mit Bismarck 1887 die Erneuerung des Dreibundes Deutschland, Österreich-Ungarn, Italien bewirkt.

2] *Spitzbubenstreich:* Im Frühling 1933 war T. M.'s deutscher Paß abgelaufen, und er kam bei mehreren Konsulaten um Verlängerung ein. Schon damals wurde ihm regelmäßig gesagt, er solle sich nach München begeben, wo die Sache sogleich erledigt werden würde.

3] *Jenö Lányi* (1902–1940): Ungarischer Kunsthistoriker, Autor eines vielbeachteten Buches über Donatello. Das zweibändige Werk erschien posthum 1957 (Princeton University Press), herausgegeben von seinem Schüler J. W. Janson unter dessen Namen.

4] *die Seine:* Gret Moser, mit der Michael Mann damals verlobt war und die er bald darauf heiratete.

5] *»School for Barbarians«:* Dokumentarbericht über Erziehung un-

ter Hitler (New York 1938), deutsche Ausgabe: »Zehn Millionen Kinder« (Querido Amsterdam 1938).
6] *Buch über die deutsche Emigration:* »Escape to Life« (s. Anmerkung 2 zu Brief an Erika und Klaus datiert: Dezember 1938).

29. 1.
Martin Flinker (geb. 1895): Österreichischer Buchhändler, Publizist, Schriftsteller. Gründete 1928 die »Literarische Buchhandlung Martin Flinker« in Wien, die 1938 von den Nazis zerstört wurde. Emigration in die Schweiz, nach Frankreich und Nord-Afrika. 1947 Gründung der neuen Buchhandlung in Paris, Quai des Orfèvres. Unter seinen Arbeiten: »Der Gottsucher« (1949); kritische Essays über T. M., Musil, Joseph Roth, Kaßner in deutschen und französischen Revuen. Herausgeber von »Hommage de la France à Thomas Mann« zum 80. Geburtstag, – mit Beiträgen des geistigen Frankreich. »Thomas Manns politische Betrachtungen im Lichte der heutigen Zeit« (1959).

30. 1.
1] *Emil Oprecht* (1895–1952): Schweizerischer Buchhändler, Verleger, jahrelang aktiver Sozialdemokrat; gab schließlich auf Grund vielfacher kultureller Beanspruchung jede politische Tätigkeit auf. Unter seinen zahlreichen Ämtern: Präsident der Neuen Schauspiel AG (Zürcher Schauspielhaus), Vizepräsident der schweizerischen Unesco-Kommission, Präsident des schweizerischen Bühnenverbandes. – Gründete 1924 die Buchhandlung Dr. Oprecht AG und 1933, als Antwort auf Hitler, den Europa Verlag. Brachte als erster den Bonner »Briefwechsel« (1937) heraus und verlegte »Maß und Wert«. Mit seiner Frau, Emmie, geb. Fehlmann, die ihm beruflich zur Seite stand und seit seinem Tode Verlag wie Buchhandlung weiterführt, gehörte Emil Oprecht zu T. M.'s engstem Zürcher Freundeskreis. (S. auch T. M. »Abschied von Emil Oprecht«, Ges. W. X.)
2] *Frau M.:* Madame Mayrisch de St. Hubert.
3] *»Sammlung«:* »Die Sammlung«, literarische Monatsschrift unter dem Patronat von André Gide, Aldous Huxley, Heinrich Mann, herausgegeben von Klaus Mann. Während ihrer kurzen Lebensspanne repräsentatives Organ der literarischen Emigration (Querido Verlag, Amsterdam, 1933–35).

31. I.
1] *Jonas Lesser* (geb. 1896): Philologe und Schriftsteller. Bis zum »Anschluß« Lektor am Paul Zsolnay Verlag, Wien. Emigration nach London, wo er noch heute lebt. Unter seinen Schriften: »Von deutscher Jugend« (1932). Hauptwerk: »Thomas Mann in der Epoche seiner Vollendung« (Desch Verlag, München 1952), sowie zahlreiche Aufsätze über T. M. und Besprechungen seiner Bücher.
2] *»Klages-Weiber«:* Scherzhafte Bezeichnung (nicht von T. M.) für die vielfach weibliche Anhängerschaft des Philosophen und Graphologen Ludwig Klages. (S. auch Anmerkung 2 zu 22. 11. 45.)
3] *John Galsworthy* (1867–1933): Englischer Schriftsteller, – Romancier. Erster Präsident des 1921 gegründeten PEN-Clubs. Hauptwerk: »Forsyte Saga« (1906–21). Nobelpreis 1932. (S. auch T. M. »John Galsworthy zum sechzigsten Geburtstag«, Ges. W. X).
4] *Warburg und Secker:* Secker & Warburg ist der Firmenname des Hauses, das T. M.'s Werke in England verlegt.

1. II.
lecture: »The Problem of Freedom« (s. Anmerkung 3 zu 21. X. 39).

16. II.
Aufsatz: »Vom Wesen des Festes« in der Zeitschrift »Paideuma« 1938; Kapitel II im Buch über die antike Religion.

21. II.
1] *Albert Einstein* (1879–1955): Nobelpreis 1921. Emigrierte 1933, wurde »ausgebürgert« und arbeitete bis zu seinem Tode in Princeton, USA. Dort lebte er zwei Jahre lang T. M. benachbart und blieb ihm befreundet. (S. auch T. M. »Zum Tode von Albert Einstein«, Ges. W. X.)
2] *englischer Vortrag:* Vorlesung für Princeton-Studenten, gehalten am 13. Februar 1939. Die Rede zu Freuds 80. Geburtstag: »Freud und die Zukunft« (8. Mai 1936; Ges. W. IX).
3] *Ludwig Hardt* (1886–1947): Ursprünglich Schauspieler, spezialisierte sich 1910 aufs Rezitieren; in den zwanziger und frühen dreißiger Jahren erfolgreichster Rezitator Deutschlands. Emigration in die USA, wo er starb. Herausgeber eines Vortragsbuches (1924), worin er einen Querschnitt seines Repertoires mit interpretierenden

Glossen versah, – »Noten zu Füßen der Dichtung«. (S. auch T. M. »Über einen Vortragskünstler«, Ges. W. X.)

2. III.
1] *Dein Roman:* »Die Vollendung des Königs Henri Quatre« (Amsterdam 1938).
2] *Hermann Kesten* (geb. 1900): Schriftsteller, – Romancier. Emigration zunächst nach Frankreich, dann in die USA. War dort sehr tätig in Sachen des Emergency Rescue Committee, und, besonders auf dieser Ebene, zeitweise mit T. M. befreundet. Kehrte 1949 nach Europa zurück, lebt in Rom.
Unter seinen Werken: »Josef sucht die Freiheit« (1928); »Ein ausschweifender Mensch« (1929); »Ferdinand und Isabelle« (Amsterdam 1936); »Die Kinder von Gernika« (Amsterdam 1939; seit 1954 – französische Ausgabe – mit einem Geleitwort von Thomas Mann; deutsch: Rowohlt 1955 – Ges. W. X); »Meine Freunde die Poeten«, Essays (1953). Herausgeber der Gesammelten Werke von René Schickele (3 Bde. 1959).
3] *Aufsatz:* »Heinrich Mann und sein Henri Quatre« (»Maß und Wert«, 2. J., H. 4, März/April 1939).
4] *Goschi:* Henriette Leonie Mann (geb. 1916): Einziges Kind Heinrich Manns, Tochter aus erster Ehe. Die verehelichte Askenazi betreut heute, in Prag lebend, den Nachlaß von Heinrich Mann.
5] *Mimi:* Mimi Mann, geb. Kanowa, Heinrich Manns erste Frau; Hochzeit am 12. August 1914. Sie starb 1946 an den Folgen ihrer Internierung in Theresienstadt.

3. IV.
Ihre Arbeit: Agnes E. Meyer plante ein groß angelegtes Buch über T. M., – eine Arbeit, mit der sie jahrelang befaßt war, die aber fragmentarisch blieb.

4. IV. A
1] *Rudolf Fleischmann* (geb. 1904): Buchhalter, – letzter Sekretär der Prager T. M.-Gesellschaft (1939). Dann »Flucht nach vorn«, – erst Berlin, schließlich England. 1942 wegen »reichsfeindlicher Bestrebungen« (T. M.-Gesellschaft) in absentia zum Tode verurteilt. Gab die erste Anregung zur tschechischen Einbürgerung von Heinrich und Thomas Mann.

2] *Jan B. Kozák* (geb. 1888): Professor der Philosophie an der Karls-Universität Prag (Berufung 1926). Durch Vorträge und Radiokommentare in der Tschechoslowakei bekannt geworden, wurde er 1935 ins Parlament gewählt; stand den Präsidenten Masaryk und Beneš nahe. War Präsident der Prager T. M.-Gesellschaft. Floh 1939 in die USA, wo er am Oberlin College, Ohio, lehrte. Lebt seit 1958 neuerdings in Prag. Unter seinen Werken: »Masaryk Philosoph« (1925); »Das Wesen der geistigen Intention« (1937); »Democratic Ideas in Postwar Education in Central and Eastern Europe« (New York 1943); »Contextualism« (Venedig 1958).

4. IV. B
1] *Caroline Newton* (geb. 1893): Psychoanalytikerin; frühe Verehrerin von T. M.'s Werk. Versuchte sich an einem Buch über ihn, das Fragment blieb. Besitzerin einer bedeutenden, bis zum Anfang des Jahrhunderts zurückreichenden Sammlung von signierten Erstausgaben, Photographien, Zeitungsausschnitten etc., sowie vieler handschriftlicher Briefe und des Manuskripts von »Richard Wagner und ›Der Ring des Nibelungen‹«. Außerdem Übersetzerin ins Englische von Wassermanns »Kaspar Hauser« (1928) und »Der Fall Maurizius« (1929).
2] *die Stelle gegen Ende von »Freud und die Zukunft«:* »So kann die imitatio Goethe's mit ihren Erinnerungen an die Werther-, die Meister-Stufe und an die Altersphase von ›Faust‹ und ›Divan‹ noch heute aus dem Unbewußten ein Schriftstellerleben führen und mythisch bestimmen; – ich sage: aus dem Unbewußten, obgleich im Künstler das Unbewußte jeden Augenblick ins lächelnd Bewußte und kindlich-tief Aufmerksame hinüberspielt.« (»Adel des Geistes« 1945).

7. V.
1] *Vortrag über den Zbg.:* »Einführung in den Zauberberg für Studenten der Universität Princeton.« Von der 142. Auflage des »Zauberbergs« (Stockholm 1939) an, als Einleitung verwendet.
2] *Honorary Degree:* Ehrendoktor.
3] *Rede:* Dankadresse an den Präsidenten und die Professoren der Universität Princeton; unveröffentlicht. Das deutsche Manuskript machte T. M. der Universität zum Geschenk. Die Rede hielt er auf englisch.

4] *Commencement day:* Der einzige Tag im Universitätsjahr, an dem Promotionen – ordentliche, wie solche honoris causa – stattfinden.

13. v.
Vortrag: »Freedom of the Press, Freedom of Speech and Religious Tolerance«.

20. v.
1] *World Fair:* Weltausstellung in New York.
2] *Harold W. Dodds* (geb. 1889): Professor der politischen Wissenschaft 1927–34, und 1933–1957 Präsident der Universität Princeton; seitdem Präsident Emeritus. Verfasser zahlreicher Artikel und des Buches »Out of this Nettle ... Danger« (1943).
3] *Rockefeller:* Rockefeller Foundation, Stiftung von John D. Rockefeller (1839–1937) zwecks Unterstützung verdienter Institute und vielversprechender Wissenschaftler und Schriftsteller.
4] *Flexner Institut:* Ein Institut dieses Namens ist nicht nachweisbar. Simon Flexner (1863–1946), Bruder von Abraham Flexner (s. Anmerkung 1 zu 27. XII. 41), medizinischer Wissenschaftler von hohem Rang, leitete ein Forschungslaboratorium, das dem Rockefeller Institute angegliedert war.

26. v.
1] *Franz Werfel* (1890–1945): Österreichischer Schriftsteller, Erzähler, Lyriker und Dramatiker. Flucht aus Österreich nach Frankreich 1938, in die USA 1940. Niederlassung dort mit Frau Alma Mahler-Werfel in Beverly Hills, unweit von T. M.'s californischem Wohnsitz. Zunehmende Freundschaft zwischen den beiden Schriftstellern, nicht zuletzt auf Grund von Werfels expansiver Musikalität. Stundenlang spielte und sang der Dichter des »Verdi« aus den Opern seines Lieblingskomponisten. Hauptwerke u. a.: »Nicht der Mörder, der Ermordete ist schuldig« (1915); »Die Geschwister von Neapel« (1931); »Die vierzig Tage des Musa Dagh« (1933); »Jacobowski und der Oberst«, Schauspiel (Stockholm 1944); »Stern der Ungeborenen«, satirisch-utopischer Roman, posthum erschienen 1946. (S. auch T. M. »Franz Werfel †«, Ges. W. X.)
2] *»Schwarzes Corps«:* »Das Schwarze Korps«, Wochenzeitung der Hitlerschen »Schutzstaffeln« (SS).

3] *Frank Kingdon* (geb. 1894): Engländer, naturalisierter Amerikaner; ursprünglich Geistlicher, später Universitäts-Professor und Radiokommentator. 1936–40 Präsident der Universität Newark. Chairman des International Rescue and Relief Committee; New York Chairman des Committee to Defend America by Aiding the Allies; Chairman des Fight for Freedom Committee und des Committee for Care of European Children. Außerdem, wie in unserem Brief erwähnt, führendes Mitglied und Mitbegründer des amerikanischen Emergency Rescue Committee. In allen diesen Eigenschaften mit T. M. befreundet und eng mit ihm zusammenarbeitend. – Verfasser von: »That Man in the White House; You and Your President«, Roosevelt-Biographie (1944); »An Uncommon Man. Henry Wallace and 60 Million Jobs« (1945); »Architects of the Republic« (1947).
4] *Wilhelm Dieterle* (geb. 1893): Schauspieler, Theater- und Filmregisseur. Seit 1932 in den USA. Unter seinen Hauptfilmen: »The Life of Emile Zola« (1937), »Dr. Ehrlich's Magic Bullet« (1940), »Portrait of Jennie« (1947). Inszeniert jetzt wieder in Deutschland, leitet die Hersfelder Festspiele.
5] *James Franck* (geb. 1882): Physiker. Bis 1935 am Kaiser Wilhelm-Institut, Berlin. Emigrierte in die USA; dort zunächst an der Johns Hopkins University, Baltimore, Maryland; seit 1938 Professor für physikalische Chemie an der Universität Chicago, jetzt emeritiert. Nobelpreis 1925.
6] *Leonhard Frank* (1882–1961): Schriftsteller, – Romancier, Novellist und Dramatiker. Anfangs dem Expressionismus nahestehend, war Frank von jeher leidenschaftlicher Pazifist. Freiwillige Emigration 1933; lebte bis 1950 in Amerika, kehrte dann heim. Unter seinen Werken: »Der Mensch ist gut«, Novellen (1919); die Romane: »Die Räuberbande« (1914), »Das Ochsenfurter Männerquartett« (1927); das Drama »Karl und Anna« (1928); »Links wo das Herz ist«, Lebenserinnerungen (1952).
7] *Lotte Lehmann* (geb. 1888): Sängerin, – dramatisch-lyrischer Opernsopran, besonders gefeiert auch als Liedersängerin; häufig begleitet von Bruno Walter. Trat seit der »Machtübernahme« in Deutschland nicht mehr auf, wirkte mit größtem Erfolg in den USA (Metropolitan Opera, Konzerttournéen), leitete dann Gesangs- und Ausdrucksklassen in Santa Barbara, Californien.
8] *Hermann Rauschning* (geb. 1887): Präsident des Senats der Frei-

en Stadt Danzig bis 1936; dann Flucht über Polen in die Schweiz; 1938 nach Frankreich, 1940 nach England und 1941 in die USA. Entlarvte in seinen Schriften den Nationalsozialismus. Werke u. a. »Die Revolution des Nihilismus« (Zürich 1938); »Gespräche mit Hitler« (Zürich 1940); »Die Zeit des Deliriums« (1947). Die Bücher erregten weltweites Aufsehen und wurden in viele Sprachen übersetzt. Rauschning war Mitarbeiter von »Maß und Wert«. Lebt seit 1948 als Farmer im Staate Oregon.

9] *Max Reinhardt* (1873–1943): Regisseur, erst auch Schauspieler, Theaterleiter. Direktor des Berliner »Deutschen Theaters« und der angegliederten »Kammerspiele« (1905–1933). Gründer, mit Hugo von Hofmannsthal, der Salzburger Festspiele (1920). Seit 1924 Leiter des Wiener »Theaters in der Josefstadt«. Emigrierte 1933 nach Österreich, 1938 in die USA. Inszenierte dort u. a. »The Eternal Road« (»Der Weg der Verheißung«) von Franz Werfel; »The Merchant of Yonkers« von Thornton Wilder und »Die Fledermaus« von Johann Strauß. (S. auch T. M. »Gedenkrede auf Max Reinhardt« in »Altes und Neues« 1953.)

10] *Ludwig Renn* (eigentlich: Arnold Vieth von Golßenau, geb. 1889): Schriftsteller. Nach dem Reichstagsbrand wegen »Hochverrats« zu zweieinhalb Jahren Zuchthaus verurteilt; ging nach seiner Entlassung illegal in die Schweiz, von dort nach Spanien (Bürgerkrieg), dann über Frankreich in die USA und nach Mexico. Professor für moderne europäische Geschichte an der Universität Morelia und Präsident der Bewegung Freies Deutschland. Seit 1947 in Ostberlin. Unter seinen Werken: »Krieg« (1928); »Vor großen Wandlungen« (Zürich 1936); »Adel im Untergang« (Mexiko 1944).

11] *Erwin Schrödinger* (1887–1961): Physiker; Universitätslehrer in Stuttgart, Breslau, Zürich; in Berlin Nachfolger Max Plancks. Emigrierte 1933 nach Oxford, 1936 nach Graz, 1939 nach Dublin; lebte ab 1956 in Wien. Nobelpreis 1933 (mit P. A. M. Dirae).

12] *Paul Tillich* (geb. 1886): Theologe und Philosoph, »religiöser Sozialist«; bis 1933 Lehrtätigkeit an deutschen Hochschulen. Emigration in die USA, zuerst in New York am Union Theological Seminary tätig, ab 1955 an der Harvard Divinity School. Unter seinen Werken: »Kairos« (2 Bde. 1926–29); »Die sozialistische Entscheidung« (1933); »The Protestant Era« (1948); »The New Being« (1955); »Auf der Grenze«, Essays (1963).

13] *Fritz von Unruh* (geb. 1885): Schriftsteller, – hauptsächlich

Autor historischer Dramen. Aus alter preußischer Offiziersfamilie; wurde durch das Erlebnis des Ersten Weltkrieges zum aktiven Pazifisten. Emigrierte 1933 nach Frankreich, 1940 in die USA. Schwankte seit seiner Heimkehr, 1948, zwischen Deutschland und den Vereinigten Staaten, ließ sich dann doch in Deutschland nieder. Unter seinen Werken: »Ein Geschlecht« (1916–20), »Louis Ferdinand, Prinz von Preußen« (1913), Dramen; »Opfergang«, Erzählung (1916); »The End is Not Yet« (1947); »Die Heilige« (1950).

1. VI.
Rudolf Olden (1885–1940): Schriftsteller, Redakteur am »Berliner Tageblatt«. Freiwillige Emigration 1933 nach Prag, 1934 nach Paris, dann nach England. Ertrank bei der Versenkung des englischen Kinderevakuierungsschiffs »City of Benares« auf der Überfahrt nach Kanada. Unter seinen Werken: »Hitler. Der Agent der Macht« (Amsterdam 1935); »The History of Liberty in Germany« (Amsterdam 1939); »Is Germany a Hopeless Case?« (London 1940).

16. VI.
1] *Molly Shenstone* (geb. 1897): Gattin von Professor Allen Shenstone, damals Ordinarius für Physik an der Universität Princeton. Freundin von Katja Mann; betreute 1938–1941 T. M.s englische Korrespondenz.
2] *Schwiegervater:* Alfred Pringsheim (1850–1941), Ordinarius für Mathematik an der Universität München. Sehr früher, passionierter Wagnerianer; kannte Wagner persönlich und hat sich seinetwegen duelliert; gehörte zu den ersten, die Bayreuth finanzieren halfen. Leidenschaftlicher Kunstsammler; seine Kollektion italienischer Renaissance-Majoliken besaß Weltruf. Emigrierte mit seiner Frau in die Schweiz (November 1939).
3] *Michael:* s. Anmerkung 1 zu 25. XII. 39.

19. VI.
Idachen Springer: Erzieherin von T. M. und seinen Geschwistern; blieb bis zu ihrem Tode der Familie verbunden.

29. VI.
1] *Shingle-Protest:* Die sehr schmerzhafte Gürtelrose, die T. M. sich im Winter 1938 zugezogen.

2] *Emanuel Querido* (1871–1943): Holländischer Verleger; gründete 1915 den Querido-Verlag in Amsterdam. Gliederte seinem Hause im Jahre 1933 eine große Abteilung für exilierte deutsche Literatur an. Autoren u. a.: Vicki Baum, Alfred Döblin, Albert Einstein, Lion Feuchtwanger, Leonhard Frank, Georg Kaiser, Erika, Heinrich und Klaus Mann, Rudolf Olden, Erich Maria Remarque, Joseph Roth, Carl Sternheim. 1940 wurden die ganzen Bestände von den Deutschen vernichtet. Querido und seine Frau tauchten unter, wurden aber 1943 gefunden, verhaftet, verschleppt und ermordet.
3] *Chef Direktor von »Paris Soir«:* Jean Prouvost. Auflage seines Blattes damals: 2 Millionen.
4] *Bonnet:* Vermutlich der im Sekretariat des Völkerbundes tätige Professor der Geschichte Henri Bonnet (geb. 1888), den T. M. von den Sitzungen des »Comité permanent des Lettres et des Arts« her kannte. Möglicherweise aber Jean Bonnet, 1931–1940 Direktor des »Institut de Coopération Intellectuelle«; 1941 Emigration in die USA, wo er für die Bewegung »France Forever« tätig war.

17. VII A
Paul Citroen (geb. 1896): Holländischer Maler und Graphiker; ausgebildet in Deutschland. Seit 1935 Dozent an der Akademie im Haag; während der deutschen Okkupation untergetaucht. Publikationen u. a.: »Kunsttestament« (1952); »Introvertissimento« (1956). – Zeichnete T. M. während seiner Krankheit 1955 und schuf so das letzte Bild des Dichters.

17. VII. B
1] *Melantrich:* Der Prager Verlag Melantrich, der bis zur »Machtübernahme« sämtliche Werke von T. M. in der Tschechoslowakei herausbrachte.
2] *leider nichts zu machen:* T. M. hatte auf Wunsch von Heinrich versucht, dessen in Prag lebende Tochter Goschi mit Geldmitteln zu versehen.

20. VII.
1] *Albert Ehrenstein* (1886–1950): Schriftsteller, – Lyriker, Erzähler, Kritiker, Übersetzer aus dem Chinesischen. 1933 Emigration in die Schweiz, 1941 in die USA. Unter seinen Werken: »Tubutsch«,

Erzählung, mit Zeichnungen von Kokoschka (1911); »Den ermordeten Brüdern«, Aufsätze und Verse (1919); »China klagt«, Nachdichtung revolutionärer chinesischer Lyrik aus drei Jahrtausenden (1924); »Mein Lied«, Gedichte 1900–1931, mit 8 Lithographien von Kokoschka (1931).
2] *»American Guild«:* »American Guild for German Cultural Freedom«, Gründer und Sekretär: Hubertus Prinz zu Löwenstein.
3] *Jules Romains:* s. Anmerkung 1 zu Brief datiert: Weihnachten 1942.

22. VII.
1] *Eissi:* Kindername von Erika für Klaus (»Klausi«).
2] *Brief:* Dieser Brief erschien als Vorwort zu Klaus Manns Roman »Der Vulkan« (S. Fischer 1956). T. M. – während seiner letzten Krankheit – stimmte der Veröffentlichung nicht nur zu, sondern genehmigte auch gewisse kleine Änderungen im Text. Für unseren Band wurde der Brief im originalen Wortlaut übernommen.
3] *Mielein:* Katja Mann wurde von ihren Kindern »Mielein« genannt.
4] *Fränkchen:* Bruno Frank.
5] *Kikjou:* Name einer Figur in »Der Vulkan«.
6] *Jean Cocteau:* s. Anmerkung 1 zu 8. x. 47.
7] *»Es kommt der Tag«:* Titel einer Essaysammlung (Untertitel »Ein deutsches Lesebuch«) von Heinrich Mann (Europa-Verlag, Zürich 1936).

28. VII.
Heinrich Rothmund (1888–1961): Chef der Eidgenössischen Fremdenpolizei 1919–1954.

29. VII.
1] *Georg Herwegh* (1817–1875): Politischer Lyriker; nahm an der 1848er-Revolution teil; durch seine »Gedichte eines Lebendigen« (1841 in der Schweiz veröffentlicht) hatte er geholfen, das Ereignis vorzubereiten.
2] *mittlere Tochter:* Monika.
3] *deutsche PEN-Gruppe:* »PEN-Club deutschsprachiger Autoren im Ausland«; 1934–1947 die einzig existente und dem Internationalen PEN als gleichberechtigtes Mitglied angegliederte deutsche

Gruppe. Erster Präsident des »Exil-PEN« war Heinrich Mann (1934–1940); erster Sekretär: Rudolf Olden (1934–1940).

4] *Mynona* (Salomo Friedlaender, 1871–1946): Philosophisch-satirischer Schriftsteller, – Kritiker. Emigrierte 1933 nach Frankreich, starb in Paris. Mitarbeiter am »Pariser Tageblatt«. Philosophisches Hauptwerk: »Schöpferische Indifferenz« (1918); außerdem u. a.: »Kant für Kinder« (1924); »Unterm Leichentuch«, Gespenstergeschichte (1920); »Mein hundertster Geburtstag«, Grotesken (1928); »Der lachende Hiob« (Paris 1935).

13. VIII.
Louise Servicen (geb. 1896): Übersetzerin der Werke von Thomas Mann ins Französische.

22. IX.
James T. Farrell (geb. 1904): Amerikanischer Erzähler, Essayist und Kritiker. Hauptwerk: »Studs Lonigan«, Trilogie (1932–35). Des weiteren u. a.: »No Star is Lost« (1938); »Bernard Clare« (1946).

26. IX.
Golo Mann (geb. 1909): Historiker. Promovierte in Heidelberg bei Karl Jaspers; Hauptfach: Philosophie. Im europäischen Exil lehrtätig in St. Cloud und an der Universität Rennes; dann Mitredakteur der Zeitschrift »Maß und Wert«. Ging im Mai 1940 von der Schweiz als Kriegsfreiwilliger nach Frankreich; von den Franzosen interniert. Im Spätherbst Flucht in die USA. Dort Professor an den Colleges von Olivet, Michigan und Claremont, Californien. 1958–59 Gastprofessor in Münster. Seit Herbst 1960 Professor für Politische Wissenschaft an der Technischen Hochschule Stuttgart. – Unter seinen Werken: »Friedrich von Gentz«, Geschichte eines europäischen Staatsmannes (1947); »Deutsche Geschichte des 19. und 20. Jahrhunderts« (1958); »Geschichte und Geschichten«, Essays (1961). Herausgeber der Neuen Propyläen Weltgeschichte. Seit 1963 Mitherausgeber der »Neuen Rundschau«.

29. IX.
Mervyn Rathbone: Unbekannt.

21. X.
1] *schöne Worte:* Glückwunschadresse zum 80. Geburtstag.

2] *John Dewey* (1859–1952): Amerikanischer Philosoph und Pädagoge; Urheber der Bewegung für fortschrittliche Erziehung. Berühmter und hochgeachteter Vorkämpfer für bürgerliche und akademische Freiheit. Seit 1894 Professor in Chicago, seit 1904 an der Columbia University, New York. Sein Einfluß auf amerikanische Philosophie und Pädagogik war sehr groß, wirkt fort und hat sich auch im Fernen Osten geltend gemacht.
3] *Problem of Freedom-Vortrag:* Gehalten auf der Frühjahrs-ecture-Tour; in dieser ersten Fassung veröffentlicht unter dem Titel: »The Problem of Freedom. An Address to the Undergraduates and Faculty of Rutgers University at Convocation on April 28th, 1939« (New Brunswick N. Y.). Gemäß unserem Brief vom 3. IV. 39 hatte sich der Vortrag während der Tournée »in der Praxis etwas verändert«. In Stockholm, bei der Tagung des 17. Internationalen PEN-Kongresses Anfang September 1939, wollte T. M. die Rede auf deutsch halten: »Das Problem der Freiheit« (Bermann-Fischer, Stockholm 1939). Der Kongreß fand nicht mehr statt. Die deutsche Fassung wurde den amerikanischen Verhältnissen angepaßt. Aus dem Oktober 1940 stammt eine solche »sehr veränderte und aktualisierte« Version; Titel: »War and Democracy« (Ges. W. XI).
4] *George Sand* (1804–1876): Französische Schriftstellerin; befreundet mit einer Reihe prominenter Künstler, u. a. mit Musset und Chopin. In zahlreichen Romanen verteidigt sie das Recht der Frau auf freie Liebe, bemüht sich um eine Lösung der sozialen Frage. Aufschlußreich sind ihre autobiographischen Schriften »Histoire de ma Vie« (20 Bde., 1854/55), »Le Journal intime« (posthum 1926); Gesammelte Werke mit Nachträgen (109 Bde. 1862–83).

30. X.
1] *Hermann Broch* (1886–1951): Österreichischer Schriftsteller. Emigrierte 1938 und kehrte aus dem amerikanischen Exil nicht zurück. Unter seinen Hauptwerken: »Die Schlafwandler«, Trilogie (1931/32); »Der Tod des Vergil« (1946); »Die Schuldlosen« (1950). – Verfasser von »Die mythologische Erbschaft der Dichtung: Zu Thomas Manns Geburtstag« (»Neue Rundschau«, Sondernummer, Juni 1945).
2] *Memorandum:* »Aufruf an einen nichtexistenten Völkerbund. Resolution und Kommentar« (1938; nicht veröffentlicht, Manuskript im Nachlaß, Yale University Library).

3] *Guggenheim Foundation:* Von Senator John Guggenheim 1929 gegründet, dient die Stiftung erzieherischen Zwecken, sowie der Förderung von Kunst, Wissenschaft und internationaler Verständigung.
4] *Werk:* Hermann Broch führte mit Unterstützung von Stiftungen, u. a. der Guggenheim Foundation, 1941–1948 massenpsychologische Studien an der Universität Princeton durch. Ein literarischer Niederschlag dieser Untersuchungen ist der Roman »Der Versucher« (1953), aus dem Nachlaß in die Gesammelten Werke aufgenommen.

3. XI.
1] *junger Lehrer:* Joseph Campbell (s. Anmerkung zu 6. I. 41).
2] *John H. H. Lyon* (1878–1961): Amerikanischer Anglist, Columbia University (1916–1947); seither Professor Emeritus.
3] *Harvey W. Hewett-Thayer* (1873–1960): Amerikanischer Germanist und Professor für moderne Sprachen, Universität Princeton. Wurde von dem späteren Präsidenten der USA, Prof. Woodrow Wilson, 1905 dorthin berufen; ab 1943 Professor Emeritus. Unter seinen Werken: »The Modern German Novel« (1924); Herausgeber einer »Anthology of German Literature of the 19th Century« (1932); »(E. T. A.) Hoffmann, Author of Tales« (1948).
4] *»Werther«:* »Goethe's ›Werther‹« (»Altes und Neues«, dort von T. M. irrig 1938 datiert).
5] *Joseph the Nourisher:* Der vierte Band der Josephs-Tetralogie, »Joseph der Ernährer«, wurde im Englischen schließlich »Joseph the Provider« betitelt (Knopf 1944).
6] *Siebenquellen:* Seven Springs Farm, der Meyer'sche Landsitz in Mount Kisco, N. Y.

3. XI.
1] *»Six Kings« von Borgi:* »Könige und Cäsaren« von G. A. Borgese (»Maß und Wert«, 3. Jg., H. 2, Januar/Februar 1940).
2] *»Atlantic Monthly«:* Angesehene amerikanische Monatsschrift; Herausgeber damals: Edward Weeks.
3] *Urgreise:* T. M.'s Schwiegereltern in Zürich.
4] *Leisis:* Zahnarzt Dr. Leisinger und Frau.
5] *Barths:* Prof. Hans Barth und Frau.
6] *Asso:* Airdale-Terrier von Oprechts.

7] *Marieen:* Köchin und Zimmermädchen, die der Familie T. M. von München nach Zürich gefolgt und mittlerweile dort verheiratet waren, hießen beide Marie.

5. XI.
Ernst Cassirer (1874–1945): Philosoph der sog. »Marburger Schule«, Neukantianer. 1919–1933 Professor in Hamburg; emigrierte 1933 nach England, 1935 nach Schweden und 1940 in die USA. Hauptwerke u. a.: »Kants Leben und Lehre« (1921); »Philosophie der symbolischen Formen« (3 Bde. 1923–29); »Descartes« (Stockholm 1939); »Essay on Man« (New Haven 1945). – Verfasser von: »Thomas Manns Goethebild: Eine Studie über Lotte in Weimar« (»Germanic Review«, Oktober 1945).

11. XI. A
Herbert H. Lehman (geb. 1878): Amerikanischer Großbankier. 1932–1942 Governor des Staates New York; erster Direktor der UNRRA (Institution für Auslandshilfe und Wiederaufbau) 1943–1946; demokratischer Senator 1949–57. Seither im Ruhestand.

11. XI. B
1] *Buchgeschenk:* »Rousseau and Romanticism«, VII. Kapitel, Romantic Irony.
2] *Irving Babbitt* (1865–1933): Amerikanischer Gelehrter und Humanist, Gegner der romantischen Tradition. Unter seinen Werken: »Rousseau and Romanticism« (1919); »Democracy and Leadership« (1924); »On Being Creative« (1932).

22. XI.
1] *German-American Writers Association:* Schriftstellervereinigung deutschsprachiger Emigranten; Präsident: Oskar Maria Graf (1938–1940).
2] *Stalin* (1879–1953).

26. XI.
1] *Vermählung:* Mit Nelly Kröger aus Lübeck.
2] *Haus Wahnfried:* Alfred Pringsheim hatte schon in frühen Jahren nahe Beziehungen zu Richard Wagner und seiner Familie.
3] *Jean Giraudoux* (1882–1944): Französischer Diplomat und

Schriftsteller. Wurde in Deutschland zunächst durch seine dichterisch-anmutigen Romane bekannt; später als Dramatiker weltberühmt. Unter seinen Bühnenstücken: »Amphytrion 38« (1929); »La guerre de Troie n'aura pas lieu« (1935): »Ondine« (1939); »La folle de Chaillot« (Uraufführung posthum 1945).

Anfang Dezember
Elliot Paul (geb. 1891): Amerikanischer Schriftsteller. Verfasser u. a. von: »The Life and Death of a Spanish Town« (1937); »The Stars and Stripes Forever« (1939); »The Last Time I saw Paris« (1942).

25. XII.
1] *Michael Shenstone* (geb. 1928): Sohn von Mrs. Molly und Prof. Allen Shenstone (s. Anmerkung 1 zu 16. VI. 39).
2] *Christmas gift:* Auf Karton, unter einem Goethebild montierter Kalender, umkränzt von den Flaggen sämtlicher Nationen, denen die Familie T. M. nebst Schwiegerkindern, etc. zugehörte. Auf der Rückseite ein völlig verschmiertes und zerstörtes Hakenkreuz mit dem Vermerk »Bald!« in sieben Sprachen.

Weihnachtstag 1939
Verse: »Kriegerisches Zeitalter« (»Maß und Wert«, 3. Jg., H. 1, November/Dezember 1939).

1940

2. I.
Emil Liefmann (1878–1955): Arzt in Frankfurt am Main. Äußerst kunstliebend und literaturverständig, häufig Gastfreund von T. M. Emigrierte 1940 nach New York, wo er neuerdings als Arzt tätig war.

4. I.
1] *Ihre Umgebung:* Stefan Zweig war nach London emigriert.
2] *Pro-Britisches:* Der Essay »Dieser Krieg«, 1939 geschrieben. Die deutsche Ausgabe, in den Niederlanden gedruckt, wurde 1940 von den einrückenden deutschen Truppen beschlagnahmt und vernichtet (Ges. W. XII). Im Mittelteil eingehende Würdigung des englischen Nationalcharakters.
3] *Sir Harold Nicolson* (geb. 1886): Britischer Diplomat, Staats-

mann, – Schriftsteller. Trat 1909 in den diplomatischen Dienst und bekleidete bis 1950 hohe Posten; 1934–1945 Mitglied des Unterhauses. Autor u. a.: »Public Faces« (1932); »Diplomacy (1939); »The Congress of Vienna« (1946); offizielle Biographie König Georg V. (1952).

5. 1.
1] *Indisches:* »Die vertauschten Köpfe«, Erzählung (Stockholm 1940).
2] *Die Finnen:* Der finnisch-sowjetische Winterkrieg 1939–40, in dem die Finnen zunächst einige Erfolge erzielten.
3] *Lord Lothian:* Philip Henry Kerr, Marquis of Lothian (1882–1940): Britischer Staatsmann; von 1939 bis zu seinem Tode Botschafter Großbritanniens in den USA.
4] *Aufnahme:* Besonders gelungene Photographie von T. M.

3. 11.
1] *meine lecture:* Eine der Fassungen des Essays »The Problem of Freedom«. Die »probritische Einlage« ist dem Essay »This War« entnommen.
2] *Trenton:* Nächste Schnellzugsstation von Princeton in Richtung Washington.

26. 11.
1] *Wilhelm Herzog* (1884–1960): Schriftsteller und Publizist; von jungauf pazifistischer Sozialist ohne Parteibindung. Als Gründer oder Herausgeber wichtiger Zeitschriften (»Pan«, »Das Forum«, »Die Weltliteratur«) zog Herzog die hervorragendsten Geister seiner Epoche heran. Jahrzehntelang nächster Freund von Heinrich Mann. Emigrierte 1933 und war – erst im südfranzösischen, dann im amerikanischen Exil – auch mit T. M. gut befreundet. Nach dem Kriege kehrte Herzog nach München zurück und spielte eine erhebliche Rolle im kulturellen Leben der Stadt. Autor u. a.: »Heinrich von Kleist«, Biographie (1911); »Der Kampf einer Republik. Die Affaire Dreyfus.« Dokumente und Tatsachen (Zürich 1933); »Barthou« (Zürich 1938); »Der Weltweg des Geistes« (1954); »Menschen denen ich begegnete«, Erinnerungsbuch (1959).
2] *Demonstration:* Geplante Verleihung des Nobelpreises für Literatur an den Emigranten Franz Werfel.

3. III.
1] *The Art of the Novel:* »Die Kunst des Romans«, erstmalig veröffentlicht in »Altes und Neues« (1953).
2] *»This War«:* Erschien bei Secker & Warburg, London und Alfred A. Knopf, New York (1940). (»Dieser Krieg«, Ges. W. XII.)

19. III.
1] *Kuno Fiedler* (geb. 1895): Alt-Pfarrer, Studienrat a. D. Begann 1915 mit T. M. zu korrespondieren, taufte dessen jüngste Tochter, Elisabeth Veronika. Machte sich unter dem Hitler-Regime so mißliebig, daß er »bis auf weiteres« ins Gefängnis verbracht wurde. Aus der Strafanstalt entkommen, gelangte er in die Schweiz, wurde Pfarrer in St. Antönien, Graubünden. Lebt im Tessin. Veröffentlichungen u. a.: »Der Anbruch des Nihilismus« (1923); »Die Stufen der Erkenntnis« (1929); »Schrift und Schriftgelehrte; eine kleine Rüstkammer« (Bern 1942), sowie Artikel und Besprechungen über T. M.
2] *theologische Streitschrift:* Fiedlers Schrift »Glaube, Gnade und Erlösung nach dem Jesus der Synoptiker« (Bern 1939). Unser Brief erschien als Besprechung der Schrift in »Maß und Wert« (3. Jg., H. 4, 1940; s. auch Ges. W. X).

22. III.
1] *Sumner Welles* (1892–1961): Amerikanischer Diplomat und Schriftsteller. 1937–43 Unterstaatssekretär im Außenministerium. Unter seinen Arbeiten: »Time for Decision« (1944); »Where Are We Heading« (1946); »We Need Not Fail« (1948).
2] *Lecture on myself:* Gehalten am 2. und 3. Mai; unveröffentlicht; besteht aus Teilen bereits bekannter autobiographischer Skizzen, vor allem aus dem »Lebensabriß« (1930), und einigen neu geschriebenen Überleitungen und Abschnitten (s. Brief vom 4. V. 40).

23. III.
1] *Victor Polzer* (geb. 1892): Österreichischer Schriftsteller, – Journalist; Lektor und Übersetzer im Paul Zsolnay Verlag. Emigrierte 1938 nach New York; arbeitete mehrere Jahre lang für Hermann Broch; ist jetzt Herausgeber wissenschaftlicher und antiquarischer Kataloge einer New Yorker Buchfirma. – Gab in Wien eine dreibändige Auswahl: »Die Welt in Novellen« heraus, die T. M.'s »Wunderkind« enthält.

2] *Arbeit:* Vortrag über äußere und innere Schaffensform zeitgenössischer Dichter, u. a.: T. M., Werfel, Broch, Musil, Wassermann H. G. Wells. War im Druck nicht unterzubringen.

30. III.
Lee De Blanc: Unbekannt.

19. IV.
1] *Arno Schirokauer* (1889–1954): Schriftsteller, – Bibliothekar in Leipzig. Emigrierte in die USA. Germanist an der Johns Hopkins University. Autor u. a.: »Expressionismus der Lyrik« (1924); »Lassalle« (1928).
2] *Essay-Vortrag:* »Bedeutungswandel des Romans«; erschien in »Maß und Wert« (3. Jg., H. 5/6 Sept. Okt. Nov. 1940).
3] *Konrad Heiden* (geb. 1901): Schriftsteller. Emigration in die USA. Unter seinen Werken: »Geburt des Dritten Reiches, die Geschichte des Nationalsozialismus bis Herbst 1933« (Zürich 1934); »Adolf Hitler«, Biographie (2 Bde. Zürich 1936–37); »Europäisches Schicksal« (Amsterdam 1937), sowie weitere Bücher und Schriften über den Nationalsozialismus.
4] *Alfred Kerr* (1867–1948): Theaterkritiker (»Berliner Tageblatt«), Theaterhistoriker. Vernichtete Sudermann; war frühester und mächtigster Förderer von Hauptmann und Ibsen. Emigrierte 1933 nach Frankreich, 1935 nach England, wo er blieb. Starb während eines Besuches in Hamburg. Hauptwerk: »Die Welt im Drama« (5 Bde. 1917). Verschiedene Reisebücher, u. a. »Die Welt im Licht« (2 Bde. 1920); »The Influence of German Nationalism upon the Theatre and Film in the Weimar Republic« (London 1945).
5] *Robert A. Taft* (1889–1953): Amerikanischer Politiker, – Republikaner; ab 1938 Senator.

4. V.
Frohe Hochzeit: Kay Meyer, die dritte Tochter, heiratete damals Philip Graham, der von 1946 bis zu seinem plötzlichen Ende im August 1963 Herausgeber erst von »Washington Post«, dann auch von »Newsweek« war.

5. V.
James G. McDonald (geb. 1886): Professor für Geschichte und

Politik; damals Präsident des Brooklyn Institute of Arts and Sciences und Chairman von Roosevelts »Advisory Committee on Political Refugees«; Vorstandsmitglied des »National Refugee Service«; 1949–51 erster amerikanischer Botschafter in Israel.

25. V.
wie mir zu Mute ist: Deutsche Invasion Belgiens und der Niederlande (10. Mai), Bombardement von Rotterdam (15. Mai), Durchbruch nach Frankreich, wo nach der Einnahme von Tournai am 24. Mai die französische Nordgruppe eingeschlossen war.

4. VI.
1] *Gerhart Seger* (geb. 1896): Journalist, Publizist. Noch 1933 sozialdemokratisches Mitglied des Reichstags, wurde nach dem Reichstagsbrand verhaftet, verbrachte drei Monate im Gefängnis und sechs Monate im Konzentrationslager Oranienburg; entkam im Dezember 33. Emigration über die Tschechoslowakei in die USA. Herausgeber der »Neuen Volkszeitung«, deutsche Wochenschrift. Veröffentlichungen u. a.: »Oranienburg« (Karlsbad 1934); »Reisetagebuch eines deutschen Emigranten« (Zürich 1936).
2] *Geburtstags-Symposion:* Zur Feier von T. M.'s 65. Geburtstag.
3] *Ihr Blatt:* »Neue Volkszeitung« New York.

4. VI.
Liesl Frank: s. Anmerkung zu 28. III. 45.

14. VI.
Mount Kisco: Der Meyer'sche Landsitz.

23. VI.
1] *Elizabeth Dewart:* Unbekannt.
2] *Unitarian Service Committee:* Die Unitarier bilden eine offiziell anerkannte, ziemlich ausgebreitete, liberale Gruppe innerhalb der evangelischen Kirche in Amerika. T. M. war dem Service Committee ehrenamtlich verbunden. Seine vier Enkelkinder sind unitarisch getauft.

26. VI.
1] *Hamilton Armstrong* (geb. 1893): Amerikanischer Journalist,

Publizist, Diplomat. Seit 1928 Herausgeber der Vierteljahresschrift »Foreign Affairs«. 1942–44 Assistent des amerikanischen Botschafters in London mit dem Rang eines Gesandten. 1945 Sonderberater des Außenministeriums. Unter seinen Schriften: »Hitler's Reich – The First Phase« (1933); »Can We Be Neutral« (mit A. W. Dulles, 1936); »When There Is No Peace« (1939); »The Calculated Risk« (1947).
2] *Walter Lippman* (geb. 1889): Einflußreicher amerikanischer Journalist und Publizist. 1923–1931 Chefredakteur der »New York World«, seither politischer Kommentator der »New York Herald Tribune«. Seine Beiträge erscheinen in weit über 100 republikanischen amerikanischen und zahlreichen europäischen Zeitungen. Unter seinen Schriften: »The Method of Freedom« (1934); »Some Notes on War and Peace« (1940); »U. S. War Aims« (1944); »The Cold War« (1947); »The Communist World and Ours« (1959).
3] *Raymond Gram Swing* (geb. 1887): Amerikanischer Schriftsteller, Journalist und Radio-Kommentator. Besonders berühmt durch seine Radio-Berichte vor und während der »Münchner Krise« und durch seine Kriegskommentare. Unter seinen Büchern: »Forerunners of American Fascism« (1935); »How War Came« (1940); »Preview of History» (1943).

8. VII.
1] *Busch-Quartett:* Adolf Busch (1891–1952): Hervorragender Geiger; 1918 schon Professor an der Berliner Musikhochschule, seit 1926 am Konservatorium in Basel, ging 1940 in die USA, wo er das nach ihm benannte Streichquartett leitete. Freund von T. M.
2] *Rudolf Serkin* (geb. 1903): Pianist, – verheiratet mit der Tochter von Adolf Busch. Während des Zweiten Weltkriegs Exil in Amerika, wo er bereits seit 1934 jährliche Tournéen absolvierte. Leiter der Klavierabteilung des Curtis Institute of Music, Philadelphia. Mit T. M. befreundet.
3] *Bruder ... meiner Frau:* Peter Pringsheim, damals in Belgien verschollen.

27. VII. A
1] *Friedrich Burschell* (geb. 1889): Schriftsteller, – Übersetzer, Journalist. Mitarbeiter an wichtigen Publikationen, darunter »Frankfurter Zeitung«, »Neue Rundschau«, »Weiße Blätter«. 1933 Emi-

gration nach Frankreich, Spanien, Tschechoslowakei, 1938 nach England; lebt seit 1954 in München. Verfasser u. a. von: »Jean Paul, Entwicklung eines Dichters« (1925); »Heine and Boerne in Exile« (London 1943), sowie einer Schiller-Monographie (1958). Übersetzer aus dem Englischen und Französischen u. a. Bernanos »Die Sonne des Satans« (1928). – (S. auch Anmerkung 2 zu 25. x. 38.)
2] *Hermon Ould* (1885–1951): Englischer Schriftsteller, – Dramatiker, Essayist, Verfasser von Kinderbüchern. Mitbegründer des englischen PEN-Clubs (1921); auf dem ersten Berliner PEN-Kongreß, 16.–19. Mai 1926, zum Internationalen Generalsekretär gewählt. Zur Zeit unseres Briefes Sekretär des englischen PEN. Bühnenwerke u. a.: »The Dance of Life« (1924); »The Moon Rides High« (1927); »The Piper Laughs« (1927).

27. VII. B
1] *Artikel mit dem gewagten Dreiheitstitel:* »Tolstoi, Dostoevski and Thomas Mann«.
2] *»Bowl«:* Riesenhafte, populäre Freiluft-Konzert-Arena.
3] *Lotte Analyse:* »A New Novel by Thomas Mann: The Beloved Returns« (»Washington Post« und »New York Times«, 25. VIII. 40).
4] *Emergency Rescue Committee:* Not- und Rettungskomitee für bedrohte Schriftsteller, Wissenschaftler etc.; unmittelbar nach der Nazi-Invasion von Vichy-Frankreich gegründet durch Frank Kingdon, T. M. u. a. – angegliedert an »The President's Emergency Committee« und daher – unter Umgehung weiter Amtswege – direkt dem Präsidenten Roosevelt unterstellt. Wer auf den von T. M. garantierten Listen figurierte, erhielt, wenn technisch möglich, das US-Notvisum.

8. VIII.
1] *gesunder Knabe:* Fridolin Mann, geb. am 31. Juli 1940; älterer Sohn von Michael und Gret Mann geb. Moser.
2] *britischer Einbruch:* Mrs. Meyer hatte für 16 wegen der Bombardements evakuierte englische Kinder ein Haus gemietet, wo sie ihre Schützlinge bis zum Ende des Krieges betreuen ließ.

10. VIII.
Alexander M. Frey (1881–1957): Schriftsteller, – Erzähler; Autor

vor allem von skurrilen und phantastischen Novellen. Freiwillige Emigration 1933 nach Österreich, 1938 in die Schweiz; kehrte nicht aus dem Exil zurück. Freund von T. M. (S. auch T. M. »Liebenswerte Menagerie« in »Nachlese« 1956.) – Werke u. a.: »Solneman der Unsichtbare« (1914; der Name »Solneman« ist von hinten nach vorn zu lesen); »Kastan und die Dirnen« (1918); »Spuk des Alltags« (1922); »Birl, die kühne Katze« (Basel 1945); »Kleine Menagerie«, mit Holzschnitten von Hans Arp (1955).

12. VIII.

1] *René de Chambrun* (geb. 1906): Advokat in Paris und New York, spezialisiert auf internationales Recht. Versuchte damals hilfreich zu sein; heiratete die Tochter des – nach dem Kriege als Hochverräter hingerichteten – französischen Politikers Pierre Laval, worauf Mrs. Meyer jede Beziehung zu ihm abbrach.

2] *»Nation«:* Liberale amerikanische Wochenschrift; Herausgeberin: Freda Kirchwey.

21. VIII.

1] *Josef Lang* (geb. 1902): Buchhändler. Emigration nach Prag, dort Vertreter der Verlage Oprecht und Allert de Lange; 1938 Flucht nach Paris, 1940 in die USA. Kehrte 1950 zurück, gründete 1951 den gewerkschaftlichen »Bund-Verlag« in Frankfurt am Main, den er noch heute leitet.

2] *Genia Schwarzwald:* Österreichische Pädagogin und Philantropin. Organisierte 1917 Ferien in der Schweiz für darbende österreichische Kinder. Gründete in Wien eine ungemein fortschrittliche Mittelschule für Mädchen. Ihr Einfluß auf die jungen Leute, die sich stets um sie scharten, war groß und nachhaltig; zu ihnen gehörte Klaus Graf Stauffenberg. Befreundet mit T. M. und seiner Familie. Vorsorgliche Emigration in die Schweiz, wo sie 1940 starb.

3] *Robert Faesi* (geb. 1883): Literarhistoriker, Essayist, Erzähler und Lyriker. Seit 1922 außerordentlicher Professor, 1932–1952 Ordinarius an der Universität Zürich. Emeritiert. Unter seinen Werken: »Füsilier Wipf«, Erzählung (1917); »Der brennende Busch«, Gedichte (1928); »Heimat und Genius«, Novellen und Essays (1933) und »Thomas Mann, ein Meister der Erzählkunst« (1955). Hauptwerk: die historische Romantrilogie »Die Stadt der Väter« (1941), »Die Stadt der Freiheit« (1944), »Die Stadt des Friedens« (1952). (S.

auch »Briefwechsel«, Thomas Mann – Robert Faesi, Atlantis-Verlag, Zürich 1962.)

24. VIII.
William C. Bullitt (geb. 1891): Amerikanischer Diplomat; Botschafter in Rußland 1933–36, in Frankreich 1936–40; Sonderassistent des Marineministers 1942.

28. VIII. A
1] *Alice D. David* (geb. 1906): Stieftochter von Kurt Kersten. Emigrierte 1937 in die USA, lebt dort als Kinderschwester und verwaltet Kerstens Nachlaß.
2] *Kurt Kersten* (1891–1962): Schriftsteller und Journalist. Emigration 1934 über die Schweiz und die Tschechoslowakei nach Frankreich, wo er bei Kriegsausbruch interniert wurde. 1940 Flucht nach Marokko; unterwegs in die USA in Martinique festgehalten; konnte erst 1946 in die Vereinigten Staaten einwandern. Autor u. a.: »N. Lenin« (1920); »Bismarck und seine Zeit« (1930); »Peter der Große«, Biographie (Amsterdam 1935). Mitarbeiter an zahlreichen Publikationen der Emigration.
3] *Lucien Friedlaender* (Pseudonym: Robert Breuer, 1878–1943): Schriftsteller, – Lyriker. Emigration 1933 in die Tschechoslowakei, 1938 nach Paris; floh, wie Kersten, 1940 aus dem Internierungslager nach Marokko und gelangte mit jenem nach Martinique, wo er 1943 starb. Verfasser u. a. der »Gedichte von Leben, Liebe und Lachen« (Paris 1935) und von »Kleine Geschichte Frankreichs« (Paris 1936). Mitbegründer des Schutzverbandes deutscher Schriftsteller im Ausland.

28. VIII. B
1] *Aufsatz:* s. Anmerkung 3 zu 27. VII. B.
2] *N. Y. Herald Tribune:* »Thomas Mann's Novel about Goethe's Love« (25. VIII. 40) von Isabel Paterson.
3] *»The Defenders«:* Erfolgreicher Roman des österreichischen Emigranten-Schriftstellers Franz Höllering (geb. 1896). Das Buch behandelt die Zustände in Wien kurz vor dem »Anschluß« und während desselben.
4] *Herbert C. Hoover* (geb. 1874): 31. Präsident der Vereinigten Staaten (1929–33). Organisierte im Ersten Weltkrieg das amerikani-

sche Hilfswerk für Belgien und die Quäker-Speisungen – nach dem Waffenstillstand – für Deutschland, Mitteleuropa und Rußland. Während des Zweiten Weltkrieges verantwortlich für Lebensmittellieferungen in von Hitler besetzte Gebiete.

31. VIII.
Siegfried Guggenheim (1873–1961): Jurist, – vor allem als Bibliophiler tätig. Großer Mäzen deutscher Buchkunst; Herausgeber der »Offenbacher Haggadah«, die von Künstlern seiner Heimatstadt Offenbach gedruckt und illustriert wurde – 1. Auflage 1927. Emigrierte 1933 in die USA, wohnte in Flushing N. Y., wo noch 1960 eine 2. Auflage erschien.

5./6. IX.
1] *Gerty von Hofmannsthal* geb. Schlesinger, Witwe von Hugo von Hofmannsthal, starb 1959 in London.
2] *Ludwig Donath* (geb. 1906): Österreichischer Schauspieler. Begann als jugendlicher Held an den Münchner Kammerspielen; weitere Stationen: Stuttgart, Berlin. Emigrierte 1933 nach Wien, 1939 in die USA. Dort seit 1942 erfolgreich im Film, Fernsehen und am Brodway tätig.
3] *Richard Beer-Hofmann* (1866–1945): Österreichischer Erzähler und Dramatiker; mit Hofmannsthal und Schnitzler dem Jung-Wiener Kreis angehörig. Emigration 1938 in die Schweiz, dann in die USA. Unter seinen Werken: »Der Graf von Charolais« (1904); geplantes Hauptwerk: »Die Historie von König David«, Trilogie – hievon vollendet: »Jaakobs Traum«, Vorspiel (1918) und »Der junge David« (1933); »Verse«, gesammelte Gedichte (Stockholm 1941); »Paula«, Erinnerungen an seine Frau (New York, 1949); Gesammelte Werke (1963).
4] *Wendell Willkie* (1892–1944): Amerikanischer Politiker, republikanischer Gegenkandidat Roosevelts 1940. Auf Grund seiner Reise durch den Nahen Osten, Rußland und China 1942 schrieb er das aufsehenerregende Buch »One World« (1943).
5] *Gentz'sche Vorrede:* »Vorrede der ›Fragmente zur Geschichte des europäischen Gleichgewichts‹« von Friedrich Gentz (»Maß und Wert«, 3. Jg. H. 4, Mai/Juni/Juli 1940).
6] *Ernst Bloch* (geb. 1885): Philosophischer Schriftsteller marxistischer Provenienz. 1933 Emigration in die Schweiz, 1936 in die

Tschechoslowakei, 1938 in die USA. 1949 Rückkehr nach Deutschland; dort zunächst Professor der Philosophie in Leipzig, seit 1961 freier Schriftsteller in der Bundesrepublik. Unter seinen Hauptwerken: »Geist der Utopie« (1918); »Erbschaft dieser Zeit« (Zürich 1935); »Das Prinzip Hoffnung« (3 Bde. 1954–56). – Für »Maß und Wert« lieferte er den Beitrag »Über das noch nicht bewußte Wissen« (3. Jg. H. 5/6, September/Oktober/November 1940).
7] *Hamilton Fish* (geb. 1888): Amerikanischer Politiker; 1920–44 Mitglied des Repräsentantenhauses.
8] *Rumänien ist heiter:* Staatskrise, inszeniert von Hitler-Deutschland wegen des rumänischen Öls; erzwungene Abtretung rumänischen Gebiets an das faschistische Ungarn (»Zweiter Wiener Schiedsspruch«). Abdankung König Carols II., Übertragung der Macht an den Generalstabschef Antonescu, der das Parlament auflöste und sich zum »Führer« machte. Der Coup kam einer »unblutigen Eroberung« Rumäniens durch das Naziregime gleich.

6. IX.
beide Aufsätze: »Thomas Mann and Universal Culture: An Interpretation of his Joseph Cycle« (»Southern Review«, April 1939) und »Goethe as Mann's Nourisher« (»New Republic«, 14. X. 1940).

24. IX.
1] *Refugee-Boot:* Obgleich entsprechend gekennzeichnet, wurde das britische Kinder-Evakuierungsschiff, »City of Benares«, von einem deutschen U-Boot torpediert und versenkt. Unter den Evakuierten befanden sich einige Frauen und für jeden Kriegsdienst untaugliche Männer.

2] *George de Santayana* (1863–1952): Amerikanischer Philosoph und Schriftsteller spanischer Geburt. Professor für Philosophie an der Harvard University 1889–1912; lebte seither in Europa. Hauptwerk: »The Life of Reason« (5 Bde. 1905/06); »Egotism in German Philosophy« (1916); »Realms of Being« (1927–40); »Persons and Places: The Background of my Life«, Autobiographie (1944). – Zahlreiche Essays, die ihn populär machten.
3] *»V. K.«:* »Die vertauschten Köpfe«.
4] *»Muß ja doch nicht immer alles über alle Begriffe sein«:* Aus »Dichtung und Wahrheit«, 15. Buch. Goethe verteidigt mit diesen Worten

sein Schauspiel »Clavigo«, das er auf Grund eines vorschnell gegebenen Versprechens in acht Tagen (vom 13. bis 20. Mai 1774) in Frankfurt niederschrieb und das von seinem Freunde Merck heftig kritisiert worden war.

30. IX.

1] *Ludwig Lewisohn* (geb. 1883): Amerikanischer Erzähler deutscher Geburt, – Literatur-Kritiker und Übersetzer, besonders aus dem Deutschen. Unter seinen Werken: »The Case of Mr. Crump« (1927), »The Island Within« (1928), Romane; »The Spirit of Modern German Literature« (1916); »Story of American Literature« (1932); »Anniversary« (1948). (S. auch T. M. »Vorwort zu Ludwig Lewisohns Roman ›Der Fall Herbert Crump‹«, Ges. W. X).

2] *Buch: »Haven«* (1940).

3] *holländische Schriftsteller:* Charles Edgar Du Perron (1899–1940): Erlag anläßlich der deutschen Invasion einem Herzinfarkt. Hendrik Marsman (1899–1940): Ertrank auf der Flucht vor den Deutschen bei der Torpedierung des holländischen Frachtschiffes »Berenice«. Ter Braak (s. Anmerkung 1 zu 25. VIII. 38), Du Perron und Marsman galten als Dreigestirn am Himmel der zeitgenössischen niederländischen Literatur.

26. X.

Lion Feuchtwanger (1884–1958): Schriftsteller, – Romancier und Dramatiker; besonders Autor historischer, biographischer und zeitkritischer Romane und revolutionärer Dramen. Emigration 1933 nach Südfrankreich, 1940 in die USA; ließ sich 1941 in Californien nieder. Feuchtwanger war ein naher Freund von Bert Brecht, doch auch T. M. freundschaftlich verbunden. (S. T. M. »Freund Feuchtwanger«, »Nachlese« 1956). Seine Bücher sind in fast sämtliche Sprachen der Welt übersetzt. Unter seinen Werken: »Jud Süß« (1925); »Erfolg«, erster Roman über das Nazitum (1930); »Josephus«, Roman-Trilogie (Bd. 1, Berlin 1932 – Bd. 2, Amsterdam 1935 – Bd. 3, Stockholm 1945); »Geschwister Oppenheim« (Amsterdam 1933); »Goya« (1951); »Die Jüdin von Toledo« (1956).

2. XI.

1] *Gerald Cock:* Damals New Yorker Vertreter der BBC.

2] *news report in German:* Die erste Sendung (Okt. 1940), die T. M.

für BBC an seine Landsleute richtete (»Deutsche Hörer«, 55 Radiosendungen nach Deutschland, Stockholm 1945). Der Text wurde nach London gekabelt und dort verlesen; ab März 1941 sprach T. M. selbst auf Platten.

4. XI.
1] *James Laughlin* (geb. 1914): Verleger; gründete 1936 den Verlag New Directions in New York, der sich besonders um Förderung der zeitgenössischen europäischen Literatur bemühte. 1940 erschien Kafkas »Amerika« mit einem Vorwort von Klaus Mann.
2] *Franz Kafka* (1883–1924): Schriftsteller. (S. T. M. »Dem Dichter zu Ehren: Franz Kafka und ›Das Schloß‹« in Ges. W. X.)
3] *»Das Schloß«:* »The Castle« (1941) mit einer Einführung von T. M.: »Homage«. Deutsche Originalfassung s. Anmerkung 2.
4] *Julien Green* (geb. 1900): Französischer Schriftsteller amerikanischer Abstammung; zweisprachig. 1940 Emigration in die USA, – unterstützte von dort die französische Widerstandsbewegung durch Vorträge und Aufsätze; Heimkehr nach dem Kriege, lebt in Paris. Unter seinen Werken: »Adrienne Mesurat« (1927); »Léviathan« (1929); »Minuit« (1936); »Journal« (5 Bde. 1938–51); »Moira« (1950); »Sud«, Bühnenstück (1953).
5] *Aldous Huxley* (geb. 1894): Englischer Romancier und Essayist, Bruder des Biologen Sir Julian Huxley; lebt in den USA. Unter seinen Werken: »Point Counter Point« (1928); »Brave New World« (1932); »Eyeless in Gaza« (1936); »After Many a Summer Dies the Swan« (1940).

26. XI.
1] *Charles Spencer Chaplin* (geb. 1889): Englischer Schauspieler; ging 1916 nach Amerika, wo er als Charakterkomiker im Film schnell zu Weltruhm gelangte: »The Kid« (1920), »Goldrausch« (1925), »City Lights« (1931), »Monsieur Verdoux« (1947), »Limelight« (1952). Chaplin ist Autor, Produzent, Regisseur und Hauptdarsteller all seiner Filme. Verließ Amerika 1950; lebt seither mit seiner jungen Frau, der Tochter des Dramatikers O'Neill, und 8 Kindern in Vevey überm Genfersee. Vollendete seine Autobiographie. Sehr mit T. M. befreundet.
2] *Diktatoren-Travestie:* »The great Dictator« (1940).
3] *»Life with Father«:* Komödie von Howard Lindsay und Russel

Crouse; spielt um 1890 in New York. Uraufführung am Broadway 1939.
4] *Mortimer J. Adler* (geb. 1902): Amerikanischer Philosoph und Religionsphilosoph; seit 1930 Professor an der Universität Chicago. Unter seinen Werken: »Diagrammatics« (mit Maude P. Hutchins, 1935); »What Man Has Made of Man« (1938); »How to Read a Book« (Bestseller 1940); »The Capitalist Manifesto« (1958).
5] *Robert M. Hutchins* (geb. 1899): Amerikanischer Pädagoge; seit 1929 Präsident der Universität Chicago. Unter seinen Werken: »The Higher Learning in America« (1936); »Education for Freedom« (1943); »The Conflict in Education« (1953).
6] *seine Frau:* Die Bildhauerin Maude P. Hutchins.

3. XII.
Angelica Borgese: Geboren am 30. November 1940, ältere der beiden Töchter von Elisabeth Mann Borgese.

7. XII.
1] *Martha Dodd:* Tochter von William Edward Dodd (1869–1940), amerikanischer Historiker und Diplomat. Als Botschafter in Deutschland (1933–37) trat er unter Protest zurück und hielt, heimgekehrt, aufsehenerregende Vorträge gegen das Hitlerregime. Sein Tagebuch, »Ambassador Dodd's Diary« erschien posthum 1941.

25. XII.
1] *Kleidungsstück:* Brokat-Schlafrock.

30. XII.
1] *Hendrik van Loon* (1882–1944): Holländischer Schriftsteller, – lebte in den Vereinigten Staaten, schrieb auf englisch. »The Rise of the Dutch Kingdom« (1915); »The Story of the Bible« (1923); »Life and Times of Rembrandt van Rijn« (1930); »Van Loon's Geography« (1932); »Van Loon's Lives« (1942).
2] *Second papers:* Wer in die USA »einwandert«, hat ein Anrecht auf die sogenannten »First Papers« und kann sich nach 5 Jahren um die »Second Papers« bewerben. Erhält er diese, wird er amerikanischer Bürger. Jedes in Amerika geborene Kind ist automatisch im Besitz der Staatsbürgerschaft.

1941

6. I.

Joseph Campbell (geb. 1904): Amerikanischer Pädagoge, – Schriftsteller, Kritiker, Literarhistoriker; seit 1934 Mitglied der literarischen Fakultät am Sarah Lawrence College N. Y. Unter seinen Werken: »Folkloristic Commentary« (zu Grimms Märchen 1944); »The Hero with a Thousand Faces« (1949); Herausgeber u. a. von: »The Viking Portable Arabian Nights« (1952); sowie einer fünfbändigen Nachlaßausgabe von Heinrich Zimmer. (Siehe Anmerkung 1 zu 23. IV. 43.)

24. I.

1] *Town Hall lecture:* Vermutlich Neufassung der unter dem Titel »War and Democracy« veröffentlichten Rede, gehalten am 3. X. 40 in Claremont (Privatdruck der Adcraft Press, Los Angeles 1940). T. M. bekennt sich hier zur Totalität der humanen Idee, die das Künstlerische wie das Politische in sich schließe. Auch der »Welt-Bürgerkrieg«, am Schluß unseres Briefes erwähnt, figuriert in der Rede.

2] *nächste Etappe:* T. M. mit Frau Katja und Erika verbrachten einige Tage im »Weißen Haus« als persönliche Gäste des Präsidenten und Mrs. Roosevelts.

3] *Charles A. Lindbergh* (geb. 1902): Überquerte 1927 als erster im Alleinflug den Atlantischen Ozean von New York nach Paris, wodurch er eine ungeheuere Popularität gewann. Nutzte diese Popularität politisch, indem er sich zum lautstärksten Gegner jeder amerikanischen Hilfe für die Alliierten machte.

4] *»Federal Union Dinner«:* T. M. sprach anläßlich des Dinners über »The Rebirth of Democracy«. – Federal Union: Organisation, gegründet 1939, zwecks engster amerikanischer Zusammenarbeit mit England, durch Clarence K. Streit (geb. 1896), dessen Buch »Union Now« (1939) eine Sensation – für und gegen – verursachte.

5] *»Lied von der Erde«:* Von Gustav Mahler (1910).

28. I.

1] *Eleanor Roosevelt* (1884–1962): Gattin von Franklin D. Roosevelt; politisch außerordentlich interessiert und in praktischer Sozialarbeit tätig. Durch ihre überall verbreitete Zeitungs-Kolumne »My Day« den amerikanischen Massen vertraut und nicht selten massenpsychologische Beraterin des Präsidenten. Nach dessen Tod (1945) amerikanische Delegierte bei der Generalversammlung der U.N.; auch bei der UNESCO akkreditiert. Buchpublikationen: »This is my Story« (1937); »This I remember« (1949). Posthum: »Tomorrow is Now« (1963).

2] *The City of Man:* Kämpferischer Aufruf führender Liberaler; Definition der Demokratie, ihrer Werte und Ziele. Vom Faschismus tödlich bedroht, müssen diese Werte unbedingt verteidigt werden. Unter den Autoren: G. A. Borgese, William Benton (Universität Chicago), Hermann Broch, William M. Hutchins, Thomas Mann, Lewis Mumford (Universität Stanford), Gaetano Salvemini (Universität Harvard).

30. I.
Cartoon: In diesem Zusammenhang: politische Karikatur.

7. II.
Hans Feist (1887–1952): Ursprünglich Arzt, dann Übersetzer u. a. von Croce, Pirandello, Giraudoux, Cocteau, Jules Romains, Christopher Fry. Übersetzer und Herausgeber von: »Ewiges England. Dichtung aus 7 Jahrhunderten von Chaucer bis Eliot.« Englisch und deutsch (Zürich 1945); »Italienischer Parnaß. Anthologie italienischer Lyrik.« Italienisch und deutsch (Zürich 1949). Dramatisierte »Lotte in Weimar«; das Stück wurde 1950 in Heidelberg uraufgeführt mit Bassermann und seiner Frau in den Hauptrollen. Von Bassermann weitgehend umgedichtet, war die Dramatisierung kein Erfolg.

16. II.
Vorwort zu »Buddenbrooks«: Plattenaufnahme des ganzen Romans (über 80 doppelseitige Platten) durch die »American Foundation of the Blind«. T. M. hatte dazu eine Einleitung geschrieben, die er selber sprach. (S. T. M. »Vorwort zu einer Schallplattenausgabe der »Buddenbrooks«, Ges. W. XI.)

17. II.
1] *Fritz Kaufmann* (1891–1958): Geschichtsphilosoph (Husserl-Schüler); 1934–36 Dozent an der »Hochschule für die Wissenschaft des Judentums«, Berlin. Dann Emigration über England in die USA.

1938–48 Northwestern University, Evanston, Illinois. 1948–58 Universität Buffalo, N. Y. Unter seinen Werken: »Geschichtsphilosophie. Die Philosophie des 20. Jahrhunderts« (1959); »Das Reich des Schönen, Bausteine zu einer Philosophie der Kunst« (1960).
2] *Manuskript:* »The World as Will and Representation: Thomas Mann's Philosophical Novels«.
3] *Richard Strauss* (1864–1949).

12. III.
1] *Keme:* Der alte Name Ägyptens; bedeutet: »Das Schwarze«, »Die Fruchterde«.
2] *Auflösung:* Endgültige Auflösung des Haushaltes in Princeton.
3] *the man who is too superficial to be murdered:* Ausspruch von Mrs. Meyer bezüglich des Präsidenten Roosevelt.

21. III.
Geburtstags-Dinner: Feier zu Heinrich Manns 70. Geburtstag.

30. III.
1] *Anti-Papist:* Schwiegersohn G. A. Borgese.
2] *mexikanische Opern-Dichtung:* »Montezuma«, ein dramatisches Gedicht, das von Roger Sessions vertont wurde und dessen Uraufführung von der Berliner Staatsoper für Frühjahr 1964 angesetzt ist.
3] *Phi Beta Kappa:* Älteste amerikanische akademische Verbindung (gegründet 1776), in die jedes Jahr die Glanzstudenten der Universitäten und einige sehr ausgesuchte Ehrenmitglieder aufgenommen werden.
4] *»läßt sich nicht provozieren«:* Militärputsch in Belgrad und Volkserhebung überall im Land (27. März 1941). Der den Deutschen gefügige Regent Paul wurde abgesetzt, König Peter II. großjährig erklärt und mit der Neubildung der Regierung betraut. Am 6. April ließ Hitler sich dennoch »provozieren« und begann seinen Krieg gegen Jugoslawien. Im Herbst setzte der nationalserbische Widerstand ein.
5] *Amerikanische Konfiskation der Schiffe:* Die Achsenmächte Deutschland und Italien hatten mehrfach die Neutralitätsbestimmungen im Seeverkehr gebrochen. Als Gegenmaßnahme und wegen Sabotage-Verdachts wurden deutsche und italienische Handelsschiffe in den Häfen der USA festgehalten.

19. IV.
1] *Pacific Palisades, California:* Von April 1941 bis Februar 1942, während T. M.'s eigenes Haus gebaut wurde, wohnte die Familie in einem gemieteten Häuschen, 740 Amalfi Drive.
2] *Russell M. Story* (1883–1942): Seit 1937 Professor für Staatswissenschaften und Präsident der Claremont Colleges, Claremont, Californien.

2. V.
1] *Artikel:* »Denken und Leben«; kleine Dankrede, mit der T. M. seine Aufnahme als Ehrenmitglied in die Verbindung Phi Beta Kappa quittiert (s. auch »Altes und Neues« 1953).
2] »*Virginia Quarterly*«*:* Eine mit kulturellen und politischen Dingen befaßte Vierteljahrsschrift, herausgegeben von Archibald D. Shepperson an der Staatsuniversität von Virginia.
3] *Rede:* Bisher unveröffentlicht. T. M. stellt darin dem »Unfug des totalen Staates« den »totalen Menschen« gegenüber. (Typoskript dieser Ansprache im Thomas Mann-Archiv, Zürich).
4] *Fritz Stiedry* (geb. 1883): Österreichischer Dirigent, Mahlerschüler. Hauptstationen: Erster Kapellmeister, Berliner Oper (1914–26); Direktor der Volksoper Wien (1926–28); Leitender Dirigent, Städtische Oper Berlin (1928–33). Entlassung durch das N.S.-Regime, Antritt eines russischen Engagements (Leningrad, Moskau, Charkow etc.). 1937 Ausweisung aus der UdSSR und Emigration in die USA. Leiter der »New Friends of Music«, New York (1938–43), dann »Metropolitan Opera« bis 1958. Stiedry zeigte sich im klassisch romantischen Repertoire so heimisch wie bei den »Neutönern« (besonders auch Uraufführungen von Schoenberg). Lebt heute in der Schweiz.
5] *Florence Homolka:* Älteste Tochter von Eugene und Agnes E. Meyer; erfolgreiche Photographin, gestorben 1962. Als Niederschlag ihrer Lebensarbeit erschien 1962 ein Buch – »Focus on Art« mit einem Vorwort von Aldous Huxley – das viele ihrer besten Porträt-Aufnahmen, u. a. auch von T. M., enthält.
6] *Oscar Homolka* (geb. 1898: Österreichischer Charakterdarsteller; berühmt vor 1933. Freiwillige Emigration 1935 nach England, 1937 in die USA. Seither international bekannt auch als Filmschauspieler. Verheiratet mit Florence, ältester Tochter von Eugene und Agnes E. Meyer. Nach langjähriger Ehe geschieden.

7] *Melvyn Douglas* (geb. 1901): Amerikanischer Schauspieler und Filmstar; damals tätig für die demokratische Partei, für Emigrantenhilfe und gegen den Nazismus.

15. V.
1] *phantastischer Streich des Heß:* Der »Stellvertreter des Führers« Rudolf Heß (geb. 1894) flog am 10. Mai 1941 auf eigene Faust nach Schottland, bestrebt, vor der Invasion Rußlands einen Sonderfrieden mit Großbritannien zu vermitteln. Heß wurde in England interniert und schließlich in Nürnberg zu lebenslänglicher Haft verurteilt.
2] *Ihre Besprechung der »V. K.«:* »Thomas Mann's Fable for Today: The Transposed Heads« (»Washington Post« und »New York Times, Book Review«, 8. VI. 41).

25. V.
1] *der Cyklus:* Vorträge an der New School for Social Research 1940/41, aus denen dann »Man the Measure« entstand.
2] *meine Rede:* Zunächst in die Sammlung »Order of the Day« (Knopf 1942) aufgenommen. Der deutsche Text, »Vor dem American Rescue Committee«, erschien 1953 in »Altes und Neues« (dort von T. M. irrig 1940 datiert).
3] *Zeitschrift:* »Decision, A Review of Free Culture«; Gründer und Herausgeber: Klaus Mann (New York, Januar 1941–Februar 1942). Unter dem Patronat u. a. von: Sherwood Anderson, W. H. Auden. Eduard Beneš, Julien Green, Thomas Mann, Somerset Maugham, Robert E. Sherwood, Stefan Zweig.
4] *Fine:* Frau von Erich von Kahler, deren Gesundheit gelitten hatte.

31. V.
1] *verunglückte Briefstelle:* T. M., »sehr ergriffen« durch einen Brief von Mrs. Meyer, hatte u. a. geschrieben: »Lassen Sie mich es aussprechen: wenn Sie leiden, ja wenn Sie verzweifeln, sind Sie mir in der Seele näher, als wenn Sie Optimismus prästieren und es meiner nicht würdig finden, daß ich mich gräme. Sie sind stark und sind zweifellos längst über die melancholische Stunde hinweggekommen, in der Sie mir Ihren Kummer und Ihre Enttäuschung über das unselige Frankreich klagten. Aber ich bin auch keine Heul-Liese, und wer neun Jahre lang die Dummheit, Feigheit und Miserabilität

der Welt erlebt hat, wie ich sie erlebt habe, und dabei keinen Augenblick den Mut zu seinem Leben und zu seiner Arbeit verlor, dem sollte man es nicht als Mangel an geistiger Widerstandskraft auslegen, wenn er zuweilen daran verzweifelt, mit diesem Lande hier bessere Erfahrungen zu machen, als mit den übrigen. Gestehen Sie es nur, daß nicht alles nach Würde, Mut und Größe aussieht, was hier vor sich geht!«
2] *Tuxedo:* Amerikanisch für »Smoking«.

I. VI.
Edward Frederick Earl of Halifax (1881–1959): Englischer Staatsmann, Konservativer; bekleidete zahlreiche hohe Ämter, war u. a. Landwirtschaftsminister (1924–25) und Vizekönig von Indien (1926–31). Außenminister Chamberlains (1938–40); Botschafter in Washington (1941–46).

II. VI.
1] *»Transposed«:* »The Transposed Heads« – »Die Vertauschten Köpfe«.
2] *Clifton Fadiman:* s. Anmerkung zu 29. V. 44.
3] *John T. Frederick* (geb. 1893): Amerikanischer Professor des Englischen, Universität Pittsburgh (1923–24); für moderne Literatur, Northwestern University (1930–44). Leiter der Radiosendungen »Of Men and Books« (1937–44). Unter seinen Publikationen: »Reading for Writing« (mit Leo L. Ward 1935); »Present Day Stories« (1941).
4] *Muriel Rukeyser* (geb. 1913): Amerikanische Dichterin; zunächst marxistisch orientiert, später, von Rilke beeinflußt, einem lyrischen Symbolismus zugeneigt. Unter ihren Werken: »Theory of Flight« (1935); »A Turning Wind« (1940); »Willard Gibbs«, Biographie des gleichnamigen amerikanischen Wissenschaftlers (1942).
5] *Marshall Field* (geb. 1893): Inhaber des größten und elegantesten Warenhauses in Chicago und eines anderen in New York; Gründer der »Chicago Sun« (Morgenzeitung, 1941); galt als literarisch interessiert.
6] *Max Ascoli* (geb. 1898): Italienischer Schriftsteller, – Jurist. Emigrierte 1931 in die USA. 1933–42 an verschiedenen Fakultäten der New School for Social Research. Autor u. a.: »Intelligence in Politics« (1936); »The Power of Freedom« (1948).

11. VI.
1] *großartiger Aufsatz:* s. Anmerkung 2 zu 15. V. 41.
2] *Artikel des Hindu-Gentleman:* »Thomas Mann spins a Fable of Brahmin India« von Krishnalal Shridharani (»New York Herald Tribune, Book Review«, 8. VI. 41).
3] *»Time«:* »Time Magazine«, höchst einflußreiche Wochenschrift, nach Ausstattung und Stil Vorbild des deutschen »Spiegel«. Die Besprechung erschien unter dem Titel »Transformed Legend«, mit einem Bild von Heinrich Zimmer, dem T. M. das Rohmaterial zu seiner Erzählung verdankte (9. VI. 41).
4] *»New Yorker«:* Satirisch-humoristische, ungemein verbreitete Wochenschrift. Die fragliche Besprechung, »Thomas Mann: The Transposed Heads« (7. VI. 41), stammte de facto nicht von Fadiman, dem führenden literarischen Kritiker des »New Yorker«, sondern von F. O. Matthiessen.
5] *gutes Buch:* »Der Feldherr«, von General Sir Archibald Wavell; »Wavell in Afrika«. Eine Würdigung von Charles Clarke (Europa Verlag 1941).

6] *General Wavell:* Sir Archibald P. Wavell (geb. 1883): Organisierte während des Zweiten Weltkriegs die britische Offensive in Ägypten (1940–41); Oberstkommandierender aller Truppen der Vereinten Nationen in Indien 1942. Herausgeber einer hochgepriesenen Lyrik-Anthologie: »Other Men's Flowers« (1945).
7] *Walter Landauer* (1902–44): War nicht, wie T. M. irrig schreibt, »der ehemalige Direktor des verdienstvollen Querido-Verlags«, vielmehr Leiter der deutschen Exil-Abteilung des Verlages Allert de Lange, Amsterdam. Obwohl, infolge von T. M.'s Bemühungen, US-Visum und Reisegeld längst für ihn bereit lagen, verhungerte Landauer 1944 im »Durchgangslager« Bergen-Belsen.
8] *Georg Kaiser* (1878–1945): Schriftsteller, – vornehmlich Dramatiker; Expressionist, mit Sternheim bedeutendster Repräsentant dieser Schule. Schrieb etwa 60 Dramen. Aufführungsverbot 1933. Emigration in die Schweiz 1938, lebte dort in großer wirtschaftlicher Not. Unter seinen dramatischen Hauptwerken: »Von Morgens bis Mitternacht« (1916); »Gas« (2 Teile, 1918–20); »Kolportage« (1924); »Oktobertag« (1928); »Der Gärtner von Toulouse« (Amsterdam 1938); Romane: »Es ist genug« (1932); »Villa Aurea« (Amsterdam 1940).

18. VI.
Tonio, Hans und Inge: Hauptfiguren in T. M.'s Erzählung »Tonio Kröger« (1903). Eine gewisse Verwandtschaft zwischen ihnen und den drei »Helden« der »Vertauschten Köpfe« besteht insofern, als hier wie dort der Ungeistige, Schlichte, Geradegewachsene (»Hans« bez. »Nanda«) vom Geistigen, Wissenden (»Tonio« bez. »Schridaman«) als äußerst reizvoll empfunden wird. Die Frauengestalten (»Inge« bez. »Sita«) erinnern kaum aneinander. Inge gehört zu dem gleichgearteten Hans und will von Tonio nichts wissen, während Sita beides in einer Person vereint sehen möchte: das kluge, feine Haupt des Schridaman und den kraftvollen, hübschen Körper des Nanda. Die Legende erfüllt ihren Wunsch, – nicht zum Glück der Beteiligten. Schridaman, der nun Nandas Körper besitzt, und Nanda, sein eigenes nettes, unbedeutendes Haupt auf den schmalen Schultern Schridamans, töten einander im Schwertkampf, und Sita, die Witwe Schridamans, läßt sich nach indischem Brauch mit der Leiche des Gatten – freilich auch mit derjenigen Nandas – lebendig verbrennen.

12. VII.
1] *Beata E. Bonnier* (1861–1952).
2] *verehrter Gatte:* Karl Otto Bonnier (1856–1941): Chef des schwedischen Verlagshauses Albert Bonnier, das T. M.'s sämtliche Werke herausbrachte. Nach seinem Tod übernahm sein Sohn Tor (geb. 1883) die Firma. – Dieser schrieb für das Rundschau-Heft zu T. M.'s 70. Geburtstag den Aufsatz »Die Stellung des Verlegers«.
3] *Prinz Wilhelm* (geb. 1884): Zweiter Sohn des damaligen schwedischen Königs Gustav V.; Präsident des schwedischen PEN-Clubs und Schriftsteller: Reisebücher, Essays, Lyrik, Erzählungen, Dramen.

16. VII.
Buch über Friedr. Gentz: »Secretary of Europe, The Life of Friedrich Gentz« (Yale University Press 1946); deutsch: »Friedrich von Gentz, Geschichte eines europäischen Staatsmannes« (Europa-Verlag, Zürich 1947).

17. VII.
Helmut Hirsch (geb. 1907): Professor für europäische Geschichte,

Roosevelt University, Chicago. Emigration 1933 nach Frankreich, 1941 in die USA. Unter seinen Arbeiten: »Amerika, Du Morgenröte, Verse eines Flüchtlings« (New York 1947); über 40 Beiträge in der Encyclopedia Britannica.

26. VII.
1] *große Nachrichten:* Kay Graham, geb. Meyer, erwartete ihr erstes Kind.
2] *Wyoming:* Landsitz.
3] *Nathaniel Hawthorne:* Gilt als eine der führenden literarischen Figuren des amerikanischen 19. Jahrhunderts. Sein moralistisch gefärbter Pessimismus, wie sein Hang zur Psychologie und Selbstbeobachtung legten den Vergleich zwischen ihm und dem jungen T. M. nahe.
4] *vortrefflicher Mann:* Stephen Vincent Benét (1898–1943): Amerikanischer Schriftsteller, – Essayist, Lyriker. Unter seinen Werken: »John Brown's Body« (1928); »Ballads and Poems« (1931); »Burning City« (1936). – Der »hübsche biographische Aufsatz über mich«: »Thomas Mann, Honored by the Free World« (»New York Herald Tribune Book Review«, 29. VI. 41).
5] *Jiddu Krishnamurti* (geb. 1897): Indischer Brahmane. Durch die Theosophin Annie Besant zum neuen Weltlehrer erwählt, predigte er die Suche nach dem Seelenfrieden, der durch die meditative Erfassung der Einheit von Seele und All erreicht werden könne. Unter seinen Schriften: »Königreich Glück« (1928); »Reden am Feuer« (1929); Gedichte.
6] *Seven Palms House:* T. M., auf dessen Grundstück sieben Palmen standen, hatte daran gedacht, in Anlehnung an den Namen der Meyer'schen Besitzung, »Seven Springs Farm«, sein Haus so zu nennen, tat es aber nicht.

13. VIII.
1] *Graf Carlo Sforza* (1873–1952): Italienischer Staatsmann; 1920–21 Außenminister; einer der Führer der demokratischen Opposition in Italien. 1921–22 Botschafter in Paris; quittierte im November 1922 den Staatsdienst, da Mussolini die Macht ergriffen hatte. Emigrierte 1926 nach Belgien, später nach England und 1940 in die USA. Kehrte 1943 nach Italien zurück und wurde Präsident der Beratenden Versammlung, dann Abgeordneter der Nationalver-

sammlung (1946), schließlich neuerdings Außenminister (1947–51). Unter seinen Werken: »L'énigme chinoise« (1928); »Gestalten und Gestalter des heutigen Europa« (1931); »European Dictatorships« (1932).
2] *votre livre sur l'Italie et les Italiens:* »Les Italiens tels qu'ils sont« (Montréal 1941) mit der Widmung: »A Thomas Mann – gran nome tedesco che non fa disperare dell'avvenire – cordialmente Sforza«.

18. VIII.
1] *schmerzliche Tage:* Die Tage nach dem Tode von Katja Manns Vater, Professor Alfred Pringsheim, der neunzigjährig im Zürcher Exil verstorben war.
2] *Buch über Kafka:* »Franz Kafka. Eine Deutung seiner Werke« von Herbert Tauber.

19. IX.
Siegfried Marck (1889–1957): Philosoph, Historiker und Soziologe. Professor für Philosophie in Breslau (1924); emigrierte 1933 nach Frankreich, 1939 in die USA. Von 1941 an Professor am Roosevelt College, Chicago. Unter seinen Werken: »Freiheitlicher Sozialismus« (Dijon 1936); »Germany: To Be or Not to Be?« (mit Gerhart Seger, New York 1943); »Große Menschen unserer Zeit« (1954), enthält den Aufsatz »Die deutsche und europäische Krise im Spiegel des Lebenswerkes von Thomas Mann«. – Zahlreiche Beiträge in amerikanischen und deutschen Exil-Publikationen.

1. X.
1] *Foundation:* John Simon Guggenheim Memorial Foundation.
2] *diese Arbeit:* »In der Sackgasse«, Roman.
3] *Wilhelm Speyer* (1887–1952): Schriftsteller, – Erzähler und Dramatiker. Emigrierte 1933 nach Holland, dann nach Südfrankreich, 1940 in die USA. Kehrte 1949 nach Europa zurück, starb in Basel. – Nächster Freund von Bruno Frank; wie dieser dem Hause T. M. freundschaftlich verbunden. Unter seinen Werken: »Schwermut der Jahreszeiten« (1922); »Der Kampf der Tertia« (1927); »Das Glück der Andernachs« (Zürich 1947; Frankfurt 1951).
4] *Alfred Polgar* (1875–1955): Österreichischer Schriftsteller, – Theaterkritiker; gilt als Meister der »Kleinen Prosa«. Emigration 1938 nach Frankreich, 1940 in die USA. Von 1949 bis zu seinem Tode

Wanderleben in Europa mit Zürich als Hauptquartier. Unter seinen Werken: »An den Rand geschrieben« (1926); »Ja und Nein« (4 Bde. 1926/27); »Der Sekundenzeiger« (Zürich 1937); »Geschichten ohne Moral« (Zürich 1943); »Im Lauf der Zeit« (1954).

Oktober

1] *Louis B. Mayer* (1885–1957): Einer der Pioniere der Filmindustrie. Gründer einer Filmbörse und der L. B. Mayer-Pictures, später (mit M. Loew und S. Goldwyn) der heutigen M. G. M.

2] *Hans Lustig* (geb. 1902): 1925–1933 Feuilletonredakteur der »Vossischen Zeitung« und Theaterkritiker des »Tempo«, Berlin. Emigration 1933 nach Frankreich; 1940 Flucht aus Paris und in die USA mit Hilfe des »Emergency Rescue Committee«. Schon in Frankreich erfolgreich als Filmautor; 1940–1958 unter Kontrakt bei MGM. Seit 1959 in München.

3] *Walter Mehring* (geb. 1896): Schriftsteller, – Satiriker; gründete 1920 das aggressive »Politische Cabaret« in Berlin. Emigration nach Frankreich 1933, in die USA 1940. Unter seinen zeit- und gesellschaftskritischen Gedichtbänden: »Das Ketzerbrevier« (1921); Lieder, Gedichte und Chansons; »Und euch zum Trotz« (Paris 1934).

4] *Gottfried Reinhardt* (geb. 1916): Sohn von Max Reinhardt. Emigration in die USA 1938. Dort – und nach dem Kriege auch in Europa – erfolgreich als Filmproduzent und -regisseur.

5] *S. N. Behrmann* (geb. 1893): Amerikanischer Dramatiker, – Komödiendichter. Unter seinen Erfolgsstücken: »The Second Man« (1927); »End of Summer« (1936); »No Time for Comedy« (1939); »The Cold Wind and the Warm« (1958).

6] *Garbo-Film:* »Two Faced Woman« (1941).

7] *Sheridan Gibney:* Sekretär der amerikanischen »Screen Writers' Guild« (Gewerkschaft der Drehbuch-Autoren).

3. x.

1] *Rainer Maria Rilke* (1875–1926): Lyriker und Erzähler. Sein Dichterruhm, unter Zeitgenossen schon im deutschen Sprachgebiet kaum übertroffen, gelangte in den dreißiger Jahren in England und Amerika auf einen Höhepunkt, wie kein anderer fremdsprachiger Lyriker ihn je erreichte. Hofmannsthal galt dort vornehmlich als Librettist des »Rosenkavalier«. Rilkes Einfluß auf die neuere angelsächsische Lyrik war von entscheidender Bedeutung.

2] *Auguste Rodin* (1840–1917).
3] *Stefan George* (1868–1933): Dichter, – hymnischer Lyriker, Verkünder eines neuen Reiches, eines geistigen Germanien, das die Nazis für sich in Anspruch zu nehmen suchten. Aber George emigrierte 1933 und machte das dennoch geplante Staatsbegräbnis testamentarisch unmöglich. Ist, seinem Willen gemäß, in Locarno begraben.

7. X.
1] *Besprechung von »Buddenbrooks«:* »Bremer Tageblatt« (16. IV. 1902).
2] *Familie Bodmer:* Hans C. Bodmer (1891–1956): Arzt, bekannter Beethoven-Sammler und Mäzen.
3] *mess:* Englisch für Unordnung, Schlamassel, Durcheinander, verfahrene, schlimme Situation.

26. X.
R. J. Humm (geb. 1895): Schweizerischer Schriftsteller, – Erzähler, Essayist, Dramatiker. Unter seinen Werken: »Die Inseln«, Roman (1935); »Theseus und der Minotaurus«, Puppenspiel (1943); »Die Schuhe des Herrn Lamy«, Drama (1953).

3. XI.
1] *»vornehm«:* Lieblingswort von Tony Buddenbrook.
2] *Lösung:* Mrs. Meyer hatte der Library of Congress T. M. als »Consultant in Germanic Literature« empfohlen.
3] *Sir Norman Angell* (geb. 1874): Englischer Volkswirtschaftler und Pazifist. Sein Buch »The Great Illusion« (1933) erschien in elf Ländern und wurde in 15 Sprachen übersetzt.

16. XII.
1] *Schreiberei über mich und meine Umgebung:* »Goethe in Hollywood: Profile of Thomas Mann« von Janet Flanner (»New Yorker«, 13. u. 20. XII. 41).
2] *Pearl Harbor:* Am 7. Dezember 1941, während noch die japanischen Abgesandten in Washington verhandelten, bombardierten die Japaner den Hafen von Pearl Harbor im Pazifik und zerstörten einen wesentlichen Teil der amerikanischen Kriegsmarine.

27. XII.
1] *Abraham Flexner* (1866–1959): Pädagoge, Gründer und Direktor des »Institute for Advanced Study«, Princeton (1930–39); Direktor Emeritus ab 1940. Autor u. a.: »A Modern School« (1916); »Do Americans Really Value Education?« (1927); »I Remember: An Autobiography« (1940).
2] *Francis Biddle* (geb. 1886): Amerikanischer Anwalt und Schriftsteller; 1941–45 General-Staatsanwalt der Vereinigten Staaten. Hauptwerke: »Llandfear House«, Roman (1927); »Mr. Justice Holmes« (1942); »Democratic Thinking and the War« (1944).

28. XII.
1] *Franz Silberstein* (1887–1949): Journalist und politischer Schriftsteller. Zwischen 1918 und 1933 Ressortchef und Korrespondent des »Berliner Tageblatts«, der »Deutschen Allgemeinen Zeitung« und der »Vossischen Zeitung«. Emigration 1935 über Prag nach Argentinien, wo er bis zu seinem Tode blieb. Unter seinen Werken: »Der Weg ins Verderben. Europäische Politik von Bismarck bis Hitler« (1948). – Mitarbeiter von »Argentinisches Tageblatt« und »Deutsche Blätter« (Chile).
2] *vorzügliches Buch:* »Die unteilbare Freiheit« (Buenos Aires 1941).

31. XII.
1] *Consultant in Germanic Literature to the Library of Congress:* Die Berufung erfolgte am 1. Dezember 1941 durch Archibald MacLeish, den »Librarian of Congress« (s. Anmerkung 1 zu 26. x. 44). MacLeish schrieb u. a.: »Certain friends of the Library of Congress have ... made it possible for me to realize a hope which I have long entertained. That is, that the Library might count you among the scholars whom it numbers on its consultative staff. I am therefore now enabled to ask you whether you will do the Library the honor of becoming its Consultant in German Literature. Your duties in this office would not be arduous but might be most rewarding, both to yourself, to the Library of Congress, to Germanic studies in the United States, and – who knows? – in its effects upon a future Germany, a future German literature, and German-American relations the future of which none of us can now foresee.« Von 1941 bis 1944 bezog T. M. jährlich $ 4800. Dann verzichtete er auf das Honorar, blieb aber bis zum Tode im Amt.

2] *Joseph E. Davies* (1876–1958): Amerikanischer Diplomat; von 1936–38 Botschafter in Moskau. Sein Buch »Mission to Moscow« (1941) war ein wichtiger Beitrag zur amerikanisch-russischen Allianz während des Krieges. 1943 war Davies Sonderbotschafter von Roosevelt, 1945 Abgesandter für die Potsdamer Konferenz. (S. auch unseren Brief vom 18. VI. 43.)
3] *Schwager aus Berkeley:* Der Physiker Professor Peter Pringsheim.

1942

10. I.
1] *Wystan H. Auden* (geb. 1907): Englischer Lyriker, – Essayist, Dramatiker. Seit 1935 mit Erika Mann verheiratet. Ursprünglich sehr »links« orientiert, vertrat er seit Beginn des Zweiten Weltkrieges die Überzeugung, der Dichter habe mit Politik nichts zu tun. Verzog 1939 in die USA und wurde amerikanischer Staatsbürger. Auden gilt als führend innerhalb der zeitgenössischen angelsächsischen Lyrik. Unter seinen Werken: »Letters from Iceland« (an Erika Mann, 1937); »Another Time« (1940); »Collected Poetry« (1930–44); »The Age of Anxiety« (1947). Dramen mit Christopher Isherwood: »The Dog beneath the Skin« (1935); »The Ascent of F. 6« (1936); zahlreiche Libretti mit Chester Calman.
2] *Town Hall-Vortrag:* Im Februar-Heft von »Atlantic Monthly« erschien T. M.'s Artikel: »How to Win the Peace«, in dem er sich mit den Kriegszielen der USA auseinandersetzt und als geistige Friedensforderung die »City of Man« (s. Brief vom 28. I. 41 und Anmerkung 2), eine humanitäre Welteinheit, nennt. Der Aufsatz bildet vermutlich die Grundlage des fraglichen Vortrags.

21. I.
Emil Bernhard Cohn (später Emil Bernhard, 1881–1948): Rabbiner und Schriftsteller. 1933 verhaftet; emigrierte 1936 nach Holland, 1939 in die USA. Autor u. a.: »Judentum« (1923); »Legenden« (1925); »Die jüdische Geschichte« (Berlin 1936); »David Wolffsohn, Herzl's Nachfolger« (Amsterdam 1939); »The Marranos« (London 1945). Kurzgeschichten und Artikel in Zeitschriften und Zeitungen.

29. I.
common hero: Winston Churchill; berühmte Aufnahme des kanadischen Photographen Karsh.

2. 11.
Rudolph S. Hearns (geb. 1901): Versicherungsmakler, Graphologe. Emigrierte 1936 nach London, 1937 in die USA, wo er blieb. Seit 1920 mit Graphologie befaßt, unterrichtete er u. a. im »Pennsylvania Institute of Criminology«. Unter seinen Arbeiten: »Graphobiographie« von Franklin D. Roosevelt (mit Bianca Naef, 1955). Mitarbeiter u. a. der »American Graphological Society«.

9. 11.
1550 San Remo Drive: Im Februar 1942 bezog die Familie T. M. ihr neues Heim, 1550 San Remo Drive, Pacific Palisades, California. Erstmalig seit der Emigration 1933 besaß T. M. sein eigenes Haus mit eigener Einrichtung.

Telegramm-Beilage zu 9. 11.
Franklin D. Roosevelt (1882–1945): 32. Präsident der Vereinigten Staaten (1933–45). (S. auch T. M. »Franklin Roosevelt« in »Altes und Neues« 1953, und »Rede für Franklin D. Roosevelt im Wahlkampf 1944« in Ges. W. XI.)

18. 11.
1] *Coordinator of Information:* Robert Sherwood; das Amt, das er leitete, entsprach amerikanischerseits etwa dem britischen Informations-Ministerium.
2] »*Common Sense*«: Amerikanische Zeitschrift; Titel bezieht sich auf das berühmte gleichnamige politische Glaubensbekenntnis (amerikanische Unabhängigkeit) von Thomas Paine. – Die »*Äußerung*«: »In Defense of Wagner«. A Letter on the German Culture that produced both Wagner and Hitler (New York, vol. 9, Jan. 1940).
3] *Heft:* 1. Jg., Heft 3, Januar/Februar 1938.
4] *Essay-Band:* In der geplanten Form kam damals der Band nicht zustande. Statt seiner erschien – noch im Jahre 42 – eine Sammlung politischer Essays unter dem Titel »Order of the Day«. Erst 1947 brachte Knopf die »Essays of Three Decades« heraus.
5] *Theodor Storm* (1817–1888) (s. auch T. M. »Theodor Storm«, »Adel des Geistes« 1945.)
6] *Atlantic Monthly-Aufsatz:* »How to Win the Peace« (New York, vol. 169, Febr. 1942).
7] »*Achtung Europa!*«: Figuriert an zweiter Stelle in der gleichnamigen Sammlung politischer Aufsätze (Stockholm 1938) – (Ges. W. XII).

8] *»Appell an die Vernunft«:* »Deutsche Ansprache. Ein Appell an die Vernunft«, Rede gehalten am 17. Oktober 1930 in Berlin anläßlich des Wahlsieges der Nazis. (Ges. W. XI).
9] *Buch über Joyce:* »A Critical Introduction« (1941).
10] *Harry Levin* (geb. 1912): Professor für Englisch, vergleichende Literatur und moderne Sprachen; seit 1939 an der Universität Harvard. Unter seinen Werken: »Toward Stendhal« (1945); »Toward Balzac« (1947); »Symbolism and Fiction« (1956); »The Question of Hamlet« (1959).
11] *Cliveden Set:* Cliveden, der Landsitz der Astors, galt als Hauptquartier einer Gruppe (»set«) von damals äußerst einflußreichen Engländern (u. a. Lady Astor, Neville Chamberlain, Neville Henderson – britischer Botschafter in Deutschland –), die nicht nur den »Münchner Frieden« herbeiführte, sondern überhaupt den deutschen »Führer« um jeden Preis zu beschwichtigen (»appease«) suchte.
12] *Archie:* Archibald MacLeish: s. Anmerkung 1 zu 26. x. 44.

21. II.
1] *Winston Churchill* (geb. 1874): Nobelpreis für Literatur 1953.
2] *Künstler-Novelle:* Der Roman »Doktor Faustus« (1947).

24. II.
1] *Dein Coordinator:* Erika Mann arbeitete damals für dieses Amt.
2] *Franz Muncker* (1855–1926): Deutscher Literarhistoriker, Professor der Germanistik in München. Seine Festrede zu T. M.'s 50. Geburtstag im Alten Münchner Rathaus war teilweise so kritisch-absprechend, daß sie für den »Gefeierten« und seine Umgebung nach Jahrzehnten noch eine Quelle der Heiterkeit bildete. – Hauptwerke: Biographien über: Klopstock (1888), Friedrich Rükkert (1890) und Richard Wagner (1891).
3] *Klaus Heinrich:* Klaus Mann.

Ende Februar
1] *Alfred A. Knopf* (geb. 1892): Bedeutendster literarischer Verleger Amerikas und Entdecker T. M.'s für die Vereinigten Staaten, wo er ihn exklusiv vertritt. Naher persönlicher Freund. Obwohl sonst nicht geneigt, seine Autoren öffentlich zu empfehlen, schrieb er

wiederholt über T. M. Beispielsweise: »Thomas Mann, Nobel Prize Winner of 1929: A Critical Estimate« (1930).
2] *»Die Rückkehr zur Gemeinschaft«:* Der polnische Autor Marek Kryger stand der polnischen Exilregierung nahe. Sein deutsch geschriebenes Buch war dem Verlag Alfred A. Knopf als »klug und ernsthaft« empfohlen; dennoch holte dieser T. M.'s Urteil ein. »In view of what you say«, schrieb Knopf in der Folge, »I think we can quite confidently pass up this manuscript.«

Anfang März
1] *Alma Mahler-Werfel* (geb. 1879): Witwe von Gustav Mahler, später Frau von Franz Werfel. Emigrierte mit Werfel 1938 aus Wien nach Frankreich, 1940 in die USA, wo das Paar sich endgültig niederließ. Verfasserin von: »Gustav Mahler« (Amsterdam 1939); »And the Bridge is Love« (1958), deutsch: »Mein Leben« (1960).
2] *Gustav Mahler* (1860–1911): Nicht nur Komponist und Dirigent, sondern kühner Reformator des deutschen Opernwesens.
3] *Jan Sibelius* (1865–1957): Finnischer Komponist, – in der finnischen Volksmusik wurzelnd. Unter seinen Werken: 7 Symphonien, zahlreiche symphonische Dichtungen, Kammermusik, ein Violinkonzert, Chormusik und Lieder.

8. III.
John H. Tolan (1877–1947): Californischer Rechtsanwalt, 1935–1947 demokratischer Abgeordneter im amerikanischen Repräsentantenhaus.

15. III.
Werfels neuer Roman: »Das Lied von Bernadette« (1941).

27. III.
1] *Ludwig Marcuse* (geb. 1894): Schriftsteller, – Theaterkritiker, Professor für Philosophie und deutsche Literatur. Emigrierte 1933 nach Frankreich, 1939 in die USA. Unter seinen zahlreichen Büchern: »Revolutionär und Patriot. Das Leben Ludwig Börnes« (1929); »Der Philosoph und der Diktator. Platon und Dionys« (New York 1947, Berlin 1950); »Mein zwanzigstes Jahrhundert«, Autobiographie (1960).
2] *Erbitterung:* Marcuse, obwohl »ausgebürgert«, galt legal als

»feindlicher Ausländer«, während T. M., der die – längst nicht mehr existente – tschechische Staatsbürgerschaft innehatte, nicht zu dieser Kategorie gerechnet wurde.
3] *Carl Muck* (1859–1940): Dirigent, besonders der Bayreuther Festspiele. Gastierte in fast allen Großstädten des europäischen und amerikanischen Kontinents. Galt als kühler, fast pedantischer Interpret von unerbittlicher Werktreue.

5. V.
1] *Coup von Madagaskar:* Um einer japanischen Besetzung Madagaskars vorzubeugen, das der französischen, pro-deutschen Vichy-Regierung unterstand, landeten britische Streitkräfte aus Süd- und Ostafrika in der Nacht des 4. Mai 1942 im Norden der Insel.
2] *Fritz Landshoff* (geb. 1901): Verleger. Emigrierte 1933 und leitete die deutsche Exil-Abteilung des Querido-Verlages, Amsterdam. Während der deutschen Invasion Hollands zufällig in England, ging er im Winter 1940/41 nach New York. Gründung dort – mit Gottfried Bermann Fischer – der kurzlebigen, rein amerikanischen L. B. Fischer Corporation.
3] *Briefe Verdi's:* »Verdi, The Man in his Letters«, »edited and selected by Franz Werfel and Paul Stefan« (L. B. Fischer, New York, 1942).
4] *Ricordi:* Italienischer Musikverlag, der u. a. die Werke von Verdi herausbrachte.

12. V.
der junge Rockefeller: Nelson A. Rockefeller (geb. 1908): Amerikanischer Millionenerbe, Diplomat und Politiker. Damals schon aktiv in interamerikanischen Angelegenheiten; 1948–51 Vorsitzender, 1956–58 »Coordinator of Inter-American Affairs«; jetzt Gouverneur des Staates New York.

14. V.
»*Cricket*«: Kurzgeschichte von Agnes E. Meyer – unveröffentlicht.

2. VI.
1] *Kay:* Kay Graham, die dritte der vier Meyer-Töchter.
2] »*Order of the Day*«: Die um zehn Essays und ein neues Vorwort erweiterte Ausgabe der Sammlung politischer Essays »Achtung Europa!«; nur auf englisch erschienen (Knopf 1942).

16. VI. A
Anekdote: »Dead Loss« (»The New Yorker«, 13. VI. 42).

16. VI. B
1] *Meno Spann* (geb. 1903): Germanist. Verließ Deutschland, um ein paar Jahre lang in Amerika zu lehren, verzichtete nach der »Machtergreifung« auf die Heimkehr. Seit 1943 Professor der deutschen Literatur an der Northwestern University, Evanston, Illinois. Unter seinen Arbeiten: Aufsätze über Heine, Kafka, Lessing, T. M., Friedrich Schlegel.
2] *Aufsatz:* »Der Josephroman in Thomas Manns Gesamtwerk« (»Publications of the Modern Language Association of America«, Juni 1942).

19. VI.
1] *Joseph-Auslegung:* »Thomas Mann's Joseph Story: An Introduction with a Biographical and Bibliographical Appendix. (New York, 1938.)
2] *Haupt-Freud-Aufsatz:* »Die Stellung Freuds in der modernen Geistesgeschichte«, Vortrag vor demokratischen Studenten an der Universität München, 16. Mai 1929 (»Altes und Neues« 1953).
3] *Alfred Baeumler* (geb. 1887): Philosoph. Vom Hitler-Regime wegen seiner nazistischen Nietzsche-Interpretation sehr gefördert; 1933 Professor der politischen Pädagogik in Berlin. Verfasser des Buches: »Nietzsche, der Philosoph und Politiker« (1931). Von T. M. als »Nietzsche-Verhunzer« bezeichnet (»Leiden an Deutschland« 1946).

27. VI.
1] *Reinhardt Heydrich* (1904–1942): Chef des Sicherheitsdienstes der SS (1934); Mitmörder von Röhm und ungezählten anderen. 1936 Chef der Geheimen Staatspolizei und 1942 »Stellvertretender Reichsprotektor in Böhmen und Mähren«; im gleichen Jahr von tschechischen Widerstandskämpfern getötet.
2] *Lidice:* Das tschechoslowakische Dorf, in dem man einen der Mörder Heydrichs vermutete, wurde von der SS am 10. Juni 1942 dem Erdboden gleichgemacht. Sämtliche männlichen Einwohner Lidices über 16 Jahre wurden erschossen, die Frauen in Konzentrationslager gebracht und die Kinder auf deutsche Familien verteilt.

5. VII.
1] *Machwerk des R.:* »Maps for a New World« (Collier's 6. VI. 42) von George T. Renner, damals Professor für Geographie an der Pädagogischen Akademie der Columbia Universität. Für seine »Neue Welt« schlug er die Aufteilung Europas in neun Staatengebilde vor, darunter ein Deutschland, dem nicht nur Österreich und das Sudetenland, sondern auch Ungarn angegliedert werden sollte.
2] *Nicholas Murray Butler* (1862–1947): Professor für (politische) Philosophie und Pädagogik; 1902–1945 Präsident der Columbia Universität. Eine der einflußreichsten Persönlichkeiten des amerikanischen politischen und akademischen Lebens.

12. VII.
1] *scharf geantwortet:* »A note on anti-intellectualistic confusion«, Beilage zu einem Brief Slochowers an T. M. (14. VI. 42).
2] *Erich Wolfgang Korngold* (1897–1957): Österreichischer Komponist. Emigrierte 1938 in die USA. Erster aufsehenerregender Erfolg »Die tote Stadt«, Oper (1920). Im Exil für Film und Theater tätig.

17. VIII.
1] *Giuseppe Antonio Borgese* (1882–1952): Italienischer Schriftsteller, Historiker, Germanist, Romanist. Professor für deutsche Literatur in Rom und Mailand. 1931 als Gastprofessor für italienische Literatur an die Universität Berkeley berufen; verweigerte den faschistischen Eid und blieb in den USA. 1932–36 am Smith College tätig; bis 1947 Ordinarius für Italienische Literatur an der Universität Chicago, wo er überdies Politische Wissenschaft lehrte. 1946–51 Generalsekretär des »Committee to Frame a World Constitution« (Universität Chicago) und ausschließlich mit den Problemen des Friedens befaßt. 1950 wurde der Lehrstuhl in Mailand ihm neuerdings eingeräumt; er lehrte dort von 1951 bis zu seinem Tode. Unter seinen Werken: »Gabriele d'Annunzio« (1909); »La Vita e il Libro«, Essays (3 Bde. 1910–13); die Erfolgsromane »Rubé« (1921) und »I Vive e i Morti« (1923); Novellen, Übersetzungen (Goethes »Werther« und Chamissos »Peter Schlemihl«). Auf englisch u. a.: »Goliath, the March of Fascism« (1937); »Common Cause« (1943); »Foundations of the World Republic« (posthum 1953).
2] *Free World:* Anti-faschistische Monatsschrift (1941–46) in New

York, ediert von Louis Dolivet. T. M. war Ehrenmitglied des Herausgeber-Gremiums. – Seit September 1945 erschien »Free World« mit dem Untertitel »A Monthly Magazine for the United Nations«, dann, mit »Asia« und »Inter-American« verschmolzen, als »United Nations World«.

18. VIII.

1] *Salomon-Inseln:* Mit der amerikanischen Landung am 7. August auf der Salomon-Insel Guadalcanar trat im Krieg gegen Japan die Wende ein.

2] *Vortrag:* Am 17. November 1942 hielt T. M. – als »Consultant in Germanic Literature« – in der Library of Congress, Washington, den Vortrag »The Theme of the Joseph Novels«, der 1943 als Staatsdruck vom U. S. Government Printing Office veröffentlicht wurde. Deutsch zuerst in den »Deutschen Blättern« (Santiago de Chile, 3. Jg., H. 24, März/April 1945), dann in »Neue Studien« (Stockholm 1948) unter dem Titel »Joseph und seine Brüder« (Ges. W. XI).

3] *Reinhold Schünzel:* Schauspieler, auch im Film, – Regisseur, Bühnenautor. Emigrierte 1933 nach Hollywood. Nach dem Kriege auch wieder in Deutschland tätig. Starb 1954.

4] *alles wieder in Dunst aufgeht:* Es *ging* in Dunst auf.

20. VIII.

1] *Paul Claudel* (1868–1955): Französischer Schriftsteller, – Dramatiker. Botschafter u. a. in Tokio, Washington und Brüssel; mystisierender Katholik. Unter seinen Werken: »Partage de Midi« (1906); »Le Soulier de Satin« (1930); »Jeanne d'Arc au Bûcher« (1939). Briefwechsel mit André Gide, 1899–1926 (1949). (S. auch T. M. über »L'Annonce faite à Marie« in »Betrachtungen eines Unpolitischen«, 1956, S. 396ff.)

2] *Philip:* Mrs. Meyers Schwiegersohn, Philip Graham, der im August 1963 freiwillig aus dem Leben ging.

3] *Bill:* Einziger Sohn der Meyers, Arzt, beendete damals seine militärische Ausbildung.

2. IX.

1] *Buch:* »The Turning Point«, Autobiographie (L. B. Fischer, New York, 1942), nach dem Kriege von Klaus Mann erweitert,

ins Deutsche übersetzt und unter dem Titel »Der Wendepunkt« erschienen (S. Fischer 1952).
2] *»der Papa war doch so krank«:* Das – im Hause T. M. – geflügelte Wort stammt von Hofmannsthal. Dieser setzte auf eine verwöhntzutrauliche Art voraus, jedermann sei über alles, was ihn und seine Umgebung betraf, stets vollständig unterrichtet.
3] *»wretched and forlorn«:* In »The Turning Point« erinnert sich Klaus Mann einer seiner vielen Abreisen von zu Hause. Während er wegfuhr, habe T. M. am Fenster gestanden und ihm zugerufen, komm heim, »when you are wretched and forlorn«. In »Der Wendepunkt« heißt es, »wenn du elend bist«.
4] *United children:* Erika Manns Kinderbuch »A Gang of Ten«, englisch geschrieben (L. B. Fischer, New York, 1942).
5] *Anthony:* Toni Mann, geboren am 20. Juli 1942, jüngerer Sohn von Michael Mann.

4. IX.
1] *Albert Bassermann* (1867–1952): Schauspieler. Begann als »Meininger«, 1890–1895; 1900–1914 am Deutschen und am Lessing-Theater in Berlin, später an verschiedenen Bühnen. Emigration 1934 nach Amerika. Bassermann gehörte zu den drei oder vier größten deutschen Charakterdarstellern seiner Zeit. Berühmt und geliebt auch als Bonvivant und Komiker.
2] *kleine Rolle:* Bassermann spielte den Robert Koch in William Dieterles großer Ehrlich-Biographie.

8. IX.
1] *Aufsatz:* »Goethe and Rilke« (»Accent«, vol. 2, Summer 1942).
2] *»Accent«:* Leicht avantgardistische literarische Monatsschrift (1940–60); Herausgeber Kerker Quinn u. a.

15. IX.
1] *Friderike Zweig* (–Winternitz, geb. 1882): Schriftstellerin, – Übersetzerin. Erste Frau von Stefan Zweig. Emigrierte 1938 nach Frankreich, 1941 in die USA. Unter ihren Werken: »Louis Pasteur«, Biographie (Bern 1939); »Stefan Zweig, wie ich ihn erlebte« (Stockholm 1947). Briefwechsel mit Stefan Zweig 1912–42 (Bern 1951). Übersetzte aus dem Französischen u. a.: Anatole France, Jean Jacques Rousseau, Verlaine.

2] *Victor Wittkowski* (1909, gest. um 1960): Schriftsteller. Emigration über die Schweiz und Italien nach Brasilien, wo er mit Stefan Zweig verkehrte. Autor von zwei schmalen Gedichtbänden (Genf, 1936 und 1937), und der Erzählungen »Tibiae Tiberinae« (1940).

15. x.
»Listen Germany!«: Die ersten 25 Radiosendungen nach Deutschland erschienen zunächst im Urtext (Bermann-Fischer Stockholm 1942), dann auf englisch (Knopf 1943). Das Vorwort ist datiert: 15. September 1942.

15. XII.
1] *Broadcast:* Radio-Bericht über Mrs. Meyers Besuch in England.
2] *1000 Dollar-Novelle:* Die Moses-Erzählung »Das Gesetz« wurde von den Herausgebern des Bandes »The Ten Commandments« (New York 1943) mit 1000 $ dotiert.

19. XII.
1] *aus dem Sinn gekommen:* Dies war der Fall (s. unser Brief vom 2. VI. 42).
2] *Altertums- oder sonstiger Seltenheitswert:* Der Wert der Knöpfe lag in der Qualität der Steine.
3] *Bericht:* »Mann's Political Essays« von Reinhold Niebuhr (»The Nation«, 28. XI. 42).

Weihnachten
1] *Jules Romains* (geb. 1885): Französischer Schriftsteller, – Dramatiker, Lyriker. Zunächst Lehrtätigkeit an verschiedenen französischen Universitäten; lebte erst nach 1918 ausschließlich seiner creativen Arbeit. Verfechter der »Gruppenseele« als Bindeglied zwischen Individuum und Masse (»Unanimismus«). Hauptwerk: »Les Hommes de bonne Volonté« (28 Bde. 1932–47). – Verhielt sich zur kritischsten Zeit besonders hilfreich den deutschen Emigranten gegenüber.
2] *»Mystères«:* »Sept Mystères du Destin de l'Europe«, Essayband (1940).

1943

5. I.
1] *»Britain's Home Front«:* In dieser Schrift berichtet Agnes E. Meyer genau über ihren Besuch in England.
2] *die Steine:* Jade-Manschettenknöpfe.

9. I.
1] *beide Artikel:* »Uncoordinated Writers of Nazi Germany« (»Accent«, Herbst 1942) und »In the Fascist Styx: The Fate of Native Sons from Toller and Stefan Zweig to Richard Wright« (»Negro Quarterly«, Herbst 1942).
2] *»Native Son«:* Ursprünglich Roman des amerikanischen Schriftstellers Richard Wright (1940); dramatisiert und am Broadway aufgeführt (1941). Tragische Darstellung des Rassenproblems in den USA.
3] *Gerhart Hauptmann* (1862–1946): Nobelpreis 1912. (S. auch T.M. »Von Deutscher Republik. Gerhart Hauptmann zum sechzigsten Geburtstag« in Ges.W. XI.; »Zur Begrüßung Gerhart Hauptmanns in München«; »Herzlicher Glückwunsch«; »An Gerhart Hauptmann« in Ges.W. X; »Gerhart Hauptmann«, Rede gehalten am 9. November 1952 in Frankfurt am Main, »Altes und Neues« 1953).
4] *Franz C. Weiskopf* (1900–1955): Prager Schriftsteller deutscher Sprache. Lebte bis 1933 in Berlin, emigrierte dann nach Prag und von dort über Paris in die USA (1938). Rückkehr nach Deutschland 1953. Unter seinen Werken: »La tragédie tchécoslovaque de septembre 1938 à mars 1939« (Paris 1939); »Vor einem neuen Tag« (Mexico 1944, Berlin 1947); »Abschied vom Frieden. 1913–14« (1950).
5] *Ernst Jünger* (geb. 1895): Schriftsteller, – Erzähler. Verkünder eines »heroischen Nihilismus«; Sänger der »Materialschlacht« und des »totalen Arbeitsstaates«. Nach Realisierung vieler seiner Forderungen durch das Hitler-Regime ernüchtert, verhielt er sich distanziert. Unter seinen Werken: »In Stahlgewittern« (1920); »Auf den Marmorklippen« (1939); das Buch wurde von den Gegnern des Regimes irrigerweise als verschlüsselt-oppositionell empfunden. Jünger selbst klärte nach dem Zusammenbruch den Irrtum auf. – »Strahlungen« (1949); »Der gordische Knoten« (1953).
6] *Joseph-Vortrag:* s. Anmerkung 2 zu 18. VIII. 42.

12. 1.
1] *Hansens andere records:* Die Lieblingsplatten von Hans Castorp aus dem »Zauberberg«, wie sie in dem Kapitel »Fülle des Wohllauts« eingehend beschrieben sind.
2] *Richard Tauber* (1892–1948): Lyrischer Tenor, – Österreicher. Anfangs Opern- und Liedersänger, gewann er seine große Popularität erst durch Lehár-Operetten. Emigration nach England 1933, wo er blieb. Trotz enormer Einnahmen hinterließ Tauber nichts; hatte alles Überschüssige an bedürftige Emigranten verschenkt.
3] *Witwe Max Liebermanns:* Es gelang der alten Frau, sich zu vergiften, als sie deportiert werden sollte. – *Max Liebermann* (1847–1935): Maler und Graphiker; bis zur »Machtübernahme« Präsident der Preußischen Akademie der Künste. Hat T. M. wiederholt porträtiert, ohne daß je ein Gemälde zustande gekommen wäre. Eine Porträt-Radierung befindet sich im Besitz von Frau Katja Mann. 55 Exemplare wurden 1925 von S. Fischer verlegt. (S. auch T. M. »Max Liebermann zum achtzigsten Geburtstag«, Ges. W. X.)

20. 1.
1] *Kurt Wolff* (geb. 1887): Verleger in München; brachte neben zeitgenössischer Literatur das vielbändige kunsthistorische Werk »Pantheon Edition« heraus. Emigrierte bereits 1931 nach Südfrankreich und Florenz, 1941 in die USA; gründete dort 1942 den sehr erfolgreichen Verlag Pantheon Books New York; brachte u. a. Werke von Gide, Camus, Lampedusa; lebt heute in Locarno.
2] *George-Buch:* »Poems«, Englisch-German Edition, übertragen von Carol North Valhope und Ernst Morwitz (1943).
3] *Horace M. Kallen* (geb. 1882): Amerikanischer Professor der Philosophie, New School for Social Research, New York. Autor u. a.: »A Free Society« (1934); »Art and Freedom« (2 Bde. 1942); »Patterns of Progress« (1950); »Cultural Pluralism and the American Idea« (1956).

28. 1.
1] *patriotischer Opfergang:* Politische Vortragstournée.
2] *afrikanisches White House:* Die Casablanca-Konferenz (14.–26. 1. 43), ein entscheidender Kriegsrat zwischen Roosevelt und Churchill und deren Generalstäben.

3] *Henry A. Wallace* (geb. 1888): Amerikanischer Politiker, Schriftsteller und Publizist. 1933–1940 Landwirtschaftsminister; 1941–45 Vizepräsident; 1946–47 Herausgeber der Wochenschrift »New Republic«. Führte 1948 die von ihm gegründete links-liberale Partei (»Third Party«) zur Niederlage; wechselte später den Kurs und gesellte sich den Rechts-Extremisten unter den Demokraten zu. Unter seinen Publikationen: »The American Choice« (1940); »Sixty Millions Jobs« (1945); »The Long Look Ahead« (1960).
4] *die Kinder:* Fridolin und Toni Mann.

3. 11.
1] *Traktat:* »The World as Will and Representation: Thomas Mann's Philosophical Novels« (Boston 1957).
2] *Maurice Barrès* (1862–1923): Französischer Schriftsteller. Ursprünglich Verkünder der damals virulenten Dekadenz, dann eklatantester Vertreter eines chauvinistischen Nationalismus. Unter seinen Werken: »Le Roman de l'énergie nationale« (3 Bde. 1898–1902). (S. auch T. M. »Der ›autonome‹ Rheinstaat des Herrn Barrès«, Ges. W. XII.)
3] *Peeperkorn:* Figur aus »Der Zauberberg«.

17. 11.
1] *Erwin Rommel* (1891–1944): General-Feldmarschall; seit 1941 Chef des »Afrika-Korps« in Lybien und Ägypten, dann Kommandeur von Heeresgruppen in Norditalien und Frankreich (1943–44). Wurde nach der gelungenen Invasion der Alliierten und ihrem Durchbruch durch seine Verteidigungslinien, sowie nach dem mißlungenen Attentat auf Hitler von diesem in den Selbstmord getrieben.
2] *Benito Mussolini* (1883–1945).
3] *Francisco Franco* (geb. 1892).
4] *Graf Galeazzo Ciano* (1903–1944): Schwiegersohn von Mussolini, 1936–1943 sein Außenminister. Wegen Abtrünnigkeit von einem Sondergericht des »Duce« im Januar 1944 zum Tode verurteilt und erschossen.
5] *zeigt Péguy an:* Zwei Auswahlbände, herausgegeben und übertragen von Julien Green. *Charles Péguy* (1873–1914, fiel in der Marneschlacht): Französischer Schriftsteller, – sozialistischer Kämpfer für Gerechtigkeit im Dreyfus-Prozeß. Leidenschaftlicher Pa-

triot. Unter seinen Werken: »Notre jeunesse« (1910); »L'argent« (2 Tle. 1913); »Oeuvres poétiques complètes« (1948).
6] *politisch-philosophisches Buch:* »Man the Measure« von Erich von Kahler (Pantheon 1943); der Autor ist mit der deutschen Übersetzung des Bandes, der bei Kohlhammer, München, erscheinen soll, befaßt.
7] *Jacob Burckhardt* (1818–1897): Schweizer Kultur- und Kunsthistoriker. – *»Weltgeschichtliche Betrachtungen«:* posthum, 1905.
8] *Besprechung:* »Mann speaks to Germany« von Reinhold Niebuhr (»The Nation«, 13. 11. 43).
9] *»Radio Messages to the German People«:* Unter dem Titel »Listen Germany« waren die ersten 25 von T. M.'s Radio-Botschaften nach Deutschland erschienen, s. Anmerkung zu 15. x. 1942.

19. 11.
Reinhold Niebuhr (geb. 1892): Amerikanischer evangelischer Theologe; seit 1930 Professor für angewandtes Christentum am Union Theological Seminary, New York. Unter seinen – in protestantischen Kreisen – sehr einflußreichen Werken: »Moral Man and Immoral Society« (1932); »An Interpretation of Christian Ethics« (1935); »The Nature and Destiny of Man« (2 Bde. 1941–43).

9. 111.
1] *Gide-Buch:* »André Gide and the Crisis of Modern Thought« (Creative Age Press, New York 1943).
2] *William Saroyan* (geb. 1908): Amerikanischer Schriftsteller armenischer Abstammung. Schlug sich zunächst als Telegraphenbote, Zeitungsjunge, später als Journalist ärmlich durch; wurde als freier Schriftsteller das auffallendste »enfant terrible« der neueren amerikanischen Literatur. Unter seinen Werken: »My Name is Aram« (1940); »The Human Comedy« (1943); »Rock Wagram« (1951).
3] *Richard Graf Coudenhove-Kalergi* (geb. 1894): Schriftsteller japanisch-österreichischer Herkunft. Gründer der Pan-Europa-Bewegung (Wien 1923); wollte einen europäischen Staatenbund unter Ausschluß von England und Rußland. Emigrierte 1938 in die Schweiz, 1940 nach New York. Seit 1952 Ehrenpräsident der »Europäischen Bewegung«. Unter seinen Werken: »Kampf um Pan-Europa« (3 Tle. 1925–28); »Aus meinem Leben« (1949); »Die europäische Nation« (1953).

7. IV.
1] *Robert S. Hartmann* (geb. 1910): Forschungsprofessor der Philosophie, Universität Mexico. Referendar und Assistent für Öffentliches Recht an der Universität Berlin. Verließ Deutschland 1933. 1934–1941 Vertreter der »Walt Disney Productions« in Skandinavien, dann in Mexiko und Mittelamerika. 1941 Einwanderung in die USA; 1942–1945 an der Lake Forest Academy, 1945–1948 Professor am Wooster College, Ohio, 1948–55 Staatsuniversität Columbus, Ohio. Seit 1957 Forschungsprofessor in Mexiko, Lehrstuhl für Axiologie und Logik, spezielles Forschungsgebiet: formale Wertlehre. Unter seinen Werken: »Profit Sharing Manual« (1948); »Die Partnerschaft von Kapital und Arbeit: Theorie und Praxis eines neuen Wirtschaftssystems« (1958); »La Estructura del Valor« (1958).
2] *On God's Side:* Das Buch enthält Interpretationen der T. M.-Werke: »Der Zauberberg«, »Leiden und Größe Richard Wagners«, »Joseph in Ägypten«, »Lotte in Weimar« und »Die vertauschten Köpfe«; unveröffentlicht.
3] *Dimitri Mereschkowski* (1865–1941): Russischer Schriftsteller, – Erzähler, Lyriker, Essayist; vom jungen T. M. als Kulturkritiker ungemein bewundert. (S. auch »Russische Anthologie« in »Altes und Neues« 1953). Unter seinen Werken: »Ewige Gefährten« (1897); »Tolstoi und Dostojewski« (1901/02); »Das Geheimnis des Westens« (1929).
4] *Simon Schuster:* Großer, vielseitiger New Yorker Verlag.
5] *»Christian Manifesto«:* Einleitung zu dem größeren Werke »On God's Side«; unveröffentlicht.

8. IV.
Karl Lustig-Prean (geb. 1892): Österreichischer Schriftsteller. Emigrierte 1939 nach Brasilien, kehrte 1948 nach Wien zurück. Unter seinen Büchern: »Auserwähltes Volk geht in die Wüste. Geschichte der Mormonen.« (Sao Paulo, 1941.)

23. IV.
1] *Heinrich Zimmer* (1890–1943): Indologe; Professor in Heidelberg (1922), Schwiegersohn von Hugo von Hofmannsthal. Stand unter dem Einfluß der Tiefenpsychologie C. G. Jungs. Emigrierte 1939 nach England, 1940 in die USA. Unter seinen Hauptwerken:

»Kunstform und Yoga im indischen Kultbild« (1926); »Ewiges Indien« (1930); »Maya, der indische Mythos« (1936); »Myths and Symbols of Indian Art and Civilization« (Pantheon, New York, 1946). – T. M.'s Erzählung »Die Vertauschten Köpfe« basiert auf der von Zimmer überlieferten Legende »Die indische Weltmutter« (»Eranos Jahrbuch, Zürich 1938); die amerikanische Ausgabe, »The Transposed Heads« (1941), ist Zimmer gewidmet.
2] *Christiane:* Heinrich Zimmers Witwe (s. Anmerkung 1 zu 28. VII. 45).

27. IV.
1] *amazing family:* In seiner Besprechung von Erika Mann's Buch »School for Barbarians« hatte Harold Nicolson die Familie T. M. »höchst erstaunlich« genannt.
2] *amerikanischer Offizier:* Klaus Mann, der sich als gemeiner Soldat gemeldet hatte, war jetzt »Staff Sergeant«, also das, was die Amerikaner einen »non commissioned officer« nennen.
3] *Guy de Maupassant* (1850–1893): Französischer Schriftsteller, vor allem Meister der Novelle, der oft kurzen, immer psychologisch treffenden und hervorragend pointierten Erzählung. Als Romancier (6 Romane) reichte M. nicht an den Novellisten Maupassant heran.
4] *Hugo Wolf* (1860–1903): Österreichischer Komponist, – vor allem von Liedern. Vertonte Goethe, Eichendorff, Mörike, aber auch Emanuel Geibel und Paul Heyse. Starb in geistiger Umnachtung. Gehörte zu den Musiker-Typen, die T. M. bei der Konzeption des »Doktor Faustus« vorschwebten.

6. V.
1] *großer Nachmittag:* Ungekürzte Aufführung der Matthäus-Passion durch Bruno Walter in New York.
2] *Sigrid Undset* (1882–1949): Norwegische Erzählerin. Nach der deutschen Besetzung Norwegens Emigration 1940 über Rußland und Japan in die USA, wo sie in Wort und Schrift das Nazitum bekämpfte. Heimkehr 1945. Unter ihren Hauptwerken: »Kristin Lavransdatter«, Roman-Trilogie (1920–27); »Olav Audunsson«, Roman (1927). Nobelpreis 1928.
3] *Rebecca West* (d. i. Cecily Isabel Fairfield, geb. 1892): Englische Schriftstellerin; hatte in ihrer Jugend die Heldin in Ibsens »Ros-

mersholm« gespielt und wählte daher das Pseudonym Rebecca West. Unter ihren Werken: »The Return of the Soldier« (1918); »The Strange Necessity«, Essays (1928); »The Thinking Reed« (1936); »The Meaning of Treason« (1949).
4] *Igor Strawinsky* (geb. 1882): Russischer Komponist, lebte von 1910–1939 in Frankreich und der Schweiz, seither in den Vereinigten Staaten ansässig. Seine Erinnerungen legte er in der Schrift »Chroniques de ma vie« nieder.
4] *Nikolai Rimski-Korssakow* (1844–1908): Russischer Komponist; seine Opern, – u. a. »Die Legende von der unsichtbaren Stadt Kitesch« (1907), »Der goldene Hahn« (1909), – spielen in der russischen Sagen- und Märchenwelt. Bearbeitung von Mussorgskis »Boris Godunow« (1896). Unter seinen Schriften: »Chronik meines musikalischen Lebens« (1908); »Die Grundlagen der Instrumentation« (1913).
5] *Arnold Schoenberg* (1874–1951): Österreichischer Komponist und Musiktheoretiker. 1925–33 Leiter einer Meisterklasse an der Berliner Akademie der Künste. Emigrierte 1933 in die USA, lehrte 1934–40 an der University of Southern California (Los Angeles); kehrte nicht nach Hause zurück. Ursprünglich Spätromantiker (»Verklärte Nacht«, »Gurre-Lieder«), bekannte Schoenberg sich 1906 zu einer freien, an keinerlei musikalische Gesetze gebundenen Atonalität, und fand 1922 in der von ihm kreierten Zwölftontechnik eine neue Bindung. Unter den Kompositionen der Zwölftonperiode: »Moses und Aron«, Oper; »Ein Überlebender von Warschau«, Kantate; Werke für Kammerorchester und Klavier. Unter seinen Schriften: »Models for Beginners in Composition« (1942); »Style and Idea« (1950). In Californien befreundeten sich Schoenberg und T. M.; dann verübelte ersterer dem Autor des »Doktor Faustus« die Einbeziehung des Zwölftonsystems in den Roman, in welchem Schoenberg nicht namentlich figuriert. Die zweite Auflage bereits wurde von T. M. mit einer Bemerkung versehen, dergemäß Schoenberg und nicht T. M.'s Held, Adrian Leverkühn, dieses System ersonnen habe. Schließlich war Schoenberg versöhnt.

8. v.
1] *anti-politisches Kultur-Glaubensbekenntnis von 1916:* Die »Betrachtungen eines Unpolitischen« (1918), die zu guten Teilen in diesem Jahr entstanden.

2] [. . .] *Sinekure:* T. M. schreibt: »90000 Dollar Sinekure«, während sein Gehalt in Wahrheit 400 $ monatlich betrug und von ihm nur drei Jahre und einen Monat lang angenommen wurde (1. XII. 41–31. XII. 44). Offenbar hatte jene Angreiferin die Summe wie die »Sinekure« frei erfunden.
4] *Georges Bernanos* (1888–1948): Französischer Schriftsteller, ursprünglich Versicherungsangestellter. Vertreter des theologischen Romans, führender Antifaschist. Vorsorgliche Emigration 1938 nach Brasilien; Rückkehr 1945. Unter seinen Werken: »Sous le soleil de Satan« (1926); »Contre les Roboters« (1931); »Journal d'un curé de campagne« (1936).
5] *Jacques Maritain* (geb. 1882): Französischer Philosoph und Diplomat. Seit 1914 Professor am Institut Catholique, Paris; 1945–48 Botschafter Frankreichs beim Heiligen Stuhl, 1948–53 Professor an der Universität Princeton; seit 1953 Professor Emeritus. – Einer der bedeutendsten modernen Interpreten des Thomas von Aquino. Unter seinen zahlreichen Werken: »Eléments de philosophie« (2 Bde. 1923–26); »Du régime temporel et de la liberté« (1933); »A travers le désastre (1941); »De Bergson à Thomas d'Aquin« (1944); »Man and the State« (1950); »The Responsibility of the Artist« (1960).
6] *Alexej Tolstoi* (1883–1945): Russischer Erzähler, – entfernter Nachkomme von Leo Tolstoi, durch seine Mutter verwandt mit Turgenjew. Ging 1917 zur Weißen Armee über; Exil in Paris und Berlin bis 1923, dann Heimkehr. Hauptwerk: »Peter der Große«, historischer Roman (1929–45). Der Brief an Tolstoi vom 28. IV. 1943 erschien auf englisch in »The New Republic« (vol. 108, 1943).

12. V.
Frau Rewald: Unbekannt.

1. VI.
1] *Sascha Marcuse* (geb. 1913): Gattin von Ludwig Marcuse.
2] *Ding:* Eine besondere, schwer erhältliche Sorte von Zigarrenabschneider.

2. VI.
John L. Lewis (geb. 1880): Mächtiger und aufsässiger Gewerkschaftsführer, besonders der »United Mine Workers«, die er schon 1909–11 und dann immer wieder vertrat.

18./21. VI.

1] *Münchener Universität:* Dort hatte sich die Widerstandsgruppe »Weiße Rose« gebildet; Mitglieder u. a. die Geschwister Scholl; der Schriftleiter der katholischen Zeitschrift »Hochland«, Carl Muth; der Professor der Philosophie, Kurt Huber. Letzterer, die beiden Scholls und mehrere Studenten wurden am 18. Februar 1943 verhaftet, vom Volksgerichtshof am 20. Februar zum Tode verurteilt und am selben Tage hingerichtet.

2] *Meeting:* T. M.'s Rede wurde teilweise im »Aufbau« (9. VII. 43) unter dem Titel »The Fall of the European Jews« abgedruckt. – Versammlungen dieser Art wurden nicht selten von jüdischen Organisationen einberufen, doch sprachen dort in der Hauptsache prominente Nichtjuden, und auch die Zuhörerschaft bestand großenteils aus Nichtjuden.

3] *Eddi Cantor* (geb. 1892): Erst Bühnenkomiker (»Vaudeville« und »Burlesque«), seit 1926 auch Filmstar. Stets bereit, sich für jüdische und nichtjüdische Wohltätigkeit sowie für patriotische Zwecke unentgeltlich einzusetzen.

4] *Isaak Stern* (geb. 1920): Amerikanischer Geiger russischer Herkunft. Gehört zur Spitzengruppe der amerikanischen Konzert-Violinisten.

5] *Yehudi Menuhin* (geb. 1917): Amerikanischer Geiger, – gab siebenjährig sein erstes Konzert; weltberühmt als virtuoser Interpret klassischer wie moderner Musik.

6] *»Mission to Moscow«:* Nach dem gleichnamigen Buch des amerikanischen Botschafters in Rußland, Joseph E. Davies. (S. auch Anmerkung 2 zu 31. XII. 41.)

7] *trials:* In den Jahren 1936/37 veranstaltete Stalin die berüchtigten »Säuberungsaktionen«, denen Tausende ihm Verdächtiger zum Opfer fielen. Politiker und Funktionäre aller Parteischattierungen, sowie besonders hohe und höchste Offiziere der Roten Armee (Tuchatschewskij) wurden hingerichtet.

8] *Wendung in Elizabeths Leben:* Die zweite Meyer-Tochter hatte den amerikanischen Drehbuchautor und Filmregisseur Pare Lorentz geheiratet.

9] *Beethoven-Quartette:* »Four Quartets« von T. S. Eliot (1943).

10] *Henry James* (1843–1916): Amerikanischer Schriftsteller, – Erzähler. Studierte in Harvard und an verschiedenen Universitäten Europas; war in Paris mit Flaubert und Turgenjew befreundet;

ließ sich 1876 endgültig in England nieder. Gilt als eine der größten Figuren in der Geschichte des Romans; befaßte sich besonders mit dem Gegensatz zwischen der robusten, neureichen amerikanischen Mittelklasse und der geistvollen, oft dekadenten Elite Europas. Werke u. a.: »The American« (1877); »Washington Square« (1881); »The Awkward Age« (1899); »The Golden Bowl« (1904).

20. VI.
1] *Ludwig Altman* (geb. 1910): Organist. – 1933–36 Organist und Musikschriftsteller in Berlin, dann Emigration in die USA. Seit 1937 in San Francisco, Californien als Organist (Symphonieorchester, Temple Emanu-El, städtischer Organist). 1943–45 amerikanischer Soldat.
2] *Aufsatz:* »Our Great Symphonies Written by Lonely Men« von Ludwig Altman (»Opera and Concert«, Nov. 41).
3] *Peter I. Tschaikowsky* (1840–1893).
4] *seine Freundin:* Nadezhda von Meck (1831–1894): Witwe eines russischen Eisenbahnkönigs; half Tschaikowsky in jeder Weise und korrespondierte ständig mit ihm.

29. VII.
1] *New School:* »New School for Social Research«, New York.
2] *Alvin Johnson* (geb. 1873): Amerikanischer Pädagoge und Schriftsteller. Lehrte Volkswirtschaft an verschiedenen Universitäten (Columbia, Chicago, Cornell) und Politische Wissenschaft (Stanford). 1917–23 Herausgeber der Wochenschrift »The New Republic«, dann Direktor der »New School«. Von jeher auf Seiten der sozial oder rassisch Unterdrückten, wurde Johnson besonders als Leiter der »New School« zum Kämpfer für seine Überzeugungen und einflußreichen Freund der Verfolgten. Unter seinen Arbeiten: »Introduction to Economics« (1909); »The Professor and the Petticoat« (1914); »Deliver us from Dogma« (1934); »The Public Library; A People's University« (1938).
3] *Vortrag in Washington:* »The War and the Future«, gehalten am 13. Oktober 1943 in der Library of Congress, von Agnes E. Meyer ins Englische übersetzt (Staatsdruck des U. S. Printing Office, Washington 1943). Eine leicht geänderte deutsche Fassung erschien unter dem Titel »Schicksal und Aufgabe« in den »Deutschen Blättern« (Santiago de Chile, Juli 1944); Ges. W. XII.

4] *wig:* Englisch für Perücke; »Whigs«: die Liberalen, 1679–1893 (Gründung der Labour Party) einzige Partei in England, die den herrschenden Tories opponierte.

14. VIII.
1] *Alfred Döblin* (1878–1957): Schriftsteller, – lange praktizierender Nervenarzt. Mitbegründer der expressionistischen Zeitschrift »Der Sturm« (1910). Unter seinen Hauptwerken: »Wallenstein« (2 Bde. 1920); »Berge, Meere und Giganten« (1924); der Erfolgsroman »Berlin Alexanderplatz« (1929); Südamerika-Trilogie: »Das Land ohne Tod« (Amsterdam 1937); »Der blaue Tiger« (Amsterdam 1938); »Der neue Urwald« (1948). – Döblin war Autor des S. Fischer Verlages und nicht ohne Einfluß auf »Die Neue Rundschau«, zeichnete aber nie als Redakteur für die Zeitschrift. Emigration 1933 nach Frankreich, 1940 in die USA. Gleichfalls 1940 Übertritt zum Katholizismus. Döblin kehrte als französischer Oberst schon 1945 nach Deutschland zurück.
2] *Ihr Ehrentag:* 65. Geburtstag.

15. VIII.
1] *Arnold Brecht* (geb. 1884): Staatssekretär a. D.; 1910–1933 bekleidete er hohe Ämter in der preußischen Regierung. 1933 Emigration in die Vereinigten Staaten; 1933–1954 Professor an der New School for Social Research; Emeritus 1954. Unter seinen Werken: »Reichsreform wann und wie?« (1932); »Prelude to Silence. The End of the German Republic« (1944, deutsch: »Vorspiel zum Schweigen« 1948); »Das deutsche Beamtentum von heute« (1950); »The Political Philosophy of Arnold Brecht«, gesammelte Essays (1954).
2] *Hans Simons* (geb. 1893): Pädagoge und Schriftsteller. 1925–29 Direktor des Instituts für Politik, Berlin. Emigration in die USA. Seit 1935 Professor für Politische Wissenschaft, 1943–50 Dekan und 1950–60 Präsident der New School for Social Research, New York. Seit 1960 in Indien. Unter seinen Werken: »Preamble to the League of Nations Covenant« (1919); »Political Education and Universities« (1925).

19. VIII.
1] *Konrad Kellen* (früher Katzenellenbogen, geb. 1913): Emigrierte

1933 nach Paris, 1936 in die USA. Freund von Erika und Klaus Mann. In New York zunächst Bankangestellter; 1941–43 T. M.'s Sekretär. Dann, eingezogen, amerikanischer Soldat, Offizier und Angestellter der Militärregierung. Elf Jahre bei »Radio Free Europe«, seither Analytiker am Hudson Institute, New York. Autor von: »Khrushchev – A Political Portrait« (1961).
2] *Albrecht Joseph:* Damals T. M.'s – zeitweise auch Franz Werfels – Sekretär. Hauptberuf im amerikanischen Exil: Cutter.
3] *Offiziersrang:* Alle offiziell bei den amerikanischen Streitkräften »akkreditierten« Kriegskorrespondenten waren »assimilated captains«. Als solche wurden sie versorgt und befördert, hatten aber vor allem im Falle der Gefangennahme Anspruch auf entsprechende Behandlung gemäß der Genfer Konvention.
4] *Pay-roll:* Die Kriegskorrespondenten wurden nicht von den Streitkräften, sondern von den Redaktionen honoriert, für die sie arbeiteten.
5] *Hirohito* (geb. 1901): Seit 1926 Kaiser von Japan.
6] *Viktor Emanuel III.* (1869–1952): König von Italien (1900–1946).

20. VIII.
1] *»Hénorme«:* So sagte Flaubert – bewundernd – angesichts der menschlichen Dummheit.
2] *so steht es:* Döblin war zum Katholizismus übergetreten.

27. VIII.
1] *Felix Weingartner* (1863–1942): Dirigent und Komponist. Schüler von Liszt, Nachfolger von Gustav Mahler an der Wiener Hofoper (1908–11); Gastspielreisen; seit 1927 Direktor des Konservatoriums Basel; 1934–36 Direktor der Wiener Staatsoper. Unter seinen von Wagner und Liszt beeinflußten Kompositionen hat nur das Lied »Liebesfeier« Weltruhm erlangt. Schriften: »Die Symphonie nach Beethoven« (1898); »Über das Dirigieren« (1913); »Lebenserinnerungen« (3 Bde. 1923–29).
2] *Reisebuch:* »America's Home Front«. Sammlung von 29 Aufsätzen, die ursprünglich in »The Washington Post« erschienen waren (Februar–Juni 1943).
3] *Zootsuiters:* Damals in den USA übliche Bezeichnung für hysterische, quasi gewerbsmäßige »Halbstarke«.

30. IX.
1] *Vortrag:* »The War and the Future«, von Agnes E. Meyer ins Englische übersetzt.
2] *Rede:* Gehalten beim Kongreß der »Writers in Exile« im Education Building des Campus von Westwood, University of California. (S. auch T. M.'s Schilderung in »Die Entstehung des Doktor Faustus«, 1949, S. 53.)
3] *Ihr Captain:* Bill Meyer.

7. X.
1] *Dieter Cunz* (geb. 1910): Germanist und Historiker. Emigrierte 1935 über die Schweiz in die USA. Professor für Deutsch an der Universität Maryland, seit 1957 Leiter der deutschen Abteilung an der Staats-Universität Ohio. Unter seinen Werken: »The Maryland Germans: A History« (1948); »Europäische Verfassungsgeschichte der Neuzeit«; ein Buch über Ulrich Zwingli.
2] *Felix Krull:* Die Arbeit am »Krull« wurde nach Vollendung des »Doktor Faustus« und des »Erwählten« wieder aufgenommen. Das Buch, »Der Memoiren erster Teil«, erschien 1954.

27. X.
1] *Colston Leigh:* Damals größter amerikanischer Agent für Vortrags-Tournéen.
2] *Miss O'Hara:* Mrs. Meyers langjährige Sekretärin.
3] *Atlantic:* Atlantic Monthly.

5. XII.
1] *unsere Feier:* An der Feier zu Prof. Alvin Johnsons 70. Geburtstag und zum 25jährigen Jubiläum der »New School« am 27. November 1943 in Daylesford, Philadelphia, hatte T. M. sich schließlich dennoch als Redner beteiligt: »Alvin Johnson – World Citizen«.
2] *Clarence R. Decker* (geb. 1904): Professor des Englischen und englischer Literarhistoriker u. a. an der Wesleyan Universität und an der Universität von Kansas City; seit 1938 Präsident dieser Hochschule. Dem Hause T. M. besonders verbunden, weil die bedeutende Sammlung zeitgenössischer Manuskripte, Kompositionen, signierter Bilder etc., die Klaus Mann während seiner militärischen Ausbildungszeit als Beitrag zur Kriegsanleihe zusammengebracht

hatte, für eine Million Dollar verkauft und der Universität von Kansas durch den Käufer gestiftet worden war.

10. XII.
1] *Bertolt Brecht* (1898–1956): Schriftsteller, – Dramatiker, Lyriker, Regisseur, Balladen- und Bänkelsänger. 1933 Emigration nach Dänemark und Schweden, dann in die USA. 1947 Heimkehr nach Europa; erst Schweiz, dann Deutsches Theater in Ostberlin. Brecht zählt heute nicht nur in beiden Teilen Deutschlands, sondern international zu den markantesten Dichtergestalten unserer Zeit. Unter seinen Werken: »Die Dreigroschenoper«, Musik von Kurt Weill (1928); »Heilige Johanna der Schlachthöfe« (1932); »Der gute Mensch von Sezuan« (1940); »Mutter Courage« (1941); »Galileo Galilei« (1942); »Der kaukasische Kreidekreis« (1944). Überdies die Oper »Das Verhör des Lukullus«, Musik von Paul Dessau (1950), und Gesammelte Gedichte (4 Bde. 1960/61).
2] *politischer Vortrag:* »The New Humanism« (16. XI. 43).

25. XII.
1] *Coach:* 3. Klasse Eisenbahn.
2] *Max Reinhardt-Gedenkfeier:* Am 15. Dezember 1943 im Wilshire Ebell Theatre, Los Angeles. T. M.'s Rede erstmalig veröffentlicht in »Altes und Neues«. (S. auch seine Schilderung der Feier in »Die Entstehung des Doktor Faustus«, 1949 S. 62.)
3] *Buch über den deutschen Bauernkrieg:* »Tilman Riemenschneider im deutschen Bauernkrieg. Geschichte einer geistigen Haltung« (Wien 1937).

28. XII.
1] *Jacob Klatzkin* (1882–1948): Schriftsteller. Emigration 1933 in die Schweiz, 1941 in die USA. Unter seinen Schriften: »Die Judenfrage der Gegenwart«, Vorwort von Albert Einstein (Vevey/Schweiz, 1935); »Der Erkenntnistrieb als Lebens- und Todesprinzip« (Zürich, 1935).
2] *Aphorismen-Sammlung:* Klatzkin arbeitete damals an der hebräischen Übersetzung einer nach bestimmten Gesichtspunkten geordneten Aphorismen-Sammlung von Montaigne bis Thomas Mann.

1944

7. 1.
Max Horkheimer (geb. 1895): Philosoph und Soziologe. Emigrierte 1933 nach Frankreich, 1939 in die USA (»New School for Social Research«). Heimkehr 1949 als Rektor der Universität Frankfurt. Heute Professor für Soziologie ebendort. Autor u. a. von: »Studien über Autorität und Familie« (Paris 1936); »Eclipse of Reason« (New York 1947); »Dialektik der Aufklärung«, mit Th. W. Adorno (Amsterdam 1947). Herausgeber der »Zeitschrift für Sozialforschung« (1934–39) und von »Studies in Philosophy and Social Science« (1940–42).

16. 1.
1] *Band:* »Man the Measure« (s. Anmerkung 6 zu 17. 11. 43).
2] *Erwin Kalser* (1883–1958): Schauspieler; ging 1911 zum Theater; bis 1922 Münchner Kammerspiele (vormals »Lustspielhaus«); 1923–33 Berliner Staatstheater; dann Emigration. Bis 1939 Zürcher Schauspielhaus, während des Krieges in den USA, dann neuerdings Zürich und schließlich wieder Berlin, wo er starb.

18. 1.
1] *Manuskript:* »Die Welt kann gar nicht besser sein oder Candide im 20. Jahrhundert«.
2] *»Begegnungen«:* Erschien erst 1959 in einer erweiterten Fassung unter dem Titel »Menschen, denen ich begegnete« in Bern.

21. 1.
1] *Clarence B. Boutell* (geb. 1908): Redakteur und Journalist. Verfasser der sehr verbreiteten Artikelserie »Authors Are Like People« (1943–47) in der »New York Post« und zahlreichen anderen amerikanischen Zeitungen. Der betreffende, auf den Offenen Brief von Araquistain gestützte Angriff erschien innerhalb der erwähnten Artikelserie.
2] *Vansittartismus:* Lord Robert Vansittart (1881–1957): Englischer Diplomat. Wurde 1929 ständiger Unterstaatssekretär im Foreign Office und war 1937–41 erster diplomatischer Berater des Außenministeriums. Galt als radikaler, keine Ausnahme zulassender Deutschenfeind. Daher die Wortbildung Vansittartismus.

3] *Richard Dehmel* (1863–1920): Schriftsteller, – vornehmlich Lyriker; damals sehr berühmt. Gesamtausgabe (10 Bde. 1906–09).
4] *Maximilian Harden* (1861–1927): Ursprünglich Schauspieler, dann berühmtester, einflußreichster, umkämpftester deutscher Publizist seiner Epoche. In seiner Zeitschrift »Die Zukunft« schrieb er über Politik, Literatur, Theater, Wirtschaft, Finanz, – über alles. Harden war leidenschaftlicher Anhänger Bismarcks; leidenschaftlicher Feind Wilhelms II.; leidenschaftlicher deutscher Patriot, insbesondere auch zu Anfang des Ersten Weltkrieges; schließlich leidenschaftlicher Pazifist und Freund Walther Rathenaus. Nach der Ermordung Erzbergers und Rathenaus war Harden an der Reihe. Er überlebte das Attentat, doch nicht das für ihn deutliche Heraufkommen des Nationalsozialismus. Im Sommer 1927 starb er einsam und verbittert. 1933 beging seine Witwe Selbstmord; seine Tochter, Maximiliane Horowitz, emigrierte 1933 nach Palästina.
5] *Walther Rathenau* (1867–1922): Großindustrieller (Präsident der AEG), Politiker, Staatsmann. Passionierter Patriot. Gründer und Leiter – während des Ersten Weltkrieges – der »Kriegs-Rohstoff-Abteilung« im preußischen Innenministerium und als solcher Organisator der deutschen Kriegswirtschaft. Nach dem Kriege erst Minister für Wiederaufbau, dann Außenminister. Wurde 1922 von nationalistischen Antisemiten ermordet.
6] *Cardinal Manning:* William T. Manning: In England geborener protestantischer Bischof von New York (1921–1946).
7] *Aufsatz:* »Auf der Suche nach dem Bürger« (»Internationale Literatur«, Moskau, Juni 1945); später aufgenommen in Lukács' Thomas Mann-Monographie.
8] *Georg Lukács* (geb. 1885): Ungarischer Literarhistoriker marxistischer Richtung. Emigration 1933 aus Deutschland in die UdSSR, lebt heute als freier Schriftsteller in Budapest. Unter seinen Werken: »Theorie des Romans« (1920); Studien über Goethe, Marx, Engels, den jungen Hegel und eine kleine Monographie über T. M. (1950). – Seine Studie über Theodor Storm (enthalten in »Die Seele und die Formen«, 1911) bespricht T. M. in den »Betrachtungen«. (S. auch T. M. »Ein Glückwunsch« in »Nachlese« 1956).
9] *»Von Deutscher Republik«:* Rede zu Ehren von Gerhart Hauptmanns 60. Geburtstag, gehalten am 15. Oktober 1922 im Beethovensaal, Berlin. Veröffentlicht zunächst in dem Gerhart Haupt-

mann gewidmeten November-Heft der »Neuen Rundschau«, 1922. Erste Buchausgabe: S. Fischer 1923. (Ges. W. XI).
10] *»Gedanken im Kriege«:* »Neue Rundschau«, Berlin, November 1914.

22. 1.
1] *F. B. I.:* Federal Bureau of Investigation.
2] *premature anti-fascism:* »Vorzeitiger Anti-Faschismus«, will sagen, jeder aktive Vorkriegs-Antifaschismus, der in den Akten der F. B. I. als unliebsam figurierte.
3] *Book of the Month Club:* Mit »The Literary Guild« größter amerikanischer Buchclub; beide 1926 gegründet, haben die Clubs je über eine Million Abonnenten.
4] *L. B. Fischer Corporation:* Steht für *L*andshoff und *B*ermann Fischer; die Genannten hatten in New York diesen Verlag gegründet.
5] *Romain Rolland* (1866–1944): Französischer Schriftsteller. Nobelpreis 1915. Siehe auch T. M. »Betrachtungen eines Unpolitischen« (ungekürzte Neuauflage 1956). Die in den »Betrachtungen« äußerst negative Haltung gegenüber dem aggressiven Pazifismus Rollands, revidierte T. M. sehr schnell. Besonders nach 1933 stand er auf freundlichstem Fuß mit dem französischen Kollegen.
6] *Jacques Barzun* (geb. 1907): Amerikanischer Historiker und Schriftsteller französischer Geburt. Professor der Geschichte an der Columbia University. Unter seinen Werken: »Culture in the Democracy« (1940); »Darwin, Marx, Wagner: Critiques of a Heritage« (1941); »Pleasures of Music« (1951); »The House of Intellect« (1959).

27. 1.
Philip S. Bernstein (geb. 1901): Rabbiner, damals in Rochester, New York. Sehr anerkannt wegen seiner weitverzweigten Tätigkeit im Dienste der jüdischen, zionistischen und menschheitlichen Sache (u. a. Vice-President World Aliens Friendship through the Churches). Autor u. a. von »What the Jews Believe«.

16. 11.
1] *Harry Hopkins* (1890–1946): Amerikanischer Politiker; Handelsminister (1938–40). Im Zweiten Weltkrieg Leiter der Kriegs-

materialbeschaffung, nächster Freund und politischer Ratgeber Roosevelts und zeitweise dessen Sonderbeauftragter in Großbritannien und der UdSSR. Blieb 1945 Ratgeber von Präsident Truman.
2] *dort engagiert:* Klaus Mann, mit der Fünften Armee in Italien befindlich, hatte sich als einziger in seinem Ausbildungslager, freiwillig für eine Reihe »gefährlicher Missionen« gemeldet. T. M. wußte nichts davon.
3] *Dirigenten-Jubiläum:* »Mission of Music. Tribute to Bruno Walter« in »New York Times Magazine« (19. III. 1944).

18. II.
Ihre Schrift: Der Essay »John Dewey. Philosopher of the Possible« (»Sewanee Review«, Winter 1944).

6. IV.
1] *Annette Kolb* (geb. 1875): Schriftstellerin, – Erzählerin, Biographin und Essayistin. Freiwillige Emigration 1933 nach Paris, 1940 in die Vereinigten Staaten. Rückkehr nach Paris 1945. Unter ihren Werken: die Romane »Das Exemplar« (1913); »Briefe einer Deutsch-Französin« (1916); »Daphne Herbst« (1928); »Die Schaukel« (1934); »Mozart. Sein Leben« (1937); »König Ludwig II. von Bayern und Richard Wagner« (1947). »Memento«, Autobiographische Skizzen (1960). Schon dem Hause Pringsheim befreundet, steht Annette Kolb der Familie T. M. nahe. War engste Freundin von René Schickele.
2] *Domenica:* Nica Borgese, geb. am 6. März 1944.
3] *Ernst Lubitsch:* s. Anmerkung 1 zu 7. X. 44 B.

15. IV.
1] *Mitgliedschaft:* Professor Marck war dem neugegründeten »Council for a Democratic Germany« beigetreten.
2] *Rudolf Katz* (1895–1961): Journalist, Sozialdemokrat, Politiker, – zuletzt Vizepräsident des Bundesverfassungsgerichts Karlsruhe. 1933 Emigration nach Nanking, 1935 in die USA; Rückkehr nach Deutschland 1946. Mitarbeiter in New York u. a. der »Neuen Volkszeitung« und des »New Leader«.
3] *Friedrich Stampfer* (1874–1957): Sozialdemokratischer Journalist; Chefredakteur des »Vorwärts« bis 1933. Dann Emigration, erst nach Prag, wo er den »Neuen Vorwärts« als Wochenzeitschrift

herausgab; 1939 in die USA. In New York leitete er die »Neue Volkszeitung«. Rückkehr nach Deutschland 1948. Schrieb seine Memoiren, »Erfahrungen und Erkenntnisse« (1957).

April

1] *Büttenpapier:* Der »Aufbau«, New York, hatte Bögen aus Büttenpapier an die Freunde des Jubilars gesandt und sammelte handschriftliche Beiträge, um sie ihm in einer Mappe zum Geschenk zu machen.

19. IV.

Fritz Lissauer (geb. 1891): Kaufmann. Mitschüler – nicht Klassenkamerad – von T. M. im Lübecker »Katharineum«. Emigration nach Dänemark 1936. Dort noch heute kaufmännisch tätig.

28. IV.

1] *Plauderei:* »Thomas Mann« (»Book-of-the-Month Club News«, Juni 1944).

2] *»Königliche Hoheit«:* Roman (1909).

29. IV.

Ernst Reuter (1889–1953): Politiker, Sozialdemokrat. 1931 Oberbürgermeister von Magdeburg. Emigrierte 1933 in die Türkei; 1939–45 Professor für Kommunalwissenschaft in Ankara. 1947 Oberbürgermeister von Berlin, von 1951 bis zu seinem Tode Regierender Bürgermeister von West-Berlin.

29. V.

1] *Clifton Fadiman* (geb. 1904): Amerikanischer Literaturkritiker, Redakteur, Schriftsteller, Publizist. In leitender Stellung am »New Yorker« (1933–1943); Conférencier der beliebten Radioserie »Information Please« (1938–48). Einer der Preisrichter des »Book-of-the-Month Club«. Jetzt auch auf dem Fernsehschirm populär. Autor u. a.: »I Believe« (1939); »Party of One« (1955); »The Lifetime Reading Plan« (1959). Herausgeber: »The World's Best«; enthält ein Kapitel aus »Buddenbrooks« (Hanno).

2] *Aufforderung:* Fadiman hatte T. M. aufgefordert, gegen die eben erfolgte Gründung des »Council for a Democratic Germany« öffentlich zu protestieren.

3] *Writers' War Board:* Freie Schriftsteller-Vereinigung, bestrebt, der Sache Amerikas während des Krieges zu dienen.
4] *Broadcast nach Deutschland:* Radiosendung vom 1. Mai 1944, veröffentlicht unter dem Titel »Plain Words to the German People« (»The Rotarian«, Chicago, Okt. 1944).

30. v.
Tiergeschichten: »Arche ohne Noah«, Tierroman; bisher unveröffentlicht.

3. vi.
Artikel: »Mann's Final Joseph Novel« (»New York Times Book Review«, 25. vi. 44).

7. vi.
1] *Vergil:* »Der Tod des Vergil«, lyrische Erzählung (Pantheon, New York, deutsche und englische Ausgabe, 1945).
2] *René A. Spitz* (geb. 1887): Österreichischer Arzt, – Spezialist für Psychiatrie und Psychoanalyse. Emigration 1932, in die USA 1938. Dort Lehraufträge u. a.: Psychoanalytisches Institut der Fakultät New York (1940–63); Professor an der Universität Colorado (1956–63). Professor Emeritus; lebt in Genf.
3] *alte Dame:* Mutter von Erich von Kahler.
4] *Herbert Steiner* (geb. 1892): Schriftsteller. Mit Martin Bodmer 1930–42 Redakteur der »Corona« (Zürich-München); Herausgeber der fünfzehnbändigen Gesamtausgabe Hofmannsthals (S. Fischer, 1945–59). Autor u. a.: »Begegnungen mit Dichtern« (1957; erweiterte Ausgabe 1963).
5] *Karl Wolfskehl* (1869–1948): Schriftsteller, – Lyriker, Übersetzer. Zunächst dem George-Kreis angehörig, schloß er sich später dem »Kosmiker-Kreis« um Alfred Schuler und Ludwig Klages an. Emigration 1934 nach Italien, 1938 nach Neuseeland, wo er 1948 (nicht 1944, wie im Brief erwähnt) gestorben ist. Unter seinen Werken: »Der Umkreis« (1927); »Die Stimme spricht« (1934); »An die Deutschen« (Zürich 1947); »Sang aus dem Exil«, Gedichte (1950); »Zehn Jahre Exil. Briefe aus Neuseeland. 1938–48« (1959).

25. vi.
1] *Pree:* Emil Preetorius s. Anmerkung 1 zu 23. x. 45.

2] *Pate Drosselmeyer:* Ernst Bertram, Pate von Elisabeth Mann, wurde im Hause T. M. gelegentlich so genannt, – nach einer Figur aus E. T. A. Hoffmanns »Nußknacker und Mausekönig«.

27. VI.
Joseph Kaskell (geb. 1892): Jurist. Anwalt am Kammergericht Berlin. 1938 Emigration in die USA. Während des Krieges Vertreter der von Udo Rusker und Albert Theile in Chile gegründeten »Deutschen Blätter« in den Vereinigten Staaten. Seit 1945 Anwalt an amerikanischen Gerichten. – Herausgeber und Übersetzer von: Reinhold Niebuhr »Kinder des Lichts und der Finsternis«.

6. VII.
1] *erste Novelle:* »Gefallen« (Oktober 1894).
2] *Henri M. Peyre* (geb. 1901): Aus Frankreich stammender amerikanischer Professor für französische Literatur. Seit 1938 an der Universität Yale. Unter seinen zahlreichen Publikationen: »The Contemporary French Novel«. – Peyre's Angriff (Juli 1944) bezog sich auf T. M.'s Artikel »What ist German?« in »Atlantic Monthly« (Mai 1944). T. M.'s Erwiderung »In My Defense« erschien ebendort (Oktober 1944) und wurde von Prof. Peyre wiederum beantwortet (Dezember 1944).

17. VII.
1] *Besprechung des »Provider«:* »The One and the Many: Joseph the Provider« von William Phillips (»The Nation«, Juli 1944).
2] *Gustave Arlt* (geb. 1895): Amerikanischer Germanist; seit 1935 an der University of California, Los Angeles. Übersetzer u. a. von Franz Werfels Bühnenstück »Jakobowski und der Oberst« (1944) und von Werfels Roman »Der Stern der Ungeborenen« (1946).
3] *Edward A. Weeks* (geb. 1898): Herausgeber, Schriftsteller, Kritiker. Chefredakteur von »Atlantic Monthly«. Autor von »This Trade of Writing« (1935).

20. VII.
1] *Clara Zemplényi-Neumann:* Ungarische Schriftstellerin, – lebte damals im argentinischen Exil.
2] *Chaim Weizmann* (1874–1952): Jüdischer Gelehrter und führender Zionist. Erster Präsident des neuen Staates Israel (1948–1952).

3] *Beitrag:* »Enduring« People« in »Chaim Weizmann, Statesman, Scientist, Builder of the Jewish Commonwealth«, edited by Meyer W. Weisgal (New York, Dial Press 1944).

29. VII. A

1] *Seiten über die alten und neuen Tage:* Vermutlich aus dem Manuskript von »Ein Zeitalter wird besichtigt« (1946).
2] *Bernardinis:* Besitzer des Hauses, in dem die Brüder Heinrich und Thomas Mann den Sommer 1897 verbrachten, und wo T. M. die »Buddenbrooks« zu schreiben begann.
3] *»Die kleine Stadt«:* Roman von Heinrich Mann (1909).

29. VII. B

Eduard Beneš (1884–1948): Tschechischer Nationalökonom und Staatsmann. Seit 1915 Helfer von Thomas Masaryk im Pariser Exil und Generalsekretär des tschechischen Nationalrates. 1918–1935 Außenminister, dann Staatspräsident bis zu seinem Rücktritt 1938. Emigration in die USA. 1939 Professor in Chicago. Seit 1940 Präsident der tschechischen Exilregierung in London. Nach seiner Heimkehr (Mai 1945) neuerdings Staatspräsident. Seit Februar 1948 durch die Kommunisten praktisch entmachtet, legte er im Mai des Jahres sein Amt nieder und starb. Hauptwerke: »Der Aufstand der Nation« (1928); »Demokratie heute und morgen« (franz. 1944); »Erinnerungen« (1947).

5. VIII.

1] *Benedetto Croce* (1866–1952): Italienischer Philosoph, Historiker und Politiker. 1920–21 und 1944 Kultusminister. 1943–47 Führer der Liberalen Partei. Dezidierter Antifaschist. Lebte unter Mussolini im eigenen Lande wie im Exil, freilich gefährdeter; hatte jedoch viele leidenschaftliche Anhänger. Unter seinen Werken: »Gesammelte Philosophische Schriften«, herausgegeben von Hans Feist (7 Bde. 1927–30); »Geschichte Italiens von 1871–1915« (1928); »Die Geschichte als Gedanke und Tat« (1949).
2] *Campbells Buch:* »A Skeleton Key to Finnegan's Wake« von Joseph Campbell mit H. M. Robinson (New York 1944).
3] *James Joyce* (1882–1941): Englischer Schriftsteller irischer Abkunft. Als Jesuit erzogen, sagte der Zwanzigjährige sich von der Kirche los, lebte u. a. in Triest, Rom und Zürich, wo er starb.

Obwohl schon seine frühen Arbeiten auffielen (»Dubliners«, 1914 und »Portrait of the Artist as a Young Man«, Selbstporträt, 1917), mußte Joyce sich sein Brot als Sprachlehrer und Sekretär verdienen, – zuletzt halb erblindet. Hauptwerke: »Ulysses«, Roman (1914–21, erschienen 1922); »Finnegans Wake« (1922–39). In letzterem suchte Joyce sich eine neue Sprache zu schaffen (»Bewußtseins-Strom« in nicht-existenten Wörtern und Konstruktionen). Das Werk blieb Fragment.

4] *Kritik des »New Yorker«:* »Tonio Kröger in Egyptian Dress: Joseph the Provider« von Hamilton Basso (22. Juli 1944).

5] *Titel:* »In My Defense«.

6] *Generals-Purge:* Nach dem mißglückten Attentat des Obersten Graf Stauffenberg auf Adolf Hitler am 20. Juli 1944 wurde eine große Anzahl hoher und höchster Offiziere hingerichtet. Andere begingen Selbstmord.

7] *»New Leader«:* Sozialdemokratische Halbmonatsschrift, gegründet 1927.

13. VIII.

1] *William Earl Singer* (geb. 1910): Angesehener amerikanischer Maler, vor allem Porträtist. Werke vertreten u. a. auf der Weltausstellung in New York 1939, in der US-Botschaft in Paris und in der Library of Congress, Washington.

2] *César Franck* (1822–1890): Französischer Komponist.

3] *kleine Feier:* Enthüllung des T. M.-Porträts im Hause Singer.

16. VIII.

1] *Henri Temianka:* Amerikanischer Geiger, – international konzertierend. Seit 1952 Meisterklassen an der Musik-Akademie, Santa Barbara, Californien. 1956–60 u. a. Dirigent des »Temianka little Symphony«-Orchesters.

2] *Willem van den Burg:* Holländischer Cellist und Dirigent. Lange Zeit erster Cellist am Philadelphia Orchestra unter Stokowski, ging dann nach San Francisco, wo er auch dirigierte. Arbeitet jetzt in Hollywood beim Film.

3] *Lotte:* Bruno Walters ältere Tochter, jetzt verheiratet mit dem deutschen Schauspieler Karl Ludwig Lindt.

4] *ein Buch:* Bruno Walter arbeitete an seiner Autobiographie, »Thema und Variationen« (1947).

26. VII.
Julius Bab (1880–1955): Schriftsteller, – Dramaturg und Kritiker. Verfasser u. a. von »Chronik des deutschen Dramas« (5 Bde. 1922–26) und verschiedener Dichter- und Schauspieler-Biographien. Emigrierte 1933 und kehrte aus dem amerikanischen Exil nicht zurück. Schrieb seit T. M.'s Frühzeit häufig und verehrungsvoll über dessen Werk.

21. IX.
1] *die arme Frau:* Frau Bruno Walter hatte einen Gehirnschlag erlitten, blieb aber noch neun Monate am Leben.
2] *unsinnig-furchtbarer Schlag:* Gretel, die jüngere der beiden Walter-Töchter, war im August 1939 auf tragische Weise umgekommen.

1. X.
1] *Dr. Albersheim:* s. Anmerkung 1 zu 7. X. 44.
2] »Contemporary Music in the Light of the History of Musical Art«.
3] *Ernst Toch* (geb. 1887): Österreichischer Komponist. Verbindet traditionelle, romantische Elemente mit solchen der Neuen Musik, worin er zeitweise bis zur Atonalität geht. Emigration in die USA 1935; lebt in Santa Monica, Californien. Schrieb vier Symphonien, darunter die »Albert Schweitzer-Symphonie«, mehrere Opern, u. a. »Die Prinzessin auf der Erbse«, Kammermusik, Chormusik.
4] *Camels:* Zigaretten waren, wie vieles andere, gegen Ende des Krieges kaum erhältlich.
5] *Pattys:* Zigarrensorte.

7. X.
1] *Gerhard Albersheim* (geb. 1902): Musikwissenschaftler. Emigrierte 1939 aus Wien über die Schweiz nach Schottland; lebt seit 1940 in Los Angeles, wo er am Konservatorium und an der Music Faculty of UCLA lehrte; seit 1956 Professor der Musik am Los Angeles State College. Gelegentlich auch Begleiter u. a. von Lotte Lehmann, Ezio Pinza und Dietrich Fischer-Dieskau. Unter seinen Schriften: »Zur Psychologie der Ton- und Klangeigenschaften« (Straßburg 1939); »The Sense of Space in Tonal and Atonal Music« (1960).
2] *Vortrag:* s. Anmerkung 2 zu 1. X. 44.

3] *Alban Berg* (1885–1935): Österreichischer Komponist, Schüler von Arnold Schoenberg. Im Gegensatz zu diesem behielt Berg selbst als »Neutöner« gewisse romantische und impressionistische Elemente bei. Unter seinen Hauptwerken: »Wozzeck«, Oper (1925); Violinkonzert (1935); »Lulu«, Oper (posthum uraufgeführt, Zürich 1937).
4] *Ernst Křenek* (geb. 1900): Österreichischer Komponist. 1937 vorsorgliche Emigration in die USA. Ursprünglich Expressionist, dann kurze Zeit folkloristisch-tonal bestimmt, wandte er sich schließlich bedingungslos der Zwölftontechnik zu. Seine Jazzoper »Jonny spielt auf« (1927) basiert auf eigenem Libretto und machte ihn berühmt – und berüchtigt. Unter seinen Schriften: »Über die Neue Musik« (1937); »Music Here and Now« (New York 1939); »Selbstdarstellung« (Zürich 1948).

7. x.
Ernst Lubitsch (1892–1947): Regisseur für Filmlustspiele und Operettenfilme, ursprünglich Deutscher, seit 1923 in Hollywood; später amerikanischer Bürger. Unter seinen Erfolgsfilmen: »The Student Prince« (»Alt Heidelberg«, 1927), »Trouble in Paradise« (1932); »The Merry Widow« (»Die lustige Witwe«, 1934); »Heaven Can Wait« (1943).

8. x.
1] *Marianne Liddell* (geb. 1913): Geigerin. War Mitglied des Adolf Busch-Kammerorchesters; musiziert und lehrt noch heute in den USA, wohin sie emigrierte.
2] *deutsche Ausgabe:* »Joseph der Ernährer«.

11. x.
1] *Buch:* »Time Must Have a Stop« (1944). T. M. sagt hiezu in der »Entstehung«: »Aldous Huxleys *Time Must Have a Stop* machte mir außerordentliches Vergnügen – eine kecke Spitzenleistung des heutigen Romans ohne Zweifel.«
2] »*Beim Propheten*«: Erzählung (1904).

15. x.
1] *Max Osborn* (1870–1946): Journalist, Kunsthistoriker. Vor 1933 Feuilletonredakteur der »Vossischen Zeitung«, Berlin; emigrierte

1938 nach Frankreich, dann in die USA. Unter seinen Werken: »Die deutsche Kunst im 19. Jahrhundert« (1901); »Moderne Plastik« (1905); Monographien Joshua Reynolds, Max Pechstein u. a. Unser Brief diente seinen Memoiren, »Der bunte Spiegel« (New York, 1945), als Vorwort.

2] *Auguste Renoir* (1841–1919): Französischer Maler.

3] *Camille Pissarro* (1830–1903): Französischer Maler und Graphiker.

4] *Aristide Maillol* (1861–1944): Französischer Bildhauer und Maler.

5] *Josef Israels* (1824–1911): Holländischer Maler.

6] *Max Slevogt* (1868–1932): Maler und Graphiker.

7] *Max Klinger* (1857–1920): Maler, Radierer und Bildhauer.

8] *Josef Kainz* (1858–1910): Österreichischer Schauspieler. Unvergessen als jugendlicher Held wie als Charakterdarsteller; besonders berühmt: sein »Hamlet«.

9] *Rudolf Rittner* (1869–1943): Schauspieler; führte viele Stücke von Gerhart Hauptmann zum Erfolg.

10] *Adolph von Menzel* (1815–1905): Maler und Graphiker; generationsmäßig der realistischen Schule zugehörig, antizipierte sein gelockerter Stil den Impressionismus.

11] *Herman Grimm* (1828–1901): Kunst- und Literarhistoriker. Sohn von Wilhelm Grimm. Seit 1893 Professor in Berlin. Bekannt sind seine Bücher über Goethe und Michelangelo und seine Essays.

12] *Erich Schmidt* (1853–1913): Literarhistoriker. Als Schüler Wilhelm Scherers untersuchte er mit dessen historisch-philologischer Methode Gestalten der Klassikerzeit; war eine Zeitlang Direktor des Goethe-Archivs in Weimar, ab 1887 Professor in Berlin. Er entdeckte den »Urfaust« in der Abschrift einer Weimarer Hofdame.

13] *Wilhelm Dilthey* (1833–1911): Philosoph; Gründer der sogenannten Lebens- oder Erlebnis-Philosophie; wirkte als Hochschulprofessor an verschiedenen deutschen Universitäten, zuletzt, seit 1882, in Berlin.

14] *Eduard Zeller* (1814–1908): Philosoph, Theologe. Als Angehöriger des »Tübinger Kreises« (protestantische Schule der Bibelkritik) gründete er die »Theologischen Jahrbücher«. Schrieb eine Geschichte der griechischen Philosophie.

15] *Griff nach dem Revolver:* »Wenn ich Kultur höre, entsichere ich meinen Browning«. Aus dem Drama »Schlageter« von Hanns Johst (1933).

20. X.
1] *Heinrich Himmler* (1900–1945): »Reichsführer SS«. Wollte Hitlers Nachfolger werden, verhandelte daher gegen Kriegsende mit Bernadotte und wurde als Verräter seiner Ämter enthoben. Selbstmord nach Gefangennahme durch die Engländer.
2] *Elsa Bruckmann (die Cantacuzéne):* Gattin des Münchner Verlegers Hugo Bruckmann, geb. Prinzessin Cantacuzéne.
3] *Artikel:* »Thomas Mann's Joseph und seine Brüder« (September-Oktober 1945).

26. X.
1] *Archibald MacLeish* (geb. 1892): Amerikanischer Lyriker, Schriftsteller und Staatsbeamter. 1939–1945 Leiter der Library of Congress (»The Librarian of Congress«), wurde dann als »Director of the Office of Facts and Figures« ins State Department berufen. Unter seinen Werken: »Conquiscator« (1932); »Panic« (1935); »Air-Raid« (1938); »America was Promises«, Hörspiel (1939); »A Time to Speak«, Ausgewählte Prosaschriften (1941).
2] *dedication:* Die Library nahm die Schenkung an.

6. XI.
gut geht: Am 7. November 1944 wurde Roosevelt ein viertes Mal zum Präsidenten gewählt.

26. XI.
Neue Rundschau: S. Fischer bereitete zu T. M.'s 70. Geburtstag eine Sondernummer der »Neuen Rundschau« vor. Der Beitrag von Agnes E. Meyer: »Thomas Mann in Amerika«.

3. XII.
1] *alte Cousinen:* Käthe Rosenberg, die bekannte Übersetzerin, und deren Schwester, Ilse Dernburg. Die beiden waren gemeinsam nach London emigriert.
2] *appetitlicher Laden:* Ida Herz arbeitete damals in einer Buchhandlung.

12. XII.
England ... in Griechenland: Nach dem Abzug der Deutschen aus Griechenland im Oktober 1944 landeten die Briten dort, um

die Übernahme der Regierung durch die mit Abstand führende Widerstandsgruppe »Nationale Befreiungsarmee« (EAM) zu verhindern. Unter britischem Druck kam es zu einer Koalition der EAM mit der royalistischen »Nationalen Front« (EDES). Am 1. Dezember endete die Koalition, Bürgerkrieg brach aus und zusätzliche britische Truppen kamen der schwachen EDES zu Hilfe: blutige Kämpfe zwischen den Briten und der ihnen noch kürzlich eng verbündeten »Befreiungsarmee«, die als kommunistisch durchsetzt galt und besiegt wurde.

26. XII.
1] *Lexikon:* E. C. Brewer's »Dictionary of Phrase and Fable, giving the derivations, source and origin of common phrases, allusions and words that have a tale to tell.« (London, Neudruck der Ausgabe von 1876.)
2] *Schlamassl:* Rundstedt-Offensive.

1945

7. I.
Robert D. Murphy (geb. 1894): Amerikanischer Staatsbeamter und Diplomat. 1942 Sonderberater des Präsidenten Roosevelt für die Vorbereitung der alliierten Landungen in Nord-Afrika; ebendort persönlicher Vertreter des Präsidenten mit dem Rang eines Gesandten. Politischer Ratgeber für Deutschland 1944; Direktor des Amtes für deutsche und österreichische Angelegenheiten 1949. Bis 1959 im Staatsdienst, dann Industrieller, Bankier, Financier. Starke Bindung an die katholische Kirche.

19. I.
1] *Hugo Winckler* (1863–1913): Assyriologe, Professor in Berlin; veröffentlichte Arbeiten über die Keilschrifttexte Sargons und die Gesetze des Königs Hamurabi von Babylon.
2] *Walter F. Otto* (1874–1958): Klassischer Philologe, Verfasser grundlegender Werke über die griechische Mythologie: »Die Götter Griechenlands« (1929); »Dionysos, Mythos und Kultus« (1933); »Gesetz, Urbild und Mythos« (1951).
3] *Werner Hegemann* (1881–1936): Architekt, Historiker. Emigration 1933 über die Schweiz nach New York. Unter seinen Wer-

ken: »Fridericus oder das Königsopfer« (1925, mit ausführlichen Zitaten aus T. M.'s Essay »Friedrich und die große Koalition«); »Entlarvte Geschichte« (1933 vernichtet, Neufassung, Prag 1934); »City Planning, Housing« (3 Bde., New York 1936–38).
4] *Georg Brandes* (1842–1927): Dänischer Literarhistoriker; Wegbereiter des Naturalismus. Werke u. a.: »Hauptströmungen in der europäischen Literatur des 19. Jahrhunderts« (6 Bde. 1872–90), sowie zahlreiche Schriftsteller-Monographien. Deutsche Gesamtausgabe (20 Bde. 1902–07).
5] *»Hand über Kinn und Bart«-Haltung:* Aus der Moses-Erzählung »Das Gesetz«.

23. I.
1] *Einleitung:* Zu Lessers Buch »Thomas Mann in der Epoche seiner Vollendung«.
2] *»Deutschland und die Deutschen«:* Rede, gehalten am 29. Mai 1945 in der Library of Congress und im Hunter College, New York, am 8. Juni 1945.

15. II.
1] *»The End«:* Erschien in »Free World« (Märzheft 1945), außerdem in »Reader's Digest« (Maiheft 1945). In einer Rückübersetzung wurde der Aufsatz in Europa bekannt (»Die Tat«, Zürich, 30. VI. 45). Der deutsche Originaltext erschien erst 1960 (Ges. W. XII).
2] *Schalom Asch* (1880–1957): Polnisch-jiddischer Schriftsteller; lebte zeitweise in Deutschland und England, dann in den USA. Ging 1955 nach Israel; starb in London. Zunächst bekannt geworden durch seine realistischen Milieuschilderungen des jüdischen Kleinbürgertums in seiner Heimat. Schrieb eine Reihe von Romanen, auch solche jüdisch-historischer Natur, sowie sozialkritische Dramen. Schließlich näherte er sich überraschend dem Christentum. Letzte Romane: »Der Nazarener« (engl. 1939, deutsch 1950); »Der Apostel« (engl. 1943, deutsch 1946).
3] *»Stars and Stripes«:* Amerikanische Soldaten-Zeitung.

22. II.
1] *»Die Einheit des Menschengeistes«*: T. M.-Besprechung von Alfred Jeremias' »Handbuch der altorientalischen Geisteskultur« (»Vossische Zeitung«, 17. II. 32). Der Aufsatz erschien in Amerika nicht.

2] *Ludwig Klages* (1872–1956): Philosoph und Graphologe. Deutete den Geist als lebenshemmende Macht und bekämpfte die »Bewußtseinsakte« des rationalen Verstandes, wodurch er dem geistfeindlichen Irrationalismus des Nazitums Vorschub leistete. Unter seinen Werken: »Vom kosmogenischen Eros« (1922); »Der Geist als Widersacher der Seele« (3 Bde. 1929); »Rhythmen und Runen«, Jugenddichtungen (1944). Das Klages-Seminar für Ausdruckskunde befand sich seit 1919 in Kilchberg am Zürichsee.
3] *Carl Gustav Jung* (1875–1961): Schweizer Psychologe und Psychiater. Von Freuds Psychoanalyse ausgehend, schuf er eine neue Typenlehre, die als »Tiefenpsychologie« bekannt wurde. Unter seinen zahlreichen Werken: »Psychologische Typen« (1920); »Die Beziehungen zwischen dem Ich und dem Unbewußten« (1928); »Psychologie und Religion« (1939); »Die Symbolik des Geistes« (1948); »Von den Wurzeln des Bewußtseins« (1953). Jung übte starken Einfluß auf Hermann Hesse aus, während T. M. in Freud das auf diesem Gebiet bahnbrechende Genie sah.

I. III.
Die Mahlerin: Frau Alma Mahler-Werfel (s. Anmerkung 1 zu Brief von Anfang März).

7. III.
1] *»Leiden an Deutschland«:* Privatdruck der Pazifischen Presse (Los Angeles 1946), besorgt von Ernst Gottlieb und Felix Guggenheim; einmalige Auflage in 500 Exemplaren (Ges. W. XII).
2] *Orchester:* Michael Mann spielte zeitweise unter Pierre Monteux im »San Francisco Symphony Orchestra«.

21. III.
1] *großartiger Artikel:* »Europe Wants Freedom from Shame. A Realistic Warning: America is Forsaking its Idealism.« (»Life«, New York, 12. III. 45.)
2] *Robert Nathan* (geb. 1894): Beliebter amerikanischer Romancier und Dramatiker. Unter seinen Werken: »The Bishop's Wife« (1928); »Winter in April« (1938); »Portrait of Jennie« (1940); Bühnenstücke: »A Family Piece« (1947); »Susan and the Stranger« (1954); »The Wilderness Store« (1961).
3] *Maxwell Anderson* (1888–1959): Amerikanischer Dramatiker.

Unter seinen Bühnenstücken: »What Price Glory?« (1924, mit Laurence Stallings); »Winter Set« (1935); »Both Your Houses« (1933); »Journey to Jerusalem« (1940).

28. III.
Liesl Frank (geb. 1903): Tochter von Fritzi Massary, damals Frau von Bruno Frank. Mit diesem emigrierte sie 1933 über London in die USA. Schon in England charitativ sehr tätig (»Thomas Mann-Fonds«) und in Hollywood Mitgründerin und aktivste Kraft des »European Film-Fund«, der zahlreiche Exilierte laufend unterstützte.

1. IV.
Artikel: »The Psychology of Tonal Space, I«.

2. IV.
Berthold Viertel (1885–1953): Österreichischer Schriftsteller, – Lyriker, Mitarbeiter an Karl Kraus' »Fackel«, Bühnenregisseur. Vorsorgliche Emigration 1931 nach London, 1939 nach den USA; kehrte 1946 nach London und 1948 nach Wien zurück. Inszenierte u. a. für Bertolt Brechts »Berliner Ensemble«. Unter seinen Werken: »Die Bahn«, Lyrik (1921); »Das Gnadenbrot«, Roman (1927); »Fürchte Dich nicht«, Lyrik (1941), enthält das Gedicht »In der Hölle«; »Der Lebenslauf« (1946).

19. IV.
1] *Anton Wolfgang Heinitz* (geb. 1885): Jurist, – Notar und Anwalt. Emigration nach London 1938. Seine schriftstellerischen Hervorbringungen, Autobiographisch-Zeitgeschichtliches in Romanform, besonders über Wagner und das neue Bayreuth, blieben – wiewohl verschiedentlich von T. M. empfohlen – unveröffentlicht. Sein älterer, nach T. M. benannter Sohn Thomas ist Radio- und Grammophon-Ingenieur; schreibt für »Records und Recording« technische Artikel und Platten-Besprechungen.
3] *»Germanic Review«:* »Thomas Mann's Use of Musical Structure and Technique in Tonio Kröger« von Harold A. Basilius (Dez. 1944).

20. IV.
Paul Friedländer (geb. 1882): Professor für Altphilologie in Berlin,

Marburg, Halle. Emigration 1939 in die USA. Professor an der Johns Hopkins University, Baltimore 1939; 1940 an der University of California, Los Angeles, bis zu seiner Emeritierung 1949. Unter seinen Werken: »Platon« I/II (1928/30); »Rhythmen und Landschaften im Zweiten Teil des Faust« (1953).
2] *Dokumente:* »Documents of Dying Paganism: Textiles of Late Antiquity« (1945).
3] *schöne Nutzlosigkeit:* T. M., der die Josephs-Tetralogie längst abgeschlossen hatte, konnte nunmehr aus den »Documents« keinen praktischen Nutzen mehr ziehen.

24. IV.
Nachruf: »Franklin Roosevelt« (1945, in »Altes und Neues« 1953).

24. IV.
Walther Franke-Ruta (1890–1958): Journalist, Schriftsteller, Verfasser zahlreicher Hörspiele. Verließ Deutschland 1923, zog nach Italien, wurde dort 1943 wegen Bergung englischer Kriegsgefangener von den Deutschen verhaftet. Flucht in die Schweiz, wo er ab 1944 als Dramatiker am Studio Basel (Beromünster) tätig war. Unter seinen Werken: »Besondere Kennzeichen – keine«, Roman (1933); »An allen vier Zipfeln«, Roman (1935). Hörspiele: »Der innere Richter«; »Königliche Hoheit« nach T. M.; »Menschliche Komödie« nach Saroyan.

1. V.
1] *deutscher Charakter in der Geschichte:* Anspielung auf Kahlers Buch »Der deutsche Charakter in der Geschichte Europas« (1937).
2] *Bronislav Hubermann* (1882–1947): Weltweit gefeierter Geiger.
3] *Karl Dönitz* (geb. 1891): Großadmiral unter Hitler; bildete nach dessen Ableben eine neue Reichsregierung. Hielt die im Brief erwähnte Rede als Rundfunkansprache am 1. Mai 1945.
4] *P. M.:* Verbreitete New Yorker Nachmittagszeitung.

9. VI.
großartiger Aufsatz: »Mein Bruder« (Juni 1945).

11. VI.
1] *Beitrag:* »Thomas Mann liest vor« von Alfred Neumann (Juni 1945).

2] *Therese Giehse:* Schauspielerin, dem Hause T. M. eng befreundet. Emigrierte 1933, war führende Kraft und Regisseuse in Erika Manns Cabaret »Die Pfeffermühle«. Wirkte 1938–1945 am Zürcher Schauspielhaus, spielte dann überdies an anderen bedeutenden Bühnen, sowie im Film und Fernsehen. Ist heute im ganzen deutschen Sprachgebiet berühmt. Brecht-Spezialistin.
3] *Nation-Dinner:* Zu Ehren von T. M.'s 70. Geburtstag veranstaltete die »Nation« am 25. Juni 1945 im Waldorf-Astoria ein sogenanntes »Testimonial-Dinner«. Die von den Teilnehmern erlegten Gelder kamen der »Nation« zugute.
4] *Wunderhenne:* So nannte T. M. Frau Kitty Neumann, weil sie es verstand, »Wundereier« zu legen, d. h. während des Krieges sonst nicht erhältliche Dinge zu beschaffen.

21. VI.
1] *melodiöser Beitrag:* »Feierlich bewegt« (»Neue Rundschau«, Juni 1945).
2] *Herr Papale:* Bezeichnung von Elisabeths schwäbischer Kinderfrau für T. M. »Das Kindchen« nannte den Vater so und blieb bei der Benennung.
3] *Westwood:* University of California, Los Angeles.

8. VII.
Maxwell S. McKnight: Acting Director POW (Prisoners of War) Washington D. C.

12. VII.
1] *Victor Reißner:* Unbekannt.
2] *Clemens August Graf Galen* (1878–1946): Bischof von Münster, 1946 Kardinal. Demonstrierte mutig gegen die blutigsten Untaten des Hitlerregimes; bekämpfte in der Folge die Besatzungsmächte, weswegen T. M. ihn »unbelehrbar« nannte. Der fragliche Aufsatz (»Die Lager«, Ges. W. XII) wurde in Deutschland auch durch den Rundfunk verbreitet.

19. VII.
1] *Helen Lowe-Porter* (1877–1963): Übersetzerin und Schriftstellerin. Als eigentliche Lebensleistung ist ihre Übersetzung von T. M.'s sämtlichen Werken – bis und inclusive »Der Erwählte« (1951) – zu

betrachten. Soweit wie irgend möglich folgte sie den Intentionen ihres Autors. Von der Presse befragt, ob sie dabei besondere Probleme zu lösen habe, antwortete sie: »The Germans are too anxious to impress their German style on English. I want to get rid of the German because English is what I want it to be.« Dennoch entsprechen ihre Übersetzungen den deutschen Originalen in oft erstaunlichem Grade. Unter ihren eigenen Werken: »Abdication« (1948), ein amüsant-riskiertes Bühnenstück in Versen, das, dünn verschleiert, die Abdankung Edward VIII. (1936) behandelt.
2] *Einleitung:* »Dostoevsky – in Moderation«, Introduction to: The Short Novels of Dostoevsky (New York, Dial Press, 1945) – »Dostojewski – mit Maßen« (Ges. W. IX).

22. VII.
1] *Aufsatz über Joseph:* Erschien im September/Oktober-Heft 1945.
2] *Vortrag:* Fragmentarische Wiedergabe des in der Library of Congress am 17. November 1942 gehaltenen Vortrags »The Theme of the Joseph Novels« in »Deutsche Blätter«: »Joseph und seine Brüder« (Santiago de Chile, 3. Jg., H. 24, März/April 1945).

28. VII.
1] *Christiane Zimmer* (geb. 1903): Tochter von Hugo von Hofmannsthal. Emigrierte 1939 nach England, 1940 in die USA. Seit dem Tode ihres Gatten, Heinrich Zimmer, tätig in sozialer Fürsorge; zur Zeit an der School of Social Work der Universität Fordham.
2] *Ihr Sohn:* Andreas Zimmer (geb. 1930). Jetzt Rechtsanwalt in Washington.

25. VIII.
Paul Valéry (1871–1945): Französischer Lyriker und Essayist.

7. IX.
1] *Walter von Molo* (1880–1958): Schriftsteller, – Romancier. 1928–30 Präsident der preußischen Dichterakademie. Durch sein nationalistisch gestimmtes Pathos dem Naziregime genehm; paktierte zunächst mit diesem, zog sich dann auf sein Gut zurück, blieb aber Mitglied der Dichter-Akademie und fuhr ungestört zu schreiben fort. Unter seinen Werken: Ein Schiller-Roman (4 Teile,

1912–16); »Ein Volk wacht auf«, Roman-Trilogie (1918–22); »Geschichte einer Seele« (über Kleist, 1938); »Lebenserinnerungen« (1957).
2] *Ernst Krieck* (1882–1947): Professor an den Pädagogischen Akademien Frankfurt und Dortmund; 1933 Berufung an die Universität Frankfurt. Bestrebt, das Nazitum philosophisch zu unterbauen. Herausgeber der Zeitschrift »Volk im Werden«. Verfasser u. a. von »Nationalpolitische Erziehung« (1932); »Der völkische Gesamtstaat« (1931).
3] *»Doch schäm ich mich der Ruhestunden . . .«:* Zitat aus Goethes »Des Epimenides Erwachen« (II. Aufzug, 9. Auftritt).

22. IX.
1] *das . . . Geliehene:* An den »Echo«-Kapiteln des »Doktor Faustus« arbeitend, hatte T. M. sich von Walter unseren Brief vom 6. V. 43 geliehen, da der darin geschilderte Lieblingsenkel Frido – in idealisierter Form – dem kleinen »Echo« als Modell dienen sollte.
2] *galleys:* Druckfahnen.
3] *Frances Winwar* (geb. 1900): Amerikanische Erzählerin und Biographin italienischer Geburt; eigentlicher Name: Francesca Vinciguerra. Unter ihren Werken: »Her Poor Splendid Wings« (1933); »The Romantic Rebels«, Keats, Shelley und Byron (1935); »Oscar Wilde and the Yellow Nineties« (1940); »Jean-Jacques Rousseau: Conscience of an Era« (1961).

2. X.
1] *Werk:* Soziale Fürsorge, Vorträge und publizistische Tätigkeit, besonders in Erziehungsfragen.
2] *Briefwechsel:* »Romandichtung und Mythologie. Ein Briefwechsel mit Thomas Mann«, herausgegeben zum 70. Geburtstag des Dichters am 6. Juni 1945 von Karl Kerényi (Zürich, Rhein-Verlag, 1945).
3] *Béla Bartók* (1881–1945): Ungarischer Komponist. Sammelte ungarische Volksweisen, die sein Schaffen entscheidend beeinflußten; drang dennoch bis zur Atonalität vor. Lebte ab 1939 in den USA. Unter seinen Werken: »Herzog Blaubarts Burg«, Oper (1911); »Der holzgeschnitzte Prinz« (1916), »Der wunderbare Mandarin« (1918–19), Ballette; drei Klavierkonzerte, Kammermusik, Lieder.

4] *Alexander Roda Roda* (1872–1945): Österreichischer Schriftsteller, – Erzähler, Dramatiker, Humorist. Mitarbeiter am »Simplicissimus«. Emigrierte 1933 nach Österreich, 1938 in die USA. Unter seinen Werken: »Der Feldherrnhügel« (1910); »Roda Rodas Roman«, Autobiographie (1925); »Die rote Weste«, Anekdotensammlung (1945).

16. X.
1] *Oberlaender Foundation:* Die Geldmittel dieser Stiftung werden für Hospitäler, höhere Erziehung und die Förderung der schönen Künste verwendet.
2] *Christian Gauss* (1878–1951): Amerikanischer Schriftsteller, – Professor für Französisch; 1925–1945 Dekan der Universität Princeton. Unter seinen Werken: »The German Emperor« (1915); »Life in College« (1930); »A Primer of Tomorrow« (1934). Viele Übersetzungen, u. a. »Madame Bovary«.

22. X.
Redaktion des »Aufbau«: International verbreitete deutsch-jüdische Wochenschrift in New York; gegründet 1938. Herausgeber: Manfred George (S. Anmerkung 1 zu 11. III. 47).

23. X.
1] *Emil Preetorius* (geb. 1883): Präsident der Bayerischen Akademie der Schönen Künste in München; Bühnenbildner von internationalem Ruhm; Graphiker, Illustrator, Schriftsteller; großer Sammler ostasiatischer Kunst. Vor 1933 mit T. M. befreundet; nach Kriegsende neuerdings in herzlichem Kontakt mit ihm. (S. auch »Wagner und kein Ende«, Brief an Emil Preetorius in »Wagner und unsere Zeit«, 1963.)
2] *zugedachte Bücher:* »Das szenische Werk« (3. erweiterte Auflage, Berlin-Wien, 1944) und E. Hoelscher: »Emil Preetorius: Das Gesamtwerk. Buchkunst, angewandte Graphik, Schriftgestaltung, Bühnenkunst, literarisches Schaffen« (Berlin-Leipzig, 1943).
3] *Hans Reisiger* (geb. 1884): Erzähler, Lyriker, Übersetzer. Unter seinen Werken: »Walt Whitmans Werk und Leben« (1922); »Ein Kind befreit die Königin« (1939); »Aeschylos bei Salamis«, Erzählung (1952). Übersetzer insbesonders von Walt Whitman; überdies u. a. von St. Exupéry, Flaubert, Gandhi, Kipling, Meredith,

Strachey. Reisiger gehörte zu T. M.s nächsten Freunden. (S. auch »Hans Reisigers Whitman-Werk« in Ges. W. X und »Hans Reisiger zum siebzigsten Geburtstag« in »Nachlese« 1956.)
4] *Ernst Bertram* (1884–1957): Schriftsteller, – Professor für Literaturgeschichte, u. a. Verfasser von »Nietzsche« (1918). Persönliche Bekanntschaft mit T. M. erst nach etwa zweijähriger intensiver Korrespondenz. Stand diesem zeitweise geistig sehr nahe. (S. auch »Thomas Mann an Ernst Bertram«, Briefe aus den Jahren 1910–55, Neske Verlag, 1960.)

25. x.
1] *Manfred Hausmann* (geb. 1898): Erzähler, Lyriker, Dramatiker. Unter seinen Werken: »Kleine Liebe zu Amerika« (1931); »Abel mit der Mundharmonika« (1932); »Alte Musik«, Gedichte (1941). Unter dem Einfluß Karl Barths wendet er sich nach dem Zweiten Weltkrieg einer Art von christlichem Existentialismus zu und schreibt u. a.: »Das Worpsweder Hirtenspiel« (1946); »Liebende leben von der Vergebung« (1953).
2] *Friedrich Smetana* (1824–1894, Landesirrenanstalt Prag): Böhmischer Komponist und Dirigent. Seit 1874 durch völlige Ertaubung an jeder reproduzierenden Tätigkeit gehindert, widmete er sich ganz seiner Produktion. Gilt als Schöpfer der national-böhmischen Kunstmusik. Unter seinen Werken: »Die verkaufte Braut«, Oper (1856); die symphonischen Dichtungen »Richard III.«, »Wallensteins Lager«, sowie der Zyklus »Mein Vaterland«, der das berühmte Tongedicht »Die Moldau« enthält.

27. x.
Anni Loewenstein (geb. 1901): Schriftstellerin, – Journalistin. Emigration 1933 nach Palästina/Israel. Unser Brief ist der Dank für ihre Besprechung der »Geschichten Jakobs« in der hebräischen Zeitung »Davar« (8. VI. 45).
2] *Johannes von Müller:* Schweizer Historiker; Verfasser der »Geschichte der schweizerischen Eidgenossenschaft« (5 Bde. 1786–1808). Der von Fritz Strich herausgegebene Band »Schweizerische Akademiereden« enthält Müllers »Abschiedsrede an eine Gesellschaft von Freunden zu Bern gehalten am Schluß von Vorlesungen über die Geschichte der alten Welt am 20. Januar 1786«.

19. XI.
1] *Rudolf W. Blunck:* Bruder von Hans Friedrich Blunck.
2] *Hans Friedrich Blunck*: s. Anmerkung 1 zu 22. VII. 46.
3] *Ernst Wiechert* (1887–1950): Schriftsteller, – Erzähler. 1938 einige Monate Konzentrationslager wegen oppositioneller Rundbriefe und Reden. Schreibverbot während des Krieges. Emigrierte 1948 in die Schweiz, wo er starb. Unter seinen oft schwermütigen, »das einfache Leben« besingenden Werken: »Der Knecht Gottes Andreas Nyland« (1926); »Wälder und Menschen« (1936); »Das einfache Leben« (1939); »Der Dichter und die Jugend«, Rede (geschrieben 1933, gedruckt 1936); »Rede an die deutsche Jugend« (1945); sämtliche Werke (10 Bde. 1956).

27. XI. A
Franz Waxman: Komponist, hauptsächlich von Filmmusik, aber auch für Klavier und Streichorchester; Dirigent. Emigration 1934 in die USA, lebt seither in Los Angeles.

27. XI. B
1] *Akademie-Reden:* Im Auftrag der Erziehungsdirektion des Kantons Bern gesammelt und herausgegeben von Fritz Strich (Bern, 1945).
2] *Heinrich Wölfflin* (1864–1945): Schweizer Kunsthistoriker, Nachfolger seines Lehrers Jacob Burckhardt in Basel. Unter seinen Werken: »Renaissance und Barock« (1888); »Kunstgeschichtliche Grundbegriffe« (1915); »Italien und das deutsche Formgefühl« (1931).
3] *Geburtstags-Aufsatz im »Bund«:* »Thomas Mann zu seinem 70. Geburtstag am 6. Juni 1945« (»Der kleine Bund«, Bern, 3. VI. 45).
4] *Samuel Singer* (1860–1948): Österreichischer Germanist, seit 1896 Professor an der Universität Bern. Unter seinen Hauptwerken: »Deutsches Mittelalter und Renaissance« (1910); »Literaturgeschichte der deutschen Schweiz im Mittelalter« 1916); »Die religiöse Lyrik des Mittelalters« (1933); »Thesaurus der Europäischen Sprichwörter« (unvollendetes Manuskript, Stadtbibliothek Bern).
5] *gelehrtes Buch:* »Sprichwörter des Mittelalters« (3 Bde. 1944–47).
6] *Hanns Eisler* (geb. 1898): Komponist, Schüler von Arnold Schoenberg. Emigration 1933 über Rußland nach Hollywood. Dort hauptsächlich am Film beschäftigt. Seit 1949 in der DDR. Verfasser eines Buches über Filmmusik.

1. XII.
Wigand Kenter: Unbekannt.

3. XII.
1] *Sendung:* »Neue Schweizer Rundschau« mit Kerényis Aufsatz »Die ungarische Wendung«; die Broschüre »Bachofen und die Zukunft des Humanismus mit einem Intermezzo über Nietzsche und Ariadne« (Zürich 1945); »Die Töchter der Sonne. Betrachtungen über griechische Gottheiten« (Zürich 1944); »Hermes der Seelenführer« (Zürich 1944).
2] *»Pariser Rechenschaft«:* 1926; T. M.'s Bericht über seine erste Frankreichreise nach dem Kriege (Ges. W. XI).

14. XII.
1] *Aufsatz von Lukács:* s. Anmerkung 7 zu 21. 1. 44.
2] *Smith und Rankins und Reynolds:* Drei ultra-reaktionäre, fremdenfeindliche, Roosevelt-gegnerische Mitglieder des amerikanischen Kongresses.
3] *Bronchialkatarrh:* Damals hatte die schwere Lungenerkrankung begonnen, derentwegen T. M. im April 1946 so erfolgreich operiert wurde, daß er völlig von ihr genas.
4] *Hans Rosenhaupt* (geb. 1911): Schriftsteller. Emigrierte 1933 über Frankreich und die Schweiz nach den USA (1935); lebt heute in Princeton. Autor u. a. von: »Der deutsche Dichter um die Jahrhundertwende und seine Abgelöstheit von der Gesellschaft« (1939); »How to Wage Peace« (1949).

15. XII.
1] *Viktor Mann* (1890–1949): T. M.'s jüngster Bruder; landwirtschaftlicher Bankberater, Verfasser von »Wir waren fünf, Bildnis der Familie Mann« (Südverlag Konstanz, 1949), posthum erschienen.
2] *Valentin Heins:* Der Anwalt, der in den ersten Jahren des Naziregimes T. M.'s innerdeutsche Interessen zu wahren suchte.
3] *Justizrat Veit:* Adolf Veit (1873–1947): Im Vorstand der Bayerischen Anwaltskammer.
4] *zuverlässiger Bekannter:* T. M.'s Bote war im Besitz eines ausländischen Diplomatenpasses.
5] *Nelly:* Frau von Viktor Mann, geb. Kilian.

30. XII.
Theodor W. Adorno (geb. 1903): Philosoph, Soziolog und Komponist. 1931–1933 Dozent in Frankfurt am Main. Emigration 1934 zunächst nach England, später in die USA. Seit 1950 Professor in Frankfurt. Unter seinen Werken: »Kierkegaard« (1933); »Dialektik der Aufklärung« mit Max Horkheimer (1947); »Philosophie der Neuen Musik« (1949); »minima moralia« (1951); »Drei Studien zu Hegel« (1963).

1946

5. I.
1] *Lotte Eichmann* (geb. 1914): Bildhauerin. Emigrierte 1933 mit ihrem Gatten, dem Musiker Arnold Heinz Eichmann, in die Schweiz.
2] *Adolf Keller* (1872–1963): Schweizer Theologe, Schriftsteller, Publizist. Träger hoher kirchlicher Ämter, zuletzt Direktor des ökumenisch-theologischen Seminars in Zürich und Vizepräsident des »Reformierten Weltbundes«. Unter seinen Werken: »Auf der Schwelle« (1930); »Church and State on the European Continent« (1936); »Five Minutes to Twelve« (1938); »Wiederaufbau der Welt. Geistliche Voraussetzung« (1944).

8. I.
1] *Miss Canby:* Damals Sekretärin des »American Committee for Refugee Scholars, Writers and Artists«, New York.
2] *Zeitbild in Roman-Form:* Speyers mit Abstand bedeutendster Roman, »Das Glück der Andernachs«, erschien schließlich in Zürich (Micha-Verlag, 1947; Frankfurter Verlagsanstalt, 1951).

28. I.
Pierre Paul Sagave (geb. 1913): Professor für deutsche Literatur, Aix en Provence. Schrieb u. a.: »Réalité sociale et idéologie religieuse dans les romans de Thomas Mann« (1954).
2] *55 Radio-Ansprachen:* »Deutsche Hörer! Fünfundfünfzig Radiosendungen nach Deutschland.« (Stockholm 1945; Ges. W. XI.)

6. II.
1] *Redaktion »Freies Deutschland«:* Linksstehende, deutschsprachige

Monatsschrift, Mexico (1941–45); unter dem Titel »Neues Deutschland« fortgeführt (1945–46). Mitarbeiter u. a.: Lion Feuchtwanger, Egon Erwin Kisch, Heinrich Mann, Theodor Plivier.
2] *»Der Untertan«:* Roman von Heinrich Mann (1918).
3] *Johannes R. Becher* (1891–1958): Schriftsteller, – Lyriker und Dramatiker. 1933 Emigration erst nach Frankreich, dann nach Moskau. 1935–1945 Redakteur von »Internationale Literatur. Deutsche Blätter«. 1945 Heimkehr nach Deutschland. Präsident des »Kulturbundes zur demokratischen Erneuerung Deutschlands«. Von 1954 bis zu seinem Tode Minister für Kultur in der DDR.
4] *das Leben des preußischen Friedrich:* Szenische Darstellung, erschienen unter dem Titel »Die traurige Geschichte von Friedrich dem Großen« (»Sinn und Form«, H. 2 u. 3, 1958, Ost-Berlin). Ein Sonderdruck der Deutschen Akademie der Künste (300 Exemplare) gelangte nicht in den Buchhandel.
5] *»Empfang bei der Welt«:* Unveröffentlicht.
6] *ein neuer Roman:* »Der Atem« (Querido 1949).
7] *»Ein Zeitalter wird besichtigt«:* »Neuer Verlag«, Stockholm 1945.

19. III.
1] *Dolf Sternberger* (geb. 1907): Professor der Politischen Wissenschaft, Institutsdirektor an der Universität Heidelberg, Schriftsteller, Publizist. – »Verboten« 1934–43. 1945–49 Herausgeber der Monatsschrift »Die Wandlung« (mit Karl Jaspers, Alfred Weber, Marie-Luise von Kaschnitz); 1950–59 Mitherausgeber der Zeitschrift »Die Gegenwart«. Unter seinen Werken: »Panorama oder Ansichten des 19. Jahrhunderts« (1938); »13 politische Reden« (1946); »Lebende Verfassung, Studien über Koalition und Opposition« (1956); »Grund und Abgrund der Macht« (1962).
2] *Karl Jaspers* (geb. 1883): Philosoph, – zunächst Psychiater und Professor der Psychologie, Heidelberg (1916). Seit 1948 an der Universität Basel. Neben Heidegger ist Jaspers der Begründer der »Existenzphilosophie«. Hauptwerk: »Philosophie« (3 Bde. 1932, 1948). Autor von »Die Schuldfrage. Ein Beitrag zur deutschen Frage« (1946). – *Rede:* Zur Wiedereröffnung der Universität Heidelberg.
3] *Alfred Weber* (1868–1958): Volkswirtschaftler und Soziologe, Begründer der industriellen Standortslehre. Professor zunächst in Prag, ab 1907 in Heidelberg. Unter seinen Hauptwerken: »Über

den Standort der Industrien: Reine Theorie des Standorts« (1909); »Prinzipien der Geschichts- und Kultursoziologie« (1935); »Der Dritte oder der Vierte Mensch« (1953).
4] *Frank Thieß* (geb. 1890): Schriftsteller, – zunächst Journalist und Theaterkritiker; seit 1923 nur mit eigenen Arbeiten befaßt. Unter seinen Werken: »Die Verdammten« (1922); »Das Reich der Dämonen« (1941); »Caruso in Sorrent« (1946).
5] *Gustav Hartung* (1887–1946): Bühnenregisseur. Wirkte als Oberspielleiter oder Schauspieldirektor an verschiedenen Theatern, u. a. Köln und Darmstadt. Gründer der Heidelberger Festspiele (1926, mit R. K. Goldschmit). 1927–1933 Intendant des Berliner Renaissancetheaters; dann freiwillige Emigration über Zürich nach Basel, wo er das Städtische Schauspiel leitete.

21. III.
Manuskript: »Thomas Mann in der Epoche seiner Vollendung« (1952).

30. III.
1] *Walter G. Hesse* (geb. 1906): Germanist, Herausgeber, Schriftsteller. Emigrierte 1936 nach Kapstadt, Südafrika; lebte dort mit Frau und Söhnchen als Kinderphotograph, studierte gleichzeitig weiter, folgte 1951 einem Ruf der University of the Witwatersrand, Johannesburg. 1960 Übersiedlung nach Nord-Irland; seit 1961 Dozent an der Queen's University of Belfast. Veröffentlichungen u. a.: »Das Schicksal des Lalebuches in der deutschen Literatur« (d. i. des »Schildbürgerbuches«, 1930); »Wêreldletterkunde« (Cape Town 1958), davon Band 7: eine Sammlung von Kurzgeschichten der Weltliteratur, ins Afrikaans übersetzt, Einleitung und 39 Geschichten von Kleist bis Aichinger; »German, An Introduction to Grammar and Literature« (Johannesburg 1958).
2] *Studie über den »Zauberberg«:* »Das Bild der modernen Welt in Thomas Manns Zauberberg«.

3. IV. A
Luther Evans (geb. 1902): Librarian of Congress 1945–1953; Generalsekretär der UNESCO 1953–58. Lebt jetzt in Frankreich. Autor u. a.: »The Virgin Islands, from Naval Base to New Deal« (1945).

3. IV. B
1] *Heinz Politzer* (geb. 1910): Germanist, Lyriker, Herausgeber. Emigrierte 1938 nach Palästina, 1947 in die Vereinigten Staaten. Unterrichtete dort am Bryn Mawr College, Pennsylvania und am Oberlin College, Ohio, deutsche Sprache und Literatur, sowie vergleichende Literaturwissenschaft. Seit 1960 Professor in Berkeley, California. Veröffentlichungen u. a.: »Amerika erzählt« (1958); »Die gläserne Kathedrale«, Gedichte (1959); »Franz Kafka: Parable and Paradox« (1962); Übersetzung und Edition von Coleridges »Ancient Mariner« (1963).
2] *Ihr Buch:* »Der Sprung über den Schatten«; nur teilweise veröffentlicht.
3] *Glanzstück:* Die Charakteristik Heinrich Heines erschien in der »Neuen Rundschau« (Jg. 59, Januar 1948).

14. V.
Frederick Rosenthal (geb. 1902): Facharzt für Innere Krankheiten in Berlin 1932; praktizierte dort bis 1936, dann Emigration in die USA. Seit 1938 in Beverly Hills, California. Dr. Rosenthal diagnostizierte als erster T. M.'s Lungenerkrankung.

15. V.
William E. Adams (geb. 1902): Spezialist für Lungenchirurgie am Billings Hospital, Chicago; Adams rettete T. M.'s Leben.
2] *Aufsatz:* »Die Wirklichkeit der Utopie« (»Die Neue Rundschau«, H. 3, 1946).

9. VI.
1] *Artikel:* »Betrachtungen eines Unpolitischen« (»Neue Zeitung«, München, 19. 1. 46).
2] *Erich Kästner* (geb. 1899): Schriftsteller, – Lyriker, Journalist, Kabarettist. 1945–1948 Feuilletonredakteur der »Neuen Zeitung«, München. Schrieb sehr erfolgreiche, satirische Gebrauchslyrik u. a.: »Herz auf Taille« (1928), »Ein Mann gibt Auskunft« (1930). Autor vieler berühmter Kinder- und Jugendbücher, großenteils von ihm selbst dramatisiert, darunter »Emil und die Detektive«. Außer dem Roman »Drei Männer im Schnee« (»Berliner Illustrirte«) konnte Kästner in Hitler-Deutschland nichts publizieren. Seine – völlig unpolitischen – Arbeiten aus jener Zeit erschienen vornehmlich in der Schweiz.

3] *»Heemdicke«:* Als Ehrenpräsident des Internationalen PEN-Club Kongresses (Zürich, Juni 1947) setzte T. M. sich mit entscheidendem Nachdruck für die Zulassung einer deutschen PEN-Gruppe ein. Der von seinen Kollegen gewählte Präsident war vorsorglich in Zürich anwesend, und T. M. verbürgte sich für seine Integrität. Sein Name: Erich Kästner.

14. VI.
1] *Low'sche Cartoons:* David Low, der berühmte englische Zeichner, hatte einen Sammelband politischer Karikaturen herausgegeben.
2] *Churchills Aufsätze:* »Great Contemporaries« (London 1938, revised edition).

16. VI.
1] *Dein Buch:* »Secretary of Europe, The Life of Friedrich Gentz« (Yale University Press 1946). Deutsche Ausgabe: »Friedrich von Gentz, Geschichte eines europäischen Staatsmannes (Europa Verlag, Zürich, 1947).
2] *Louis P. Lochner* (geb. 1887): Journalist, Schriftsteller, Radio-Kommentator; 1919–46 Berliner Chef der »Associated Press«. Folgte dem deutschen Siegeszug durch ganz Europa bis nach Rußland. Autor u. a. von: »Herbert Hoover and Germany« (1960).
3] *Karl Vossler* (1872–1949): Romanist, Professor in Heidelberg, Würzburg und München. Auch als Übersetzer bedeutend. Unter seinen Werken: »Die göttliche Komödie« (2 Bde. 1907–10); »Frankreichs Kultur und Sprache« (1929); »Jean Racine« (1926). Übersetzungen u. a.: »Romanische Dichter« (1936); »Die Göttliche Komödie« (1942).

19. VI.
das Stottern: Die Figur des Wendell Kretzschmar in »Doktor Faustus« stottert und ist nach einem Modell gearbeitet.

20. VI. A
Georg Strauss (geb. 1896): Zeitschriftenverleger und Schriftsteller. Emigrierte 1937 nach Italien, 1939 nach Palästina; baute dort den größten Fachzeitschriftenverlag auf. Autor u. a. von: »Im Zeichen der Sistina – Florentinische Aufzeichnungen« (Zürich 1959).

20. VI. B
1] *»Ist's möglich, Prinz? . . .«:* Zitat aus »Don Carlos«, 1. Akt, 1. Szene; wörtlich: »Ist's möglich, gnäd'ger Prinz? . . .«
2] *Buch über Europa:* Die europäischen Zustände änderten sich damals so rapide, daß Erika Mann das halbfertige Manuskript als bereits überholt liegen ließ.

22. VII.
1] *Hans Friedrich Blunck* (1888–1961): Schriftsteller, – Balladendichter. Hauptvertreter der sogenannten »Blut- und Bodendichtung«. 1933–1935 Präsident der Reichsschrifttumskammer, lebte später auf seinem Gut.
2] *Rudolf G. Binding* (1867–1938): Zunächst Kavallerieoffizier, passionierter Reiter, dann Schriftsteller, – Erzähler, Lyriker. Unter seinen Werken: »Reitvorschrift für eine Geliebte« (1926); »Moselfahrt aus Liebeskummer« (1932); Gesammelte Werke (1937).

30. VII.
1] *unvergeßliche Geschichte:* »Der Eingriff« (»Maß und Wert«, 3. Jg., H. 1, Nov./Dez. 1939).
2] *diesmal nicht Sie:* Martin Gumpert hatte T. M. als Modell gedient für die Figur des Mai-Sachme in »Joseph der Ernährer«.

13. VIII.
1] *Gottfried Kölwel* (1889–1958): Schriftsteller, – Erzähler, Lyriker, Dramatiker. Unter seinen Werken: »Das Jahr der Kindheit« (1935); »Der Bayernspiegel« (2 Bde. 1941); »Münchner Elegien« (1946); »Das Himmelsgericht« (1951).
2] *Sendungen:* »Münchner Elegien«.
3] *lebensvolle Stadt:* München.

25. VIII.
1] *»Ewiges England«:* »Dichtung aus 7 Jahrhunderten von Chaucer bis Eliot.« Englisch und deutsch (Zürich 1945).
2] *Nebel*-Jahreszeit:* Feist, ein alter, naher Freund des Hauses T. M., wurde dort wegen seiner oft verträumt-undeutlichen Redeweise »Nebel« genannt.

27. VIII.
Sternbergers Aufsatz: »Thomas Mann und der Respekt« (»Die Wandlung«, Juni 1946).

8. IX.
Hedwig Fischer (1871–1952): Witwe von S. Fischer; eine Persönlichkeit, die auf Grund ihrer gewinnenden menschlichen Eigenschaften die Freundschaft T. M.'s besaß. – Für die Geburtstagsnummer der »Neuen Rundschau« (Juni 1945) schrieb sie: »Als ich Thomas Mann zum ersten Mal begegnete«.

14. IX.
1] *Hersey's Hiroshima-Reportage:* John Richard Hersey (geb. 1914): Amerikanischer Schriftsteller, Journalist, Redakteur, Kriegskorrespondent. Schrieb u. a.: »Hiroshima« (1946), über das Bombardement mit der ersten Atombombe am 6. August 1945.

15. IX. A
1] *Geburtstagsbrief:* Zu Bruno Walters 70. Geburtstag. Der Brief erschien auf englisch in »The Musical Quarterly« (New York, Okt. 1946); auf deutsch im »Aufbau« (New York, 13. IX. 46). Das deutsche Manuskript erhielt der Jubilar.
2] *Hans von Bülow* (1830–1894): Dirigent und Pianist, epochemachend als Interpret. Leitete die Uraufführung des »Tristan« (1865). In erster Ehe verheiratet mit Liszts Tochter Cosima, die ihn verließ. Seine zweite Gattin, Marie Schanzer, veröffentlichte posthum seine Briefe und Schriften (8 Bde. 1895–1908).

15. IX. B
1] *Karl Valentin* (1882–1948): Der große Münchner Komiker, dessen sämtliche Platten T. M. besaß; viele konnte er auswendig.
2] *Chicago:* »Committee to Frame a World Constitution«, angegliedert der Universität Chicago. Gründer und Leiter: G. A. Borgese; Sekretärin: Elisabeth Mann-Borgese.
3] *Hans Albert Maier* (geb. 1910): Germanist, Professor in Storrs, Connecticut, USA. Das erwähnte Buch: »Stefan George und Thomas Mann: Zwei Formen des Dritten Humanismus in kritischem Vergleich« (Zürich 1946).

23. IX.
1] *Emil Ludwig* (1881–1948): Schriftsteller, – insbesondere Autor zahlreicher Biographien. Siedelte sich 1907 im Tessin/Schweiz an, wo er bis zu seinem Tode wohnhaft blieb. Ging 1940 in die USA, kehrte 1945 heim. Schrieb 25 Dramen und 89 Bände Epik. War in den zwanziger Jahren neben Jakob Wassermann der einzige deutschsprachige Autor mit Weltruhm, vor allem in den angelsächsischen Ländern. Unter seinen Werken: »Goethe« (1920); »Bismarck« (1926); »Rembrandts Schicksal« (1923); »Napoleon« (1925); »Wilhelm der Zweite« (1926); »Der Nil. Lebenslauf eines Stromes« (Amsterdam 1935). Starb einsam und verkannt.
2] *Buch über Freud:* »Der entzauberte Freud« (1946).
3] *über Jesus Christ:* »Der Menschensohn« (1928).
4] *sein Goethe-Buch:* »Goethe« (1920).

4. X.
1] *britischer Prosecutor:* Lord Hartley W. Shawcross (geb. 1902).
2] *Lord Inverchapel:* Botschafter in Washington (1946–48).
3] *Foreign Secretary*: Ernest Bevin (1881–1951): Damals britischer Außenminister.
4] *alter Klaus:* Der Musiker Klaus Pringsheim, Tokio, Zwillingsbruder von Katja Mann.
5] *sein Sohn:* Klaus Hubert Pringsheim, heute Professor für Politische Wissenschaft in Lawrence, Kansas.

26. X.
1] *Büchlein:* Für T. M.'s Roman »Doktor Faustus« hatte Erika Mann eine Reihe von Kürzungsvorschlägen gemacht, die vom Autor angenommen wurden. (S. auch »Die Entstehung des ›Doktor Faustus‹« 1949, S. 179/80).
2] *»German-American«:* Monatsschrift für Deutsch-Amerikaner, New York; gegründet 1942.
3] *Hummer-Mayonnaise:* Im Hause T. M. beliebte Anekdote: Einem Teilnehmer eines eleganten Dîners wird die Hummer-Mayonnaise angeboten. »Mit beiden Händen griff er hinein und schmierte sie sich in Bart und Antlitz. Auf seinen Irrtum aufmerksam gemacht, sagte er: ›Entschuldigen Sie, ich glaubte, es sei Spinat!«
4] *Eddies:* Edward Knopf und Frau, Bruder von Alfred A. Knopf, in Hollywood tätig.

5] *Hulle:* Paul Hulschinsky: Innen- und Filmarchitekt, alter Freund der Familie T. M.; besorgte die Einrichtung des Hauses in Pacific Palisades.

8. XI.
1] *Rudolf Kayser* (geb. 1889): Schriftsteller, – Essayist. 1922–1932 Redakteur der »Neuen Rundschau«. Emigration 1933 nach Holland, 1935 in die USA. Schwiegersohn von Albert Einstein. Unter seinen Werken: »Moses Tod« (1921); »Zeit ohne Mythos« (1923); »Stendhal« (1928); »Spinoza« (1932).
2] *»Spinoza«:* »Spinoza, the Life of a Spiritual Hero« (New York 1946).

1. XII.
1] *Joseph Conrad* (1857–1924): Englischer Romancier polnischer Geburt. Unter seinen Werken: »Lord Jim« (1900); »The Secret Agent« (»Der Geheimagent«, 1907); »Under Western Eyes« (»Mit den Augen des Westens«, 1911). T. M. liebte und bewunderte diesen Erzähler ganz besonders. Zu der kleinen Auswahl von Büchern, die er, wo immer möglich, im Schlafzimmer aufstellte, gehörten Conrads Werke. (S. auch T. M. »Vorwort zu Joseph Conrads Roman ›Der Geheimagent‹«, Ges. W. X.)
2] *»Victory«:* »Sieg«, Roman 1915.
3] *»Nigger vom Narcissus«:* Roman 1897.
4] *»Nostromo«:* Roman 1904.
5] *Alfred Kazin* (geb. 1915): Amerikanischer Schriftsteller, Publizist und Herausgeber; u. a. Literatur-Redakteur der Wochenschrift »The New Republic« (1942–43). Autor u. a. von »On Native Grounds« (1942); »A Walker in the City« (1951); Mitherausgeber: »Introduction to the Works of Anne Frank« (1959); »Herausgeber: »The Viking Portable William Blake« (1946).

11. XII.
1] *Lebe wohl und hab' Danch:* Zitat aus »Der Zauberberg«, Kapitel »Hippe«. Anders als im Roman, ist das Wort »Dank« hier aufgrund schweizerischer Phonetik geschrieben.
2] *Vikoffs:* Viktor Mann und seine Frau.

14. XII.
1] *Elisabeth Mann-Borgese* (genannt »Medi«, geb. 1918): Schriftstellerin, – ausschließlich auf englisch. Autorin eines vielbeachteten Novellenbandes, »To Whom it May Concern« (New York, 1960); »Ascent of Woman« (über den Aufstieg der Frau in der modernen Gesellschaft, New York, 1963); »Only the Pyre«, Bühnenstück (veröffentlicht in italienischer Übersetzung, Mailand, 1963). War mit dem bekannten italienischen Historiker und Schriftsteller Giuseppe Antonio Borgese (s. Anmerkung 1 zu 17. VIII. 42) verheiratet und, zunächst als seine Sekretärin, an einem der University of Chicago angegliederten Institut für »World Government« tätig. Später Präsidentin der Pariser Dachorganisation aller Vereine für Weltregierung. Lebt in Florenz.
2] *Genfer Treffen:* Das erste internationale Treffen der verschiedenen Organisationen für eine Weltregierung fand schließlich in Montreux statt (17.–24. VIII. 47). Borgese war nicht anwesend.
3] *Reiffs:* Hermann Reiff (1856–1938): Seidenindustrieller, in zweiter Ehe (1914) verheiratet mit Lilly Sertorius (1866–1958). Die Reiffs, kunstliebend, gastfreundlich, liebenswürdig-diskrete Mäzene, spielten in der Zürcher Gesellschaft eine einzigartige Rolle: einheimische und gastierende Musiker, Schauspieler, Schriftsteller, Maler etc. trafen im Hause Reiff mit Diplomaten, Landwirten, Fabrikanten, Prinzen zusammen, wobei es die Einladenden wenig kümmerte, ob die Gäste irgendwie zueinander paßten. Konkurrierende und einander übelwollende Dirigenten hatten sich in ein Badezimmer zu teilen, doch niemand »nahm übel«. Der genius loci, naiv, generös, unvoreingenommen, wirkte – für den Augenblick – harmonisierend.
4] *Reisi:* Hans Reisiger (s. Anmerkung 3 zu 23. X. 45).
5] *F. W. G.:* Federal World Government.

15. XII.
Buch von Bauer: »Thomas Mann und die Krise der bürgerlichen Kultur« (Berlin 1946) von Arnold Bauer. (S. Anmerkung 1 zu 4. VII. 47.)

29. XII.
Hans Pollak: Damals am German Department der University of Western Australia, Nedlands.

1947

15. I.
gesammelte Aufsätze: »Krieg und Frieden. Betrachtungen zu Krieg und Politik seit dem Jahr 1914.« (Zürich, 1946).

28. I.
Dekan der Philosophischen Fakultät der Universität Bonn: Prof. Dr. Friedrich Oertel (geb. 1884), Professor für Alte Geschichte in Bonn.

29. I.
keen glorious child: In »Wotans Abschied« (»Walküre«, letzter Akt) nennt Wotan Brünnhilde »Du kühnes, herrliches Kind«, eine Bezeichnung, die T. M. oft scherzhaft auf Erika Mann anwendete. Übersetzung von »kühn« (»keen«) irrig.

18. II.
Cilly Neuhaus: Witwe des früheren Frankfurter Rabbiners, Dr. Leopold Neuhaus. Verbrachte mit ihrem Gatten drei Jahre in Theresienstadt, wo das Ehepaar der kranken, geistig durch die Umstände gebrochenen Mimi Mann (erste Frau von Heinrich Mann) nach Kräften beistand. Der in unserem Brief erwähnte »Kamerad Carlebach« war Oberrabbiner in Hamburg und von den Nazis verschleppt und ermordet worden. Cilly Neuhaus, seit 1946 in den USA, ist journalistisch tätig und hält Vorträge zu sozialen und religiösen Themen.

20. II.
Fritz Grünbaum: Unbekannt; damals in Herzlia bei Tel-Aviv, Palästina.

1. III.
1] *Udo Rukser* (geb. 1892): Anwalt und Publizist. Gründer und Herausgeber der angesehenen Zeitschrift »Das Ostrecht«, die 1933 ihr Erscheinen einstellte, weil Rukser sich weigerte, seine jüdischen Mitarbeiter zu entlassen. Gleichzeitig ließ er sich aus der Liste der Anwälte Berlins streichen. 1938 Emigration nach Chile, wo er noch heute lebt. Gründer – mit Albert Theile und Nikolaus von Nagel – von »Deutsche Blätter« (Santiago de Chile, 1943–46). Verfasser u. a. von: »Goethe und die Hispanische Welt« (1958).

2] *Albert Theile* (geb. 1904): Schriftsteller, Journalist, Übersetzer. Emigration 1933 über Frankreich, Indien, China, Japan, die USA, Norwegen nach Chile, wo er bis 1952 blieb. Gründer – mit Udo Rukser und Nikolaus von Nagel – von »Deutsche Blätter« (Santiago de Chile, 1943–46). Seither in der Schweiz. Autor u. a. von »Schwan im Schatten. Lateinamerikanische Lyrik von heute« (1955); »Unter dem Kreuz des Südens. Erzählungen aus Mittel- und Südamerika« (1956); »Außereuropäische Kunst« (1957). Herausgeber von »Humboldt«. Zeitschrift für die iberische Welt, und »Fikrunn wa fann«, Zeitschrift für die arabisch-islamische Welt.

11. III.
1] *Manfred George* (geb. 1893): Journalist, Redakteur, Übersetzer, Schriftsteller. Bis 1933 Chefredakteur der großen Berliner Mittagszeitung »Tempo«. Emigration 1933 in die Tschechoslowakei, 1938 in die USA. Gründer und Chefredakteur (1938) der deutschsprachigen jüdischen Wochenschrift »Aufbau«, New York, die noch heute international floriert. Autor u. a. von »Männer, Frauen, Waffen«, Roman (Locarno 1934); »Wunder Israel« (1949).
2] *Wilhelm Furtwängler* (1886–1954): Dirigent und Komponist. 1922–45 Leiter der Berliner Philharmoniker (1950 wieder eingesetzt), zeitweise auch des Leipziger Gewandhausorchesters und der Wiener Philharmoniker. Unter seinen Werken: Zwei Symphonien, ein Klavierkonzert, zwei Violinsonaten; »Gespräche über Musik« (1947). – Die erwähnte Verteidigungsschrift enthält einen scharfen Angriff auf T. M.

19. III.
1] *Herbert Frank* (geb. 1909): Schriftsteller. Emigration 1933 nach Zürich, Paris, Brüssel; dann nach Palästina. 1937 nach Holland, wo er sich während der Okkupation versteckt hielt. Unter seinen Werken: »Die gefangene Stadt«, Kriegstagebuch (1948); »Der Stumme« (1952); »Aufstand der Herzen«, Roman (1956).
2] *»Lebt man denn, wenn andre leben?«:* Zitat aus Goethes »Westöstlicher Divan«, »Buch des Unmuts«, zweites Gedicht.
3] *George Bernard Shaw* (1856–1950): Nobelpreis 1925. (S. auch T. M. »Bernard Shaw«, vom Autor 1951 für BBC auf englisch gesprochen. Deutscher Originaltext erstmalig in »Altes und Neues« 1953.)

27. III.
1] *englischer Brief:* T. M. hatte der Hoffnung Ausdruck gegeben, daß unter der amerikanischen Besatzung Viktor und seine Frau ihre Wohnung würden beibehalten dürfen.
2] *S. E. Post:* »Saturday Evening Post«.
3] *über Nietzsche:* Der Vortrag »Nietzsche's Philosophie im Lichte unserer Erfahrung« (Suhrkamp vormals S. Fischer, Berlin 1948). Aufgenommen in den Essayband »Neue Studien« (Bermann Fischer, Stockholm 1948).

9. IV.
Herbert Sinz (geb. 1913): Redakteur, Schriftsteller, im Verlagswesen tätig. Als Soldat erkrankt, 1944–1951 in einem Davoser Sanatorium. Veröffentlichte an die zwanzig Bücher: Romane, Biographien, Kinderbücher, Wirtschaftsmonographien.

22. V.
Riesenschiff: »Queen Mary«.

25. VI.
1] »*Neue Zeitung*«: Untertitel: »Die amerikanische Zeitung für die deutsche Zivilbevölkerung«, gegründet Oktober 1945, stellte 1955 ihr Erscheinen ein.
2] *deutsche Blätter:* Hausmanns Aufsatz, »Thomas Mann sollte schweigen«, erschien zunächst im »Weser-Kurier« (28. V. 47).
3] *Wilhelm Frick* (1877–1946): Nationalsozialistischer Politiker; bereits im Herbst 1928 thüringischer Innenminister; 1933 Reichsinnenminister und 1943 »Reichsprotektor für Böhmen und Mähren«; 1946 in Nürnberg zum Tode verurteilt und hingerichtet.
4] *Samuel Sänger* (1864–1944): Schriftsteller, Publizist; langjähriger Redakteur der »Neuen Rundschau«. Emigration über Frankreich (1939) in die USA (1941); starb in Los Angeles. Unter seinen Werken: Biographien von John Ruskin (1900) und John Stewart Mills (1906).
5] *Dokument:* Der Brief fand sich schließlich in deutschen Archiven, datiert vom Frühjahr 1934; er erschien mit T. M.'s Zustimmung am 8. VIII. 47 in der »Neuen Zeitung«, München. Sein Inhalt führt Manfred Hausmann ad absurdum.

27. VI. A
Ernst Gottlieb (1903–1961): Schriftsteller, – Photograph, Musikologe. Emigration 1939 in die USA. Machte u. a. berühmte Aufnahmen von T. M., Bruno Walter, Lion Feuchtwanger, Alfred Döblin. 1942 gründete er – mit Felix Guggenheim – die »Pacific Press« (bibliophile deutsche Luxusausgaben); dort erschienen u. a. »Thamar« (1942), »Das Gesetz« (1944) und »Leiden an Deutschland« (1946). 1946–61 Verleger von »Facsimile Editions on Rare Books of Music«. Unter seinen Büchern: »Walther Rathenau« (1929); »Rules how to Compose«, über Giovanni Coperario (1952).

27. VI. B
Goethe-Band: »The Permanent Goethe«. »Edited, selected and with an Introduction by Thomas Mann.« (»The Dial Press«, New York, 1948.)

4. VII.
1] *Arnold Bauer* (geb. 1910): Schriftsteller, – Journalist, Literarhistoriker. Autor u. a. von »Thomas Mann und die Krise der bürgerlichen Kultur« (1946); »Kindheit im Zwielicht«, Erzählungen (1947).
2] *Eugen Kogon* (geb. 1903): Publizist und Politiker. 1938–1945 im Konzentrationslager, zuletzt in Buchenwald. Sein Buch, »Der SS-Staat« erschien 1946. Seit 1946 Herausgeber der »Frankfurter Hefte«, seit 1951 Professor für Wissenschaftliche Politik an der Technischen Hochschule Darmstadt.

6. VII.
Hedda Eulenberg (1876–1960): Pseudonym Hedda Moeller van den Bruck): Frau von Herbert Eulenberg, Schriftstellerin, – Roman, Novelle, Essay, Lyrik. Autorin u. a. von: »Der Abgesang« (1949); »Im Doppelglück von Kunst und Leben«, Biographie (1952). Übersetzte u. a. E. A. Poe's Gesammelte Werke (1903), Maupassants Sämtliche Novellen (1905). Drei ihrer intimsten Freunde wurden unter Hitler gehängt, ihre Geschwister gingen in Lagern zugrunde. Doch am 4. IV. 47 schreibt sie an T. M.: ». . . vor diesem leidenden, tragisch stummen Volke [den Deutschen] kommen einem nur die Tränen!«

8. VII.
1] *Charlotte Gentzen* (1885–1958).
2] *Entlassung Ihres Sohnes:* T. M.'s Brief blieb zwar unbeantwortet, doch wurde, wie gelegentlich in verwandten Fällen, der Kriegsgefangene Gustav Gentzen plötzlich entlassen.

14. VII. A
1] *Gustave Doré* (1832–1883): Französischer Maler und Illustrator. Das von ihm illustrierte Prachtwerk von Perrault's Märchen (1862) lag im Münchner Herzogspark immer auf T. M.'s Büchertisch und wurde den Kindern häufig vorgeführt.
2] *»Es waren ihrer sechs«* (Neuer Verlag, Stockholm, 1945), über die »Weiße Rose«, Widerstandsgruppe an der Universität München.

14. VII. B
1] *Richard Menzel* (geb. 1890): Schweizerischer Zoologe. 1915–1920 Assistent an der zoologischen Anstalt der Universität Basel; 1920–29 Entomologe an der Theeproofstation Buitenzorg, Java. Seither, bis zu seiner Pensionierung 1955, an der Eidgenössischen Versuchsanstalt für Obst, Wein- und Gartenbau, Wädenswil/Zürich.
2] *Ihre Schätze:* Bedeutende Autographensammlung, – Briefe von Heine, Rückert, Mörike, Storm, Keller, Berlioz, Robert und Clara Schumann, Brahms, Hugo Wolf etc.

26. VII.
Herbert Eulenberg (1876–1949): Dramaturg, ab 1910 freier Schriftsteller, – Dramatiker, Erzähler, Lyriker, Essayist. Unter seinen zahlreichen Werken: »Ritter Blaubart«, Drama (1905); »Schattenbilder« (1910); »Belinde«, Drama (1913); »Der Bankrott Europas« (1919); »Schubert und die Frauen«, Roman (1928); »Deutsche Geister und Meister«, Essays (1934); »F. Freiligrath« (1948). Im »Dritten Reich«, das er haßte, mißachtet und totgeschwiegen, fiel Eulenberg noch nachträglich dem Hitlerkrieg zum Opfer: er starb an den Folgen von Verletzungen durch herabfallende Trümmer.

10. VIII.
1] *Die »Nationalen«:* Das Hotel »National«.
2] *Ernst Benedikt* (geb. 1882): Österreichischer Schriftsteller, Jour-

nalist, Maler. Chefredakteur der Wiener »Neuen Freien Presse«, 1938 von der Gestapo verhaftet. Emigration 1939 nach Schweden. Verfasser u. a.: »Die Quellen des künstlerischen Schaffens« (1913); »Kaiser Josef II« (1937); »Von Neuem blüht . . .«, Gedichte (1962). Lebt in Stockholm.

23. VIII.
Johannes Buising (geb. 1893): Holländischer Kaufmann. Liebhaberei: germanistische Sprachstudien.

17. IX.
1] *makabre Liste:* Liste der 88 deutschen Schriftsteller, die sich im Oktober 1933 veranlaßt sahen, »vor Ihnen, Herr Reichskanzler, das Gelöbnis treuester Gefolgschaft feierlichst abzulegen«.
2] *Hans Ludwig Held* (1885–1954): Langjähriger Direktor der Münchner Stadtbibliothek. Nach dem Kriege Honorarprofessor mit eigenem Lehrauftrag der Universität München. Herausgeber u. a. von Schlegels »Lucinde«, Lukians »Hetärengesprächen«.
3] *Oskar Loerke* (1884–1941): Lyriker, Lektor des S. Fischer Verlages. Autor meist leidend düsterer Zeitgedichte wie »Der Silberdistelwald« (1934), »Der Wald der Welt« (1936), »Abschiedshand« (posthum 1949).
4] *Josef Ponten* (1883–1940): Schriftsteller, – Erzähler. Hauptwerk: »Volk auf dem Wege. Roman der deutschen Unruhe« (1934–42, 6 Bde. unvollendet).
5] *Wilhelm von Scholz* (geb. 1874): Schriftsteller, – Dramatiker, Erzähler, Lyriker, Essayist. Einziger Welterfolg: das Drama »Wettlauf mit dem Schatten« (1922); unter seinen Bühnenstücken: »Vertauschte Seelen« (1910). Romane u. a.: »Perpetua« (1926); »Unrecht der Liebe« (1931). Gesammelte Gedichte (1944).
6] *Ina Seidel* (geb. 1885): Schriftstellerin, – Lyrikerin, Erzählerin. Unter ihren Werken: Lyrik: »Die tröstliche Begegnung« (1934); Gesammelte Gedichte (1937). Romane u. a.: »Das Wunschkind« (1930), »Die Fahrt in den Abend« (1955).
7] *Friedrich Schnack* (geb. 1888): Schriftsteller, – Erzähler, Lyriker. Unter seinen Werken: »Das Leben der Schmetterlinge« (1928); »Sybille und die Feldblumen« (1937); »Das Waldkind« (1939).
8] *Ludwig Finckh* (geb. 1876): Schriftsteller, – Arzt. Studienfreund von Hermann Hesse. Unter seinen Werken: »Der Rosendoktor«

(1906, Hesse gewidmet); »Der Bodenseher« (1914); »Stern und Schicksal«, Kepler-Roman (1931); »Das goldene Erbe« (1943).
9] *Wilhelm Schussen* (d. i. Wilhelm Frick, 1874–1956): Erzähler, Volksschullehrer. Vorliebe für humoristisch gesehene schwäbische Kleinstädter. Unter seinen Werken: »Der abgebaute Osiander« (1925); »Die Geschichte des Apothekers Johannes« (1935); »Tübinger Symphonie«, Essays (1949).
10] *Schneider-Edenkoben und Köhler-Irrgang:* Diese Namen klingen wie von T. M. erfunden, figurieren aber de facto auf jener »makabren Liste«.
11] *Eckart von Naso* (geb. 1888): Dramaturg und Schriftsteller. Autor von biographischen Romanen u. a.: »Seydlitz« (1932), »Moltke« (1937), »Der Halbgott« (Alkibiades, 1950), »Ich liebe das Leben«, Autobiographie (1953).
12] *S. D. S.:* »Schutzverband deutscher Schriftsteller«. Dem ersten Heft der im August 1947 neu gegründeten Zeitschrift des Verbandes, »Der Schriftsteller«, gab T. M. ein Geleitwort mit: »Die Aufgabe des Schriftstellers« (Ges. W. X).

19 IX.
neue Angaben: Klaus war T. M. behilflich bei der Edition der Goethe-Auswahl »The Permanent Goethe« (»The Dial Press«, New York, 1948) zum 200. Geburtstag des Dichters.

25. IX.
1] *Stephen H. Spender* (geb. 1909): Englischer Lyriker, Erzähler, Essayist, Übersetzer; wird der Gruppe W. H. Auden, Christopher Isherwood, C. D. Lewis zugerechnet. Mitherausgeber der Zeitschrift »Encounter«, London. Unter seinen Werken: »Trial of a Judge«, poetisches Drama (1938); »The Backward Son«, Roman (1940); »Ruins and Visions« (1942); Gesammelte Lyrik (1953).
2] *Frederic Prokosch* (geb. 1909): Amerikanischer Lyriker und Erzähler. Lyrik u. a.: »The Assasins« (1936), »Death at Sea« (1940). Unter seinen Romanen: der literarische Sensationserfolg »The Asiatics« (1935); »Night of the Poor« (1939); »The Idols of the Cave« (1946).
3] *Bubi K.:* Identisch mit Oskar Seidlin. (S. Anmerkung 1 zu 6. XI. 38.)
4] *Hilde Kahn:* Damals T. M.'s Sekretärin.

28. IX.
1] *Oskar Seidlin:* s. Anmerkung 1 zu 6. XI. 38.
2] *Arbeiten:* »Laurence Sterne's ›Tristram Shandy‹ and Thomas Mann's ›Joseph The Provider‹« (»Modern Language Quarterly« VIII) und »Helena: Vom Mythos zur Person« (»Publications of the Modern Language Association«, LXII).
3] *Vortrag:* »The Theme of the Joseph Novels« (Library of Congress, Washington, 1942); deutsch: »Joseph und seine Brüder« in »Neue Studien« (Stockholm 1948).

8. X.
1] *Jean Cocteau* (geb. 1889): Französischer Schriftsteller; befreundet mit einem Gutteil der bedeutendsten Dichter, Künstler, Musiker, Schauspieler, Tänzer seiner Zeit (auch mit T. M. und Klaus Mann). Auf fast sämtlichen Gebieten der Kunst tätig: Lyrik, Roman, Dramatik, Choreographie, Film, Kritik, Freskenmalerei, Graphik. Zutiefst der eigenen Kindheit und Jugend verhaftet. Unter seinen zahlreichen Werken: »Thomas l'Imposteur«, Roman (1923); »Les enfants terribles«, Roman (1929; von Klaus Mann 1930 dramatisiert: »Geschwister«, nach Motiven aus dem Roman »Les enfants terribles«); »La voix humaine«, Monodrama (1930); »Les parents terribles«, Bühnenstück (1933); »La difficulté d'être« (1947).
2] *»Machine Infernale«:* Bühnenstück (1934); deutsch: »Die Höllenmaschine« (1951).
3] *»Septième Ange«:* Klaus Manns Bühnenstück »Der siebente Engel« blieb unübersetzt und unaufgeführt. (Oprecht, Zürich 1946, endgültige Version: 1947).

9. X. A
prächtiges Buch: 17. Band der »Gesammelten Werke« (Querido, Amsterdam, 1947), der den ersten Teil des Romans »Die Füchse im Weinberg« enthält (früher unter dem Titel »Waffen für Amerika« erschienen), ein Roman um Benjamin Franklin.

9. X. B
neues Werk: »Der Philosoph und der Diktator. Platon und Dionys« (englisch: New York 1947; deutsch: Berlin 1950).

10. X.
Legenden-Novelle: »Der Erwählte« (1951).

12. x.
1] *Mr. Gray:* Unbekannt.

14. x.
William L. Shirer (geb. 1904): Amerikanischer Schriftsteller, Journalist. Vielseitige Tätigkeit: Politischer Kommentator für »Columbia Broadcasting System«, Kriegskorrespondent. Verfasser u. a. von »Berlin Diary« (1941); »End of a Berlin Diary« (1947); »The Challenge of Scandinavia« (1955); »The Rise and Fall of theThird Reich« (1960, deutsch: »Aufstieg und Fall des Dritten Reiches« mit einer Einleitung von Golo Mann).
Shirer, hochverdient um die amerikanische Publizistik, stand dem Hause T. M. in Amerika nahe. Siehe auch sein Beitrag in »Klaus Mann zum Gedächtnis« (Erinnerungsbuch, Querido Amsterdam 1950, mit einem Vorwort von T. M. Letzteres in »Altes und Neues« 1953).

22. x.
1] *Albrecht Goes* (geb. 1908): Schriftsteller, – Lyriker, Erzähler, Essayist, – und Geistlicher. Unter seinen Werken: »Heimat ist gut«, Gedichte (1935); »Der Zaungast«, Laienspiel (1938); »Unruhige Nacht«, Erzählung (1949, in 9 Sprachen übersetzt); »Das Brandopfer«, Erzählung (1954, gleichfalls vielfach übersetzt); »Hagar am Brunnen«, Dreißig Predigten (1958); »Aber im Winde das Wort. Prosa und Verse aus zwanzig Jahren.« (1963). Goes lebt seit 1933 mit ständigem Predigtauftrag in Stuttgart; seit Kriegsende auf freundschaftlichem Fuß mit T. M., dessen späte Werke er in der Presse und am Rundfunk besprach.
2] *Versbuch:* »Die Herberge«, Gedichte (1947).

26. x. A
1] *Ernest Newman* (1868–1959): Englischer Musik-Kritiker und -Schriftsteller, Wagner-Spezialist. Seine Beiträge für »Manchester Guardian«, »Sunday Times« etc. waren sehr einflußreich. Autor u. a. von: »A Musical Critic's Holiday« (1925); »The Life of Richard Wagner« (4 Bde. 1933–46).
2] *Quotations:* »A Book of Quotations, collected by the Rt. Hon. Viscount Samuel« (London 1947).
3] *Riemer-bon-mot:* Aus »Lotte in Weimar« (1939). Bei T. M. sagt

Riemer von Goethe: ». . . er ist erleuchtet; aber begeistert ist er nicht«, Lord Samuel zitiert aus der Übersetzung von Helen Lowe-Porter: »He is illumined. But inspired he is not.«
4] *»Phantasie über Goethe«:* Deutsche Fassung der Einführung zu »The Permanent Goethe« (New York, Dial Press, 1948), erstmals erschienen in »Neue Studien« (Stockholm 1948) – Ges. W. IX.

26. x. B
1] *Max Rychner* (geb. 1897): Schweizer Literarhistoriker, Essayist, Lyriker. 1933–37 Sonderkorrespondent der »Neuen Zürcher Zeitung« in Deutschland, dann Feuilletonredakteur am »Bund«, Bern. Seit 1939 literarischer Schriftleiter der »Tat«, Zürich. Autor u. a. von: »Freundeswort«, Gedichte (1941); »Zur europäischen Literatur zwischen zwei Weltkriegen«, Essays (1942); »Zeitgenössische Literatur«, Essays (1947); »Sphären der Bücherwelt«, Essays (1952). T. M. schätzte Rychner von jeher als hervorragenden Beurteiler seiner Werke. Er ist Präsident der Zürcher Thomas Mann-Gesellschaft.
2] *Besprechung des »Faustus«:* »Thomas Manns Doktor Faustus« (»Die Tat«, Zürich, 18. x. 47).

7. xi. A
1] *Balzac-Schnitzer:* In Balzacs »Une femme de trente ans« herrscht bezüglich des jeweiligen Alters der Heldin einige berühmte Verwirrung.
2] *Gedächtnisfehler:* T. M. hatte das von ihm angegebene Alter der Geschwister von »Echo« (»Doktor Faustus«, 1947) an einer späteren Stelle versehentlich geändert.

7. xi. B
1] *Richard Braungart* (geb. 1872): Schriftsteller, – Essayist und Biograph. Unter seinen Werken: »Ludwig Hartmann« (1925); »Wilhelm Busch; Die drei Brüder Schiestl; Karl Walther, Werk und Werden eines Impressionisten« (1948); »Freund Reger« (1949).
2] *Albert von Schrenck-Notzing* (1862–1929): Parapsychologe. Unter seinen – umstrittenen – Werken: »Materialisationsphänomene« (1914); »Physikalische Phänomene des Mediumismus« (1920).
3] *»Okkulte Erlebnisse:* Essay (1923). Betrifft T. M.'s persönliche Erfahrungen mit dem Spiritismus und den »Materialisationsphänomenen«. (»Neue Rundschau«, März 1924; als bibliophiler Druck in

300 Exemplaren bei Alf Häger, Berlin 1924; »Altes und Neues« 1953).

8. XI.
1] *Vorbericht:* »Thomas Manns Doktor Faustus« von Eduard Korrodi (»Neue Zürcher Zeitung«, 20. X. 47).
2] *Willi Schuh* (geb. 1900): Musikologe, – Musikredakteur der »Neuen Zürcher Zeitung«. Unter seinen Werken: »Über Opern von Richard Strauss« (1947); »Zeitgenössische Musik« (1947); »Schweizer Musik der Gegenwart« (1948). Herausgeber u. a. der Briefwechsel Strauss–Hofmannsthal (1952) und Strauss–Stefan Zweig (1957).

10. XI.
Roman: »Der Geburtstag« (Amsterdam 1948).

12. XI.
1] *Robert O. Held* (geb. 1899): Rechtsanwalt, – 1916–1938 in Starnberg und München. 1938 Emigration in die USA, seit 1944 Attorney at Law in New York.
2] *»Simpl«:* »Simplicissimus«, politisch-satirische Münchner Wochenschrift, gegründet 1896 von Albert Langen und Th. Th. Heine. T. M. war Mitarbeiter und zeitweise in der Redaktion tätig. (Siehe auch »Lebensabriß« 1930). Unter dem Hitlerregime »gleichgeschaltet«, stellte 1944 ihr Erscheinen ein; wurde nach Kriegsende von O. Iversen neu gegründet, rein äußerlich dem alten »Simpl« zum Verwechseln ähnlich.

25. XI.
1] *Ernst Robert Curtius* (1886–1956): Romanist, Professor in Marburg, Heidelberg und Bonn. Unter seinen Werken: »Maurice Barrès und die geistigen Grundlagen des französischen Nationalismus« (1921); »Europäische Literatur und lateinisches Mittelalter« (1948); »Das französische Geistesleben im 20. Jahrhundert« (1952).
2] *»Meerfahrt mit Don Quixote«:* Essay über Cervantes' Roman, entstanden während der ersten Amerika-Reise im September/Oktober 1934 und anschließend. Wurde zunächst in mehreren Fortsetzungen in der »Neuen Zürcher Zeitung« veröffentlicht (5. bis 15. XI. 34), dann aufgenommen in den Essayband »Leiden und

Größe der Meister« (S. Fischer, Berlin 1935), sowie in »Adel des Geistes« (Stockholm 1945).

1. XII.
Barker Fairley (geb. 1887): Englischer Germanist; seit 1915 Professor an der Universität Toronto/Kanada; 1956 Professor Emeritus. Unter seinen Werken: »Die Eneide Heinrichs von Veldeke und des Romans d'Eneas. Eine vergleichende Untersuchung« (1910); »Nietzsche and the Poetic Impulse« (1935); »Rainer Maria Rilke: An Estimate« (1941); »Goethe's ›Faust‹: Six Essays« (1953); »Heine, Goethe and the ›Divan‹«. »German Life and Letters« (1956); »Wilhelm Raabe: An Introduction to His Novels« (1961). Herausgeber: »Goethe: Selected Letters« (2 Bde. 1949, 1955).

6. XII.
1] *Alfred von Winterstein* (geb. 1885): Österreichischer Schriftsteller, Psychotherapeut; Verfasser u. a. von: »Gedichte« (1911); »Zur Psychoanalyse des Reisens« (1912); »Der Ursprung der Tragödie« (1925); »Dürers Melancholie und ihre Spuren in der Psychoanalyse« (1929).
2] *Stifter-Buch:* »Adalbert Stifter. Persönlichkeit und Werk. Eine tiefenpsychologische Studie« (Wien 1946).

8. XII.
1] *Ernst Heimeran* (1902–1955): Verleger, später auch Schriftsteller, Gründer der »Tusculum-Bücherei«; lebte in München. Gehörte zu den nicht zahlreichen Vertretern seiner Generation, mit denen T. M. auf herzlich-kameradschaftlichem Fuße stand.
2] *Verleger-Autobiographie:* »Büchermachen. Geschichte eines Stekkenpferdes« (München 1947).
3] *»naheliegende Gründe«:* Achtzehnjährig war Heimeran Herausgeber gewesen von »Der Zwiestrolch. Schrift jugendlicher Offenbarung. Zweimonatsschrift der Unmündigen für Literatur, Musik und Originalgraphik«. Auf seine Bitte, die Zeitschrift zu besprechen, antwortete T. M. am 27. VI. 20: »Mich öffentlich damit zu beschäftigen, kommt mir aus naheliegenden Gründen nicht recht zu.« Vermutlich, weil »Der Zwiestrolch« ein T. M.-Verehrer war.
4] *Ernst Penzoldt* (1892–1955): Schriftsteller, – Erzähler, Lyriker, Dramatiker – und Bildhauer. Unter seinen Werken: »Der Gefähr-

te«, Gedichte (1922); »Der arme Chatterton« (1928); »Die Powenzbande« (1930); »Die Portugalesische Schlacht«, Komödie (1931); »Korporal Mombur« (1941); »Causerien«, Gesammelte Essays (1949); »Squirrel« (1954). Mit T. M., der ihn außerordentlich schätzte, stand Penzoldt auf freundlichstem Fuße. – In seinem Nachruf, »Ernst Penzoldt zum Abschied«, sagt T. M. u. a.: »Er war mein Freund, war mir gerecht und treu. In München sah man sich oft; in meinem trauten Küsnachter Exil, zur Hitlerzeit, scheute er sich nicht, mich zusammen mit seinem Schwager Heimeran zu besuchen ... Aber den Jüngling schon, siebzehn Jahre nach mir geboren, lernte ich kennen: ... mit taktvoll gedämpfter Stimme las er seine Novelle ›Der arme Chatterton‹ vor, und gleich spürte ich Reiz und Rang seines Talentes, etwas unverkennbar Musisches, einen Geist zart schwebender Leichtigkeit und des romantischen Spottes über die plumpe und häßliche Mühsal eines von den Grazien ungesegneten Lebens, eingeschlossen das Erbarmen mit den Beleidigten, Verstoßenen und Darbenden einer verhärteten Gesellschaft – eine Sozialkritik des Herzens also, die unüberhörbar mitklang in all seiner Produktion ...«. – Und abschließend heißt es: »Er tat das Gute und redete zum Guten – eine Stimme in der Wüste natürlich; aber die Wüste schien bewohnbarer zu werden durch sein gütliches Wort. Friede deinem Staube, Ernst Penzoldt! Leben und Liebe dem, was du uns gabst!« (»Nachlese« 1956.)

12. XII.
1] *»Gedanken zur Kunst«:* 4. erweiterte Auflage (Piper 1947).
2] *John Ruskin* (1819–1900): Englischer Kunsthistoriker und -kritiker, Sozialpolitiker. 1870–84 Professor für Kunstgeschichte in Oxford. In dem Werke »Modern Painters« (5 Bde. 1843–60) wirbt er um Verständnis für Turners Kunst; als Freund Gabriel Dante Rossettis und B. Jones' setzte er sich für die Präraffaeliten ein. Unter seinen Hauptwerken: »The Seven Lamps of Architecture« (1849); »The Stones of Venice« (3 Bde. 1851–53); »Munera Pulveris« (1863); »Fors Clavigera« (8 Bde. 1871–84).
3] *Julius Meier-Graefe* (1867–1935): Kunsthistoriker, einer der Wegbereiter des Impressionismus in Deutschland. Emigrierte 1933 nach Südfrankreich. Nächster Freund von René Schickele; auch mit T. M. gut befreundet. Unter seinen Hauptwerken: »Entwicklungsgeschichte der modernen Kunst« (3 Bde. 1904); »Hans von

Marées« (3 Bde. 1909/10); »Cézanne und sein Kreis« (1918); »A. Renoir« (1929).
4] *Emil Staiger* (geb. 1908): Schweizerischer Germanist, Essayist, Kritiker, Übersetzer. Unter seinen Werken: »Meisterwerke deutscher Sprache« (1942); »Grundbegriffe der Poetik« (1946); »Goethe I« (1952), »Goethe II« (1956). Übersetzer u. a. von: Sophokles Tragödien (1944), Euripides »Ion« (1947). – *»Neue Schweizer Rundschau«:* »Thomas Manns Doktor Faustus« (November 1947).

18. XII.
Symposion: »Thomas Manns Doktor Faustus« von Eduard Korrodi, Willi Schuh und Ernst Hadorn (»Neue Zürcher Zeitung«, 29. XI. u. 6. XII. 47).

20. XII.
Erika Fischer-Wolter (geb. 1916): Chefsekretärin der Sternwarte Berlin-Babelsberg der Deutschen Akademie der Wissenschaften.

24. XII.
1] *»und«-Studie:* »Thomas Mann und die Politik« (»Neue Schweizer Rundschau«, Dezember 1947).
2] *Marcel Proust* (1871–1922): Französischer Schriftsteller. Hauptwerk: »A la recherche du temps perdu« (1913–27; davon 3 Bde. posthum).
3] *Georges Sorel* (1847–1922): Französischer Soziologe. Seine Lehre vom »radikalen Syndikalismus« sollte einerseits dem Arbeiter helfen, seine berechtigten Forderungen durchzusetzen; andererseits sah er in der Gewalt die notwendige Triebkraft für soziale Reformen. Nicht nur Lenin, sondern auch Mussolini machten sich seine Maximen zu eigen: »Réflexions sur la violence« (1908).
4] *Walter Benjamin* (1892–1940): Schriftsteller, – Essayist. 1933 Emigration nach Frankreich; Selbstmord beim Einmarsch der Deutschen. Unter seinen Werken: der große Essay »Der Ursprung des deutschen Trauerspiels« (1928); »Schriften« (2 Bde. hrsg. von Theodor und Gretel Adorno 1955). Einen Auswahlband »Illuminationen« brachten die »Bücher der Neunzehn« heraus. Großenteils im Exil entstanden, wurden diese Arbeiten erstmalig in Emigrantenzeitschriften publiziert; so erschien »Berliner Kindheit«, ein Teil

der Autobiographie, in »Maß und Wert« (»Berliner Kindheit um Neunzehnhundert«, 1. Jg. H. 6, Juli/August 1938).

26. XII.
1] *Maximilian Brantl* (1881–1959): Advokat, – nebenberuflich Schriftsteller, Rechtsanwalt von Heinrich Mann, auch mit T. M. gut befreundet.
2] *Otto Flake* (geb. 1880): Elsässischer Schriftsteller, – Romancier und Essayist; warb früh für deutsch-französische Verständigung (»Geistiges Elsässertum«). Unter seinen Werken: »Romane um Ruland« (5 Bde., verschleiert autobiographisch, 1913–28); »Fortunat« (4 Bde. 1946–48). Philosophisches u. a.: »Der Erkennende« (1927); »Bilanz« (1931).

31. XII.
Vortrag über Kirche und Schule: »Shall the Churches Invade the Schools?«

VERZEICHNIS DER BRIEFEMPFÄNGER

Die Anzahl der aufgenommenen Briefe an die einzelnen Empfänger ist in eckigen Klammern vermerkt.

Adorno, Theodor W. [3]	30. XII. 45	18. XII. 47
	8. XI. 47	
Adorno, Theodor W. u. Gretel [1]	19. V. 46	
Albersheim, Gerhard [4]	7. X. 44	10. II. 46
	1. IV. 45	19. VI. 46
Altman, Ludwig [1]	20. VI. 43	
Angell, Joseph [2]	11. V. 37	19. IV. 41
Armstrong, Hamilton [1]	26. VI. 40	
»Aufbau« [1]	22. X. 45	
Bab, Julius [2]	26. VIII. 44	22. VII. 45
Basler, Otto [5]	22. I. 37	4. VI. 47
	23. IX. 46	20. X. 47
	15. I. 47	
Bassermann, Albert [1]	4. IX. 42	
Bauer, Arnold [1]	4. VII. 47	
Beneš, Eduard [1]	29. VII. 44	
Bermann Fischer, Gottfried (s. Fischer)		
Bernstein, Philip S. [1]	27. I. 44	
Bertaux, Félix [1]	4. I. 38	
Blunck, Hans Friedrich [1]	22. VII. 46	
Blunck, Rudolf W. [1]	19. XI. 45	
Boer, Willem de [1]	30. XII. 37	
Bonnier, Beata E. [1]	12. VII. 41	

Borgese, Giuseppe Antonio [2]	17. VIII. 42	21. III. 45
Boutell, C. B. [1]	21. I. 44	
Brantl, Maximilian [1]	26. XII. 47	
Braungart, Richard [1]	7. XI. 47	
Brecht, Bertolt [1]	10. XII. 43	
Broch, Hermann [3]	30. X. 39 24. IX. 41	7. VI. 44
Buising, J. [1]	23. VIII. 47	
Burschell, Friedrich [1]	9. VII. 40	
Campbell, Joseph [1]	6. I. 41	
Canby, Miss [1]	8. I. 46	
Čapek, Karel [1]	10. X. 37	
Citroen, Paul [1]	17. VII. 39	
Cock, Gerald [1]	2. XI. 40	
Cocteau, Jean [1]	8. X. 47	
Cohn, Emil Bernhard [1]	21. I. 42	
Cunz, Dieter [1]	7. X. 43	
David, Alice D. [1]	28. VIII. 40	
De Blanc, Lee [1]	30. III. 40	
Dekan der Bonner Universität [1]	1. I. 37	
Dekan der Bonner Universität [1]	28. I. 47	
Dewart, Elizabeth [1]	23. VI. 40	
Döblin, Alfred [1]	14. VIII. 43	
Dodd, Martha [1]	7. XII. 40	
Ehrenstein, Albert [1]	20. VII. 39	
Eichmann, Lotte [1]	5. I. 46	

Einstein, Albert [5]	21. II. 39 4. VIII. 41 9. II. 42	27. XI. 45 14. X. 47
Embrey, Alvin T. [1]	4. XII. 38	
Eulenberg, Hedda [1]	6. VII. 47	
Eulenberg, Herbert [1]	26. VII. 47	
Fadiman, Clifton [1]	29. V. 44	
Fairley, Barker [1]	1. XII. 47	
Farrell, James T. [1]	22. IX. 39	
Feist, Hans [2]	7. II. 41	25. VIII. 46
Feuchtwanger, Lion [3]	26. X. 40 IV. 44	9. X. 47
Fiedler, Kuno [1]	19. III. 40	
Fischer-Wolter, Erika [1]	20. XII. 47	
Fischer, Gottfried Bermann [3]	14. XI. 37 6. XII. 38	6. II. 43
Fischer, Hedwig [1]	8. IX. 46	
Fleischmann, Rudolf [1]	4. IV. 39	
Flinker, Martin [1]	29. I. 39	
Frank, Herbert [1]	19. III. 47	
Frank, Liesl [1]	28. III. 45	
Franke-Ruta, Walther [1]	24. IV. 45	
Freies Deutschland [1]	6. II. 46	
Freud, Sigmund [2]	4. V. 37	7. V. 39
Frey, A. M. [3]	10. VIII. 40 24. VIII. 40	17. IX. 47
Friedländer, Paul [1]	20. IV. 45	
Gentzen, Charlotte [1]	8. VII. 47	

Empfänger		
Hesse, Walter G. [1]	30. III. 46	
Hirsch, Helmut [2]	17. VII. 41	6. VIII. 41
Hull, Cordell [1]	25. X. 38	
Humm, R. J. [1]	26. X. 41	
Jacobson, Anna [6]	30. XI. 38	22. II. 45
	28. VIII. 44	9. VI. 46
	19. I. 45	15. XII. 46
Jacoby, Rudolph B. [1]	2. XI. 38	
»Kadetten« [1]	21. XI. 39	
Kahler, Erich von [13]	26. V. 38	31. XII. 41
	19. X. 38	16. I. 44
	8. VII. 40	20. X. 44
	5./6. IX. 40	1. V. 45
	30. III. 41	15. V. 46
	25. V. 41	20. VI. 46
	1. VI. 41	
Kaskell, Joseph [2]	27. VI. 44	16. X. 45
Kaufmann, Fritz [2]	17. II. 41	3. II. 43
Kayser, Rudolf [1]	8. XI. 46	
Kellen, Konrad [2]	19. VIII. 43	27. VIII. 46
Kenter, Wigand [1]	1. XII. 45	
Kerényi, Karl [4]	6. XII. 38	3. XII. 45
	16. II. 39	15. IX. 46
Kienberger [1]	23. XII. 37	
Klatzkin, Jacob [1]	28. XII. 43	
Knopf, Alfred A. [1]	Ende Febr. 42	
Kolb, Annette [1]	6. IV. 44	
Kölwel, Gottfried [1]	13. VIII. 46	
Koplowitz (Seidlin), Oskar [3]	6. XI. 38	28. IX. 47
	15. XI. 38	

	19. VI. 39	21. III. 41
	17. VII. 39	29. VII. 44
	26. XI. 39	9. VI. 45
	3. III. 40	22. V. 47
Mann, Klaus [12]	22. VII. 39	27. IV. 43
	11. VI. 41	25. VI. 44
	26. I. 42	6. XI. 44
	16. VI. 42	21. VI. 45
	2. IX. 42	19. IX. 47
	9. III. 43	25. IX. 47
Mann, Viktor [3]	15. XII. 45	27. III. 47
	4. X. 46	
Marck, Siegfried [2]	19. IX. 41	15. IV. 44
Marcuse, Ludwig [2]	27. III. 42	9. X. 47
Marcuse, Sascha [1]	1. VI. 43	
Mayer, Louis B. [1]	Oktober 41	
Mazzucchetti, Lavinia [1]	20. II. 37	
McDonald, James G. [1]	5. V. 40	
McKnight, Maxwell [1]	8. VII. 45	
Menzel, Richard [1]	14. VII. 47	
Mercati, Gräfin [1]	18. IV. 38	
Meyer, Agnes E. [110]	22. III. 38	21. X. 39
	19. VI. 38	3. XI. 39
	18. VII. 38	11. XI. 39
	13. XI. 38	5. I. 40
	21. XII. 38	3. II. 40
	1. II. 39	22. III. 40
	7. II. 39	4. V. 40
	3. IV. 39	25. V. 40
	7. V. 39	14. VI. 40
	13. V. 39	27. VII. 40
	20. V. 39	8. VIII. 40
	29. VI. 39	12. VIII. 40

24. VIII. 40	15. XII. 42
28. VIII. 40	19. XII. 42
24. IX. 40	5. I. 43
26. XI. 40	12. I. 43
3. XII. 40	28. I. 43
25. XII. 40	17. II. 43
24. I. 41	8. V. 43
30. I. 41	26. V. 43
16. II. 41	2. VI. 43
12. III. 41	18. VI. 43
2. V. 41	27. VIII. 43
15. V. 41	13. IX. 43
31. V. 41	30. IX. 43
11. VI. 41	27. X. 43
18. VI. 41	25. XII. 43
16. VII. 41	7. I. 44
26. VII. 41	22. I. 44
3. X. 41	16. II. 44
7. X. 41	28. IV. 44
3. XI. 41	3. VI. 44
16. XII. 41	6. VII. 44
23. XII. 41	17. VII. 44
27. XII. 41	5. VIII. 44
22. I. 42	11. X. 44
18. II. 42	17. XI. 44
21. II. 42	26. XI. 44
8. III. 42	12. XII. 44
5. V. 42	7. I. 45
12. V. 42	15. II. 45
14. V. 42	7. III. 45
23. V. 42	29. III. 45
2. VI. 42	24. IV. 45
27. VI. 42	25. VIII. 45
5. VII. 42	2. X. 45
12. VII. 42	25. X. 45
25. VII. 42	14. XII. 45
18. VIII. 42	25. XII. 45
20. VIII. 42	3. IV. 46
15. X. 42	20. V. 46

	2. VI. 46	27. VI. 47
	14. IX. 46	10. X. 47
	1. XII. 46	31. X. 47
	28. I. 47	31. XII. 47
Molo, Walter von [1]	7. IX. 45	
Motschan, Georges [1]	1. III. 37	
N. [1]	4. V. 42	
»Neue Zeitung« [1]	25. VI. 47	
Neuhaus, Cilly [1]	18. II. 47	
Neumann, Alfred [4]	28. XII. 37	1. X. 44
	18. I. 39	11. VI. 45
Neumann, Alfred u. Kitty [1]	14. VII. 47	
Newton, Caroline [10]	4. IV. 39	29. VII. 43
	5. XI. 39	15. VIII. 43
	20. I. 41	1. X. 43
	10. I. 42	5. XII. 43
	23. IV. 43	9. VI. 44
Niebuhr, Reinhold [1]	19. II. 43	
Olden, Rudolf [1]	1. VI. 39	
Oprecht, Emil [4]	30. I. 39	21. VIII. 40
	15. VI. 40	18. VIII. 41
Osborn, Max [1]	15. X. 44	
Politzer, Heinz [1]	3. IV. 46	
Pollak, Hans [1]	29. XII. 46	
Polzer, Viktor [2]	23. III. 40	30. V. 44
Preetorius, Emil [3]	23. X. 45	12. XII. 47
	30. XII. 46	
Rathbone, Mervyn [1]	29. IX. 39	
Reissner, Victor [1]	12. VII. 45	
Reuter, Ernst [1]	29. IV. 44	

Sternberger, Dolf [1]	19. III. 46	
Strauss, Georg [1]	20. VI. 46	
Strich, Fritz [3]	9. I. 38	27. XI. 45
	12. I. 38	
The American Poet [1]	28. XII. 43	
Unbekannt [1]	21. V. 38	
Viertel, Berthold [1]	2. IV. 45	
Walter, Bruno [11]	13. XII. 37	1. III. 45
	4. VI. 40	22. IX. 45
	30. VIII. 41	9. II. 46
	6. V. 43	25. II. 46
	16. VIII. 44	15. IX. 46
	21. IX. 44	
Weigand, Hermann J. [1]	28. X. 37	
Weiss, Ernst [1]	22. XII. 37	
Werfel, Franz [1]	26. V. 39	
Winterstein, Alfred von [1]	6. XII. 47	
Wolff, Kurt [1]	20. I. 43	
Zemplényi – Neumann, Clara [1]	20. VII. 44	
Zimmer, Christiane [1]	28. VII. 45	
Zweig, Stefan [3]	14. XI. 37	4. I. 40
	28. XII. 38	
Zweig, Friderike [1]	15. IX. 42	

VERZEICHNIS DER IN DEN BRIEFEN ERWÄHNTEN WERKE VON THOMAS MANN

NAMENREGISTER

Die kursiv gesetzten Seitenzahlen verweisen auf Briefe Thomas Manns an die genannte Person

INHALT

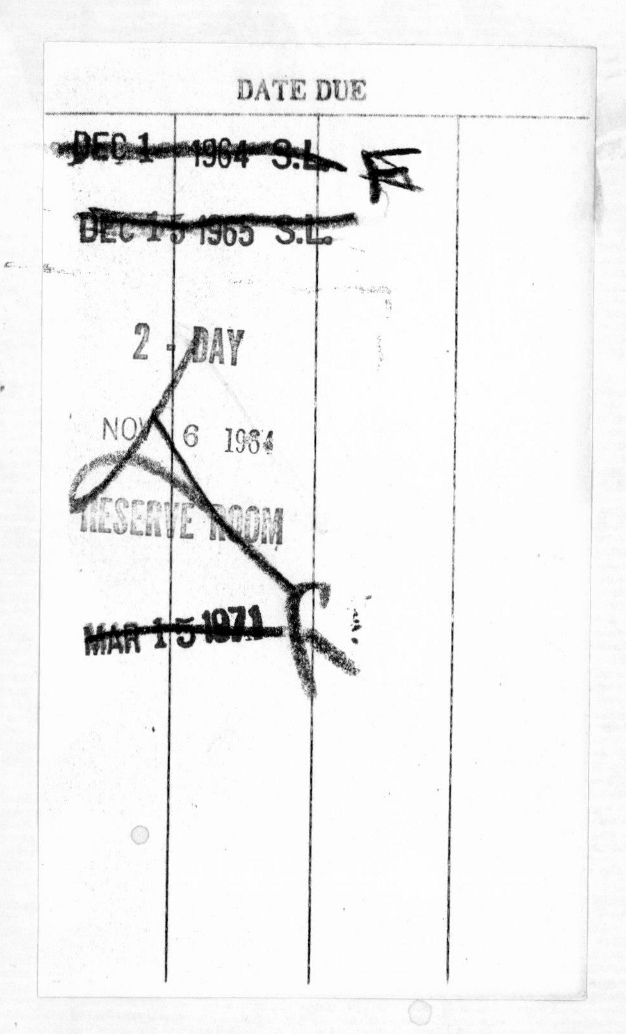